Über diese Ausgabe

Diese neue Taschenbuchausgabe enthält das dichterische Werk und die Schriften Georg Büchners sowie alle uns bekannten Briefe von und an den Dichter in einer nach den neuesten Forschungsergebnissen gründlich revidierten Textgestalt, wobei auf die Wiedergabe reiner Exzerpte, der Dissertation und der beiden Victor-Hugo-Übersetzungen wiederum verzichtet wurde.

Generell folgen die Texte den Handschriften, soweit diese erhalten sind, sonst den Erstdrucken. Zu einzelnen Werken sind Entstehungsstufen im Textteil des Bandes mitabgedruckt: die Verstreuten Bruchstücke zu ›Leonce und Lena‹ und – neben der von Werner R. Lehmann erstellten Lesefassung – die vier überlieferten Entwurfsstufen des ›Woyzeck‹. Die beiden voneinander abweichenden Drucke des ›Hessischen Landboten‹ sind in Paralleldruck wiedergegeben.

Auch der Anhang dieser neuen Ausgabe wurde einer umfassenden Revision unterzogen und enthält neben Quellen, Dokumenten und einer Zeittafel ausführliche Angaben zur Entstehungs-, Überlieferungs- und Wirkungsgeschichte sowie Sacherläuterungen. Ein umfangreiches Literaturverzeichnis beschließt den Band.

Literatur · Philosophie · Wissenschaft

Georg Büchner
Werke und Briefe

Münchner Ausgabe

Deutscher Taschenbuch Verlag

Herausgegeben von Karl Pörnbacher, Gerhard Schaub,
Hans-Joachim Simm und Edda Ziegler.
Die Texte wurden anhand der Erstdrucke,
der Handschriftenfaksimiles und unter Berücksichtigung der
Historisch-kritischen Ausgabe Werner R. Lehmanns erstellt.
Ausführliche Hinweise zu den einzelnen Texten im Anhang.

Oktober 1988
3. Auflage Dezember 1992
Deutscher Taschenbuch Verlag GmbH & Co. KG, München
© 1988 Carl Hanser Verlag, München
Umschlagtypographie: Celestino Piatti
Umschlagbild: Federzeichnung von J. B. A. Muston
(Foto: Heinz Fischer, Pöcking)
Gesamtherstellung: C. H. Beck'sche Buchdruckerei,
Nördlingen
Printed in Germany · ISBN 3-423-02202-7

INHALT

POETISCHE MISZELLANEEN

POETISCHE ERZÄHLUNGEN

⟨...⟩ Augen von der Brandung verschlungen. Der Kapitän ließ
nun die Yölle aussetzen, welche er mit 3 Passagieren, 4 Offizieren, 6 Matrosen und mir bestieg. Trotz der furchtbaren Wogen
und der Brandung gelang es uns vom Schiffe zu stoßen, welches, da wir uns kaum eine halbe Seemeile davon entfernt hatten
von einer ungeheuren Welle zertrümmert wurde und unter
einem gräßlichen Schrei, der mir jetzt noch in den Ohren gällt,
versanken fast 400 Menschen in den furchtbaren Abgrund.
Trotz des wütenden Sturmes erreichten wir glücklich das Ufer.
Auf den Knien und mit Freudetränen in den Augen dankten wir
Gott für unsre wunderbare Rettung und verfielen hierauf in
einen sanften Schlaf aus dem wir erst spät am Tage erwachten.
Beim Erwachen fanden wir uns von einem Trupp neugieriger
Chinesen umgeben, welche gerührt über unser trauriges Schicksal, das wir ihnen erzählten, uns zu unterstützen und nach Kanton zu schaffen versprachen: Wir folgten ihnen hierauf in ein
nahgelegnes Dorf, wo sie uns trefflich bewirteten, und traten
am folgenden Tage mit zweien von ihnen unsre Reise nach
Kanton an, wo wir auch nach einigen Tagen wohlbehalten ankamen. Wir wurden von den Faktoren der Handelscompagnie
sehr gut aufgenommen und auf's beste unterstützt. Die Matrosen nahmen auf andern Schiffen Dienste und der Kapitän, die
Offiziere und ich mieteten uns auf einem andern Schiffe ein um
nach England zurückzukehren und der Handelscompagnie Bericht über das traurige Schicksal des Schiffs abzustatten.

Nimm o bester der Väter mit willigem Geist dies Geschenk an,
Zwar ist es klein und gering; doch beweis' dir's die dankbare
                                                        Liebe,
Welche mein Herz für Dich hegt geliebtester Vater.
Möge Gott noch lang Dein teures Leben erhalten
Und Dich mit schützender Hand vor allem Unglück behüten.
Mög' er noch lange Dich im Kreise der Kinder und Freunde
Feiern lassen den Tag an dem die Welt Du erblicktest
Und durch die sorgende Hand der treuen Gattin und Kinder
Dir das Leben versüßen, für dessen Erhaltung ich flehe.
                                                Georg Büchner.

GEBADET IN DES MEERES BLAUER FLUT
Erhebt aus purpurrotem Osten sich
Das prächtig-strahlende Gestirn des Tags;
Erweckt, gleich einem mächt'gen Zauberwort,
Das Leben der entschlafenen Natur,
Von der, der Nebel wie ein Opferrauch
Empor zum unermeßnen Äther steigt.
Der Berge Zinnen brennen in dem ersten Strahl
Von welchem, wie vom flammenden Altar
Der Rauch des finstren Waldgebirges wallt –
Und fernhin in des Ozeans Fluten weicht
Die Nacht. So stieg auch uns ein schöner Tag
Zum Äther, der noch oft mit frohem Strahl
Im leichten Tanz der Horen grüßen mag
Den frohen Kreis, der den Allmächt'gen heut
Mit lautem Danke preist, da gnädig er,
Uns wieder feiern läßt den schönen Tag,
Der uns die beste aller Mütter gab.
Auch heute wieder in der üppigsten
Gesundheit, Jugend-Fülle steht sie froh
Im frohen Kreis der Kinder, denen sie
Voll zarter Mutterlieb ihr Leben weiht.
Oh! stieg noch oft ihr holder Genius
An diesem schönen Tag zu uns herab
Ihn schmückend mit dem holden Blumenpaar
Der Kindesliebe und Zufriedenheit! –

Ein kleines Weihnachtsgeschenk
von
G. Büchner
für
seine guten Eltern.
1828

DIE NACHT

Niedersinkt des Tages goldner Wagen,
Und die stille Nacht schwebt leis' herauf,
Stillt mit sanfter Hand des Herzens Klagen,
Bringt uns Ruh' im schweren Lebenslauf.

Ruhe gießt sie in das Herz des Müden,
Der ermattet auf der Pilgerbahn,
Bringt ihm wieder seinen stillen Frieden,
Den des Schicksals rauhe Hand ihm nahm.

Ruhig schlummernd liegen alle Wesen,
Feiernd schließet sich das Heiligtum,
Tiefe Stille herrscht im weiten Reiche,
Alles schweigt im öden Kreis' herum.

Und der Mond schwebt hoch am klaren Äther
Geußt sein sanftes Silberlicht herab;
Und die Sternlein funkeln in der Ferne
Schau'nd herab auf Leben und auf Grab.

Willkommen Mond, willkommen sanfter Bote
Der Ruhe in dem rauhen Erdental,
Verkündiger von Gottes Lieb und Gnade,
Des Schirmers in Gefahr und Mühesal.

Willkommen Sterne, seid gegrüßt ihr Zeugen
Der Allmacht Gottes der die Welten lenkt,
Der unter allen Myriaden Wesen
Auch meiner voll von Lieb und Gnade denkt.

Ja heil'ger Gott du bist der Herr der Welten,
Du hast den Sonnenball emporgetürmt,
Hast den Planeten ihre Bahn bezeichnet,
Du bist es, der das All mit Allmacht schirmt.

Unendlicher, den keine Räume fassen,
Erhabener, den Keines Geist begreift,
Allgütiger, den alle Welten preisen,
Erbarmender, der Sündern Gnade beut!

Erlöse gnädig uns von allem Übel,
Vergib uns liebend jede Missetat,
Laß wandeln uns auf deines Sohnes Wege,
Und siegen über Tod und über Grab.

LEISE HINTER DÜSTREM NACHTGEWÖLKE
Tritt des Mondes Silberbild hervor,
Aus des Wiesentales feuchtem Grunde
Steigt der Abendnebel leicht empor.

Ruhig schlummernd liegen alle Wesen,
Feiernd schweigt des Waldes Sängerchor,
Nur aus stillem Haine, einsam klagend,
Tönet Philomeles Lied hervor.

Schweigend steht des Waldes düstre Fichte,
Süß entströmt der Nachtviole Duft,
Um die Blumen spielt des West-Winds Flügel
Leis hinstreichend durch die Abendluft.

Doch was dämmert durch der Tannen Dunkel
Blinkend in Selenens Silberschein?
Hoch auf hebt sich zwischen schroffen Felsen
Einsam ein verwittertes Gestein;

An der alten Mauer dunklen Zinnen
Rankt der Efeu üppig sich empor,
Aus des weiten Burghofs öder Mitte
Ragt ein rings bemooster Turm hervor.

Fest noch trotzen alte Strebepfeiler;
Aufgetürmet wie zur Ewigkeit
Stehen sie und schau'n wie ernste Geister
Nieder auf der Welt Vergänglichkeit.

Still und ruhig ist's im öden Raume
Wie ein weites Grab streckt er sich hin;
Wo einst kräftige Geschlechter blühten
Nagt die Zeit jetzt, die Zerstörerin.

Durch der alten Säle düstre Hallen
Flattert jetzt die scheue Fledermaus,
Durch die rings zerfallnen Bogenfenster
Streicht der Nachtwind pfeifend ein und aus.

Auf dem hohen Söller wo die Laute
Schlagend einst die edle Jungfrau stand,

Krächzt der Uhu seine Totenlieder
Klebt sein Nest der Rabe an die Wand.

Alles alles hat die Zeit verändert
Überall nagt ihr gefräßger Zahn,
Über Alles schwingt sie ihre Sense,
Nichts ist was die schnelle hemmen kann.

NACHT

Wieder eine Nacht herabgestiegen
Auf das alte, ew'ge Erdenrund,
Wieder eine Finsternis geworden
In dem qualmerfüllten Kerkerschlund.

⟨STAMMBUCHBLATT FÜR HEINRICH FERBER⟩

Die da liegen in der Erden
Von de Würm gefresse werden,
Besser hangen in der Luft,
Als verfaulen in der Gruft.

Zur Erinnerung
an
Deinen
G Büchner.

3. Sptemb 35.

SCHRIFTEN AUS DER GYMNASIALZEIT

HELDEN-TOD DER VIERHUNDERT PFORZHEIMER

Für Tugend, Menschenrecht und Menschen-Freiheit sterben
Ist höchsterhabner Mut, ist Welterlöser-Tod,
Denn nur die göttlichsten der Helden-Menschen färben
Dafür den Panzer-Rock mit ihrem Herz-Blut rot.

Bürger

Erhaben ist es, den Menschen im Kampfe mit der Natur zu
sehen, wenn er mit gewaltiger Kraft sich stemmt gegen die Wut
der entfesselten Elemente und, vertrauend der Kraft seines Geistes nach seinem Willen die Kräfte der Natur zügelt.

Aber noch erhabner ist es den Menschen zu sehen im Kampfe
mit seinem Schicksale, wenn er es wagt mit kühner Hand in die
Speichen des Zeitrades zu greifen, wenn er an die Erreichung
seines Zweckes sein Höchstes und sein Alles setzt. Wer nur
einen Zweck und kein Ziel bei der Verfolgung desselben sich
gesetzt hat, sondern das Höchste, das Leben daran wagt, gibt
den Widerstand nie auf er siegt oder stirbt. Solche Männer waren es, die, wenn die ganze Welt feige ihren Nacken dem mächtig über sie hinrollenden Zeitrade beugte, kühn in die Speichen
desselben griffen und es entweder in seinem Umschwunge mit
gewaltiger Hand zurückschnellten oder von seinem Gewichte
zermalmt einen rühmlichen Tod fanden, d. h. mit dem kleinen
Reste des Lebens sich Unsterblichkeit erkauften. Solche Männer waren es, die ganze Nationen in ihrem Fluge mit sich fortrissen und aus ihrem Schlafe rüttelten, zu deren Füßen die Welt
zitterte, vor welchen die Tyrannen bebten. Solche Männer, welche unter den Millionen, die gleich Würmern aus dem Schoß
der Erde kriechen, ewig am Staube kleben und wie Staub vergehn und vergessen werden, sich zu erheben, sich Unvergänglichkeit zu erkämpfen wagten, solche Männer sind es, die wie
Meteore in der Geschichte, aus dem Dunkel des menschlichen
Elends und Verderbens hervorstrahlen. Solche Männer zeugte
Sparta, solche Rom. Doch wir haben nicht nötig die Vorwelt
um sie zu beneiden, wir haben nicht nötig sie wie die Wunder
einer längstvergangnen Helden-Zeit zu betrachten, nein, auch
unsre Zeit kann mit der Vorwelt in die Schranken treten, auch
sie zeugte Männer, die mit einem Leonidas, Cocles, Scävola und
Brutus um den Lorbeer ringen können. Ich habe nicht nötig um

solche Männer anzuführen auf die Zeiten Karls des Großen, oder der Hohenstaufen, oder der Freiheits-Kämpfe der Schweizer zurückzugehen, ich brauche mein Augenmerk nur auf den Kampf zu richten, der noch vor wenig Jahren die Welt erschütterte, der die Menschheit in ihrer Entwickelung um mehr denn ein Jahrhundert in gewaltigem Schwunge vorwärtsbrachte, der in blutigem aber gerechtem Vertilgungs-Kampfe die Greuel rächte, die Jahrhunderte hindurch schändliche Despoten an der leidenden Menschheit verübten, der mit dem Sonnen-Blicke der Freiheit den Nebel erhellte, der schwer über Europas Völkern lag und ihnen zeigte, daß die Vorsehung sie nicht zum Spiel der Willkür von Despoten bestimmt habe. Ich meine den Freiheits-Kampf der Franken; Tugenden entwickelten sich in ihm, wie sie Rom und Sparta kaum aufzuweisen haben und Taten geschahen, die nach Jahrhunderten noch Tausende zur Nachahmung begeistern können. Tausende solcher Helden könnte ich nennen, doch es genügt allein der Name eines L'Atour d'Auvergne, der wie ein Riesenbild in unsrer Zeit dasteht, hunderte solcher Taten könnte ich anführen, doch nur eine und die Thermopylen hören auf die einzigen Zeugen einer großen Tat zu sein.

Als die Franken unter Dumouriez den größten Teil von Holland mit der Republik vereinigt hatten, lief die vereinigte Flotte der Holländer und Franzosen gegen die Engländer aus, die mit einer bedeutenden Seemacht die Küsten Hollands blockierten. An der Küste von Nordholland treffen die feindlichen Flotten aufeinander, ein verzweifelter Kampf beginnt, die Franken und Holländer kämpfen wie Helden, endlich unterliegen sie der Übermacht und der Geschicklichkeit ihrer Feinde. In diesem Augenblick wird der *Vainqueur*, eins der Holländischen Schiffe, von drei feindlichen zugleich angegriffen und zur Übergabe aufgefordert. Stolz weist die kühne Mannschaft, obgleich das Schiff schon sehr beschädigt ist, den Antrag ab und rüstet sich zum Kampf auf Leben und Tod. Mit erneuerter Wut beginnt das Gefecht, das Feuer der Engländer bringt bald das der Franken zum Schweigen. Noch einmal wird der *Vainqueur* zur Übergabe aufgefordert, doch den Franken ist ein freier Tod lieber als ein sklavisches Leben, sie wollen nicht Leben, sie wollen Unsterblichkeit. Mit letztem Ruck feuern sie auf die Feinde, schwenken noch einmal die Banner der Republik und versenken sich mit dem Ruf: es lebe die Freiheit! in den unermeßlichen Abgrund des Meeres. Kein Denkmal bezeichnet den Ort wo sie starben, ihre Gebeine modern auf dem Grunde des

Meeres, sie hat kein Dichter besungen, kein Redner gefeiert, doch der Genius der Freiheit weint über ihrem Grabe und die Nachwelt staunt ob ihrer Größe.

Doch warum greife ich denn nach außen um solche Männer zu suchen, warum beachte ich denn nur das Entfernte, warum nicht das, was mir am nächsten liegt? Sollte denn mein Vaterland, sollte denn Teutschland allein nicht Helden zeugen können? Nein, mein Vaterland ich habe nicht nötig mich deiner zu schämen, mit Stolz kann ich rufen: ich bin Teutscher, ich kann mit dem Franken, dem Römer und Sparter in die Schranken treten, mit freudigem Selbstbewußtsein kann ich die Reihe meiner Ahnen überblicken und ihnen zujauchzen: seht, wer ist größer denn sie? Die Griechen kämpften ihren Heldenkampf gegen die Gesamtmacht Asiens, die Römer triumphierten über den Trümmern Karthagos, die Franken erkämpften Europas politische Freiheit, aber die Teutschen kämpften den schönsten Kampf, sie kämpften für Glaubens-Freiheit, sie kämpften für das Licht der Aufklärung, sie kämpften für das, was dem Menschen das Höchste und heiligste ist. Dieser Kampf war der erste Akt, des großen Kampfes, den die Menschheit gegen ihre Unterdrücker kämpft, so wie die Französische Revolution der zweite war; sowie einmal der Gedanke in keine Fesseln mehr geschlagen war, erkannte die Menschheit ihre Rechte und ihren Wert und alle Verbesserungen, die wir jetzt genießen sind die Folgen der Reformation, ohne welche die Welt eine ganz andre Gestalt würde erhalten haben, ohne welche, wo jetzt das Licht der Aufklärung strahlt, ewiges Dunkel herrschen würde, ohne welche das Menschen-Geschlecht, das sich jetzt zu immer freieren, zu immer erhabneren Gedanken erhebt, dem Tiere gleich, seiner Menschen-Würde verlustig sein würde.

Auf diesen Kampf kann ich mit Stolz blicken, von Teutschland ging durch ihn das Heil der Menschheit aus, er zeugte Helden, von deren Taten eine allein alle Taten des Altertums aufwiegt und der nur ein tausendjähriges Alter fehlt um von allen Zungen gepriesen zu werden. – In den ersten Jahren des dreißigjährigen Krieges, als nach der Schlacht am weißen Berge bei Prag, alle mächtigen Teutschen Fürsten, besorgt für ihre Existenz, treulos die Sache der Protestanten verließen, waren es nur noch die kleineren Fürsten Teutschlands, die von einem höheren Gefühle geleitet ihr Leben und ihre Länder opferten um für Glauben und Freiheit ihr Blut zu verspritzen. Unter ihnen ragt als das Muster eines Fürsten, Markgraf Friedrich von

Baden hervor, gehorsam dem Rufe der Ehre und Pflicht riß er sich aus den Armen der Ruhe, übergab die Regierung seines Landes seinem Sohne und vereinigte sich an der Spitze von 20,000 Badensern mit dem Heerhaufen des Grafen von Mansfeld. Ohne zu zaudern rückte das vereinigte Heer den Liguistischen entgegen, die unter Tilly in der Ober-Pfalz standen. Bei Wimpfen treffen sich die feindlichen Heere, die Badenser werfen sich, obgleich sie in wiederholten Gefechten einige Tage zuvor schon bedeutenden Verlust erlitten haben, mutig auf den ihnen weit überlegnen Feind. Ein blutiges Treffen beginnt, hier kämpft Fanatismus, dort die geläuterte Begeistrung für die heiligsten Rechte der Menschheit, Wut ringt mit Tapferkeit, Taktik mit Helden-Mut. Doch was vermag die Übermacht, was Feldherrnkunst, was vermögen feile Söldner und wahnsinnige Fanatiker, gegen Männer, die mit ihren Leibern ihr Vaterland decken, die entschlossen sind zu siegen oder zu sterben? An einem solchen Bollwerk brechen sich Tillys mordgewohnte Banden, ihre Schlachtreihn wanken und sinken unter dem Schwerte ihrer erbitterten Gegner. Schon lächelt der Sieg den kühnen Helden des Glaubens und der Freiheit, schon wähnt sich Friedrich die Helden-Schläfe mit dem blutigen dem Sieger von mehr denn zwanzig Schlachten entrissenen Lorbeer schmücken zu können. Doch einem größeren war dieser Lorbeer aufbehalten, ein größerer sollte Teutschland befreien, sollte die Menschheit rächen, noch sollte die Furie des Fanatismus, Teutschlands blühende Gauen verwüsten, noch einmal sollte Tillys finstrer Dämon siegen. Ein furchtbarer Donnerschlag vernichtet mit einmal die schönsten Hoffnungen, verfinstert wieder den rosigen Schimmer von Freiheit, der über Teutschlands Gefilden aufzublühen schien und zersplittert in den Händen der Sieger das blutige Rachschwert. Wie vom Blitzstrahl getroffen entzünden sich Friedrichs Pulverwagen, der Himmel verfinstert sich, die Erde bebt und von der furchtbaren Kraft des entfesselten Elementes zerschmettert brechen sich die Schlachtreihn der Badenser. In die Lücken stürzt sich der ermutigte Feind, er glaubt der Himmel streite für ihn, er glaubt ein Strafgericht Gottes zu sehen und würgt in fanatischer Wut die zerstreuten und fliehenden Haufen der Feinde. Vergebens sucht Friedrich die Seinigen wieder zu sammeln, vergebens erfüllt er zu gleicher Zeit die Pflichten des Feldherren und des Soldaten, vergebens stürzt er sich selbst dem andringenden Feinde entgegen. Von der Übermacht gedrängt muß er endlich weichen und das blutige Schlacht-Feld seinem glücklichen Gegner überlassen. Doch wohin soll er sich wenden? Schon ist er von allen Seiten umringt, schon überwältigt der Feind den letzten schwachen Widerstand, den ihm die Überreste des fliehenden Heeres entgegenstellen, und sein Untergang scheint unvermeidlich. Da werfen sich vierhundert Pforzheimer, an der Spitze ihren Bürgermeister *Deimling* dem Feinde entgegen, mit ihren Leibern decken sie, ein unerschütterliches Bollwerk, ihren Fürsten und ihre Landsleute. Vergebens bietet ihnen Tilly, betroffen von solcher Kühnheit und Seelengröße eine ehrenvolle Kapitulation an. Tausende stürmt der erbitterte Feind gegen das heldenkühne Häuflein, doch tausende brechen sich an der ehernen Mauer. Unerschütterlich stehen die Pforzheimer, keine Wut, keine Verzweiflung nur hohe Begeistrung und Todesverachtung malt sich in ihren Zügen. Unablässig stürmt der Feind seine Schlachthaufen heran; doch das Vaterland steht auf dem Spiele, Freiheit oder Knechtschaft ist die große Wahl, keiner weicht, keiner wankt, wie Löwen streiten sie von ihren Leichenhügeln herab, Mauern sind ihre Reihen, ein Turm jeder Mann, ein Bollwerk von Leichen umgibt sie. Endlich von allen Seiten angegriffen, erdrückt von der Übermacht, sinken sie Mann an Mann unter Hügeln erschlagner Feinde nieder und winden sich sterbend die unvergängliche Lorbeer-Krone des Siegers und die unsterbliche Palme des Martyrers um die Heldenschläfe.

Wollen wir eine solche Tat beurteilen, wollen wir sie gehörig würdigen und auffassen, so dürfen wir nicht die Wirkung allein, nicht die bloße Tat berücksichtigen, sondern wir müssen hauptsächlich unser Augenmerk auf die Motiven und die Umstände richten, welche eine solche Tat bewirkten, begleiteten und bestimmten. Sie sind die einzige Richtschnur, nach der man die Handlungen der Menschen messen und wägen kann. Nach der Wirkung aber und nach den Folgen, kann man nichts beurteilen, denn jene ist oft die nämliche, diese sind oft zufällig. Wenn man nun von diesem Gesichtspunkte aus die Aufopferung der Pforzheimer betrachtet, so wird man finden, daß es sehr wenige, vielleicht auch gar keine Tat gibt, welche sich mit der der Pforzheimer messen könnte. Tausende bluteten freilich schon für ihr Vaterland, tausende opferten schon freudig das Leben für Rechte und Menschenfreiheit, aber keinen wird man unter diesen Tausenden finden, dessen Aufopferung an und für sich selbst so groß, so erhaben sei als die der Pforzheimer. Sie trieb nicht Wut nicht Verzweiflung zum Kampf auf Leben und Tod (dies sind zwei Motive die den Menschen statt ihn zu erheben zum Tiere erniedrigen); sie wußten, was sie taten, sie kannten das Los dem sie entgegengingen und sie nahmen es hin wie Männer und starben kalt und ruhig den Helden-Tod. Doch dies ist das Geringste, was ihre Tat so sehr von allen übrigen hervorhebt, die vierhundert Römer, die dreihundert Sparter opferten sich eben so kalt und ruhig. Aber die Römer, die Sparter waren von Helden gezeugt, waren zu Helden erzogen, kannten nur einen Zweck, nur ein Ziel – ihr Vaterland, ihre ganze Erziehung war nur die Vorbereitung zu einer solchen Tat. Doch wer waren die Pforzheimer?

Einfache ruhige Bürger eilten sie aus den Armen der Ruhe auf das blutige Schlachtfeld, nicht gewohnt, dem Tod in das Auge zu sehen, noch nicht vertraut mit dem hohen Gedanken der Aufopferung für das Vaterland. Ihre Tapferkeit war nicht Gewohnheit, ihre Aufopferung war nicht die Frucht des Gehorsams, sie war die Frucht der höchsten Begeisterung für das, was sie als wahr und heilig erkannt hatten. Ihnen drohte nicht Schmach nicht Schande, wenn sie sich dem Tode entzogen, ihnen traten nicht die strafenden Gesetze des Vaterlandes entgegen. Sie hatten freie Wahl, und sie wählten den Tod.

Dies ist das große, dies das erhabne an ihrer Tat; dies zeugt von einem Adel der Gesinnung, der weit erhaben ist über die niedrige Sphäre des Alltagsmenschen, dem sein Selbst das Höchste ist, sein Wohlsein der einzige Zweck, der jedes höheren Gefühls unfähig und verlustig der wahren Menschen-Würde, seine Vernunft nur gebraucht um tierischer als das Tier zu sein. Dieser schändliche Egoismus ist eins der charakteristischen Kennzeichen der damaligen Zeit. Um so vielmehr sind daher die Pforzheimer zu bewundern, denn sie erhoben sich, indem der Gedanke und die Idee einer solchen Tat ganz eigentümlich aus ihnen selbst entsprang, zugleich über ihre Nation und über ihr Zeitalter. Wie groß wie erhaben sind aber noch überdies die Zwecke für welche sie starben, sie allein könnten schon auch ohne die angeführten Umstände, dieser Tat das Siegel der Unsterblichkeit aufdrücken. Dem Vaterland gaben sie den Vater wieder, mit ihrem Blute erkauften sie sein Leben, diese Tat war groß, doch nicht ⟨...⟩ beispiellos; sie warfen sich gleich einer ehernen Mauer zwischen den Feind und ihre Lands-Leute und deckten mit ihren Leibern ihren Rückzug, diese Tat zeugt von hohem Seelen-Adel, aber schon Tausende taten dasselbe; sie opferten sich für Glaubens-Freiheit, das heiligste Recht der Menschheit. Der Himmel war es und nach ihrer Meinung, die ewige Glückseligkeit, für welche sie willig starben. Aber welche irdische Gewalt hätte denn auch in das innere Heiligtum ihres Gemütes eindringen und den Glauben, der ihnen ja einmal aufgegangen war und auf den allein sie ihrer Seligkeit Hoffnung gründeten, darin austilgen können? Also auch ihre Seligkeit war es nicht für die sie kämpften, dieser waren sie schon versichert. Die Seligkeit ihrer Kinder, ihrer noch ungebornen Enkel und Nachkommen war es; auch diese sollten auferzogen werden in derselben Lehre, die ihnen als allein heilbringend erschienen war, auch diese sollten teilhaftig werden des Heils, das für sie angebrochen war. Diese Hoffnung allein war es, welche durch den Feind bedroht wurde, für sie, für eine Ordnung der Dinge, die lange nach ihrem Tode über ihren Gräbern blühen sollte versprützten sie mit Freudigkeit ihr Blut. Bekennen wir auch gerne, daß ihr Glaubensbekenntnis nicht das einzige und ausschließliche Mittel war des Himmels jenseits des Grabes teilhaftig zu werden; so ist doch dies ewig wahr, daß mehr Himmel diesseits des Grabes, ein mutigeres und fröhlicheres Emporblicken von der Erde und eine freiere Regung des Geistes durch ihre Aufopferung in alles Leben der Folgezeit gekommen ist und die Nachkommen ihrer Gegner sowohl, als wir selbst ihre Nachkommen, die Früchte ihrer Mühen bis auf diesen Tag genießen. So also starben sie nicht einmal für ihren eignen Glauben, nicht für sich selbst, sondern sie bluteten für die Nachwelt. Dies ist der erhabenste Gedanke für den man sich opfern kann dies ist Welt-Erlöser-Tod. Ja ihr Deimling, ihr Mayer, ihr Schober, ihr Helden, ein unvergängliches Denkmal habt ihr euch im Herzen aller Edlen erbaut, ein Denkmal, das über Tod und Verwesung triumphiert, das unbewegt steht im flutenden Strome der Ewigkeit. Eure Gebeine deckt nicht Marmor, nicht Erz, kein Denkmal bezeichnet den Ort, wo ihr starbt, vergessen hat euch euer undankbares Vaterland, die Gegenwart kennt euch nicht, aber die Bewundrung der Nachwelt wird euch rächen. Zu eurem Grabe rufe ich alle Völker des Erdbodens, rufe ich Vorwelt und Gegenwart, herzutreten und zu zeigen eine Tat, die größer, die erhabner ist, und sie müssen verstummen, und Teutschland wird es allein sein, das solche Männer zeugte, und einzig unerreicht prangt eure Tat mit unauslöschlichen Zügen in den Büchern der Weltgeschichte. –

Doch nicht dieser freudige Stolz auf meine Ahnen allein, bewegt mich an ihrem Grabe, auch ein tiefer Schmerz erfaßt mich

bei ihrem Andenken. Nicht ihnen gilt dieser Schmerz, es wäre
ja Torheit über solchen Tod zu klagen, nur glücklich sind die zu
preisen, welchen ein solches Los zu Teil ward, denn sie haben
sich das Höchste, haben sich Unsterblichkeit erkämpft. Ich
kann nicht weinen an ihrem Grabe, ich kann sie nur beneiden.
Nicht ihnen gilt mein Schmerz, mein Schmerz gilt meinem Vaterlande.

O über euch Teutsche! In euren Gauen geschah die schönste,
die herrlichste Tat, eine Tat, welche die ganze Nation adelt, eine
Tat, deren Früchte ihr noch genießt, und vergessen habt ihr die
Helden, die solches ausführten, die sich für Euch dem Tode
weihten. Das Fremde staunt ihr an in kalter Bewundrung, während ihr aus dem Busen eures Vaterlandes glühende Begeistrung
für alles Edle saugen könntet. Am toten Buchstaben der Fremden klebt ihr, doch ihr Geist ist ferne von euch, denn sonst
würdet ihr wissen, was ihr eurem Vaterlande schuldig seid. Eine
Nation seid ihr, an der sich noch Jahrhunderte die Völker bilden könnten und ihr werft eure Nationalbildung d. h. eure geistige Selbständigkeit hin um kindisch zu werden. O Teutschland, Teutschland den Stab wirfst du von dir, der dich stützen
und leiten könnte für fremden Tand, an den Brüsten der fremden Buhlerin nährst du dich und ziehst schleichendes Gift in
deine Adern, während du frische, kräftige Lebens-Milch saugen
könntest aus deinem Busen. Du hast nicht mehr gegen Außen
zu streiten, deine Freiheit ist gegen alle Anforderungen gesichert. Keines von jenen reißenden Raubtieren, die brüllend in
der Welt umherirren um die anerschaffnen Rechtsame eines
freien Volkes zu verschlingen, droht dir. Aber Teutschland darum bist du doch nicht frei; dein Geist liegt in Fesseln, du ver-
lierst deine Nationalität, und so wie du jetzt Sklavin des Fremden bist, so wirst du auch bald Sklavin der Fremden werden.

Doch ich höre schon antworten: wie? sieh doch hin, in einer
schönen Ordnung stehen alle Staaten, gleichmäßig sind alle
Rechte abgewogen, Friede und Wohlstand blüht in unsren Gefilden; sind wir nicht glücklich? O, ihr Toren trägen Herzens
den Ruf von vierthalbtausend Jahren zu fassen! blickt doch in
das große Buch der Weltgeschichte, das offen vor euch liegt,
blickt doch hin und antwortet noch einmal, sind wir nicht
glücklich? Was ist denn das, was die Staaten vom Gipfel ihrer
Größe herabwirft? Der Verlust ihrer geistigen Selbstständigkeit
ist es. Denn so wie ein Volk sich einmal über dem Fremden
vergißt, so wie es seinen Nationalcharakter, das Band das es

knüpft und zusammenhält, aufgibt, so wie es einmal in geistiger Bildung der Sklav eines andern wird, so geht auch leicht die politische Freiheit unter, auf die ihr stolz jetzt pocht, so trägt es den Keim des Verderbens in sich und wird, ein leeres Schatten-Bild die Beute jedes feindlichen Zufalls; versunken und vergessen geht es unter und steht mit Verachtung gebrandmarkt vor den Augen der strengrichtenden Nachwelt. Dies Teutsche, dies wird euer Los sein; wenn ihr euch jetzt nicht zu neuem, kräftigen Leben wieder erhebt, wenn ihr nicht bald wieder anfangt Teutsche zu werden, wenn ihr euch nicht eure Nationalität, rein und geläutert von allem Fremden wieder erwerbt, werden eure Nachkommen sich eures gebrandmarkten Namens schämen und untergehen werdet ihr ein Spott der Nachwelt und der Gegenwart. –

Denket, daß in meine Stimme sich mischen die Stimmen eurer Ahnen aus der grauen Vorwelt, die mit ihren Leibern sich entgegengestemmt haben der heranströmenden Römischen Weltherrschaft, die mit ihrem Blute erkauft haben die Unabhängigkeit der Berge, Ebnen und Ströme. Sie rufen euch zu: vertretet und überliefert unser Andenken eben so ehrenvoll und unbescholten der Nachwelt, wie es auf euch gekommen und wie ihr euch dessen und der Abstammung von uns gerühmt habt. Auch mischen sich in ihre Stimmen die Geister eurer spätern Vorfahren, die da fielen im heiligen Kampfe für Religions- und Glaubens-Freiheit. Rettet auch unsre Ehre, rufen sie euch zu, laßt unsre Kämpfe nicht zum eitlen vorüberrauschenden Possenspiele werden, zeigt, daß das Blut, was wir für euch versprützten, in euren Adern wallt. Es mischen sich in diese Stimmen, die Stimmen eurer noch ungebornen Nachkommen. Wollt ihr die Ketten zerreißen lassen, rufen sie euch zu, die euch an eure Ahnen binden, wollt ihr das Andenken eurer Vorfahren, das ihr rein und makellos erhalten habt, besudelt und befleckt uns überliefern, wollt ihr uns die Nachkommen freier Männer zu Sklaven werden lassen? Teutsche! die Waage hängt, in jener Schale liegt, was eure Vorfahren an dem Römer verachtet und an seinen Cäsaren gehaßt, in dieser das ehrwürdige Kleinod eurer biedern Vorältern, die durch so mancher Helden Blut im Laufe achtzehn stürmischer Jahrhunderte gegründete, behauptete, befestigte Nationalität und Selbstständigkeit. Dort liegt Gold neben Fesseln, hier der seltne Ruhm zugleich die stärkste und beste Nation zu sein. Wählet. –

ÜBER DEN TRAUM EINES ARKADIERS

Durch die ganze Geschichte finden wir im Leben jedes Volkes die deutlichsten Spuren von einem Wunder-Glauben, der noch jetzt nicht erloschen den gebildeten Europäer und den rohen Wilden befängt. Wollten wir dieses innere Gefühl uns als Aberglauben darstellen, wollten wir es nur als ein leeres Spiel der Phantasie abschütteln, so würden wir frech ein geistiges Band zerreißen, das uns gemeinsam mit allen Erdbewohnern umschlingt, ein Gefühl, das uns alle an die Mutterbrust der Natur drückt.

Der rohe Mensch sieht Wunder in den ewigen Phänomen⟨en⟩ der Natur, er sieht aber auch Wunder in außergewöhnlichen Fällen des Alltaglebens, für beide schafft er sich seine Götter. Der Gebildete sieht in den Wundern erstrer Art nur die Wirkungen der unerforschten, unbegriffnen Naturkräfte, aber auch sie sind ihm Wunder, solange das blöde Auge des Sterblichen nicht hinter den Vorhang blicken kann, der das Geistige vom Körperlichen scheidet, auch sie weisen ihn zurück auf ein Urprinzip, ein⟨en⟩ Inbegriff alles Bestehenden, auf die Natur. Von diesem Standpunkte aus will ich jetzt so weit es in meinen Kräften steht eine Tatsache zu beurteilen suchen, die vom grauen Altertum an bis jetzt noch Niemand *ganz* erklärt, ganz aufgehellt hat und Niemand vielleicht ganz aufhellen wird.

Zwei durch wechselseitige Liebe aufs innigste verbundene Arkadier, so erzählt man, machten eine Reise; bei ihrer Ankunft ⟨in⟩ Megara, kehrte der eine bei einer Herberge, der andre bei einem Gastfreunde ein. Im Traum nun erschien dem letzteren sein Freund, der ihn um Hülfe flehte, weil sein Wirt ihn ermorden wolle. Erschreckt sprang er auf, sammlete sich aber und da er das ganze für eine Täuschung des Traums hielt schlief er wieder ein. Da erschien ihm sein Freund zum zweitenmale, mit Blut bedeckt machte er ihm Vorwürfe und erzählte ihm sein Wirt habe ihn ermordet, auf einen mit Mist belade-⟨nen⟩ Wagen geworfen um die Leiche auf diese Art aus der Stadt zu schaffen.

⟨Rede zur Verteidigung des Kato von Utika⟩

Groß und erhaben ist es den Menschen im Kampfe mit der Natur zu sehen, wenn er gewaltig sich stemmt gegen die Wut der entfesselten Elemente und vertrauend der Kraft seines Geistes nach seinem Willen die rohen Kräfte der Natur zügelt. Aber noch erhabner ist es den Menschen zu sehen im Kampfe mit seinem Schicksale, wenn er es wagt einzugreifen in den Gang der Weltgeschichte, wenn er an die Erreichung seines Zwecks sein Höchstes, sein Alles setzt. Wer nur *einen* Zweck und kein Ziel bei der Verfolgung desselben sich vorgesteckt, gibt den Widerstand nie auf, er siegt – oder stirbt. Solche Männer waren es, welche, wenn die ganze Welt feige ihren Nacken dem mächtig über sie hinrollenden Zeitrade beugte, kühn in die Speichen desselben griffen, und es entweder in seinem Umschwunge mit gewaltiger Hand zurückschnellten, oder von seinem Gewichte zermalmt einen rühmlichen Tod fanden, d.h. sich mit dem Reste des Lebens *Unsterblichkeit* erkauften. Solche Männer, die unter den Millionen, welche aus dem Schoß der Erde kriechen, ewig am Staube kleben und wie Staub vergehn und vergessen werden, sich zu erheben, sich Unvergänglichkeit zu erkämpfen wagten, solche Männer sind es, die gleich Meteoren aus dem Dunkel des menschlichen Elends und Verderbens hervorstrahlen. Sie durchkreuzen wie Kometen die Bahn der Jahrhunderte; so wenig die Sternkunde den Einfluß der einen, ebenso wenig kann die Politik den der andern berechnen. In ihrem exzentrischen Laufe scheinen sie nur Irrbahnen zu beschreiben, bis die großen Wirkungen dieser Phänomene beweisen, daß ihre Erscheinung lange vorher durch jene Vorsehung angeordnet war, deren Gesetze eben so unerforschlich, als unabänderlich sind. –

Jedes Zeitalter kann uns Beispiele solcher Männer aufweisen, doch alle waren von jeher der verschiedenartigsten Beurteilung unterworfen. Die Ursache hiervon ist, daß jede Zeit *ihren* Maßstab an die Helden der Gegenwart oder Vergangenheit legt, daß sie nicht richtet nach dem eigentlichen Werte dieser Männer, sondern daß ihre Auffassung und Beurteilung derselben stets bestimmt und unterschieden ist durch die Stufe, auf der *sie selbst* steht. Wie fehlerhaft eine solche Beurteilung sei, wird Niemandem entgehen: für einen Riesen paßt nicht das Maß eines Zwergs; eine kleine Zeit darf nicht einen Mann beurteilen wollen, von dem sie nicht *einen* Gedanken fassen und ertragen könnte. Wer will dem Adler die Bahn vorschreiben, wenn er die Schwingen entfaltet und stürmischen Flug's sich zu den Sternen erhebt? Wer will die zerknickten Blumen zählen, wenn der Sturm über die Erde braust und die Nebel zerreißt, die dumpf-brütend über dem Leben liegen? Wer will nach den Meinungen und Motiven eines Kindes wägen und verdammen, wenn Ungeheures geschieht, wo es sich um Ungeheures handelt? Die Lehre dieser Beobachtung ist: man darf die Ereignisse und ihre Wirkungen nicht beurteilen, wie sie *äußerlich* sich darstellen, sondern man muß ihren *inneren tiefen* Sinn zu ergründen suchen und dann wird man das *Wahre* finden. –

Ich glaube erst dieses vorausschicken zu müssen um bei der Behandlung eines so schwierigen Themas zu zeigen, von welchem Standpunkte man bei der Beurteilung eines Mannes, bei der Beurteilung eines alten Römers ausgehen müsse, um zu beweisen, daß man ⟨an⟩ einen *Kato* nicht den Maßstab unsrer Zeit anlege, daß man seine Tat nicht nach neueren Grundsätzen und Ansichten beurteilen könne.

Man hört nämlich so oft behaupten: *subjektiv* ist *Kato* zu rechtfertigen, *objektiv* zu verdammen d.h. von unserm, vom *christlichen Standpunkte* aus ist *Kato* ein Verbrecher, von seinem eigenen aus ein Held. Wie man aber diesen christlichen Standpunkt hier anwenden könne ist mir immer ein Rätsel geblieben. Es ist ja doch ein ganz eigner Gedanke einen alten Römer nach dem Katechismus kritisieren zu wollen. Denn da man die Handlungen eines Mannes nur dann zu beurteilen vermag, wenn man sie mit seinem Charakter, seinen Grundsätzen und seiner Zeit zusammenstellt, so ist nur *ein* Standpunkt und zwar der *subjektive* zu billigen und jeder andre, zumal in diesem Falle der christliche, gänzlich zu verwerfen. So wenig als *Kato* Christ war, eben so wenig kann man die christlichen Grundsätze auf ihn anwenden wollen; er ist nur als *Römer* und *Stoiker* zu betrachten. Diesem Grundsatze gemäß werde ich alle Einwürfe, wie z.B. ⟨es ist nicht erlaubt sich das Leben zu nehmen, das man sich nicht selbst gegeben⟩ oder ⟨der Selbstmord ist ein Eingriff in die Rechte Gottes⟩ ganz und gar nicht berücksichtigen und nur die zu widerlegen suchen, welche man *Kato* vom Standpunkte des *Römers* aus machen könnte, wobei es unumgänglich notwendig ist, vorerst eine kurze, aber getreue Schilderung seines Charakters und seiner Grundsätze zu entwerfen. –

Kato war einer der untadelhaftesten Männer, den die Geschichte uns zeigt. Er war streng, aber nicht grausam; er war bereit Andern viel größere Fehler zu verzeihen, als sich selbst. Sein Stolz und seine Härte waren mehr die Wirkung seiner Grundsätze, als seines Temperaments. Voll unerschütterlicher Tugend wollte er lieber tugendhaft *sein*, als *scheinen*. Gerecht gegen Fremde, begeistert für sein Vaterland, nur das *Wohl* seiner Mitbürger, nicht ihre *Gunst* beachtend, erwarb er sich um so größeren Ruhm, je weniger er ihn begehrte. Seine große Seele faßte ganz die großen Gedanken: *Vaterland, Ehre* und *Freiheit*. Sein verzweifelter Kampf gegen *Cäsar* war die Folge seiner reinsten Überzeugung, sein Leben und sein Tod den Grundsätzen der Stoiker gemäß, die da behaupteten:

»Die Tugend sei die wahre, von Lohn und Strafe ganz unabhängige Harmonie des Menschen mit sich selbst, die durch die Herrschaft über die Leidenschaften erlangt werde; diese Tugend setze die höchste innre Ruhe und Erhabenheit über die Affektionen sinnlicher Lust und Unlust voraus; sie mache den Weisen nicht gefühllos, aber unverwundbar und gebe ihm eine Herrschaft über sein Leben, die auch den Selbstmord erlaube.«

Solche Gefühle und Grundsätze in der Brust, stand *Kato* da, wie ein Gigant unter Pygmäen, wie ein Heros einer untergegangenen Heldenzeit, wie ein ungeheurer, unbegreiflicher Riesenbau, erhaben über seine Zeit, erhaben selbst über menschliche Größe. Nur *ein* Mann stand ihm gegenüber. Er war *Julius Cäsar*. Beide waren gleich an Geisteskräften, gleich an Macht und Ansehn, aber beide ganz verschiednen Charakters. *Kato* der *letzte Römer, Cäsar* nichts mehr als ein glücklicher *Katilina, Kato* groß durch sich selbst, *Cäsar* groß durch sein Glück, mit dem größten Verbrechen geadelt durch den Preis seines Verbrechens. Für zwei solcher Männer war der Erdkreis zu eng. Einer mußte fallen und *Kato* fiel, nicht als ein Opfer der Überlegenheit *Cäsars,* sondern seiner verdorbenen Zeit. Anderthalbe hundert Jahre zuvor hätte kein Cäsar gesiegt. –

Nach Cäsars Siege bei *Thapsus* hatte *Kato* die Hoffnung seines Lebens verloren; nur von wenigen Freunden begleitet begab er sich nach Utika, wo er noch die letzten Anstrengungen machte, die Bürger für die Sache der Freiheit zu gewinnen. Doch als er sah, daß in ihnen nur Sklavenseelen wohnten, als Rom von seinem Herzen sich losriß, als er nirgends mehr ein Asyl fand für die Göttin seines Lebens, da hielt er es für das Einzigwürdige, durch einen besonnenen Tod seine freie Seele zu retten. Voll der zärtlichsten Liebe sorgte er für seine Freunde, kalt und ruhig überlegte er seinen Entschluß und als alle Bande zerrissen, die ihn an das Leben fesselten, gab er sich mit sichrer Hand den Todesstoß und starb, durch seinen Tod einen würdigen Schlußstein auf den Riesenbau seines Lebens setzend. Solch ein Ende konnte allein einer so großen Tugend in einer so heillosen Zeit geziemen!

So verschieden nun die Beurteilungen dieser Handlung sind, eben so verschieden sind auch die Motive, die man ihr zum Grunde legt. Doch ich denke, ich habe nicht nötig hier die zurückzuweisen, welche von Eitelkeit, Ruhmsucht, Halsstarrigkeit und dergleichen kleinlichen Gründen mehr reden (solche Gefühle hatten keinen Raum in der Brust eines *Kato*!) oder gar die zurückzuweisen, welche mit dem Gemeinplatz der *Feigheit* angezogen kommen. Ihre Widerlegung liegt schon in der bloßen Schilderung seines Charakters, der nach dem einstimmigen Zeugnis aller alten Schriftsteller so groß war, daß selbst *Vellejus Paterculus* von ihm sagt: *homo virtuti simillimus et per omnia ingenio diis, quam hominibus propior.*

Andre, die der Wahrheit schon etwas näher kamen und auch bei den Meisten Anhänger fanden, behaupteten der Beweggrund zum Selbstmord sei ein unbeugsamer Stolz gewesen, der nur vom Tode sich habe wollen besiegen lassen. Wahrlich, wäre dies das wahre Motiv, so liegt schon etwas Großes und Erhabnes in dem Gedanken, mit dem Tode die Gerechtigkeit der Sache, für die man streitet, besiegeln zu wollen. Es gehört ein großer Charakter dazu, sich zu einem solchen Entschluß erheben zu können. Aber auch nicht einmal dieser Beweggrund war es – es war ein höherer. *Katos* große Seele war ganz erfüllt von einem unendlichen Gefühle für *Vaterland* und *Freiheit,* das sein ganzes Leben durchglühte. Diese beiden Gedanken waren die Zentralsonne, um die sich alle seine Gedanken und Handlungen drehten. Den Fall seines Vaterlandes hätte *Kato* überleben können, wenn er ein Asyl für die andre Göttin seines Lebens, für die *Freiheit,* gefunden hätte. *Er fand es nicht.* Der Weltball lag in Roms Banden, alle Völker waren Sklaven, frei allein der Römer. Doch als auch dieser endlich seinem Geschicke erlag, als das Heiligtum der Gesetze zerrissen, als der Altar der Freiheit zerstört war, da war *Kato* der *einzige* unter Millionen, der *einzige* unter den Bewohnern einer Welt, der sich das Schwert in die Brust stieß, um unter Sklaven nicht leben zu müssen; denn Sklaven waren die Römer, sie mochten in goldnen oder ehernen

Fesseln liegen – sie waren *gefesselt*. Der Römer kannte nur *eine* Freiheit, sie war das Gesetz, dem er sich aus *freier* Überzeugung als *notwendig* fügte; diese Freiheit hatte *Cäsar* zerstört, *Kato* war Sklave, wenn er sich dem Gesetz der Willkür beugte. *Und war auch Rom der Freiheit nicht wert, so war doch die Freiheit selbst wert, daß Kato für sie lebte und starb.* Nimmt man diesen Beweggrund an, so ist Kato gerechtfertigt; ich sehe nicht ein, warum man sich so sehr bemüht einen niedrigern hervorzuheben; ich kann nicht begreifen, warum man einem Manne, dessen Leben und Charakter makellos sind, das Ende seines Lebens schänden will. Der Beweggrund, den ich seiner Handlung zu Grunde lege, stimmt mit seinem ganzen Charakter überein, ist seines ganzen Lebens würdig, und also der wahre. –

Diese Tat läßt sich jedoch noch von einem andern Standpunkte aus beurteilen, nämlich von dem der *Klugheit* und der *Pflicht*. Man kann nämlich sagen: handelte *Kato* auch *klug*, hätte er nicht versuchen können die Freiheit, deren Verlust ihn tötete, seinem Volke wieder zu erkämpfen? Und hätte er, wenn auch dieses nicht der Fall gewesen wäre, sich nicht dennoch seinen Mitbürgern, seinen Freunden, seiner Familie erhalten *müssen*?

Der erste Einwurf läßt sich widerlegen durch die *Geschichte*. *Kato* mußte bei einigem Blick in *sie* wissen und wußte es, daß Rom sich nicht mehr erheben könne, daß es einen Tyrannen nötig habe und daß für einen despotisch beherrschten Staat nur Rettung in dem *Untergang* sei. Wäre es ihm auch gelungen selbst *Cäsarn* zu besiegen, Rom blieb dennoch Sklavin; aus dem Rumpfe der Hyder wären nur neue Rachen hervorgewachsen. Die Geschichte bestätigt diese Behauptung. Die Tat eines *Brutus* war nur ein leeres Schattenbild einer untergegangnen Zeit. Was hätte es also *Kato* genützt, wenn er noch länger die Flamme des Bürgerkrieges entzündet, wenn er auch *Roms* Schicksal noch um einige Jahre aufgehalten hätte? *Er sah, Rom und mit ihm die Freiheit war nicht mehr zu retten.* –

Noch leichter läßt sich ⟨der⟩ andre Einwurf, als hätte *Kato* sich seinem, wenn auch unterjochten Vaterlande, dennoch erhalten müssen, beseitigen. Es gibt Menschen, die ihrem größeren Charakter gemäß mehr zu allgemeinen großen Diensten für das Vaterland, als zu besondern Hülfsleistungen gegen einzelne Notleidende verpflichtet sind. Ein solcher war *Kato*. Sein großer Wirkungs-Kreis war ihm genommen, seinen Grundsätzen gemäß konnte er nicht mehr handeln. *Kato* war zu groß, als daß er die freie Stirne dem Sklavenjoche des Usurpators hätte beugen, als daß er um seinen Mitbürgern eine Gnade zu erbetteln vor einem *Cäsar* hätte kriechen können. Kleineren Seelen überließ er dies; doch wie wenig durch Nachgeben und Fügsamkeit erreicht wurde, kann *Ciceros* Beispiel lehren. *Kato* hatte einen andern Weg eingeschlagen, noch den letzten großen Dienst seinem Vaterlande zu erweisen, ja sein Selbstmord war eine Aufopferung für dasselbe. Wäre *Kato* leben geblieben, hätte er sich mit Verläugnung aller seiner Grundsätze dem Usurpator unterworfen, so hätte dieses Leben die Billigung *Cäsars* erhalten, hätte er dies nicht gewollt, so hätte er in offnem Kampf auftreten und unnützes Blut vergießen müssen. Hier gab es *nur einen* Ausweg, er war der *Selbstmord*. Er war die Apologie des *Kato*, war die furchtbarste Anklage des *Cäsar*. *Kato* hätte nichts größres für sein Vaterland tun können, denn diese Tat, dieses Beispiel hätte alle Lebensgeister der entschlafnen *Roma* wecken müssen. Daß sie ihren Zweck verfehlte, daran ist nur *Rom*, nicht *Kato* schuld. –

Dasselbe läßt sich auch auf den Einwurf erwidern, als hätte *Kato* sich seiner Familie erhalten müssen. *Kato* war der Mann nicht, der sich im engen Kreise des Familienlebens hätte bewegen können, auch sehe ich nicht ein, warum er es hätte tun sollen; seinen Freunden nützte sein Tod mehr, als sein Leben seine *Porcia* hatte einen *Brutus* gefunden, sein Sohn war erzogen; der Schluß dieser Erziehung war der Selbstmord des Vaters, er war die letzte große Lehre für den Sohn. Daß derselbe sie verstand lehrte die Schlacht bei *Philippi*. –

Das Resultat dieser Untersuchung liegt in *Ludens* Worten: »*wer fragen kann, ob Kato durch seine Tugend nicht Rom mehr geschadet habe, als genützt, der hat weder Roms Art erkannt noch Katos Seele, noch den Sinn des menschlichen Lebens.*« Nimmt man nun alle diese angeführten Gründe und Umstände zusammen, so wird man leicht einsehen, daß *Kato* seinem Charakter und seinen Grundsätzen gemäß so handeln *konnte* und *mußte*, daß nur *dieser eine* Ausweg der Würde seines Lebens geziemte und daß jede andre Handlungsart seinem ganzen Leben widersprochen ⟨haben⟩ würde. –

Obgleich hierdurch nun *Kato* nicht allein entschuldigt, sondern auch gerechtfertigt wird, so hat man doch noch einen andern, keineswegs leicht zu beseitigenden, Einwurf gemacht, er heißt nämlich: »eine Handlung läßt sich nicht dadurch rechtfertigen, daß sie dem besondern Charakter eines Menschen gemäß gewesen ist. Wenn der *Charakter* selbst *fehlerhaft* war, so ist es die *Handlung* auch. Dies ist bei *Kato* der Fall. Er hatte nämlich nur eine sehr einseitige Entwicklung der Natur. Die Ursache, warum mit seinem Charakter die Handlung des Selbstmords übereinstimmte, lag nicht in seiner Vollkommenheit, sondern in seinen Fehlern. Es war nicht seine *Stärke* und sein *Mut*, sondern sein *Unvermögen* sich in einer ungewohnten Lebensweise schicklich zu bewegen, welches ihm das Schwert in die Hand gab.« –

So wahr auch diese Behauptung klingt, so hört ⟨sie⟩ bei näherer Betrachtung doch ganz auf einen Flecken auf *Katos* Handlung zu werfen. Diesem Einwurf gemäß wird gefordert, daß *Kato* sich nicht allein in die Rolle des *Republikaners,* sondern auch in die des *Dieners* hätte fügen sollen. Daß er dies nicht *konnte* und *wollte*, schreibt man der Unvollkommenheit seines Charakters zu. Daß aber dieses Schicken in alle Umstände eine Vollkommenheit sei kann ich nicht einsehen, denn ich glaube, daß *das* das große Erbteil des Mannes sei, *nur eine* Rolle spielen, nur in *einer* Gestalt sich zeigen, nur in das, was er als wahr und recht erkannt hat, sich fügen zu können. Ich behaupte also im Gegenteil, daß grade dieses Unvermögen, sich in eine seinen heiligsten Rechten, seinen heiligsten Grundsätzen widersprechende Lage zu finden, von der *Größe*, nicht von der *Einseitigkeit* und *Unvollkommenheit* des *Kato* zeugt.

Wie groß aber seine Beharrlichkeit bei dem war, was er als wahr und recht erkannt hatte, kann uns sein *Tod selbst* lehren. Wenig Menschen werden je gefunden worden sein, die den Entschluß zu sterben mit soviel Ruhe haben fassen, mit soviel Beharrlichkeit haben ausführen können. Sagt auch *Herder* verächtlich: »jener Römer, der im Zorne sich die Wunden aufriß!« so ist doch dies ewig und sicher wahr, daß grade der Umstand, daß *Kato* leben blieb und doch nicht zurückzog, daß *grade* der Umstand die Tat nur noch *großartiger* macht.

So handelte, *so* lebte, *so* starb *Kato*. Er selbst der Repräsentant Römischer Größe, der letzte eines untergesunknen Heldenstamms, der größte seiner Zeit! Sein Tod der Schlußstein für den ersten Gedanken seines Lebens, seine Tat ein Denkmal im Herzen aller Edlen, das über Tod und Verwesung triumphiert, das unbewegt steht im flutenden Strome der Ewigkeit! *Rom* die Riesin stürzte, Jahrhunderte gingen an seinem Grabe vorüber, die Weltgeschichte schüttelte über ihm ihre Lose, und noch steht *Katos* Namen neben der Tugend und *wird* neben ihr stehn, so lange das große Urgefühl für *Vaterland* und *Freiheit* in der Brust des Menschen glüht. –

<ÜBER DEN SELBSTMORD
EINE REZENSION>

Ohne gleich im Anfange ein entscheidendes Urteil über den Wert und den Inhalt vorliegender Arbeit fällen zu wollen, werde ich mich anfangs darauf einschränken einige von den in dieser Arbeit ausgesprochnen Gedanken und Meinungen in der von dem Verfasser befolgten Reihenfolge zu beleuchten und sie entweder zu verteidigen oder zu widerlegen versuchen. Diesen, vielleicht etwas sonderbar scheinenden, Weg einzuschlagen zwingt mich die eigentümliche Beschaffenheit des Themas selbst, bei welchem von einem *allgemein durchgreifenden Grundsatz* die Rede nicht sein kann, sondern nur von einer sachgemäßen Zusammenstellung einzelner Gedanken und Ansichten.

Dieser Verfahrungsart gemäß möchte ich behaupten, daß der gleich im Anfang *(pag. 1)* ausgesprochne *Grundsatz, daß von einem durchgängig anwendbaren Urteil die Rede nicht sein könne,* so richtig er auch an und für sich selbst ist, uns zuerst am *Schlusse,* als ein *Hauptresultat* dieser Arbeit hätte entgegenkommen dürfen.

Im Weitergehen bemerkte ich daß der Verfasser bei Anführung der Behauptung, der Selbstmörder handle *unklug (pag. 3)* den so oft angeführten Grund, weil derselbe einen *sichren* Zustand mit einem *unsichren* vertausche, ganz überging, ich werde deshalb hier einige Worte hierüber anführen. Es kommt mir immer sonderbar vor, wenn man dem Selbstmörder aus dem schon angeführten Grunde den Vorwurf der Unklugheit machen will.

Es liegt ganz in der Natur des Menschen, daß er einen, ihm *unerträglich* gewordnen Zustand mit einem andern, wenn auch noch so unsichern zu vertauschen sucht, es ereignet sich dies täglich, und niemand nimmt einen Anstoß daran. Wer will nun den, welchem sein irdischer Zustand *unerträglich* geworden ist, *unklug* nennen, weil er eine *hoffnungslose Sicherheit* aufopfert um zu einem Zustand, von dem er noch *hoffen* darf und der auf keinen Fall schlechter sein *kann* als der verlassne zu gelangen?

Es wäre ja eher *Unklugheit* in einer *rettungslosen* Lage zu verharren, wenn man noch ein, wenn auch *unsichres*, Mittel übrig hat sich zu *retten*. Ich behaupte also, daß man in *dieser Hinsicht* keineswegs den Selbstmörder *unklug* nennen könne.

Bei der *(pag. 6)* aufgestellten *sehr richtigen* Behauptung, daß der Selbstmord gegen unsre *Bestimmung* handle, erlaube man mir eine kleine auf den *(pag. 2)* angeführten Einwurf, daß der *Selbstmord unnatürlich* sei, weil er einen *natürlichen* Trieb unterdrücke, bezügliche Bemerkung. Ich möchte nämlich eigentlich behaupten, der Selbstmord handle gegen unsre *Natur*, denn in ihr liegt unsre *Bestimmung*. Man könnte also in *dieser Hinsicht* den Selbstmord eine der *Natur* widerstrebende oder *unnatürliche* Handlung nennen, jedoch in einem von dem schon angeführten, sehr schwachen Einwurf ganz verschiednem Sinne.

Die Behauptung der Selbstmord sei in *allen Fällen irreligiös* klingt gar eigen. Das *irreligiös* bedeutet in unserm Sinn so viel als *unchristlich*. Dieses *unchristlich* wird aber als Einwurf gegen den Selbstmord *oft* gar sehr gemißbraucht, indem man gewöhnlich damit angezogen kommt, wenn man *keinen* andern mehr machen kann, wie bei *Kato* und *Lukretia*. Ich will mich um dies zu beweisen an vorliegendes Beispiel halten. *Kato* ist vom wahren Standpunkte aus betrachtet in jeder Hinsicht zu rechtfertigen, dies gibt man zu kommt aber mit dem schalen Anhängsel hinten nach, *subjektiv* ist dies wohl wahr, *objektiv* aber unrichtig. Dieses *subjektive* ist aber das *einzig* richtige, widerspricht diesem das *objektive*, so ist dasselbe falsch. Nun ist, wie schon gesagt, *Kato* nach allen Gesetzen *menschlicher* Einsicht zu rechtfertigen; widerspricht diesem alsdann wirklich das *Christentum* so müssen die Lehren desselben in *dieser Hinsicht* unrichtig sein, denn unsre Religion kann uns nie verbieten irgend eine *Wahrheit*, *Größe*, *Güte* und *Schönheit* anzuerkennen und zu verehren außer ihr und uns *nie* erlauben eine *anerkannt sittliche* Handlung zu mißbilligen, weil sie mit einer ihrer Lehren nicht übereinstimmt. Was sittlich ist muß von *jedem* Standpunkte, von *jeder* Lehre aus betrachtet *sittlich* bleiben. Ob man aber *wirklich* beweisen könne, daß ein Selbstmord *wie* der des Kato dem Christentum widerstrebe ist eine *andre* Frage. Denn es wäre doch sonderbar, ja es wäre *unmöglich*, daß eine Religion, *welche ganz auf das Prinzip der Sittlichkeit gegründet ist*, einer *sittlichen* Handlung widerstreben sollte. Es trifft also dieser Vorwurf *keineswegs* das Christentum selbst, sondern nur diejenigen, welche den Sinn desselben falsch auffassen.

Mit dem *Seite 10* ausgesprochnen Gedanken kann ich nicht recht übereinstimmen, denn ich glaube daß der *ächte* Sensualist nie in den beschriebnen Zustand geraten wird.

Über *Roland (pag. 11)* ist zu hart geurteilt, ihn brachte nicht die Furcht vor dem Blutgerüst zu dem Entschluß sich selbst zu ermorden, sondern der Schmerz, welcher ihn bei der Nachricht von der Hinrichtung seiner Gattin übermannte. Überhaupt weiß ich nicht was die letzte Phrase *hier* bedeuten soll, denn wer sich selbst ermordet wagt es doch wahrlich dem Tod in das Auge zu sehen.

Nicht mit Unrecht hat der Verfasser bei seinem Urteile über die Tat des *Kato (pag. 15) Osiandern* erwähnt. Aber wahrlich die Vergleichung mit dem Schwan und den Krähen ist noch zu erhaben für einen solchen Menschen, welcher den Kato einen Monolog halten läßt, worin derselbe ungefähr sagt, daß Cäsar doch bös mit ihm umgehen würde, es sei also geratner sich bei Zeit auf dem kürzesten Wege davon zu machen, zumal da die Narren der Nachwelt wahrscheinlich ein großes Mirakel aus dieser Tat machen würden. Es fehlt nur wenig, daß der Herr Professor in seinem heiligen Eifer über die blinden Heiden eine Sektion des Kato vornähme und bewiese, daß derselbe einige Lot Gehirn zu wenig gehabt hätte. Wahrhaftig wenn ich ein solches Buch in die Hände bekomme, möchte ich mit *Göthe* über unser tintenklecksendes Seculum ausrufen: *Römerpatriotismus! Davor bewahre uns der Himmel, wie vor einer Riesengestalt. Wir würden keinen Stuhl finden darauf zu sitzen und kein Bett drinnen zu liegen.*

In der wahrhaft vortrefflichen Stelle, wo von dem letzten und erhabensten Motiv zum Selbstmord gesprochen wird *(pag. 16)* fand ich einen Ausdruck, dessen Erläuterung zwar nicht hierher zu gehören scheint, der aber doch bei näherer Beachtung einigen Bezug auf dieses Thema hat. Die Erde wird nämlich hier ein *Prüfungsland* genannt; dieser Gedanke war mir immer sehr anstößig, denn ihm gemäß wird das Leben nur als *Mittel* betrachtet, ich glaube aber daß das Leben *selbst Zweck* sei, denn: *Entwicklung* ist der Zweck des Lebens, das *Leben selbst* ist Entwicklung, also ist das Leben selbst *Zweck*. Von diesem Gesichtspunkte aus kann man auch den *einzigen fast allgemein gültigen* Vorwurf dem Selbstmord machen, weil derselbe unserm *Zwecke* und somit der *Natur* widerspricht, indem er die von der Natur uns gegebne, unserm Zweck angemessne *Form* des Lebens vor der Zeit zerstört.

Bei der aus Göthes Faust entnommenen Stelle vermißte ich die Worte des verschwindenden Erdgeistes: *Du gleichst dem Geist, den du begreifst, nicht mir,* sie sind es, welche *Faust* von seiner Höhe in den Abgrund der Verzweiflung hinabstürzen.

Ich kann nicht umhin den am Schluß ausgesprochnen Gedanken über den Selbstmord aus *Patriotismus* oder aus *physischen* und *psychischen* Leiden einige Worte hinzuzufügen, ob ich gleich wohl sehe, daß dies eigentlich in die Form einer Rezension nicht paßt. Die Behauptung, daß der welcher dem Vorteile seines Vaterlandes das Leben aufopfert kein eigentlicher Selbstmörder sei ist klar und bestimmt ausgesprochen und deutlich bewiesen, das Übrige jedoch ist etwas dunkler ohne bestimmtes Resultat, ich will also das, was ich für das eigentliche Resultat halte hier zu fügen. *Der Selbstmörder aus physischen und psychischen Leiden ist kein Selbstmörder, er ist nur ein an Krankheit Gestorbner.*

Ich verstehe nämlich darunter einen solchen, welcher durch geistiges oder körperliches unheilbares Leiden allmählig in jene Seelenstimmung verfällt, die man mit dem Namen der *Melancholie* bezeichnet, und so zum Selbstmord getrieben wird, keineswegs aber den, welcher um einem Leiden zu *entgehen* sich bei *freiem Sinn* und *Verstand* selbst tötet. Der erstere ist *krank*, der andre *schwach*. Der erstere ist an seiner Krankheit gestorben, denn ob dieses Leiden ihm allmählich das Leben raubt oder ihn durch den störenden Einfluß auf sein Gemüt zum Selbstmord bringt ist gleichgültig. Die *Form* ist nur verschieden, die *Wirkung* ist die nämliche, sie ist der *Tod,* seine Ursache lag in einer Krankheit, die eine Neigung zum Selbstmorde zur Folge hatte, was ich aus Beispielen zur Gnüge beweisen könnte. So wenig man nun von einem an der Auszehrung Gestorbnen sagen kann, der Narr oder der Sünder, warum ist er gestorben? eben so wenig darf man einem Selbstmörder aus *dieser Ursache* wegen seiner Tat einen Vorwurf machen wollen, er ist, wie schon gesagt, nicht als Selbstmörder zu betrachten.

Dasselbe läßt sich nun, und zwar in noch viel höherem Grade auf den anwenden, welcher sich aus *psychischen* Leiden den Tod gibt. *Psychische* Leiden sind, so wie *physische* Krankheit des Körpers, Krankheit des Geistes, letztere kann, wenn sie einmal feste Wurzeln geschlagen hat, noch viel weniger gehoben werden, als erstere. Wen also eine solche *geistige* Krankheit zum Tode treibt, der ist eben so wenig ein Selbstmörder, er ist nur ein an *geistiger Krankheit* Gestorbner. Das geistige Leiden selbst vermag den Körper nicht *unmittelbar* zu töten, es tut dies also *mittelbar;* dies ist der ganze Unterschied zwischen dem, welcher am hitzigen Fieber oder in einem Anfall von Wahnsinn stirbt.

Fasse ich hier nun ein allgemeines und bestimmtes Urteil über die ganze Arbeit zusammen.

Die Frage ist trotz der schwierigen Aufgabe zur Gnüge gelöst.

Der Verfasser umfaßt in seiner Arbeit bis auf weniges alle Einwürfe und alle Motive, dargestellt in einer bestimmten und sachgemäßen Ordnung; ohne es jedoch bei einer bloßen Zusammenstellung bewenden zu lassen, gibt er uns über jeden Gegenstand eine Menge schätzenswerter, vorurteilsfreier Gedanken, die, wenn sie auch nicht alle gleich richtig sind, doch zeigen, daß der Verfasser sich fern gehalten von aller Einseitigkeit, daß er Alles nicht von einem fremden, sondern von einem eignen selbstständigen Standpunkte aus betrachtet und beurteilt und durch eignes Nachdenken schon einen tiefern Blick in die In und Außenwelt des Menschen getan habe. Noch anziehender werden diese Gedanken durch eine klare, schöne und kräftige Sprache. Überdies wird das Ganze durch ein schönes und edles Gefühl wie durch einen warmen Frühlingshauch, belebt und erwärmt, es erhebt uns über den gewöhnlichen Standpunkt durch eine reine, glühende Begeisterung für das Edle und Große, es gibt uns, nicht in abgedroschnen Redensarten von Bruderliebe u. dgl. m., den Begriff ächter und wahrer Menschenliebe, indem es uns überall, dem schönen Gedanken gemäß, daß der Selbstmörder nur *Verirrter* nicht *Verbrecher* sei, die Gebrechen und Mängel des armen Sterblichen in der mildesten Form sehen läßt.

Einen würdigen Schluß zu der ganzen Arbeit bildet überdies der letzte erhabne Gedanke, er ist es, welcher dem Menschen allein im Schlamme des Lebens die wahre Würde bewahren kann.

DER HESSISCHE LANDBOTE

Gegenüberstellung der Fassungen
vom Juli und vom November 1834

DER HESSISCHE LANDBOTE
Erste Botschaft

Darmstadt, im Juli 1834.

Vorbericht

Dieses Blatt soll dem hessischen Lande die Wahrheit melden, aber wer die Wahrheit sagt, wird gehenkt, ja sogar der, welcher die Wahrheit liest, wird durch meineidige Richter vielleicht gestraft. Darum haben die, welchen dies Blatt zukommt, folgendes zu beobachten:

1) Sie müssen das Blatt sorgfältig außerhalb ihres Hauses vor der Polizei verwahren;
2) sie dürfen es nur an treue Freunde mitteilen;
3) denen, welchen sie nicht trauen, wie sich selbst, dürfen sie es nur heimlich hinlegen;
4) würde das Blatt dennoch bei Einem gefunden, der es gelesen hat, so muß er gestehen, daß er es eben dem Kreisrat habe bringen wollen;
5) wer das Blatt nicht gelesen hat, wenn man es bei ihm findet, der ist natürlich ohne Schuld.

Friede den Hütten! Krieg den Pallästen!

Im Jahr 1834 siehet es aus, als würde die Bibel Lügen gestraft. Es sieht aus, als hätte Gott die Bauern und Handwerker am 5ten Tage, und die Fürsten und Vornehmen am 6ten gemacht, und als hätte der Herr zu diesen gesagt: Herrschet über alles Getier, das auf Erden kriecht, und hätte die Bauern und Bürger zum Gewürm gezählt. Das Leben der Vornehmen ist ein langer Sonntag, sie wohnen in schönen Häusern, sie tragen zierliche Kleider, sie haben feiste Gesichter und reden eine eigne Sprache; das Volk aber liegt vor ihnen wie Dünger auf dem Acker. Der Bauer geht hinter dem Pflug, der Vornehme aber geht hinter ihm und dem Pflug und treibt ihn mit den Ochsen am Pflug, er nimmt das Korn und läßt ihm die Stoppeln. Das Leben des Bauern ist ein langer Werktag; Fremde verzehren seine Äcker vor seinen Augen, sein Leib ist eine Schwiele, sein Schweiß ist das Salz auf dem Tische des Vornehmen.

DER HESSISCHE LANDBOTE
Erste Botschaft

Darmstadt, im Nov. 1834.

Friede den Hütten! Krieg den Palästen!

Im Jahr 1834 siehet es aus, als würde die Bibel Lügen gestraft. Es sieht aus, als hätte Gott die Bauern und Handwerker am 5ten Tage, und die Fürsten und Großen am 6ten gemacht, und als hätte der Herr zu diesen gesagt: Herrschet über alles Getier, das auf Erden kriecht, und hätte die Bauern und Bürger zum Gewürm gezählt. Das Leben der Fürsten ist ein langer Sonntag;

das Volk aber liegt vor ihnen wie Dünger auf dem Acker. Der Bauer geht hinter dem Pflug, der Beamte des Fürsten geht aber hinter dem Bauer und treibt ihn mit den Ochsen am Pflug; der Fürst nimmt das Korn und läßt dem Volke die Stoppeln. Das Leben des Bauern ist ein langer Werktag; Fremde verzehren seine Äcker vor seinen Augen, sein Leib ist eine Schwiele, sein Schweiß ist das Salz auf dem Tische des Zwingherrn.

Im Großherzogtum Hessen sind 718,373 Einwohner, die geben an den Staat jährlich an 6,363,364 Gulden, als

1) Direkte Steuern	2,128,131	fl.
2) Indirekte Steuern	2,478,264	„
3) Domänen	1,547,394	„
4) Regalien	46,938	„
5) Geldstrafen	98,511	„
6) Verschiedene Quellen	64,198	„
	6,363,363	fl.

Dies Geld ist der Blutzehnte, der von dem Leib des Volkes genommen wird. An 700,000 Menschen schwitzen, stöhnen und hungern dafür. Im Namen des Staates wird es erpreßt, die Presser berufen sich auf die Regierung und die Regierung sagt, das sei nötig die Ordnung im Staat zu erhalten. Was ist denn nun das für gewaltiges Ding: der Staat? Wohnt eine Anzahl Menschen in einem Land und es sind Verordnungen oder Gesetze vorhanden, nach denen jeder sich richten muß, so sagt man, sie bilden einen Staat. Der Staat also sind *Alle*; die Ordner im Staate sind die Gesetze, durch welche das Wohl *Aller* gesichert wird, und die aus dem Wohl *Aller* hervorgehen sollen. – Seht nun, was man in dem Großherzogtum aus dem Staat gemacht hat; seht was es heißt: die Ordnung im Staate erhalten! 700,000 Menschen bezahlen dafür 6 Millionen, d. h. sie werden zu Ackergäulen und Pflugstieren gemacht, damit sie in Ordnung leben. In Ordnung leben heißt hungern und geschunden werden.

Wer sind denn die, welche diese Ordnung gemacht haben, und die wachen, diese Ordnung zu erhalten? Das ist die Großherzogliche Regierung. Die Regierung wird gebildet von dem Großherzog und seinen obersten Beamten. Die andern Beamten sind Männer, die von der Regierung berufen werden, um jene Ordnung in Kraft zu erhalten. Ihre Anzahl ist Legion: Staatsräte und Regierungsräte, Landräte und Kreisräte, Geistliche Räte und Schulräte, Finanzräte und Forsträte u. s. w. mit allem ihrem Heer von Sekretären u. s. w. Das Volk ist ihre Herde, sie sind seine Hirten, Melker und Schinder; sie haben die Häute der Bauern an, der Raub der Armen ist in ihrem Hause; die Tränen der Witwen und Waisen sind das Schmalz auf ihren Gesichtern; sie herrschen frei und ermahnen das Volk zur Knechtschaft. Ihnen gebt ihr 6,000,000 fl. Abgaben; sie haben dafür die Mühe, euch zu regieren; d. h. sich von euch füttern zu

Im Großherzogtum Hessen sind 718,373 Einwohner, die geben an den Staat jährlich an 6,363,364 Gulden, als

1) Direkte Steuern	2,128,131 fl.
2) Indirekte Steuern	2,478,264 ,,
3) Domänen	1,547,394 ,,
4) Regalien	46,938 ,,
5) Geldstrafen	98,511 ,,
6) Verschiedene Quellen	64,198 ,,
	6,363,363 fl.

Dies Geld ist der Blutzehnte, der von dem Leib des Volkes genommen wird. An 700,000 Menschen schwitzen, stöhnen und hungern dafür. Im Namen des Staates wird es erpreßt, die Presser berufen sich auf die Regierung und die Regierung sagt, das sei nötig, die Ordnung im Staat zu erhalten. Was ist denn nun das für gewaltiges Ding: der Staat? Wohnt eine Anzahl Menschen in einem Land und es sind Verordnungen oder Gesetze vorhanden, nach denen jeder sich richten muß, so sagt man, sie bilden einen Staat. Der Staat also sind *Alle*; die Ordner im Staate sind die Gesetze, durch welche das Wohl *Aller* gesichert wird, und die aus dem Wohl *Aller* hervorgehen sollen. – Seht nun, was man in dem Großherzogtum aus dem Staat gemacht hat; seht was es heißt: die Ordnung im Staate erhalten! 700,000 Menschen bezahlen dafür 6 Millionen, d. h. sie werden zu Ackergäulen und Pflugstieren gemacht, damit sie in Ordnung leben. In Ordnung leben heißt hungern und geschunden werden.

Wer sind denn die, welche diese Ordnung gemacht haben, und die wachen, diese Ordnung zu erhalten? Das ist die Großherzogliche Regierung. Die Regierung wird gebildet von dem Großherzog und seinen obersten Beamten. Die andern Beamten sind Männer, die von der Regierung berufen werden, um jene Ordnung in Kraft zu erhalten. Ihre Anzahl ist Legion: Staatsräte und Regierungsräte, Landräte und Kreisräte, Geistliche Räte und Schulräte, Finanzräte und Forsträte u. s. w. mit allem ihrem Heer von Sekretären u. s. w. Das Volk ist ihre Herde, sie sind seine Hirten, Melker und Schinder.

Ihnen gebt ihr 6,000,000 fl. Abgaben; sie haben dafür die Mühe, euch zu regieren; d. h. sich von euch füttern zu

lassen und euch eure Menschen- und Bürgerrechte zu rauben.
Sehet,   was die Ernte eures Schweißes ist.

Für das Ministerium des Innern und der Gerechtigkeitspflege
werden bezahlt 1,110,607 Gulden. Dafür habt ihr einen Wust
von Gesetzen, zusammengehäuft aus willkürlichen Verordnungen aller Jahrhunderte, meist geschrieben in einer fremden
Sprache. Der Unsinn aller vorigen Geschlechter hat sich darin
auf euch vererbt, der Druck, unter dem sie erlagen, sich auf
euch fortgewälzt. Das Gesetz ist das Eigentum einer unbedeutenden Klasse von Vornehmen und Gelehrten, die sich durch
ihr eignes Machwerk die Herrschaft zuspricht. Diese Gerechtigkeit ist nur ein Mittel, euch in Ordnung zu halten, damit man
euch bequemer schinde; sie spricht nach Gesetzen, die ihr nicht
versteht, nach Grundsätzen, von denen ihr nichts wißt, Urteile,
von denen ihr nichts begreift. Unbestechlich ist sie, weil sie sich
gerade teuer genug bezahlen läßt, um keine Bestechung zu
brauchen. Aber die meisten ihrer Diener sind der Regierung mit
Haut und Haar verkauft. Ihre Ruhestühle stehen auf einem
Geldhaufen von 461,373 Gulden (so viel betragen die Ausgaben
für die Gerichtshöfe und die Kriminalkosten). Die Fräcke,
Stöcke und Säbel ihrer unverletzlichen Diener sind mit dem
Silber von 197,502 Gulden beschlagen (so viel kostet die Polizei
überhaupt, die Gensdarmerie u. s. w.). Die Justiz ist in Deutschland seit Jahrhunderten die Hure der deutschen Fürsten. Jeden
Schritt zu ihr müßt ihr mit Silber pflastern, und mit Armut und
Erniedrigung erkauft ihr ihre Sprüche. Denkt an das Stempelpapier, denkt an euer Bücken in den Amtsstuben, und euer Wachestehen vor denselben. Denkt an die Sporteln für Schreiber
und Gerichtsdiener. Ihr dürft euern Nachbar verklagen, der
euch eine Kartoffel stiehlt; aber klagt einmal über den Diebstahl, der von Staatswegen unter dem Namen von Abgabe und
Steuern jeden Tag an eurem Eigentum begangen wird, damit
eine Legion unnützer Beamten sich von eurem Schweiße mästen: klagt einmal, daß ihr der Willkür einiger Fettwänste
überlassen seid und daß diese Willkür Gesetz heißt, klagt, daß
ihr die Ackergäule des Staates seid, klagt über eure verlorne
Menschenrechte: Wo sind die Gerichtshöfe, die eure Klage annehmen, wo die Richter, die rechtsprächen? – Die Ketten eurer
Vogelsberger Mitbürger, die man nach Rokkenburg schleppte,
werden euch Antwort geben.

Und will endlich ein Richter oder ein andrer Beamte von den
Wenigen, welchen das Recht und das gemeine Wohl lieber ist,

lassen und euch eure Menschen- und Bürgerrechte zu rauben. Sehet nun, was die Ernte eures Schweißes ist.

Für das Ministerium des Innern und der Gerechtigkeitspflege werden bezahlt 1,110,607 Gulden. Dafür habt ihr einen Wust von Gesetzen, zusammengehäuft aus willkürlichen Verordnungen aller Jahrhunderte, meist geschrieben in einer fremden Sprache. Der Unsinn aller vorigen Geschlechter hat sich darin auf euch vererbt, der Druck, unter dem sie erlagen, sich auf euch fortgewälzt.

Diese Gerechtigkeit ist nur ein Mittel, euch in Ordnung zu halten, damit man euch bequemer schinde; sie spricht nach Gesetzen, die ihr nicht versteht, nach Grundsätzen, von denen ihr nichts wißt, Urteile, von denen ihr nichts begreift. Unbestechlich ist sie, weil sie sich gerade teuer genug bezahlen läßt, um keine Bestechung zu brauchen. Die meisten Richter sind der Regierung mit Haut und Haar verkauft. Ihre Ruhestühle stehen auf einem Geldhaufen von 461,473 Gulden (so viel betragen die Ausgaben für die Gerichtshöfe und die Kriminalkosten). Die Fräcke, Stöcke und Säbel ihrer unverletzlichen Diener sind mit dem Silber von 197,502 Gulden beschlagen (so viel kostet die Polizei überhaupt, die Gensdarmerie u. s. w.). Die Justiz ist in Deutschland die Hure der Fürsten. Jeden Schritt zu ihr müßt ihr mit Silber pflastern, und mit Armut und Erniedrigung erkauft ihr ihre Sprüche. Denkt an das Stempelpapier, denkt an euer Bücken in den Amtsstuben, und euer Wachestehen vor denselben. Denkt an die Sporteln für Schreiber und Gerichtsdiener. Ihr dürft euern Nachbar verklagen, der euch eine Kartoffel stiehlt; aber klagt einmal über den Diebstahl, der von Staatswegen jeden Tag an eurem Eigentum begangen wird, damit eine Legion unnützer Beamte sich von eurem Schweiße mästen; klagt einmal, daß ihr der Willkür gewissenloser Subjekte überlassen seid und daß diese Willkür Gesetz heißt; klagt, daß ihr die Ackergäule des Staates seid; klagt über eure verlorne Menschenrechte: Wo sind die Gerichtshöfe, die eure Klage annehmen? wo die Richter, die recht sprächen? – Die Ketten eurer Vogelsberger Mitbürger, die man nach Rokkenburg schleppte, werden euch Antwort geben.

Und will endlich ein Richter oder ein anderer Beamte von den Wenigen, welchen das Recht und das gemeine Wohl lieber ist,

als ihr Bauch und der Mamon, ein Volksrat und kein Volks-
schinder sein, so wird er von den obersten Räten des Fürsten
selber geschunden.

Für das Ministerium der Finanzen 1,551,502 fl.

Damit werden die Finanzräte, Obereinnehmer,
Steuerboten, die Untererheber besoldet. Dafür wird der Ertrag
eurer Äcker berechnet und eure Köpfe gezählt. Der Boden unter euren Füßen, der Bissen zwischen euren Zähnen ist besteu-
ert. Dafür sitzen die Herren in Fräcken beisammen und das
Volk steht nackt und gebückt vor ihnen, sie legen die Hände an
seine Lenden und Schultern und rechnen aus, wie viel es noch
tragen kann, und wenn sie barmherzig sind, so geschieht es nur,
                        wie man ein Vieh schont, das man nicht so sehr
angreifen   will.

Für das Militär wird bezahlt 914,820 Gulden.

Dafür kriegen eure Söhne einen bunten Rock auf den Leib,
ein Gewehr oder eine Trommel auf die Schulter und dürfen
jeden Herbst einmal blind schießen, und erzählen, wie die Herren vom Hof, und die ungeratenen Buben vom Adel allen Kindern ehrlicher Leute vorgehen, und mit ihnen in den breiten
Straßen der Städte herumziehen mit Trommeln und Trompe-
ten. Für jene 900,000 Gulden müssen eure Söhne den Tyrannen
schwören und Wache halten an ihren Pallästen. Mit ihren
Trommeln übertäuben sie eure Seufzer, mit ihren Kolben zerschmettern sie euch den Schädel, wenn ihr zu denken wagt, daß
ihr freie Menschen seid. Sie sind die gesetzlichen Mörder, welche die gesetzlichen Räuber schützen,   denkt an Södel! Eure
Brüder, eure Kinder waren dort Brüder- und Vatermörder.

Für die Pensionen 480,000 Gulden.

Dafür werden die Beamten aufs Polster gelegt, wenn sie eine
gewisse Zeit dem Staate treu gedient haben, d. h. wenn sie eifri-
ge Handlanger bei der regelmäßig eingerichteten Schinderei gewesen, die man Ordnung und Gesetz heißt.

Für das Staatsministerium und den Staatsrat 174,600 Gulden.

Die größten Schurken stehen wohl jetzt allerwärts in
Deutschland den Fürsten am nächsten, wenigstens im Großherzogtum:

als ihr Bauch und der Mammon, ein Volksrat und kein Volks-
schinder sein, so wird er von den obersten Räten des Fürsten
selber geschunden.

Für das Ministerium der Finanzen 1,551,502 fl.

Damit werden die Finanzräte, Obereinnehmer, Rentbeamten,
Steuerboten, die Untererheber besoldet. Dafür wird der Ertrag
eurer Äcker berechnet und eure Köpfe gezählt. Der Boden unter euren Füßen, der Bissen zwischen euren Zähnen ist besteu-
ert. Dafür sitzen die Herren in Fräcken beisammen und das
Volk steht nackt und gebückt vor ihnen; sie legen die Hände an
seine Lenden und Schultern, und rechnen aus, wie viel es noch
tragen kann, und wenn sie barmherzig sind, so geschieht es nur
in dem Maße, wie man ein Vieh schont, das man noch ferner bei
mäßigem Futter zu unmäßiger Arbeit gebrauchen will.

Für das Militair wird bezahlt 914,820 Gulden.

Dafür kriegen eure Söhne einen bunten Rock auf den Leib,
ein Gewehr oder eine Trommel auf die Schulter und dürfen
jeden Herbst einmal blind schießen, und erzählen, wie die Herren vom Hof, und die ungeratenen Buben vom Adel allen Kindern ehrlicher Leute vorgehen und mit ihnen in den breiten
Straßen der Städte herumziehen mit Trommlen und Trompe-
ten. Für jene 900,000 Gulden müssen eure Söhne den Tyrannen
schwören und Wache halten an ihren Palästen. Mit ihren
Trommeln übertäuben sie eure Seufzer, mit ihren Kolben zerschmettern sie euch den Schädel, wenn ihr zu denken wagt, daß
ihr freie Menschen seid. Sie sind die gesetzlichen Mörder, welche die gesetzlichen Räuber schützen, – denkt an Södel! Eure
Brüder, eure Kinder waren dort Brüder- und Vatermörder.

Für die Pensionen 480,000 Gulden.

Dafür werden die Beamten aufs Polster gelegt, wenn sie eine
gewisse Zeit dem Staate treu gedient haben, d. h. wenn sie eifri-
ge Handlanger bei der regelmäßig eingerichteten Schinderei gewesen, die man Ordnung und Gesetz heißt.

Für das Staatsministerium und den Staatsrat 174,600 Gulden.

Die größten Schurken stehen wohl jetzt allerwärts in
Deutschland den Fürsten am nächsten, wenigstens im Großherzogtum. Da ist der *Staatsminister du Thil*, der jährlich mit
15,000 Gulden besoldet wird, – also wenn er 30 Jahre lang Minister bleibt, für sich allein fast *eine halbe Million* verschlingt;
da ist der *Staatsrat Knapp*, den der junge *Gagern* mit Zustimmung der Landstände den Rädelsführer einer treu- und ehrlosen Partei nannte; da ist überhaupt kein Minister, der nicht

Kommt ja ein ehrlicher Mann in einen Staatsrat, so wird er ausgestoßen. Könnte aber auch ein ehrlicher Mann jetzo Minister sein oder bleiben, so wäre er, wie die Sachen stehn in Deutschland, nur eine Drahtpuppe, an der die fürstliche Puppe zieht und an dem fürstlichen Popanz zieht wieder ein Kammerdiener oder ein Kutscher oder seine Frau und ihr Günstling, oder sein Halbbruder – oder alle zusammen. In Deutschland stehet es jetzt, wie der Prophet Micha schreibt, Kap. 7., V. 3 und 4: »Die Gewaltigen raten nach ihrem Mutwillen, Schaden zu tun, und drehen es, wie sie es wollen. Der Beste unter ihnen ist wie ein Dorn, und der Redlichste wie eine Hecke.« Ihr müßt die Dörner und Hecken teuer bezahlen; denn ihr müßt ferner für das großherzogliche Haus und den Hofstaat 827,772 Gulden bezahlen.

Die Anstalten, die Leute, von denen ich bis jetzt gesprochen, sind nur Werkzeuge, sind nur Diener. Sie tun nichts in ihrem Namen, unter der Ernennung zu ihrem Amt, steht ein L. das bedeutet *Ludwig* von Gottes Gnaden und sie sprechen mit Ehrfurcht: »im Namen des Großherzogs.« Dies ist ihr Feldgeschrei, wenn sie euer Gerät versteigern, euer Vieh wegtreiben, euch in den Kerker werfen. Im Namen des Großherzogs sagen sie, und der Mensch, den sie so nennen, heißt: unverletzlich, heilig, souverän, königliche Hoheit. Aber tretet zu dem Menschenkinde und blickt durch seinen Fürstenmantel. Es ißt, wenn es hungert, und schläft wenn sein Auge dunkel wird. Sehet, es kroch so nackt und weich in die Welt, wie ihr und wird so hart und steif hinausgetragen, wie ihr, und doch hat es seinen Fuß auf ⟨eurem⟩ Nacken, hat 700,000 Menschen an seinem Pflug, hat Minister die verantwortlich sind, für das, was ⟨es⟩ tut, hat Gewalt über euer Eigentum durch die Steuern die es ausschreibt, ⟨über⟩ euer Leben, durch die Gesetze, die es

zweifach meineidig wäre. Sie haben geschworen, keine Steuern ohne Bewilligung der Landstände zu erheben; aber wenn diese nicht blind verwilligen, so lösen sie dieselben auf – und abermals auf und erheben die unverwilligten Steuern fort. Sie haben geschworen, die Gerichte unangetastet und unabhängig zu lassen: aber Männer, wie den Präsidenten Minningerode, entfernen sie aus den Kanzleien und bringen Richter hinein, wie den Millionendieb Weller; oder man übergibt bürgerliche Sachen, wie die Sache des Dr. Schulz, den Kriegsgerichten und läßt den sogenannten Prinzen Emil bestimmen, wie viele Jahre der Angeklagte auf die Festung verurteilt werden soll. – Kommt ja ein ehrlicher Mann in einen Staatsrat, so wird er ausgestoßen. Könnte aber auch ein ehrlicher Mann jetzo Minister sein oder bleiben, so wäre er, wie die Sachen stehn in Deutschland, nur eine Drahtpuppe, an der die fürstliche Puppe zieht, und an dem fürstlichen Popanz zieht wieder seine Frau und ihr Günstling, oder sein Halbbruder, oder ein Kammerdiener oder ein Kutscher – oder alle zusammen. In Deutschland stehet es jetzt, wie der Prophet Micha schreibt, Kap. 7, V. 3 und 4: »Die Gewaltigen raten nach ihrem Mutwillen, Schaden zu tun, und drehen es, wie sie es wollen. Der Beste unter ihnen ist wie ein Dorn, und der Redlichste wie eine Hecke.« Ihr müßt die Dörner und Hecken teuer bezahlen, denn ihr müßt ferner für das großherzogliche Haus und den Hofstaat 827,772 Gulden bezahlen.

Die Anstalten, die Leute, von denen ich bis jetzt gesprochen, sind nur Werkzeuge, sind nur Diener. Sie tun nichts in ihrem Namen, unter der Ernennung zu ihrem Amt steht ein L., das bedeutet *Ludwig* von Gottes Gnaden und sie sprechen mit Ehrfurcht: »im Namen des Großherzogs.« Dies ist ihr Feldgeschrei, wenn sie euer Gerät versteigern, euer Vieh wegtreiben, euch in den Kerker werfen. Im Namen des Großherzogs sagen sie, und der Mensch, den sie so nennen, heißt: unverletzlich, heilig, souverän, königliche Hoheit. Aber tretet zu dem Menschenkinde und blickt durch seinen Fürstenmantel. Es ißt, wenn es hungert, und schläft wenn sein Auge dunkel wird. Sehet, es kroch so nackt und weich in die Welt wie ihr und wird so hart und steif hinausgetragen, wie ihr, und doch hat es seinen Fuß auf eurem Nacken, hat 700,000 Menschen an seinem Pflug,

   hat Gewalt über euer Eigentum durch die Steuern, die es ausschreibt, über euer Leben durch die Gesetze, die es

macht, es hat adliche Herrn und Damen um sich, die man Hofstaat heißt, und seine göttliche Gewalt vererbt sich auf seine
Kinder mit Weibern, welche aus eben so übermenschlichen Geschlechtern sind.

Wehe über euch Götzendiener! – Ihr seid wie die Heiden, die
das Krokodill anbeten, von dem sie zerrissen werden. Ihr setzt
ihm eine Krone auf, aber es ist eine Dornenkrone, die ihr euch
selbst in den Kopf drückt; ihr gebt ihm ein Scepter in die Hand,
aber es ist eine Rute, womit ihr gezüchtigt werdet; ihr setzt ihn
auf euern Thron, aber es ist ein Marter⟨stuhl⟩ für euch und eure
Kinder. Der Fürst ist der Kopf des Blutigels, der über euch
hinkriecht, die Minister sind seine Zähne und die Beamten sein
Schwanz. Die hungrigen Mägen aller vornehmen Herren, denen
er die hohen Stellen verteilt, sind Schröpfköpfe, die er dem
Lande setzt. Das L. was unter seinen Verordnungen steht, ist
das Malzeichen des Tieres, das die Götzendiener unserer Zeit
anbeten. Der Fürstenmantel ist der Teppich, auf dem sich die
Herren und Damen vom Adel und Hofe in ihrer Geilheit übereinander wälzen – mit Orden und Bändern decken sie ihre Geschwüre und mit kostbaren Gewändern bekleiden sie ihre aussätzigen Leiber. Die Töchter des Volks sind ihre Mägde und
Huren, die Söhne des Volks ihre Lakaien und Soldaten.   Geht
einmal nach Darmstadt und seht, wie die Herren sich für euer
Geld dort lustig machen, und erzählt dann euern hungernden
Weibern und Kindern, daß ihr Brod an fremden Bäuchen herrlich angeschlagen sei, erzählt ihnen von den schönen Kleidern,
die in ihrem Schweiß gefärbt, und von den zierlichen Bändern,
die aus den Schwielen ihrer Hände geschnitten sind, erzählt von
den stattlichen Häusern, die aus den Knochen des Volks gebaut
sind; und dann kriecht in eure rauchigen Hütten und bückt
euch auf euren steinichten Äckern, damit eure Kinder auch
einmal hingehen können, wenn ein Erbprinz mit einer Erbprinzessin für einen andern Erbprinzen Rat schaffen will, und durch
die geöffneten Glastüren das Tischtuch sehen, wovon die Herren speisen und die Lampen riechen, aus denen man mit dem
Fett der Bauern illuminiert. Das alles duldet ihr, weil euch
Schurken sagen: »diese Regierung sei von Gott.« Diese Regierung ist nicht von Gott, sondern vom Vater der Lügen. Diese
deutschen Fürsten sind keine rechtmäßige Obrigkeit, sondern
die rechtmäßige Obrigkeit, den deutschen Kaiser, der vormals
vom Volke frei gewählt wurde, haben sie seit Jahrhunderten
verachtet und endlich gar verraten. Aus Verrat und Meineid,

macht, es hat adliche Herren und Damen um sich, die man Hofstaat heißt, und seine göttliche Gewalt vererbt sich auf seine Kinder mit Weibern, welche aus eben so übermenschlichen Geschlechtern sind.

Wehe über euch Götzendiener! – Ihr seid wie die Heiden, die das Krokodil anbeten, von dem sie zerrissen werden. Ihr setzt ihm eine Krone auf, aber es ist eine Dornenkrone, die ihr euch selbst in den Kopf drückt; ihr gebt ihm ein Scepter in die Hand, aber es ist eine Rute, womit ihr gezüchtigt werdet; ihr setzt ihn auf den Thron, aber es ist ein Marterstuhl für euch und eure Kinder. Der Fürst ist der Kopf des Blutigels, der über euch hinkriecht, die Minister sind seine Zähne und die Beamten sein Schwanz. Die hungrigen Mägen aller vornehmen Herren, denen er die hohen Stellen verteilt, sind Schröpfköpfe, die er dem Lande setzt. Das L. was unter seinen Verordnungen steht, ist das Malzeichen des Tieres, das die Götzendiener unserer Zeit anbeten. Der Fürstenmantel ist der Teppich, auf dem sich die Herren und Damen vom Adel und Hofe in ihrer Geilheit übereinander wälzen – mit Orden und Bändern decken sie ihre Geschwüre und mit kostbaren Gewändern bekleiden sie ihre aussätzigen Leiber. Die Töchter des Volks sind ihre Mägde und Huren, die Söhne des Volks ihre Lakaien und Soldaten. Kommt einmal nach Darmstadt und seht, wie die Herren sich für euer Geld lustig machen, und erzählt dann euren hungernden Weibern und Kindern

von den schönen Kleidern, die in ihrem Schweiß gefärbt, und von den zierlichen Bändern, die aus den Schwielen ihrer Hände geschnitten sind, erzählt von den stattlichen Häusern, die aus den Knochen des Volks gebaut sind; und dann kriecht in eure rauchigen Hütten und bückt euch auf euren steinigten Äckern, damit eure Kinder auch einmal hingehen können, wenn ein Erbprinz mit einer Erbprinzessin für einen andern Erbprinzen Rat schaffen will, und durch die geöffneten Glastüren das Tischtuch sehen, wovon die Herren speisen und die Lampen riechen, aus denen man mit dem Fett der Bauern illuminiert. Das alles duldet ihr, weil euch Schurken sagen: »diese Regierung sei von Gott.« Diese Regierung ist nicht von Gott, sondern vom Vater der Lügen. Diese deutschen Fürsten sind keine rechtmäßige Obrigkeit, sondern die rechtmäßige Obrigkeit, den deutschen Kaiser, der vormals vom Volke frei gewählt wurde, haben sie seit Jahrhunderten verachtet und endlich gar verraten. Aus Verrat und Meineid, und nicht aus der Wahl des Volkes ist die Gewalt der deutschen Fürsten hervorgegangen, und darum ist ihr Wesen und Tun von Gott verflucht; ihre Weisheit ist Trug, ihre Gerechtigkeit ist Schinderei. Sie zertreten das Land und zerschlagen die Person des Elenden. Ihr lästert Gott, wenn ihr einen dieser Fürsten einen Gesalbten des Herrn nennt, das heißt: Gott habe die Teufel gesalbt und zu Fürsten über die deutsche Erde gesetzt. Deutschland, unser liebes Vaterland, haben diese Fürsten zerrissen, den Kaiser, den unsere freien Voreltern wählten, haben ⟨diese⟩ Fürsten verraten und nun fordern diese Verräter und Menschenquäler Treue von euch! – Doch das Reich der Finsternis neigt sich zum Ende. Über ein Kleines und Deutschland, das jetzt die Fürsten schinden, wird als ein *Freistaat* mit einer vom Volk gewählten Obrigkeit wieder auferstehn. Die heilige Schrift sagt: Gebet dem Kaiser, was des Kaisers ist. Was ist aber dieser Fürsten, der Verräter? – *Das Teil von Judas!*

Für die Landstände 16,000 Gulden.

Im Jahr 1789 war das Volk in Frankreich müde, länger die Schindmähre seines Königs zu sein. Es erhob sich und berief Männer, denen es vertraute, und die Männer traten zusammen und sagten, ein König sei ein Mensch wie ein anderer auch, er sei nur der erste Diener im Staat, er müsse sich vor dem Volk verantworten und wenn er sein Amt schlecht verwalte, könne er zur Strafe gezogen werden. Dann erklärten sie die Rechte des Menschen: »Keiner erbt vor dem andern mit der Geburt ein Recht oder einen Titel, keiner erwirbt mit dem Eigentum ein Recht vor dem andern. Die höchste Gewalt ist in dem Willen Aller oder der Mehrzahl. Dieser Wille ist das Gesetz, er tut sich kund durch die Landstände oder die Vertreter des Volks, sie werden von Allen gewählt und Jeder kann gewählt werden; diese Gewählten sprechen den Willen ihrer Wähler aus, und so entspricht der Wille der Mehrzahl unter ihnen dem Willen der Mehrzahl unter dem Volke; der König hat nur für die Ausübung der von ihnen erlassenen Gesetze zu sorgen.« Der König schwur dieser Verfassung treu zu sein, er wurde aber meineidig an dem Volke und das Volk richtete ihn, wie es einem Verräter geziemt. Dann schafften die Franzosen die erbliche Königswürde ab und wählten frei eine neue Obrigkeit, wozu jedes Volk nach der Vernunft und der heiligen Schrift das Recht hat. Die Männer, die über die Vollziehung der Gesetze wachen sollten, wurden von der Versammlung der Volksvertreter ernannt, sie bildeten die neue Obrigkeit. So waren Regierung und

und nicht *aus der Wahl des Volkes* ist die Gewalt der deutschen
Fürsten hervorgegangen, und darum ist ihr Wesen und Tun von
Gott verflucht; ihre Weisheit ist Trug, ihre Gerechtigkeit ist
Schinderei. Sie zertreten das Land und zerschlagen die Person
des Elenden. Ihr lästert Gott, wenn ihr einen dieser Fürsten
einen Gesalbten des Herrn nennt, das heißt: Gott habe die
Teufel gesalbt und zu Fürsten über die deutsche Erde gesetzt.
Deutschland, unser liebes Vaterland, haben diese Fürsten zerrissen, den Kaiser, den *unsre freien Voreltern wählten,* haben
diese Fürsten verraten und nun fordern diese Verräter und
Menschenquäler Treue von euch! – Doch das Reich der Finsternis neiget sich zum Ende. Über ein Kleines und Deutschland,
das jetzt die Fürsten schinden, wird als ein *Freistaat* mit einer
vom *Volk gewählten Obrigkeit* wieder auferstehn. Die heilige
Schrift sagt: Gebet dem Kaiser, was des Kaisers ist. Was ist aber
dieser Fürsten, der Verräter? – *Das Teil von Judas!*

Für die Landstände 16,000 Gulden.

Im Jahr 1789 war das Volk in Frankreich müde, länger die
Schindmähre seines Königs zu sein. Es erhob sich und berief
Männer, denen es vertraute, und die Männer traten zusammen
und sagten, ein König sei ein Mensch wie ein anderer auch, er
sei nur der erste Diener im Staat, er müsse sich vor dem Volk
verantworten und wenn er sein Amt schlecht verwalte, könne er
zur Strafe gezogen werden. Dann erklärten sie die Rechte des
Menschen: »Keiner erbt vor dem andern mit der Geburt ein
Recht oder einen Titel, keiner erwirbt mit dem Eigentum ein
Recht vor dem andern. Die höchste Gewalt ist in dem Willen
Aller oder der Mehrzahl. Dieser Wille ist das Gesetz, er tut sich
kund durch die Landstände oder die Vertreter des Volks, sie
werden von Allen gewählt und Jeder kann gewählt werden;
diese Gewählten sprechen den Willen ihrer Wähler aus, und so
entspricht der Wille der Mehrzahl unter ihnen dem Willen der
Mehrzahl unter dem Volke; der König hat nur für die Ausübung der von ihnen erlassenen Gesetze zu sorgen.« Der König
schwur dieser Verfassung treu zu sein, er wurde aber meineidig
an dem Volke und das Volk richtete ihn, wie es einem Verräter
geziemt. Dann schafften die Franzosen die erbliche Königswürde ab und wählten frei eine neue Obrigkeit, wozu jedes
Volk nach der Vernunft und der heiligen Schrift das Recht hat.
Die Männer, die über die Vollziehung der Gesetze wachen sollten, wurden von der Versammlung der Volksvertreter ernannt,
sie bildeten die neue Obrigkeit. So waren Regierung und

Gesetzgeber vom Volk gewählt und Frankreich war ein Freistaat.

Die übrigen Könige aber entsetzten sich vor der Gewalt des französischen Volkes, sie dachten, sie könnten alle über der ersten Königsleiche den Hals brechen und ihre mißhandelten Untertanen möchten bei dem Freiheitsruf der Franken erwachen. Mit gewaltigem Kriegsgerät und reisigem Zeug stürzten sie von allen Seiten auf Frankreich und ein großer Teil der Adligen und Vornehmen im Lande stand auf und schlug sich zu dem Feind. Da ergrimmte das Volk und erhob sich in seiner Kraft. Es erdrückte die Verräter und zerschmetterte die Söldner der Könige. Die junge Freiheit wuchs im Blut der Tyrannen und vor ihrer Stimme bebten die Throne und jauchzten die Völker. Aber die Franzosen verkauften selbst ihre junge Freiheit für den Ruhm, den ihnen Napoleon darbot, und erhoben ihn auf den Kaiserthron. – Da ließ der Allmächtige das Heer des Kaisers in Rußland erfrieren und züchtigte Frankreich durch die Knute der Kosaken und gab den Franzosen die dickwanstigen Bourbonen wieder zu Königen, damit Frankreich sich bekehre vom Götzendienst der erblichen Königsherrschaft und dem Gotte diene, der die Menschen frei und gleich geschaffen. Aber als die Zeit seiner Strafe verflossen war, und tapfere Männer im Julius 1830 den meineidigen König Karl den Zehnten aus dem Lande jagten, da wendete dennoch das befreite Frankreich sich abermals zur *halberblichen* Königsherrschaft und band sich in dem Heuchler Louis Philipp eine neue Zuchtrute auf. In Deutschland und ganz Europa aber war große Freude als der zehnte Karl vom Thron gestürzt ward, und die unterdrückten deutschen Länder richteten sich zum Kampf für die Freiheit. Da ratschlagten die Fürsten, wie sie dem Grimm des Volkes entgehen sollten und die listigen unter ihnen sagten: Laßt uns einen Teil unserer Gewalt abgeben, daß wir das Übrige behalten. Und sie traten vor das Volk und sprachen: Wir wollen euch die Freiheit schenken um die ihr kämpfen wollt. – Und zitternd vor Furcht warfen sie einige Brocken hin und sprachen von ihrer Gnade. Das Volk traute ihnen leider und legte sich zur Ruhe. – Und so ward Deutschland betrogen wie Frankreich.

Denn was sind diese Verfassungen in Deutschland? Nichts als leeres Stroh, woraus die Fürsten die Körner für sich herausgeklopft haben. Was sind unsere Landtage? Nichts als langsame Fuhrwerke, die man einmal oder zweimal wohl der Raubgier der Fürsten und ihrer Minister in den Weg schieben, woraus

Gesetzgeber vom Volk gewählt und Frankreich war ein Freistaat.

Die übrigen Könige aber entsetzten sich vor der Gewalt des französischen Volkes, sie dachten, sie könnten alle über der ersten Königsleiche den Hals brechen und ihre mißhandelten Untertanen möchten bei dem Freiheitsruf der Franken erwachen. Mit gewaltigem Kriegsgerät und reisigem Zeug stürzten sie von allen Seiten auf Frankreich und ein großer Teil der Adligen und Vornehmen im Lande schlug sich zu dem Feind. Da ergrimmte das Volk und erhob sich in seiner Kraft. Es erdrückte die Verräter und zerschmetterte die Söldner der Könige. Die junge Freiheit wuchs im Blut der Tyrannen und vor ihrer Stimme bebten die Throne und jauchzten die Völker. Aber die Franzosen verkauften selbst ihre junge Freiheit für den Ruhm, den ihnen Napoleon darbot, und erhoben ihn auf den Kaiserthron. – Da ließ der Allmächtige das Heer des Kaisers in Rußland erfrieren und züchtigte Frankreich durch die Knute der Kosaken und gab den Franzosen die dickwanstigen Bourbonen wieder zu Königen, damit Frankreich sich bekehre vom Götzendienst der erblichen Königsherrschaft und dem Gotte diene, der die Menschen frei und gleich geschaffen. Aber als die Zeit seiner Strafe verflossen war, und tapfere Männer im Julius 1830 den meineidigen König Karl den Zehnten aus dem Lande jagten, da wendete dennoch das befreite Frankreich sich abermals zur *halberblichen* Königsherrschaft und band sich in dem Heuchler Louis Philipp eine neue Zuchtrute auf. In Deutschland und ganz Europa aber war große Freude, als der zehnte Karl vom Thron gestürzt ward, und die unterdrückten deutschen Länder richteten sich zum Kampf für die Freiheit. Da ratschlagten die Fürsten, wie sie dem Grimm des Volkes entgehen sollten und die listigen unter ihnen sagten: Laßt uns einen Teil unserer Gewalt abgeben, daß wir das Übrige behalten. Und sie traten vor das Volk und sprachen: Wir wollen euch die Freiheit schenken, um die ihr kämpfen wollt. – Und zitternd vor Furcht warfen sie einige Brocken hin und sprachen von ihrer Gnade. Das Volk traute ihnen leider und legte sich zur Ruhe. – Und so ward Deutschland betrogen wie Frankreich.

Denn was sind diese Verfassungen in Deutschland? Nichts als leeres Stroh, woraus die Fürsten die K⟨ö⟩rner für sich herausgeklopft haben. Was sind unsere Landtage? Nichts als langsame Fuhrwerke, die man wohl der Raubgier der Fürsten und ihrer Minister in den Weg schieben, woraus man aber nimmermehr eine feste Burg für deutsche Freiheit bauen kann. Was sind unsere Wahlgesetze? Nichts als Verletzungen der Bürger- und Menschenrechte der meisten Deutschen. Denkt an das Wahlgesetz im Großherzogtum, wornach keiner gewählt werden kann, der nicht hoch begütert ist, wie rechtschaffen und gutgesinnt er auch sei, wohl aber der *Grolmann*, der euch um die zwei Millionen bestehlen wollte. Denkt an die Verfassung des Großherzogtums. – Nach den Artikeln derselben ist der Großherzog unverletzlich, heilig und unverantwortlich. Seine Würde ist erblich in seiner Familie, er hat das Recht Krieg zu führen und ausschließliche Verfügung über das Militär. Er beruft die Landstände, vertagt sie oder löst sie auf. Die Stände dürfen keinen Gesetzes-Vorschlag machen, sondern sie müssen um das Gesetz bitten, und dem Gutdünken des Fürsten bleibt es unbedingt überlassen, es zu geben oder zu verweigern. Er bleibt im Besitz einer fast unumschränkten Gewalt, nur darf er keine neuen Gesetze machen und keine neuen Steuern ausschreiben ohne Zustimmung der Stände. Aber teils kehrt er sich nicht an diese Zustimmung, teils genügen ihm die alten Gesetze, die das Werk der Fürstengewalt sind, und er bedarf darum keiner neuen Gesetze. Eine solche Verfassung ist ein elend jämmerlich Ding. Was ist von Ständen zu erwarten, die an eine solche Verfassung gebunden sind? Wenn unter den Gewählten auch keine Volksverräter und feige Memmen wären, wenn sie aus lauter entschlossenen Volksfreunden bestünden?! Was ist von Ständen zu erwarten, die kaum die elenden Fetzen einer armseligen Verfassung zu verteidigen vermögen! – Der einzige Widerstand, den sie zu leisten vermochten, war die Verweigerung der zwei Millionen Gulden, die sich der Großherzog von dem überschuldeten Volke wollte schenken lassen zu Bezahlung seiner Schulden. –

Hätten aber auch die Landstände des

man aber nimmermehr eine feste Burg für deutsche Freiheit bauen kann. Was sind unsere Wahlgesetze? Nichts als Verletzungen der Bürger- und Menschenrechte der meisten Deutschen. Denkt an das Wahlgesetz im Großherzogtum, wornach keiner gewählt werden kann, der nicht hochbegütert ist, wie rechtschaffen und gutgesinnt er auch sei, wohl aber der *Grolmann,* der euch um die zwei Millionen bestehlen wollte. Denkt an die Verfassung des Großherzogtums. Nach den Artikeln derselben ist der Großherzog unverletzlich, heilig und unverantwortlich. Seine Würde ist erblich in seiner Familie.

Er beruft die Landstände, vertagt sie oder löst sie auf. Die Stände dürfen keinen Gesetzes-Vorschlag machen, sondern sie müssen um das Gesetz bitten und nach Gutdünken kann der Fürst es geben oder verweigern. Er bleibt im Besitz einer fast unumschränkten Gewalt, nur darf er keine neuen Gesetze machen und keine neuen Steuern ausschreiben ohne Zustimmung der Stände. Aber teils kehrt er sich nicht an diese Zustimmung, teils genügen ihm die alten Gesetze, die das Werk der Fürstengewalt sind, und er bedarf darum keiner neuen Gesetze. Eine solche Verfassung ist ein elend jämmerlich Ding. Was ist von Ständen zu erwarten, die an eine solche Verfassung gebunden sind? Wenn unter den Gewählten auch keine Volksverräter und feige Memmen wären, wenn sie aus lauter entschlossenen Volksfreunden bestünden?!

– Der einzige Widerstand, den sie zu leisten vermochten, war die Verweigerung der 2 Millionen Gulden, die sich der Großherzog von dem überschuldeten Volke wollte schenken lassen zur Bezahlung seiner Schulden, und dann der 3ten Million zum Bau eines neuen Schlosses. – Aber eine Erleichterung des maßlosen Steuerdruckes, eine Änderung der heillosen Regierungsweise können solche Stände nicht bewirken. Ehe der fürstliche Gewalthaber einen Stadt- und Land-kundigen Ehebrecher, wie *du Thil* entläßt – eher entläßt er den Landtag. Er stößt die Wahl des Landes um und spricht öffentlich von seiner »*Langmut gegen die Landstände*«, als wäre er, der weder seine Schulden bezahlen, noch seinen Sohn ausstatten kann, ohne sich als *Bettler* an die Landstände und an das Land zu wenden, ein *Gott!* – So muß ein redliches Volk in seinen Vertretern sich *verfassungsmäßig* verhöhnen lassen! – Hätten aber auch die Landstände des

Großherzogtums genügende Rechte, und hätte das Großherzogtum, aber nur das Großherzogtum allein, eine wahrhafte Verfassung, so würde die Herrlichkeit doch bald zu Ende sein. Die Raubgeier in Wien und Berlin würden ihre Henkerskrallen ausstrecken und die kleine Freiheit mit Rumpf und Stumpf ausrotten. Das ganze deutsche Volk muß sich die Freiheit erringen. Und diese Zeit, geliebte Mitbürger, ist nicht ferne. – Der Herr hat das schöne deutsche Land, das viele Jahrhunderte das herrlichste Reich der Erde war, in die Hände der fremden und einheimischen Schinder gegeben, weil das Herz des deutschen Volkes von der Freiheit und Gleichheit seiner Voreltern und von der Furcht des Herrn abgefallen war, weil ihr dem Götzendienste der vielen Herrlein, Kleinherzoge und Däumlings-Könige euch ergeben hattet.

Der Herr, der den Stecken des fremden Treibers Napoleon zerbrochen hat, wird auch die Götzenbilder unserer einheimischen Tyrannen zerbrechen durch die Hände des Volks. Wohl glänzen diese Götzenbilder von Gold und Edelsteinen, von Orden und Ehrenzeichen, aber in ihrem Innern *stirbt der Wurm nicht und ihre Füße sind von Lehm.* – Gott wird euch Kraft geben ihre Füße zu zerschmeißen, sobald ihr euch bekehret von dem Irrtum eures Wandels und die Wahrheit erkennet: »daß nur Ein Gott ist und keine Götter neben ihm, die sich Hoheiten und Allerhöchste, heilig und unverantwortlich nennen lassen, daß Gott alle Menschen frei und gleich in ihren Rechten schuf und daß keine Obrigkeit von Gott zum Segen verordnet ist, als die, welche auf das Vertrauen des Volkes sich gründet und vom Volke ausdrücklich oder stillschweigend erwählt ist; daß dagegen die Obrigkeit,   die Gewalt, aber kein Recht über ein Volk hat, nur *also* von Gott ist, wie der Teufel auch von Gott ist, und daß der Gehorsam gegen eine solche Teufels-Obrigkeit nur so lange gilt, bis ihre Teufelsgewalt gebrochen werden kann; – daß der Gott, der ein Volk durch Eine Sprache zu Einem Leibe vereinigte, die Gewaltigen die es zerfleischen und vierteilen, oder gar in dreißig Stücke zerreißen, als Volksmörder und Tyrannen hier zeitlich und dort ewiglich strafen wird, denn die Schrift sagt: was Gott vereinigt hat, soll der Mensch nicht trennen; und daß der Allmächtige, der aus der Einöde ein Paradies schaffen kann, auch ein Land des Jammers und des Elends wieder in ein Paradies umschaffen kann, wie unser teuerwertes Deutschland war, bis seine Fürsten es zerfleischten und schunden.«

Großherzogtums genügende Rechte, und hätte das Großherzogtum, aber nur das Großherzogtum allein, eine wahrhafte
Verfassung, so würde die Herrlichkeit doch bald zu Ende sein.
Die Raubgeier in Wien und Berlin würden ihre Henkerskrallen
ausstrecken und die kleine Freiheit mit Rumpf und Stumpf ausrotten. Das ganze deutsche Volk muß sich die Freiheit erringen.
Und diese Zeit, geliebte Mitbürger, ist nicht ferne. – Der Herr
hat das schöne deutsche Land, das viele Jahrhunderte das herrlichste Reich der Erde war, in die Hände der fremden und
einheimischen Schinder gegeben, weil das Herz des deutschen
Volkes von der Freiheit und Gleichheit seiner Voreltern und
von der Furcht des Herrn abgefallen war, weil ihr dem Götzendienste der vielen Herrlein, Kleinherzoge und Däumlings-Könige euch ergeben hattet.

Der Herr, der den Stecken des fremden Treibers Napoleon
zerbrochen hat, wird auch die Götzenbilder unserer einheimischen Tyrannen zerbrechen durch die Hände des Volks. Wohl
glänzen diese Gewalthaber von Gold und Edelsteinen, von Orden und Ehrenzeichen, aber in ihrem Innern *stirbt der Wurm
nicht und ihre Füße sind von Lehm.* – Gott wird euch Kraft
geben, ihre Füße zu zerschmeißen, sobald ihr euch bekehret
von dem Irrtum eures Wandels und die Wahrheit erkennet:
»daß nur Ein Gott ist und keine Götter neben ihm, die sich
Hoheiten und Allerhöchste, heilig und unverantwortlich nennen lassen, daß Gott alle Menschen frei und gleich in ihren
Rechten schuf und daß keine Obrigkeit von Gott *zum Segen*
verordnet ist, als die, welche auf das Vertrauen des Volkes sich
gründet und vom Volke ausdrücklich oder stillschweigend erwählt ist; daß   eine Obrigkeit, welche zwar Gewalt, aber
kein Recht über ein Volk hat, nur *also* von Gott ist, wie der
Teufel auch von Gott ist, und daß der Gehorsam gegen eine
solche Teufelsobrigkeit nur so lange gilt, bis ihre Teufelsgewalt gebrochen werden kann; – daß der Gott, der ein Volk
durch Eine Sprache zu Einem Leibe vereinigte, die Gewaltigen
die es zerfleischen und vierteilen, oder gar in dreißig Stücke
zerreißen, als Volksmörder und Tyrannen hier zeitlich und dort
ewiglich strafen wird, denn die Schrift sagt, was Gott vereinigt
hat, soll der Mensch nicht trennen; und daß der Allmächtige,
der aus der Einöde ein Paradies schaffen kann, auch ein Land
des Jammers und des Elends wieder in ein Paradies umschaffen
kann, wie unser teuerwertes Deutschland war, bis seine Fürsten
es zerfleischten und schunden.«

Weil das deutsche Reich morsch und faul war, und die Deutschen von Gott und von der Freiheit abgefallen waren, hat Gott das Reich zu Trümmern gehen lassen, um es zu einem Freistaat zu verjüngen. Er hat eine Zeitlang »den Satans-Engeln Gewalt gegeben, daß sie Deutschland mit Fäusten schlügen, er hat den Gewaltigen und Fürsten, die in der Finsternis herrschen, den bösen Geistern unter dem Himmel (Ephes. 6.) Gewalt gegeben, daß sie Bürger und Bauern peinigten und ihr Blut aussaugten und ihren Mutwillen trieben mit Allen, die Recht und Freiheit mehr lieben als Unrecht und Knechtschaft.« – – Aber ihr Maß ist voll!

Sehet an das von Gott gezeichnete Scheusal, den König Ludwig von Baiern, den Gotteslästerer, der redliche Männer vor seinem Bilde niederzuknien zwingt, und die, welche die Wahrheit bezeugen, durch meineidige Richter zum Kerker verurteilen läßt; das Schwein, das sich in allen Lasterpfützen von Italien wälzte, den Wolf, der sich für seinen Baals-Hofstaat für immer jährlich fünf Millionen durch meineidige Landstände verwilligen läßt, und fragt dann: »Ist das eine Obrigkeit von Gott zum Segen verordnet?«

Ha! du wärst Obrigkeit von Gott?

Gott spendet Segen aus;

Du raubst du schindest, kerkerst ein,

Du nicht von Gott, Tyrann!

Ich sage euch: sein und seiner Mitfürsten Maß ist voll. Gott, der Deutschland um seiner Sünden willen geschlagen hat durch diese Fürsten, wird es wieder heilen. »Er wird die Hecken und Dörner niederreißen und auf einem Haufen verbrennen.«

Jesaias 27,4. So wenig der Höcker noch wächset, womit Gott diesen König Ludwig gezeichnet hat, so wenig werden die Schandtaten dieser Fürsten noch wachsen können. Ihr Maß ist voll. Der Herr wird ihre Zwingburgen zerschmeißen und in Deutschland wird dann Leben und Kraft, der Segen der Freiheit wieder erblühen. Zu einem großen Leichenfelde haben die Fürsten die deutsche Erde gemacht, wie Ezechiel im 37 Kapitel beschreibt: »Der Herr führte mich auf ein weites Feld, das voller Gebeine lag, und siehe, sie waren sehr verdorrt.« Aber wie lautet des Herrn Wort zu den verdorrten Gebeinen: »Siehe, ich will euch Adern geben und Fleisch lassen über euch wachsen, und euch mit Haut überziehen, und will euch Odem geben, daß ihr wieder lebendig werdet, und sollt erfahren, daß Ich der Herr bin.« Und des Herrn Wort wird auch an Deutschland sich

Weil das deutsche Reich morsch und faul war, und die Deutschen von Gott und von der Freiheit abgefallen waren, hat Gott das Reich zu Trümmern gehen lassen, um es zu einem Freistaat zu verjüngen. Er hat eine Zeitlang »den Satans-Engeln« Gewalt gegeben, daß sie Deutschland mit Fäusten schlügen, er hat den »Gewaltigen und Fürsten, die in der Finsternis wohnen, den bösen Geistern unter dem Himmel« (Ephes. 6) Gewalt gegeben, daß sie Bürger und Bauern peinigten und ihr Blut aussaugten und ihren Mutwillen trieben mit Allen, die Recht und Freiheit mehr lieben als Unrecht und Knechtschaft. –– Aber ihr Maß ist voll!

Sehet an das von Gott gezeichnete Scheusal, den König Ludwig von Baiern, den Gotteslästerer, der redliche Männer vor seinem Bilde niederzuknien zwingt, und die, welche die Wahrheit bezeugen, durch meineidige Richter zum Kerker verurteilen läßt; das Schwein, das sich in allen Lasterpfützen von Italien wälzte, den Wolf, der sich für seinen Baals-Hofstaat für immer jährlich fünf Millionen durch meineidige Landstände verwilligen läßt, und fragt dann: »Ist das eine Obrigkeit von Gott *zum Segen* verordnet?«

Ha! du wärst Obrigkeit von Gott?

Gott spendet Segen aus;

Du raubst, du schindest, kerkerst ein,

Du nicht von Gott, Tyrann!

Ich sage euch: sein und seiner Mitfürsten Maß ist voll. Gott, der Deutschland um seiner Sünden willen geschlagen hat durch diese Fürsten, wird es wieder heilen. »Er wird die Hecken und Dörner niederreißen und auf einem Haufen verbrennen.« (Jesaias 27,4.) So wenig der Höcker noch wächset, womit Gott diesen König Ludwig gezeichnet hat, so wenig werden die Schandtaten dieser Fürsten noch wachsen können. Ihr Maß ist voll. Der Herr wird ihre Zwingburgen zerschmeißen und in Deutschland wird dann Leben und Kraft, der Segen der Freiheit wieder erblühen. Zu einem großen Leichenfelde haben die Fürsten die deutsche Erde gemacht, wie Ezechiel im 37. Kapitel beschreibt: »Der Herr führte mich auf ein weites Feld, das voller Gebeine lag, und siehe, sie waren sehr verdorrt.« Aber wie lautet des Herrn Wort zu den verdorrten Gebeinen: »Siehe, ich will euch Adern geben und Fleisch lassen über euch wachsen und euch mit Haut überziehen, und will euch Odem geben, daß ihr wieder lebendig werdet, und sollt erfahren, daß ich der Herr bin.« Und des Herren Wort wird auch an Deutschland sich

wahrhaftig beweisen, wie der Prophet spricht: »Siehe, es
rauschte und regte sich und die Gebeine kamen wieder zusammen, ein jegliches zu seinem Gebein. – Da kam Odem in sie und
sie wurden wieder lebendig und richteten sich auf ihre Füße,
und ihrer war ein sehr groß Heer.«

Wie der Prophet schreibet, also stand es bisher in Deutschland: eure Gebeine sind verdorrt, denn die Ordnung, in der ihr
lebt, ist eitel Schinderei. 6 Millionen bezahlt ihr im Großherzogtum einer Handvoll Leute, deren Willkür euer Leben und
Eigentum überlassen ist, und die anderen in dem zerrissenen
Deutschland gleich also. Ihr seid nichts, ihr habt nichts! Ihr seid
rechtlos. Ihr müsset geben, was eure unersättlichen Presser
fordern, und tragen, was sie euch aufbürden. So weit ein Tyrann blicket – und Deutschland hat deren wohl dreißig – verdorret Land und Volk. Aber wie der Prophet schreibet, so wird
es bald stehen in Deutschland: der Tag der Auferstehung wird
nicht säumen. In dem Leichenfelde wird sichs regen und wird
rauschen und der Neubelebten wird ein großes Heer sein.

wahrhaftig beweisen! wie der Prophet spricht: »Siehe, es rauschte und regte sich und die Gebeine kamen wieder zusammen, ein jegliches zu seinem Gebein. – Da kam Odem in sie und sie wurden wieder lebendig und richteten sich auf ihre Füße, und ihrer war ein sehr groß Heer.«

Also stehet es in Deutschland; eure Gebeine sind verdorrt, denn die Ordnung, in der ihr lebt, ist eitel Schinderei. 6 Millionen bezahlt ihr im Großherzogtum einer Handvoll Leute, deren Willkür euer Leben und Eigentum überlassen ist, und die anderen in dem zerrissenen Deutschland gleich also. Ihr seid nichts, ihr habt nichts! Ihr seid rechtlos. Ihr müsset geben, was Eure unersättlichen Presser fordern, und tragen, was sie euch aufbürden. So weit ein Tyrann blicket – und Deutschland hat deren vierunddreißig – verdorret Land und Volk. Aber wie der Prophet schreibet, so wird es bald stehen in Deutschland: der Tag der Auferstehung wird nicht säumen. In dem Leichenfelde wird sichs regen und wird rauschen und der Neubelebten wird ein großes Heer sein. Dann wird der Hesse dem Thüringer, der Rheinländer dem Schwaben, der Westphale dem Sachsen, der Tyroler dem Baier die Bruderhand reichen. Die besten Männer aller Stämme des großen deutschen Vaterlandes werden, berufen durch die freie Wahl ihrer Mitbürger, im Herzen von Deutschland zu einem großen Reichs- und Volkstage sich versammeln, um da, wo *jetzt* die babylonische Hure, der Bundestag, nach dem Willen der 34 Götzen Recht und Wahrheit verhöhnet, christlich über Brüder zu regieren. Dann wird statt des Eigenwillens der 34 Götzen der allgemeine Wille, statt der Eigensucht einer Rotte von Götzendienern das allgemeine Wohl im deutschen Vaterlande walten. Dann wird das Joch vom Halse der Bürger und Bauern hinweggenommen und ein Volksgericht über die großen Diebe, die Deutschland *landesfürstlich* und *königlich* beraubten, wie über die kleinen Diebe gehalten werden, die bei solchem Umschwung der Dinge sich etwa bereichern wollten vom Eigentum ihrer Brüder. Dann kehren die schuldlos Verbannten in die freie Heimat zurück und der Kerker der schuldlos Gefangenen öffnet sich. Dann blühen Kunst und Wissenschaft im Dienste der Freiheit, dann blühen Kunst und Ackerbau und Gewerbe im Segen der Freiheit, dann bildet sich ein wahrhaft deutsches Bundesheer, in welchem Tapferkeit und nicht Geburt – der Gehorsam der Freiheit und nicht der blinde Gehorsam und hündische Treue die Stufen der Ehre hinanführt.

Hebt die Augen auf und zählt das Häuflein eurer Presser, die nur stark sind durch das Blut, das sie euch aussaugen und durch eure Arme, die ihr ihnen willenlos leihet. Ihrer sind vielleicht 10,000 im Großherzogtum und Eurer sind es 700,000 und also verhält sich die Zahl des Volkes zu seinen Pressern auch im übrigen Deutschland. Wohl drohen sie mit dem Rüstzeug und den Reisigen der Könige, aber ich sage euch: Wer das Schwert erhebt gegen das Volk, der wird durch das Schwert des Volkes umkommen. Deutschland ist jetzt ein Leichenfeld, bald wird es ein Paradies sein. Das deutsche Volk ist Ein Leib ihr seid ein Glied dieses Leibes. Es ist einerlei, wo die Scheinleiche zu zukken anfängt. Wann der Herr euch seine Zeichen gibt durch die Männer, durch welche er die Völker aus der Dienstbarkeit zur Freiheit führt, dann erhebet euch und der ganze Leib wird mit euch aufstehen.

Ihr bücktet euch lange Jahre in den Dornäckern der Knechtschaft, dann schwitzt ihr einen Sommer im Weinberge der Freiheit, und werdet frei sein bis ins tausendste Glied.

Ihr wühltet ein langes Leben die Erde auf, dann wühlt ihr euren Tyrannen ein Grab. Ihr bautet die Zwingburgen, dann stürzt ihr sie, und bauet der Freiheit Haus. Dann könnt ihr eure Kinder frei taufen mit dem Wasser des Lebens. Und bis der Herr euch ruft durch seine Boten und Zeichen, wachet und rüstet euch im Geiste und betet ihr selbst und lehrt eure Kinder beten: »Herr, zerbrich den Stecken unserer Treiber und laß dein Reich zu uns kommen, das Reich der Gerechtigkeit. Amen.«

Hebt die Augen auf und zählt das Häuflein eurer Presser, die nur stark sind durch das Blut, das sie euch aussaugen und durch eure Arme, die ihr ihnen willenlos leihet. Ihrer sind vielleicht 10,000 im Großherzogtum und Eurer sind es 700,000 und so verhält sich die Zahl des Volkes zu seinen Pressern auch im übrigen Deutschland. Wohl drohen sie mit dem Rüstzeug und den Reisigen der Könige, aber ich sage euch: Wer das Schwert erhebt gegen das Volk, der wird durch das Schwert des Volkes umkommen. Deutschland ist jetzt ein Leichenfeld, bald wird es ein Paradies sein. Das deutsche Volk ist ein Leib, ihr seid ein Glied dieses Leibes. Es ist einerlei, wo die Scheinleiche zu zukken anfängt. Wann der Herr euch seine Zeichen gibt durch die Männer, durch welche er die Völker aus der Dienstbarkeit zur Freiheit führt, dann erhebt euch und der ganze Leib wird mit euch aufstehen.

Ihr bücktet euch lange Jahre in den Dornäckern der Knechtschaft, dann schwitzt ihr einen Sommer im Weinberge der Freiheit und werdet frei sein bis ins tausendste Glied.

Ihr wühltet ein langes Leben die Erde auf, dann wühlt ihr euren Tyrannen ein Grab. Ihr bautet die Zwingburgen, dann stürzt ihr sie, und bauet der Freiheit Haus. Dann könnt ihr eure Kinder frei taufen mit dem Wasser des Lebens. Und bis der Herr euch ruft durch seine Boten und Zeichen, wachet und rüstet euch im Geiste und betet ihr selbst und lehrt eure Kinder beten: »Herr, zerbrich den Stecken unserer Treiber und laß dein Reich zu uns kommen, das Reich der Gerechtigkeit. Amen.«

DANTONS TOD

Ein Drama

Personen

GEORG DANTON
LEGENDRE
CAMILLE DESMOULINS
HERAULT-SÉCHELLES
LACROIX } Deputierte
PHILIPPEAU
FABRE D'EGLANTINE
MERCIER
THOMAS PAYNE

ROBESPIERRE
ST. JUST
BARRÈRE } Mitglieder des Wohlfahrtsausschusses
COLLOT D'HERBOIS
BILLAUD VARENNES

CHAUMETTE, Prokurator des Gemeinderats
DILLON, ein General
FOUQUIER TINVILLE, öffentlicher Ankläger
HERRMANN } Präsidenten des Revolutionstribunales
DUMAS
PARIS, ein Freund Dantons
SIMON, Souffleur
LAFLOTTE
JULIE, Dantons Gattin
LUCILE Gattin des Camille Desmoulins
ROSALIE
ADELAIDE } Grisetten
MARION

Männer und Weiber aus dem Volk, Grisetten,
Deputierte, Henker e. c. t.

⟨1,1⟩

Hérault-Séchelles, einige Damen (am Spieltisch). Danton, Julie.
(etwas weiter weg, Danton auf einem Schemel zu d. Füßen von
Julie)

DANTON. Sieh die hübsche Dame, wie artig sie die Karten
dreht! ja wahrhaftig sie versteht's, man sagt sie halte ihrem
Manne immer das cœur und andern Leuten das carreau hin.
Ihr könntet einen noch in die Lüge verliebt machen.

JULIE. Glaubst du an mich?

DANTON. Was weiß ich? Wir wissen wenig voneinander. Wir
sind Dickhäuter, wir strecken die Hände nacheinander aus
aber es ist vergebliche Mühe, wir reiben nur das grobe Leder
aneinander ab, – wir sind sehr einsam.

JULIE. Du kennst mich Danton.

DANTON. Ja, was man so kennen heißt. Du hast dunkle Augen
und lockiges Haar und einen feinen Teint und sagst immer zu
mir: lieb Georg. Aber *(er deutet ihr auf Stirn und Augen)* da
da, was liegt hinter dem? Geh, wir haben grobe Sinne. Einander kennen? Wir müßten uns die Schädeldecken aufbrechen
und die Gedanken einander aus den Hirnfasern zerren.

EINE DAME. Was haben Sie nur mit ihren Fingern vor?

HERAULT. Nichts!

DAME. Schlagen Sie den Daumen nicht so ein, es ist nicht zum
Ansehn.

HERAULT. Sehn Sie nur, das Ding hat eine ganz eigne Physiognomie.

DANTON. Nein Julie, ich liebe dich wie das Grab.

JULIE. *(sich abwendend)* oh!

DANTON. Nein, höre! Die Leute sagen im Grab sei Ruhe und
Grab und Ruhe seien eins. Wenn das ist, lieg' ich in deinem
Schoß schon unter der Erde. Du süßes Grab, deine Lippen
sind Totenglocken, deine Stimme ist mein Grabgeläute, deine
Brust mein Grabhügel und dein Herz mein Sarg.

DAME. Verloren!

HERAULT. Das war ein verliebtes Abenteuer, es kostet Geld wie
alle andern.

DAME. Dann haben Sie Ihre Liebeserklärungen, wie ein Taub-
stummer, mit den Fingern gemacht.

HERAULT. Ei warum nicht? Man will sogar behaupten gerade
die würden am Leichtesten verstanden. Ich zettelte eine Lieb-
schaft mit einer Kartenkönigin an, meine Finger waren in
Spinnen verwandelte Prinzen, Sie Madame waren die Fee;
aber es ging schlecht, die Dame lag immer in den Wochen,
jeden Augenblick bekam sie einen Buben. Ich würde meine
Tochter dergleichen nicht spielen lassen, die Herren und Damen fallen so unanständig übereinander und die Buben kommen gleich hinten nach.

(Camille Desmoulins und Philippeau treten ein)

HERAULT. Philippeau, welch trübe Augen! Hast du dir ein
Loch in die rote Mütze gerissen, hat der heilige Jakob ein
böses Gesicht gemacht, hat es während des Guillotinierens
geregnet oder hast du einen schlechten Platz bekommen und
nichts sehen können?

CAMILLE. Du parodierst den Socrates. Weißt du auch, was der
Göttliche den Alcibiades fragte, als er ihn eines Tages finster
und niedergeschlagen fand? Hast du deinen Schild auf dem
Schlachtfeld verloren, bist du im Wettlauf oder im Schwert-
kampf besiegt worden? Hat ein Andrer besser gesungen oder
besser die Cither geschlagen? Welche klassischen Republikaner! Nimm einmal unsere Guillotinenromantik dagegen!

PHILIPPEAU. Heute sind wieder zwanzig Opfer gefallen. Wir
waren im Irrtum, man hat die Hebertisten nur auf's Schafott
geschickt, weil sie nicht systematisch genug verfuhren, vielleicht auch weil die Decemvirn sich verloren glaubten wenn
es nur eine Woche Männer gegeben hätte, die man mehr
fürchtete, als sie.

HERAULT. Sie möchten uns zu Antediluvianern machen. St. Just
säh' es nicht ungern, wenn wir wieder auf allen Vieren kröchen, damit uns der Advokat von Arras nach der Mechanik
des Genfer Uhrmachers Fallhütchen, Schulbänke und einen
Herrgott erfände.

PHILIPPEAU. Sie würden sich nicht scheuen zu dem Behuf an
Marats Rechnung noch einige Nulln zu hängen.
Wie lange sollen wir noch schmutzig und blutig sein wie
neugeborne Kinder, Särge zur Wiege haben und mit Köpfen
spielen? Wir müssen vorwärts. Der Gnadenausschuß muß

durchgesetzt, die ausgestoßnen Deputierten müssen wieder aufgenommen werden.

HERAULT. Die Revolution ist in das Stadium der Reorganisation gelangt.

Die Revolution muß aufhören und die Republik muß anfangen. In unsern Staatsgrundsätzen muß das Recht an die Stelle der Pflicht, das Wohlbefinden an die der Tugend und die Notwehr an die der Strafe treten. Jeder muß sich geltend machen und seine Natur durchsetzen können. Er mag nun vernünftig oder unvernünftig, gebildet oder ungebildet, gut oder böse sein, das geht den Staat nichts an. Wir Alle sind Narren es hat Keiner das Recht einem Andern seine eigentümliche Narrheit aufzudringen.

Jeder muß in seiner Art genießen können, jedoch so, daß Keiner auf Unkosten eines Andern genießen oder ihn in seinem eigentümlichen Genuß stören darf.

CAMILLE. Die Staatsform muß ein durchsichtiges Gewand sein, das sich dicht an den Leib des Volkes schmiegt. Jedes Schwellen der Adern, jedes Spannen der Muskeln, jedes Zucken der Sehnen muß sich darin abdrücken. Die Gestalt mag nun schön oder häßlich sein, sie hat einmal das Recht zu sein wie sie ist, wir sind nicht berechtigt ihr ein Röcklein nach Belieben zuzuschneiden. Wir werden den Leuten, welche über die nackten Schultern der allerliebsten Sünderin Frankreich den Nonnenschleier werfen wollen, auf die Finger schlagen.

Wir wollen nackte Götter, Bacchantinnen, olympische Spiele, und melodische Lippen: ach, die gliederlösende, böse Liebe!

Wir wollen den Römern nicht verwehren sich in die Ecke zu setzen und Rüben zu kochen aber sie sollen uns keine Gladiatorspiele mehr geben wollen.

Der göttliche Epicur und die Venus mit dem schönen Hintern müssen statt der Heiligen Marat und Chalier die Türsteher der Republik werden.

Danton du wirst den Angriff im Konvent machen.

DANTON. Ich werde, du wirst, er wird. Wenn wir bis dahin noch leben, sagen die alten Weiber. Nach einer Stunde werden 60 Minuten verflossen sein. Nicht wahr mein Junge?

CAMILLE. Was soll das hier? das versteht sich von selbst.

DANTON. Oh, es versteht sich Alles von selbst. Wer soll denn all die schönen Dinge ins Werk setzen?

PHILIPPEAU. Wir und die ehrlichen Leute.

DANTON. Das und dazwischen ist ein langes Wort, es hält uns ein wenig weit auseinander, die Strecke ist lang, die Ehrlichkeit verliert den Atem eh wir zusammen kommen. Und wenn auch! – den ehrlichen Leuten kann man Geld leihen, man kann bei ihnen Gevatter stehn und seine Töchter an sie verheiraten, aber das ist Alles!

CAMILLE. Wenn du das weißt, warum hast du den Kampf begonnen?

DANTON. Die Leute waren mir zuwider. Ich konnte dergleichen gespreizte Katonen nie ansehn, ohne ihnen einen Tritt zu geben. Mein Naturell ist einmal so. *(er erhebt sich)*

JULIE. Du gehst?

DANTON. *(zu Julie)* Ich muß fort, sie reiben mich mit ihrer Politik noch auf.

(im Hinausgehn)

Zwischen Tür und Angel will ich euch prophezeien: die Statue der Freiheit ist noch nicht gegossen, der Ofen glüht, wir Alle können uns noch die Finger dabei verbrennen.

(ab)

CAMILLE. Laßt ihn, glaubt ihr er könne die Finger davon lassen, wenn es zum Handeln kömmt?

HERAULT. Ja, aber bloß zum Zeitvertreib, wie man Schach spielt.

⟨1,2⟩   EINE GASSE

Simon, sein Weib.

SIMON. *(schlägt das Weib)* Du Kuppelpelz, du runzliche Sublimatpille, du wurmstichischer Sündenapfel!

WEIB. He Hülfe! Hülfe!

(Es kommen LEUTE *gelaufen:* reißt sie auseinander! reißt sie auseinander!)

SIMON. Nein, laßt mich Römer, zerschellen will ich dies Gerippp! Du Vestalin!

WEIB. Ich eine Vestalin? das will ich sehen, ich.

SIMON. So reiß ich von den Schultern dein Gewand
     Nackt in die Sonne schleudr' ich dann dein Aas.
   Du Hurenbett, in jeder Runzel deines Leibes nistet Unzucht.
   (sie werden getrennt.)

1. BÜRGER. Was gibt's?

SIMON. Wo ist die Jungfrau? sprich! Nein, so kann ich nicht sagen. Das Mädchen! nein auch das nicht; die Frau, das

Weib! auch das, auch das nicht! nur noch ein Name! oh der
erstickt mich! Ich habe keinen Atem dafür.

2. BÜRGER. Das ist gut sonst würde der Name nach Schnaps
riechen.

SIMON. Alter Virginius verhülle dein kahl Haupt. Der Rabe
Schande sitzt darauf und hackt nach deinen Augen. Gebt mir
ein Messer, Römer! *(er sinkt um)*

WEIB. Ach, er ist sonst ein braver Mann, er kann nur nicht viel
vertragen, der Schnaps stellt ihm gleich ein Bein.

2. BÜRGER. Dann geht er mit dreien.

WEIB. Nein, er fällt.

2. BÜRGER. Richtig, erst geht er mit dreien und dann fällt er auf
das dritte, bis das dritte selbst wieder fällt.

SIMON. Du bist die Vampyrzunge die mein wärmstes Herzblut
trinkt.

WEIB. Laßt ihn nur, das ist so die Zeit, worin er immer gerührt
wird, es wird sich schon geben.

1. BÜRGER. Was gibts denn?

WEIB. Seht ihr, ich saß da so auf dem Stein in der Sonne und
wärmte mich seht ihr, denn wir haben kein Holz, seht ihr –

2. BÜRGER. So nimm deines Mannes Nase.

WEIB. Und meine Tochter war da hinunter gegangen um die
Ecke, sie ist ein braves Mädchen und ernährt ihre Eltern.

SIMON. Ha sie bekennt!

WEIB. Du Judas, hättest du nur ein Paar Hosen hinaufzuzie-
hen, wenn die jungen Herren die Hosen nicht bei ihr herunterließen? Du Branntweinfaß, willst du verdursten, wenn das
Brünnlein zu laufen aufhört, he? Wir arbeiten mit allen Gliedern warum denn nicht auch damit; ihre Mutter hat damit
geschafft wie sie zur Welt kam und es hat ihr weh getan, kann
sie für ihre Mutter nicht auch damit schaffen, he? und tut's
ihr auch weh dabei, he? Du Dummkopf!

SIMON. Ha Lucrecia! ein Messer, gebt mir ein Messer, Römer!
Ha Appius Claudius!

1. BÜRGER. Ja ein Messer, aber nicht für die arme Hure, was tat
sie? Nichts! Ihr Hunger hurt und bettelt. Ein Messer für die
Leute, die das Fleisch unserer Weiber und Töchter kaufen!
Weh über die, so mit den Töchtern des Volkes huren! Ihr
habt Kollern im Leib und sie haben Magendrücken, ihr habt
Löcher in den Jacken und sie haben warme Röcke, ihr habt
Schwielen in den Fäusten und sie haben Samthände. Ergo ihr
arbeitet und sie tun nichts, ergo ihr habt's erworben und sie

haben's gestohlen; ergo, wenn ihr von eurem gestohlnen Eigentum ein paar Heller wieder haben wollt, müßt ihr huren und bettlen; ergo sie sind Spitzbuben und man muß sie totschlagen.

3. BÜRGER. Sie haben kein Blut in den Adern, als was sie uns ausgesaugt haben. Sie haben uns gesagt: schlagt die Aristokraten tot, das sind Wölfe! Wir haben die Aristokraten an die Laternen gehängt. Sie haben gesagt das Veto frißt euer Brot, wir haben das Veto totgeschlagen. Sie haben gesagt die Girondisten hungern euch aus, wir haben die Girondisten guillotiniert. Aber sie haben die Toten ausgezogen und wir laufen wie zuvor auf nackten Beinen und frieren. Wir wollen ihnen die Haut von den Schenkeln ziehen und uns Hosen daraus machen, wir wollen ihnen das Fett auslassen und unsere Suppen mit schmelzen. Fort! Totgeschlagen, wer kein Loch im Rock hat!

1. BÜRGER. Totgeschlagen, wer lesen und schreiben kann!

2. BÜRGER. Totgeschlagen, wer auswärts geht!

(ALLE *schreien:* totgeschlage, totgeschlage!

Einige schleppen einen jungen Menschen herbei)

EINIGE STIMMEN: Er hat ein Schnupftuch! ein Aristokrat! an die Laterne! an d. Late!

2. BÜRGER. Was? er schneuzt sich die Nase nicht mit den Fingern? An die Laterne! *(Eine Laterne wird herunter gelassen.)*

JU⟨N⟩G⟨ER⟩ MENSCH. Ach meine Herren!

2. BÜRGER. Es gibt hier keine Herren! An die Laterne!

EINIGE *singen:* Die da liegen in der Erden,
    Von de Würm gefresse werden.
    Besser hangen in der Luft,
    Als verfaulen in der Gruft!

JU⟨N⟩GE⟨R⟩ MENSCH. Erbarmen!

3. BÜRGER. Nur ein Spielen mit einer Hanflocke um den Hals! S'ist nur ein Augenblick, wir sind barmherziger als ihr. Unser Leben ist der Mord durch Arbeit, wir hängen 60 Jahre lang am Strick und zappeln, aber wir werden uns losschneiden. An die Laterne!

JU⟨N⟩GE⟨R⟩ MENSCH. Meinetwegen, ihr werdet deswegen nicht heller sehen!

DIE UMSTEHENDEN: Bravo, bravo!

EINIGE STIMMEN: laßt ihn laufen!

(er entwischt.)

Robespierre, tritt auf, begleitet von Weibern und Ohnehosen.

ROBESP. Was gibt's da Bürger?

3. BÜRGER. Was wird's geben? Die paar Tropfen Bluts vom August und September haben dem Volk die Backen nicht rot gemacht. Die Guillotine ist zu langsam. Wir brauchen einen Platzregen.

1. BÜRGER. Unsere Weiber und Kinder schreien nach Brod, wir wollen sie mit Aristokratenfleisch füttern. Heh! totgeschlagen wer kein Loch im Rock hat.

ALLE. totgeschlagen! totgeschlagen!

ROBESP. Im Namen des Gesetzes⟨!⟩

1. BÜRGER. Was ist das Gesetz?

ROBESP. Der Wille des Volks.

1. BÜRGER. Wir sind das Volk und wir wollen, daß kein Gesetz sei, ergo ist dieser Wille das Gesetz, ergo im Namen des Gesetzes gibts kein Gesetz mehr, ergo totgeschlagen!

EINIGE STIMMEN. Hört den Aristides, hört den Unbestechlichen!

EIN WEIB. Hört den Messias, der gesandt ist zu wählen und zu richten; er wird die Bösen mit der Schärfe des Schwertes schlagen. Seine Augen sind die Augen der Wahl und seine Hände sind die Hände des Gerichts!

ROBESP. Armes, tugendhaftes Volk! Du tust deine Pflicht, du opferst deine Feinde. Volk du bist groß. Du offenbarst dich unter Blitzstrahlen und Donnerschlägen. Aber Volk deine Streiche dürfen deinen eignen Leib nicht verwunden, du mordest dich selbst in deinem Grimm. Du kannst nur durch deine eigne Kraft fallen. Das wissen deine Feinde. Deine Gesetzgeber wachen, sie werden deine Hände führen, ihre Augen sind untrügbar, deine Hände sind unentrinnbar. Kommt mit zu den Jakobinern. Eure Brüder werden euch ihre Arme öffnen, wir werden ein Blutgericht über unsere Feinde halten.

VIELE STIMMEN. Zu den Jakobinern! Es lebe Robespierre!

(alle ab)

SIMON. Weh mir, verlassen! *(er versucht sich aufzurichten.)*

S⟨EIN⟩ WEIB. Da! *(sie unterstützt ihn)*

SIMON. Ach meine Baucis, du sammelst Kohlen auf mein Haupt.

WEIB. Da steh!

SIMON. Du wendest dich ab? Ha, kannst du mir vergeben,

Porcia? Schlug ich dich? Das war nicht meine Hand, war
nicht mein Arm, mein Wahnsinn tat es.

  Sein Wahnsinn ist des armen Hamlet Feind
  Hamlet tat's nicht, Hamlet verläugnet's.

Wo ist unsre Tochter, wo ist mein Sannchen?

WEIB. Dort um das Eck herum.

SIMON. Fort zu ihr, komm mein tugendreich Gemahl. *(Beide
ab)*

⟨1,3⟩   DER JAKOBINERKLUB

EIN LYONER. Die Brüder von Lyon senden uns um in eure
Brust ihren bittern Unmut auszuschütten. Wir wissen nicht
ob der Karren, auf dem Ronsin zur Guillotine fuhr, der To-
tenwagen der Freiheit war, aber wir wissen, daß seit jenem
Tage die Mörder Chaliers wieder so fest auf den Boden treten, als ob es kein Grab für sie gäbe. Habt Ihr vergessen, daß
Lyon ein Flecken auf dem Boden Frankreichs ist, den man
mit den Gebeinen der Verräter zudecken muß? Habt Ihr
vergessen, daß diese Hure der Könige ihren Aussatz nur in
dem Wasser der Rhone abwaschen kann? Habt Ihr vergessen,
daß dieser revolutionäre Strom die Flotten Pitts im Mittel-
meere auf den Leichen der Aristokraten muß stranden machen? Eure Barmherzigkeit mordet die Revolution. Der
Atemzug eines Aristokraten ist das Röcheln der Freiheit.
Nur ein Feigling stirbt für die Republik, ein Jakobiner tötet
für sie. Wißt, finden wir in Euch nicht mehr die Spannkraft
der Männer des zehnten August, des September und des
31. Mai, so bleibt uns, wie dem Patrioten Gaillard nur der
Dolch des Cato. *(Beifall und verwirrtes Geschrei)*

EIN JAKOBINER. Wir werden den Becher des Socrates mit Euch
trinken!

LEGENDRE. *(schwingt sich auf die Tribüne.)* Wir haben nicht
nötig unsere Blicke auf Lyon zu werfen. Die Leute, die seid-
ne Kleider tragen, die in Kutschen fahren, die in den Logen
im Theater sitzen und nach dem Dictionnär der Akademie
sprechen, tragen seit einigen Tagen die Köpfe fest auf den
Schultern. Sie sind witzig und sagen man müsse Marat und
Chalier zu einem doppelten Märtyrertum verhelfen und sie in
effigie guillotinieren. *(heftige Bewegung in der Versammlung)*

EINIGE STIMMEN. Das sind tote Leute. Ihre Zunge guillotiniert sie.

LEGENDRE. Das Blut dieser Heiligen komme über sie. Ich frage die anwesenden Mitglieder des Wohlfahrtsausschusses, seit wann ihre Ohren so taub geworden sind –

COLLOT D'HERBOIS. *(unterbricht ihn)* Und ich frage Dich Legendre, wessen Stimme solchen Gedanken Atem gibt, daß sie lebendig werden und zu sprechen wagen? Es ist Zeit die Masken abzureißen. Hört! die Ursache verklagt ihre Wirkung, der Ruf sein Echo, der Grund seine Folge. Der Wohlfahrtsausschuß versteht mehr Logik, Legendre! Sei ruhig. Die Büsten der Heiligen werden unberührt bleiben, sie werden wie Medusenhäupter die Verräter in Stein verwandlen.

ROBESPIERRE. Ich verlange das Wort.

DIE JAKOBINER. Hört, hört den Unbestechlichen!

ROBESPIERRE. Wir warteten nur auf den Schrei des Unwillens, der von allen Seiten ertönt, um zu sprechen. Unsere Augen waren offen, wir sahen den Feind sich rüsten und sich erheben, aber wir haben das Lärmzeichen nicht gegeben, wir ließen das Volk sich selbst bewachen, es hat nicht geschlafen, es hat an die Waffen geschlagen. Wir ließen den Feind aus seinem Hinterhalt hervorbrechen, wir ließen ihn anrücken, jetzt steht er frei und ungedeckt in der Helle des Tages, jeder Streich wird ihn treffen, er ist tot, sobald ihr ihn erblickt habt.

Ich habe es Euch schon einmal gesagt in zwei Abteilungen, wie in 2 Heereshaufen sind die inneren Feinde der Republik zerfallen. Unter Bannern von verschiedener Farbe und auf den verschiedensten Wegen eilen sie alle dem nämlichen Ziele zu. Die eine dieser Faktionen ist nicht mehr. In ihrem affektierten Wahnsinn suchte sie die erprobtesten Patrioten als abgenutzte Schwächlinge bei Seite zu werfen um die Republik ihrer kräftigsten Arme zu berauben. Sie erklärte der Gottheit und dem Eigentum den Krieg um eine Diversion zu Gunsten der Könige zu machen. Sie parodierte das erhabne Drama der Revolution um dieselbe durch studierte Ausschweifungen bloß zu stellen. Heberts Triumph hätte die Republik in ein Chaos verwandelt und der Despotismus war befriedigt. Das Schwert des Gesetzes hat den Verräter getroffen. Aber was liegt den Fremden daran, wenn ihnen Verbrecher einer anderen Gattung zur Erreichung des nämlichen Zwecks bleiben? Wir haben nichts getan, wenn wir noch eine andere Faktion zu vernichten haben.

Sie ist das Gegenteil der vorhergehenden. Sie treibt uns zur Schwäche, ihr Feldgeschrei heißt: Erbarmen! Sie will dem Volk seine Waffen und die Kraft, welche die Waffen führt, entreißen um es nackt und entnervt den Königen zu überantworten.

Die Waffe der Republik ist der Schrecken, die Kraft der Republik ist die Tugend. Die Tugend, weil ohne sie der Schrekken verderblich, der Schrecken, weil ohne ihn die Tugend ohnmächtig ist. Der Schrecken ist ein Ausfluß der Tugend, er ist nichts anders als die schnelle, strenge und unbeugsame Gerechtigkeit. Sie sagen der Schrecken sei die Waffe einer despotischen Regierung, die unsrige gliche also dem Despotismus. Freilich, aber so wie das Schwert in den Händen eines Freiheitshelden dem Säbel gleicht, womit der Satellit der Tyrannen bewaffnet ist. Regiere der Despot seine tierähnlichen Untertanen durch den Schrecken, er hat Recht als Despot, zerschmettert durch den Schrecken die Feinde der Freiheit und ihr habt als Stifter der Republik nicht minder Recht. Die Revolutionsregierung ist der Despotismus der Freiheit gegen die Tyrannei.

Erbarmen mit den Royalisten! rufen gewisse Leute. Erbarmen mit Bösewichtern? Nein! Erbarmen für die Unschuld, Erbarmen für die Schwäche, Erbarmen für die Unglücklichen, Erbarmen für die Menschheit. Nur dem friedlichen Bürger gebührt von Seiten der Gesellschaft Schutz. In einer Republik sind nur Republikaner Bürger, Royalisten und Fremde sind Feinde. Die Unterdrücker der Menschheit bestrafen ist Gnade, ihnen verzeihen ist Barbarei. Alle Zeichen einer falschen Empfindsamkeit, scheinen mir Seufzer, welche nach England oder nach Östreich fliegen.

Aber nicht zufrieden den Arm des Volks zu entwaffnen, sucht man noch die heiligsten Quellen seiner Kraft durch das Laster zu vergiften. Dies ist der feinste, gefährlichste und abscheulichste Angriff auf die Freiheit. Das Laster ist das Kainszeichen des Aristokratismus. In einer Republik ist es nicht nur ein moralisches sondern auch ein politisches Verbrechen; der Lasterhafte ist der politische Feind der Freiheit, er ist ihr um so gefährlicher je größer die Dienste sind, die er ihr scheinbar erwiesen. Der gefährlichste Bürger ist derjenige, welcher leichter ein Dutzend rote Mützen verbraucht, als eine gute Handlung vollbringt.

Ihr werdet mich leicht verstehen, wenn ihr an Leute denkt,

welche sonst in Dachstuben lebten und jetzt in Karossen
fahren und mit ehemaligen Marquisinnen und Baronessen
Unzucht treiben. Wir dürfen wohl fragen ist das Volk ge-
plündert oder sind die Goldhände der Könige gedrückt worden, wenn wir Gesetzgeber des Volks mit allen Lastern und
allem Luxus der ehemaligen Höflinge Parade machen, wenn
wir diese Marquis und Grafen der Revolution reiche Weiber
heiraten, üppige Gastmähler geben, spielen, Diener halten
und kostbare Kleider tragen sehen. Wir dürfen wohl staunen,
wenn wir sie Einfälle haben, schöngeistern und so etwas vom
guten Ton bekommen hören. Man hat vor Kurzem auf eine
unverschämte Weise den Tacitus parodiert, ich könnte mit
dem Sallust antworten und den Catilina travestieren; doch
ich denke, ich habe keine Striche mehr nötig, die Portraits
sind fertig.

Keinen Vertrag, keinen Waffenstillstand mit den Menschen
welche nur auf Ausplünderung des Volkes bedacht waren,
welche diese Ausplünderung ungestraft zu vollbringen hofften, für welche die Republik eine Spekulation und die Revolution ein Handwerk war. In Schrecken gesetzt durch den
reißenden Strom der Beispiele suchen sie ganz leise die Gerechtigkeit abzukühlen. Man sollte glauben, jeder sage zu
sich selbst: wir sind nicht tugendhaft genug um so schrecklich zu sein. Philosophische Gesetzgeber erbarmt Euch unsrer Schwäche, ich wage Euch nicht zu sagen, daß ich lasterhaft bin, ich sage Euch also lieber, seid nicht grausam!

Beruhige dich tugendhaftes Volk, beruhigt Euch Ihr Patrioten, sagt Euern Brüdern zu Lyon, das Schwert des Gesetzes
roste nicht in den Händen, denen Ihr es anvertraut habt. –
Wir werden der Republik ein großes Beispiel geben …

(*Allgemein Beifall,* VIELE STIMMEN: Es lebe d. Republik, es lebe
Rob.)

PRÄSIDENT. Die Sitzung ist aufgehoben.

⟨I,4⟩   EINE GASSE

Lacroix. Legendre.

LACROIX. Was hast du gemacht Legendre, weißt du auch, wem
du mit deinen Büsten den Kopf herunter wirfst?

LEGENDRE. Einigen Stutzern und eleganten Weibern, das ist
Alles.

LACROIX. Du bist ein Selbstmörder, ein Schatten, der sein Original und somit sich selbst ermordet.

LEGENDRE. Ich begreife nicht.

LACROIX. Ich dächte Collot hätte deutlich gesprochen.

LEGENDRE. Was macht das? er war wieder betrunken.

LACROIX. Narren, Kinder und – nun? – Betrunkne sagen die Wahrheit. Wen glaubst du denn, daß Robespierre mit dem Catilina gemeint habe?

LEGENDRE. Nun?

LACROIX. Die Sache ist einfach man hat die Atheisten und Ultrarevolutionärs aufs Schafott geschickt; aber dem Volk ist nicht geholfen es läuft noch barfuß in den Gassen und will sich aus Aristokratenleder Schuhe machen. Der Guillotinenthermometer darf nicht fallen, noch einige Grade und der Wohlfahrtsausschuß kann sich sein Bett auf dem Revolutionsplatz suchen.

LEGENDRE. Was haben damit meine Büsten zu schaffen?

LACROIX. Siehst du's noch nicht? Du hast die Contrerevolution offiziell bekannt gemacht, du hast die Decemvirn zur Energie gezwungen, du hast ihnen die Hand geführt. Das Volk ist ein Minotaurus, der wöchentlich seine Leichen haben muß, wenn er sie nicht auffressen soll.

LEGENDRE. Wo ist Danton?

LACROIX. Was weiß ich? Er sucht eben die mediceische Venus stückweise bei allen Grisetten des palais royal zusammen, er macht Mosaik, wie er sagt; der Himmel weiß bei welchem Glied er gerade ist. Es ist ein Jammer, daß die Natur die Schönheit, wie Medea ihren Bruder, zerstückelt und sie so in Fragmenten in die Körper gesenkt hat.

Gehn wir in's palais royal. *(Beide ab).*

⟨1, 5⟩   EIN ZIMMER

Danton. Marion.

MARION. Nein, laß mich! So zu deinen Füßen. Ich will dir erzählen.

DANTON. Du könntest deine Lippen besser gebrauchen.

MARION. Nein laß mich einmal so. Meine Mutter war eine kluge Frau, sie sagte mir immer die Keuschheit sei eine schöne Tugend, wenn Leute in's Haus kamen und von manchen Dingen zu sprechen anfingen, hieß sie mich aus dem Zimmer gehn; frug ich was die Leute gewollt hätten so sagte sie mir ich solle mich schämen; gab sie mir ein Buch zu lesen so mußt ich fast immer einige Seiten überschlagen. Aber die Bibel las ich nach Belieben, da war Alles heilig, aber es war etwas darin, was ich nicht begriff, ich mochte auch niemand fragen; ich brütete über mir selbst. Da kam der Frühling, es ging überall etwas um mich vor, woran ich keinen Teil hatte. Ich geriet in eine eigne Atmosphäre, sie erstickte mich fast, ich betrachtete meine Glieder, es war mir manchmal, als wäre ich doppelt und verschmölze dann wieder in Eins. Ein junger Mensch kam zu der Zeit in's Haus, er war hübsch und sprach oft tolles Zeug, ich wußte nicht recht, was er wollte, aber ich mußte lachen. Meine Mutter hieß ihn öfters kommen, das war uns Beiden recht. Endlich sahen wir nicht ein, warum wir nicht eben so gut zwischen zwei Bettüchern bei einander liegen, als auf zwei Stühlen neben einander sitzen durften. Ich fand dabei mehr Vergnügen, als bei seiner Unterhaltung und sah nicht ab, warum man mir das geringere gewähren und das größere entziehen wollte. Wir taten's heimlich. Das ging so fort. Aber ich wurde wie ein Meer, was Alles verschlang und sich tiefer und tiefer wühlte. Es war für mich nur ein Gegensatz da, alle Männer verschmolzen in einen Leib. Meine Natur war einmal so, wer kann da drüber hinaus? Endlich merkt er's. Er kam eines Morgens und küßte mich, als wollte er mich ersticken, seine Arme schnürten sich um meinen Hals, ich war in unsäglicher Angst. Da ließ er mich los und lachte und sagte: er hätte fast einen dummen Streich gemacht, ich solle mein Kleid nur behalten und es brauchen, es würde sich schon von selbst abtragen, er wolle mir den Spaß nicht vor der Zeit verderben, es wär doch das Einzige, was ich hätte. Dann ging er, ich wußte wieder nicht was er wollte. Den Abend saß ich am Fenster, ich bin sehr reizbar und hänge mit Allem um mich nur durch eine Empfindung zusammen, ich versank in die Wellen der Abendröte. Da kam ein Haufe die Straße herab, die Kinder liefen voraus, die Weiber sahen aus den Fenstern. Ich sah hinunter sie trugen ihn in einem Korb vorbei, der Mond schien auf seine bleiche Stirn, seine Locken waren feucht, er hatte sich ersäuft. Ich mußte weinen. Das war der einzige Bruch in meinem Wesen. Die andern Leute haben Sonn- und Werktage, sie arbeiten 6 Tage und beten am 7.ten, sie sind jedes Jahr auf ihren Geburtstag einmal gerührt und denken jedes Jahr auf Neujahr einmal nach. Ich begreife nichts davon. Ich kenne keinen Absatz, keine Veränderung.

Ich bin immer nur Eins. Ein ununterbrochnes Sehnen und
Fassen, eine Glut, ein Strom. Meine Mutter ist vor Gram
gestorben, die Leute weisen mit Fingern auf mich. Das ist
dumm. Es läuft auf eins hinaus, an was man seine Freude hat,
an Leibern, Christusbildern, Blumen oder Kinderspiel-
sachen, es ist das nemliche Gefühl, wer am Meisten genießt,
betet am Meisten.

DANTON. Warum kann ich deine Schönheit nicht ganz in mich
fassen, sie nicht ganz umschließen?

MARION. Danton, deine Lippen haben Augen.

DANTON. Ich möchte ein Teil des Äther sein, um dich in meiner
Flut zu baden, um mich auf jeder Welle deines schönen Leibes zu brechen.

Lacroix, Adelaide, Rosalie, treten ein.

LACROIX. *(bleibt in der Tür stehn)* Ich muß lachen, ich muß
lachen.

DANTON. *(unwillig)* Nun?

LACROIX. Die Gasse fällt mir ein

DANTON. Und?

LACROIX. Auf der Gasse waren Hunde, eine Dogge und ein
Bologneser Schoßhündlein, die quälten sich.

DANTON. Was soll das?

LACROIX. Das fiel mir nun grade so ein und da mußt' ich
lachen. Es sah erbaulich aus! Die Mädel guckten aus den
Fenstern, man sollte vorsichtig sein und sie nicht einmal in d.
Sonne sitzen lassen, die Mücken treiben's ihnen sonst auf den
Händen, das macht Gedanken.
Legendre und ich sind fast durch alle Zellen gelaufen, die
Nönnlein von der Offenbarung durch das Fleisch hingen uns
an den Rockschößen und wollten den Segen. Legendre gibt
einer die Disziplin, aber er wird einen Monat dafür zu fasten
bekommen. Da bringe ich zwei von den Priesterinnen mit
dem Leib.

MARION. Guten Tag, demoiselle Adelaide, guten Tag, demoiselle Rosalie.

ROSALIE. Wir hatten schon lange nicht das Vergnügen.

MARION. Es war mir recht leid.

ADELAIDE. Ach Gott, wir sind Tag und Nacht beschäftigt.

DANTON. *(zu Rosalie)* Ei Kleine, du hast ja geschmeidige Hüften bekommen,

ROSALIE. Ach ja, man vervollkommnet sich täglich.

LACROIX. Was ist der Unterschied zwischen dem antiken und einem modernen Adonis?

DANTON. Und Adelaide ist sittsam interessant geworden! eine pikante Abwechslung. Ihr Gesicht sieht aus wie ein Feigenblatt, das sie sich vor den ganzen Leib hält. So ein Feigenbaum an einer so gangbaren Straße gibt einen erquicklichen Schatten.

ADELAIDE. Ich wäre ein Herdweg, wenn Monsieur

DANTON. Ich verstehe, nur nicht böse mein Fräulein.

LACROIX. So höre doch, ein moderner Adonis wird nicht von einem Eber, sondern von Säuen zerrissen, er bekommt seine Wunde nicht am Schenkel sondern in den Leisten und aus seinem Blut sprießen nicht Rosen hervor sondern schießen Quecksilberblüten an.

DANTON. Fräulein Rosalie ist ein restaurierter Torso, woran nur die Hüften und Füße antik sind. Sie ist eine Magnetnadel, was der Pol Kopf abstößt, zieht der Pol Fuß an, die Mitte ist ein Äquator, wo jeder eine Sublimattaufe nötig hat, der zum Erstenmal die Linie passiert.

LACROIX. Zwei barmherzige Schwestern, jede dient in einem Spital d. h. in ihrem eignen Körper.

ROSALIE. Schämen Sie sich, unsere Ohren rot zu machen!

ADELAIDE. Sie sollten mehr Lebensart haben. *(Ad. u. Rosalie, ab)*

DANTON. Gute Nacht, ihr hübschen Kinder!

LACROIX. Gute Nacht, ihr Quecksilbergruben!

DANTON. Sie dauern mich, sie kommen um ihr Nachtessen.

LACROIX. Höre Danton, ich komme von den Jakobinern.

DANTON. Nichts weiter?

LACROIX. Die Lyoner verlasen eine Proklamation, sie meinten es bliebe ihnen nichts übrig, als sich in die Toga zu wickeln. Jeder machte ein Gesicht, als wollte er zu seinem Nachbar sagen: Paetus es schmerzt nicht! Legendre schrie man wolle Chaliers und Marats Büsten zerschlagen; ich glaube er will sich das Gesicht wieder rot machen, er ist ganz aus der Terreur herausgekommen, die Kinder zupfen ihn auf der Gasse am Rock.

DANT. Und Robespierre?

LACROIX. Fingerte auf der Tribüne und sagte: die Tugend muß durch den Schrecken herrschen. Die Phrase machte mir Halsweh.

DANTON. Sie hobelt Bretter für die Guillotine.

LACROIX. Und Collot schrie wie besessen, man müsse die Masken abreißen.

DANTON. Da werden die Gesichter mitgehen.

Paris, tritt ein.

LACROIX. Was gibt's Fabricius?

PARIS. Von den Jakobinern weg ging ich zu Robespierre. Ich verlangte eine Erklärung. Er suchte eine Miene zu machen, wie Brutus, der seine Söhne opfert. Er sprach im Allgemeinen von den Pflichten, sagte der Freiheit gegenüber kenne er keine Rücksicht, er würde Alles opfern, sich, seinen Bruder, seine Freunde.

DANTON. Das war deutlich, man braucht nur die Skala herumzukehren, so steht er unten und hält seinen Freunden die Leiter. Wir sind Legendre Dank schuldig, er hat sie sprechen gemacht.

LACROIX. Die Hebertisten sind noch nicht tot, das Volk ist materiell elend, das ist ein furchtbarer Hebel. Die Schale des Blutes darf nicht steigen, wenn sie dem Wohlfahrtsausschuß nicht zur Laterne werden soll, er hat Ballast nötig, er braucht einen schweren Kopf.

DANTON. Ich weiß wohl, – die Revolution ist wie Saturn, sie frißt ihre eignen Kinder. *(nach einigem Besinnen)* Doch, sie werden's nicht wagen.

LACROIX. Danton, du bist ein toter Heiliger, aber die Revolution kennt keine Reliquien, sie hat die Gebeine aller Könige auf die Gasse und alle Bildsäulen von den Kirchen geworfen. Glaubst du man würde dich als Monument stehen lassen?

DANTON. Mein Name! das Volk!

LACROIX. Dein Name! du bist ein Gemäßigter, ich bin einer, Camille, Philippeau, Herault. Für das Volk sind Schwäche und Mäßigung eins. Es schlägt die Nachzügler tot. Die Schneider von der Sektion der roten Mütze werden die ganze römische Geschichte in ihrer Nadel fühlen, wenn der Mann des September ihnen gegenüber ein Gemäßigter war.

DANTON. Sehr wa⟨h⟩r, und außerdem – das Volk ist wie ein Kind, es muß Alles zerbrechen, um zu sehen was darin steckt.

LACROIX. Und außerdem Danton, sind wir lasterhaft, wie Robespierre sagt d. h. wir genießen, und das Volk ist tugendhaft d. h. es genießt nicht, weil ihm die Arbeit die Genußorgane stumpf macht, es besäuft sich nicht, weil es kein Geld

hat und es geht nicht in's Bordell, weil es nach Käs und
Hering aus dem Hals stinkt und die Mädel davor einen Ekel
haben.

DANTON. Es haßt die Genießenden, wie ein Eunuch die Männer.

LACROIX. Man nennt uns Spitzbuben und *(sich zu d. Ohren
Dantons neigend)* es ist, unter uns gesagt, so halbwegs was
Wahres dran. Robespierre und das Volk werden tugendhaft
sein, St. Just wird einen Roman schreiben und Barrère wird
eine Carmagnole schneidern und dem Konvent das Blutmän-
telchen umhängen und – ich sehe Alles.

DANTON. Du träumst. Sie hatten nie Mut ohne mich, sie werden keinen gegen mich haben; die Revolution ist noch nicht
fertig, sie könnten mich noch nötig haben, sie werden mich
im Arsenal aufheben.

LACROIX. Wir müssen handeln.

DANTON. Das wird sich finden.

LACROIX. Es wird sich finden, wenn wir verloren sind.

MARION. *(zu Danton)* Deine Lippen sind kalt geworden, deine
Worte haben deine Küsse erstickt.

DANTON. *(zu Marion)* So viel Zeit zu verlieren! Das war der
Mühe wert! *(zu Lacroix)* Morgen geh' ich zu Robespierre, ich
werde ihn ärgern, da kann er nicht schweigen. Morgen also!
Gute Nacht meine Freunde, gute Nacht, ich danke Euch.

LACROIX. Packt Euch, meine guten Freunde. Packt Euch! Gute
Nacht Danton, die Schenkel der Demoiselle guillotinieren
dich, der mons Veneris wird dein Tarpejischer Fels.

(ab)

⟨1,6⟩   EIN ZIMMER

Robespierre, Danton, Paris.

ROBESPIERRE. Ich sage dir, wer ⟨mir⟩ in den Arm fällt, wenn
ich das Schwert ziehe, ist mein Feind, seine Absicht tut nichts
zur Sache; wer mich verhindert mich zu verteidigen, tötet
mich so gut, als wenn er mich angriffe.

DANTON. Wo die Notwehr aufhört fängt der Mord an, ich sehe
keinen Grund, der uns länger zum Töten zwänge.

ROBESPIERRE. Die soziale Revolution ist noch nicht fertig, wer
eine Revolution zur Hälfte vollendet, gräbt sich selbst sein
Grab. Die gute Gesellschaft ist noch nicht tot, die gesunde Volkskraft muß sich an die Stelle dieser nach allen

Richtungen abgekitzelten Klasse setzen. Das Laster muß bestraft werden, die Tugend muß durch den Schrecken herrschen.

DANTON. Ich verstehe das Wort Strafe nicht.

Mit deiner Tugend Robespierre! Du hast kein Geld genommen, du hast keine Schulden gemacht, du hast bei keinem Weibe geschlafen, du hast immer einen anständigen Rock getragen und dich nie betrunken. Robespierre du bist empörend rechtschaffen. Ich würde mich schämen 30 Jahre lang mit der nämlichen Moralphysiognomie zwischen Himmel und Erde herumzulaufen bloß um des elenden Vergnügens willen Andre schlechter zu finden, als mich.

Ist denn nichts in dir, was dir nicht manchmal ganz leise, heimlich sagte, du lügst, du lügst!

ROBESPIERRE. Mein Gewissen ist rein.

DANTON. Das Gewissen ist ein Spiegel vor dem ein Affe sich quält; jeder putzt sich wie er kann, und geht auf seine eigne Art auf seinen Spaß dabei aus. Das ist der Mühe wert sich darüber in den Haaren zu liegen. Jeder mag sich wehren, wenn ein Andrer ihm den Spaß verdirbt. Hast du das Recht aus der Guillotine einen Waschzuber für die unreine Wäsche anderer Leute und aus ihren abgeschlagn⟨en⟩ Köpfen Fleckkugeln für ihre schmutzigen Kleider zu machen, weil du immer einen sauber gebürsteten Rock trägst? Ja, du kannst dich wehren, wenn sie dir drauf spucken oder Löcher hineinreißen, aber was geht es dich an, so lang sie dich in Ruhe lassen? Wenn sie sich nicht genieren so herum zu gehn, hast du deswegen das Recht sie in's Grabloch zu sperren? Bist du der Polizeisoldat des Himmels? Und kannst du es nicht eben so gut mit ansehn, als dein lieber Herrgott, so halte dir dein Schnupftuch vor die Augen.

ROBESPIERRE. Du leugnest die Tugend?

DANTON. Und das Laster. Es gibt nur Epicuräer und zwar grobe und feine, Christus war der feinste; das ist der einzige Unterschied, den ich zwischen den Menschen herausbringen kann. Jeder handelt seiner Natur gemäß d. h. er tut, was ihm wohl tut.

Nicht wahr Unbestechlicher, es ist grausam dir die Absätze so von den Schuhen zu treten?

ROBESPIERRE. Danton, das Laster ist zu gewissen Zeiten Hochverrat.

DANTON. Du darfst es nicht proskribieren, um's Himmelswillen nicht, das wäre undankbar, du bist ihm zu viel schuldig, durch den Kontrast nämlich.

Übrigens, um bei deinen Begriffen zu bleiben, unsere Streiche müssen der Republik nützlich sein, man darf die Unschuldigen nicht mit den Schuldigen treffen.

ROBESPIERRE. Wer sagt dir denn, daß ein Unschuldiger getroffen worden sei?

DANTON. Hörst du Fabricius? Es starb kein Unschuldiger! *(er geht, im Hinausgehn zu Paris)* Wir dürfen keinen Augenblick verlieren, wir müssen uns zeigen!

(Danton u. Paris ab)

ROBESPIERRE *(allein.)*

Geh nur! Er will die Rosse der Revolution am Bordell halten machen, wie ein Kutscher seine dressierten Gäule; sie werden Kraft genug haben, ihn zum Revolutionsplatz zu schleifen.

Mir die Absätze von den Schuhen treten! Um bei deinen Begriffen zu bleiben! Halt! Halt! Ist's das eigentlich? Sie werden sagen seine gigantische Gestalt hätte zuviel Schatten auf mich geworfen, ich hätte ihn deswegen aus der Sonne gehen heißen.

Und wenn sie Recht hätten?

Ist's denn so notwendig? Ja, ja! die Republik! Er muß weg.

Es ist lächerlich wie meine Gedanken einander beaufsichtigen. Er muß weg. Wer in einer Masse, die vorwärts drängt, stehen bleibt, leistet so gut Widerstand als trät' er ihr entgegen; er wird zertreten.

Wir werden das Schiff der Revolution nicht auf den seichten Berechnungen und den Schlammbänken dieser Leute stranden lassen, wir müssen die Hand abhauen, die es zu halten wagt und wenn er es mit den Zähnen packte!

Weg mit einer Gesellschaft, die der toten Aristokratie die Kleider ausgezogen und ihren Aussatz geerbt hat.

Keine Tugend! Die Tugend ein Absatz meiner Schuhe! Bei meinen Begriffen!

Wie das immer wieder kommt.

Warum kann ich den Gedanken nicht los werden? Er deutet mit blutigem Finger immer da, da hin! Ich mag so viel Lappen darum wickeln als ich will, das Blut schlägt immer durch. –

(Nach einer Pause) Ich weiß nicht, was in mir das Andere belügt.

(Er tritt an's Fenster.)

Die Nacht schnarcht über der Erde und wälzt sich im wüsten

Traum. Gedanken, Wünsche kaum geahnt, wirr und gestalt-
los, die scheu sich vor des Tages Licht verkrochen, empfangen jetzt Form und Gewand und stehlen sich in das stille
Haus des Traums. Sie öffnen die Türen, sie sehen aus den
Fenstern, sie werden halbwegs Fleisch, die Glieder strecken
sich im Schlaf, die Lippen murmeln. – Und ist nicht unser
Wachen ein hellerer Traum, sind wir nicht Nachtwandler, ist
nicht unser Handeln, wie das im Traum, nur deutlicher, bestimmter, durchgeführter? Wer will uns darum schelten? In
einer Stunde verrichtet der Geist mehr Taten des Gedankens,
als der träge Organismus unsres Leibes in Jahren nachzutun
vermag. Die Sünde ist im Gedanken. Ob der Gedanke Tat
wird, ob ihn der Körper nachspielt, das ist Zufall.

(St. Just, tritt ein)

ROB. He, werda im Finstern? He Licht, Licht!

ST. JUST. Kennst du meine Stimme?

ROBESP. Ah, du St. Just! *(eine Dienerin bringt Licht.)*

ST. JUST. Warst du allein?

ROBESP. Eben ging Danton weg.

ST. JUST. Ich traf ihn unterwegs im palais royal. Er machte seine
revolutionäre Stirn und sprach in Epigrammen; er duzte sich
mit den Ohnehosen, die Grisetten liefen hinter seinen Waden
drein und die Leute blieben stehn und zischelten sich in die
Ohren, was er gesagt hatte.
Wir werden den Vorteil des Angriffs verlieren. Willst du
noch länger zaudern? Wir werden ohne dich handeln. Wir
sind entschlossen.

ROBESP. Was wollt Ihr tun?

ST. JUST. Wir berufen den Gesetzgebungs-, den Sicherheits-
und den Wohlfahrtsausschuß zu feierlicher Sitzung.

ROBESP. Viel Umstände.

ST. JUST. Wir müssen die große Leiche mit Anstand begraben,
wie Priester, nicht wie Mörder. Wir dürfen sie nicht zerstük-
ken, all ihre Glieder müssen mit hinunter.

ROBESP. Sprich deutlicher.

ST. JUST. Wir müssen ihn in seiner vollen Waffenrüstung beisetzen und seine Pferde und Sklaven auf seinem Grabhügel
schlachten⟨:⟩ Lacroix –

ROBESP. Ein ausgemachter Spitzbube, gewesner Advokaten-
schreiber, gegenwärtig Generallieutnant von Frankreich.
Weiter.

St. Just. Hérault-Séchelles.

Robesp. Ein schöner Kopf.

St. Just. Er war der schöngemalte Anfangsbuchstaben der Konstitutionsakte, wir haben dergleichen Zierat nicht mehr nötig, er wird ausgewischt. Philippeau, Camille

Robespierre. Auch den?

St. Just. *(überreicht ihm ein Papier)* Das dacht' ich. Da lies!

Robesp. Aha, der alte Franziskaner, sonst nichts? Er ist ein Kind, er hat über Euch gelacht.

St. Just. Lies, hier! hier! *(er zeigt ihm eine Stelle.)*

Robespierre. *(liest)* »Dieser Blutmessias *Robesp.* auf seinem Kalvarienberge zwischen den beiden Schächern Couthon u. Collot, auf dem er opfert und nicht geopfert wird. Die Guillotinenbetschwestern stehen wie Maria und Magdalena unten. St. Just liegt ihm wie Johannes am Herzen, und macht den Konvent mit den apokalyptischen Offenbarungen des Meisters bekannt er trägt seinen Kopf wie eine Monstranz.«

St. Just. Ich will ihn den seinigen wie St. Denis tragen machen.

Robesp. *(liest weiter)* »Sollte man glauben, daß der saubere Frack des Messias das Leichenhemd Frankreichs ist und daß seine dünnen auf der Tribüne herumzuckenden Finger, Guillotinmesser sind?

Und du Barrère, der du gesagt hast, auf dem Revolutionsplatz werde Münze geschlagen. Doch – ich will den alten Sack nicht aufwühlen. Er ist eine Witwe, die schon ein halb Dutzend Männer hatte und sie begraben half. Wer kann was dafür? Das ist so seine Gabe, er sieht den Leuten ein halbes Jahr vor dem Tode das hippokratische Gesicht an. Wer mag sich auch zu Leichen setzen und den Gestank riechen?«

Also auch du Camill?

Weg mit ihnen! Rasch! nur die Toten kommen nicht wieder. Hast du die Anklage bereit?

St. Just. Es macht sich leicht. Du hast die Andeutungen bei den Jakobinern gemacht.

Rob. Ich wollte sie schrecken.

St. Just. Ich brauche nur durchzuführen, die Fälscher geben das Ei und die Fremden den Apfel ab. Sie sterben an der Mahlzeit, ich gebe dir mein Wort.

Rob. Dann rasch, morgen. Keinen langen Todeskampf! Ich bin empfindlich seit einigen Tagen. Nur rasch!

St. Just, ab.

Rob. *(allein)*

Ja wohl, Blutmessias, der opfert und nicht geopfert wird. –
Er hat sie mit seinem Blut erlöst und ich erlöse sie mit ihrem
eignen. Er hat sie sündigen gemacht und ich nehme die Sünde
auf mich. Er hatte die Wollust des Schmerzes und ich habe
die Qual des Henkers.

Wer hat sich mehr verleugnet, Ich oder er? –

Und doch ist was von Narrheit in dem Gedanken. –

Was sehen wir nur immer nach dem Einen? Wahrlich des
Menschensohn wird in uns Allen gekreuzigt, wir ringen Alle
im Gethsemanegarten im blutigen Schweiß, aber es erlöst
Keiner den Andern mit seinen Wunden. – Mein Camille! –
Sie gehen Alle von mir – es ist Alles wüst und leer – ich bin
allein.

II. AKT

⟨II, 1⟩   EIN ZIMMER

Danton, Lacroix, Philippeau, Paris, Camille Desmoulins.

Camille. Rasch Danton wir haben keine Zeit zu verlieren.

Danton. *(er kleidet sich an)* Aber die Zeit verliert uns.

Das ist sehr langweilig immer das Hemd zuerst und dann die
Hosen drüber zu ziehen und des Abends in's Bett und Morgens wieder heraus zu kriechen und einen Fuß immer so vor
den andern zu setzen, da ist gar kein Absehens wie es anders
werden soll. Das ist sehr traurig und daß Millionen es schon
so gemacht haben und daß Millionen es wieder so machen
werden und, daß wir noch obendrein aus zwei Hälften bestehen, die beide das Nämliche tun, so daß Alles doppelt geschieht. Das ist sehr traurig.

Camille. Du sprichst in einem ganz kindlichen Ton.

Danton. Sterbende werden oft kindisch.

Lacroix. Du stürzest dich durch dein Zögern in's Verderben,
du reißest alle deine Freunde mit dir. Benachrichtige die Feiglinge, daß es Zeit ist sich um dich zu versammlen, fordere
sowohl die vom Tale als die vom Berge auf. Schreie über die
Tyrannei der Decemvirn, sprich von Dolchen, rufe Brutus
an, dann wirst du die Tribunen erschrecken und selbst die um
dich sammeln, die man als Mitschuldige Héberts bedroht. Du
mußt dich deinem Zorn überlassen. Laßt uns wenigstens
nicht entwaffnet und erniedrigt wie der schändliche Hebert
sterben.

DANTON. Du hast ein schlechtes Gedächtnis, du nanntest mich einen toten Heiligen. Du hattest mehr Recht, als du selbst glaubtest. Ich war bei den Sektionen, sie waren ehrfurchtsvoll, aber wie Leichenbitter. Ich bin eine Reliquie und Reliquien wirft man auf die Gasse, du hattest Recht.

LACROIX. Warum hast du es dazu kommen lassen?

DANTON. Dazu? Ja wahrhaftig, es war mir zuletzt langweilig. Immer im nämlichen Rock herumzulaufen und die nämlichen Falten zu ziehen! Das ist erbärmlich. So ein armseliges Instrument zu sein, auf dem eine Saite immer nur einen Ton angibt!

S' ist nicht zum Aushalten. Ich wollte mir's bequem machen. Ich hab' es erreicht, die Revolution setzt mich in Ruhe, aber auf andere Weise, als ich dachte.

Übrigens, auf was sich stützen? Unsere Huren könnten es noch mit den Guillotinenbetschwestern aufnehmen, sonst weiß ich nichts. Es läßt sich an den Fingern herzählen: die Jakobiner haben erklärt, daß die Tugend an der Tagesordnung sei, die Cordeliers nennen mich Heberts Henker, der Gemeinderat tut Buße, der Konvent, – das wäre noch ein Mittel! aber es gäbe einen 31. Mai, sie würden nicht gutwillig weichen. Robespierre ist das Dogma der Revolution, es darf nicht ausgestrichen werden. Es ginge auch nicht. Wir haben nicht die Revolution, sondern die Revolution hat uns gemacht.

Und wenn es ginge – ich will lieber guillotiniert werden, als guillotinieren lassen. Ich hab es satt, wozu sollen wir Menschen miteinander kämpfen? Wir sollten uns nebeneinander setzen und Ruhe haben. Es wurde ein Fehler gemacht, wie wir geschaffen worden, es fehlt uns was, ich habe keinen Namen dafür, wir werden es uns einander nicht aus den Eingeweiden herauswühlen, was sollen wir uns drum die Leiber aufbrechen? Geht, wir sind elende Alchymisten.

CAMILLE. Pathetischer gesagt würde es heißen: wie lange soll die Menschheit im ewigen Hunger ihre eignen Glieder fressen? oder, wie lange sollen wir Schiffbrüchige auf einem Wrack in unlöschbarem Durst einander das Blut aus den Adern saugen? oder, wie lange sollen wir Algebraisten im Fleisch beim Suchen nach dem unbekannten, ewig verweigerten x unsere Rechnungen mit zerfetzten Gliedern schreiben?

DANTON. Du bist ein starkes Echo.

CAMILLE. Nicht wahr, ein Pistolenschuß schallt gleich wie ein

Donnerschlag. Desto besser für dich, du solltest mich immer
bei dir haben.

PHILIPPEAU. Und Frankreich bleibt seinen Henkern?

DANTON. Was liegt daran? Die Leute befinden sich ganz wohl
dabei. Sie haben Unglück, kann man mehr verlangen um gerührt, edel, tugendhaft oder witzig zu sein oder um überhaupt keine Langeweile zu haben?

Ob sie nun an der Guillotine oder am Fieber oder am Alter
sterben? Es ist noch vorzuziehen, sie treten mit gelenken
Gliedern hinter die Coulissen und können im Abgehen noch
hübsch gestikulieren und die Zuschauer klatschen hören. Das
ist ganz artig und paßt für uns, wir stehen immer auf dem
Theater, wenn wir auch zuletzt im Ernst erstochen werden.

Es ist recht gut, daß die Lebenszeit ein wenig reduziert wird,
der Rock war zu lang, unsere Glieder konnten ihn nicht ausfüllen. Das Leben wird ein Epigramm, das geht an, wer hat
auch Atem und Geist genug für ein Epos in 50 oder 60 Ge-
sängen? S' ist Zeit, daß man das bißchen Essenz nicht mehr
aus Zübern sondern aus Liqueurgläschen trinkt, so bekommt
man doch das Maul voll, sonst konnte man kaum einige Tropfen in dem plumpen Gefäß zusamme⟨n⟩rinnen machen.

Endlich – ich müßte schreien, das ist mir der Mühe zuviel,
das Leben ist nicht die Arbeit wert, die man sich macht, es zu
erhalten.

PARIS. So flieh Danton!

DANTON. Nimmt man das Vaterland an den Schuhsohlen mit?
Und endlich – und das ist die Hauptsache: sie werden's nicht
wagen. *(zu Camille)* Komm mein Junge, ich sage dir sie werden's nicht wagen. Adieu. Adieu! *(Danton u. Camille ab)*

PHILIPPEAU. Da geht er hin.

LACROIX. Und glaubt kein Wort von dem was er gesagt hat.
Nichts als Faulheit! Er will sich lieber guillotinieren lassen,
als eine Rede halten.

PARIS. Was tun?

LACROIX. Heim gehn und als Lucrecia auf einen anständigen
Fall studieren.

⟨II, 2⟩   EINE PROMENADE

Spaziergänger.

EIN BÜRGER. Meine gute Jaqueline, ich wollte sagen Corn,
wollt' ich Cor

SIMON. Cornelia, Bürger, Cornelia.

BÜRGER. Meine gute Cornelia hat mich mit einem Knäblein erfreut.

SIMON. Hat der Republik einen Sohn geboren.

BÜRGER. Der Republik, das lautet zu allgemein, man könnte sagen

SIMON. Das ist's gerade, das Einzelne muß sich dem Allgemeinen

BÜRGER. Ach ja, das sagt meine Frau auch.

BÄNKELSÄNGER.   Was doch ist, was doch ist
                  Aller Männer Freud und Lüst?

BÜRGER. Ach mit den Namen, da komm ich gar nicht in's Reine.

SIMON. Tauf' ihn: Pike, Marat.

BÄNKELSÄNGER.   Unter Kummer, unter Sorgen
                  Sich bemühn vom frühen Morgen
                  Bis der Tag vorüber ist.

BÜRGER. Ich hätte gern drei, es ist doch was mit der Zahl drei, und dann was Nützliches und was Rechtliches, jetzt hab' ich's: Pflug, Robespierre.
Und dann das dritte?

SIMON. Pike.

BÜRGER. Ich dank Euch, Nachbar. Pike, Pflug, Robespierre, das sind hübsche Namen, das macht sich schön.

SIMON. Ich sage dir, die Brust deiner Cornelia, wird wie das Euter der römischen Wölfin, nein, das geht nicht, Romulus war ein Tyrann; das geht nicht. *(gehn vorbei.)*

EIN BETTLER. *(singt)*   Eine Handvoll Erde
                         ⟨U⟩nd ein wenig Moos
Liebe Herren, schöne Damen!

1. HERR. Kerl arbeite, du sieht ganz wohlgenährt aus.

2. HERR. Da! *(er gibt ihm Geld)* er hat eine Hand wie Samt. Das ist unverschämt.

BETTLER. Mein Herr wo habt Ihr Euren Rock her?

2. HERR. Arbeit, Arbeit! Du könntest den nemlichen haben, ich will dir Arbeit geben, komm zu mir, ich wohne

BETTLER. Herr, warum habt Ihr gearbeitet?

2. HERR. Narr, um den Rock zu haben.

BETTLER. Ihr habt Euch gequält um einen Genuß zu haben, denn so ein Rock ist ein Genuß, ein Lumpen tut's auch.

2. HERR. Freilich, sonst geht's nicht.

BETTLER. Daß ich ein Narr wäre. Das hebt einander.

Die Sonne scheint warm an das Eck und das geht ganz leicht.
(singt.)   Eine Handvoll Erde u. ein wenig Moos

ROSALIE. *(zu Adelaiden)* Mach fort, da kommen Soldaten, wir
haben seit gestern nichts Warmes in den Leib gekriegt.

BETTLER.   Ist auf dieser Erde
              ⟨E⟩inst mein letztes Los!
Meine Herren, meine Damen!

SOLDAT. Halt! wo hinaus meine Kinder? *(zu Rosalie)* wie alt
bist du?

ROSALIE. So alt wie mein kleiner Finger.

SOLDAT. Du bist sehr spitz.

ROSALIE. Und du sehr stumpf.

SOLDAT. So will ich mich an dir wetzen.

(er singt)   Christinlein, lieb Christinlein mein,
                 Tut dir der Schaden weh, Schaden weh,
                 Schaden weh, Schaden weh!

ROSALIE *(singt)* Ach nein, ihr Herrn Soldaten,
                 Ich hätt' es gerne meh, gerne meh,
                 Gerne meh, gerne meh!

> *Danton u. Camille treten auf.*

DANTON. Geht das nicht lustig?
Ich wittre was in der Atmosphäre, es ist als brüte die Sonne
Unzucht aus.
Möchte man nicht drunter springen, sich die Hosen vom
Leibe reißen und sich über den Hintern begatten wie die
Hunde auf der Gasse? *(gehen vorbei)*

JUNGER HERR. Ach Madame, der Ton einer Glocke, das
Abendlicht an den Bäumen, Blinken eines Sterns;

MADAME. Der Duft einer Blume, diese natürlichen Freuden,
dieser reine Genuß der Natur! *(zu ihrer Tochter)* sieh, Eugenie, nur die Tugend hat Augen dafür.

EUGENIE. *(küßt ihrer Mutter die Hand)* Ach Mama, ich sehe
nur Sie!

MADAME. Gutes Kind!

JUNGER HERR. *(zischelt Eugenien in's Ohr)* Sehen Sie dort die
hübsche Dame mit dem alten Herrn?

EUGENIE. Ich kenne sie.

JU⟨N⟩GER HERR. Man sagt ihr Friseur habe sie à l'enfant fri-
siert.

EUGENIE. *(lacht)* böse Zunge!

JUNGER HERR. Der alte Herr geht neben bei, er sieht das

Knöspchen schwellen und führt es in die Sonne spazieren
und meint er sei der Gewitterregen, der es habe wachsen
machen.

EUGENIE. Wie unanständig, ich hätte Lust rot zu werden.

JU⟨N⟩GER HERR. Das könnte mich blaß machen.

DANTON. *(zu Camille)* Mute mir nur nichts Ernsthaftes zu. Ich
begreife nicht warum die Leute nicht auf der Gasse stehen
bleiben und einander in's Gesicht lachen. Ich meine sie müßten zu den Fenstern und zu den Gräbern heraus lachen und
der Himmel müsse bersten und die Erde müsse sich wälzen
vor Lachen.

1. HERR. Ich versicher⟨e⟩ Sie, eine außerordentliche Entdek-
kung! Alle technischen Künste bekommen dadurch eine andere Physiognomie. Die Menschheit eilt mit Riesenschritten
ihrer hohen Bestimmung entgegen.

2. HERR. Haben Sie das neue Stück gesehen? Ein babylonischer
Turm! Ein Gewirr von Gewölben, Treppchen, Gängen und
das Alles so leicht und kühn in die Luft gesprengt. Man
schwindelt bei jedem Tritt.

Ein bizarrer Kopf. *(er bleibt verlegen stehn.)*

1. HERR. Was haben Sie denn?

2. HERR. Ach nichts! Ihre Hand, Herr! die Pfütze, so! Ich danke Ihnen. Kaum kam ich vorbei, das konnte gefährlich werden!

1. HERR. Sie fürchteten doch nicht?

2. HERR. Ja, die Erde ist eine dünne Kruste, ich meine immer
ich könnte durchfallen, wo so ein Loch ist.
Man muß mit Vorsicht auftreten, man könnte durchbrechen.
Aber gehn Sie in's Theater, ich rat' es Ihnen.

⟨II, 3⟩   EIN ZIMMER

Danton, Camille, Lucile.

CAMILLE. Ich sage Euch, wenn sie nicht Alles in hölzernen
Kopien bekommen, verzettelt in Theatern, Konzerten und
Kunstausstellungen, so haben sie weder Augen noch Ohren
dafür. Schnitzt Einer eine Marionette, wo man den Strick
hereinhängen sieht, an dem sie gezerrt wird und deren Gelenke bei jedem Schritt in fünffüßigen Jamben krachen, welch
ein Charakter, welche Konsequenz! Nimmt Einer ein Ge-
fühlchen, eine Sentenz, einen Begriff und zieht ihm Rock und
Hosen an, macht ihm Hände und Füße, färbt ihm das Gesicht

und läßt das Ding sich 3 Akte hindurch herumquälen, bis es sich zuletzt verheiratet oder sich totschießt – ein Ideal! Fiedelt Einer eine Oper, welche das Schweben und Senken im menschlichen Gemüt wiedergibt wie eine Tonpfeife mit Wasser die Nachtigall – ach die Kunst!

Setzt die Leute aus dem Theater auf die Gasse: ach, die erbärmliche Wirklichkeit!

Sie vergessen ihren Herrgott über seinen schlechten Kopisten. Von der Schöpfung, die glühend, brausend und leuchtend, um und in ihnen, sich jeden Augenblick neu gebiert, hören und sehen sie nichts. Sie gehen in's Theater, lesen Gedichte und Romane, schneiden den Fratzen darin die Gesichter nach und sagen zu Gottes Geschöpfen: wie gewöhnlich!

Die Griechen wußten, was sie sagten, wenn sie erzählten Pygmalions Statue sei wohl lebendig geworden, habe aber keine Kinder bekommen.

DANTON. Und die Künstler gehn mit der Natur um wie David, der im September die Gemordeten, wie sie aus der Force auf die Gasse geworfen wurden, kaltblütig zeichnete und sagte: ich erhasche die letzten Zuckungen des Lebens in diesen Bösewichten. *(Danton wird hinausgerufen.)*

CAMILLE. Was sagst du Lucile?

LUCILE. Nichts, ich seh dich so gern sprechen.

CAMILLE. Hörst mich auch?

LUCILE. Ei freilich.

CAMILLE. hab ich Recht, weißt du auch, was ich gesagt habe?

LUCILE. Nein wahrhaftig nicht.

(Danton kömmt zurück.)

CAMILLE. Was hast du?

DANTON. Der Wohlfahrtsausschuß hat meine Verhaftung beschlossen. Man hat mich gewarnt und mir einen Zufluchtsort angeboten.

Sie wollen meinen Kopf, meinetwegen. Ich bin der Hudeleien überdrüssig. Mögen sie ihn nehmen. Was liegt daran? Ich werde mit Mut zu sterben wissen, das ist leichter, als zu leben.

CAMILLE. Danton, noch ist's Zeit.

DANTON. Unmöglich, – aber ich hätte nicht gedacht

CAMILLE. Deine Trägheit!

DANTON. Ich bin nicht träg, aber müde. Meine Sohlen brennen mich.

CAMILLE. Wo gehst du hin?

DANTON. Ja, wer das wüßte!

CAMILLE. Im Ernst, wohin?

DANTON. Spazieren, mein Junge, spazieren! *(er geht)*

LUCILE. Ach Camill!

CAMILLE. Sei ruhig, lieb Kind.

LUCILE. Wenn ich denke, daß sie dies Haupt! Mein Camille! das ist Unsinn, gelt, ich bin wahnsinnig?

CAMILLE. Sei ruhig, Danton und ich sind nicht Eins.

LUCILE. Die Erde ist weit und es sind viel Dinge drauf, warum denn grade das eine? Wer sollte mir's nehmen? Das wäre arg. Was wollten sie auch damit anfangen?

CAMILLE. Ich wiederhole dir, du kannst ruhig sein. Gestern sprach ich mit Robespierre, er war freundlich. Wir sind ein wenig gespannt, das ist wahr, verschiedne Ansichten, sonst nichts!

LUCILE. Such' ihn auf.

CAMILLE. Wir saßen auf ein⟨er⟩ Schulbank. Er war immer finster und einsam. Ich allein suchte ihn auf und machte ihn zuweilen lachen. Er hat mir immer große Anhänglichkeit gezeigt. Ich gehe.

LUCILE. So schnell, mein Freund? Geh! Komm! Nur das *(sie küßt ihn)* und das! Geh! Geh! *(Camille ab)*

LUCILE. Das ist eine böse Zeit. Es geht einmal so. Wer kann da drüber hinaus? Man muß sich fassen.

(singt.)   Ach Scheiden, ach Scheiden, ach Scheiden
            Wer hat sich das Scheiden erdacht?

Wie kommt mir gerad das in Kopf? Das ist nicht gut, daß es den Weg so von selbst findet.

Wie er hinaus ist, war mir's als könnte er nicht mehr umkehren und müsse immer weiter weg von mir, immer weiter.

Wie das Zimmer so leer ist, die Fenster stehn offen, als hätte ein Toter drin gelegen. Ich halt' es da oben nicht aus. *(sie geht.)*

⟨II, 4⟩   FREIES FELD

DANTON. Ich mag nicht weiter. Ich mag in dieser Stille mit dem Geplauder meiner Tritte und dem Keuchen meines Atems nicht Lärmen machen. *(er setzt sich nieder, nach einer Pause.)* Man hat mir von einer Krankheit erzählt, die einem das Gedächtnis verlieren mache. Der Tod soll etwas davon haben.

Dann kommt mir manchmal die Hoffnung, daß er vielleicht
noch kräftiger wirke und einem Alles verlieren mache.
Wenn das wäre! Dann lief ich wie ein Christ um meinen
Feind d. h. mein Gedächtnis zu retten.

Der Ort soll sicher sein, ja für mein Gedächtnis, aber nicht
für mich, mir gibt das Grab mehr Sicherheit, es schafft mir
wenigstens Vergessen! Es tötet mein Gedächtnis. Dort
aber lebt mein Gedächtnis und tötet mich. Ich oder es? Die
Antwort ist leicht. *(er erhebt sich und kehrt um.)*

Ich kokettiere mit dem Tod, es ist ganz angenehm so aus der
Entfernung mit dem Lorgnon mit ihm zu liebäugeln. Eigentlich muß ich über die ganze Geschichte lachen. Es ist ein
Gefühl des Bleibens in mir, was mir sagt, es wird morgen
sein, wie heute, und übermorgen und weiter hinaus ist Alles
wie eben. Das ist leerer Lärm, man will mich schrecken, sie
werden's nicht wagen. *(ab.)*

⟨II, 5⟩   EIN ZIMMER

(Es ist Nacht.)

DANTON. *(am Fenster.)* Will denn das nie aufhören? Wird das
    Licht nie ausglühn und der Schall nie modern, will's denn nie
    still und dunkel werden, daß wir uns die garstigen Sünden
    einander nicht mehr anhören und ansehen? – September! –
JULIE. *(ruft von innen)* Danton! Danton!
DANTON. He?
JULIE. *(tritt ein)* Was rufst du?
DANTON. Rief ich?
JULIE. Du sprachst von garstigen Sünden und dann stöhntest
    du: September!
DANTON. Ich, ich? Nein, ich sprach nicht, das dacht ich kaum,
    das waren nur ganz leise heimliche Gedanken.
JULIE. Du zitterst Danton.
DANTON. Und soll ich nicht zittern, wenn so die Wände plau-
    dern? Wenn mein Leib so zerschellt ist, daß meine Gedanken
    unstät, umirrend mit den Lippen der Steine reden? Das ist
    seltsam.
JULIE. Georg, mein Georg!
DANTON. Ja Julie, das ist sehr seltsam. Ich möchte nicht mehr
    denken, wenn das gleich so spricht. Es gibt Gedanken Julie,
    für die es keine Ohren geben sollte. Das ist nicht gut, daß sie
    bei der Geburt gleich schreien, wie Kinder. Das ist nicht gut.

JULIE. Gott erhalte dir deine Sinne, Georg, Georg, erkennst du mich?

DANTON. Ei warum nicht, du bist ein Mensch und dann eine Frau und endlich meine Frau, und ⟨die Erde⟩ hat 5 Weltteile, Europa, Asien, Afrika, Amerika, Australien und zwei mal zwei macht vier. Ich bin bei Sinnen, siehst du. Schrie's nicht September? Sagtest du nicht so was?

JULIE. Ja Danton, durch alle Zimmer hört' ich's.

DANTON. Wie ich an's Fenster kam – *(er sieht hinaus)* die Stadt ist ruhig, alle Lichter aus, ...

JULIE. Ein Kind schreit in der Nähe.

DANTON. Wie ich an's Fenster kam – durch alle Gassen schrie und zetert es: September!

JULIE. Du träumtest Danton. Faß dich.

DANTON. Träumtest? ja ich träumte, doch das war anders, ich will dir es gleich sagen, mein armer Kopf ist schwach, gleich! so jetzt hab ich's! Unter mir keuchte die Erdkugel in ihrem Schwung, ich hatte sie wie ein wildes Roß gepackt, mit riesigen Gliedern wühlt' ich in ihrer Mähne und preßt' ich ihre Rippen, das Haupt abwärts gebückt, die Haare flatternd über dem Abgrund. So ward ich geschleift. Da schrie ich in der Angst, und ich erwachte. Ich trat an's Fenster – und da hört' ich's Julie.

Was das Wort nur will? Warum gerade das, was hab' ich damit zu schaffen. Was streckt es nach mir die blutigen Hände? Ich hab' es nicht geschlagen.

O hilf mir Julie, mein Sinn ist stumpf. War's nicht im September Julie?

JULIE. Die Könige waren noch 40 Stunden von Paris,

DANTON. Die Festungen gefallen, die Aristokraten in der Stadt,

JULIE. Die Republik war verloren.

DANTON. Ja verloren. Wir konnten den Feind nicht im Rücken lassen, wir wären Narren gewesen, zwei Feinde auf einem Brett, wir oder sie, der Stärkere stößt den Schwächeren hinunter, ist das nicht billig?

JULIE. Ja, ja.

DANTON. Wir schlugen sie, das war kein Mord, das war Krieg nach innen.

JULIE. Du hast das Vaterland gerettet.

DANTON. Ja das hab' ich. Das war Notwehr, wir mußten. Der Mann am Kreuze hat sich's bequem gemacht: es muß ja Ärgernis kommen, doch wehe dem, durch welchen Ärgernis kommt.

Es muß, das war dies Muß. Wer will der Hand fluchen, auf die der Fluch des Muß gefallen? Wer hat das Muß gesprochen, wer? Was ist das, was in uns hurt, lügt, stiehlt und mordet?

Puppen sind wir von unbekannten Gewalten am Draht gezogen; nichts, nichts wir selbst! Die Schwerter, mit denen Geister kämpfen, man sieht nur die Hände nicht, wie im Märchen.

Jetzt bin ich ruhig.

JULIE. Ganz ruhig, lieb Herz?

DANTON. Ja Julie, komm, zu Bette!

⟨II, 6⟩   STRASSE VOR DANTONS HAUS

Simon, Bürgersoldaten.

SIMON. Wie weit ist's in der Nacht?

1. BÜRGER. Was in der Nacht?

SIMON. Wie weit ist die Nacht?

1. BÜRGER. So weit als zwischen Sonnenuntergang und Sonnenaufgang.

SIMON. Schuft, wieviel Uhr?

1. BÜRGER. Sieh' auf dein Zifferblatt; es ist die Zeit, wo die Perpendikel unter den Bettdecken ausschlagen.

SIMON. Wir müssen hinauf! Fort Bürger! Wir haften mit unseren Köpfen dafür. Tot oder lebendig! Er hat gewaltige Glieder. Ich werde vorangehn, Bürger. Der Freiheit eine Gasse! Sorgt für mein Weib! Eine Eichenkrone werd' ich ihr hinterlassen.

1. BÜRGER. Eine Eichelkron? Es sollen ihr ohnehin jeden Tag Eicheln genug in den Schoß fallen.

SIMON. Vorwärts Bürger, Ihr werdet Euch um das Vaterland verdient machen.

2. BÜRGER. Ich wollte das Vaterland machte sich um uns verdient; über all den Löchern, die wir in andrer Leute Kö⟨r⟩per machen, ist noch kein einziges in unsern Hosen zugegangen.

1. BÜRGER. Willst du, daß dir dein Hosenlatz zuginge? Hä, hä, hä.

DIE ANDERN. Hä, hä, hä.

SIMON. Fort, fort!

(Sie dringen in Dantons Haus.)

⟨II, 7⟩ DER NATIONALKONVENT

Eine Gruppe von Deputierten.

LEGENDRE. Soll denn das Schlachten der Deputierten nicht aufhören?

Wer ist noch sicher, wenn Danton fällt?

EIN DEPUTIERTER. Was tun?

EIN ANDRER. Er muß vor den Schranken des Konvents gehört werden. Der Erfolg dieses Mittels ist sicher, was sollten sie seiner Stimme entgegensetzen?

EIN ANDERER. Unmöglich, ein Dekret verhindert uns.

LEGENDRE. Es muß zurückgenommen oder eine Ausnahme gestattet werden. Ich werde den Antrag machen. Ich rechne auf Eure Unterstützung.

DER PRÄSIDENT. Die Sitzung ist eröffnet.

LEGENDRE. *(besteigt die Tribüne)* Vier Mitglieder des Nationalkonvents sind verflossene Nacht verhaftet worden. Ich weiß, daß Danton einer von ihnen ist, die Namen der Übrigen kenne ich nicht. Mögen sie übrigens sein, wer sie wollen, so verlange ich, daß sie vor den Schranken gehört werden. Bürger, ich erkläre es, ich halte Danton für eben so rein, wie mich selbst und ich glaube nicht, daß mir irgend ein Vorwurf gemacht werden kann. Ich will kein Mitglied des Wohlfahrts oder des Sicherheitsausschusses angreifen, aber gegründete Ursachen lassen mich fürchten Privathaß und Privatleidenschaften könnten der Freiheit Männer entreißen, die ihr die größten Dienste erwiesen haben. Der Mann, welcher im Jahre 1792 Frankreich durch seine Energie rettete, verdient gehört zu werden, er muß sich erklären dürfen wenn man ihn des Hochverrats anklagt.

(Heftige Bewegung)

EINIGE STIMMEN. Wir unterstützen Legendres Vorschlag.

EIN DEPUTIERTER. Wir sind hier im Namen des Volkes, man kann uns ohne den Willen unserer Wähler nicht von unseren Plätzen reißen.

EIN ANDRER. Eure Worte riechen nach Leichen, Ihr habt sie den Girondisten aus dem Mund genommen. Wollt Ihr Privilegien? Das Beil des Gesetzes schwebt über allen Häuptern.

EIN ANDERER. Wir können unsern Ausschüssen nicht erlauben die Gesetzgeber aus dem Asyl des Gesetzes auf die Guillotine zu schicken.

EIN ANDERER. Das Verbrechen hat kein Asyl, nur gekrönte Verbrechen finden eins auf dem Thron.

EIN ANDERER. Nur Spitzbuben appellieren an das Asylrecht.

EIN ANDER. Nur Mörder erkennen es nicht an.

ROBESPIERRE. Die seit langer Zeit in dieser Versammlung unbekannte Verwirrung, beweist, daß es sich um große Dinge handelt. Heute entscheidet sich's ob einige Männer den Sieg über das Vaterland davon tragen werden. Wie könnt Ihr Eure Grundsätze weit genug verläugnen, um heute einigen Individuen das zu bewilligen, was Ihr gestern Chabot, Delaunay und Fabre verweigert habt? Was soll dieser Unterschied zu Gunsten einiger Männer? Was kümmern mich die Lobsprüche, die man sich selbst und seinen Freunden spendet? Nur zu viele Erfahrungen haben uns gezeigt, was davon zu halten sei. Wir fragen nicht ob ein Mann diese oder jene patriotische Handlung vollbracht habe, wir fragen nach seiner ganzen politischen Laufbahn.

Legendre scheint die Namen der Verhafteten nicht zu wissen, der ganze Konvent kennt sie. Sein Freund Lacroix ist darunter. Warum scheint Legendre das nicht zu wissen? Weil er wohl weiß, daß nur die Schamlosigkeit Lacroix verteidigen kann. Er nannte nur Danton, weil er glaubt an diesen Namen knüpfe sich ein Privilegium. Nein, wir wollen keine Privilegien, wir wollen keine Götzen!

(Beifall.)

Was hat Danton vor Lafayette, vor Dumouriez, vor Brissot, Fabre, Chabot, Hebert voraus? Was sagt man von diesen, was man nicht auch von ihm sagen könnte? Habt Ihr sie gleichwohl geschont? Wodurch verdient er einen Vorzug vor seinen Mitbürgern? Etwa, weil einige betrogne Individuen und Andere, die sich nicht betrügen ließen, sich um ihn reihten um in seinem Gefolge dem Glück und der Macht in die Arme zu laufen? Je mehr er die Patrioten betrogen hat, welche Vertrauen in ihn setzten, desto nachdrücklicher muß er die Strenge der Freiheitsfreunde empfinden.

Man will Euch Furcht einflößen vor dem Mißbrauche einer Gewalt, die Ihr selbst ausgeübt habt. Man schreit über den Despotismus der Ausschüsse, als ob das Vertrauen, welches das Volk Euch geschenkt und das Ihr diesen Ausschüssen übertragen habt, nicht eine sichre Garantie ihres Patriotismus wäre. Man stellt sich, als zittre man. Aber ich sage Euch, wer in diesem Augenblicke zittert ist schuldig, denn nie zittert die Unschuld vor der öffentlichen Wachsamkeit.

(allgemeiner Beifall.)

Man hat auch mich schrecken wollen, man gab mir zu verstehen, daß die Gefahr, indem sie sich Danton nähere, auch bis zu mir dringen könne.

Man schrieb mir, Dantons Freunde hielten mich umlagert in der Meinung die Erinnerung an eine alte Verbindung, der blinde Glauben an erheuchelte Tugenden könnten mich bestimmen meinen Eifer und meine Leidenschaft für die Freiheit zu mäßigen.

So erkläre ich denn, nichts soll mich aufhalten, und sollte auch Dantons Gefahr die meinige werden. Wir Alle haben etwas Mut und etwas Seelengröße nötig. Nur Verbrecher und gemeine Seelen fürchten Ihresgleichen an ihrer Seite fallen zu sehen, weil sie, wenn keine Schar von Mitschuldigen sie mehr versteckt, sich dem Licht der Wahrheit ausgesetzt sehen. Aber wenn es dergleichen Seelen in dieser Versammlung gibt, so gibt es in ihr auch heroische. Die Zahl der Schurken ist nicht groß. Wir haben nur wenige Köpfe zu treffen und das Vaterland ist gerettet. *(Beifall)*

Ich verlange, daß Legendres Vorschlag zurückgewiesen werde. *(Die Deputierten erheben sich sämtlich zum Zeichen allgemeiner Beistimmung.)*

ST. JUST. Es scheint in dieser Versammlung einige empfindliche Ohren zu geben, die das Wort Blut nicht wohl vertragen können. Einige allgemeine Betrachtungen mögen sie überzeugen, daß wir nicht grausamer sind als die Natur und als die Zeit. Die Natur folgt ruhig und unwiderstehlich ihren Gesetzen, der Mensch wird vernichtet, wo er mit ihnen in Konflikt kommt. Eine Veränderung in den Bestandteilen der Luft, ein Auflodern des tellurischen Feuers, ein Schwanken in dem Gleichgewicht einer Wassermasse und eine Seuche, ein vulkanischer Ausbruch, eine Überschwemmung begraben Tausende. Was ist das Resultat? Eine unbedeutende, im großen Ganzen kaum bemerkbare Veränderung der physischen Natur, die fast spurlos vorübergegangen sein würde, wenn nicht Leichen auf ihrem Wege lägen.

Ich frage nun: soll die moralische Natur in ihren Revolutionen mehr Rücksicht nehmen, als die physische? Soll eine Idee nicht eben so gut wie ein Gesetz der Physik vernichten dürfen, was sich ihr widersetzt? Soll überhaupt ein Ereignis, was die ganze Gestaltung der moralischen Natur d.h. der Menschheit umändert, nicht durch Blut gehen dürfen? Der Weltgeist bedient sich in der geistigen Sphäre unserer Arme eben so, wie er in der physischen Vulkane oder Wasserfluten gebraucht. Was liegt daran ob sie nun an einer Seuche oder an der Revolution sterben? –

Die Schritte der Menschheit sind langsam, man kann sie nur nach Jahrhunderten zählen, hinter jedem erheben sich die Gräber von Generationen. Das Gelangen zu den einfachsten Erfindungen und Grundsätzen hat Millionen das Leben gekostet, die auf dem Wege starben. Ist es denn nicht einfach, daß zu einer Zeit, wo der Gang der Geschichte rascher ist, auch mehr Menschen außer Atem kommen?

Wir schließen schnell und einfach: da Alle unter gleichen Verhältnissen geschaffen werden, so sind Alle gleich, die Unterschiede abgerechnet, welche die Natur selbst gemacht hat.

Es darf daher jeder Vorzüge und darf daher Keiner Vorrechte haben, weder ein Einzelner, noch eine geringere oder größere Klasse von Individuen. Jedes Glied dieses in der Wirklichkeit angewandten Satzes hat seine Menschen getötet. Der 14. Juli, der 10. August, der 31 Mai sind seine Interpunktionszeichen. Er hatte 4 Jahre Zeit nötig um in der Körperwelt durchgeführt zu werden, und unter gewöhnlichen Umständen hätte er ein Jahrhundert dazu gebraucht und wäre mit Generationen interpunktiert worden. Ist es da so zu verwundern, daß der Strom der Revolution bei jedem Absatz bei jeder neuen Krümmung seine Leichen ausstößt?

Wir werden unserm Satze noch einige Schlüsse hinzuzufügen haben, sollen einige Hundert Leichen uns verhindern sie zu machen?

Moses führte sein Volk durch das rote Meer und in die Wüste bis die alte verdorbne Generation sich aufgerieben hatte, eh' er den neuen Staat gründete. Gesetzgeber! Wir haben weder das rote Meer noch die Wüste aber wir haben den Krieg und die Guillotine.

Die Revolution ist wie die Töchter des Pelias; sie zerstückt die Menschheit um sie zu verjüngen. Die Menschheit wird aus dem Blutkessel wie die Erde aus den Wellen der Sündflut mit urkräftigen Gliedern sich erheben, als wäre sie zum Erstenmale geschaffen.

*(Langer, anhaltender Beifall. Einige Mitglieder erheben sich im
Enthusiasmus.)*

St. Just. Alle geheimen Feinde der Tyrannei, welche in Europa
und auf dem ganzen Erdkreise den Dolch des Brutus unter
ihren Gewändern tragen, fordern wir auf diesen erhabenen
Augenblick mit uns zu teilen.

(Die Zuhörer und die Deputierten stimmen d. Marseillaise an.)

III. AKT

⟨III, 1⟩   DAS LUXEMBURG.
EIN SAAL MIT GEFANGNEN

*Chaumette, Payne, Mercier, Hérault de Séchelles und andre
Gefangne.*

CHAUMETTE. *(zupft Payne am Ärmel)* Hören Sie Payne es
könnte doch so sein, vorhin überkam es mich so; ich habe
heute Kopfweh, helfen Sie mir ein wenig mit Ihren Schlüssen,
es ist mir ganz unheimlich zu Mut.

PAYNE. So komm Philosoph Anaxagoras ich will dich katechisieren. Es gibt keinen Gott, denn entweder hat Gott die
Welt geschaffen oder nicht. Hat er sie nicht geschaffen so hat
die Welt ihren Grund in sich und es gibt keinen Gott, da Gott
nur dadurch Gott wird, daß er den Grund alles Seins enthält. –
Nun kann aber Gott die Welt nicht geschaffen haben, denn
entweder ist die Schöpfung ewig wie Gott, oder sie hat einen
Anfang. Ist Letzteres der Fall so muß Gott sie zu einem
bestimmten Zeitpunkt geschaffen haben, Gott muß also nach
dem er eine Ewigkeit geruht einmal tätig geworden sein, muß
also einmal eine Veränderung in sich erlitten haben, die den
Begriff Zeit auf ihn anwenden läßt, was Beides gegen das
Wesen Gottes streitet. Gott kann also die Welt nicht geschaffen haben. Da wir nun aber sehr deutlich wissen, daß die
Welt oder daß unser Ich wenigstens vorhanden ist und daß
sie dem Vorhergehenden nach also auch ihren Grund in sich
oder in etwas haben muß, das nicht Gott ist, so kann es
keinen Gott geben. quod erat demonstrandum.

CHAUMETTE. Ei wahrhaftig, das gibt mir wieder Licht, ich danke, danke.

MERCIER. Halten Sie, Payne, wenn aber die Schöpfung ewig
ist?

PAYNE. Dann ist sie schon keine Schöpfung mehr, dann ist sie
Eins mit Gott oder ein Attribut desselben, wie Spinoza sagt,
dann ist Gott in Allem, in Ihnen Wertester, im Philosoph
Anaxagoras und in mir; das wäre so übel nicht, aber Sie
müssen mir zugestehen daß es gerade nicht viel um die himmlische Majestät ist, wenn der liebe Herrgott in jedem von uns
Zahnweh kriegen, den Tripper haben, lebendig begraben
werden oder wenigstens die sehr unangenehmen Vorstellungen davon haben kann.

MERCIER. Aber eine Ursache muß doch da sein.

PAYNE. Wer leugnet dies; aber wer sagt Ihnen denn, daß diese
Ursache das sei, was wir uns als Gott d. h. als das Vollkommne denken. Halten sie die Welt für vollkommen?

MERCIER. Nein.

PAYNE. Wie wollen Sie denn aus einer unvollkomm⟨n⟩en Wirkung auf eine vollkommne Ursache schließen?
Voltaire wagte es eben so wenig mit Gott, als mit den Königen zu verderben, deswegen tat er es. Wer einmal nichts hat
als Verstand und ihn nicht einmal konsequent zu gebrauchen
weiß oder wagt, ist ein Stümper.

MERCIER. Ich frage dagegen kann eine vollkommne Ursache
eine vollkommne Wirkung haben d. h. kann etwas Vollkommnes, was Vollkommnes schaffen? Ist das nicht unmöglich, weil das Geschaffne doch nie seinen Grund in sich haben
kann, was doch wie sie sagten zur Vollkommenheit gehört?

CHAUMETTE. Schweigen Sie! Schweigen Sie!

PAYNE. Beruhige dich Philosoph. Sie haben Recht; aber muß
denn Gott einmal schaffen, kann er nur was Unvollkommnes
schaffen, so läßt er es gescheuter ganz bleiben. Ist's nicht sehr
menschlich, uns Gott nur als schaffend denken zu können?
Weil wir uns immer regen und schütteln müssen um uns nur
immer sagen zu können: wir sind! müssen wir Gott auch dies
elende Bedürfnis andichten? Müssen wir, wenn sich unser
Geist in das Wesen einer harmonisch in sich ruhenden, ewigen Seligkeit versenkt, gleich annehmen sie müsse die Finger
ausstrecken und über Tisch Brodmännchen kneten? aus
überschwenglichem Liebesbedürfnis, wie wir uns ganz geheimnisvoll in die Ohren sagen. Müssen wir das Alles, bloß
um uns zu Göttersöhnen zu machen? Ich nehme mit einem
geringern Vater vorlieb, wenigstens werd' ich ihm nicht
nachsagen können, daß er mich unter seinem Stande in
Schweinställen oder auf den Galeeren habe erziehen lassen.

Schafft das Unvollkommne weg, dann allein könnt Ihr Gott demonstrieren, Spinoza hat es versucht. Man kann das Böse leugnen, aber nicht den Schmerz; nur der Verstand kann Gott beweisen das Gefühl empört sich dagegen. Merke dir es, Anaxagoras, warum leide ich? Das ist der Fels des Atheismus. Das leiseste Zucken des Schmerzes und rege es sich nur in einem Atom, macht einen Riß in der Schöpfung von oben bis unten.

MERCIER. Und die Moral?

PAYNE. Erst beweist Ihr Gott aus der Moral und dann die Moral aus Gott. Was wollt Ihr denn mit Eurer Moral? Ich weiß nicht ob es an und für sich was Böses oder was Gutes gibt, und habe deswegen doch nicht nötig mein⟨e⟩ Handlungsweise zu ändern. Ich handle meiner Natur gemäß, was ihr angemessen, ist für mich gut und ich tue es und was ihr zuwider, ist für mich bös und ich tue es nicht und verteidige mich dagegen, wenn es mir in den Weg kommt. Sie können, wie man so sagt, tugendhaft bleiben und sich gegen das sogenannte Laster wehren, ohne deswegen ihre Gegner verachten zu müssen, was ein gar trauriges Gefühl ist.

CHAUMETTE. Wahr, sehr wahr!

HERAULT. O Philosoph Anaxagoras, man könnte aber auch sagen, damit Gott Alles sei, müsse er auch sein eignes Gegenteil sein, d.h. vollkommen und unvollkommen, bös und gut, selig und leidend, das Resultat freilich würde gleich Null sein, es würde sich gegenseitig heben, wir kämen zum Nichts.
Freue dich, du kömmst glücklich durch, du kannst ganz ruhig in Madame Momoro das Meisterstück der Natur anbeten, wenigstens hat sie dir die Rosenkränze dazu in den Leisten gelassen.

CHAUMETTE. Ich danke Ihnen verbindlichst, meine Herren. *(ab)*

PAYNE. Er traut noch nicht, er wird sich zu guter Letzt noch die Ölung geben, die Füße nach Mecca zu legen, und sich beschneiden lassen um ja keinen Weg zu verfehlen.

*Danton, Lacroix, Camille, Philippeau,
werden hereingeführt.*

HERAULT. *(läuft auf Danton zu und umarmt ihn.)* Guten Morgen, gute Nacht sollte ich sagen. Ich kann nicht fragen, wie hast du geschlafen. Wie wirst du schlafen?

DANTON. Nun gut, man muß lachend zu Bett gehn.

MERCIER. *(zu Payne)* Diese Dogge mit Taubenflügeln! Er ist der böse Genius der Revolution, er wagte sich an seine Mutter, aber sie war stärker als er.

PAYNE. Sein Leben und sein Tod sind ein gleich großes Unglück.

LACROIX. *(zu Danton)* Ich dachte nicht, daß sie so schnell kommen würden.

DANTON. Ich wußt' es, man hatte mich gewarnt.

LACROIX. Und du hast nichts gesagt?

DANTON. Zu was? Ein Schlagfluß ist der beste Tod, wolltest du zuvor krank sein? Und – ich dachte nicht, daß sie es wagen würden *(zu Herault.)* Es ist besser sich in die Erde zu legen, als sich Leichdörner auf ihr laufen; ich habe sie lieber zum Kissen, als zum Schemel.

HERAULT. Wir werden wenigstens nicht mit Schwielen an den Fingern der hübschen Dame Verwesung die Wangen streicheln.

CAMILLE. *(zu Danton)* Gib dir nur keine Mühe. Du magst die Zunge noch so weit zum Hals heraushängen, du kannst dir damit doch nicht den Todesschweiß von der Stirne lecken. O Lucile! das ist ein großer Jammer.

(Die Gefangenen drängen sich um die neu Angekommnen.)

DANTON. *(zu Payne)* Was Sie für das Wohl Ihres Landes getan, habe ich für das meinige versucht. Ich war weniger glücklich, man schickt mich auf's Schafott, meintwegen, ich werde nicht stolpern.

MERCIER. *(zu Danton.)* Das Blut der zwei und zwanzig ersäuft dich.

EIN GEFANGEN⟨ER⟩. *(zu Herault.)* Die Macht des Volkes und die Macht der Vernunft sind eins.

EIN ANDRER. *(zu Camille)* Nun Generalprokurator der Laterne, deine Verbesserung der Straßenbeleuchtung hat in Frankreich nicht heller gemacht.

EIN ANDRER. Laßt ihn! Das sind die Lippen, welche das Wort Erbarmen gesprochen. *(er umarmt Camille, mehrere Gefangne folgen seinem Beispiel.)*

PHILIPPEAU. Wir sind Priester, die mit Sterbenden gebetet haben, wir sind angesteckt worden und sterben an der nemlichen Seuche.

EINIGE STIMMEN. Der Streich, der Euch trifft, tötet uns Alle.

CAMILLE. Meine Herren ich beklage sehr, daß unsere Anstren-

gungen so fruchtlos waren, ich gehe auf's Schafott, weil mir
die Augen über das Los einiger Unglücklichen naß geworden.

⟨III,2⟩   EIN ZIMMER

Fouquier-Tinville, Herrmann.

FOUQUIER. Alles bereit?

HERRMANN. Es wird schwer halten; wäre Danton nicht darunter, so ginge es leicht.

FOUQUIER. Er muß vortanzen.

HERRMANN. Er wird die Geschwornen erschrecken; er ist die
Vogelscheuche der Revolution.

FOUQUIER. Die Geschwornen müssen wollen.

HERRMANN. Ein Mittel wüßt' ich, aber es wird die gesetzliche
Form verletzen.

FOUQUIER. Nur zu.

HERRMANN. Wir losen nicht, sondern suchen die Handfesten
aus.

FOUQUIER. Das muß gehen. Das wird ein gutes Heckefeuer
geben. Es sind ihrer neunzehn. Sie sind geschickt zusammen-
gewörfelt. Die vier Fälscher, dann einige Banquiers und
Fremde. Es ist ein pikantes Gericht. Das Volk braucht dergleichen. Also zuverlässige Leute! Wer z. B.?

HERRMANN. Leroi, er ist taub und hört daher nichts von All
dem, was die Angeklagten vorbringen, Danton mag sich den
Hals bei ihm rauh schreien.

FOUQUIER. Sehr gut. Weiter!

HERRMANN. Vilatte und Lumière, der eine sitzt immer in der
Trinkstube und der andere schläft immer, beide öffnen den
Mund nur, um das Wort: schuldig! zu sagen.
Girard hat den Grundsatz, es dürfe Keiner entwischen, der
einmal vor das Tribunal gestellt sei. Renaudin,

FOUQUIER. Auch der? Er half einmal einigen Pfaffen durch.

HERRMANN. Sei ruhig, vor einigen Tagen kommt er zu mir und
verlangt man solle allen Verurteilten vor der Hinrichtung zur
Ader lassen um sie ein wenig matt zu machen, ihre meist
trotzige Haltung ärgere ihn.

FOUQUIER. Ach sehr gut. Also ich verlasse mich.

HERRMANN. Laß mich nur machen.

⟨III,3⟩   ⟨DIE CONCIERGERIE⟩.
                                    EIN KORRIDOR

*Lacroix, Danton, Mercier und andre Gefangne auf und
ab gehend.*

LACROIX. *(zu einem Gefangnen.)* Wie, so viel Unglückliche,
und in einem so elenden Zustande?

D GEFANGNE. Haben Ihnen die Guillotinenkarren nie gesagt,
daß Paris eine Schlachtbank sei?

MERCIER. Nicht wahr, Lacroix? Die Gleichheit schwingt ihre
Sichel über allen Häuptern, die Lava der Revolution fließt,
die Guillotine republikanisiert! Da klatschen die Galerien
und die Römer reiben sich die Hände, aber sie hören nicht,
daß jedes dieser Worte das Röcheln eines Opfers ist. Geht
einmal Euren Phrasen nach, bis zu dem Punkt wo sie verkörpert werden.

Blickt um Euch, das Alles habt Ihr gesprochen, es ist eine
mimische Übersetzung Eurer Worte. Diese Elenden, ihre
Henker und die Guillotine sind Eure lebendig gewordnen
Reden. Ihr bautet eure Systeme, wie Bajazet seine Pyramiden, aus Menschenköpfen.

DANTON. Du hast Recht.

Man arbeitet heut zu Tag Alles in Menschenfleisch. Das ist der
Fluch unserer Zeit. Mein Leib wird jetzt auch verbraucht.

Es ist jetzt ein Jahr, daß ich das Revolutionstribunal schuf.
Ich bitte Gott und Menschen dafür um Verzeihung, ich wollte neuen Septembermorden zuvorkommen, ich hoffte die
Unschuldigen zu retten, aber dies langsame Morden mit seinen Formalitäten ist gräßlicher und eben so unvermeidlich.
Meine Herren ich hoffte Sie Alle diesen Ort verlassen zu
machen.

MERCIER. Oh, herausgehen werden wir.

DANTON. Ich bin jetzt bei Ihnen, der Himmel weiß wie das
enden soll.

⟨III,4⟩   DAS REVOLUTIONSTRIBUNAL

HERRMANN. *(zu Danton.)* Ihr Name, Bürger.

DANTON. Die Revolution nennt meinen Namen. Meine Wohnung ist bald im Nichts und mein Namen im Pantheon der
Geschichte.

HERRMANN. Danton, der Konvent beschuldigt Sie mit Mirabeau, mit Dumouriez, mit Orleans, mit den Girondisten, den Fremden und der Faktion Ludwig des 17. konspiriert zu haben.

DANTON. Meine Stimme, die ich so oft für die Sache des Volkes ertönen ließ, wird ohne Mühe die Verläumdung zurückweisen. Die Elenden, welche mich anklagen, mögen hier erscheinen und ich werde sie mit Schande bedecken. Die Ausschüsse mögen sich hierher begeben, ich werde nur vor ihnen antworten. Ich habe sie als Kläger und als Zeugen nötig.

Sie mögen sich zeigen.

Übrigens, was liegt mir an Euch und Eurem Urteil. Ich hab' es Euch schon gesagt das Nichts wird bald mein Asyl sein – das Leben ist mir zur Last, man mag mir es entreißen, ich sehne mich danach es abzuschütteln.

HERRMANN. Danton, die Kühnheit ist dem Verbrechen, die Ruhe der Unschuld eigen.

DANTON. Privatkühnheit ist ohne Zweifel zu tadeln, aber jene Nationalkühnheit, die ich so oft gezeigt, mit welcher ich so oft für die Freiheit gekämpft habe, ist die verdienstvollste aller Tugenden. Sie ist meine Kühnheit, sie ist es, der ich mich hier zum Besten der Republik gegen meine erbärmlichen Ankläger bediene. Kann ich mich fassen, wenn ich mich auf eine so niedrige Weise verläumdet sehe?

Von einem Revolutionär, wie ich darf man keine kalte Verteidigung erwarten. Männer meines Schlages sind in Revolutionen unschätzbar, auf ihrer Stirne schwebt das Genie der Freiheit.

(Zeichen von Beifall unter den Zuhörern.)

Mich klagt man an mit Mirabeau, mit Dumouriez, mit Orleans konspiriert, zu den Füßen elender Despoten gekrochen zu haben, mich fordert man auf vor der unentrinnbaren, unbeugsamen Gerechtigkeit zu antworten.

Du elender St. Just wirst der Nachwelt für diese Lästerung verantwortlich sein!

HERRMANN. Ich fordere Sie auf mit Ruhe zu antworten, gedenken Sie Marats, er trat mit Ehrfurcht vor seine Richter.

DANTON. Sie haben die Hände an mein ganzes Leben gelegt, so mag es sich denn aufrichten und ihnen entgegentreten, unter dem Gewichte jeder meiner Handlungen werde ich sie begraben.

Ich bin nicht stolz darauf. Das Schicksal führt uns die Arme, aber nur gewaltige Naturen sind seine Organe.

Ich habe auf dem Marsfelde dem Königtume den Krieg erklärt, ich habe es am 10. August geschlagen, ich habe es am
21. Januar getötet und den Königen einen Königskopf als
Fehdehandschuh hingeworfen. *(Wiederholte Zeichen von
Beifall) (Er nimmt die Anklageakte)* Wenn ich einen Blick
auf diese Schandschrift werfe fühle ich mein ganzes Wesen
beben. Wer sind denn die, welche Danton nötigen mußten
sich an jenem denkwürdigen Tage (d. 10. August) zu zeigen?
Wer sind denn die privilegierten Wesen, von denen er seine
Energie borgte? Meine Ankläger mögen erscheinen! Ich bin
ganz bei Sinnen, wenn ich es verlange. Ich werde die platten
Schurken entlarven und sie in das Nichts zurückschleudern,
aus dem sie nie hätten hervorkriechen sollen.

HERRMANN. *(schellt.)* Hören Sie die Klingel nicht?

DANTON. Die Stimme eines Menschen, welcher seine Ehre und
sein Leben verteidigt, muß deine Schelle überschreien.
Ich habe im September die junge Brut der Revolution mit den
zerstückten Leibern der Aristokraten geätzt. Meine Stimme
hat aus dem Golde der Aristokraten und Reichen dem Volke
Waffen geschmiedet. Meine Stimme war der Orkan, welcher
die Satelliten des Despotismus unter Wogen von Bajonetten
begrub. *(Lauter Beifall.)*

HERRMANN. Danton, Ihre Stimme ist erschöpft, Sie sind zu
heftig bewegt. Sie werden das Nächstemal Ihre Verteidigung
beschließen. Sie haben Ruhe nötig.
Die Sitzung ist aufgehoben.

DANTON. Jetzt kennt Ihr Danton; noch wenige Stunden und er
wird in den Armen des Ruhmes entschlummern.

⟨III, 5⟩   DAS LUXEMBURG.
                           EIN KERKER

Dillon, Laflotte, ein Gefangenwärter.

DILLON. Kerl leuchte mir mit deiner Nase nicht so in's Gesicht.
Hä, hä, hä!

LAFLOTTE. Halte den Mund zu, deine Mondsichel hat einen
Hof. Hä, hä, hä.

WÄRTER. Hä, hä, hä. Glaubt Ihr, Herr, daß Ihr bei ihrem
Schein lesen könntet? *(zeigt auf einen Zettel, den er in der
Hand hält.)*

DILLON. Gib her!

WÄRTER. Herr, meine Mondsichel hat Ebbe bei mir gemacht.

LAFLOTTE. Deine Hosen sehen aus, als ob Flut wäre.

WÄRTER. Nein, sie zieht Wasser. *(zu Dillon.)* Sie hat sich vor Eurer Sonne verkrochen, Herr, Ihr müßt mir was geben, das sie wieder feurig macht, wenn Ihr dabei lesen wollt.

DILLON. Da Kerl! Pack dich. *(er gibt ihm Geld. Wärter ab.)*

DILLON. *(liest.)* Danton hat das Tribunal erschreckt, die Geschwornen schwanken, die Zuhörer murrten. Der Zudrang war außerordentlich. Das Volk drängte sich um den Justizpalast und stand bis zu den Brücken. Eine Hand voll Geld, ein Arm endlich, hm! hm! *(er geht auf und ab und schenkt sich von Zeit zu Zeit aus einer Flasche ein.)* Hätt' ich nur den Fuß auf der Gasse. Ich werde mich nicht so schlachten lassen. Ja, nur den Fuß auf der Gasse!

LAFLOTTE. Und auf dem Karren, das ist eins.

DILLON. Meinst du? Da lägen noch ein Paar Schritte dazwischen, lang genug um sie mit den Leichen der Decemvirn zu messen. – Es ist endlich Zeit, daß die rechtschaffnen Leute das Haupt erheben.

LAFLOTTE. *(für sich)* Desto besser, um so leichter ist es zu treffen. Nur zu Alter, noch einige Gläser und ich werde flott.

DILLON. Die Schurken, die Narren sie werden sich zuletzt noch selbst guillotinieren. *(er läuft auf und ab.)*

LAFLOTTE. *(bei Seite.)* Man könnte das Leben ordentlich wieder lieb haben, wie sein Kind, wenn man sich's selbst gegeben. Das kommt gerade nicht oft vor, daß man so mit dem Zufall Blutschande treiben und sein eigner Vater werden kann. Vater und Kind zugleich. Ein behaglicher Oedipus!

DILLON. Man füttert das Volk nicht mit Leichen, Dantons und Camilles Weiber mögen Assignaten unter das Volk werfen, das ist besser als Köpfe.

LAFLOTTE. Ich würde mir hintennach die Augen nicht ausreißen, ich könnte sie nötig haben um den guten General zu beweinen.

DILLON. Die Hand an Danton! Wer ist noch sicher? Die Furcht wird sie vereinigen.

LAFLOTTE. Er ist doch verloren. Was ist's denn, wenn ich auf eine Leiche trete um aus dem Grab zu klettern?

DILLON. Nur den Fuß auf der Gasse! Ich werde Leute genug finden, alte Soldaten, Girondisten, Exadlige, wir erbrechen die Gefängnisse, wir müssen uns mit den Gefangnen verständigen.

LAFLOTTE. Nun freilich, es riecht ein wenig nach Schufterei. Was tut's? Ich hätte Lust auch das zu versuchen, ich war bisher zu einseitig. Man bekommt Gewissensbisse, das ist doch eine Abwechslung, es ist nicht so unangenehm seinen eignen Gestank zu riechen.

Die Aussicht auf die Guillotine ist mir langweilig geworden, so lang auf die Sache zu warten! Ich habe sie im Geist schon zwanzigmal durchprobiert. Es ist auch gar nichts Pikantes mehr dran; es ist ganz gemein geworden.

DILLON. Man muß Dantons Frau ein Billet zukommen lassen.

LAFLOTTE. Und dann – ich fürchte den Tod nicht, aber den Schmerz. Es könnte wehe tun, wer steht mir dafür? Man sagt zwar es sei nur ein Augenblick, aber der Schmerz hat ein feineres Zeitmaß, er zerlegt eine Tertie. Nein! Der Schmerz ist die einzige Sünde und das Leiden ist das einzige Laster, ich werde tugendhaft bleiben.

DILLON. Höre Laflotte, wo ist der Kerl hingekommen? Ich habe Geld, das muß gehen, wir müssen das Eisen schmieden, mein Plan ist fertig.

LAFLOTTE. Gleich, gleich! Ich kenne den Schließer, ich werde mit ihm sprechen. Du kannst auf mich zählen General, wir werden aus dem Loch kommen, *(für sich im Hinausgehn)* um in ein anderes zu gehen, ich in das weiteste, die Welt, er in das engste, das Grab.

⟨III,6⟩ DER WOHLFAHRTSAUSSCHUSS

St. Just, Barrère, Collot d'Herbois, Billaud-Varennes.

BARRÈRE. Was schreibt Fouquier?

ST. JUST. Das zweite Verhör ist vorbei. Die Gefangnen verlangen das Erscheinen mehrerer Mitglieder des Konvents und des Wohlfahrtsausschusses, sie appellierten an das Volk, wegen Verweigerung der Zeugen. Die Bewegung der Gemüter soll unbeschreiblich sein. Danton parodierte den Jupiter und schüttelte die Locken.

COLLOT. Um so leichter wird ihn Samson daran packen.

BARRÈRE. Wir dürfen uns nicht zeigen, die Fischweiber und die Lumpensammler, könnten uns weniger imposant finden.

BILLAUD. Das Volk hat einen Instinkt sich treten zu lassen und wäre es nur mit Blicken, dergleichen insolente Physiognomien gefallen ihm. Solche Stirnen sind ärger als ein adliges Wappen, die feine Aristokratie der Menschenverachtung sitzt auf ihnen. Es sollte sie jeder einschlagen helfen, den es verdrießt einen Blick von oben herunter zu erhalten.

BARRÈRE. Er ist wie der hörnerne Siegfried, das Blut der Septembrisierten hat ihn unverwundbar gemacht.

Was sagt Robespierre?

ST. JUST. Er tut als ob er etwas zu sagen hätte.

Die Geschwornen müssen sich für hinlänglich unterrichtet erklären und die Debatten schließen.

BARRÈRE. Unmöglich, das geht nicht.

ST. JUST. Sie müssen weg, um jeden Preis und sollten wir sie mit den eignen Händen erwürgen. Wagt! Danton soll uns das Wort nicht umsonst gelehrt haben. Die Revolution wird über ihre Leichen nicht stolpern, aber bleibt Danton am Leben, so wird er sie am Gewand fassen und er hat etwas in seiner Gestalt, als ob er die Freiheit notzüchtigen könnte.

(St. ⟨Just⟩ wird hinausgerufen.)

Ein Schließer tritt ein.

SCHLIESSER. In St. Pelagie liegen Gefangne am Sterben, sie verlangen einen Arzt.

BILLAUD. Das ist unnötig, so viel Mühe weniger für den Scharfrichter.

SCHLIESSER. Es sind schwangere Weiber dabei.

BILLAUD. Desto besser, da brauchen ihre Kinder keinen Sarg.

BARRÈRE. Die Schwindsucht eines Aristokraten spart dem Revolutionstribunal eine Sitzung. Jede Arznei wäre kontrerevolutionär.

COLLOT. *(nimmt ein Papier)* Eine Bittschrift, ein Weibername!

BARRÈRE. Wohl eine von denen, die gezwungen sein möchten zwischen einem Guillotinenbrett und dem Bett eines Jakobiners zu wählen. Die wie Lucrecia nach dem Verlust ihrer Ehre sterben, aber etwas später als die Römerin, im Kindbett, oder am Krebs oder aus Altersschwäche. Es mag nicht so unangenehm sein einen Tarquinius aus der Tugendrepublik einer Jungfrau zu treiben.

COLLOT. Sie ist zu alt. Madame verlangt den Tod, sie weiß sich auszudrücken, das Gefängnis liege auf ihr wie ein Sargdeckel. Sie sitzt erst seit vier Wochen. Die Antwort ist leicht. *(er schreibt und liest.)* Bürgerin, es ist noch nicht lange genug, daß du den Tod wünschest.

BARRÈRE. Gut gesagt. Aber Collot es ist nicht gut, daß die

Guillotine zu lachen anfängt, die Leute haben sonst keine Furcht mehr davor. Man muß sich nicht so familiär machen.

(St. Just, kommt zurück.)

St. Just. Eben erhalte ich eine Denunziation. Man konspiriert in den Gefängnissen, ein junger Mensch Namens Laflotte hat Alles entdeckt. Er saß mit Dillon im nämlichen Zimmer, Dillon hat getrunken und geplaudert.

Barrère. Er schneidet sich mit seiner Bouteille den Hals ab, das ist schon mehr vorgekommen.

St. Just. Dantons und Camilles Weiber sollen Geld unter das Volk werfen, Dillon soll ausbrechen, man will die Gefangnen befreien, der Konvent soll gesprengt werden.

Barrère. Das sind Märchen.

St. Just. Wir werden sie aber mit dem Märchen in Schlaf erzählen. Die Anzeige habe ich in Händen, dazu die Keckheit der Angeklagten, das Murren des Volks, die Bestürzung der Geschwornen, ich werde einen Bericht machen.

Barrère. Ja, geh St. Just und spinne deine Perioden, worin jedes Komma ein Säbelhieb und jeder Punkt ein abgeschlagner Kopf ist.

St. Just. Der Konvent muß dekretieren, das Tribunal solle ohne Unterbrechung den Prozeß fortführen und dürfe jeden Angeklagten, welcher die dem Gerichte schuldige Achtung verletzte oder störende Auftritte veranlaßte von den Debatten ausschließen.

Barrère. Du hast einen revolutionären Instinkt, das lautet ganz gemäßigt und wird doch seine Wirkung tun. Sie können nicht schweigen, Danton muß schreien.

St. Just. Ich zähle auf eure Unterstützung. Es gibt Leute im Konvent, die eben so krank sind wie Danton und welche die nemliche Kur fürchten. Sie haben wieder Mut bekommen, sie werden über Verletzung der Formen schreien,

Barrère. *(ihn unterbrechend)* Ich werde ihnen sagen: zu Rom wurde der Konsul, welcher die Verschwörung des Catilina entdeckte und die Verbrecher auf der Stelle mit dem Tod bestrafte, der verletzten Förmlichkeit angeklagt. Wer waren seine Ankläger?

Collot. *(mit Pathos.)* Geh St. Just. Die Lava der Revolution fließt. Die Freiheit wird die Schwächlinge, welche ihren mächtigen Schoß befruchten wollten, in ihren Umarmungen ersticken, die Majestät des Volks wird ihnen wie Jupiter der

Semele unter Donner und Blitz erscheinen und sie in Asche
verwandeln. Geh St. Just wir werden dir helfen den Donner-
keil auf die Häupter der Feiglinge zu schleudern.

(St. Just ab.)

BARRÈRE. Hast du das Wort Kur gehört? Sie werden noch aus
der Guillotine ein specificum gegen die Lustseuche machen.
Sie kämpfen nicht mit den Moderierten, sie kämpfen mit dem
Laster.

BILLAUD. Bis jetzt geht unser Weg zusammen.

BARRÈRE. Robespierre will aus der Revolution einen Hörsaal für
Moral machen und die Guillotine als Katheder gebrauchen.

BILLAUD. Oder als Betschemel.

COLLOT. Auf dem er aber alsdann nicht stehen, sondern liegen
soll.

BARRÈRE. Das wird leicht gehen. Die Welt müßte auf dem Kopf
stehen, wenn die sogenannten Spitzbuben von den sogenannten rechtlichen Leuten gehängt werden sollten.

COLLOT. *(zu Barrère.)* Wann kommst du wieder nach Clichy?

BARRÈRE. Wenn der Arzt nicht mehr zu mir kommt.

COLLOT. Nicht wahr über dem Ort steht ein Haarstern, unter
dessen versengenden Strahlen dein Rückenmark ganz ausge-
dörrt wird.

BILLAUD. Nächstens werden die niedlichen Finger der reizen-
den Demahy es ihm aus dem Futterale ziehen und es als
Zöpfchen über den Rücken hinunter hängen machen.

BARRÈRE. *(zuckt d. Achseln)* Pst! Davon darf der Tugendhafte
nichts wissen.

BILLAUD. Er ist ein impotenter Mahomet *(B. u. C. ab.)*

BARRÈRE. *(allein.)* Die Ungeheuer! Es ist noch nicht lange ge-
nug, daß du den Tod wünschest! Diese Worte hätten die
Zunge müssen verdorren machen, die sie gesprochen.
Und ich?
Als die Septembriseurs in die Gefängnisse drangen, faßt ein
Gefangner sein Messer, er drängt sich unter die Mörder, er
stößt es in die Brust eines Priesters, er ist gerettet!
Wer kann was dawider haben? Ob ich mich nun unter die
Mörder dränge, oder mich in den Wohlfahrtsausschuß setze,
ob ich ein Guillotinen oder ein Taschenmesser nehme? Es ist
der nämliche Fall, nur mit etwas verwickelteren Umständen,
die Grundverhältnisse sind sich gleich.
Und durft' er einen morden, durfte er auch zwei, auch drei,

auch noch mehr? wo hört das auf? Da kommen die Gersten-
körner machen 2 einen Haufen, drei, vier, wieviel dann?
Komm mein Gewissen, komm mein Hühnchen, komm bi, bi,
bi, da ist Futter.

Doch – war ich auch Gefangner? Verdächtig war ich, das
läuft auf eins hinaus, der Tod war mir gewiß. *(ab.)*

⟨III,7⟩   DIE CONCIERGERIE

Lacroix, Danton, Philippeau, Camille.

LACROIX. Du hast gut geschrien, Danton, hättest du dich etwas
früher so um dein Leben gequält, es wäre jetzt anders. Nicht
wahr, wenn der Tod einem so unverschämt nahe kommt und
so aus dem Hals stinkt und immer zudringlicher wird?

CAMILLE. Wenn er einem noch notzüchtigte und seinen Raub
unter Ringen und Kampf aus den heißen Gliedern riß! aber
so in allen Formalitäten, wie bei der Hochzeit mit einem alten
Weibe, wie die Pakten aufgesetzt, wie die Zeugen gerufen,
wie das Amen gesagt und wie dann die Bettdecke gehoben
wird und es langsam hereinkriecht mit seinen kalten Gliedern!

DANTON. Wär' es ein Kampf, daß die Arme und Zähne einander
packten! aber es ist mir, als wäre ich in ein Mühlwerk gefallen
und die Glieder würden mir langsam systematisch von der
kalten physischen Gewalt abgedreht. So mechanisch getötet
zu werden!

CAMILLE. Da liegen allein, kalt, steif in dem feuchten Dunst der
Fäulnis; vielleicht, daß einem der Tod das Leben langsam aus
den Fibern martert, mit Bewußtsein vielleicht sich wegzufau-
len!

PHILIPPEAU. Seid ruhig, meine Freunde. Wir sind wie die
Herbstzeitlose, welche erst nach dem Winter Samen trägt.
Von Blumen, die versetzt werden, unterscheiden wir uns nur
dadurch, daß wir über dem Versuch ein wenig stinken. Ist das
so arg?

DANTON. Eine erbauliche Aussicht! Von einem Misthaufen auf
den andern! Nicht wahr, die göttliche Klassentheorie? Von
prima nach secunda, von secunda nach tertia u. s. weiter? Ich
habe die Schulbänke satt, ich habe mir Gesäßschwielen wie
ein Affe darauf gesessen.

PHILIPPEAU. Was willst du denn?

DANTON. Ruhe.

PHILIPPEAU. Die ist in Gott.

DANTON. Im Nichts. Versenke dich in was Ruhigers, als das Nichts und wenn die höchste Ruhe Gott ist, ist nicht das Nichts Gott? Aber ich bin ein Atheist. Der verfluchte Satz: etwas kann nicht zu nichts werden! und ich bin etwas, das ist der Jammer!

Die Schöpfung hat sich so breit gemacht, da ist nichts leer, Alles voll Gewimmels.

Das Nichts hat sich ermordet, die Schöpfung ist seine Wunde, wir sind seine Blutstropfen, die Welt ist das Grab worin es fault.

Das lautet verrückt, es ist aber doch was Wahres daran.

CAMILLE. Die Welt ist der ewige Jude, das Nichts ist der Tod, aber er ist unmöglich. Oh nicht sterben können, nicht sterben können, wie es im Lied heißt.

DANTON. Wir sind Alle lebendig begraben und wie Könige in drei oder vierfachen Särgen beigesetzt, unter dem Himmel, in unsern Häusern, in unsern Röcken und Hemden.

Wir kratzen 50 Jahre lang am Sargdeckel. Ja wer an Vernichtung glauben könnte! dem wäre geholfen.

Da ist keine Hoffnung im Tod, er ist nur eine einfachere, das Leben ein verwickeltere, organisierte Fäulnis, das ist der ganze Unterschied!

Aber ich bin gerad' einmal an diese Art des Faulens gewöhnt, der Teufel weiß wie ich mit einer andern zu Recht komme.

O Julie! Wenn ich allein ginge! Wenn sie mich einsam ließe! Und wenn ich ganz zerfiele, mich ganz auflöste – ich wäre eine Handvoll gemarterten Staubes, jedes meiner Atome könnte nur Ruhe finden bei ihr.

Ich kann nicht sterben, nein, ich kann nicht sterben. Wir müssen schreien, sie müssen mir jeden Lebenstropfen aus den Gliedern reißen.

⟨III, 8⟩   EIN ZIMMER

Fouquier, Amar, Vouland.

FOUQUIER. Ich weiß nicht mehr, was ich antworten soll, sie fordern eine Kommission.

AMAR. Wir haben die Schurken, da hast du was du verlangst.
(er überreicht Fouquier ein Papier.)

VOULAND. Das wird Sie zufrieden stellen.

FOUQUIER. Wahrhaftig, das hatten wir nötig.

AMAR. Nun mache, daß wir und sie die Sache vom Hals bekommen.

⟨III,9⟩   DAS REVOLUTIONSTRIBUNAL

DANTON. Die Republik ist in Gefahr und er hat keine Instruk-
tion! Wir appellieren an das Volk, meine Stimme ist noch
stark genug um den Decemvirn die Leichenrede zu halten.
Ich wiederhole es, wir verlangen eine Kommission, wir haben
wichtige Entdeckungen zu machen. Ich werde mich in die
Citadelle der Vernunft zurückziehen, ich werde mit der Kanone der Wahrheit hervorbrechen und meine Feinde zermalmen. *(Zeichen d. Beifalls)*

Fouquier, Amar, Vouland, treten ein.

FOUQUIER. Ruhe im Namen der Republik, Achtung dem Gesetz. Der Konvent beschließt:
In Betracht daß in den Gefängnissen sich Spuren von Meute-
reien zeigen, in Betracht daß Dantons und Camilles Weiber
Geld unter das Volk werfen und daß der General Dillon
ausbrechen und sich an die Spitze der Empörer stellen soll
um die Angeklagten zu befreien, in Betracht endlich, daß
diese selbst unruhige Auftritte herbeizuführen sich bemüht
und das Tribunal zu beleidigen versucht haben, wird das Tribunal ermächtigt die Untersuchung ohne Unterbrechung
fortzusetzen und jeden Angeklagten, der die dem Gesetze
schuldige Ehrfurcht außer Augen setzen sollte, von den Debatten auszuschließen.

DANTON. Ich frage die Anwesenden, ob wir dem Tribunal, dem
Volke oder dem Nationalkonvent Hohn gesprochen haben?

VIELE STIMMEN. Nein! Nein!

CAMILLE. Die Elenden, sie wollen meine Lucile morden!

DANTON. Eines Tages wird man die Wahrheit erkennen. Ich
sehe großes Unglück über Frankreich hereinbrechen. Das ist
die Diktatur, sie hat ihren Schleier zerrissen, sie trägt die
Stirne hoch, sie schreitet über unsere Leichen. *(auf Amar und
Vouland deutend)* Seht da die feigen Mörder, seht da die
Raben des Wohlfahrtsausschusses!
Ich klage Robespierre, St. Just und ihre Henker des Hoch-
verrats an.
Sie wollen die Republik im Blut ersticken. Die Gleisen
der Guillotinenkarren sind die Heerstraßen, auf welchen

die Fremden in das Herz des Vaterlandes dringen sollen.

Wie lange sollen die Fußstapfen der Freiheit Gräber sein?

Ihr wollt Brod und sie werfen Euch Köpfe hin. Ihr durstet und sie machen euch das Blut von den Stufen der Guillotine lecken. *(Heftige Bewegung unter den Zuhörern, Geschrei des Beifalls,)*

VIELE STIMMEN: es lebe Danton, nieder mit den Decemvirn! *(Die Gefangnen werden mit Gewalt hinausgeführt.)*

⟨III, 10⟩   PLATZ VOR DEM JUSTIZPALAST

Ein Volkshaufe.

EINIGE STIMMEN: Nieder mit den Decemvirn! es lebe Danton!

1. BÜRGER. Ja das ist wahr, Köpfe statt Brod, Blut statt Wein.

EINIGE WEIBER. Die Guillotine ist eine schlechte Mühle und Samson ein schlechter Bäckerknecht, wir wollen Brod, Brod!

2. BÜRGER. Euer Brod, das hat Danton gefressen, sein Kopf wird Euch Allen wieder Brot geben, er hatte Recht.

1. BÜRGER. Danton war unter uns am 10. August, Danton war unter uns im September. Wo waren die Leute, welche ihn angeklagt haben?

2. BÜRGER. Und Lafayette war mit euch in Versailles und war doch ein Verräter.

1. BÜRGER. Wer sagt, daß Danton ein Verräter sei?

2. BÜRGER. Robespierre.

1. BÜRGER. Und Robespierre ist ein Verräter.

2. BÜRGER. Wer sagt das?

1. BÜRGER. Danton.

2. BÜRGER. Danton hat schöne Kleider, Danton hat ein schönes Haus. Danton hat eine schöne Frau, er badet sich in Burgunder, ißt das Wildpret von silbernen Tellern und schläft bei euren Weibern und Töchtern, wenn er betrunken ist.

Danton war arm, wie Ihr. Woher hat er das Alles?

Das Veto hat es ihm gekauft, damit er ihm die Krone rette.

Der Herzog von Orleans hat es ihm geschenkt, damit er ihm die Krone stehle.

Der Fremde hat es ihm gegeben, damit er Euch Alle verrate.

Was hat Robespierre? der tugendhafte Robespierre. Ihr kennt ihn Alle.

ALLE. Es lebe Robespierre! Nieder mit Danton! Nieder mit dem Verräter!

⟨IV.⟩ AKT

⟨IV, 1⟩   ⟨EIN ZIMMER⟩

Julie, ein Knabe.

JULIE. Es ist aus. Sie zitterten vor ihm. Sie töten ihn aus Furcht.
   Geh! ich habe ihn zum Letztenmal gesehen, sag' ihm ich
   könne ihn nicht so sehen.

(sie gibt ihm eine Locke)

Da, bring ihm das und sag' ihm er würde nicht allein gehn. Er
versteht mich schon und dann schnell zurück, ich will seine
Blicke aus deinen Augen lesen.

⟨IV, 2⟩   EINE STRASSE

Dumas, ein Bürger.

BÜRGER. Wie kann man nach einem solchen Verhör soviel Un-
   glückliche zum Tod verurteilen?
DUMAS. Das ist in der Tat außerordentlich, aber die Revolu-
   tionsmänner haben einen Sinn, der andern Menschen fehlt,
   und dieser Sinn trügt sie nie.
BÜRGER. Das ist der Sinn des Tigers. – Du hast ein Weib.
DUMAS. Ich werde bald eins gehabt haben.
BÜRGER. So ist es denn wahr!
DUMAS. Das Revolutionstribunal wird unsere Ehescheidung
   aussprechen, die Guillotine wird uns von Tisch und Bett
   trennen.
BÜRGER. Du bist ein Ungeheuer!
DUMAS. Schwachkopf! du bewunderst Brutus?
BÜRGER. Von ganzer Seele.
DUMAS. Muß man denn gerade römischer Konsul sein und sein
   Haupt mit der Toga verhüllen können um sein Liebstes dem
   Vaterlande zu opfern? Ich werde mir die Augen mit dem
   Ärmel meines roten Fracks abwischen, das ist der ganze Un-
   terschied.
BÜRGER. Das ist entsetzlich.
DUMAS. Geh, du begreifst mich nicht.

(sie gehen ab.)

⟨IV, 3⟩   DIE CONCIERGERIE

Lacroix, Hérault (auf einem Bett.)
Danton, Camille (auf einem andern.)

LACROIX. Die Haare wachsen einem so und die Nägel man muß sich wirklich schämen.

HÉRAULT. Nehmen Sie sich ein wenig in Acht, Sie niesen mir das ganze Gesicht voll Sand.

LACROIX. Und treten Sie mir nicht so auf die Füße, Bester, ich habe Hühneraugen.

HÉRAULT. Sie leiden noch an Ungeziefer.

LACROIX. Ach, wenn ich nur einmal die Würmer ganz los wäre.

HÉRAULT. Nun, schlafen Sie wohl, wir müssen sehen wie wir mit einander zu Recht kommen, wir haben wenig Raum. Kratzen Sie mich nicht mit Ihren Nägeln im Schlaf. So! Zerren Sie nicht so am Leichtuch, es ist kalt da unten.

DANTON. Ja Camille, morgen sind wir durchgelaufne Schuhe, die man der Bettlerin Erde in den Schoß wirft.

CAMILLE. Das Rindsleder, woraus nach Platon die Engel sich Pantoffeln geschnitten und damit auf der Erde herumtappen. Es geht aber auch danach. Meine Lucile!

DANTON. Sei ruhig, mein Junge –

CAMILLE. Kann ich's? Glaubst Du Danton? Kann ich's? Sie können die Hände nicht an sie legen. Das Licht der Schönheit, das von ihrem süßen Leib sich ausgießt, ist unlöschbar. Unmöglich! Sieh die Erde würde nicht wagen sie zu verschütten, sie würde sich um sie wölben, der Grabdunst würde wie Tau an ihren Wimpern funkeln, Crystalle würden wie Blumen um ihre Glieder sprießen und helle Quellen in Schlaf sie murmeln.

DANTON. S⟨ch⟩lafe, mein Junge, schlafe.

CAMILLE. Höre Danton, unter uns gesagt, es ist so elend sterben müssen. Es hilft auch zu nichts. Ich will dem Leben noch die letzten Blicke aus seinen hübschen Augen stehlen, ich will die Augen offen haben.

DANTON. Du wirst sie ohnehin offen behalten, Samson drückt einem die Augen nicht zu. Der Schlaf ist barmherziger. Schlafe, mein Junge, schlafe.

CAMILLE. Lucile, deine Küsse phantasieren auf meinen Lippen, jeder Kuß wird ein Traum, meine Augen sinken und schließen ihn fest ein.

DANTON. Will denn die Uhr nicht ruhen? Mit jedem Picken

schiebt sie die Wände enger um mich, bis sie so eng sind wie ein Sarg.

Ich las einmal als Kind so n'e Geschichte, die Haare standen mir zu Berg.

Ja als Kind! Das war der Mühe wert mich so groß zu füttern und mich warm zu halten. Bloß Arbeit für den Totengräber!

Es ist mir, als röch' ich schon. Mein lieber Leib, ich will mir die Nase zuhalten und mir einbilden du seist ein Frauenzimmer, was vom Tanzen schwitzt und stinkt und dir Artigkeiten sagen. Wir haben uns sonst schon mehr miteinander die Zeit vertrieben.

Morgen bist du eine zerbrochne Fiedel, die Melodie darauf ist ausgespielt. Morgen bist du eine leere Bouteille, der Wein ist ausgetrunken, aber ich habe keinen Rausch davon und gehe nüchtern zu Bett. Das sind glückliche Leute, die sich noch besaufen können. Morgen bist du eine durchgerutschte Hose, du wirst in die Garderobe geworfen und die Motten werden dich fressen, du magst stinken wie du willst.

Ach das hilft nichts. Ja wohl, s' ist so elend sterben müssen. Der Tod äfft die Geburt, beim Sterben sind wir so hülflos und nackt, wie neugeborne Kinder.

Freilich, wir bekommen das Leichentuch zur Windel. Was wird es helfen? Wir können im Grab so gut wimmern, wie in der Wiege.

Camille! er schläft *(indem er sich über ihn bückt)* ein Traum spielt zwischen seinen Wimpern. Ich will den goldnen Tau des Schlafes ihm nicht von den Augen streifen. *(er erhebt sich und tritt an's Fenster.)* Ich werde nicht allein gehn, ich danke dir Julie. Doch hätte ich anders sterben mögen, so ganz mühelos, so wie ein Stern fällt, wie ein Ton sich selbst aushaucht, sich mit den eignen Lippen totküßt, wie ein Lichtstrahl in klaren Fluten sich begräbt. –

Wie schimmernde Tränen sind die Sterne durch die Nacht gesprengt, es muß ein großer Jammer in dem Aug sein, von dem sie abträufelten.

CAMILLE. Oh! *(er hat sich aufgerichtet und tastet nach der Decke.)*

DANTON. Was hast du Camille?

CAMILLE. Oh, oh!

DANTON. *(schüttelt ihn)* Willst du die Decke herunterkratzen?

CAMILLE. Ach du, du, o halt mich, sprich, du!

DANTON. Du bebst an allen Gliedern, der Schweiß steht dir auf der Stirne.

CAMILLE. Das bist du, das ich, so! Das ist meine Hand! ja jetzt besinn' ich mich. O Danton, das war entsetzlich.

DANTON. Was denn!

CAMILLE. Ich lag so zwischen Traum und Wachen. Da schwand die Decke und der Mond sank herein, ganz nahe, ganz dicht, mein Arm erfaßt' ihn. Die Himmelsdecke mit ihren Lichtern hatte sich gesenkt, ich stieß daran, ich betastete die Sterne, ich taumelte wie ein Ertrinkender unter der Eisdecke. Das war entsetzlich Danton.

DANTON. Die Lampe wirft einen runden Schein an die Decke, das sahst du.

CAMILLE. Meinetwegen, es braucht grade nicht viel um einem das Bißchen Verstand verlieren zu machen. Der Wahnsinn faßte mich bei den Haaren, *(er erhebt sich)* ich mag nicht mehr schlafen, ich mag nicht verrückt werden. *(er greift nach einem Buch.)*

DANTON. Was nimmst du?

CAMILLE. Die Nachtgedanken.

DANTON. Willst du zum Voraus sterben? Ich nehme die Pucelle. Ich will mich aus dem Leben nicht wie aus dem Betstuhl, sondern wie aus dem Bett einer barmherzigen Schwester wegschleichen. Es ist eine Hure, es treibt mit der ganzen Welt Unzucht.

⟨IV,4⟩   PLATZ VOR DER CONCIERGERIE

Ein Schließer, zwei Fuhrleute mit Karren, Weiber.

SCHLIESSER. Wer hat Euch herfahren geheißen?

1. FUHRMANN. Ich heiße nicht herfahren, das ist ein kurioser Namen.

SCHLIESSER. Dummkopf, wer hat dir die Bestallung dazu gegeben?

1. FUHRMANN. Ich habe keine Stallung dazu kriegt, nichts als 10 sous für den Kopf.

2. FUHRMANN. Der Schuft will mich um's Brod bringen.

1. FUHRMANN. Was nennst du dein Brod. *(auf die Fenster der Gefangnen deutend)* Das ist Wurmfraß.

2. FUHRMANN. Meine Kinder sind auch Würmer und die wollen auch ihr Teil davon. Oh, es geht schlecht mit unsrem métier und doch sind wir die besten Fuhrleute.

1. FUHRMANN. Wie das?

2. FUHRM⟨ANN⟩. Wer ist der beste Fuhrmann?

1. F⟨U⟩HR⟨MANN⟩. Der am Weitesten und am Schnellsten fährt.

2. FUHRMANN. Nun Esel, wer fährt weiter, als der aus der Welt fährt und wer fährt schneller, als der's in einer Viertelstunde tut? Genau gemessen ist's eine Viertelstund von da bis zum Revolutionsplatz.

SCHLIESSER. Rasch, ihr Schl⟨in⟩gel! Näher an's Tor, Platz da ihr Mädel.

1. FUHRMANN. Halt euren Platz vor, um ein Mädel fährt man nit herum, immer in die Mitt 'nein.

2. FUHRMANN. Ja das glaub' ich, du kannst mit Karren und Gäulen hinein, du findst gute Gleise, aber du mußt Quarantän halten, wenn du heraus kommst.

(sie fahren vor.)

2. FUHRMANN. *(zu den Weibern)* Was gafft ihr?

EIN WEIB. Wir warten auf alte Kunden.

2. FUHRMANN. Meint Ihr, mein Karren wär' ein Bordell? Er ist ein anständiger Karren, er hat den König und alle vornehmen Herren aus Paris zur Tafel gefahren.

LUCILE. *(tritt auf. Sie setzt sich auf einen Stein unter die Fenster der Gefangnen.)*

Camille, Camille! *(Cam. erscheint am Fenster.)*

Höre Camille, du machst mich lachen mit dem langen Steinrock und der eisernen Maske vor dem Gesicht, kannst du dich nicht bücken? Wo sind deine Arme?

Ich will dich locken, lieber Vogel *(singt.)*

> Es stehn zwei Sternlein an dem Himmel
> Scheinen heller als der Mond,
> Der ein scheint vor Feinsliebchens Fenster,
> Der andre vor die Kammertür.

Komm, komm, mein Freund! Leise die Treppe herauf, sie schlafen Alle. Der Mond hilft mir schon lange warten. Aber du kannst ja nicht zum Tor herein, das ist eine unleidliche Tracht. Das ist zu arg für den Spaß, mach ein Ende. Du rührst dich auch gar nicht, warum sprichst du nicht? Du machst mir Angst.

Höre! die Leute sagen du müßtest sterben und machen dazu so ernsthafte Gesichter. Sterben! ich muß lachen über die Gesichter. Sterben! Was ist das für ein Wort? Sag mir's Camille. Sterben! Ich will nachdenken. Da, da ist's. Ich will ihm nachlaufen, komm, süßer Freund, hilf mir fangen, komm! komm!

(Sie läuft weg.)

CAMILLE. *(ruft)* Lucile! L u c i l e !

⟨IV, 5⟩   DIE CONCIERGERIE

Danton (an einem Fenster, was in das nächste Zimmer geht.),
Camille, Philippeau, Lacroix, Hérault.

DANTON. Du bist jetzt ruhig, Fabre.

EINE STIMME. *(von innen)* am Sterben.

DANTON. Weißt du auch, was wir jetzt machen werden?

D. STIMME. Nun?

DANTON. Was du dein ganzes Leben hindurch gemacht hast – des vers.

CAMILLE. *(für sich.)* Der Wahnsinn saß hinter ihren Augen. Es sind schon mehr Leute wahnsinnig geworden, das ist der Lauf der Welt. Was können wir dazu? Wir waschen unsere Hände. Es ist auch besser so.

DANTON. Ich lasse Alles in einer schrecklichen Verwirrung. Keiner versteht das Regieren. Es könnte vielleicht noch gehn, wenn ich Robespierre meine Huren und Couthon meine Waden hinterließe.

LACROIX. Wir hätten die Freiheit zur Hure gemacht!

DANTON. Was wäre es auch! Die Freiheit und eine Hure sind die kosmopolitischsten Dinge unter der Sonne. Sie wird sich jetzt anständig im Ehebett des Advokaten von Arras prostituieren. Aber ich denke sie wird die Clytemnaestra gegen ihn spielen, ich lasse ihm keine 6 Monate Frist, ich ziehe ihn mit mir.

CAMILLE. *(für sich.)* Der Himmel verhelf' ihr zu einer behaglichen fixen Idee. Die allgemeinen fixen Ideen, welche man die gesunde Vernunft tauft, sind unerträglich langweilig. Der glücklichste Mensch war der, welcher sich einbilden konnte, daß er Gott Vater, Sohn und heiliger Geist sei.

LACROIX. Die Esel werden schreien, es lebe die Republik, wenn wir vorbeigehen.

DANTON. Was liegt daran? Die Sündflut der Revolution mag unsere Leichen absetzen wo sie will, mit unsern fossilen Knochen wird man noch immer allen Königen die Schädel einschlagen können.

HÉRAULT. Ja, wenn sich gerade ein Simson für unsere Kinnbakken findet.

DANTON. Sie sind Kainsbrüder.

LACROIX. Nichts beweist mehr, daß Robespierre ein Nero ist, als der Umstand, daß er gegen Camille nie freundlicher war, als 2 Tage vor dessen Verhaftung. Ist es nicht so Camille?

CAMILLE. Meinetwegen, was geht das mich an?
Was sie aus dem Wahnsinn ein reizendes Ding gemacht hat. Warum muß ich jetzt fort? Wir hätten zusammen mit ihm gelacht, es gewiegt und geküßt.

DANTON. Wenn einmal die Geschichte ihre Grüfte öffnet kann der Despotismus noch immer an dem Duft unsrer Leichen ersticken.

HÉRAULT. Wir stanken bei Lebzeiten schon hinlänglich.
Das sind Phrasen für die Nachwelt nicht wahr Danton, uns gehn sie eigentlich nichts an.

CAMILLE. Er zieht ein Gesicht, als solle es versteinern und von der Nachwelt als Antike ausgegraben werden.
Das verlohnt sich auch der Mühe Mäulchen zu machen und Rot aufzulegen und mit einem guten Accent zu sprechen; wir sollten einmal die Masken abnehmen, wir sähen dann wie in einem Zimmer mit Spiegeln überall nur den einen uralten, zahllosen, unverwüstlichen Schafskopf, nichts mehr, nichts weniger. Die Unterschiede sind so groß nicht, wir Alle sind Schurken und Engel, Dummköpfe und Genies und zwar das Alles in Einem, die 4 Dinge finden Platz genug in dem nemlichen Kö⟨rp⟩er, sie sind nicht so breit, als man sich einbildet.
Schlafen, Verdaun, Kinder machen das treiben Alle, die übrigen Dinge sind nur Variationen aus verschiedenen Tonarten über das nemliche Thema. Da braucht man sich auf die Zehen zu stellen und Gesichter zu schneiden, da braucht man sich voreinander zu genieren. Wir haben uns Alle am nemlichen Tische krank gegessen und haben Leibgrimmen, was haltet Ihr Euch die Servietten vor das Gesicht, schreit nur und greint wie es Euch ankommt.
Schneidet nur keine so tugendhafte und so witzige und so heroische und so geniale Grimassen, wir kennen uns ja einander, spart Euch die Mühe.

HÉRAULT. Ja Camille, wir wollen uns beieinandersetzen und

schreien, nichts dummer als die Lippen zusammenzupressen, wenn einem was weh tut.

Griechen und Götter schrien, Römer und Stoiker machten die heroische Fratze.

DANTON. Die Einen waren so gut Epicuräer wie die Andern. Sie machten sich ein ganz behagliches Selbstgefühl zurecht. Es ist nicht so übel seine Toga zu drapieren und sich umzusehen ob man einen langen Schatten wirft. Was sollen wir uns zerren? Ob wir uns nun Lorbeerblätter, Rosenkränze oder Weinlaub vor die Scham binden, oder das häßliche Ding offen tragen und es uns von den Hunden lecken lassen?

PHILIPPEAU. Meine Freunde man braucht gerade nicht hoch über der Erde zu stehen um von all dem wirren Schwanken und Flimmern nichts mehr zu sehen und d. Augen von einigen großen, göttlichen Linien erfüllt zu haben. Es gibt ein Ohr für welches, das Ineinanderschreien und der Zeter, die uns betäuben, ein Strom von Harmonien sind.

DANTON. Aber wir sind die armen Musikanten und unsere Körper die Instrumente. Sind die häßlichen Töne, welche auf ihnen herausgepfuscht werden nur da um höher und höher dringend und endlich leise verhallend wie ein wollüstiger Hauch in himmlischen Ohren zu sterben?

HERAULT. Sind wir wie Ferkel, die man für fürstliche Tafeln mit Ruten totpeitscht, damit ihr Fleisch schmackhafter werde?

DANTON. Sind wir Kinder, die in den glühenden Molochsarmen dieser Welt gebraten und mit Lichtstrahlen gekitzelt werden, damit die Götter sich über ihr Lachen freuen?

CAMILLE. Ist denn der Äther mit seinen Goldaugen eine Schüssel mit Goldkarpfen, die am Tisch der seligen Götter steht und die seligen Götter lachen ewig und die Fische sterben ewig und die Götter erfreuen sich ewig am Farbenspiel des Todeskampfes?

DANTON. Die Welt ist das Chaos. Das Nichts ist der zu gebärende Weltgott.

Der Schließer tritt ein.

SCHLIESSER. Meine Herren, Sie können abfahren, die Wagen halten vor der Tür.

PHILIPPEAU. Gute Nacht meine Freunde, ziehen wir ruhig die große Decke über uns, worunter alle Herzen ausglühen und alle Augen zufallen.

(Sie umarmen einander.)

HÉRAULT. *(nimmt Camilles Arm.)* Freue dich Camille, wir bekommen eine schöne Nacht. Die Wolken hängen am stillen
Abendhimmel wie ein ausglühender Olymp mit verbleichen-
den, versinkenden Göttergestalten.

(Sie gehen ab.)

⟨IV,6⟩   EIN ZIMMER

JULIE. Das Volk lief in den Gassen, jetzt ist Alles still.
Keinen Augenblick möchte ich ihn warten lassen.

(sie zieht eine Phiole hervor.)

Komm liebster Priester, dessen Amen uns zu Bette gehn
macht.

(sie tritt an's Fenster.)

Es ist so hübsch Abschied zu nehmen, ich habe die Türe nur
noch hinter mir zuzuziehen. *(sie trinkt.)*
Man möchte immer so stehn.
Die Sonne ist hinunter. Der Erde Züge waren so scharf in
ihrem Licht, doch jetzt ist ihr Gesicht so still und ernst wie
einer Sterbenden. Wie schön das Abendlicht ihr um Stirn und
Wangen spielt.
Stets bleicher und bleicher wird sie, wie eine Leiche treibt sie
abwärts in der Flut des Äthers; will den⟨n⟩ kein Arm sie bei
den goldnen Locken fassen und aus dem Strom sie ziehen
und sie begraben?
Ich gehe leise. Ich küsse sie nicht, daß kein Hauch, kein
Seufzer sie aus dem Schlummer wecke.
Schlafe, schlafe.

(sie stirbt.)

⟨IV,7⟩   DER REVOLUTIONSPLATZ

*Die Wagen kommen angefahren und halten vor der Guillotin
Männer und Weiber singen und tanzen die Carmagnole. Die
Gefangnen stimmen die Marseillaise an.*

EIN WEIB MIT KINDERN. Platz! Platz! Die Kinder schreien, sie
haben Hunger. Ich muß sie zusehen machen, daß sie still
sind. Platz!

EIN WEIB. He Danton, du kannst jetzt mit den Würmern Unzucht treiben.

EINE ANDERE. Hérault, aus deinen hübschen Haaren laß' ich mir eine Perücke machen.

HÉRAULT. Ich habe nicht Waldung genug für einen so abgeholzten Venusberg.

CAMILLE. Verfluchte Hexen! Ihr werdet noch schreien, ihr Berge fallet auf uns!

EIN WEIB. Der Berg ist auf euch oder Ihr seid ihn vielmehr hinunter gefallen.

DANTON. *(zu Camille)* Ruhig, mein Junge, du hast dich heiser geschrien.

CAMILLE. *(gibt d. Fuhrmann Geld.)* Da alter Charon, dein Karren ist ein guter Präsentierteller.

Meine Herren, ich will mich zuerst servieren. Das ist ein klassisches Gastmahl, wir liegen auf unsern Plätzen und verschütten etwas Blut als Libation. Adieu Danton. *(er besteigt das Blutgerüst. Die Gefa⟨n⟩gnen folgen ihm einer nach dem andern. Danton steigt zuletzt hinauf.)*

LACROIX. *(zu dem Volk.)* Ihr tötet uns an dem Tage, wo ihr den Verstand verloren habt; ihr werdet sie an dem töten, wo ihr ihn wiederbekommt.

EINIGE STIMMEN. Das war schon einmal da! wie langweilig!

LACROIX. Die Tyrannen werden über unsern Gräbern den Hals brechen.

HÉRAULT. *(zu Danton)* Er hält seine Leiche für ein Mistbeet der Freiheit.

PHILIPPEAU. *(auf d. Schafott.)*
Ich vergebe Euch, ich wünsche eure Todesstunde sei nicht bittrer als die meinige.

HÉRAULT. Dacht' ich's doch, er muß sich noch einmal in den Busen greifen und den Leuten da unten zeigen, daß er reine Wäsche hat.

FABRE. Lebewohl Danton. Ich sterbe doppelt.

DANTON. Adieu mein Freund. Die Guillotine ist der beste Arzt.

HÉRAULT. *(will Danton umarmen.)* Ach Danton, ich bringe nicht einmal einen Spaß mehr heraus. Da ist's Zeit. *(Ein Henker stößt ihn zurück.)*

DANTON. *(zum Henker.)* Willst du grausamer sein als der Tod? Kannst du verhindern, daß unsere Köpfe sich auf dem Boden des Korbes küssen?

⟨IV,8⟩   EINE STRASSE

LUCILE.

Es ist doch was wie Ernst darin. Ich will einmal nachdenken.
Ich fange an so was zu begreifen. Sterben – Sterben –
Es darf ja Alles leben, Alles, die kleine Mücke da, – der
Vogel. Warum denn er nicht? Der Strom des Lebens müßte
stocken, wenn nur der eine Tropfen verschüttet würde. Die
Erde müßte eine Wunde bekommen von dem Streich.
Es regt sich Alles, die Uhren gehen, die Glocken schlagen, die
Leute laufen, das Wasser rinnt und so so Alles weiter bis da,
dahin – nein! es darf nicht geschehen, nein – ich will mich auf
den Boden setzen und schreien, daß erschrocken Alles stehn
bleibt, Alles stockt, sich nichts mehr regt.
*(sie setzt sich nieder, verhüllt sich die Augen und stößt einen
Schrei aus. Nach einer Pause erhebt sie sich.)*
Das hilft nichts, das ist noch Alles wie sonst, die Häuser, die
Gasse, der Wind geht, die Wolken ziehen. – Wir müssen's
wohl leiden.

> *Einige Weiber kommen die Gasse herunter.*

1. WEIB. Ein hübscher Mann, der Hérault.
2. WEIB. Wie er beim Konstitutionsfest so am Triumphbogen
   stand da dacht' ich so, der muß sich gut auf der Guillotine
   ausnehmen, dacht' ich. Das war so ne Ahnung.
3. WEIB. Ja man muß die Leute in allen Verhältnissen sehen, es
   ist recht gut, daß das Sterben so öffentlich wird. *(Sie gehen
   vorbei.)*

LUCILE. Mein Camille! Wo soll ich dich jetzt suchen?

⟨IV,9⟩   DER REVOLUTIONSPLATZ

> *Zwei Henker an der Guillotin beschäftigt.*

1. HENKER. *(steht auf der Guillotin und singt:)*
            Und wann ich hame geh
            Scheint der Mond so sch⟨ee⟩h
2. HENKER. He Holla! Bist bald fertig?
1. HENKER. Gleich, gleich! *(singt.)*
            Scheint in meines Ellervaters Fenster
            Kerl wo bleibst so lang bei de Menscher?
   So! die Jacke her!

(Sie gehn singend ab)

Und wann ich hame geh
Scheint der Mond so scheeh.

LUCILE, *(tritt auf und setzt sich auf die Stufen der Guillotine.)*
Ich setze mich auf deinen Schoß, du stiller Todesengel. *(sie singt)*

Es ist ein Schnitter, der heißt Tod,
Hat Gewalt vom höchsten Gott.

Du liebe Wiege, die du meinen Camille in Schlaf gelullt, ihn
unter deinen Rosen erstickt hast.
Du Totenglocke, die du ihn mit deiner süßen Zunge zu Grabe sangst.

(sie singt.) Viel hunderttausend ungezählt,
Was nur unter die Sichel fällt.

Eine Patrouille tritt auf.

EIN BÜRGER. He werda?
LUCILE. Es lebe der König!
BÜ⟨R⟩GER. Im Namen der Republik.

(sie wird von der Wache umringt und weggeführt.)

LENZ

Den 20. ging Lenz durch's Gebirg. Die Gipfel und hohen Bergflächen im Schnee, die Täler hinunter graues Gestein, grüne
Flächen, Felsen und Tannen. Es war naßkalt, das Wasser riesel-
te die Felsen hinunter und sprang über den Weg. Die Äste der
Tannen hingen schwer herab in die feuchte Luft. Am Himmel
zogen graue Wolken, aber Alles so dicht, und dann dampfte der
Nebel herauf und strich schwer und feucht durch das Ge-
sträuch, so träg, so plump. Er ging gleichgültig weiter, es lag
ihm nichts am Weg, bald auf- bald abwärts. Müdigkeit spürte er
keine, nur war es ihm manchmal unangenehm, daß er nicht auf
dem Kopf gehn konnte. Anfangs drängte es ihm in der Brust,
wenn das Gestein so wegsprang, der graue Wald sich unter ihm
schüttelte, und der Nebel die Formen bald verschlang, bald die
gewaltigen Glieder halb enthüllte; es drängte in ihm, er suchte
nach etwas, wie nach verlornen Träumen, aber er fand nichts.
Es war ihm alles so klein, so nahe, so naß, er hätte die Erde
hinter den Ofen setzen mögen, er begriff nicht, daß er so viel
Zeit brauchte, um einen Abhang hinunter zu klimmen, einen
fernen Punkt zu erreichen; er meinte, er müsse Alles mit ein
Paar Schritten ausmessen können. Nur manchmal, wenn der
Sturm das Gewölk in die Täler warf, und es den Wald herauf
dampfte, und die Stimmen an den Felsen wach wurden, bald
wie fern verhallende Donner, und dann gewaltig heran braus-
ten, in Tönen, als wollten sie in ihrem wilden Jubel die Erde
besingen, und die Wolken wie wilde wiehernde Rosse heran-
sprengten, und der Sonnenschein dazwischen durchging und
kam und sein blitzendes Schwert an den Schneeflächen zog, so
daß ein helles, blendendes Licht über die Gipfel in die Täler
schnitt; oder wenn der Sturm das Gewölk abwärts trieb und
einen lichtblauen See hineinriß, und dann der Wind verhallte
und tief unten aus den Schluchten, aus den Wipfeln der Tannen
wie ein Wiegenlied und Glockengeläute heraufsummte, und am
tiefen Blau ein leises Rot hinaufklomm, und kleine Wölkchen
auf silbernen Flügeln durchzogen und alle Berggipfel scharf und
fest, weit über das Land hin glänzten und blitzten, riß es ihm in
der Brust, er stand, keuchend, den Leib vorwärts gebogen, Augen und Mund weit offen, er meinte, er müsse den Sturm in sich
ziehen, Alles in sich fassen, er dehnte sich aus und lag über der
Erde, er wühlte sich in das All hinein, es war eine Lust, die ihm
wehe tat; oder er stand still und legte das Haupt in's Moos und

schloß die Augen halb, und dann zog es weit von ihm, die Erde wich unter ihm, sie wurde klein wie ein wandelnder Stern und tauchte sich in einen brausenden Strom, der seine klare Flut unter ihm zog. Aber es waren nur Augenblicke, und dann erhob er sich nüchtern, fest, ruhig als wäre ein Schattenspiel vor ihm vorübergezogen, er wußte von nichts mehr. Gegen Abend kam er auf die Höhe des Gebirgs, auf das Schneefeld, von wo man wieder hinabstieg in die Ebene nach Westen, er setzte sich oben nieder. Es war gegen Abend ruhiger geworden; das Gewölk lag fest und unbeweglich am Himmel, so weit der Blick reichte, nichts als Gipfel, von denen sich breite Flächen hinabzogen, und alles so still, grau, dämmernd; es wurde ihm entsetzlich einsam, er war allein, ganz allein, er wollte mit sich sprechen, aber er konnte, er wagte kaum zu atmen, das Biegen seines Fußes tönte wie Donner unter ihm, er mußte sich niedersetzen; es faßte ihn eine namenlose Angst in diesem Nichts, er war im Leeren, er riß sich auf und flog den Abhang hinunter. Es war finster geworden, Himmel und Erde verschmolzen in Eins. Es war als ginge ihm was nach, und als müsse ihn was Entsetzliches erreichen, etwas das Menschen nicht ertragen können, als jage der Wahnsinn auf Rossen hinter ihm. Endlich hörte er Stimmen, er sah Lichter, es wurde ihm leichter, man sagte ihm, er hätte noch eine halbe Stunde nach *Waldbach*. Er ging durch das Dorf, die Lichter schienen durch die Fenster, er sah hinein im Vorbeigehen, Kinder am Tische, alte Weiber, Mädchen, Alles ruhige, stille Gesichter, es war ihm als müsse das Licht von ihnen ausstrahlen, es ward ihm leicht, er war bald in Waldbach im Pfarrhause. Man saß am Tische, er hinein; die blonden Locken hingen ihm um das bleiche Gesicht, es zuckte ihm in den Augen und um den Mund, seine Kleider waren zerrissen. *Oberlin* hieß ihn willkommen, er hielt ihn für einen Handwerker. »Sein Sie mir willkommen, obschon Sie mir unbekannt.« – Ich bin ein Freund von ... und bringe Ihnen Grüße von ihm. »Der Name, wenn's beliebt« .... *Lenz.* »Ha, ha, ha, ist er nicht gedruckt? Habe ich nicht einige Dramen gelesen, die einem Herrn dieses Namens zugeschrieben werden?« Ja, aber belieben Sie mich nicht darnach zu beurteilen. Man sprach weiter, er suchte nach Worten und erzählte rasch, aber auf der Folter; nach und nach wurde er ruhig, das heimliche Zimmer und die stillen Gesichter, die aus dem Schatten hervortraten, das helle Kindergesicht, auf dem alles Licht zu ruhen schien und das neugierig, vertraulich aufschaute, bis zur Mutter, die hinten im Schatten engelgleich stille saß. Er fing an zu erzählen, von seiner Heimat; er zeichnete allerhand Trachten, man drängte sich teilnehmend um ihn, er war gleich zu Haus, sein blasses Kindergesicht, das jetzt lächelte, sein lebendiges Erzählen; er wurde ruhig, es war ihm als träten alte Gestalten, vergessene Gesichter wieder aus dem Dunkeln, alte Lieder wachten auf, er war weg, weit weg. Endlich war es Zeit zum Gehen, man führte ihn über die Straße, das Pfarrhaus war zu eng, man gab ihm ein Zimmer im Schulhause. Er ging hinauf, es war kalt oben, eine weite Stube, leer, ein hohes Bett im Hintergrund, er stellte das Licht auf den Tisch, und ging auf und ab, er besann sich wieder auf den Tag, wie er hergekommen, wo er war, das Zimmer im Pfarrhause mit seinen Lichtern und lieben Gesichtern, es war ihm wie ein Schatten, ein Traum, und es wurde ihm leer, wieder wie auf dem Berg, aber er konnte es mit nichts mehr ausfüllen, das Licht war erloschen, die Finsternis verschlang Alles; eine unnennbare Angst erfaßte ihn, er sprang auf, er lief durchs Zimmer, die Treppe hinunter, vor's Haus; aber umsonst, Alles finster, nichts, er war sich selbst ein Traum, einzelne Gedanken huschten auf, er hielt sie fest, es war ihm als müsse er immer »Vater unser« sagen; er konnte sich nicht mehr finden, ein dunkler Instinkt trieb ihn, sich zu retten, er stieß an die Steine, er riß sich mit den Nägeln, der Schmerz fing an, ihm das Bewußtsein wiederzugeben, er stürzte sich in den Brunnstein, aber das Wasser war nicht tief, er patschte darin. Da kamen Leute, man hatte es gehört, man rief ihm zu. Oberlin kam gelaufen; Lenz war wieder zu sich gekommen, das ganze Bewußtsein seiner Lage, es war ihm wieder leicht, jetzt schämte er sich und war betrübt, daß er den guten Leuten Angst gemacht, er sagte ihnen, daß er gewohnt sei kalt zu baden, und ging wieder hinauf; die Erschöpfung ließ ihn endlich ruhen.

Den andern Tag ging es gut. Mit Oberlin zu Pferde durch das Tal; breite Bergflächen, die aus großer Höhe sich in ein schmales, gewundnes Tal zusammenzogen, das in mannichfachen Richtungen sich hoch an den Bergen hinaufzog, große Felsenmassen, die sich nach unten ausbreiteten, wenig Wald, aber alles im grauen ernsten Anflug, eine Aussicht nach Westen in das Land hinein und auf die Bergkette, die sich grad hinunter nach Süden und Norden zog, und deren Gipfel gewaltig, ernsthaft oder schweigend still, wie ein dämmernder Traum standen. Gewaltige Lichtmassen, die manchmal aus den Tälern, wie ein goldner Strom schwollen, dann wieder Gewölk, das an dem

höchsten Gipfel lag, und dann langsam den Wald herab in das
Tal klomm, oder in den Sonnenblitzen sich wie ein fliegendes
silbernes Gespenst herabsenkte und hob; kein Lärm, keine Be-
wegung, kein Vogel, nichts als das bald nahe, bald ferne Wehn
des Windes. Auch erschienen Punkte, Gerippe von Hütten,
Bretter mit Stroh gedeckt, von schwarzer ernster Farbe. Die
Leute, schweigend und ernst, als wagten sie die Ruhe ihres
Tales nicht zu stören, grüßten ruhig, wie sie vorbeiritten. In den
Hütten war es lebendig, man drängte sich um Oberlin, er wies
zurecht, gab Rat, tröstete; überall zutrauensvolle Blicke, Gebet.
Die Leute erzählten Träume, Ahnungen. Dann rasch in's praktische Leben, Wege angelegt, Kanäle gegraben, die Schule besucht. Oberlin war unermüdlich, Lenz fortwährend sein Begleiter, bald in Gespräch, bald tätig am Geschäft, bald in die Natur
versunken. Es wirkte alles wohltätig und beruhigend auf ihn, er
mußte Oberlin oft in die Augen sehen, und die mächtige Ruhe,
die uns über der ruhenden Natur, im tiefen Wald, in mondhel-
len schmelzenden Sommernächten überfällt, schien ihm noch
näher, in diesem ruhigen Auge, diesem ehrwürdigen ernsten
Gesicht. Er war schüchtern, aber er machte Bemerkungen, er
sprach, Oberlin war sein Gespräch sehr angenehm, und das
anmutige Kindergesicht Lenzens machte ihm große Freude.
Aber nur so lange das Licht im Tale lag, war es ihm erträglich;
gegen Abend befiel ihn eine sonderbare Angst, er hätte der
Sonne nachlaufen mögen; wie die Gegenstände nach und nach
schattiger wurden, kam ihm Alles so traumartig, so zuwider
vor, es kam ihm die Angst an wie Kindern, die im Dunkeln
schlafen; es war ihm als sei er blind; jetzt wuchs sie, der Alp des
Wahnsinns setzte sich zu seinen Füßen, der rettungslose Gedanke, als sei Alles nur sein Traum, öffnete sich vor ihm, er
klammerte sich an alle Gegenstände, Gestalten zogen rasch an
ihm vorbei, er drängte sich an sie, es waren Schatten, das Leben
wich aus ihm und seine Glieder waren ganz starr. Er sprach, er
sang, er rezitierte Stellen aus Shakespeare, er griff nach Allem,
was sein Blut sonst hatte rascher fließen machen, er versuchte
Alles, aber kalt, kalt. Er mußte dann hinaus ins Freie, das wenige, durch die Nacht zerstreute Licht, wenn seine Augen an die
Dunkelheit gewöhnt waren, machte ihm besser, er stürzte sich
in den Brunnen, die grelle Wirkung des Wassers machte ihm
besser, auch hatte er eine geheime Hoffnung auf eine Krankheit,
er verrichtete sein Bad jetzt mit weniger Geräusch. Doch jemehr er sich in das Leben hineinlebte, ward er ruhiger, er unter-

stützte Oberlin, zeichnete, las die Bibel; alte vergangne Hoffnungen gingen in ihm auf; das neue Testament trat ihm hier so
entgegen, und eines Morgens ging er hinaus. Wie Oberlin ihm
erzählte, wie ihn eine unaufhaltsame Hand auf der Brücke gehalten hätte, wie auf der Höhe ein Glanz seine Augen geblendet
hätte, wie er eine Stimme gehört hätte, wie es in der Nacht mit
ihm gesprochen, und wie Gott so ganz bei ihm eingekehrt, daß
er kindlich seine Lose aus der Tasche holte, um zu wissen, was
er tun sollte, dieser Glaube, dieser ewige Himmel im Leben,
dies Sein in Gott; jetzt erst ging ihm die heilige Schrift auf. Wie
den Leuten die Natur so nah trat, alles in himmlischen Myste-
rien; aber nicht gewaltsam majestätisch, sondern noch vertraut! –
Er ging des Morgens hinaus, die Nacht war Schnee gefallen,
im Tal lag heller Sonnenschein, aber weiterhin die Landschaft
halb im Nebel. Er kam bald vom Weg ab, und eine sanfte Höhe
hinauf, keine Spur von Fußtritten mehr, neben einem Tannenwald hin, die Sonne schnitt Krystalle, der Schnee war leicht und
flockig, hie und da Spur von Wild leicht auf dem Schnee, die
sich ins Gebirg hinzog. Keine Regung in der Luft als ein leises
Wehen, als das Rauschen eines Vogels, der die Flocken leicht
vom Schwanze stäubte. Alles so still, und die Bäume weithin
mit schwankenden weißen Federn in der tiefblauen Luft. Es
wurde ihm heimlich nach und nach, die einförmigen gewaltigen
Flächen und Linien, vor denen es ihm manchmal war, als ob sie
ihn mit gewaltigen Tönen anrede⟨n⟩, waren verhüllt, ein
heimliches Weihnachtsgefühl beschlich ihn, er meinte manchmal seine Mutter müsse hinter einem Baume hervortreten, groß,
und ihm sagen, sie hätte ihm dies Alles beschert; wie er hinun-
terging, sah er, daß um seinen Schatten sich ein Regenbogen
von Strahlen legte, es wurde ihm, als hätte ihn was an der Stirn
berührt, das Wesen sprach ihn an. Er kam hinunter. Oberlin
war im Zimmer, Lenz kam heiter auf ihn zu, und sagte ihm, er
möge wohl einmal predigen. »Sind Sie Theologe?« Ja! – »Gut,
nächsten Sonntag.«

Lenz ging vergnügt auf sein Zimmer, er dachte auf einen Text
zum Predigen und verfiel in Sinnen, und seine Nächte wurden
ruhig. Der Sonntagmorgen kam, es war Tauwetter eingefallen.
Vorüberstreifende Wolken, Blau dazwischen, die Kirche lag neben am Berg hinauf, auf einem Vorsprung, der Kirchhof drum
herum. Lenz stand oben, wie die Glocke läutete und die Kir-
chengänger, die Weiber und Mädchen in ihrer ernsten schwar-

zen Tracht, das weiße gefaltete Schnupftuch auf dem Gesangbuche und den Rosmarinzweig von den verschiedenen Seiten die schmalen Pfade zwischen den Felsen herauf und herab kamen. Ein Sonnenblick lag manchmal über dem Tal, die laue Luft regte sich langsam, die Landschaft schwamm im Duft, fernes Geläute, es war als löste sich alles in eine harmonische Welle auf.

Auf dem kleinen Kirchhof war der Schnee weg, dunkles Moos unter den schwarzen Kreuzen, ein verspäteter Rosenstrauch lehnte an der Kirchhofmauer, verspätete Blumen dazu unter dem Moos hervor, manchmal Sonne, dann wieder dunkel. Die Kirche fing an, die Menschenstimmen begegneten sich im reinen hellen Klang; ein Eindruck, als schaue man in reines durchsichtiges Bergwasser. Der Gesang verhallte, Lenz sprach, er war schüchtern, unter den Tönen hatte sein Starrkrampf sich ganz gelegt, sein ganzer Schmerz wachte jetzt auf, und legte sich in sein Herz. Ein süßes Gefühl unendlichen Wohls beschlich ihn. Er sprach einfach mit den Leuten, sie litten alle mit ihm, und es war ihm ein Trost, wenn er über einige müdgeweinte Augen Schlaf, und gequälten Herzen Ruhe bringen, wenn er über dieses von materiellen Bedürfnissen gequälte Sein, diese dumpfen Leiden gen Himmel leiten konnte. Er war fester geworden, wie er schloß, da fingen die Stimmen wieder an:

> Laß in mir die heil'gen Schmerzen,
> Tiefe Bronnen ganz aufbrechen;
> Leiden sei all' mein Gewinst,
> Leiden sei mein Gottesdienst.

Das Drängen in ihm, die Musik, der Schmerz, erschütterte ihn. Das All war für ihn in Wunden; er fühlte tiefen unnennbaren Schmerz davon. Jetzt, ein anderes Sein, göttliche, zuckende Lippen bückten sich über ihm aus, und sogen sich an seine Lippen; er ging auf sein einsames Zimmer. Er war allein, allein! Da rauschte die Quelle, Ströme brachen aus seinen Augen, er krümmte sich in sich, es zuckten seine Glieder, es war ihm als müsse er sich auflösen, er konnte kein Ende finden der Wollust; endlich dämmerte es in ihm, er empfand ein leises tiefes Mitleid in sich selbst, er weinte über sich, sein Haupt sank auf die Brust, er schlief ein, der Vollmond stand am Himmel, die Locken fielen ihm über die Schläfe und das Gesicht, die Tränen hingen ihm an den Wimpern und trockneten auf den Wangen, so lag er nun da allein, und Alles war ruhig und still und kalt, und der Mond schien die ganze Nacht und stand über den Bergen.

Am folgenden Morgen kam er herunter, er erzählte Oberlin ganz ruhig, wie ihm die Nacht seine Mutter erschienen sei; sie sei in einem weißen Kleide aus der dunkeln Kirchhofmauer hervorgetreten, und habe eine weiße und eine rote Rose an der Brust stecken gehabt; sie sei dann in eine Ecke gesunken, und die Rosen seien langsam über sie gewachsen, sie sei gewiß tot; er sei ganz ruhig darüber. Oberlin versetzte ihm nun, wie er bei dem Tod seines Vaters allein auf dem Felde gewesen sei, und er dann eine Stimme gehört habe, so daß er wußte, daß sein Vater tot sei, und wie er heimgekommen, sei es so gewesen. Das führte sie weiter, Oberlin sprach noch von den Leuten im Gebirge, von Mädchen, die das Wasser und Metall unter der Erde fühlten, von Männern, die auf manchen Berghöhen angefaßt würden und mit einem Geiste rängen; er sagte ihm auch, wie er einmal im Gebirg durch das Schauen in ein leeres tiefes Bergwasser in eine Art von Somnambulismus versetzt worden sei. Lenz sagte, daß der Geist des Wassers über ihn gekommen sei, daß er dann etwas von seinem eigentümlichen Sein empfunden hätte. Er fuhr weiter fort: Die einfachste, reinste Natur hinge am nächsten mit der elementarischen zusammen, je feiner der Mensch geistig fühlt und lebt, um so abgestumpfter würde dieser elementarische Sinn; er halte ihn nicht für einen hohen Zustand, er sei nicht selbstständig genug, aber er meine, es müsse ein unendliches Wonnegefühl sein, so von dem eigentümlichen Leben jeder Form berührt zu werden; für Gesteine, Metalle, Wasser und Pflanzen eine Seele zu haben; so traumartig jedes Wesen in der Natur in sich aufzunehmen, wie die Blumen mit dem Zu- und Abnehmen des Mondes die Luft.

Er sprach sich selbst weiter aus, wie in Allem eine unaussprechliche Harmonie, ein Ton, eine Seligkeit sei, die in den höhern Formen mit mehr Organen aus sich herausgriffe, tönte, auffaßte und dafür aber auch um so tiefer affiziert würde, wie in den niedrigen Formen Alles zurückgedrängter, beschränkter, dafür aber auch die Ruhe in sich größer sei. Er verfolgte das noch weiter. Oberlin brach es ab, es führte ihn zu weit von seiner einfachen Art ab. Ein andermal zeigte ihm Oberlin Farbentäfelchen, er setzte ihm auseinander, in welcher Beziehung jede Farbe mit dem Menschen stände, er brachte zwölf Apostel heraus, deren jeder durch eine Farbe repräsentiert würde. Lenz faßte das auf, er spann die Sache weiter, kam in ängstliche Träume, und fing an wie Stilling die Apokalypse zu lesen, und las viel in der Bibel.

Um diese Zeit kam *Kaufmann* mit seiner Braut in's Steintal. Lenzen war Anfangs das Zusammentreffen unangenehm, er hatte sich so ein Plätzchen zurechtgemacht, das bißchen Ruhe war ihm so kostbar und jetzt kam ihm Jemand entgegen, der ihn an so vieles erinnerte, mit dem er sprechen, reden mußte, der seine Verhältnisse kannte. Oberlin wußte von Allem nichts; er hatte ihn aufgenommen, gepflegt; er sah es als eine Schickung Gottes, der den Unglücklichen ihm zugesandt hätte, er liebte ihn herzlich. Auch war es Alles notwendig, daß er da war, er gehörte zu ihnen, als wäre er schon längst da, und Niemand frug, woher er gekommen und wohin er gehen werde. Über Tisch war Lenz wieder in guter Stimmung, man sprach von Literatur, er war auf seinem Gebiete; die idealistische Periode fing damals an, Kaufmann war ein Anhänger davon, Lenz widersprach heftig. Er sagte: Die Dichter, von denen man sage, sie geben die Wirklichkeit, hätten auch keine Ahnung davon, doch seien sie immer noch erträglicher, als die, welche die Wirklichkeit verklären wollten. Er sagte: Der liebe Gott hat die Welt wohl gemacht wie sie sein soll, und wir können wohl nicht was Besseres klecksen, unser einziges Bestreben soll sein, ihm ein wenig nachzuschaffen. Ich verlange in allem Leben, Möglichkeit des Daseins, und dann ist's gut; wir haben dann nicht zu fragen, ob es schön, ob es häßlich ist, das Gefühl, daß Was geschaffen sei, Leben habe, stehe über diesen Beiden, und sei das einzige Kriterium in Kunstsachen. Übrigens begegne es uns nur selten, in Shakespeare finden wir es und in den Volksliedern tönt es einem ganz, in Göthe manchmal entgegen. Alles Übrige kann man ins Feuer werfen. Die Leute können auch keinen Hundsstall zeichnen. Da wolle man idealistische Gestalten, aber Alles, was ich davon gesehen, sind Holzpuppen. Dieser Idealismus ist die schmählichste Verachtung der menschlichen Natur. Man versuche es einmal und senke sich in das Leben des Geringsten und gebe es wieder, in den Zuckungen, den Andeutungen, dem ganzen feinen, kaum bemerkten Mienenspiel; er hätte dergleichen versucht im »Hofmeister« und den »Soldaten«. Es sind die prosaischsten Menschen unter der Sonne; aber die Gefühlsader ist in fast allen Menschen gleich, nur ist die Hülle mehr oder weniger dicht, durch die sie brechen muß. Man muß nur Aug und Ohren dafür haben. Wie ich gestern neben am Tal hinaufging, sah ich auf einem Steine zwei Mädchen sitzen, die eine band ihre Haare auf, die andre half ihr; und das goldne Haar hing herab, und ein ernstes bleiches Gesicht, und doch so jung, und die schwarze Tracht und die andre so sorgsam bemüht. Die schönsten, innigsten Bilder der altdeutschen Schule geben kaum eine Ahnung davon. Man möchte manchmal ein Medusenhaupt sein, um so eine Gruppe in Stein verwandeln zu können, und den Leuten zurufen. Sie standen auf, die schöne Gruppe war zerstört; aber wie sie so hinabstiegen, zwischen den Felsen war es wieder ein anderes Bild. Die schönsten Bilder, die schwellendsten Töne, gruppieren, lösen sich auf.

Nur eins bleibt, eine unendliche Schönheit, die aus einer Form in die andre tritt, ewig aufgeblättert, verändert, man kann sie aber freilich nicht immer festhalten und in Museen stellen und auf Noten ziehen und dann Alt und Jung herbeirufen, und die Buben und Alten darüber radotieren und sich entzücken lassen. Man muß die Menschheit lieben, um in das eigentümliche Wesen jedes einzudringen, es darf einem keiner zu gering, keiner zu häßlich sein, erst dann kann man sie verstehen; das unbedeutendste Gesicht macht einen tiefern Eindruck als die bloße Empfindung des Schönen, und man kann die Gestalten aus sich heraustreten lassen, ohne etwas vom Äußern hinein zu kopieren, wo einem kein Leben, keine Muskeln, kein Puls entgegen schwillt und pocht. Kaufmann warf ihm vor, daß er in der Wirklichkeit doch keine Typen für einen Apoll von Belvedere oder eine Raphaelische Madonna finden würde. Was liegt daran, versetzte er, ich muß gestehen, ich fühle mich dabei sehr tot, wenn ich in mir arbeite, kann ich auch wohl was dabei fühlen, aber ich tue das Beste daran. Der Dichter und Bildende ist mir der Liebste, der mir die Natur am Wirklichsten gibt, so daß ich über seinem Gebild fühle, Alles Übrige stört mich. Die Holländischen Maler sind mir lieber, als die Italiänischen, sie sind auch die einzigen faßlichen; ich kenne nur zwei Bilder, und zwar von Niederländern, die mir einen Eindruck gemacht hätten, wie das neue Testament; das Eine ist, ich weiß nicht von wem, Christus und die Jünger von Emaus. Wenn man so liest, wie die Jünger hinausgingen, es liegt gleich die ganze Natur in den Paar Worten. Es ist ein trüber, dämmernder Abend, ein einförmiger roter Streifen am Horizont, halbfinster auf der Straße, da kommt ein Unbekannter zu ihnen, sie sprechen, er bricht das Brod, da erkennen sie ihn, in einfach-menschlicher Art, und die göttlich-leidenden Züge reden ihnen deutlich, und sie erschrecken, denn es ist finster geworden, und es tritt sie etwas Unbegreifliches an, aber es ist kein gespenstisches Grauen; es ist wie wenn einem

ein geliebter Toter in der Dämmerung in der alten Art entge-
genträte, so ist das Bild, mit dem einförmigen, bräunlichen Ton
darüber, dem trüben stillen Abend. Dann ein anderes. Eine
Frau sitzt in ihrer Kammer, das Gebetbuch in der Hand. Es ist
sonntäglich aufgeputzt, der Sand gestreut, so heimlich rein und
warm. Die Frau hat nicht zur Kirche gekonnt, und sie verrichtet
die Andacht zu Haus, das Fenster ist offen, sie sitzt darnach
hingewandt, und es ist als schwebten zu dem Fenster über die
weite ebne Landschaft die Glockentöne von dem Dorfe herein
und verhallet der Sang der nahen Gemeinde aus der Kirche her,
und die Frau liest den Text nach. – In der Art sprach er weiter,
man horchte auf, es traf Vieles, er war rot geworden über den
Reden, und bald lächelnd, bald ernst, schüttelte er die blonden
Locken. Er hatte sich ganz vergessen. Nach dem Essen nahm
ihn Kaufmann bei Seite. Er hatte Briefe von Lenzens Vater
erhalten, sein Sohn sollte zurück, ihn unterstützen. Kaufmann
sagte ihm, wie er sein Leben hier verschleudre, unnütz verliere,
er solle sich ein Ziel stecken und dergleichen mehr. Lenz fuhr
ihn an: Hier weg, weg! nach Haus? Toll werden dort? Du
weißt, ich kann es nirgends aushalten, als da herum, in der
Gegend wenn ich nicht manchmal auf einen Berg könnte und
die Gegend sehen könnte; und dann wieder herunter in's Haus,
durch den Garten gehn, und zum Fenster hineinsehen. Ich würde toll! toll! Laßt mich doch in Ruhe! Nur ein bißchen Ruhe,
jetzt wo es mir ein wenig wohl wird! Weg? Ich verstehe das
nicht, mit den zwei Worten ist die Welt verhunzt. Jeder hat was
nötig; wenn er ru⟨h⟩en kann, was könnt' er mehr haben! Immer steigen, ringen und so in Ewigkeit Alles was der Augenblick gibt, wegwerfen und immer darben, um einmal zu genießen; dürsten, während einem helle Quellen über den Weg
springen. Es ist mir jetzt erträglich, und da will ich bleiben;
warum? warum? Eben weil es mir wohl ist; was will mein
Vater? Kann er mir geben? Unmöglich! Laßt mich in Ruhe. Er
wurde heftig, Kaufmann ging, Lenz war verstimmt.

Am folgenden Tag wollte Kaufmann weg, er beredete Oberlin mit ihm in die Schweiz zu gehen. Der Wunsch, Lavater, den
er längst durch Briefe kannte, auch persönlich kennen zu lernen, bestimmte ihn. Er sagte es zu. Man mußte einen Tag länger
wegen der Zurüstungen warten. Lenz fiel das auf's Herz, er
hatte, um seiner unendlichen Qual los zu werden, sich ängstlich
an Alles geklammert; er fühlte in einzelnen Augenblicken tief,
wie er sich Alles nur zurecht mache; er ging mit sich um wie mit

einem kranken Kinde, manche Gedanken, mächtige Gefühle wurde er nur mit der größten Angst los, da trieb es ihn wieder mit unendlicher Gewalt darauf, er zitterte, das Haar sträubte ihm fast, bis er es in der ungeheuersten Anspannung erschöpfte. Er rettete sich in eine Gestalt, die ihm immer vor Augen schwebte, und in Oberlin; seine Worte, sein Gesicht taten ihm unendlich wohl. So sah er mit Angst seiner Abreise entgegen.

Es war Lenzen unheimlich, jetzt allein im Hause zu bleiben. Das Wetter war milde geworden, er beschloß Oberlin zu begleiten, in's Gebirg. Auf der andern Seite, wo die Täler sich in die Ebne ausliefen, trennten sie sich. Er ging allein zurück. Er durchstrich das Gebirg in verschiedenen Richtungen, breite Flächen zogen sich in die Täler herab, wenig Wald, nichts als gewaltige Linien und weiter hinaus die weite rauchende Ebne, in der Luft ein gewaltiges Wehen, nirgends eine Spur von Menschen, als hie und da eine verlassene Hütte, wo die Hirten den Sommer zubrachten, an den Abhängen gelehnt. Er wurde still, vielleicht fast träumend, es verschmolz ihm Alles in eine Linie, wie eine steigende und sinkende Welle, zwischen Himmel und Erde, es war ihm als läge er an einem unendlichen Meer, das leise auf- und abwogte. Manchmal saß er, dann ging er wieder, aber langsam träumend. Er suchte keinen Weg. Es war finster Abend, als er an eine bewohnte Hütte kam, im Abhang nach dem Steintal. Die Türe war verschlossen, er ging an's Fenster, durch das ein Lichtschimmer fiel. Eine Lampe erhellte fast nur einen Punkt, ihr Licht fiel auf das bleiche Gesicht eines Mädchens, das mit halb geöffneten Augen, leise die Lippen bewegend, dahinter ruhte. Weiter weg im Dunkel saß ein altes Weib, das mit schnarrender Stimme aus einem Gesangbuch sang. Nach langem Klopfen öffnete sie; sie war halb taub, sie trug Lenz einiges Essen auf und wies ihm eine Schlafstelle an, wobei sie beständig ihr Lied fortsang. Das Mädchen hatte sich nicht gerührt. Einige Zeit darauf kam ein Mann herein, er war lang und hager, Spuren von grauen Haaren, mit unruhigem verwirrtem Gesicht. Er trat zum Mädchen, sie zuckte auf und wurde unruhig. Er nahm ein getrocknetes Kraut von der Wand, und legte ihr die Blätter auf die Hand, so daß sie ruhiger wurde und verständliche Worte in langsam ziehenden, durchschneidenden Tönen summte. Er erzählte, wie er eine Stimme im Gebirge gehört, und dann über den Tälern ein Wetterleuchten gesehen habe, auch habe es ihn angefaßt und er habe damit gerungen wie

Jakob. Er warf sich nieder und betete leise mit Inbrunst, während die Kranke in einem langsam ziehenden, leise verhallenden Ton sang. Dann gab er sich zur Ruhe.

Lenz schlummerte träumend ein, und dann hörte er im Schlaf, wie die Uhr pickte. Durch das leise Singen des Mädchens und die Stimme der Alten zugleich tönte das Sausen des Windes bald näher, bald ferner, und der bald helle, bald verhüllte Mond, warf sein wechselndes Licht traumartig in die Stube. Einmal wurden die Töne lauter, das Mädchen redete deutlich und bestimmt, sie sagte, wie auf der Klippe gegenüber eine Kirche stehe. Lenz sah auf und sie saß mit weitgeöffneten Augen aufrecht hinter dem Tisch, und der Mond warf sein stilles Licht auf ihre Züge, von denen ein unheimlicher Glanz zu strahlen schien, zugleich schnarrte die Alte und über diesem Wechseln und Sinken des Lichts, den Tönen und Stimmen schlief endlich Lenz tief ein.

Er erwachte früh, in der dämmernden Stube schlief Alles, auch das Mädchen war ruhig geworden, sie lag zurückgelehnt, die Hände gefaltet unter der linken Wange; das Geisterhafte aus ihren Zügen war verschwunden, sie hatte jetzt einen Ausdruck unbeschreiblichen Leidens. Er trat an's Fenster und öffnete es, die kalte Morgenluft schlug ihm entgegen. Das Haus lag am Ende eines schmalen, tiefen Tales, das sich nach Osten öffnete, rote Strahlen schossen durch den grauen Morgenhimmel in das dämmernde Tal, das im weißen Rauch lag und funkelte⟨n⟩ am grauen Gestein und trafen in die Fenster der Hütten. Der Mann erwachte, seine Augen trafen auf ein erleuchtet Bild an der Wand, sie richteten sich fest und starr darauf, nun fing er an die Lippen zu bewegen und betete leise, dann laut und immer lauter. Indem kamen Leute zur Hütte herein, sie warfen sich schweigend nieder. Das Mädchen lag in Zuckungen, die Alte schnarrte ihr Lied und plauderte mit den Nachbarn. Die Leute erzählten Lenzen, der Mann sei vor langer Zeit in die Gegend gekommen, man wisse nicht woher; er stehe im Rufe eines Heiligen, er sehe das Wasser unter der Erde und könne Geister beschwören, und man wallfahre zu ihm. Lenz erfuhr zugleich, daß er weiter vom Steintal abgekommen, er ging weg mit einigen Holzhauern, die in die Gegend gingen. Es tat ihm wohl, Gesellschaft zu finden; es war ihm jetzt unheimlich mit dem gewaltigen Menschen, von dem es ihm manchmal war, als rede er in entsetzlichen Tönen. Auch fürchtete er sich vor sich selbst in der Einsamkeit.

Er kam heim. Doch hatte die verflossene Nacht einen gewaltigen Eindruck auf ihn gemacht. Die Welt war ihm helle gewesen, und an sich ein Regen und Wimmeln nach einem Abgrund, zu dem ihn eine unerbittliche Gewalt hinriß. Er wühlte jetzt in sich. Er aß wenig; halbe Nächte im Gebet und fieberhaften Träumen. Ein gewaltsames Drängen, und dann erschöpft zurückgeschlagen; er lag in den heißesten Tränen, und dann bekam er plötzlich eine Stärke, und erhob sich kalt und gleichgültig, seine Tränen waren ihm dann wie Eis, er mußte lachen. Je höher er sich aufriß, desto tiefer stürzte er hinunter. Alles strömte wieder zusammen. Ahnungen von seinem alten Zustande durchzuckten ihn, und warfen Streiflichter in das wüste Chaos seines Geistes. Des Tags saß er gewöhnlich unten im Zimmer, Madame Oberlin ging ab und zu, er zeichnete, malte, las, griff nach jeder Zerstreuung, Alles hastig von einem zum andern. Doch schloß er sich jetzt besonders an Madame Oberlin an, wenn sie so da saß, das schwarze Gesangbuch vor sich, neben eine Pflanze, im Zimmer gezogen, das jüngste Kind zwischen den Knien; auch machte er sich viel mit dem Kinde zu tun. So saß er einmal, da wurde ihm ängstlich, er sprang auf, ging auf und ab. Die Türe halb offen, da hörte er die Magd singen, erst unverständlich, dann kamen die Worte

Auf dieser Welt hab' ich kein' Freud',
Ich hab' mein Schatz und der ist weit.

Das fiel auf ihn, er verging fast unter den Tönen. Mad. Oberlin sah ihn an. Er faßte sich ein Herz, er konnte nicht mehr schweigen, er mußte davon sprechen. »Beste Madame Oberlin, können Sie mir nicht sagen, was das Frauenzimmer macht, dessen Schicksal mir so zentnerschwer auf dem Herzen liegt?« »Aber Herr Lenz, ich weiß von nichts.«

Er schwieg dann wieder und ging hastig im Zimmer auf und ab; dann fing er wieder an: Sehen Sie, ich will gehn; Gott, sie sind noch die einzigen Menschen, wo ich's aushalten könnte, und doch – doch, ich muß weg, zu *ihr* – aber ich kann nicht, ich darf nicht. – Er war heftig bewegt und ging hinaus.

Gegen Abend kam Lenz wieder, es dämmerte in der Stube; er setzte sich neben Madame Oberlin. Sehn Sie, fing er wieder an, wenn sie so durch's Zimmer ging, und so halb für sich allein sang, und jeder Tritt war eine Musik, es war so eine Glückseligkeit in ihr, und das strömte in mich über, ich war immer ruhig, wenn ich sie ansah, oder sie so den Kopf an mich lehnte, und

Gott! Gott – Ich war schon lange nicht mehr ruhig. . . . Ganz Kind; es war, als war ihr die Welt zu weit, sie zog sich so in sich zurück, sie suchte das engste Plätzchen im ganzen Haus, und da saß sie, als wäre ihre ganze Seligkeit nur in einem kleinen Punkt, und dann war mir's auch so; wie ein Kind hätte ich dann spielen können. Jetzt ist es mir so eng, so eng, sehn Sie, es ist mir manchmal, als stieß' ich mit den Händen an den Himmel; o ich ersticke! Es ist mir dabei oft, als fühlt' ich physischen Schmerz, da in der linken Seite, im Arm, womit ich sie sonst faßte. Doch kann ich sie mir nicht mehr vorstellen, das Bild läuft mir fort, und dies martert mich, nur wenn es mir manchmal ganz hell wird, so ist mir wieder recht wohl. – Er sprach später noch oft mit Madame Oberlin davon, aber meist nur in abgebrochenen Sätzen; sie wußte wenig zu antworten, doch tat es ihm wohl.

Unterdessen ging es fort mit seinen religiösen Quälereien. Je leerer, je kälter, je sterbender er sich innerlich fühlte, desto mehr drängte es in ihn, eine Glut in sich zu wecken, es kamen ihm Erinnerungen an die Zeiten, wo Alles in ihm sich drängte, wo er unter all' seinen Empfindungen keuchte; und jetzt so tot. Er verzweifelte an sich selbst, dann warf er sich nieder, er rang die Hände, er rührte Alles in sich auf; aber tot! tot! Dann flehete er, Gott möge ein Zeichen an ihm tun, dann wühlte er in sich, fastete, lag träumend am Boden. Am dritten Hornung hörte er, ein Kind in Fouday sei gestorben, er faßte es auf, wie eine fixe Idee. Er zog sich in sein Zimmer und fastete einen Tag. Am vierten trat er plötzlich in's Zimmer zu Mad. Oberlin, er hatte sich das Gesicht mit Asche beschmiert, und forderte einen alten Sack; sie erschrak, man gab ihm, was er verlangte. Er wickelte den Sack um sich, wie ein Büßender, und schlug den Weg nach Fouday ein. Die Leute im Tale waren ihn schon gewohnt; man erzählte sich allerlei Seltsames von ihm. Er kam in's Haus, wo das Kind lag. Die Leute gingen gleichgültig ihrem Geschäfte nach; man wies ihm eine Kammer, das Kind lag im Hemde auf Stroh, auf einem Holztisch.

Lenz schauderte, wie er die kalten Glieder berührte und die halbgeöffneten gläsernen Augen sah. Das Kind kam ihm so verlassen vor, und er sich so allein und einsam; er warf sich über die Leiche nieder; der Tod erschreckte ihn, ein heftiger Schmerz faßte ihn an, diese Züge, dieses stille Gesicht sollte verwesen, er warf sich nieder, er betete mit allem Jammer der Verzweiflung, daß Gott ein Zeichen an ihm tue, und das Kind beleben möge, wie er schwach und unglücklich sei; dann sank er ganz in sich und wühlte all seinen Willen auf einen Punkt, so saß er lange starr. Dann erhob er sich und faßte die Hände des Kindes und sprach laut und fest: Stehe auf und wandle! Aber die Wände hallten ihm nüchtern den Ton nach, daß es zu spotten schien, und die Leiche blieb kalt. Da stürzte er halb wahnsinnig nieder, dann jagte es ihn auf, hinaus in's Gebirg. Wolken zogen rasch über den Mond; bald Alles im Finstern, bald zeigten sie die nebelhaft verschwindende Landschaft im Mondschein. Er rannte auf und ab. In seiner Brust war ein Triumph-Gesang der Hölle. Der Wind klang wie ein Titanenlied, es war ihm, als könne er eine ungeheure Faust hinauf in den Himmel ballen und Gott herbei reißen und zwischen seinen Wolken schleifen; als könnte er die Welt mit den Zähnen zermalmen und sie dem Schöpfer in's Gesicht speien; er schwur, er lästerte. So kam er auf die Höhe des Gebirges, und das ungewisse Licht dehnte sich hinunter, wo die weißen Steinmassen, und der Himmel war ein dummes blaues Aug, und der Mond stand ganz lächerlich drin, einfältig. Lenz mußte laut lachen, und mit dem Lachen griff der Atheismus in ihn und faßte ihn ganz sicher und ruhig und fest. Er wußte nicht mehr, was ihn vorhin so bewegt hatte, es fror ihn, er dachte, er wolle jetzt zu Bette gehn, und er ging kalt und unerschütterlich durch das unheimliche Dunkel – es war ihm Alles leer und hohl, er mußte laufen und ging zu Bette.

Am folgenden Tag befiel ihn ein großes Grauen vor seinem gestrigen Zustande, er stand nun am Abgrund, wo eine wahnsinnige Lust ihn trieb, immer wieder hineinzuschauen, und sich diese Qual zu wiederholen. Dann steigerte sich seine Angst, die Sünde und der heilige Geist stand vor ihm.

Einige Tage darauf kam Oberlin aus der Schweiz zurück, viel früher als man es erwartet hatte. Lenz war darüber betroffen. Doch wurde er heiter, als Oberlin ihm von seinen Freunden in Elsaß erzählte. Oberlin ging dabei im Zimmer hin und her, und packte aus, legte hin. Dabei erzählte er von Pfeffel, das Leben eines Landgeistlichen glücklich preisend. Dabei ermahnte er ihn, sich in den Wunsch seines Vaters zu fügen, seinem Berufe gemäß zu leben, heimzukehren. Er sagte ihm: Ehre Vater und Mutter u. dgl. m. Über dem Gespräch geriet Lenz in heftige Unruhe; er stieß tiefe Seufzer aus, Tränen drangen ihm aus den Augen, er sprach abgebrochen. Ja, ich halt' es aber nicht aus; wollen Sie mich verstoßen? Nur in Ihnen ist der Weg zu Gott.

Doch mit mir ist's aus! Ich bin abgefallen, verdammt in Ewigkeit, ich bin der ewige Jude. Oberlin sagte ihm, dafür sei Jesus gestorben, er möge sich brünstig an ihn wenden, und er würde Teil haben an seiner Gnade.

Lenz erhob das Haupt, rang die Hände, und sagte: Ach! ach! göttlicher Trost. Dann frug er plötzlich freundlich, was das Frauenzimmer mache. Oberlin sagte, er wisse von nichts, er wolle ihm aber in Allem helfen und raten, er müsse ihm aber Ort, Umstände und Person angeben. Er antwortete nichts, wie gebrochne Worte: ach sie ist tot! Lebt sie noch? du Engel, sie liebte mich – ich liebte sie, sie war's würdig, o du Engel. Verfluchte Eifersucht, ich habe sie aufgeopfert – sie liebte noch einen andern – ich liebte sie, sie war's würdig – o gute Mutter, auch die liebte mich. Ich bin ein Mörder. Oberlin versetzte: vielleicht lebten alle diese Personen noch, vielleicht vergnügt; es möge sein, wie es wolle, so könne und werde Gott, wenn er sich zu ihm bekehrt haben würde, diesen Personen auf sein Gebet und Tränen soviel Gutes erweisen, daß der Nutzen, den sie alsdann von ihm hätten, den Schaden, den er ihnen zugefügt, vielleicht weit überwiegen würde. Er wurde darauf nach und nach ruhiger und ging wieder an sein Malen.

Den Nachmittag kam er wieder, auf der linken Schulter hatte er ein Stück Pelz und in der Hand ein Bündel Gerten, die man Oberlin nebst einem Briefe für Lenz mitgegeben hatte. Er reichte Oberlin die Gerten mit dem Begehren, er sollte ihn damit schlagen. Oberlin nahm die Gerten aus seiner Hand, drückte ihm einige Küsse auf den Mund und sagte: dies wären die Streiche, die er ihm zu geben hätte, er möchte ruhig sein, seine Sache mit Gott allein ausmachen, alle möglichen Schläge würden keine einzige seiner Sünden tilgen; dafür hätte Jesus gesorgt, zu dem möchte er sich wenden. Er ging.

Beim Nachtessen war er wie gewöhnlich etwas tiefsinnig. Doch sprach er von allerlei, aber mit ängstlicher Hast. Um Mitternacht wurde Oberlin durch ein Geräusch geweckt. Lenz rannte durch den Hof, rief mit hohler, harter Stimme den Namen Friederike mit äußerster Schnelle, Verwirrung und Verzweiflung ausgesprochen, er stürzte sich dann in den Brunnentrog, patschte darin, wieder heraus und herauf in sein Zimmer, wieder herunter in den Trog, und so einigemal, endlich wurde er still. Die Mägde, die in der Kinderstube unter ihm schliefen, sagten, sie hätten oft, insonderheit aber in selbiger Nacht, ein Brummen gehört, das sie mit nichts als mit dem Tone einer

Haberpfeife zu vergleichen wußten. Vielleicht war es sein Winseln, mit hohler, fürchterlicher, verzweifelnder Stimme.

Am folgenden Morgen kam Lenz lange nicht. Endlich ging Oberlin hinauf in sein Zimmer, er lag im Bett ruhig und unbeweglich. Oberlin mußte lange fragen, ehe er Antwort bekam; endlich sagte er: Ja Herr Pfarrer, sehen Sie, die Langeweile! die Langeweile! o! so langweilig, ich weiß gar nicht mehr, was ich sagen soll, ich habe schon alle Figuren an die Wand gezeichnet. Oberlin sagte ihm, er möge sich zu Gott wenden; da lachte er und sagte: ja wenn ich so glücklich wäre, wie Sie, einen so behaglichen Zeitvertreib aufzufinden, ja man könnte sich die Zeit schon so ausfüllen. Alles aus Müßiggang. Denn die Meisten beten aus Langeweile; die Andern verlieben sich aus Langeweile, die Dritten sind tugendhaft, die Vierten lasterhaft und ich gar nichts, gar nichts, ich mag mich nicht einmal umbringen: es ist zu langweilig:

> O Gott in Deines Lichtes Welle,
> In Deines glüh'nden Mittags Zelle
> Sind meine Augen wund gewacht,
> Wird es denn niemals wieder Nacht?

Oberlin blickte ihn unwillig an und wollte gehen. Lenz huschte ihm nach und indem er ihn mit unheimlichen Augen ansah: sehn Sie, jetzt kommt mir doch was ein, wenn ich nur unterscheiden könnte, ob ich träume oder wache: sehn Sie, das ist sehr richtig, wir wollen es untersuchen; er huschte dann wieder ins Bett. Den Nachmittag wollte Oberlin in der Nähe einen Besuch machen; seine Frau war schon fort; er war im Begriff, wegzugehen, als es an seine Tür klopfte und Lenz hereintrat mit vorwärtsgebogenem Leib, niederwärts hängendem Haupt, das Gesicht über und über und das Kleid hie und da mit Asche bestreut, mit der rechten Hand den linken Arm haltend. Er bat Oberlin, ihm den Arm zu ziehen, er hätte ihn verrenkt, er hätte sich zum Fenster heruntergestürzt, weil es aber Niemand gesehen, wollte er es auch Niemand sagen. Oberlin erschrak heftig, doch sagte er nichts, er tat was Lenz begehrte, zugleich schrieb er an den Schulmeister in Bellefosse, er möge herunterkommen und gab ihm Instruktionen. Dann ritt er weg. Der Mann kam. Lenz hatte ihn schon oft gesehen und hatte sich an ihn attachiert. Er tat als hätte er mit Oberlin etwas reden wollen, wollte dann wieder weg. Lenz bat ihn, zu bleiben und so blieben sie beisammen. Lenz schlug noch einen Spaziergang nach Fouday vor. Er besuchte das Grab des Kindes, das er hatte erwecken wollen, kniete zu verschiedenen Malen nieder, küßte die Erde des Grabes, schien betend, doch mit großer Verwirrung, riß Etwas von der auf dem Grab stehenden Blume ab, als ein Andenken, ging wieder zurück nach Waldbach, kehrte wieder um und Sebastian mit. Bald ging er langsam und klagte über große Schwäche in den Gliedern, dann ging er mit verzweifelnder Schnelligkeit, die Landschaft beängstigte ihn, sie war so eng, daß er an Alles zu stoßen fürchtete. Ein unbeschreibliches Gefühl des Mißbehagens befiel ihn, sein Begleiter ward ihm endlich lästig, auch mochte er seine Absicht erraten und suchte Mittel ihn zu entfernen. Sebastian schien ihm nachzugeben, fand aber heimlich Mittel, seine Brüder von der Gefahr zu benachrichtigen, und nun hatte Lenz zwei Aufseher statt einen. Er zog sie weiter herum, endlich ging er nach Waldbach zurück und da sie nahe an dem Dorfe waren, kehrte er wie ein Blitz wieder um und sprang wie ein Hirsch gen Fouday zurück. Die Männer setzten ihm nach. Indem sie ihn in Fouday suchten, kamen zwei Krämer und erzählten ihnen, man hätte in einem Hause einen Fremden gebunden, der sich für einen Mörder ausgäbe, aber gewiß kein Mörder sein könne. Sie liefen in dies Haus und fanden es so. Ein junger Mensch hatte ihn auf sein ungestümes Dringen in der Angst gebunden. Sie banden ihn los und brachten ihn glücklich nach Waldbach, wohin Oberlin indessen mit seiner Frau zurückgekommen war. Er sah verwirrt aus, da er aber merkte, daß er liebreich und freundlich empfangen wurde, bekam er wieder Mut, sein Gesicht veränderte sich vorteilhaft, er dankte seinen beiden Begleitern freundlich und zärtlich und der Abend ging ruhig herum. Oberlin bat ihn inständig, nicht mehr zu baden, die Nacht ruhig im Bette zu bleiben und wenn er nicht schlafen könne, sich mit Gott zu unterhalten. Er versprachs und tat es so die folgende Nacht, die Mägde hörten ihn fast die ganze Nacht hindurch beten. – Den folgenden Morgen kam er mit vergnügter Miene auf Oberlins Zimmer. Nachdem sie Verschiedenes gesprochen hatten, sagte er mit ausnehmender Freundlichkeit: Liebster Herr Pfarrer, das Frauenzimmer, wovon ich Ihnen sagte, ist gestorben, ja gestorben, der Engel. Woher wissen Sie das? – Hieroglyphen, Hieroglyphen – und dann zum Himmel geschaut und wieder: ja gestorben – Hieroglyphen. Es war dann nichts weiter aus ihm zu bringen. Er setzte sich und schrieb einige Briefe, gab sie sodann Oberlin mit der Bitte, einige Zeilen dazu zu setzen. Siehe die Briefe.

Sein Zustand war indessen immer trostloser geworden, alles was er an Ruhe aus der Nähe Oberlins und aus der Stille des Tals geschöpft hatte, war weg; die Welt, die er hatte nutzen wollen, hatte einen ungeheuern Riß, er hatte keinen Haß, keine Liebe, keine Hoffnung, eine schreckliche Leere und doch eine folternde Unruhe, sie auszufüllen. Er hatte *Nichts.* Was er tat, tat er mit Bewußtsein und doch zwang ihn ein innerlicher Instinkt. Wenn er allein war, war es ihm so entsetzlich einsam, daß er beständig laut mit sich redete, rief, und dann erschrak er wieder und es war ihm, als hätte eine fremde Stimme mit ihm gesprochen. Im Gespräch stockte er oft, eine unbeschreibliche Angst befiel ihn, er hatte das Ende seines Satzes verloren; dann meinte er, er müsse das zuletzt gesprochene Wort behalten und immer sprechen, nur mit großer Anstrengung unterdrückte er diese Gelüste. Es bekümmerte die guten Leute tief, wenn er manchmal in ruhigen Augenblicken bei ihnen saß und unbefangen sprach und er dann stockte und eine unaussprechliche Angst sich in seinen Zügen malte, er die Personen, die ihm zunächst saßen krampfhaft am Arm faßte und erst nach und nach wieder zu sich kam. War er allein, oder las er, war's noch ärger, all' seine geistige Tätigkeit blieb manchmal in einem Gedanken hängen; dachte er an eine fremde Person, oder stellte er sie sich lebhaft vor, so war es ihm, als würde er sie selbst, er verwirrte sich ganz und dabei hatte er einen unendlichen Trieb, mit Allem um ihn im Geist willkürlich umzugehen; die Natur, Menschen, nur Oberlin ausgenommen, Alles traumartig, kalt; er amüsierte sich, die Häuser auf die Dächer zu stellen, die Menschen an und auszukleiden, die wahnwitzigsten Possen auszusinnen. Manchmal fühlte er einen unwiderstehlichen Drang, das Ding auszuführen, und dann schnitt er entsetzliche Fratzen. Einst saß er neben Oberlin, die Katze lag gegenüber auf einem Stuhl, plötzlich wurden seine Augen starr, er hielt sie unverrückt auf das Tier gerichtet, dann glitt er langsam den Stuhl herunter, die Katze ebenfalls, sie war wie bezaubert von seinem Blick, sie geriet in ungeheure Angst, sie sträubte sich scheu, Lenz mit den nämlichen Tönen, mit fürchterlich entstelltem Gesicht, wie in Verzweiflung stürzten Beide auf einander los, da endlich erhob sich Madame Oberlin, um sie zu trennen. Dann war er wieder tief beschämt. Die Zufälle des Nachts steigerten sich auf's Schrecklichste. Nur mit der größten Mühe schlief er ein, während er zuvor die noch schreckliche Leere zu füllen versucht hatte. Dann geriet er zwischen Schlaf und Wachen in einen entsetzlichen Zustand; er stieß an etwas Grauenhaftes, Entsetzliches, der Wahnsinn packte ihn, er fuhr mit fürchterlichem Schreien, in Schweiß gebadet, auf, und erst nach und nach fand er sich wieder. Er mußte dann mit den einfachsten Dingen anfangen, um wieder zu sich zu kommen. Eigentlich nicht er selbst tat es, sondern ein mächtiger Erhaltungstrieb, es war als sei er doppelt und der eine Teil suchte den andern zu retten, und rief sich selbst zu; er erzählte, er sagte in der heftigsten Angst Gedichte her, bis er wieder zu sich kam.

Auch bei Tage bekam er diese Zufälle, sie waren dann noch schrecklicher; denn sonst hatte ihn die Helle davor bewahrt. Es war ihm dann, als existiere er allein, als bestünde die Welt nur in seiner Einbildung, als sei nichts, als er, er sei das ewig Verdammte, der Satan; allein mit seinen folternden Vorstellungen. Er jagte mit rasender Schnelligkeit sein Leben durch und dann sagte er: konsequent, konsequent; wenn Jemand was sprach: inkonsequent, inkonsequent; es war die Kluft unrettbaren Wahnsinns, eines Wahnsinns durch die Ewigkeit. Der Trieb der geistigen Erhaltung jagte ihn auf; er stürzte sich in Oberlins Arme, er klammerte sich an ihn, als wolle er sich in ihm drängen, er war das einzige Wesen, das für ihn lebte und durch den ihm wieder das Leben offenbart wurde. Allmählig brachten ihn Oberlins Worte denn zu sich, er lag auf den Knien vor Oberlin, seine Hände in den Händen Oberlins, sein mit kaltem Schweiß bedecktes Gesicht auf dessen Schoß, am ganzen Leibe bebend und zitternd. Oberlin empfand unendliches Mitleid, die Familie lag auf den Knien und betete für den Unglücklichen, die Mägde flohen und hielten ihn für einen Besessenen. Und wenn er ruhiger wurde, war es wie der Jammer eines Kindes, er schluchzte, er empfand ein tiefes, tiefes Mitleid mit sich selbst; das waren auch seine seligsten Augenblicke. Oberlin sprach ihm von Gott. Lenz wand sich ruhig los und sah ihn mit einem Ausdruck unendlichen Leidens an, und sagte endlich: aber ich, wär' ich allmächtig, sehen Sie, wenn ich so wäre, und ich könnte das Leiden nicht ertragen, ich würde retten, retten, ich will ja nichts als Ruhe, Ruhe, nur ein wenig Ruhe und schlafen können. Oberlin sagte, dies sei eine Profanation. Lenz schüttelte trostlos mit dem Kopfe. Die halben Versuche zum Entleiben, die er indes fortwährend machte, waren nicht ganz Ernst, es war weniger der Wunsch des Todes, für ihn war ja keine Ruhe und Hoffnung im Tod; es war mehr in Augenblicken der fürchterlichsten Angst oder der dumpfen an's Nichtsein gränzenden Ruhe ein Versuch, sich zu sich selbst zu bringen durch physischen Schmerz. Augenblicke, wenn sein Geist sonst auf irgend einer wahnwitzigen Idee zu reiten schien, waren noch die glücklichsten. Es war doch ein wenig Ruhe und sein wirrer Blick war nicht so entsetzlich, als die nach Rettung dürstende Angst, die ewige Qual der Unruhe! Oft schlug er sich den Kopf an die Wand, oder versetzte sich sonst einen heftigen physischen Schmerz.

Den 8. Morgens blieb er im Bette, Oberlin ging hinauf; er lag fast nackt auf dem Bette und war heftig. Oberlin wollte ihn zudecken, er klagte aber sehr, wie schwer Alles sei, so schwer, er glaube gar nicht, daß er gehen könne, jetzt endlich empfände er die ungeheure Schwere der Luft. Oberlin sprach ihm Mut zu. Er blieb aber in seiner frühern Lage und blieb den größten Teil des Tages so, auch nahm er keine Nahrung zu sich. Gegen Abend wurde Oberlin zu einem Kranken nach Bellefosse gerufen. Es war gelindes Wetter und Mondschein. Auf dem Rückweg begegnete ihm Lenz. Er schien ganz vernünftig und sprach ruhig und freundlich mit Oberlin. Der bat ihn, nicht ⟨zu weit⟩ zu gehen, er versprachs; im Weggehen wandte er sich plötzlich um und trat wieder ganz nah zu Oberlin und sagte rasch: sehn Sie, Herr Pfarrer, wenn ich das nur nicht mehr hören müßte mir wäre geholfen. »Was denn, mein Lieber?« Hören Sie denn nichts, hören Sie denn nicht die entsetzliche Stimme, die um den ganzen Horizont schreit, und die man gewöhnlich die Stille heißt, seit ich in dem stillen Tal bin, hör' ich's immer, es läßt mich nicht schlafen, ja Herr Pfarrer, wenn ich wieder einmal schlafen könnte. Er ging dann kopfschüttelnd weiter. Oberlin ging zurück nach Waldbach und wollte ihm Jemand nachschikken, als er ihn die Stiege herauf in sein Zimmer gehen hörte. Einen Augenblick darauf platzte etwas im Hof mit so starkem Schall, daß es Oberlin unmöglich von dem Falle eines Menschen herkommen zu können schien. Die Kindsmagd kam todblaß und ganz zitternd.

—

Er saß mit kalter Resignation im Wagen, wie sie das Tal hervor nach Westen fuhren. Es war ihm einerlei, wohin man ihn führte; mehrmals wo der Wagen bei dem schlechten Wege in Gefahr geriet, blieb er ganz ruhig sitzen; er war vollkommen gleichgültig. In diesem Zustand legte er den Weg durch's Gebirg zurück. Gegen Abend waren sie im Rheintale. Sie entfernten sich allmählig vom Gebirg, das nun wie eine tiefblaue Krystallwelle sich in das Abendrot hob, und auf deren warmer Flut die roten Strahlen des Abend spielten; über die Ebene hin am Flusse des Gebirges lag ein schimmerndes bläuliches Gespinst. Es wurde finster, jemehr sie sich Straßburg näherten; hoher Vollmond, alle fernen Gegenstände dunkel, nur der Berg neben bildete eine scharfe Linie, die Erde war wie ein goldner Pokal, über den schäumend die Goldwellen des Monds liefen. Lenz starrte ruhig hinaus, keine Ahnung, kein Drang; nur wuchs eine dumpfe Angst in ihm, je mehr die Gegenstände sich in der Finsternis verloren. Sie mußten einkehren; da machte er wieder mehre Versuche, Hand an sich zu legen, war aber zu scharf bewacht. Am folgenden Morgen bei trübem regnerischem Wetter traf er in Straßburg ein. Er schien ganz vernünftig, sprach mit den Leuten; er tat Alles wie es die Andern taten, es war aber eine entsetzliche Leere in ihm, er fühlte keine Angst mehr, kein Verlangen; sein Dasein war ihm eine notwendige Last. – – So lebte er hin.

LEONCE UND LENA

Ein Lustspiel

Vorrede

Alfieri: »e la fama?«
Gozzi: »e la fame?«

Personen

KÖNIG PETER vom Reiche Popo
PRINZ LEONCE, sein Sohn, verlobt mit
PRINZESSIN LENA ⟨vom Reiche Pipi⟩
VALERIO
DIE GOUVERNANTE
DER HOFMEISTER
⟨DER ZEREMONIENMEISTER⟩
DER PRÄSIDENT DES STAATSRATES
DER HOFPREDIGER
DER LANDRAT
DER SCHULMEISTER
ROSETTA
Bediente, Staatsräte, Bauern, etc. etc.

>»O wär' ich doch ein Narr!
>Mein Ehrgeiz geht auf eine bunte Jacke.«
>*Wie es Euch gefällt.*

ERSTE SZENE
EIN GARTEN

Leonce (halb ruhend auf einer Bank). Der Hofmeister.

LEONCE. Mein Herr, was wollen Sie von mir? Mich auf meinen
Beruf vorbereiten? Ich habe alle Hände voll zu tun. Ich weiß
mir vor Arbeit nicht zu helfen. Sehen Sie, erst habe ich auf
den Stein hier dreihundert fünf und sechzig Mal hintereinander zu spu⟨c⟩ken. Haben Sie das noch nicht probiert? Tun
Sie es, es gewährt eine ganz eigne Unterhaltung. – Dann,
sehen Sie diese Hand voll Sand? – *(er nimmt Sand auf, wirft
ihn in die Höhe und fängt ihn mit dem Rücken der Hand
wieder auf)* – jetzt werf' ich sie in die Höhe. Wollen wir
wetten? Wie⟨v⟩iel Körnchen hab' ich jetzt auf dem Handrücken? Grad oder ungrad? Wie? Sie wollen nicht wetten?
Sind Sie ein Heide? Glauben Sie an Gott? Ich wette gewöhnlich mit mir selbst und kann es tagelang so treiben. Wenn Sie
einen Menschen aufzutreiben wissen, der Lust hätte, manchmal mit mir zu wetten, so werden Sie mich sehr verbinden.
Dann – habe ich nachzudenken, wie es wohl angehen mag,
daß ich mir einmal auf den Kopf sehe. – O wer sich einmal
auf den Kopf sehen könnte! Das ist eines von meinen Idealen.
Und dann – und dann – noch unendlich Viel der Art. – Bin
ich ein Müßiggänger? Habe ich keine Beschäftigung? – Ja, es
ist traurig . . . .
HOFMEISTER. Sehr traurig, Eure Hoheit.
LEONCE. Daß die Wolken schon seit drei Wochen von Westen
nach Osten ziehen. Es macht mich ganz melancholisch.
HOFMEISTER. Eine sehr gegründete Melancholie.
LEONCE. Mensch, warum widersprechen Sie mir nicht? Sie haben dringende Geschäfte, nicht wahr? Es ist mir leid, daß ich
Sie so lange aufgehalten habe. *(Der Hofmeister entfernt sich
mit einer tiefen Verbeugung.)* Mein Herr, ich gratuliere Ihnen
zu der schönen Parenthese, die Ihre Beine machen, wenn Sie
sich verbeugen.

LEONCE *(allein, streckt sich auf der Bank aus).* Die Bienen sitzen so träg an den Blumen, und der Sonnenschein liegt so faul auf dem Boden. Es krassiert ein entsetzlicher Müßiggang. – Müßiggang ist aller Laster Anfang. Was die Leute nicht Alles aus Langeweile treiben! Sie studieren aus Langeweile, sie beten aus Langeweile, sie verlieben, verheiraten und vermehren sich aus Langeweile und sterben endlich aus Langeweile, und – und das ist der Humor davon – Alles mit den wichtigsten Gesichtern, ohne zu merken, warum, und meinen Gott weiß was dazu. Alle diese Helden, diese Genies, diese Dummköpfe, diese Heiligen, diese Sünder, diese Familienväter sind im Grunde nichts als raffinierte Müßiggänger. – Warum muß ich es grade wissen? Warum kann ich mir nicht wichtig werden und der armen Puppe einen Frack anziehen und einen Regenschirm in die Hand geben, daß sie sehr rechtlich und sehr nützlich und sehr moralisch würde? – Der Mann, der eben von mir ging, ich beneidete ihn, ich hätte ihn aus Neid prügeln mögen. O wer einmal jemand Anderes sein könnte! Nur 'ne Minute lang. Wie der Mensch läuft! Wenn ich nur etwas unter der Sonne wüßte, was mich noch könnte laufen machen.

(Valerio, etwas betrunken, tritt auf.)

VALERIO *(stellt sich dicht vor den Prinzen, legt den Finger an die Nase und sieht ihn starr an).* Ja!

LEONCE *(eben so).* Richtig!

VALERIO. Haben Sie mich begriffen?

LEONCE. Vollkommen.

VALERIO. Nun, so wollen wir von etwas Anderem reden. *(Er legt sich ins Gras).* Ich werde mich indessen in das Gras legen und meine Nase oben zwischen den Halmen herausblühen lassen und romantische Empfindungen beziehen, wenn die Bienen und Schmetterlinge sich darauf wiegen, wie auf einer Rose.

LEONCE. Aber Bester, schnaufen Sie nicht so stark, oder die Bienen und Schmetterlinge müssen verhungern über den ungeheuren Prisen, die Sie aus den Blumen ziehen.

VALERIO. Ach Herr, was ich ein Gefühl für die Natur habe! Das Gras steht so schön, daß man ein Ochs sein möchte, um es fressen zu können, und dann wieder ein Mensch, um den Ochsen zu essen, der solches Gras gefressen.

LEONCE. Unglücklicher, Sie scheinen auch an Idealen zu laborieren.

VALERIO. Es ist ein Jammer. Man kann keinen Kirchturm herunterspringen, ohne den Hals zu brechen. Man kann keine vier Pfund Kirschen mit den Steinen essen, ohne Leibweh zu kriegen. Seht, Herr, ich könnte mich in eine Ecke setzen und singen vom Abend bis zum Morgen: »Hei, da sitzt e Fleig' an der Wand! Fleig' an der Wand! Fleig' an der Wand!« und so fort bis zum Ende meines Lebens.

LEONCE. Halt's Maul mit deinem Lied, man könnte darüber ein Narr werden.

VALERIO. So wäre man doch etwas. Ein Narr! Ein Narr! Wer will mir seine Narrheit gegen meine Vernunft verhandeln? Ha, ich bin Alexander der Große! Wie mir die Sonne eine goldne Krone in die Haare scheint, wie meine Uniform blitzt! Herr Generalissimus Heupferd, lassen Sie die Truppen anrücken! Herr Finanzminister Kreuzspinne, ich brauche Geld! Liebe Hofdame Libelle, was macht meine teure Gemahlin Bohnenstange? Ach bester Herr Leibmedicus Cantharide, ich bin um einen Erbprinzen verlegen. Und zu diesen köstlichen Phantasien bekommt man gute Suppe, gutes Fleisch, gutes Brod, ein gutes Bett und das Haar umsonst geschoren, – im Narrenhaus nämlich, – während ich mit meiner gesunden Vernunft mich höchstens noch zur Beförderung der Reife auf einen Kirschbaum verdingen könnte, um – nun? – um?

LEONCE. Um die Kirschen durch die Löcher in deinen Hosen schamrot zu machen! Aber Edelster, dein Handwerk, deine Profession, dein Gewerbe, dein Stand, deine Kunst?

VALERIO (mit Würde). Herr, ich habe die große Beschäftigung, müßig zu gehen, ich habe eine ungemeine Fertigkeit im Nichtstun, ich besitze eine ungeheure Ausdauer in der Faulheit. Keine Schwiele schändet meine Hände, der Boden hat noch keinen Tropfen von meiner Stirne getrunken, ich bin noch Jungfrau in der Arbeit, und wenn es mir nicht der Mühe zu viel wäre, würde ich mir die Mühe nehmen, Ihnen diese Verdienste weitläufiger auseinanderzusetzen.

LEONCE (mit komischem Enthusiasmus). Komm an meine Brust! Bist du einer von den Göttlichen, welche mühelos mit reiner Stirne durch den Schweiß und Staub über die Heerstraße des Lebens wandeln, und mit glänzenden Sohlen und blü-

henden Leibern gleich seligen Göttern in den Olympus treten? Komm! Komm!

VALERIO *(singt im Abgehen).* Hei! da sitzt e Fleig' an der Wand!
Fleig' an der Wand! Fleig' an der Wand!

(Beide Arm in Arm ab.)

ZWEITE SZENE
EIN ZIMMER

König Peter wird von zwei Kammerdienern angekleidet.

PETER. *(Während er angekleidet wird)* Der Mensch muß denken und ich muß für meine Untertanen denken, denn sie
denken nicht, sie denken nicht. – Die Substanz ist das an sich,
das bin ich. *(Er läuft fast nackt im Zimmer herum.)* Begriffen? An sich ist an sich, versteht Ihr? Jetzt kommen meine
Attribute, Modifikationen, Affektionen und Akzidenzien,
wo ist mein Hemd, meine Hose? – Halt, pfui! der freie Wille
steht davorn ganz offen. Wo ist die Moral, wo sind die Manschetten? Die Kategorien sind in der schändlichsten Verwirrung, es sind zwei Knöpfe zuviel zugeknöpft, die Dose steckt
in der rechten Tasche. Mein ganzes System ist ruiniert. – Ha,
was bedeutet der Knopf im Schnupftuch? Kerl, was bedeutet
der Knopf, an was wollte ich mich erinnern?

ERSTER KAMMERDIENER. Als Eure Majestät diesen Knopf in
Ihr Schnupftuch zu knüpfen geruhten, so wollten Sie ...

PETER. Nun?

ERSTER KAMMERDIENER. Sich an etwas erinnern.

PETER. Eine verwickelte Antwort! – Ei! Nun an was meint Er?

ZWEITER KAMMERDIENER. Eure Majestät wollten sich an etwas
erinnern, als ⟨S⟩ie diesen Knopf in Ihr [Schnupf]tuch zu
knüpfen geruhten.

PETER. *(Läuft auf und ab.)* Was? Was? Die Menschen machen
mich konfus, ich bin in der größten Verwirrung. Ich weiß mir
nicht mehr zu helfen. *(Ein Diener tritt auf.)*

DIENER. Eure Majestät, der Staatsrat ist versammelt.

PETER. *(Freudig)* Ja, das ist's[, das ist's]. – Ich wollte mich an
mein Volk erinnern! Kommen Sie meine Herren! Gehen Sie
symmetrisch. Ist es nicht sehr heiß? Nehmen Sie doch auch
Ihre Schnupftücher und wischen Sie sich das Gesicht. Ich bin
immer so in Verlegenheit, wenn ich öffentlich sprechen soll.
(Alle ab.)

König Peter. Der Staatsrat.

PETER. Meine Lieben und Getreuen, ich wollte Euch hiermit kund und zu wissen tun, kund und zu wissen tun – denn entweder verheiratet sich mein Sohn, oder nicht *(legt den Finger an die Nase)* entweder, oder – Ihr versteht mich doch? Ein drittes gibt es nicht. Der Mensch muß denken. *(Steht eine Zeitlang sinnend.)* Wenn ich so laut rede, so weiß ich nicht wer es eigentlich ist, ich oder ein anderer, das ängstigt mich. *(Nach langem Besinnen.)* Ich bin ich. – Was halten Sie davon, Präsident?

PRÄSIDENT. *(Gravitätisch langsam.)* Eure Majestät, vielleicht ist es so, vielleicht ist es aber auch nicht so.

DER GANZE STAATSRAT IM CHOR. Ja, vielleicht ist es so, vielleicht ist es aber auch nicht so.

KÖNIG PETER. *(Mit Rührung.)* O meine Weisen! – Also von was war eigentlich die Rede? Von was wollte ich sprechen? Präsident, was haben Sie ein so kurzes Gedächtnis bei einer so feierlichen Gelegenheit? Die Sitzung ist aufgehoben. *(Er entfernt sich feierlich, der ganze Staatsrat folgt ihm.)*

[DRITTE SZENE
EIN REICHGESCHMÜCKTER SAAL, KERZEN BRENNEN

Leonce mit einigen Dienern.

LEONCE.] Sind alle Läden geschlossen? Zündet die Kerzen an! Weg mit dem Tag! Ich will Nacht, tiefe ambrosische Nacht. Stellt die Lampen unter Krystallglocken zwischen die Oleander, daß sie wie Mädchenaugen unter den Wimpern der Blätter hervorträumen. Rückt die Rosen näher, daß der Wein wie Tautropfen auf die Kelche sprudle. Musik! Wo sind die Violinen? Wo ist die Rosetta? Fort! Alle hinaus!

[*(Die Diener gehen ab. Leonce streckt sich auf ein Ruhebett. Rosetta, zierlich gekleidet, tritt ein. Man hört Musik aus der Ferne.)*

ROSETTA *(nähert sich schmeichelnd)*. Leonce!
LEONCE. Rosetta!
ROSETTA. Leonce!
LEONCE. Rosetta!
ROSETTA. Deine Lippen sind träg. Vom Küssen?
LEONCE. Vom Gähnen!

ROSETTA. Oh!

LEONCE. Ach Rosetta, ich habe die entsetzliche Arbeit...

ROSETTA. Nun?

LEONCE. Nichts zu tun...

ROSETTA. Als zu lieben?

LEONCE. Freilich Arbeit!

ROSETTA *beleidigt*. Leonce!

LEONCE. Oder Beschäftigung.

ROSETTA. Oder Müßiggang.

LEONCE. Du hast Recht wie immer. Du bist ein kluges Mädchen, und ich halte viel auf deinen Scharfsinn.

ROSETTA. So liebst Du mich aus Langeweile?

LEONCE. Nein, ich habe Langeweile, weil ich dich liebe. Aber
ich liebe meine Langeweile wie dich. Ihr seid eins. O dolce far
niente, ich träume über deinen Augen, wie an wunderheimli-
chen tiefen Quellen, das Kosen deiner Lippen schläfert mich
ein, wie Wellenrauschen. *(Er umfaßt sie)*. Komm liebe
Langeweile, deine Küsse sind ein wollüstiges Gähnen, und
deine Schritte sind ein zierlicher Hiatus.

ROSETTA. Du liebst mich, Leonce?

LEONCE. Ei warum nicht?

ROSETTA. Und immer?

LEONCE. Das ist ein langes Wort: immer! Wenn ich dich nun
noch fünftausend Jahre und sieben Monate liebe, ist's genug?
Es ist zwar viel weniger, als immer, ist aber doch eine er-
kleckliche Zeit, und wir können uns Zeit nehmen, uns zu
lieben.

ROSETTA. Oder die Zeit kann uns das Lieben nehmen.

LEONCE. Oder das Lieben uns die Zeit. Tanze, Rosetta, tanze,
daß die Zeit mit dem Takt deiner niedlichen Füße geht.

ROSETTA. Meine Füße gingen lieber aus der Zeit.

(Sie tanzt und singt.)]

O meine müden Füße ihr müßt tanzen
   In bunten Schuhen,
Und möchtet lieber tief, tief
   Im Boden ruhen.

O meine heißen Wangen, ihr müßt glühen
   Im wilden Kosen,
Und möchtet lieber blühen
   Zwei weiße Rosen.

O meine armen Augen, ihr müßt blitzen
  Im Strahl der Kerzen,
Und lieber schlieft ihr aus im Dunkeln
  Von euren Schmerzen.

[LEONCE *(indes träumend vor sich hin)*. O, eine sterbende Liebe
ist schöner, als eine werdende. Ich bin ein Römer; bei dem
köstlichen Mahle spielen zum Des⟨s⟩ert die goldnen Fische
in ihren Todesfarben. Wie ihr das Rot von den Wangen
stirbt, wie still das Auge ausglüht, wie leis das Wogen ihrer
Glieder steigt und fällt! Adio, adio meine Liebe, ich will
deine Leiche lieben. *(Rosetta nähert sich ihm wieder.)* Tränen, Rosetta? Ein feiner Epikuräismus – weinen zu können.]
Stelle dich in die Sonne, daß die köstlichen Tropfen krystallisieren, es muß prächtige Diamanten geben. Du kannst dir ein
Halsband daraus machen lassen.
[ROSETTA. Wohl Diamanten, sie schneiden mir in die Augen.
Ach Leonce! *(Will ihn umfassen.)*
LEONCE. Gib Acht! Mein Kopf! Ich habe unsere Liebe darin
beigesetzt. Sieh zu den Fenstern meiner Augen hinein. Siehst
du, wie schön tot das arme Ding ist? Siehst du die zwei
weißen Rosen auf seinen Wangen und die zwei roten auf
seiner Brust? Stoß mich nicht, daß ihm kein Ärmchen ab-
bricht, es wäre Schade. Ich muß meinen Kopf gerade auf den
Schultern tragen, wie die Totenfrau einen Kindersarg.
ROSETTA *(scherzend)*. Narr!
LEONCE. Rosetta! *(Rosetta macht ihm eine Fratze.)* Gott sei
Dank! *(Hält sich die Augen zu.)*
ROSETTA *(erschrocken)*. Leonce, sieh mich an.
LEONCE. Um keinen Preis!
ROSETTA. Nur einen Blick!
LEONCE. Keinen! ⟨W⟩einst du? Um ein klein wenig, und meine
liebe Liebe käme wieder auf die Welt. Ich bin froh, daß ich sie
begraben habe. Ich behalte den Eindruck.
ROSETTA *(entfernt sich traurig und langsam, sie singt im Ab-
gehn:)*
              Ich bin eine arme Waise,
              Ich fürchte mich ganz allein.
              Ach lieber Gram –
              Willst du nicht kommen mit mir heim?
LEONCE *(allein)*. Ein sonderbares Ding um die Liebe. Man liegt
ein Jahr lang schlafwachend zu Bette, und an einem schönen

Morgen wacht man auf, trinkt ein Glas Wasser, zieht seine
Kleider an und fährt sich mit der Hand über die Stirn und
besinnt sich – und besinnt sich. – Mein Gott, wieviel Weiber
hat man nötig, um die Skala der Liebe auf und ab zu singen?
Kaum daß Eine einen Ton ausfüllt. Warum ist der Dunst
über unsrer Erde ein Prisma, das den weißen Glutstrahl der
Liebe in einen Regenbogen bricht? – *(Er trinkt.)* In welcher
Bouteille steckt denn der Wein, an dem ich mich heute betrinken soll? Bringe ich es nicht einmal mehr so weit? Ich
sitze wie unter einer Luftpumpe. Die Luft so scharf und
dünn, daß mich friert, als sollte ich in Nankinhosen Schlitt-
schuh laufen. – Meine Herren, meine Herren, wißt ihr auch,
was Caligula und Nero waren? Ich weiß es. – Komm Leonce,
halte mir einen Monolog, ich will zuhören. Mein Leben
gähnt mich an, wie ein großer weißer Bogen Papier, den ich
vollschreiben soll, aber ich bringe keinen Buchstaben heraus.
Mein Kopf ist ein leerer Tanzsaal, einige verwelkte Rosen
und zerknitterte Bänder auf dem Boden, geborstene Violinen
in der Ecke, die letzten Tänzer haben die Masken abgenommen und sehen mit todmüden Augen einander an. Ich stülpe
mich jeden Tag vier und zwanzigmal herum, wie einen
Handschuh. O ich kenne mich, ich weiß was ich in einer
Viertelstunde, was ich in acht Tagen, was ich in einem Jahre
denken und träumen werde. Gott, was habe ich denn verbro-
chen, daß du mich, wie einen Schulbuben, meine Lektion so
oft hersagen läßt? –
Bravo Leonce! Bravo! *(Er klatscht.)* Es tut mir ganz wohl,
wenn ich mir so rufe. He! Leonce! Leonce!

VALERIO *(unter einem Tisch hervor).* Eure Hoheit scheint mir
wirklich auf dem besten Weg, ein wahrhaftiger Narr zu werden.

LEONCE. Ja, beim Licht besehen, kommt es mir eigentlich eben
so vor.

VALERIO. Warten Sie, wir wollen uns darüber sogleich ausführlicher unterhalten. Ich habe nur noch ein Stück Braten zu
verzehren, das ich aus der Küche, und etwas Wein, den ich
von Ihrem Tische gestohlen. Ich bin gleich fertig.

LEONCE. Das schmatzt. Der Kerl verursacht mir ganz idyllische
Empfindungen; ich könnte wieder mit dem Einfachsten anfangen, ich könnte Käs essen, Bier trinken, Tabak rauchen.
Mach fort, grunze nicht so mit deinem Rüssel, und klappre
mit deinen Hauern nicht so.

VALERIO. Wertester Adonis, sind Sie in Angst um Ihre Schenkel? Sein Sie unbesorgt, ich bin weder ein Besenbinder, noch ein Schulmeister. Ich brauche keine Gerten zu Ruten.

LEONCE. Du bleibst nichts schuldig.

VALERIO. Ich wollte, es ginge meinem Herrn eben so.

LEONCE. Meinst du, damit du zu deinen Prügeln kämst? Bist du so besorgt um deine Erziehung?

VALERIO. O Himmel, man kömmt leichter zu seiner Erzeugung, als zu seiner Erziehung. Es ist traurig, in welche Umstände Einen andere Umstände versetzen können! Was für Wochen hab' ich erlebt, seit meine Mutter in die Wochen kam! Wieviel Gutes hab' ich empfangen, das ich meiner Empfängnis zu danken hätte?

LEONCE. Was deine Empfänglichkeit betrifft, so könnte sie es nicht besser treffen, um getroffen zu werden. Drück dich besser aus, oder du sollst den unangenehmsten Eindruck von meinem Nachdruck haben.

VALERIO. Als meine Mutter um das Vorgebirg der guten Hoffnung schiffte . . . .

LEONCE. Und dein Vater an Cap Horn Schiffbruch litt . . . .

VALERIO. Richtig, denn er war Nachtwächter. Doch setzte er das Horn nicht so oft an die Lippen, als die Väter edler Söhne an die Stirn.

LEONCE. Mensch, du besitzest eine himmlische Unverschämtheit. Ich fühle ein gewisses Bedürfnis, mich in nähere Berührung mit ihr zu setzen. Ich habe eine große Passion dich zu prügeln.

VALERIO. Das ist eine schlagende Antwort und ein triftiger Beweis.

LEONCE *(geht auf ihn los.)* Oder du bist eine geschlagene Antwort. Denn du bekommst Prügel für deine Antwort.

VALERIO *(läuft weg, Leonce stolpert und fällt).* Und Sie sind ein Beweis, der noch geführt werden muß, denn er fällt über seine eigenen Beine, die im Grund genommen selbst noch zu beweisen sind. Es sind höchst unwahrscheinliche Waden und sehr problematische Schenkel.]

Der Staatsrat tritt auf. Leonce bleibt auf dem Boden sitzen. Valerio.

PRÄSIDENT. Eure Hoheit verzeihen . . .

LEONCE. Wie, mir selbst! Wie mir selbst! Ich verzeihe mir die Gutmütigkeit Sie anzuhören. Meine Herren wollen Sie nicht

Platz nehmen? – Was die Leute für Gesichter machen, wenn sie das Wort Platz hören! Setzen Sie sich nur auf den Boden und genieren Sie sich nicht. Es ist doch der letzte Platz, den Sie einmal erhalten, aber er trägt Niemand etwas ein, als dem Totengräber.

[PRÄSIDENT *(verlegen mit den Fingern schnipsend).* Geruhen Eure Hoheit . . .

LEONCE. Aber schnipsen Sie nicht so mit den Fingern, wenn Sie mich nicht zum Mörder machen wollen.

PRÄSIDENT *(immer stärker schnipsend).* Wollten gnädigst, in Betracht . . .

LEONCE. Mein Gott, stecken Sie doch die Hände in die Hosen, oder setzen Sie sich darauf. Er ist ganz aus der Fassung. Sammeln Sie sich.

VALERIO. Man darf Kinder nicht während des P⟨issens⟩ unterbrechen, sie bekommen sonst eine Verhaltung.

LEONCE. Mann, fassen Sie sich. Bedenken Sie Ihre Familie und den Staat. Sie riskieren einen Schlagfluß, wenn Ihnen Ihre Rede zurücktritt.]

PRÄSIDENT. *(Zieht ein Papier aus der Tasche.)* Erlauben Eure Hoheit. –

LEONCE. Was, Sie können schon lesen? Nun denn . . .

PRÄSIDENT. Daß man der zu erwartenden Ankunft von Eurer Hoheit verlobter Braut, der durchlauchtigsten Prinzessin Lena [von Pipi], auf morgen sich zu gewärtigen habe, davon läßt Ihro königliche Majestät Eure Hoheit benachrichtigen.

LEONCE. Wenn meine Braut mich erwartet, so werde ich ihr den Willen tun und sie auf mich warten lassen. Ich habe sie gestern Nacht im Traum gesehen, sie hatte ein Paar Augen so groß, daß die Tanzschuhe meiner Rosetta zu Augenbraunen darüber gepaßt hätten, und auf den Wangen war kein Grübchen zu sehen, sondern ein Paar Abzugsgruben für das Lachen. Ich glaube an Träume. Träumen Sie auch zuweilen Herr Präsident? Haben Sie auch Ahnungen?

VALERIO. Versteht sich. Immer die Nacht vor dem Tag, an dem ein Braten an der königlichen Tafel verbrennt[, ein Kapaun krepiert, oder Ihre königliche Majestät Leibweh bekommt].

LEONCE. [A propos, h]atten Sie nicht noch etwas auf der Zunge? Geben Sie nur Alles von sich.

PRÄSIDENT. An dem Tage der Vermählung ist ein höchster Wille gesonnen, seine allerhöchsten Willensäußerungen in die Hände Eurer Hoheit niederzulegen.

LEONCE. Sagen Sie einem höchsten Willen, daß ich Alles tun
werde, das ausgenommen, was ich werde bleiben lassen, was
aber jedenfalls nicht so viel sein wird, als wenn es noch einmal so viel wäre. – Meine Herren, Sie entschuldigen, daß ich
Sie nicht begleite, ich habe gerade die Passion zu sitzen, aber
meine Gnade ist so groß, daß ich sie ja mit den Beinen doch
nicht ausmessen kann. [*(Er spreizt die Beine auseinander.)*
Herr Präsident, nehmen Sie doch das Maß, damit Sie mich
später daran erinnern.] Valerio gib den Herren das Geleite.

VALERIO. Das Geläute? Soll ich dem Herrn Präsidenten eine
Schelle anhängen? [Soll ich sie führen, als ob sie auf allen
Vieren gingen?]

LEONCE. Mensch, du bist nichts als ein schlechtes Wortspiel.
[Du hast weder Vater noch Mutter, sondern die fünf Vokale
haben dich miteinander erzeugt.]

VALERIO. Und Sie Prinz, sind ein Buch ohne Buchstaben, mit
nichts als Gedankenstrichen. – Kommen Sie jetzt meine
Herren. Es ist eine traurige Sache um das Wort kommen,
will man ein Einkommen, so muß man stehlen, an ein Aufkommen ist nicht zu denken, als wenn man sich hängen
läßt, ein Unterkommen findet man erst, wenn man begraben
wird, und ein Auskommen hat man jeden Augenblick mit
seinem Witz, wenn man nichts mehr zu sagen weiß, wie ich
zum Beispiel eben, und Sie, ehe Sie noch etwas gesagt haben. Ihr Abkommen haben Sie gefunden und Ihr Fortkom-
men werden Sie jetzt zu suchen ersucht. *(Staatsrat [und Va-
lerio] ab.)*

LEONCE. [*(allein).* Wie gemein ich mich zum Ritter an den
armen Teufeln gemacht habe! Es steckt nun aber doch einmal
ein gewisser Genuß in einer gewissen Gemeinheit. – Hm!
Heiraten! Das heißt einen Ziehbrunnen leer trinken. O Shandy, alter Shandy, wer mir deine Uhr schenkte! – *(Valerio
kommt zurück.)* Ach] Valerio, hast du es gehört?

VALERIO. Nun Sie sollen König werden, das ist eine l[u]stige
Sache. Man kann den ganzen Tag spazieren fahren und den
Leuten die Hüte verderben durch's viele Abziehen, man kann
aus ordentlichen Menschen ordentliche Soldaten ausschnei-
den, so daß Alles ganz natürlich wird, man kann schwarze
Fräcke und weiße Halsbinden zu Staatsdienern machen, und
wenn man stirbt, so laufen alle blanken Knöpfe blau an und
die Glockenstricke reißen wie Zwirnfaden vom vielen Läuten. Ist das nicht unterhaltend?

[LEONCE. Valerio! Valerio! Wir müssen was Anderes treiben. Rate!

VALERIO. Ach die Wissenschaft, die Wissenschaft! Wir wollen Gelehrte werden ! a priori? oder a posteriori?

LEONCE. a priori, das muß man bei meinem Herrn Vater lernen; und a posteriori fängt Alles an, wie ein altes Märchen: es war einmal!

VALERIO. So wollen wir Helden werden. *(Er marschiert trompetend und trommelnd auf und ab.)* Trom – trom – pläre – plem!

LEONCE. Aber der Heroismus fuselt abscheulich und bekommt das Lazarettfieber und kann ohne Lieutenants und Rekruten nicht bestehen. Pack dich mit deiner Alexanders- und Napoleonsromantik!

VALERIO. So wollen wir Genies werden.

LEONCE. Die Nachtigall der Poesie schlägt den ganzen Tag über unserm Haupt, aber das Feinste geht zum Teufel, bis wir ihr die Federn ausreißen und in die Tinte oder die Farbe tauchen.

VALERIO. So wollen wir nützliche Mitglieder der menschlichen Gesellschaft werden.

LEONCE. Lieber möchte ich meine Demission als Mensch geben.

VALERIO. So wollen wir zum Teufel gehen.

LEONCE. Ach der Teufel ist nur des Kontrastes wegen da, damit wir begreifen sollen, daß am Himmel doch eigentlich etwas sei. *(Aufspringend.)* Ah Valerio, Valerio, jetzt hab' ich's!] Fühlst du nicht das Wehen aus Süden? Fühlst du nicht wie der tiefblaue glühende Äther auf und ab wogt, wie das Licht blitzt von dem goldnen, sonnigen Boden, von der heiligen Salzflut und von den Marmor-Säulen und Leibern? Der große Pan schl[ä]ft und die ehernen Gestalten träumen im Schatten über den tiefrauschenden Wellen von dem alten Zaubrer Virgil, vo[n] Tarantella und Tambourin und tiefen tollen Nächten, voll Masken, Fackeln und Gitarren. Ein Lazzaroni! Valerio! ein Lazzaroni! Wir gehen nach Italien.

[VIERTE SZENE
EIN GARTEN

Prinzessin Lena im Brautschmuck. Die Gouvernante.

LENA. Ja, jetzt. Da ist es. Ich dachte die Zeit an nichts. Es ging so hin, und auf einmal richtet sich der Tag vor mir auf. Ich

habe den Kranz im Haar – und die Glocken, die Glocken!
(Sie lehnt sich zurück und schließt die Augen.) Sieh, ich wollte, der Rasen wüchse so über mich und die Bienen summten
über mir hin; sieh, jetzt bin ich eingekleidet und habe Rosmarin im Haar. Gibt es nicht ein altes Lied:]

> Auf dem Kirchhof will ich liegen
> Wie ein Kindlein in der Wiegen, –

[GOUVERNANTE. Armes Kind, wie Sie bleich sind unter Ihren
blitzenden Steinen.

LENA. O Gott, ich könnte lieben, warum nicht? Man geht ja so
einsam und tastet nach einer Hand, die einen hielte, bis die
Leichenfrau die Hände auseinandernähme und sie Jedem
über der Brust faltete. Aber warum schlägt man einen Nagel
durch zwei Hände, die sich nicht suchten? Was hat meine
arme Hand getan? *(Sie zieht einen Ring vom Finger.)* Dieser
Ring sticht mich wie eine Natter.

GOUVERNANTE. Aber – er soll ja ein wahrer Don Carlos sein.

LENA. Aber – ein Mann –

GOUVERNANTE. Nun?

LENA. Den man nicht liebt. *(Sie erhebt sich.)* Pfui! Siehst du, ich
schäme mich. – Morgen ist aller Duft und Glanz von mir
gestreift.] Bin ich denn wie die [arme, hilflose] Quelle, die
jedes Bild, das sich [über sie bückt, in ihrem stillen Grund
abspiegeln] muß? [Die Blumen öffnen und schließen, wie sie
wollen, ihre Kelche der Morgensonne und dem Abendwind.
Ist denn die Tochter eines Königs weniger, als eine Blume?

GOUVERNANTE *(weinend)*. Lieber Engel, du bist doch ein wahres Opferlamm.

LENA. Ja wohl – und der Priester hebt schon das Messer. – Mein
Gott, mein Gott, ist es denn wahr, daß wir uns selbst erlösen
müssen mit unserem Schmerz? Ist es denn wahr, die Welt sei
ein gekreuzigter Heiland, die Sonne seine Dornenkrone und
die Sterne die Nägel und Speere in seinen Füßen und Lenden?

GOUVERNANTE. Mein Kind, mein Kind! ich kann dich nicht so
sehen. – Es kann nicht so gehen, es tötet dich. Vielleicht, wer
weiß! Ich habe so etwas im Kopf. Wir wollen sehen. Komm!
(Sie führt die Prinzessin weg.)]

[ZWEITER AKT]

Wie ist mir eine Stimme doch erklungen
Im tiefsten Innern,
Und hat mit Einemmale mir verschlungen
All mein Erinnern.

[Adalbert von Chamisso]

[ERSTE SZENE
FREIES FELD. EIN WIRTSHAUS IM HINTERGRUND

Leonce und Valerio, der einen Pack trägt, treten auf.]

VALERIO. *(Keuchend.)* Auf Ehre, Prinz, die Welt ist doch ein
ungeheuer weitläuftiges Gebäude.

LEONCE. Nicht doch! Nicht doch! Ich wage kaum die Hände
auszustrecken, wie in einem engen Spiegelzimmer, aus
Furcht, überall anzustoßen, daß die schönen Figuren in
Scherben auf dem Boden lägen und ich vor der kahlen, nackten Wand stünde.

VALERIO. Ich bin verloren.

LEONCE. Da wird Niemand einen Verlust dabei haben als wer
dich findet.

VALERIO. Ich werde mich wenigstens in den Schatten meines
Schattens stellen.

LEONCE. Du verflü[ch]tigst dich ganz an der Sonne. Siehst du
die schöne Wolke da oben? Sie ist wenigstens ein Viertel von
Dir. Sie sieht ganz wohlbehaglich auf deine gröbere materielle Stoffe herab.

VALERIO. Die Wolke könnte Ihrem Kopf nichts schaden, wenn
man Ihnen denselben scheren und sie Tropfen für Tropfen
darauf fallen ließ. [– Ein köstlicher Einfall.] Wir sind schon
durch ein Dutzend Fürstentümer, durch ein halbes Dutzend
Großherzogtümer und durch ein paar Königreiche gelaufen
und das in der größten Übereilung in einem halben Tage und
warum? Weil man König werden und eine schöne Prinzessin
heiraten soll. Und sie leben noch in einer solchen Lage? Ich
begreife Ihre Resignation nicht. Ich begreife nicht, daß Sie
nicht Arsenik genommen, sich auf das Geländer des Kirch-
turms gestellt und sich eine Kugel durch den Kopf gejagt
haben, um es ja nicht zu verfehlen.

LEONCE. Aber Valerio, die Ideale! Ich habe das Ideal eines
Frauenzimmers in mir und muß es suchen. Sie ist unendlich
schön [und unendlich geistlos]. Die Schönheit ist da so hülflos, so rührend wie ein neugebornes Kind. Es ist ein köstlicher Kontrast. Diese himmlisch stupiden Augen, dieser göttlich einfältige Mund, dieses schafnasige griechische Profil,
dieser geistige Tod in diesem geistigen Leib.

VALERIO. Teufel! [d]a sind wir schon wieder auf der Gränze;
das ist ein Land wie eine Zwiebel, nichts als Schalen, oder wie
ineinandergesteckte Schachteln, in der größten sind nichts als
Schachteln und in der kleinsten ist gar nichts. *(Er wirft seinen
Pack zu Boden.)* Soll denn dieser Pack mein Grabstein werden? Sehen Sie Prinz ich werde philosophisch, ein Bild des
menschlichen Lebens. Ich schleppe diesen Pack mit wunden
Füßen durch Frost und Sonnenbrand, weil ich Abends ein
reines Hemd anziehen will und wenn endlich der Abend
kommt, so ist meine Stirn gefurcht, meine Wange hohl, mein
Auge dunkel und ich habe grade noch Zeit, mein Hemd anzuziehen, als Totenhemd. [Hätte ich nun nicht gescheiter
getan, ich hätte mein Bündel vom Stecken gehoben und es in
der ersten besten Kneipe verkauft, und hätte mich dafür betrunken und im Schatten geschlafen, bis es Abend geworden
wäre, und hätte nicht geschwitzt und mir keine Leichdörner
gelaufen? Und Prinz, jetzt kommt die Anwendung und die
Praxis. Aus lauter Schamhaftigkeit wollen wir jetzt auch den
inneren Menschen bekleiden und Rock und Hosen inwendig
anziehen.] *(Beide gehen auf das Wirtshaus los.)* Ei du lieber
[Pack,] welch ein köstlicher Duft, welche Weindüfte und
Bratengerüche! Ei ihr lieben Hosen, wie wurzelt ihr im Boden und grünt und blüht und die langen schweren Trauben
hängen mir ins Maul und der Most gärt unter der Kelter. *(Sie
gehen ab.)*

Prinzessin Lena. Die Gouvernante [(kommen)].

GOUVERNANTE. Es muß ein bezauberter Tag sein, die Sonne
geht nicht unter, und es ist so unendlich lang seit unsrer
Flucht.

LENA. Nicht doch, meine Liebe, die Blumen sind ja kaum welk,
die ich zum Abschied brach, als wir aus dem Garten gingen.

GOUVERNANTE. Und wo sollen wir ruhen? Wir sind noch auf
gar nichts gestoßen. Ich sehe kein Kloster, keine Eremiten,
keine Schäfer.

LENA. Wir haben Alles wohl anders geträumt mit unsern Büchern hinter der Mauer unsers Gartens, zwischen unsern Myrthen und Oleandern.

GOUVERNANTE. O die Welt ist abscheulich! An einen irrenden Königssohn ist gar nicht zu denken.

LENA. O sie ist schön und so weit, so unendlich weit. Ich möchte immer so fort gehen Tag und Nacht. Es rührt sich nichts. Was ein roter Schein über den Wiesen spielt von den Kuckucksblumen und die fernen Berge liegen auf der Erde wie ruhende Wolken.

GOUVERNANTE. Du mein Jesus, was wird man sagen? Und doch ist es so zart und weiblich! Es ist eine Entsagung. Es ist wie die Flucht der heiligen Odilia. Aber wir müssen ein Obdach suchen. Es wird Abend.

LENA. Ja die Pflanzen legen ihre Fiederblättchen zum Schlaf zusammen und die Sonnenstrahlen wiegen sich an den Grashalmen wie müde Libellen.

ZWEITE SZENE
DAS WIRTSHAUS AUF EINER ANHÖHE AN EINEM FLUSS,
WEITE AUSSICHT.
DER GARTEN VOR DEMSELBEN

Valerio. Leonce.

VALERIO. Nun Prinz, liefern Ihnen [Ihre] Hosen nicht ein köstliches Getränk? Laufen Ihnen Ihre Stiefel nicht mit der größten Leichtigkeit die Kehle hinunter?

LEONCE. Siehst du die alten Bäume, die Hecken, die Blumen, das Alles hat seine Geschichten, seine lieblichen heimlichen Geschichten. Siehst du die greisen freundlichen Gesichter unter den Reben an der Haustür? Wie sie sitzen und sich bei den Händen halten und Angst haben, daß sie [so] alt sind und die Welt noch so jung ist. O Valerio, und ich bin so jung und die Welt ist so alt. Ich bekomme manchmal eine Angst um mich und könnte mich in eine Ecke setzen und heiße Tränen weinen aus Mitleid mit mir.

VALERIO. *(Gibt ihm ein Glas.)* Nimm diese Glocke, diese Taucherglocke und senke dich in das Meer des Weines, daß es Perlen über dich schlägt. Sieh wie die Elfen über dem Kelch der Weinblumen schweben, goldbeschuht, die Cymbeln schlagend.

LEONCE. *(Aufspringend.)* Komm Valerio, wir müssen was treiben, was treiben. Wir wollen uns mit tiefen Gedanken abgeben; wir wollen untersuchen wie es kommt, daß der Stuhl auf drei Beinen steht und nicht auf zwei, daß man sich die Nase mit Hülfe der Hände putzt und nicht wie die Fliegen mit den Füßen. Komm, wir wollen Ameisen zergliedern, Staubfäden zählen; ich werde es doch noch zu irgend einer fürstlichen Liebhaberei bringen. Ich werde doch noch eine Kinderrassel finden[, die mir erst aus der Hand fällt, wenn ich Flocken lese und an der Decke zupfe]. Ich habe noch eine gewisse Dosis Enthusiasmus zu verbrauchen; aber wenn ich Alles recht warm gekocht habe, so brauche ich eine unendliche Zeit um einen Löffel zu finden, mit dem ich das Gericht esse und darüber steht es ab.

VALERIO. Ergo bibamus. Diese Flasche ist keine Geliebte, keine Idee, [sie macht keine Geburtsschmerzen,] sie wird nicht langweilig, wird nicht treulos, sie bleibt eins vom ersten Tropfen bis zum letzten. Du brichst das Siegel und alle Träume, die in ihr schlummern, sprühen dir entgegen.

LEONCE. O Gott! Die Hälfte meines Lebens soll ein Gebet sein, wenn mir nur ein Strohhalm beschert wird, auf dem ich reite, wie auf einem prächtigen Roß, bis ich selbst auf dem Stroh liege. – Welch unheimlicher Abend. Da unten ist Alles still und da oben wechseln und ziehen die Wolken und der Sonnenschein [geht und] kommt wieder. Sieh, was seltsame Gestalten sich dort jagen, sieh die langen weißen Schatten mit den entsetzlich magern Beinen und Fledermausschwingen und Alles so rasch, so wirr und da unten rührt sich kein Blatt, kein Halm. Die Erde hat sich ängstlich zusammengeschmiegt, wie ein Kind und über ihre Wiege schreiten die Gespenster.

VALERIO. Ich weiß nicht, was Ihr wollt, mir ist ganz behaglich zu Mut. Die Sonne sieht aus wie ein Wirtshausschild und die feurigen Wolken darüber, wie die Aufschrift: Wirtshaus zur goldnen Sonne. Die Erde und das Wasser da unten sind wie ein Tisch auf dem Wein verschüttet ist und wir liegen darauf wie Spielkarten, mit denen Gott und der Teufel aus Langerweile eine Partie machen und Ihr seid der Kartenkönig und ich bin ein Kartenbube, es fehlt nur noch eine Dame, eine schöne Dame, mit einem großen Lebkuchenherz auf der Brust und einer mächtigen Tulpe, worin die lange Nase sentimental versinkt, *(die Gouvernante und die Prinzessin treten auf)* und – bei Gott da ist sie! Es ist aber eigentlich keine

Tulpe, sondern eine Prise Tabak und es ist eigentlich keine Nase, sondern ein Rüssel. *(Zur Gouvernante.)* Warum schreiten Sie, Werteste, so eilig, daß man Ihre [weiland Waden] bis zu Ihren [respektabeln] Strumpfbändern sieht?

GOUVERNANTE. *(Heftig erzürnt, bleibt stehen.)* Warum reißen Sie, Geehrtester, das Maul so weit auf, daß Sie Einem ein Loch in die Aussicht machen?

VALERIO. Damit Sie, Geehrteste, sich die Nase am Horizont nicht blutig stoßen. Ihre Nase ist wie der Turm auf Libanon, der gen Damaskus steht.

LENA. *(Zur Gouvernante.)* Meine Liebe, ist denn der Weg so lang?

LEONCE. *(Träumend vor sich hin.)* O, jeder Weg ist lang! Das Picken der Totenuhr in unserer Brust ist langsam und jeder Tropfen Blut mißt seine Zeit und unser Leben ist ein schleichend Fieber. Für müde Füße ist jeder Weg zu lang. . . .

LENA. *(Die ihm ängstlich sinnend zuhört.)* Und für müde Augen jedes Licht zu scharf und müde Lippen jeder Hauch zu schwer *(lächelnd)* und müde Ohren jedes Wort zu viel. *(Sie tritt mit der Gouvernante ins Haus.)*

LEONCE. O lieber Valerio! Könnte ich nicht auch sagen: »sollte nicht dies und ein Wald von Federbüschen, nebst ein Paar gepufften Rosen auf meinen Schuhen [–] ? [«] Ich hab' es glaub' ich ganz melancholisch gesagt. Gott sei Dank, daß ich anfange mit der Melancholie niederzukommen. Die Luft ist nicht mehr so hell und kalt, der Himmel senkt sich glühend dicht um mich und schwere Tropfen fallen. – O diese Stimme: ist denn der Weg so lang? Es reden viele Stimmen über die Erde und man meint sie sprächen von andern Dingen, aber ich hab' sie verstanden. Sie ruht auf mir wie der Geist, da er über den Wassern schwebte, eh' das Licht ward. Welch Gären in der Tiefe, welch Werden in mir, wie sich die Stimme durch den Raum gießt. – Ist denn der Weg so lang? *(Geht ab.)*

VALERIO. Nein. Der Weg zum Narrenhaus ist nicht so lang, er ist leicht zu finden, ich kenne alle Fußpfade, alle Vicinalwege und Chausseen dorthin. Ich sehe ihn schon auf einer breiten Allee dahin, an einem eiskalten Wintertag den Hut unter dem Arm, wie er sich in die langen Schatten unter die kahlen Bäume stellt und mit dem Schnupftuch fächelt. – Er ist ein Narr! *(Folgt ihm.)*

DRITTE SZENE
EIN ZIMMER

Lena. Die Gouvernante.

GOUVERNANTE. Denken Sie nicht an den Menschen.

LENA. Er war so alt unter seinen blonden Locken. Den Frühling auf den Wangen, den Winter im Herzen. Das ist traurig. Der müde Leib findet ein Schlafkissen überall, doch wenn der Geist müd' ist, wo soll er ruhen? Es kommt mir ein entsetzlicher Gedanke, ich glaube es gibt Menschen, die unglücklich sind, unheilbar, bloß weil sie sind. *(Sie erhebt sich.)*

GOUVERNANTE. Wohin mein Kind!

LENA. Ich will hinunter in den Garten.

GOUVERNANTE. Aber –

LENA. Aber, liebe Mutter, Du weißt man hätte mich eigentlich in eine Scherbe setzen sollen. Ich brauche Tau und Nachtluft wie die Blumen. Hörst du die Harmonien des Abends? Wie die Grillen den Tag einsingen und die Nachtviolen ihn mit ihrem Duft einschläfern! Ich kann nicht im Zimmer bleiben. Die Wände fallen auf mich.

VIERTE SZENE
DER GARTEN. NACHT UND MONDSCHEIN

Man sieht Lena auf dem Rasen sitzend.

VALERIO. *(In einiger Entfernung.)* Es ist eine schöne Sache um die Natur, sie ist aber doch nicht so schön, als wenn es keine Schnaken gäbe, die Wirtsbetten etwas reinlicher wären und die Totenuhren nicht so in den Wänden pickten. Drin schnarchen die Menschen und draußen quaken die Frösche, [d]rin pfeifen die Hausgrillen und draußen die Feldgrillen. Lieber Rasen, dies ist ein rasender Entschluß. *(Er legt sich auf den Rasen nieder.)*

LEONCE. *(Tritt auf.)* O Nacht, balsamisch wie die erste, die auf das Paradies herabsank. *(Er bemerkt die Prinzessin und nähert sich ihr leise.)*

LENA. *(Spricht vor sich hin.)* Die Grasmücke hat im Traum gezwitschert, die Nacht schläft tiefer, ihre Wange wird bleicher und ihr Atem stiller. Der Mond ist wie ein schlafendes Kind, die goldnen Locken sind ihm im Schlaf über das liebe Gesicht heruntergefallen. – O sein Schlaf ist Tod. Wie der tote Engel auf seinem dunkeln Kissen ruht und die Sterne gleich Kerzen um ihn brennen. Armes Kind, kommen die schwarzen Männer bald Dich holen? Wo ist Deine Mutter? Will sie Dich nicht noch einmal küssen? Ach es ist traurig, tot und so allein.

LEONCE. Steh auf in Deinem weißen Kleide und wandle hinter der Leiche durch die Nacht und singe ihr das Totenlied.

LENA. Wer spricht da?

LEONCE. Ein Traum.

LENA. Träume sind selig.

LEONCE. So träume Dich selig und laß mich Dein seliger Traum sein.

LENA. Der Tod ist der seligste Traum.

LEONCE. So laß mich Dein Todesengel sein. Laß meine Lippen sich gleich seinen Schwingen auf Deine Augen senken. *(Er küßt sie.)* Schöne Leiche, Du ruhst so lieblich auf dem schwarzen Bahrtuch der Nacht, daß die Natur das Leben haßt und sich in den Tod verliebt.

LENA. Nein, laß mich. *(Sie springt auf und entfernt sich rasch.)*

LEONCE. Zu viel! zu viel! Mein ganzes Sein ist in dem einen Augenblick. Jetzt stirb. Mehr ist unmöglich. Wie frischatmend, schönheitglänzend ringt die Schöpfung sich aus dem Chaos [mir] entgegen. Die Erde ist eine Schale von dunkelm Gold, wie schäumt das Licht in ihr und flutet über ihren Rand und hellauf perlen daraus die Sterne. Meine Lippen saugen sich daran: dieser eine Tropfen Seligkeit macht mich zu einem köstlichen Gefäß. Hinab heiliger Becher! *(Er will sich in den Fluß stürzen.)*

VALERIO. *(Springt auf und umfaßt ihn.)* Halt Serenissime!

LEONCE. Laß mich!

VALERIO. Ich werde [S]ie lassen, sobald [S]ie gelassen sind und das Wasser zu lassen versprechen.

LEONCE. Dummkopf!

VALERIO. Ist denn Eure Hoheit noch nicht über die Lieutenantsromantik hinaus, das Glas zum Fenster hinauszuwerfen, womit man die Gesundheit seiner Geliebten getrunken?

LEONCE. Ich glaube halbwegs Du hast Recht.

VALERIO. Trösten Sie sich. Wenn Sie auch nicht heut Nacht unter dem Rasen schlafen, so schlafen Sie wenigstens darauf. Es wäre ein eben so selbstmörderischer Versuch in eins von den Betten zu gehn. Man liegt auf dem Stroh wie ein Toter und wird von den Flöhen gestochen wie ein Lebendiger.

LEONCE. Meinetwegen. *(Er legt sich ins Gras.)* Mensch, Du hast mich um den schönsten Selbstmord gebracht. Ich werde in meinem Leben keinen so vorzüglichen Augenblick mehr dazu finden und das Wetter ist so vortrefflich. Jetzt bin ich schon aus der Stimmung. Der Kerl hat mir mit seiner gelben Weste und seinen himmelblauen Hosen Alles verdorben. – Der Himmel beschere mir einen recht gesunden, plumpen Schlaf.

VALERIO. Amen. – Und ich habe ein Menschenleben gerettet und werde mir mit meinem guten Gewissen heut Nacht den Leib warm halten. [. . .] Wohl bekomm's Valerio!

DRITTER AKT

ERSTE SZENE

Leonce. Valerio.

VALERIO. Heiraten? Seit wann hat es Eure Hoheit zum ewigen Kalender gebracht?

LEONCE. Weißt Du auch, Valerio, daß selbst der Geringste unter den Menschen so groß ist, daß das Leben noch viel zu kurz ist, um ihn lieben zu können? Und dann kann ich [doch] einer gewissen Art von Leuten, die sich einbilden, daß nichts so schön und heilig sei, daß sie es nicht noch schöner und heiliger machen müßten, die Freude lassen. Es liegt ein gewisser Genuß in dieser lieben Arroganz. Warum soll ich ihnen denselben nicht gönnen?

VALERIO. Sehr human und philobestialisch. Aber weiß sie auch, wer Sie sind?

LEONCE. Sie weiß nur daß sie mich liebt.

VALERIO. Und weiß Eure Hoheit auch, wer sie ist?

LEONCE. [Dummkopf!] Frag doch die Nelke und die Tauperle nach ihrem Namen.

VALERIO. Das heißt, sie ist überhaupt etwas, wenn das nicht schon zu unzart ist und nach dem Signalement schmeckt. – Aber, wie soll das gehn? Hm! – Prinz, bin ich Minister, wenn Sie heute vor [I]hrem Vater mit der Unaussprechlichen, Namenlosen, mittelst des Ehesegens zusammengeschmiedet werden? Ihr Wort?

LEONCE. Mein Wort!

VALERIO. Der arme Teufel Valerio empfiehlt sich Sr. Exzellenz dem Herrn Staatsminister Valerio von Valeriental. – »Was will der Kerl? Ich kenne ihn nicht. Fort Schlingel!« *(Er läuft weg, Leonce folgt ihm.)*

ZWEITE SZENE.
FREIER PLATZ VOR DEM SCHLOSSE DES KÖNIGS PETER

Der Landrat. Der Schulmeister. Bauern im Sonntagsputz, Tannenzweige haltend.

LANDRAT. Lieber Herr Schulmeister, wie halten sich Eure Leute?

SCHULMEISTER. Sie halten sich so gut in ihren Leiden, daß sie sich schon seit geraumer Zeit an einander halten. Sie gießen brav Spiritus an sich, sonst könnten sie sich in der Hitze unmöglich so lange halten. Courage, Ihr Leute! St[r]eckt eure Tannenzweige grad vor Euch hin, daß man meint Ihr wärt ein Tannenwald und Eure Nasen die Erdbeeren und Eure Dreimaster die Hörner vom Wildpret und Eure hirschledernen Hosen der Mondschein darin, und merkt's Euch, der Hinterste läuft immer wieder vor den Vordersten, daß es aussieht als wärt Ihr ins Quadrat erhoben.

LANDRAT. Und Schulmeister, Ihr stehet vor die Nüchternheit.

SCHULMEISTER. Versteht sich, denn ich kann vor Nüchternheit kaum mehr stehen.

LANDRAT. Gebt Acht, Leute, im Programm steht: »Sämtliche Untertanen werden von freien Stücken reinlich gekleidet, wohlgenährt, und mit zufriedenen Gesichtern sich längs der Landstraße aufstellen.« Macht uns keine Schande!

SCHULMEISTER. Seid standhaft! Kratzt Euch nicht hinter den Ohren und schneuzt Euch die Nasen nicht mit den Fingern, so lang das hohe Paar vorbeifährt und zeigt die gehörige Rührung, oder es werden rührende Mittel gebraucht werden. Erkennt was man für Euch tut, man hat Euch grade so gestellt, daß der Wind von der Küche über Euch geht und Ihr auch einmal in Eurem Leben einen Braten riecht. Könnt Ihr noch Eure Lektion? [He!] Vi!

BAUERN. Vi!

SCHULMEISTER. Vat!

BAUERN. Vat!

SCHULMEISTER. Vivat!

BAUERN. Vivat!

SCHULMEISTER. So Herr Landrat. Sie sehen wie die Intelligenz im Steigen ist. Bedenken Sie, es ist Latein. [Wir geben aber auch heut Abend einen transparenten Ball mittelst der Löcher in unseren Jacken und Hosen, und schlagen uns mit unseren Fäusten Kokarden an die Köpfe.]

[DRITTE] SZENE
GROSSER SAAL. GEPUTZTE HERREN UND DAMEN
SORGFÄLTIG GRUPPIERT

Der Zeremonienmeister mit einigen Bedienten auf dem Vordergrund.

ZEREMONIENMEISTER. Es ist ein Jammer. Alles geht zu Grund. Die Braten schnurren ein. Alle Glückwünsche stehen ab. Alle Vatermörder legen sich um, wie melancholische Schweinsohren. Den Bauern wachsen die Nägel und der Bart wieder. Den Soldaten gehn die Locken auf. [Von den zwölf Unschuldigen ist Keine, die nicht das horizontale Verhalten dem senkrechten vorzöge. Sie] sehen in ihren weißen Kleidchen aus wie erschöpfte Seidenhasen und der Hof-Poet grunzt um sie herum wie ein bekümmertes Meerschweinchen. Die Herrn Offiziere kommen um all ihre Haltung. *(Zu einem Diener.)* Sage doch dem Herrn Kandidaten, er möge seine Buben einmal das Wasser abschlagen lassen. – Der arme Herr Hofprediger! Sein Frack läßt den Schweif ganz melancholisch hängen. Ich glaube er hat Ideale und verwandelt alle Kammerherrn in Kammerstühle. Er ist müde vom Stehen.

ZWEITER BEDIENTE. Alles Fleisch verdirbt vom Stehen. Auch der Hofprediger ist ganz abgestanden, seit er heut Morgen aufgestanden.

ZEREMONIENMEISTER. Die Hofdamen stehen da, wie Gradierbäue, das Salz crystallisiert an ihren Halsketten.

ZWEITER BEDIENTE. Sie machens sich wenigstens bequem. Man kann ihnen nicht nachsagen, daß sie auf den Schultern tragen. Wenn sie nicht offenherzig sind, so sind sie doch offen bis zum Herzen.

ZEREMONIENMEISTER. Ja, sie sind gute Karten vom türkischen Reich, man sieht [die Dardanellen und] das Marmormeer. Fort, Ihr Schlingel! An die Fenster! Da kömmt Ihro Majestät.

(König Peter und der Staatsrat treten ein.)

PETER. Also auch die Prinzessin ist verschwunden? Hat man noch keine Spur von unserm geliebten Erbprinzen? Sind meine Befehle befolgt? Werden die Gränzen beobachtet?

ZEREMONIENMEISTER. Ja, Majestät. Die Aussicht von diesem Saal gestattet uns die strengste Aufsicht. *(Zu dem ersten Bedienten.)* Was hast Du gesehen?

ERSTER BEDIENTE. Ein Hund, der seinen Herrn sucht, ist durch das Reich gelaufen.

ZEREMONIENMEISTER. *(Zu einem andern.)* Und Du?

ZWEITER BEDIENTE. Es geht jemand auf der Nordgränze spazieren, aber es ist nicht der Prinz, ich könnte ihn erkennen.

ZEREMONIENMEISTER. Und Du?

DRITTER DIENER. Sie verzeihen, Nichts.

ZER|E|MONIENMEISTER. Das ist sehr wenig. Und Du?

VIERTER DIENER. Auch Nichts.

ZEREMONIENMEISTER. Das ist noch weniger.

PETER. Aber, Staatsrat, habe ich nicht den Beschluß gefaßt, daß meine königliche Majestät sich an diesem Tag freuen und daß an ihm die Hochzeit gefeiert werden sollte? War das nicht unser festester Entschluß?

PRÄSIDENT. Ja, Eure Majestät, so ist es protokolliert und aufgezeichnet.

KÖNIG. Und würde ich mich nicht kompromittieren, wenn ich meinen Beschluß nicht ausführte?

PRÄSIDENT. Wenn es anders für Eure Majestät möglich wäre sich zu kompromittieren, so wäre dies ein Fall, worin sie sich kompromittieren könnte.

KÖNIG PETER. Habe ich nicht mein königliches Wort gegeben? Ja, ich werde meinen Beschluß sogleich ins Werk setzen, ich werde mich freuen. *(Er reibt sich die Hände.)* O ich bin außerordentlich froh!

PRÄSIDENT. Wir teilen sämtlich die Gefühle Eurer Majestät, so weit es für Untertanen möglich und schicklich ist.

PETER. O ich weiß mir vor Freude nicht zu helfen. Ich werde meinen Kammerherrn rote Röcke machen lassen, ich werde einige Kadetten zu Lieutenants machen, ich werde meinen Untertanen erlauben – aber, aber, die Hochzeit? Lautet die andere Hälfte des Beschlusses nicht, daß die Hochzeit gefeiert werden sollte?

PRÄSIDENT. Ja, Eure Majestät.

PETER. Ja, wenn aber der Prinz nicht kommt und die Prinzessin auch nicht?

PRÄSIDENT. Ja, wenn der Prinz nicht kommt und die Prinzessin auch nicht, – dann – dann

PETER. Dann, dann?

PRÄSIDENT. Dann können sie sich allerdings nicht heiraten.

KÖNIG. Halt, ist der Schluß logisch? Wenn – dann – richtig – Aber mein Wort, mein königliches Wort!

PRÄSIDENT. Tröste sich Eure Majestät mit andern Majestäten. Ein königliches Wort ist ein Ding, [–] ein Ding[, – ein Ding, –] das nichts [ist.]

PETER. *(Zu den Dienern.)* Seht Ihr noch nichts?

DIENER. Eure Majestät, nichts, gar nichts.

PETER. Und ich hatte beschlossen mich so zu freuen, grade mit dem Glockenschlag zwölf wollte ich anfangen und wollte mich freuen volle zwölf Stunden – ich werde [ganz] melancholisch.

PRÄSIDENT. Alle Untertanen werden aufgefordert die Gefühle Ihrer Majestät zu teilen.

ZEREMONIENMEISTER. Denjenigen, welche kein Schnupftuch bei sich haben, ist das Weinen jedoch Anstands halber untersagt.

ERSTER BEDIENTE. Halt! Ich sehe was! Es ist etwas wie ein Vorsprung, wie eine Nase, das Übrige ist noch nicht über der Gränze; und dann seh' ich noch einen Mann und dann noch zwei Personen entgegengesetzten Geschlechts.

ZEREMONIENMEISTER. In welcher Richtung?

ERSTER BEDIENTE. Sie kommen näher. Sie gehn auf das Schloß zu. Da sind sie.

(Valerio, Leonce, die Gouvernante und die Prinzessin treten maskiert auf.)

PETER. Wer seid Ihr?

VALERIO. Weiß ich's? *(Er nimmt langsam hintereinander mehrere Masken ab.)* Bin ich das? oder das? oder das? Wahrhaftig ich bekomme Angst, ich könnte mich so ganz auseinanderschälen und blättern.

PETER. *(Verlegen.)* Aber – aber etwas müßt Ihr denn doch sein?

VALERIO. Wenn Eure Majestät es so befehlen. Aber meine Herren hängen Sie [als]dann die Spiegel herum und verstecken Sie

[I]hre blanken Knöpfe etwas und sehen [S]ie mich nicht so an, daß ich mich in [I]hren Augen spiegeln muß, oder ich weiß wahrhaftig nicht mehr, wer ich eigentlich bin.

PETER. Der [Mensch] bringt mich in Konfusion, zur Desperation. Ich bin in der größten Verwirrung.

VALERIO. Aber eigentlich wollte ich einer hohen und geehrten Gesellschaft verkündigen, daß hiemit die zwei weltberühmten Automaten angekommen sind und daß ich vielleicht der dritte und merkwürdigste von beiden bin, wenn ich eigentlich selbst recht wüßte, wer ich wäre, worüber man übrigens sich nicht wundern dürfte, da ich selbst gar nichts von dem weiß, was ich rede, ja auch nicht einmal weiß, daß ich es nicht weiß, so daß es höchst wahrscheinlich ist, daß man mich nur so reden läßt, und es eigentlich nichts als Walzen und Windschläuche sind, die das Alles sagen. *(Mit schnarrendem Ton.)* Sehen Sie hier meine Herren und Damen, zwei Personen beiderlei Geschlechts, ein Männchen und ein Weibchen, einen Herr[n] und eine Dame. Nichts als Kunst und Mechanismus, nichts als Pappendeckel und Uhrfedern. Jede hat eine feine, feine Feder von Rubin unter dem Nagel der kleinen Zehe am rechten Fuß, man drückt ein klein wenig und die Mechanik läuft volle funfzig Jahre. Diese Personen sind so vollkommen gearbeitet, daß man sie von andern Menschen gar nicht unterscheiden könnte, wenn man nicht wüßte, daß sie bloße Pappdeckel sind, man könnte sie eigentlich zu Mitgliedern der menschlichen Gesellschaft machen. Sie sind sehr edel, denn sie sprechen hochdeutsch. Sie sind sehr moralisch, denn sie stehen auf den Glockenschlag auf, essen auf den Glockenschlag zu Mittag, und gehen auf den Glockenschlag zu Bett, auch haben sie [eine] gute Verdauung, was beweist, daß sie ein gutes Gewissen haben. [Sie haben ein feines sittliches Gefühl, denn die Dame hat gar kein Wort für den Begriff Beinkleider, und dem Herrn ist es rein unmöglich, hinter einem Frauenzimmer eine Treppe hinauf oder vor ihm hinunterzugehen.] Sie sind sehr gebildet, denn die Dame singt alle neuen Opern und der Herr trägt Manschetten. Geben Sie Acht, meine Herren und Damen, sie sind jetzt in einem interessanten St[a]dium, der Mechanismus der Liebe fängt an sich zu äußern, der Herr hat der Dame schon einigemal den Shawl getragen, die Dame hat schon einigemal die Augen verdreht und gen Himmel geblickt. Beide haben schon mehrmals geflüstert: Glaube, Liebe, Hoffnung! beide sehen bereits ganz akkordiert aus, es fehlt nur noch das einzige Wörtchen: Amen.

PETER. *(Den Finger an die Nase legend.)* In effigie? in effigie? Präsident, wenn man einen Menschen in effigie hängen läßt, ist das nicht eben so gut, als wenn er ordentlich gehängt würde?

PRÄSIDENT. Verzeihen, Eure Majestät, es ist noch viel besser, denn es geschieht ihm kein Leid dabei, und er wird dennoch gehängt.

PETER. Jetzt hab' ich's. Wir feiern die Hochzeit in effigie. *(Auf Leonce und Lena deutend.)* Das ist der Prinz, das ist die Prinzessin. Ich werde meinen Beschluß durchsetzen, ich werde mich freuen. Laßt die Glocken läuten, macht Eure Glückwünsche zurecht, hurtig Herr Hofprediger.

(Der Hofprediger tritt vor, räuspert sich, blickt einigemal gen Himmel.)

VALERIO. Fang an! Laß Deine [vermaledeiten] Gesichter und fang an! Wohlauf!

HOFPREDIGER. *(In der größten Verwirrung.)* Wenn wir, oder, aber

VALERIO. Sintemal und alldieweil –

HOFPREDIGER. Denn –

VALERIO. Es war vor Erschaffung der Welt –

HOFPREDIGER. Daß –

VALERIO. Gott lange Weile hatte –

PETER. Machen Sie es nur kurz, Bester.

HOFPREDIGER. *(Sich fassend.)* Geruhen Eure Hoheit Prinz Leonce [vom Reiche Popo] und geruhen Eure Hoheit Prinzessin Lena [vom Reiche Pipi], und geruhen Eure Hoheiten gegenseitig sich beiderseitig einander zu wollen, so sagen Sie ein lautes und vernehmliches Ja.

LENA *und* LEONCE. Ja.

HOFPREDIGER. So sage ich Amen.

VALERIO. Gut gemacht, kurz und bündig, so wäre denn das Männlein und das Fräulein erschaffen und alle Tiere des Paradieses stehen um sie.

(Leonce nimmt die Maske ab.)

ALLE. Der Prinz!

PETER. Der Prinz! Mein Sohn! Ich bin verloren, ich bin betro-

gen! *(Er geht auf die Prinzessin los.)* Wer ist die Person? Ich
lasse Alles für ungültig erklären.

GOUVERNANTE. *(Nimmt der Prinzessin die Maske ab, trium-*
phierend.) Die Prinzessin!

LEONCE. Lena?

LENA. Leonce?

LEONCE. Ei Lena, ich glaube das war die Flucht in das Paradies.
Ich bin betrogen.

LENA. Ich bin betrogen.

LEONCE. O Zufall!

LENA. O Vorsehung!

VALERIO. Ich muß lachen[, ich muß lachen]. Eure Hoheiten
sind wahrhaftig durch den Zufall einander zugefallen, ich
hoffe Sie werden, dem Zufall zu Gefallen, Gefallen aneinander finden.

GOUVERNANTE. Daß meine alten Augen das sehen konnten!
Ein irrender Königssohn! Jetzt sterb ich ruhig.

PETER. Meine Kinder ich bin gerührt, ich weiß mich vor Rührung kaum zu lassen. Ich bin der glücklichste Mann! Ich lege
aber auch hiermit feierlichst die Regierung in deine Hände,
mein Sohn, und werde sogleich ungestört jetzt bloß nur noch
zu denken anfangen. Mein Sohn, Du überlässest mir diese
Weisen, *(er deutet auf den Staatsrat)* damit sie mich in meinen Bemühungen unterstützen. Kommen Sie meine Herren,
wir müssen denken, ungestört denken. *(Er entfernt sich mit*
dem Staatsrat.) [Der Mensch hat mich vorhin konfus gemacht, ich muß mir wieder heraushelfen.]

LEONCE. *(Zu den Anwesenden.)* Meine Herren, meine Gemahlin und ich bedauern unendlich, daß Sie uns heute so lange zu
Diensten gestanden sind. Ihre Stellung ist so traurig, daß wir
um keinen Preis [I]hre Standhaftigkeit länger auf die Probe
stellen möchten. Gehn Sie jetzt nach Hause, aber vergessen
Sie [I]hre Reden, Predigten und Verse nicht, denn morgen
fangen wir in aller Ruhe und Gemütlichkeit den Spaß noch
einmal von vorn an. Auf Wiedersehn!

(Alle entfernen sich, Leonce, Lena, Valerio und die
Gouvernante ausgenommen.)

LEONCE. Nun, Lena, siehst Du jetzt, wie wir die Taschen voll
haben, voll Puppen und Spielzeug? Was wollen wir damit
anfangen? Wollen wir ihnen Schnurrbärte machen und ihnen
Säbel anhängen? Oder wollen wir ihnen Fräcke anziehen,

und sie infusorische Politik und Diplomatie treiben lassen
und uns mit dem Mikroskop daneben setzen? Oder hast Du
Verlangen nach einer Drehorgel auf der milchweiße ästhetische Spitzmäuse herumhuschen? Wollen wir ein Theater bau-
en? *(Lena lehnt sich an ihn und schüttelt den Kopf.)* Aber ich
weiß besser was Du willst, wir lassen alle Uhren zerschlagen,
alle Kalender verbieten und zählen Stunden und Monden nur
nach der Blumenuhr, nur nach Blüte und Frucht. Und dann
umstellen wir das Ländchen mit Brennspiegeln, daß es keinen
Winter mehr gibt[, und wir] uns im Sommer bis Ischia und
Capri hinauf d[e]stillieren, und wir das ganze Jahr zwischen
Rosen und Veilchen, zwischen Orangen und Lorbeern stek-
ken.

VALERIO. Und ich werde Staatsminister und es wird ein Dekret
erlassen, daß wer sich Schwielen in die Hände schafft unter
Kuratel gestellt wird, daß wer sich krank arbeitet kriminali-
stisch strafbar ist, daß Jeder der sich rühmt sein Brod im
Schweiße seines Angesichts zu essen, für verrückt und der
menschlichen Gesellschaft gefährlich erklärt wird und dann
legen wir uns in den Schatten und bitten Gott um Makkaroni,
Melonen und Feigen, um musikalische Kehlen, klassische
[Leiber] und eine [komm⟨o⟩de] Religion!

VERSTREUTE BRUCHSTÜCKE
ZU LEONCE UND LENA

Vorrede

ALFIERI: e la fama?
GOZZI: e la fame?

Personen

⟨H 1⟩　　　　　　　　　　　I. AKT

O wär' ich doch ein Narr!
Mein Ehrgeiz geht auf eine bunte Jacke.
Wie es Euch gefällt.

I. SZENE
EIN GARTEN

Der Prinz, (halb ruhend auf einer Bank) der Hofmeister.

PRINZ. Mein Herr, was wollen Sie von mir? Mich auf meinen
Beruf vorbereiten? Ich habe alle Hände voll zu tun, ich weiß
mir vor Arbeit nicht zu helfen. – Sehen Sie, erst habe ich auf
den Stein hier dreihundert fünf und sechzigmal hintereinander zu spucken. Haben Sie das noch nicht probiert? Tun Sie
es, es gewährt eine ganz eigne Unterhaltung. Dann – sehen
Sie diese Hand voll Sand? – *(er nimmt Sand auf, wirft ihn in
die Höhe und fängt ihn mit dem Rücken der Hand wieder
auf)* – jetzt werf' ich sie in die Höhe. Wollen wir wetten?
Wieviel Körnchen hab' ich jetzt auf dem Handrücken? Grad
oder ungrad? – Wie? Sie wollen nicht wetten? Sind Sie ein
Heide? Glauben Sie an Gott? Ich wette gewöhnlich mit mir
selbst und kann es tagelang so treiben. Wenn Sie einen Menschen aufzutreiben wissen, der Lust hätte als mit mir zu wetten, so werden Sie mich sehr verbinden. Dann – habe ich

nachzudenken, wie es wohl angehn mag, daß ich mir auf den Kopf sehe. O wer sich einmal auf den Kopf sehen könnte! Das ist eins von meinen Idealen. Mir wäre geholfen. Und dann – und dann noch unendlich Viel der Art. – Bin ich ein Müßiggänger? Habe ich jetzt keine Beschäftigung? – Ja es ist traurig ...

HOFMEISTER. Sehr traurig, Euer Hoheit.

PRINZ. Daß die Wolken schon seit 3 Wochen von Westen nach Osten ziehen. Es macht mich ganz melancholisch.

HOFMEISTER. Eine sehr gegründete Melancholie.

PRINZ. Mensch, warum widersprechen Sie mir nicht? Sie sind pressiert, nicht wahr? Es ist mir leid, daß ich Sie so lange aufgehalten habe. *(Der Hofmeister entfernt sich mit einer tiefen Verbeugung)* Mein Herr, ich gratuliere Ihnen zu der schönen Parenthese, die ihre Beine machen, wenn Sie Sich verbeugen.

PRINZ *(allein, streckt sich auf der Bank aus)* Die Bienen sitzen so träg an den Blumen und der Sonnenschein liegt so faul auf dem Boden. Es krassiert ein entsetzlicher Müßiggang. – Müßiggang ist aller Laster Anfang. – Was die Leute nicht Alles aus Langeweile treiben, sie studieren aus Langeweile, sie beten aus Langeweile, sie verlieben, verheuraten und vermehren sich aus Langeweile und sterben endlich an der Langeweile und – und das ist der Humor davon – Alles mit den ernsthaftesten Gesichtern, ohne zu merken warum und meinen Gott weiß was dabei. Alle diese Helden, diese Genies, diese Dummköpfe, diese Sünder, diese Heiligen, diese Familienväter sind im Grunde nichts als raffinierte Müßiggänger. – Warum muß ich es grade wissen? Ich bin ein elender Spaßmacher? Warum kann ich meinen Spaß nicht auch mit einem ernsthaften Gesicht vorbringen? – Der Mann, der eben von mir ging, ich beneidete ihn, ich hätte ihn aus Neid prügeln mögen. O, wer einmal jemand Anders sein könnte! Nur 'ne Minute lang.

Valerio, halb trunken, kömmt gelaufen.

PRINZ *(faßt ihn am Arm)* Kerl, Du kannst laufen? Mein Gott, wenn ich nur etwas unter der Sonne wüßte, was mich noch könnte laufen machen.

VALERIO *(legt den Finger an die Nase und sieht ihn starr an)* Ja!

PRINZ *(eben so)* Richtig!

VALERIO. Haben Sie mich begriffen?

PRINZ. Vollkommen.

VALERIO. Nun so wollen wir von etwas Anderm reden. – Ich werde mich indessen in das Gras legen und meine Nase oben zwischen den Halmen herausblühen lassen und romantische Empfindungen beziehen, wenn die Bienen und Schmetterlinge sich darauf wiegen, wie auf einer Rose.

PRINZ. Aber Bester, schnaufen Sie nicht so stark oder die Bienen und Schmetterlinge müssen verhungern über d. ungeheuren Prisen die Sie aus d. Blumen ziehen.

VAL. Ach, Herr, was ich ein Gefühl für die Natur habe. Das Gras steht so schön, daß man ein Ochs sein möchte um es fressen zu können und dann wieder ein Mensch um den Ochsen zu fressen, der solches Gras gefressen.

PRINZ Unglücklicher, Sie scheinen auch an Idealen zu laborieren.

VAL. O Gott! ich laufe schon seit 8 Tagen einem Ideal von Rindfleisch nach, ohne es irgendwo in d. Realität anzutreffen.

(er singt:)   Frau Wirtin hat 'ne brave Magd,
                 Sie sitzt im Garten Tag und Nacht.
                 Sie sitzt in ihrem Garten
                 Bis daß das Glöcklein zwölfe schlägt
                 Und paßt auf die Solda-a-ten.

(Er setzt sich auf den Boden) Seht diese Ameisen, liebe Kinder, es ist bewundernswürdig welcher Instinkt in diesen kleinen Geschöpfen, Ordnung, Fleiß – Herr, es gibt nur drei Arten sein Geld auf eine menschliche Weise zu verdienen, es finden, in der Lotterie gewinnen, erben oder in Gottes-Namen stehlen, wenn man die Geschicklichkeit hat keine Gewissensbisse zu bekommen.

PRINZ. Du bist mit diesen Prinzipien ziemlich alt geworden ohne vor Hunger oder am Galgen zu sterben.

VALERIO. (ihn immer starr ansehend) Ja Herr, und das behaupte ich, wer sein Geld auf eine andere Art erwirbt ist ein Schuft.

PRINZ. Denn wer arbeitet ist ein subtiler Selbstmörder, und ein Selbstmörder ist ein Verbrecher und ein Verbrecher ist ein Schuft, also, wer arbeitet ist ein Schuft.

VALERIO. Ja. – Aber dennoch sind die Ameisen ein sehr nützliches Ungeziefer und doch sind sie wieder nicht so nützlich, als wenn sie gar keinen Schaden täten. Nichts destoweniger, wertestes Ungeziefer, kann ich mir nicht das Vergnügen versagen einigen von Ihnen mit der Ferse auf den Hintern zu schlagen, die Nasen zu putzen und die Nägel zu schneiden.

Zwei Polizeidiener treten auf.

1. POLIZ. Halt, wo ist der Kerl?
2. POL. Da sind zwei.
1. P. Sieh einmal ob Keiner davon laüft?
2. P. Ich glaube es laüft Keiner.
1. P. So müssen wir sie Beide inquirieren. Meine Herren, wir suchen Jemand, ein Subjekt, ein Individuum, eine Person, einen Delinquenten, einen Inquisiten, einen Kerl. *(Zu dem andern Pol.)* Sieh einmal, wird Keiner rot?
2. P. Es ist Keiner rot geworden.
1. P. So müssen wir es anders probieren. – Wo ist der Steckbrief, das Signalement, das Zertifikat? *(2. Pol. zieht ein Papier aus der Tasche und überreicht es ihm.)* Visiere die Subjekte, ich will lesen: ein Mensch –
2. P. Paßt nicht, es sind zwei.
1. P. Dummkopf! geht auf 2 Füßen, hat zwei Arme, ferner einen Mund, eine Nase, zwei Augen, zwei Ohren. Besondere Kennzeichen: ist ein höchst gefährliches Individuum.
2. P. Das paßt auf Beide. Soll ich sie Beide arretieren?
1. P. Zwei, das ist gefährlich wir sind auch nur zwei. Aber ich will einen Rapport machen. Es ist ein Fall von sehr kriminalischer Verwicklung oder sehr verwickelter Kriminalität. Denn wenn ich mich betrinke und mich in mein Bett lege, so ist das meine Sache und geht Niemand was an, wenn ich aber mein Bett vertrinke, so ist das die Sache von wem, Schlingel?
2. P. Ja, ich weiß nicht.
1. P. Ja, ich auch nicht. Aber das ist der Punkt. *(Sie gehen ab.)*
VALERIO. Da leugne einer die Vorsehung. Seht, was man nicht mit einem Floh ausrichten kann! Denn wenn es mich nicht heute Nacht überlaufen hätte, so hätte ich nicht den Morgen mein Bett an die Sonne getragen und hätte ich es nicht an die Sonne getragen, so wäre ich nicht damit neben das Wirtshaus zum Mond geraten, und wenn Sonne und Mond es nicht beschienen hätten, so hätte ich aus meinem Strohsack keinen Wein keltern und mich daran betrinken können und wenn das Alles nicht geschehen wäre, so wäre ich jetzt nicht in Ihrer Gesellschaft, werteste Ameisen, und würde von Ihnen skelettiert und von der Sonne aufgetrocknet, sondern würde

ein Stück Fleisch tranchieren und eine Bouteille Wein aus-
trocknen – im Spital nemlich.

PRINZ. Ein erbaulicher Lebenslauf.

VALERIO. Ich habe eigentlich einen läufigen Lebenslauf. Denn
nur mein Laufen hat im Lauf dieses Krieges mein Leben vor
einem Lauf gerettet, der ein Loch in dasselbe machen wollte.
Ich bekam in Folge dieser Rettung eines Menschenlebens einen trocknen Husten, welcher den Doktor annehmen ließ,
daß mein Laufen ein Galoppieren geworden sei und ich die
galoppierende Auszehrung hätte. Da ich nun zugleich fand,
daß ich ohne Zehrung sei, so verfiel ich in oder vielmehr auf
ein zehrendes Fieber, worin ich täglich um dem Vaterland
einen Verteidiger zu erhalten, gute Suppe, gutes Rindfleisch,
gutes Brod essen und guten Wein trinken mußte.

PRINZ. Nun Edelster, dein Handwerk, dein métier, deine Profession, dein Gewerbe, dein Stand, deine Kunst?

VALERIO. Herr, ich habe die große Beschäftigung müßig zu
gehen, ich habe eine ungemeine Fertigkeit im Nichts-tun, ich
besitze eine ungeheure Ausdauer in der Faulheit,

⟨*ein Drittel der Seite unbeschrieben*⟩

⟨H 2⟩

GOUVERNANTE. *(weint)* Lieber Engel, du bist ein wahres Opferlamm.

LENA. Ja wohl, und der Priester hebt schon das Messer. – O
Gott, ist es denn wahr, daß wir uns selbst erlösen müssen mit
unserm Schmerz? Ist es denn wahr die Welt sei ein gekreuzigter Heiland, die Sonne seine Dornenkrone und die Sterne die
Nägel und Speere in seinen Füßen und Lenden?

GOUVERNANTE. Mein Kind, mein Kind! ich kann dich nicht so
sehen. – Vielleicht, wer weiß. Ich habe so etwas im Kopf. Wir
wollen sehen. Komm! *(sie führt die Prinzessin weg.)*

II. AKT

Wie ist mir eine Stimme doch erklungen im tiefsten Innern
Und hat ⟨Satz bricht ab⟩

Steh auf in deinem weißen Kleid u. schwebe durch die Nacht
u. sprich zur Leiche steh auf und wandle.

LENA. Die heiligen Lippen, die so sprachen, sind längst Staub.

LEONCE. O nein,

⟨*mehr als ein Drittel der Seite unbeschrieben*⟩

VAL. Heiraten?

PRINZ. Das heißt Leben u. Liebe eins sein lassen, daß die Liebe das Leben ist, und das Leben die Liebe. Weißt du auch Valerio, daß auch der Geringste so groß ist, daß das menschliche Leben viel zu kurz ist um ihn lieben zu können?

Und dann kann ich doch den Leuten das Vergnügen gönnen, die meinen daß nichts so schön und heilig sei, daß sie es nicht noch schöner u. heiliger machen müßten. Es liegt ein gewisser Genuß in d. Meinung, warum sollt' ich ihn ihnen nicht gönnen.

VAL. Ja, nur ich denke, daß d. Wein noch lange kein Mensch ist u daß man ihn doch sein ganzes Leben lieben kann. Aber weiß sie auch wie sie sind.

LEONCE. Sie weiß nur, daß sie mich liebt.

VALERIO. Und wissen sie auch wie sie ist?

LEONCE. Dummkopf! Sie ist so Blume, daß sie kaum getauft sein kann, eine geschlossne Knospe, noch ganz ⟨unlesbar⟩ vom Morgentau u. d. Traum d. Nachtendes.

VAL. Gut meinetwege. Wie soll das gehn? Prinz, bin ich Minister, wenn Sie heute vor Ihrem Vater mit d. Unaussprechlichen, Namenlosen kopuliert werden?

LEONCE. Wie ist das möglich?

VAL. Das wird sich finden, bin ich's?

LEONCE. Mein Wort.

VAL. Danke. Kommen Sie.

WOYZECK

Entwurfsstufen

Erste Entwurfsstufe (H 1)

⟨1⟩   BUDEN. VOLK

MARKTSCHREIER VOR EINER BUDE. Meine Herren! Meine Herren! Sehn sie die Kreatur, wie sie Gott macht, nix, gar nix.
Sehen sie jetzt die Kunst, geht aufrecht hat Rock und Hosen,
hat ein Säbel! Ho! Mach Kompliment! So bist brav. Gib Kuß!
(er trompetet). Michl ist musikalisch. Meine Herren hier ist
zu sehen das astronomische Pferd und die kleine Kanaillevögele. Ist favori von alle gekrönte Häupter. Die rapräsentation
anfangen! Man mackt Anfang von Anfang. Es wird sogleich
sein das commencement von commencement.
SOLDAT. Willst du?
MAGRETH. Meinetwege. Das muß schön Dings sein. Was der
Mensch Quasten hat u. die Frau hat Hosen.

⟨2⟩   DAS INNERE DER BUDE

MARKTSCHREIER. Zeig' dein Talent! zeig dein viehische Vernünftigkeit! Bschäme die menschlich Sozietät! Mei Herre
dies Tier, was sie da sehn, Schwanz am Leib, auf sei 4 Hufe ist
Mitglied von alle gelehrte Sozietät, ist Professor an unsre
Universität wo die Studente bei ihm reiten u. schlage lernen.
Das war einfacher Verstand! Denk jetzt mit der doppelten
raison. Was machst du wann du mit der doppelten Räson
denkst? Ist unter der gelehrte société da ein Esel? *(der Gaul
schüttelt den Kopf)* Sehn sie jetzt die doppelte Räson! Das ist
Viehsionomik. Ja das ist kei viehdummes Individuum, das ist
ein Person! Ei Mensch, ei tierische Mensch und doch ei Vieh,
ei bête, *(das Pferd führt sich ungebührlich auf).* So bschäm die
société! Sehn sie das Vieh ist noch Natur unverdorbe Natur!
Lern Sie bei ihm. Fragen sie den Arzt es ist höchst schädlich!
Das hat geheiße Mensch sei natürlich, du bist geschaffe Staub,
Sand, Dreck. Willst du mehr sein, als Staub, Sand, Dreck?
Sehn sie was Vernunft, es kann rechnen u. kann doch nit an d.
Finger herzählen, warum? Kann sich nur nit ausdrücke, nur
nit explizirn, ist ein verwandlter Mensch! Sag den Herrn,

wieviel Uhr es ist. Wer von den Herrn u. Damen hat ein Uhr,
ein Uhr.

UNTEROFFIZIER. Eine Uhr! *(zieht großartig un gemessen eine
Uhr aus der Tasche.)* Da mein Herr. (Das ist ei Weibsbild
guckt siebe Paar lederne Hose durch)

MAGRETH. Das muß ich sehn *(sie klettert auf den 1. Platz. Unteroffizier hilft ihr).*

UNTEROFFIZIER.

⟨3⟩   ⟨MAGRETH⟩

MAGRETH. *(allein)* Der andre hat ihm befohlen und er hat gehn
müsse, Ha! Ein Mann vor einem Andern.

⟨4⟩   DER KASERNENHOF

Andres. Louis.

ANDRES *(singt).* Frau Wirtin hat n'e brave Magd
           Sie sitzt im Garten Tag u. Nacht
           Sie sitzt in ihren Garte
           Bis daß das Glöcklei zwölfe schlägt
           Und paßt auf die Soldate.

LOUIS. Ha Andres, ich hab kei Ruh!

ANDRES. Narre!

LOUIS. Was weißt du? So red doch.

ANDRES. Nu?

LOUIS. Was glaubst du wohl, daß ich hier bin?

ANDRES. Weils schön Wetter ist und sie heut tanzen.

LOUIS. Ich muß fort, muß sehen!

ANDRES. Was willst du?

LOUIS. Hinaus!

ANDRES. Du Unfriede, wegen des Menschs.

LOUIS. Ich muß fort.

⟨5⟩   WIRTSHAUS

Die Fenster sind offen. Man tanzt. Auf der Bank vor dem Haus.

LOUIS *(lauscht am Fenster).* Er – Sie! Teufel! *(er setzt sich zitternd nieder. Er geht wieder an's Fenster)* Wie das geht! Ja
wälzt Euch übernander! Und Sie: immer, zu – immer zu.

DER NARR. Puh! Das riecht.

Louis. Ja das riecht! Sie hat rote, rote Backe und warum riecht sie schon? Karl, was witterst du so?

Der Narr. Ich riech, ich riech Blut.

Louis. Blut? Warum wird es mir so rot vor der Auge! Es ist mir als wälzten sie sich in einem Meer von Blut, all mitnander! Ha rotes Meer.

⟨6⟩   FREIES FELD

Louis. Immer! zu! – Immer zu! – Hisch! hasch, so ziehn die Geigen und die Pfeifen. – Immer zu! immer zu! Was spricht da? Da unten aus dem Boden hervor, ganz leise was, was. *(er bückt sich nieder)* Stich, Stich, Stich die Woyzecke tot, Stich, stich die Woyzecke tot. Immer Woyzecke! das zischt u. wimmert und donnert.

⟨7⟩   EIN ZIMMER

Louis und Andres.

Andres. He!

Louis. Andres!

Andres *(murmelt im Schlaf)*.

Louis. He Andres!

Andres. Na, was is?

Louis. Ich hab kei Ruh, ich hör's immer, wies geigt u. springt, immer zu! immer zu! Und dann wann ich die Augen zumach, da blitzt es mir immer, es ist ei großes breit Messer und das liegt auf ein Tisch am Fenster und ist in einer dunkeln Gaß und ein alter Mann sitzt dahinter. Und das Messer ist mir immer zwischen den Augen.

Andres. Schlaf Narr!

⟨8⟩   KASERNENHOF

Louis. Hast nix gehört?

Andres. Er ist da vorbei mit einen Kamraden.

Louis. Er hat was gesagt.

Andres. Woher weißt du's? Was soll ichs sage. Nu er lachte und dann sagte er ein köstlich Weibsbild! Die hat Schenkel und Alles so fest!

Louis *(ganz kalt)*. So hat er das gesagt?

Von was hat mir doch heut Nacht geträumt? War's nicht von
ein Messer? Was man doch närrische Träume hat.

ANDRES. Wohin Kamrad?

LOUIS. Meim Offizier, Wein hole. – Aber Andres, sie war doch
ein einzig Mädel.

ANDRES. Wer war?

LOUIS. Nix. Adies.

⟨9⟩   DER OFFIZIER. LOUIS

LOUIS *(allein)*. Was hat er gesagt? So? – Ja es ist noch nicht aller
Tag Abend.

⟨10⟩   EIN WIRTSHAUS

Barbier. Unteroffizier.

BARBIER.   Ach Tochter, liebe Tochter
                  Was hast du gedenkt,
                  Daß du dich an die Landkutscher
                  Die Fuhrleut hast gehängt. –
Was kann der liebe Gott nicht, was? Das Geschehne unge-
schehn mache. Hä hä hä! – Aber es ist eimal so, und es ist gut,
daß es so ist. Aber besser ist besser.
(singt)   Branntewei das ist mei Leben
                  Branntewei gibt Courage
Und ein ordentlicher Mensch hat sein Leben lieb, und ein
Mensch, der sein Leben lieb hat, hat kein Courage, ein tugendhafter Mensch hat keine Courage! Wer Courage hat ist
ei Hundsfott.

UNTEROFFIZIER *(mit Würde)*. Sie vergessen sich, in Gegenwart
eines Tapfern.

BARBIER. Ich spreche ohne Beziehung, ich spreche nicht mit
Rücksichte, wie die Franzose spreche, und es war schön von
Euch. – Aber wer Courage hat ist ei Hundsfott!

UNTEROFFIZIER. Teufel! du zerbrochne Bartschüssel, du ab-
standne Seifebrüh du sollst mir dei Urin trinke, du sollst mir
dei Rasiermesser verschlucken!

BARBIER. Herr Er tut sich Unrecht, hab ich Ihn denn gemeint,
hab ich gesagt er hätt Courage? Herr laß Er mich in Ruh! Ich
bin die Wissenschaft. Ich bekomm für mei Wissenschaftlich-
keit alle Woche ein halb Gulde, schlag Er mich nicht grad

oder ich muß verhungern. Ich bin ein spinosa pericyclyda;
ich hab ei lateinische Rücken. Ich bin ein lebendges Skelett,
die ganze Menschheit studiert an mir –. Was ist der Mensch?
Knochen! Staub, Sand, Dreck. Was ist die Natur? Staub,
Sand, Dreck. Aber die dumme Mensche, die dumm Mensche.
Wir müssen Freunde sein. Wenn Ihr kei Courage hätte so gäb
es kei Wissenschaft, kei Natur, kei amputation, exartikulation. Was ist das, mein Arm, Fleisch, Knoche, Ader? Was ist
das Dreck? Worin steckts, im Dreck? Laß ich den Arm so
abschneide, nein, der Mensch ist egoistisch, aber haut, schießt
sticht hinei, so, jetzt. Wir müssen Freunde, ich bin gerührt.
Seht ich wollte unsre Nase wäre zwei Bouteille u. wir könnten sie uns einander in die Häls gieße. Ach was die Welt
schön ist! Freunde! ein Freund! Die Welt! *(gerührt)* seht wie
die Sonne kommt zwische d. Wolke hervor, als würd' e potchambre ausgeschütt. *(er weint.)*

⟨11⟩   DAS WIRTSHAUS

Louis sitzt vorm Wirtshaus. Leute gehn hinaus.

ANDRES. Was machst du da?

LOUIS. Wieviel Uhr ist's?

ANDRES. –

LOUIS. So noch nicht mehr? Ich mein es müßte schneller gehn
und Ich wollt es wär übermorge Abend.

ANDRES. Warum?

LOUIS. Dann wär's vorbei.

ANDRES. Was?

LOUIS. Geh dei Wege.

⟨ANDRES.⟩ Was sitzt du da vor de Tür.

LOUIS. Ich sitze gut da, und ich weiß – aber es sitze manche
Leut vor die Tür und sie wissen es nicht; Es wird mancher
mit den Füßen voran zur Tür n'aus getragen.

⟨ANDRES.⟩ Komm mit!

⟨LOUIS.⟩ Ich sitz gut so und läg noch besser gut so. ⟨unlesbar⟩
Wenn alle Leut wüßten wieviel Uhr es ist, sie würde sich
ausziehn, und ei saubers Hemd antun und sich die Hobelspän
schütteln lassen.

⟨ANDRES.⟩ Er ist besoffen.

LOUIS. Was liegt denn da übe. Ebe glänzt es so. Es zieht mir
immer so zwischen die Augen herum. Wie es glitzert. Ich
muß das Ding haben.

⟨12⟩   FREIES FELD

LOUIS. *(er legt das Messer in eine Höhle)* Du sollst nicht töten.
  Lieg da! Fort! *(er entfernt sich eilig)*

⟨13⟩   NACHT. MONDSCHEIN

Andres und Louis in einem Bett.

LOUIS *(leise).* Andres!
ANDRES *(träumt).* Da! halt! – Ja.
LOUIS. He Andres.
ANDRES. Nu?
LOUIS. Ich hab kei Ruhe! Andres.
ANDRES. Drückt dich der Alp?
LOUIS. Draußen liegt was. Im Boden. Sie deuten immer drauf
  hin und hörst du jetzt, und jetzt, wie sie in den Wände klop-
  fen, eben hat einer zum Fenster hin geguckt. Hörst du's
  nicht, ich hör's den ganzen Tag. Immer zu. Stich, stich die
  W⟨oyzecke⟩.
ANDRES. Leg dich Louis du mußt ins Lazarett. Du mußt
  Schnaps trinke und Pulver drin, das schneidt das Fieber.

⟨14⟩   MAGRETH MIT MÄDCHEN VOR DER HAUSTÜR

MÄDCHEN.   Wie scheint d. Sonn St. Lichtmeßtag
                  Und steht das Korn im Blühn.
                  Sie ginge wohl die Straße hin
                  Sie ginge zu zwei und zwein
                  Die Pfeifer ginge vorn
                  Die Geiger hinter drein.
                  Sie hatte rote ⟨unlesbar⟩
1. K⟨IND.⟩ S' ist nit schön.   ⟨ANDERE
2. ⟨KIND.⟩ Was wills du auch immer.   *abwechselnd*
⟨1. Kind.⟩ Was hast zuerst angefange. *dazwischen.⟩*
⟨KIND.⟩ Ich kann nit.   Warum?
⟨ANDERES.⟩ Es muß sing.   Darum?
⟨KINDER.⟩ Magretche sing du uns.   Aber warum darum?
MAGRETH. Kommt ihr klei Krabbe!
          Ringle ringel Rosekranz. König Herodes.
  Großmutter erzähl.
GROSSMUTTER. Es war eimal ein arm Kind und hat kein Vater
  u. kei Mutter war Alles tot und war Niemand mehr auf der

Welt. Alles tot, und es ist hingangen und hat gerrt Tag u.
Nacht. U. wie auf der Erd Niemand mehr war, wollt's in
Himmel gehn, und der Mond guckt es so freundlich an und
wie's endlich zum Mond kam, war's ein Stück faul Holz und
da ist es zur Sonn gangen und wie's zur Sonn kam war's ein
verwelkt Sonneblum und wie's zu den Sterne kam, wars klei
golde Mücke die warn angesteckt wie d. Neuntöter sie auf die
Schlehe steckt u. wies wieder auf die Erd wollt, war die Erd
ein umgestürzter Hafen u. war ganz allein u. da hat sich's
hingesetzt u. gerrt u. da sitzt es noch u. ist ganz allein.

LOUIS. Magreth!
MAGRETH *(erschreckt).* Was ist.
LOUIS. Magreth wir wolle gehn 's ist Zeit.
MAGRETH. Wohinaus.
LOUIS. Weiß ich's?

⟨15⟩   MAGRETH UND LOUIS

MAGRETH. Also dort hinaus ist die Stadt, s' ist finster.
LOUIS. Du sollst noch bleiben. Komm setz dich.
MAGRETH. Aber ich muß fort.
LOUIS. Du würdst dir die Füße nicht wund laufen.
MAGRETH. Wie bist du denn auch!
LOUIS. Weißt du auch wie lang es jetzt ist Magreth.
MAGRETH. Um Pfingsten 2 Jahr.
LOUIS. Weißt du auch wie lang es noch sein wird?
MAGRETH. Ich muß fort der Nachttau fällt.
LOUIS. Friert's dich Magreth, und doch bist du warm. Was du
    heiße Lippen hast! (heiß, heißn Hurenatem und doch möcht'
    ich den Himmel gebe sie noch eimal zu küsse)
    ⟨unlesbar⟩ und wenn man kalt ist, so friert man nicht mehr.
    Du wirst vom Morgentau nicht friern.
MAGRETH. Was sagst du?
LOUIS. Nix. *(schweigen)*
MAGRETH. Was der Mond rot auf geht.
LOUIS. Wie ein blutig Eisen.
MAGRETH. Was hast du vor? Louis, du bist so blaß. Louis halt.
    Um des Himmels willen, Hü Hülfe.
LOUIS. Nimm das und das! Kannst du nicht sterbe. So! so! Ha
    sie zuckt noch, noch nicht noch nicht? Immer noch? *(stößt
    zu)* Bist du tot? Tot! Tot! *(es kommen Leute, läuft weg)*

⟨16⟩   ES KOMMEN LEUTE

1. P⟨ERSON.⟩ Halt!
2. P⟨ERSON.⟩ Hörst du? Still! Dort.
1. ⟨PERSON.⟩ Uu! Da! Was ein Ton.
2. ⟨PERSON.⟩ Es ist das Wasser, es ruft, schon lang ist Niemand
   ertrunken. Fort, s' ist nicht gut, es zu hören.
1. ⟨PERSON.⟩ Uu jetzt wieder. Wie ein Mensch der stirbt.
2. ⟨PERSON.⟩ Es ist unheimlich, so duftig – halb Nebel, grau
   und das Summen d. Käfer wie gesprungne Glocke. Fort!
1. ⟨PERSON.⟩ Nein, zu deutlich, zu laut. Da hinauf. Komm mit.

⟨17⟩   DAS WIRTSHAUS

LOUIS. Tanzt alle, immer zu, schwitzt und stinkt, er holt Euch
   doch eimal Alle.
   (singt.)   Frau Wirtin hat 'ne brave Magd
                       Sie sitzt im Garten Tag u. Nacht
                       Sie sitzt in ihrem Garten
                       Bis daß das Glöcklein zwölfe schlägt
                       Und paßt auf die Soldate.
   (er tanzt.) So Käthe! setz dich! Ich hab heiß! heiß, *(er zieht
   den Rock aus)* es ist eimal so, d. Teufel holt die eine und läßt
   die andre laufen. Käthe du bist heiß! Warum denn Käthe du
   wirst auch noch kalt werden. Sei vernünftig. Kannst du nicht
   singe?
⟨KÄTHE.⟩   Ins Schwabeland das mag ich nicht
                      Und lange Kleider trag ich nicht
                      Denn lange Kleider spitze Schuh,
                      Die kommen keiner Dienstmagd zu.
⟨LOUIS.⟩ Nein, kei Schuh, man kann auch ohne Schuh in die
   Höll gehn.
⟨KÄTHE.⟩
⟨unlesbar⟩   O pfui mein Schatz das war nicht fein.
                      Behalt dei Taler u. schlaf allein.
⟨LOUIS.⟩ Ja wahrhaftig, ich möchte mich nicht blutig mache.
KÄTHE. Aber was hast du an dei Hand?
LOUIS. Ich? Ich?
KÄTHE. Rot! Blut. *(es stellen sich Leute um sie)*
LOUIS. Blut? Blut?
WIRT. Uu Blut.

LOUIS. Ich glaub ich hab' mich geschnitte, da an die rechte Hand.

WIRT. Wie kommt's aber an de Ellenbog?

LOUIS. Ich hab's abgewischt.

WIRT. Was mit der rechten Hand an de rechte Ellboge? Ihr seid geschickt.

NARR. Und da hat de Ries gesagt: ich riech, ich riech, ich riech Menschefleisch. Puh. Der stinkt schon.

LOUIS. Teufel, was wollt Ihr? Was geht's Euch an? Platz! oder de erste Teufel. Meint Ihr ich hätt Jemand umgebracht? Bin ich Mörder? Was gafft Ihr! Guckt Euch selbst an. Platz da. *(er läuft hinaus.)*

⟨18⟩   KINDER

1. KIND. Fort. Magretchen!

2. KIND. Was is?

1. KIND. Weißt du's nit? Sie sind schon alle hinaus. Drauß liegt eine?

2. KIND. Wo?

1. ⟨KIND.⟩ Links über die Lochschanz in die Wäldche, am roten Kreuz.

2. ⟨KIND.⟩ Fort, daß wir noch was sehen. Sie trage sonst hinein.

⟨19⟩   LOUIS, ALLEIN

⟨LOUIS.⟩ Das Messer? Wo ist das Messer? Ich hab' es da gelasse. Es verrät mich! Näher, noch näher! Was ist das für ein Platz? Was höre ich? Es rührt sich was. Still. Da in der Nähe. Magreth? Ha Magreth! Still. Alles still! (Was bist du so bleich, Magreth? Was hast du ei rote Schnur um d. Hals? Bei wem, hast du das Halsband verdient, mit dei Sünde? Du warst schwarz davon, schwarz! Hab ich dich jetzt gebleicht. Was hänge dei schwarze Haare, so wild? Hast du die Zöpfe heut nicht geflochten?) Da liegt was! kalt, naß, stille. Weg von dem Platz. Das Messer, das Messer hab ich's? So! Leute. – Dort. *(er läuft weg)*

⟨20⟩   LOUIS AN EINEM TEICH

⟨LOUIS.⟩ So, da hinunter! *(er wirft das Messer hinein)* Es taucht in das dunkle Wasser, wie Stein! Der Mond ist wie ein blutig

Eisen! Will denn die ganze Welt es ausplaudern? Nein es liegt zu weit vorn, wenn sie sich bade *(er geht in den Teich und wirft weit)* so jetzt aber im Sommer, wenn sie tauchen nach Muscheln, bah es wird rostig! Wer kann's erkennen hätt' ich es zerbroche! Bin ich noch blutig? ich muß mich wasche. Da ein Fleck und da noch einer.

⟨21⟩   GERICHTSDIENER. BARBIER. ARZT. RICHTER

⟨GERICHTSDIENER.⟩ Ein guter Mord, ein ächter Mord, ein schöner Mord, so schön als man ihn nur verlangen tun kann wir haben schon lange so kein gehabt. –

BARBIER. *dogmatischer Atheist. Lang, hager, feig, geistreich, Wissenschftl.*

ZWEITE ENTWURFSSTUFE (H 2)

〈 I 〉   FREIES FELD. DIE STADT IN DER FERNE

Woyzeck. Andres.
Andres un Woyzeck schneiden Stöcke im Gebüsch.

ANDRES *(pfeift un singt).*

> Da ist die schöne Jägerei.
> Schießen steht Jedem frei
> Da möcht' ich Jäger sein
> Da möcht ich hin.

> Läuft dort e Has vorbei
> Frägt mich ob ich Jäger sei.
> Jäger bin ich auch schon gewesen,
> Schießen kann ich aber nit.

WOYZECK. Ja Andres, das ist er, der Platz ist verflucht. Siehst
du den leichten Streif, da über das Gras hin, wo die Schwämme so nachwachsen da rollt Abends der Kopf, es hob' ihn
eimal einer auf, er meint es sei ein Igel, 3 Tage und 2 Nächte,
〈unlesbar〉 Zeichen, und er war tot. *(Leise)* Das waren die
Freimaurer, ich hab' es haus.

ANDRES. Es wird finster, fast macht Ihr ein Angst. *(er singt.)*

WOYZECK. *(Faßt ihn an.)* Hörst du's Andres? Hörst du's es
geht! neben uns, unter uns. Fort, die Erd schwankt unter
unsern Sohln. Die Freimaurer! Wie sie wühlen! *(Er reißt ihn
mit sich.)*

ANDRES. Laßt mich! Seid Ihr toll! Teufel.

WOYZECK. Bist du ei Maulwurf, sind dei Ohr voll Sand? Hörst
du das fürchterliche Getös am Himmel, Über d. Stadt, Alles
Glut! Sieh nicht hinter dich.

Wie es hinauffliegt, und Alles darunter 〈stürzt〉.

ANDRES. Du machst mir Angst.

WOYZECK. Sieh nicht hinter dich! *(Sie verstecken sich im Gebüsch.)*

ANDRES. Woyzeck ich hör nichts mehr.

WOYZECK. Still, ganz still, wie der Tod.

ANDRES. Sie trommeln drin. Wir müssen fort.

⟨2⟩   DIE STADT

Louise. Magreth (am Fenster). Der Zapfenstreich geht vorbei.
Tambourmajor, voraus.

LOUISE. He! Bub! Sa! ra!

MAGRETH. Ein schöner Mann!

LOUISE. Wie e Baum.

   Tambourmajor grüßt

MAGRETH. Hei was freundliche Auge Frau Nachbar, so was is
   man nit an ihr gewohnt.

LOUISE. Soldaten, das sind schmucke Bursch.

MAGRETH. Ihr Auge glänze ja noch!

LOUISE. Was geht sies an! Trag sie ihr Auge zum Jude und laß
   sie sich putze, vielleicht glänze sie auch noch, daß man sie als
   2 Knöpf verkaufe könnt.

MAGRETH. Sie! Sie! Frau Jungfer, ich bin e honette Person, aber
   Sie, es weiß jeder sie guckt siebe Paar lederne Hose durch.

LOUISE. Luder *(schlägt das Fenster zu)*. Komm mei Bu, soll ich
   dir singe? Was die Leut wolle! Bist du auch nur e Hurekind
   und machst dei Mutter Freud mit dein unehrliche Gesicht.

            Hansel spann deine sechs Schimmel an
            Gib ihn zu fresse auf's neu.
            Kein Haber fresse sie,
            Kein Wasser saufe sie
            Lauter kühle Wein muß es sein, Juchhe.
            Lauter kühle Wein muß es sein.

            Mädel, was fangst du jetzt an
            Hast ein klein' Kind und kein Mann?
            Ei was frag ich danach
            Sing ich den ganzen Tag
            Heio popeio mei Bu, juchhe.
            Gibt mir kein Mensch nix dazu.

(es klopft am Fenster) Bist du's Franz? Komm herein.

WOYZECK. Ich kann nit. Muß zum Verles.

LOUISE. Hast du Stecken geschnitten für den Major.

WOYECK. Ja Louisel.

LOUISE. Was hast du Franz, du siehst so verstört?

WOYZECK. Pst! still! Ich hab's aus. Die Freimaurer! Es war ein
   fürchterliches Getös am Himmel und Alles in Glut! Ich bin
   viel auf der Spur! sehr viel!

LOUISE. Narr!

WOYZECK. Meinst? Sieh um dich! Alles starr fest, finster, was regt sich dahinter. Etwas, was wir nicht fasse ⟨unlesbar⟩ still, was uns von Sinnen bringt, aber ich hab's aus. Ich muß fort!

LOUISE. Dei Kind?

WOYZECK. Ah. Junge! Heut Abend auf die Meß. Ich hab wieder was gespart. *(ab)*

LOUISE. Der Mann schnappt noch über, er hat mir Angst gemacht. Wie unheimlich, ich mag wenn es finster wird gar nicht bleiben, ich glaub' ich bin blind, er steckt ein an. Sonst scheint doch als die Latern herein. Ach wir armen Leute.

(sie singt:)   und macht die Wiege knickknack
            Schlaf wohl mein lieber Dicksack.

        (Sie geht ab.)

⟨3⟩   ÖFFENTLICHER PLATZ. BUDEN. LICHTER

ALTER MANN. KIND *das tanzt.*
            Auf der Welt ist kein Bestand
            Wir müssen alle sterbe,
            das ist uns wohlbekannt!

⟨WOYZECK.⟩ He! Hopsa! Arm Mann, alter Mann! Arm Kind! Junges Kind! ⟨unlesbar⟩ u. ⟨unlesbar⟩! Hei Louisel, soll ich dich trage?
    Ein Mensch muß, auch d. Mann von ⟨unlesbar⟩, damit er esse kann. ⟨unlesbar⟩ Welt! Schön Welt!

AUSRUFER. *An einer Bude:* Meine Herren, meine Damen, ⟨hier sind⟩ zu sehn das astronomische Pferd und die kleine Kanaillevogele, sind Liebling von alle Potentate Europas u. Mitglied von alle gelehrte Sozietät; weissage de Leute Alles, wie alt, wie viel Kinder, was für Krankheit, schießt Pistol los, stellt sich auf ei Bein. Alles Erziehung, haben eine viehische Vernunft, oder vielmehr eine ganze vernünftige Viehigkeit, ist kei viehdummes Individuum wie viel Person, das verehrliche Publikum abgerechnet. ⟨unlesbar⟩ H⟨erein.⟩ Es wird sein, die rapräsentation, das commencement vom commencement wird sogleich nehm sein Anfang.
    Sehn Sie die Fortschritte der Zivilisation. Alles schreitet fort, ei Pferd, ei Aff, ei Kanaillevogel. Der Aff' ist schon ei Soldat, s' ist noch nit viel, unterst Stuf von menschliche Geschlecht!

NARR. Grotesk! Sehr grotesk.

⟨unlesbar⟩. Sind Sie auch ein Atheist! ich bin ein dogmatischer
   Atheist.
⟨unlesbar⟩. Ist's grotesk? Ich bin ein Freund vom grotesken.
   Sehn sie dort? was ein grotesker Effekt.
⟨unlesbar⟩. Ich bin ein dogmatischer Atheist.
Grotesk.

⟨4⟩   HANDWERKSBURSCHEN

BRUDER. Vergißmeinnicht! Freundschaft –. Ich könnt ein Regenfaß voll greinen. Wehmut! wenn ich noch einen hätt! Es
   stockt mir, es reißt mir. Warum ist diese Welt so schön?
   Wenn ich 's ei Aug zu mach und über mei Nas hinguck, so is
   Alles rosenrot. Brandewei, da ist mei Leben.
EIN ANDERER. Er sieht Alles rosenrot, wann ⟨unlesbar⟩ Kreuz
   über sei Nas guckt.
⟨unlesbar⟩. Es is kei Ordnung! Was hat der Laternputzer vergesse mir die Auge zu fege, s'is Alles finster. Hol der Teufel
   den liebe Herrgott! Ich lieg mir selbst im Weg und muß über
   mich springe. Wo is mei Schatten hingekomm. Kei Sicherheit
   mehr im Stall. Leucht mir eimal einer mit d. Mond zwische
   die Bein ob ich mei Schatte noch hab.
                Fraßen ab das grüne, grüne Gras
                Fraßen ab das grüne grüne Gras
                Bis auf den Ra-a-sen.
Sternschnuppe, ich muß den Stern die Nas schneuzen.
Daß ich ⟨unlesbar⟩ Gesellen, die Hantierung, ist ⟨unlesbar⟩,
ei ⟨unlesbar⟩ und empfiehlt sich nit ⟨unlesbar⟩ Kindern.
Mach kei Loch in die Natur.
Warum hat Gott die Mensche gschaffe? Das hat auch sei
Nutze, was würde der Landmann, der Schuhmacher der
Schneider anfange, wenn er für die Mensche kei Schuhe, kei
Hose machte, warum hat Gott den Mensche das Gefühl der
Schamhaftigkeit eigeflößt, damit der Schneider lebe kann. Ja!
Ja! Also! darum! auf daß! damit! Oder aber, wenn er es nicht
getan hätte, aber darin sehen wir sei Weisheit, daß er die
Menschen nach den ⟨Pflanze u. Gviech erschaffe⟩, daß ⟨un-
lesbar⟩ die viehische Schöpfung das menschliche Ansehen
hätte, weil die Menschheit sonst das Viehische aufgefressen
hätte. Dieser Säugling, dieses schwach, hülflose Gschöpf, jener Säugling. – Laßt uns jetzt über das Kreuz piß, damit ei
Jud stirbt.

Brandwei das ist mei Leben,
Brandwei, gibt Courage.

⟨5⟩   UNTEROFFIZIER. TAMBOURMAJOR

⟨UNTEROFFIZIER.⟩ Halt, jetzt. Siehst du sie! Was ei Weibsbild.
TAMBOURMAJOR. Teufel zum Fortpflanze von Kürassierregi-
menter u. zur Zucht von Tambourmajor.
UNTEROFFIZIER. Wie sie den Kopf trägt, man meint das
schwarze Haar müßt ihn abwärts ziehn, wie ei Gewicht, und
Auge, schwarz
TAMBOURMAJOR. Als ob man in ein Ziehbrunn oder zu ein
Schornstei hinunteguckt. Fort hinte drein.
LOUISEL. Was Lichter.
FRANZ. Ja die ⟨unlesbar⟩, ei groß schwarze Katze mit feurige
Auge. Hei, was 'n Abend.

⟨6⟩   WOYZECK. DOKTOR

DOKTOR. Was erleb' ich. Woyzeck? Ein Mann von Wort? Er!
er! er?
WOYZECK. Was denn Herr Doktor.
DOKTOR. Ich es gesehn hab', er auf die Straß gepißt hat, wie ein
Hund. Geb' ich ihm dafür alle Tag 3 Grosche und Kost? Die
Welt wird schlecht sehr schlecht, schlecht, sag' ich. O! Woy-
zeck das ist schlecht.
WOYZECK. Aber Herr Doktor wenn man nit anders kann?
DOKTOR. Nit anders kann, nit anders kann. Aberglaube, ab-
scheulicher Aberglaube, hab ich nit nachgewiesen, daß der
musculus constrictor vesicae dem Willen unterworfen ist,
Woyzeck der Mensch ist frei, im Menschen verklärt sich die
Individualität zur Freiheit – seinen Harn nicht halten können! Es ist Betrug Woyzeck. Hat er schon sei Erbsen gegess-
sen, nichts als Erbsen, nichts als Hülsenfrüchte, cruciferae,
merk' er sich's. Die nächste Woche fangen wir dann mit
Hammelfleisch an. Muß er nicht aufs secret? Mach er. Ich
sag's ihm. Es gibt eine Revolution in der Wissenschaft. Eine
Revolution! Nach gestrigem Buche, 0,10 Harnstoff, ⟨unles-
bar⟩ salzsaures Ammonium, ⟨unlesbar⟩.
Aber ich hab's gesehen, daß er an die Wand pißte, ich steckt
grad mein Kopf hinaus, zwischen meiner Valnessia u. ⟨unles-
bar⟩. Hat er mir Frösch gefange? Hat er Laich? Kein Süßwas-

serpolypen, keine Hydra, Vestillen Cristatellen? Stoß er mir nicht an's Mikroskop, ich hab eben den linken Backzahn von einem Infusionstier darunter. Ich sprenge sie in die Luft, alle mitnander. Woyzeck, kei Spinneneier, kei Kröte? Aber an die Wand gepißt! Ich hab's gesehen *(tritt auf ihn los)*. Nein Woyzeck, ich ärger mich nicht, ärgern ist ungesund, ist unwissenschaftlich. Ich bin ruhig, ganz ruhig und ich sag's ihm mit der größten Kaltblütigkeit. Behüte wer wird sich über einen Menschen ärgern! einen Menschen. Wenn es noch ein Proteus wäre, der einem krepiert! Aber er hätte doch nicht an die Wand pissen sollen.

WOYZECK. Ja die Natur, Herr Doktor wenn die Natur aus ist.

DOKTOR. Was ist das wenn die Natur ⟨aus⟩ ist?

WOYZECK. Wenn die Natur aus ist, das ist, wenn die Natur ⟨aus⟩ ist? Wenn die Welt so finster wird, daß man mit den Hände an ihr herumtappe muß, daß man meint sie verrinnt wie Spinnweb! Das ist, so wenn etwas ist und doch nicht ist. Wenn alles dunkl ist, und nur noch ein rote Schein im Westen, wie von eine Esse. Wenn *(schreitet im Zimmer auf und ab)*

DOKTOR. Kerl er tastet mit sei Füßen herum, wie mit Spinnfüßen.

WOYZECK *(steht ganz grade)*. Habe Sie schon die Ringe von den Schwämm auf dem Bode gesehe, lange Linien, krumme Kreise, Figurn, da steckt's! da! Wer das lesen könnte.
Wenn die Sonn im hellen Mittage steht und es ist als müßte die Welt auflodern. Höre sie nichts? ⟨unlesbar⟩ als die Welt spricht, sehen sie die lange Linien, u. das ist als ob es einem mit fürchterlicher Stimme anredete.

DOKTOR. Woyzeck! er kommt ins Narrnhaus, er hat eine schöne fixe Idee, eine köstliche alienatio mentis, seh' er mich an, was soll er tun. Erbsen essen, dann Hammelfleisch essen, sei Gewehr putzen, das weiß er Alles u. da zwischen die fixen Ideen, die ⟨unlesbar⟩, das ist brav Woyzeck, er bekommt ein Groschen Zulage die Woche, meine Theorie, meine neue Theorie, kühn, ewig jugendlich. Woyzeck, ich werde unsterblich. Zeig' er sein Puls, ich muß Ihm morgens u. Abends den Puls fühlen.

⟨7⟩   STRASSE

Hauptmann. Doktor.
Hauptmann keucht die Straße herunter, hält an, keucht,
sieht sich um.

HAUPTMANN. Wohin so eilig geehrtester Herr Sargnagel.

DOKTOR. Wohin so langsam geehrtester Herr Exerzierzagel.

HAUPTMANN. Nehmen Sie sich Zeit wertester Grabstein.

DOKTOR. Ich stehle mei Zeit nicht, wie sie wertester.

HAUPTMANN. Laufe Sie nicht so Herr Doktor ein guter Mensch
geht nicht so schnell. Hähähä, ein guter Mensch, *(schnauft)*
ein guter Mensch, sie hetzen sich ja hinter dem Tod drein, Sie
machen mir ganz Angst.

DOKTOR. Pressiert, Herr Hauptmann, pressiert.

HAUPTMANN. Herr Sargnagel, sie schleifen sich ja so ihr klein
Bein ganz auf dem Pflaster ab. Reiten Sie doch nicht auf
ihrem Stock in die Luft.

DOKTOR. ⟨Gute Frau,⟩ Sie ist in 4 Wochen tot, ⟨unlesbar⟩, im
siebenten Monat, ich hab' schon 20 solche Patienten gehabt,
in 4 Wochen richt sie sich danach.

HAUPTMANN. Herr Doktor, erschrecken sie mich nicht, es
sind schon Leute am Schreck gestorben, am puren hellen
Schreck.

DOKTOR. In 4 Wochen, dummes Tier, sie gibt ein interessants
Präparat. Ich sag ihr,

HAUPTMANN. Daß dich das Wetter, ich halt sie beim Flügel ich
lasse sie nicht. Teufel. 4 Wochen? Herr Doktor, Sargnagel,
Totenhemd, ich so lang ich da bin 4 Wochen, und die Leute
Zitronen in den Händen, aber sie werden sagen, er war ein
guter Mensch, ein guter Mensch.

DOKTOR. Ei guten Morgen, Herr Hauptmann *(den Hut u.*
Stock schwingend) Kikeriki! Freut mich! Freut mich! *(hält*
ihm den Hut hin) was ist das Herr Hauptmann, das ist Hohlkopf? Hä?

HAUPTMANN *(macht eine Falte)*. Was ist das Herr Doktor, das
ist eine Einfalt! Hähähä! Aber nichts für ungut. Ich bin ein
guter Mensch – aber ich kann auch wenn ich will Herr Doktor, hähäh, wenn ich will. Ha Woyzeck, was hetzt er sich so
an mir vorbei. Bleib er doch Woyzeck, er läuft ja wie ein
offnes Rasiermesser durch die Welt, man schneidt sich an
ihm, er läuft als hätt er ein Regiment Kosack zu rasiern u.
würde gehenkt über dem letzten Haar nach einer Viertelstun-

de – aber, über die lange Bärte, was – wollt ich doch sagen?
Woyzeck – die lange Bärte

DOKTOR. Ein langer Bart unter dem Kinn, schon Plinius spricht
davon, man muß es den Soldaten abgewöhnen, du, du

HAUPTMANN *(fährt fort).* Hä? über die lange Bärte? Wie is
Woyzeck, hat er noch nicht ein Haar aus ein Bart in seiner
Schüssel gefunden? He er versteht mich doch, ein Haar von
einem Menschen, vom Bart eins Sapeur, eins Unteroffizier,
eins – eins Tambourmajor? He Woyzeck? Aber Er hat eine
brave Frau. Geht ihm nicht wie andern.

WOYZECK. Ja wohl! Was wollen Sie sage Herr Hauptmann?

HAUPTMANN. Was der Kerl ein Gesicht macht! er steckt ⟨unles-
bar⟩ in den Himmel nein, muß nun auch nicht in de Suppe,
aber wenn er sich eilt und um die Eck geht, so kann er vielleicht noch auf Paar Lippen eins finden, ein Paar Lippen,
Woyzeck, ich habe wieder die Liebe gefühlt, Woyzeck.
Kerl er ist ja kreideweiß.

WOYZECK. Herr, Hauptmann, ich bin ein armer Teufel, – und
hab sonst nichts – auf de Welt Herr Hauptmann, wenn Sie
Spaß mache –

HAUPTMANN. Spaß ich, daß dich Spaß, Kerl!

DOKTOR. Den Puls Woyzeck, den Puls, klein, hart hüpfend,
ungleich.

WOYZECK. Herr Hauptmann, die Erd ist hölleheiß, mir eiskalt,
eiskalt, die Hölle ist kalt, wollen wir wetten.
Unmöglich. Mensch! Mensch! unmöglich.

HAUPTMANN. Kerl, will er erschoß, will ei Paar Kugeln vor den
Kopf haben er ersticht mich mit sei Auge, und ich mein es gut
⟨mit⟩ ihm, weil er ein guter Mensch ist Woyzeck, ein guter
Mensch.

DOKTOR. Gesichtsmuskeln starr, gespannt, zuweilen hüpfend,
Haltung aufgerichtet gespannt.

WOYZECK. Ich geh! Es ist viel möglich. Der Mensch! es ist viel
möglich. Wir habe schön Wetter Herr Hauptmann. Sehn sie
so ein schön festen grauen Himmel, man könnte Lust bekomm, ein Klobe hineinzuschlage und sich daran zu hänge,
nur wege des Gedankestrichels zwische Ja, und nein ja – und
nein. Herr Hauptmann ja und nein? Ist das nein am ja oder
das ja am nein Schuld. Ich will drüber nachdenke *(geht mit
breiten Schritten ab erst langsam dann immer schneller).*

DOKTOR *(schießt ihm nach).* Phänomen, Woyzeck, Zulag.

HAUPTMANN. Mir wird ganz schwindlich von den Mensche,

wie schnell, der lange Schlegel greift aus, es läuft d. Schatten
von einem Spinnbein, und der Kurze, das zuckelt. Der lange
ist der Blitz u. der kleine d. Donner. Haha, hinterdrein. Das
hab' ich nicht gern! ein guter Mensch ist dankbar u. hat sei
Leben lieb, ein guter Mensch hat keine courage nicht! ein
Hundsfott hat courage! Ich bin bloß in Krieg gegangen um
mich in meiner Liebe zum Leben zu befestigen. Von d. ⟨un-
lesbar⟩ zur ⟨unlesbar⟩, von da zur ⟨unlesbar⟩ von da zur
courage, wie man zu so Gedanken kommt, grotesk! grotesk!

⟨8⟩   WOYZECK. LOUISEL.

LOUISEL. Gute Tag Franz.
FRANZ *(sie betrachtend)*. Ach bist du's noch! Ei wahrhaftig!
nein man sieht nichts, man müßt's doch sehen! Louisel du
bist schön!
LOUISEL. Was siehst du so sonderbar Franz, ich fürcht mich.
FRANZ. Was 'ne schöne Straße, man läuft sich Leichdörn, es ist
gut auf der Gasse stehn, und in Gesellschaft auch gut.
LOUISEL. Gesellschaft?
FRANZ. Es gehn viel Leut durch die Gasse? nicht wahr und du
kannst reden mit wem du willst, was geht das mich ⟨an⟩! Hat
er da gstande? da? da? Und so bei dir? so? Ich wollt ich wär
er gewesen.
LOUISEL. Ei Er? Ich kann die Leute die Straße nicht verbieten
u. machen, daß sie ihr Maul mitnehm wenn sie durchgehn.
FRANZ. Und die Lippe nicht zu Haus lasse. Es wär Schade sie
sind so schön? Aber die Wespen setzen sich gern drauf.
LOUISEL. Und was ne Wiesp hat dich gstoche, du siehst so
verrückt wie n'e Kuh, die die Hornisse jage.
FRANZ. Mensch! *(geht auf sie los.)*
LOUISEL. Rühr mich an Franz! Ich hätt lieber ei Messer in den
Leib, als dei Hand auf meiner! Mein Vater hat mich nicht
angreifen gewagt, wie ich 10 Jahr alt war, wenn ich ihn ansah.
FRANZ. Weib! – Nein es müßte was an dir sein! Jeder Mensch
ist ein Abgrund, es schwindelt einen, wenn man hinabsieht.
Es wär! Sie geht wie die Unschuld. Nein Unschuld du hast
ein Zeichen an dir. Weiß ich's? Weiß ich's? Wer weiß es?

⟨9⟩   LOUISEL *(allein)*. GEBET

Und ist kein Betrug in seinem Munde erfunden. Herr Gott!

Einzelne Szenenentwürfe (H 3)

⟨ı⟩   DER HOF DES PROFESSORS

Studenten unten, der Professor am Dachfenster.

⟨PROFESSOR⟩. Meine Herrn, ich bin auf dem Dach, wie David, als er die Bathseba sah; aber ich sehe nichts als die culs de Paris der Mädchenpension im Garten trocknen. Meine Herrn wir sind an der wichtigen Frage über das Verhältnis des Subjektes zum Objekt. Wenn wir nur eins von den Dingen nehmen, worin ⟨sich⟩ d. organische Selbstaffirmation des Göttlichen, auf einem d. hohen Standpunkte manifestiert u. ihre Verhältnisse zum Raum, zur Erde, zum Planetarischen untersuchen, meine Herrn, wenn ich diese Katze zum Fenster hinauswerf, wie wird diese Wesenheit sich zum centrum gravitationis u. d. eignen Instinkt verhalten. He Woyzeck, *(brüllt)* Woyzeck!

WOYZECK. Herr Professor sie beißt.

PROFESSOR. Kerl, er greift die Bestie so zärtlich an, als wär's sei Großmutter.

WOYZECK. Herr Doktor ich hab's Zittern.

DOKTOR *(ganz erfreut)*. Ei, Ei, schön Woyzeck. *(reibt sich die Hände. Er nimmt die Katze.)* Was seh ich meine Herrn, die neue Spezies Hasenlaus, eine schöne Spezies, wesentlich verschieden, enfoncé, der Herr Doktor *(er zieht eine Lupe heraus.)* Rizinus, meine Herrn – *(die Katze läuft fort.)* Meine Herrn, das Tier hat kein wissenschaftlichen Instinkt.

⟨PROFESSOR.⟩ Rizinus, herauf, die schönsten Exemplare, bringen sie ihre Pelzkragen.

⟨DOKTOR.⟩ Meine Herrn, sie können dafür was andres sehen, sehn sie der Mensch, seit einem Vierteljahr ißt er nichts als Erbsen, beackte sie die Wirkung, fühle sie einmal was ein ungleicher Puls, da u. die Augen.

WOYZECK. Herr Doktor es wird mir dunkel. *(Er setzt sich.)*

DOKTOR. Courage Woyzeck noch ein Paar Tage, u. dann ist's fertig, fühlen sie meine Herrn fühlen sie, *(sie betasten ihm Schläfe, Puls und Busen.)*

à propos, Woyzeck, beweg den Herren doch eimal die Ohre,

ich hab es Ihn schon zeigen wollen. Zwei Muskeln sind bei
ihm tätig. Allons frisch!

WOYZECK. Ach Herr Doktor!

DOKTOR. Bestie, soll ich dir die Ohre bewege, willst du's machen wie die Katze! So meine Herrn, das sind so Übergänge
zum Esel, häufig auch in Folge weiblicher Erziehung, u. die
Muttersprache. Wieviel Haare hat dir dei Mutter zum Andenke schon ausgerissen aus Zärtlichkeit. Sie sind dir ja ganz
dünn geworden, seit ein Paar Tagen, ja die Erbse, meine Herren.

⟨2⟩   DER IDIOT. DAS KIND. WOYZECK

KARL *(hält das Kind vor sich auf dem Schoß.)* Der is ins Wasser
gefallen, der is ins Wasser gefalle, nein, der is in's Wasser
gefalle.

WOYZECK. Bub, Christian.

KARL *(sieht ihn starr an.)* Der is in's Wasser gefalle.

WOYZECK *(will das Kind liebkosen, es wendet sich weg und
schreit.)* Herrgott!

KARL. Der is in's Wasser gefalle.

WOYZECK. Christianche, du bekommst en Reuter, sa sa. *(das
Kind wehrt sich. Zu Karl.)* Da kauf d. Bub en Reuter.

KARL *(sieht ihn starr an).*

WOYZECK. Hop! hop! Roß.

KARL *(jauchzend).* Hop! hop! Roß! Roß *(läuft mit dem Kind
weg.)*

Letzte Entwurfsstufe (H 4)

⟨1⟩   FREIES FELD. DIE STADT IN DER FERNE

Woyzeck und Andres schneiden Stöcke im Gebüsch.

WOYZECK. Ja Andres; den Streif da über das Gras hin, da rollt
Abends der Kopf, es hob ihn einmal einer auf, er meint es wär
ein Igel. Drei Tag und drei Nächt und er lag auf den Hobel-
spänen *(leise)* Andres, das waren die Freimaurer, ich hab's,
die Freimaurer, still!

ANDRES *(singt).*Saßen dort zwei Hasen
          Fraßen ab das grüne, grüne Gras

WOYZECK. Still! Es geht! was!

ANDRES.   Fraßen ab das grüne, grüne Gras
          Bis auf den Rasen

WOYZECK. Es geht hinter mir, unter mir *(stampft auf den Boden)* hohl, hörst du? Alles hohl da unten. Die Freimaurer!

ANDRES. Ich fürcht mich.

WOYZECK. 's ist so kurios still. Man möcht den Atem halten.
Andres!

ANDRES. Was?

WOYZECK. Red was! *(starrt in die Gegend.)* Andres! Wie hell!
Ein Feuer fährt um den Himmel und ein Getös herunter wie
Posaunen. Wie's heraufzieht! Fort. Sieh nicht hinter dich.
(reißt ihn in's Gebüsch.)

ANDRES *(nach einer Pause).* Woyzeck! hörst du's noch?

WOYZECK. Still, Alles still, als wär die Welt tot.

ANDRES. Hörst du? Sie trommeln drin. Wir müssen fort.

⟨2⟩   MARIE MIT IHREM KIND AM FENSTER. MARGRETH

Der Zapfenstreich geht vorbei, der Tambourmajor voran.

MARIE *(das Kind wippend auf dem Arm).* He Bub! Sa ra ra ra!
Hörst? Da komme sie.

MARGRETH. Was ein Mann, wie ein Baum.

MARIE. Er steht auf seinen Füßen wie ein Löw.
(Tambourmajor grüßt.)

MARGRETH. Ei, was freundliche Auge, Frau Nachbarin, so was
is man an ihr nit gewöhnt.

MARIE *(singt).* Soldaten das sind schöne Bursch

MARGRETH. Ihre Auge glänze ja noch.

MARIE. Und wenn! Trag sie ihr Auge zum Jud und laß sie sie putze, vielleicht glänze sie noch, daß man sie für zwei Knöpf verkaufe könnt.

MARGRETH. Was Sie? Sie? Frau Jungfer, ich bin eine honette Person, aber sie, sie guckt 7 Paar lederne Hose durch.

MARIE. Luder! *(Schlägt das Fenster ⟨zu⟩.)* Komm mein Bub. Was die Leut wollen. Bist doch nur en arm Hurenkind und machst deiner Mutter Freud mit deim unehrliche Gesicht. Sa! Sa! *(singt.)*

> Mädel, was fangst du jetzt an
> Hast ein klein Kind und kein Mann.
> Ei was frag ich danach
> Sing ich die ganze Nacht
> Heio popeio mein Bu. Juchhe!
> Gibt mir kein Mensch nix dazu.
>
> Hansel spann deine sechs Schimmel an
> Gib ihn zu fresse auf's neu.
> Kein Haber fresse sie
> Kein Wasser saufe sie
> Lauter kühle Wein muß es sein. Juchhe!
> Lauter kühle Wein muß es sein.

(es klopft am Fenster.)

MARIE. Wer da? Bist du's Franz? Komm herein!

WOYZECK. Kann nit. Muß zum Verles.

MARIE. Was hast du Franz?

WOYZECK *(geheimnisvoll).* Marie, es war wieder was, viel, ⟨unlesbar⟩ steht nicht gschrieben, und sieh da ging ein Rauch vom Land, wie der Rauch vom Ofen?

MARIE. Mann!

WOYZECK. Es ist hinter mir gegangen bis vor die Stadt. Was soll das werden?

MARIE. Franz!

WOYZECK. Ich muß fort *(er geht.)*

MARIE. Der Mann! So vergeistert. Er hat sein Kind nicht angesehn. Er schnappt noch über mit den Gedanken. Was bist so still, Bub? Furchst dich? Es wird so dunkel, man meint, man wär blind. Sonst scheint als d. Latern herein. Ich halt's nicht aus. Es schauert mich. *(geht ab.)*

⟨3⟩   BUDEN. LICHTER. VOLK

⟨4⟩   MARIE

sitzt, ihr Kind auf dem Schoß, ein Stückchen Spiegel in der
                        Hand

⟨MARIE.⟩ *(bespiegelt sich).* Was die Steine glänze! Was sind's
für? Was hat er gesagt? – Schlaf Bub! Drück die Auge zu,
fest, *(das Kind versteckt die Augen hinter den Händen)* noch
fester, bleib so, still oder er holt dich *(singt.)*
                Mädel mach's Ladel zu
                's kommt e Zigeunerbu
                Führt dich an deiner Hand
                Fort in's Zigeunerland.
(spiegelt sich wieder.) 's ist gewiß Gold! Unsereins hat nur ein
Eckchen in der Welt und ein Stückchen Spiegel und doch hab
ich einen so roten Mund als die großen Madamen mit ihren
Spiegeln von oben bis unten und ihren schönen Herrn, die
ihnen die Händ küssen; ich bin nur ein arm Weibsbild. – *(Das
Kind richtet sich auf.)* Still Bub, die Auge zu, das Schlafengelchen! wie's an der Wand läuft, *(sie blinkt mit dem Glas)* die
Auge zu, oder es sieht dir hinein, daß du blind wirst.

        Woyzeck tritt herein, hinter sie.
        Sie fährt auf mit den Händen nach den Ohren.

WOYZECK. Was hast du?
MARIE. Nix.
WOYZECK. Unter deinen Fingern glänzt's ja.
MARIE. Ein Ohrringlein; hab's gefunden.
WOYZECK. Ich hab so noch nix gefunden, Zwei auf einmal.
MARIE. Bin ich ein Mensch?
WOYZECK. 's ist gut, Marie. – Was der Bub schläft. Greif' ihm
    unter's Ärmchen, der Stuhl drückt ihn. Die hellen Tropfen
    steh'n ihm auf der Stirn; Alles Arbeit unter d. Sonn, sogar
    Schweiß im Schlaf. Wir arme Leut! Das is wieder Geld Marie,
    d. Löhnung und was von mein'm Hauptmann.
MARIE. Gott vergelt's Franz.
WOYZECK. Ich muß fort. Heut Abend, Marie. Adies.
MARIE *(allein, nach einer Pause).* Ich bin doch ein schlecht
    Mensch. Ich könnt' mich erstechen. – Ach! Was Welt? Geht
    doch Alles zum Teufel, Mann u. Weib.

⟨5⟩   DER HAUPTMANN. WOYZECK

Hauptmann auf einem Stuhl. Woyzeck rasiert ihn.

HAUPTMANN. Langsam, Woyzeck, langsam; ein's nach d. andern; er macht mir ganz schwindlich. Was soll ich dann mit den zehn Minuten anfangen, die er heut zu früh fertig wird. Woyzeck, bedenk' er, er hat noch seine schöne dreißig Jahr zu leben, dreißig Jahr! macht 360 Monate, und Tage, Stunden, Minuten! Was will er denn mit der ungeheuren Zeit all anfangen? Teil er sich ein, Woyzeck.

WOYZECK. Ja wohl, Herr Hauptmann.

HAUPTMANN. Es wird mir ganz angst um die Welt, wenn ich an die Ewigkeit denke. Beschäftigung, Woyzeck, Beschäftigung! ewig das ist ewig, das ist ewig, das siehst du ein; nun ist es aber wieder nicht ewig und das ist ein Augenblick, ja, ein Augenblick. – Woyzeck, es schaudert mich, wenn ich denk, daß sich die Welt in einem Tag herumdreht, wasn' Zeitverschwendung, wo soll das hinaus? Woyzeck, ich kann kein Mühlrad mehr sehn, oder ich werd' melancholisch.

WOYZECK. Ja wohl, Herr Hauptmann.

HAUPTMANN. Woyzeck er sieht immer so verhetzt aus. Ein guter Mensch tut das nicht, ein guter Mensch, der sein gutes Gewissen hat. – Red' er doch was Woyzeck. Was ist heut für Wetter?

WOYZECK. Schlimm, Herr Hauptmann, schlimm; Wind.

HAUPTMANN. Ich spür's schon, 's ist so was Geschwindes draußen; so ein Wind macht mir d. Effekt wie eine Maus. *(pfiffig.)* Ich glaub' wir haben so was aus Süd-Nord.

WOYZECK. Ja wohl, Herr Hauptmann.

HAUPTMANN. Ha! ha! ha! Süd-Nord! Ha! Ha! Ha! O er ist dumm, ganz abscheulich dumm. *(gerührt.)* Woyzeck, er ist ein guter Mensch, ein guter Mensch – aber *(mit Würde)* Woyzeck, er hat keine Moral! Moral das ist wenn man moralisch ist, versteht er. Es ist ein gutes Wort. Er hat ein Kind, ohne den Segen der Kirche, wie unser hochehrwürdiger Herr Garnisonsprediger sagt, ohne den Segen d. Kirche, es ist nicht von mir.

WOYZECK. Herr Hauptmann, der liebe Gott wird den armen Wurm nicht drum ansehn, ob das Amen drüber gesagt ist, eh' er gemacht wurde. Der Herr sprach: Lasset die Kindlein zu mir kommen.

HAUPTMANN. Was sagt er da? Was ist das für n'e kuriose Antwort? Er macht mich ganz konfus mit seiner Antwort. Wenn ich sag: er, so mein ich ihn, ihn.

WOYZECK. Wir arme Leut. Sehn sie, Herr Hauptmann, Geld, Geld. Wer kein Geld hat. Da setz eimal einer seinsgleichen auf die Moral in die Welt. Man hat auch sein Fleisch und Blut. Unseins ist doch eimal unselig in der und der andern Welt, ich glaub' wenn wir in Himmel kämen, so müßten wir donnern helfen.

HAUPTMANN. Woyzeck er hat keine Tugend, er ist kein tugendhafter Mensch. Fleisch u. Blut? Wenn ich am Fenster lieg, wenn es geregnet hat und den weißen Strümpfen so nachsehe, wie sie über die Gassen springen, – verdammt Woyzeck, – da kommt mir die Liebe! Ich hab auch Fleisch u. Blut. Aber Woyzeck, die Tugend, die Tugend! Wie sollte ich dann die Zeit herumbringen? ich sag' mir immer du bist ein tugendhafter Mensch, *(gerührt)* ein guter Mensch, ein guter Mensch.

WOYZECK. Ja Herr Hauptmann, die Tugend! ich hab's noch nicht so aus. Sehn Sie, wir gemeinen Leut, das hat keine Tugend, es kommt einem nur so die Natur, aber wenn ich ein Herr wär und hätt ein Hut u. eine Uhr und eine anglaise, und könnt vornehm reden ich wollt schon tugendhaft sein. Es muß was Schöns sein um die Tugend, Herr Hauptmann. Aber ich bin ein armer Kerl.

HAUPTMANN. Gut Woyzeck. Du bist ein guter Mensch, ein guter Mensch. Aber du denkst zuviel, das zehrt, du siehst immer so verhetzt aus. Der Diskurs hat mich ganz angegriffen. Geh' jetzt u. renn nicht so; langsam hübsch langsam die Straße hinunter.

⟨6⟩   MARIE. TAMBOURMAJOR

TAMBOURMAJOR. Marie!

MARIE *(ihn ansehend, mit Ausdruck).* Geh' einmal vor dich hin. – Über die Brust wie ein Stier u. ein Bart wie ein Löw ... So ist keiner ... Ich bin stolz vor allen Weibern.

TAMBOURMAJOR. Wenn ich am Sonntag erst den großen Federbusch hab' u. die weiße Handschuh, Donnerwetter, Marie, der Prinz sagt immer: Mensch, er ist ein Kerl.

MARIE *(spöttisch).* Ach was! *(Tritt vor ihn hin.)* Mann!

TAMBOURMAJOR. Und du bist auch ein Weibsbild, Sapperment, wir wollen eine Zucht von Tambourmajors anlegen. He? *(er umfaßt sie.)*

MARIE *(verstimmt)*. Laß mich!

TAMBOURMAJOR. Wild Tier.

MARIE *(heftig)*. Rühr mich an!

TAMBOURMAJOR. Sieht dir der Teufel aus d. Augen?

MARIE. Meintwegen. Es ist Alles eins.

⟨7⟩   MARIE. WOYZECK

FRANZ *(sieht sie starr an, schüttelt den Kopf)*. Hm! Ich seh
nichts, ich seh nichts. O, man müßt's sehen: man müßt's
greifen können mit Fäusten.

MARIE *(verschüchtert)*. Was hast du Franz? Du bist hirnwütig.
Franz.

FRANZ. Eine Sünde so dick und so breit. (Es stinkt daß man die
Engelchen zum Himmel hinaus räuchern könnt.) Du hast ein
rote Mund, Marie. Kein Blase drauf? Adie, Marie, du bist
schön wie die Sünde – Kann die Todsünde so schön sein?

MARIE. Franz, du red'st im Fieber.

FRANZ. Teufel! – Hat er da gestande, so, so?

MARIE. Dieweil d. Tag lang u. d. Welt alt ist, könne viel Mensche an eim Platz stehn, einer nach d. andern.

WOYZECK. Ich hab ihn gesehn.

MARIE. Man kann viel sehn, wenn man 2 Augen hat u. man
nicht blind ist und die Sonn scheint.

WOYZECK. Wirst ⟨unlesbar⟩

MARIE *(keck)*. Und wenn auch.

⟨8⟩   WOYZECK. DER DOKTOR

DOKTOR. Was erleb' ich Woyzeck? Ein Mann von Wort.

WOYZECK. Was denn Herr Doktor?

DOKTOR. Ich hab's gesehn Woyzeck; er hat auf die Straß gepißt, an die Wand gepißt wie ein Hund. Und doch 2 Groschen täglich. Woyzeck das ist schlecht. Die Welt wird
schlecht, sehr schlecht.

WOYZECK. Aber Herr Doktor, wenn einem die Natur kommt.

DOKTOR. Die Natur kommt, die Natur kommt! Die Natur!
Hab' ich nicht nachgewiesen, daß der musculus constrictor
vesicae dem Willen unterworfen ist? Die Natur! Woyzeck,
der Mensch ist frei, in dem Menschen verklärt sich die Individualität zur Freiheit. Den Harn nicht halten können! *(schüt-*

*telt den Kopf, legt die Hände auf den Rücken und geht auf
und ab.)* Hat er schon seine Erbsen gegessen, Woyzeck? – Es
gibt eine Revolution in der Wissenschaft, ich sprenge sie in
die Luft. Harnstoff, 0,10, salzsaures Ammonium, Hyperoxydul.
Woyzeck muß er nicht wieder pissen? geh' er eimal hinein u.
probier er's.

WOYZECK. Ich kann nit Herr Doktor.

DOKTOR *(mit Affekt).* Aber auf die Wand pissen! Ich hab's
schriftlich, den Akkord in der Hand. Ich hab's gesehn, mit
diesen Augen gesehn, ich streckte grade die Nase zum Fenster hinaus u. ließ die Sonnestrahlen hinein fallen, um das
Niesen zu beobachten. *(Tritt auf ihn los.)* Nein Woyzeck, ich
ärgere mich nicht, Ärger ist ungesund, ist unwissenschaftlich.
Ich bin ruhig ganz ruhig, mein Puls hat seine gewöhnlichen
60 und ich sag's ihm mit der größten Kaltblütigkeit! Behüte
wer wird sich über einen Menschen ärgern, ein Menschen!
Wenn es noch ein proteus wäre, der einem krepiert! Aber er
hätte doch nicht an die Wand pissen sollen –

WOYZECK. Sehn sie Herr Doktor, manchmal hat man so n'en
Charakter, so n'e Struktur. – Aber mit der Natur ist's was
andres, sehn sie mit der Natur *(er kracht mit den Fingern)* das
ist so was, wie soll ich doch sagen, z.B.

DOKTOR. Woyzeck, er philosophiert wieder.

WOYZECK *(vertraulich).* Herr Doktor habe Sie schon was von
d. doppelten Natur gesehn? Wenn die Sonn in Mittag steht u.
es ist als ging d. Welt im Feuer auf hat schon eine fürchterliche Stimme zu mir geredt!

DOKTOR. Woyzeck, er hat eine aberratio.

WOYZECK *(legt den Finger an die Nase).* Die Schwämme Herr
Doktor. Da, da steckt's. Haben sie schon gesehn in was für
Figurn die Schwämme auf d. Boden wachsen. Wer das lesen
könnt.

DOKTOR. Woyzeck er hat die schönste aberratio mentalis partialis, zweite Spezies, sehr schön ausgeprägt. Woyzeck er
kriegt Zulage. Zweite spezies, fixe Idee, mit allgemein vernünftigem Zustand, er tut noch Alles wie sonst, rasiert sein
Hauptmann!

WOYZECK. Ja, wohl.

DOKTOR. Ißt sei Erbse?

WOYZECK. Immer ordentlich Herr Doktor. Das Geld für die
menage kriegt die Frau.

DOKTOR. Tut sei Dienst?

WOYZECK. Ja wohl.

DOKTOR. Er ist ein interessanter casus, Subjekt Woyzeck er
kriegt Zulag. Halt er sich brav. Zeig er sei Puls! Ja.

⟨9⟩   HAUPTMANN. DOKTOR

HAUPTMANN. Herr Doktor, die Pferde machen mir ganz
Angst; wenn ich denke, daß die armen Bestien zu Fuß gehn
müssen. Rennen Sie nicht so. Rudern Sie mit ihrem Stock
nicht so in der Luft. Sie hetzen sich ja hinter d. Tod drein. Ein
guter Mensch, der sein gutes Gewissen hat, geht nicht so
schnell. Ein guter Mensch. *(Er erwischt den Doktor am
Rock.)* Herr Doktor erlaube Sie, daß ich ein Menschenleben
rette. Sie schießen
Herr Doktor, ich bin so schwermütig ich habe so was
Schwärmrisches, ich muß immer weinen, wenn ich meinen
Rock an d. Wand hängen sehe, da hängt er.

DOKTOR. Hm, aufgedunsen, fett, dicker Hals, apoplektische
Konstitution. Ja Herr Hauptmann sie können eine apoplexia
cerebralis kriegen, sie können sie aber vielleicht auch nur auf
d. einen Seite bekommen, u. dann auf der einen gelähmt sein,
oder aber sie können im besten Fall geistig gelähmt werden u.
nur fort vegetiern, das sind so ohngefähr ihre Aussichten auf
d. nächsten 4 Wochen. Übrigens kann ich sie versichern, daß
sie einen von den interessanten Fällen abgeben u. wenn Gott
will, daß ihre Zunge zum Teil gelähmt wird, so machen wir d.
unsterblichsten Experimente.

HAUPTMANN. Herr Doktor erschrecken sie mich nicht, es sind
schon Leute am Schreck gestorben, am bloßen hellen
Schreck. – Ich sehe schon die Leute mit d. Zitronen in d.
Händen, aber sie werden sagen er war ein guter Mensch, ein
guter Mensch – Teufel Sargnagel.

DOKTOR. Was ist das Herr Hauptmann? das ist Hohlkopf!

HAUPTMANN *(macht eine Falte).* Was ist das Herr Doktor? das
ist Einfalt.

DOKTOR. Ich empfehle mich, geehrtster Herr Exerzierzagel.

HAUPTMANN. Gleichfalls, bester Herr Sargnagel.

⟨10⟩   DIE WACHTSTUBE

Woyzeck. Andres.

ANDRES *(singt).*Frau Wirtin hat n'e brave Magd
                 Sie sitzt im Garten Tag und Nacht
                 Sie sitzt in ihrem Garten ...

WOYZECK. Andres!

ANDRES. Nu?

WOYZECK. Schön Wetter.

ANDRES. Sonntagsonnwetter, und Musik vor der Stadt. Vorhin
   sind die Weibsbilder hin, die Mensche dämpfe, das geht.

WOYZECK *(unruhig).* Tanz, Andres, sie tanze.

ANDRES. Im Rössel und in Sternen.

WOYZECK. Tanz, Tanz.

ANDRES. Meintwege.

                 Sie sitzt in ihrem Garten
                 bis daß das Glöcklein zwölfe schlägt
                 Und paßt auf die Solda-aten.

WOYZECK. Andres, ich hab kein Ruh.

ANDRES. Narr!

WOYZECK. Ich muß hinaus. Es dreht sich mir vor den Augen.
   Was sie heiße Händ habe. Verdammt Andres!

ANDRES. Was willst du?

WOYZECK. Ich muß fort.

ANDRES. Mit dem Mensch.

WOYZECK. Ich muß hinaus, 's ist so heiß da hie.

⟨11⟩   WIRTSHAUS

Die Fenster offen, Tanz. Bänke vor dem Haus. Burschen.

1. HANDWERKSBURSCH.
                 Ich hab ein Hemdlein an
                 Das ist nicht mein
                 Meine Seele stinkt nach Brandewein, –

2. HANDWERKSBURSCH. Bruder, soll ich dir aus Freundschaft
   ein Loch in die Natur mache? Verdammt. Ich will ein Loch
   in die Natur machen. Ich bin auch ein Kerl, du weißt, ich will
   ihm alle Flöh am Leib tot schlage.

1. HANDWERKSBURSCH. Meine Seele, mei Seele stinkt nach
   Brandewein. – Selbst das Geld geht in Verwesung über. Ver-
   gißmeinicht! Wie ist diese Welt so schön. Bruder, ich muß
   ein Regenfaß voll greinen. Ich wollt unse Nase wäre zwei

Bouteille und wir könnte sie uns einander in de Hals gießen. *Woyzeck stellt sich ans Fenster. Marie und der Tambourmajor tanzen vorbei, ohne ihn zu bemerken.*

DIE ANDERN
(im Chor):   Ein Jäger aus der Pfalz,
                 ritt einst durch einen grünen Wald,
                 Halli, halloh, gar lustig ist die Jägerei
                 Allhier auf grüner Heid
                 Das Jagen ist mei Freud.

MARIE *(im Vorbeitanzen).* Immer, zu, immer zu

WOYZECK *(erstickt).* Immer zu – immer zu. *(fährt heftig auf und sinkt zurück auf die Bank).* Immer zu immer zu, *(schlägt die Hände ineinander).* Dreht Euch, wälzt Euch. Warum blast Gott nicht ⟨die⟩ Sonn aus, daß Alles in Unzucht sich übernander wälzt, Mann und Weib, Mensch u. Vieh. Tut's am hellen Tag, tut's einem auf den Händen, wie die Mücken. – Weib. – Das Weib ist heiß, heiß! – Immer zu, immer zu. *(fährt auf.)* Der Kerl! Wie er an ihr herumtappt, an ihrn Leib, er, er hat sie ⟨unlesbar⟩ – zu Anfang.

1. HANDWERKSBURSCH *(predigt auf dem Tisch).* Jedoch wenn ein Wandrer, der gelehnt steht an den Strom der Zeit oder aber sich d. göttliche Weisheit beantwortet u. sich anredet: Warum ist der Mensch? Warum ist der Mensch? – Aber wahrlich ich sage Euch, von was hätte der Landmann, der Weißbinder, der Schuster, der Arzt leben sollen, wenn Gott den Menschen nicht geschaffen hätte? Von was hätte der Schneider leben sollen, wenn er dem Menschen nicht die Empfindung der Scham eingepflanzt, von was der Soldat, wenn er ihn nicht mit dem Bedürfnis sich totzuschlagen ausgerüstet hätte. Darum zweifelt nicht, ja ja, es ist lieblich u. fein, aber Alles Irdische ist eitel, selbst das Geld geht in Verwesung über. – Zum Beschluß, mei geliebte Zuhörer laßt uns noch über's Kreuz pissen, damit ein Jud stirbt.

⟨12⟩   FREIES FELD

WOYZECK. Immer zu! immer zu! Still Musik. – *(Reckt sich gegen den Boden.)* He was, was sagt ihr? Lauter, lauter, stich, stich die Zickwolfin tot? stich, stich die Zickwolfin tot. Soll ich? Muß ich? Hör ich's da auch, sagt's der Wind auch? Hör ich's immer, immer zu, stich tot, tot.

⟨13⟩   NACHT

Andres und Woyzeck in einem Bett.

WOYZECK *(schüttelt Andres)*. Andres! Andres! ich kann nit
    schlafe, wenn ich die Aug zumach, dreht sich's immer u. ich
    hör d. Geigen, immer zu, immer zu, und dann spricht's aus
    der Wand, hörst du nix?
ANDRES. Ja, – laß sie tanze! Gott behüt uns, Amen. *(schläft
    wieder ein.)*
WOYZECK. Es zieht mir zwischen d. Auge wie ein Messer.
ANDRES. Du mußt Schnaps trinke u. Pulver drein, das schneidt
    das Fieber.

⟨14⟩   WIRTSHAUS

Tambourmajor. Woyzeck. Leute.

TAMBOURMAJOR. Ich bin ein Mann! *(schlägt sich auf die Brust)*
    ein Mann sag' ich. Wer will was? Wer kein bsoffe Herrgott ist
    der laß sich von mir. Ich wollt ihm die Nas ins Arschloch
    prügeln. Ich will – *(zu Woyzeck)* da Kerl, sauf, der Mann
    muß saufen, ich wollt die Welt wär Schnaps, Schnaps.
WOYZECK *(pfeift)*.
TAMBOURMAJOR. Kerl, soll ich dir die Zung aus dem Hals
    ziehe u. sie um den Leib herumwickle? *(sie ringen, Woyzeck
    verliert.)* Soll ich dir noch soviel Atem lassen als ein Altwei-
    berfurz, soll ich?
WOYZECK *(setzt sich erschöpft zitternd auf die Bank).*
TAMBOURMAJOR. Der Kerl soll dunkelblau pfeifen. Ha.
            Brandewein das ist mein Leben
            Brandwein gibt courage!
EINE. Der hat sei Fett.
ANDRE. Er blut.
WOYZECK. Eins nach d. andern.

⟨15⟩   WOYZECK. DER JUDE

WOYZECK. Das Pistolche is zu teuer.
JUD. Nu, kauft's oder kauft's nit, was is?
WOYZECK. Was kost das Messer.
JUD. 's ist ganz, grad. Wollt Ihr Euch den Hals mit abschneide,
    nu, was is es? Ich geb's Euch so wohlfeil wie ein andern, Ihr

sollt Euern Tod wohlfeil habe, aber doch nit umsonst. Was is
es? Er soll en ökonomische Tod habe.

WOYZECK. Das kann mehr als Brot schneiden.

JUD. Zwe Grosche.

WOYZECK. Da! *(geht ab.)*

JUD. Da! Als ob's nichts wär. Und es is doch Geld. Der Hund.

⟨16⟩   MARIE

allein, blättert in der Bibel.

⟨MARIE.⟩ Und ist kein Betrug in seinem Munde erfunden.
Herrgott. Herrgott! Sieh mich nicht an. *(blättert weiter:)*
aber die Pharisäer brachten ein Weib zu ihm, im Ehebruche
begriffen und stelleten sie in's Mittel dar. – Jesus aber sprach:
so verdamme ich dich auch nicht. Geh hin und sündige hin-
fort nicht mehr. *(schlägt die Hände zusammen.)* Herrgott!
Herrgott! Ich kann nicht. Herrgott gib mir nur soviel, daß
ich beten kann. *(das Kind drängt sich an sie.)* Das Kind, gibt
mir einen Stich in's Herz. Fort! Das brüht sich in der Sonne!

NARR *(liegt und erzählt sich Märchen an den Fingern).* Der hat
d. golden Kron, d. Herr König. Morgen hol' ich der Frau
Königin ihr Kind. Blutwurst sagt: komm Leberwurst *(er
nimmt das Kind und wird still.)*

⟨MARIE.⟩ Der Franz ist nit gekomm, gestern nit, heut nit, es
wird heiß hier *(sie macht das Fenster auf.)* Und trat hinein zu
seinen Füßen und weinete u. fing an seine Füße zu netzen mit
Tränen u. mit den Haaren ihres Hauptes zu trocknen u. küssete seine Füße und salbete sie mit Salben. *(schlägt sich auf die
Brust.)* Alles tot! Heiland, Heiland ich möchte dir die Füße
salben.

⟨17⟩   KASERNE

Andres. Woyzeck kramt in seinen Sachen.

WOYZECK. Das Kamisolche Andres, ist nit zur Montur, du
kannst's brauche Andres. Das Kreuz is mei Schwester u. das
Ringlein, ich hab auch noch ein Heiligen, zwei Herze und
schön Gold, es lag in meiner Mutter Bibel, und da steht:

> Leiden sei all mein Gewinst,
> Leiden sei mein Gottesdienst,
> Herr wie dein Leib war rot u. wund
> So laß mein Herz sein aller Stund.

Mei Mutter fühlt nur noch, wenn ihr die Sonn auf die Händ scheint. Das tut nix.

ANDRES *(ganz starr, sagt zu Allem:)* ja wohl.

WOYZECK *(zieht ein Papier heraus).* Friedrich Johann Franz Woyzeck, geschworner Füsilier im 2. Regiment, 2. Bataillon 4. Compagnie geb⟨oren⟩ – d. – d. ⟨Mariae Verkündigung⟩ ich bin heut d. 20. Juli alt 30 Jahr 7 Monat u. 12 Tage.

ANDRES. Franz, du kommst in's Lazarett. Armer du mußt Schnaps trinke u. Pulver drei das tödt das Fieber.

WOYZECK. Ja Andres, wann der Schreiner die Hobelspän sammelt, es weiß niemand, wer sein Kopf drauf lege wird.

WOYZECK

Lesefassung

Erarbeitet von
Werner R. Lehmann

Personen

FRANZ WOYZECK
MARIE
CHRISTIAN, ihr Kind
HAUPTMANN
DOKTOR
PROFESSOR
TAMBOURMAJOR
UNTEROFFIZIER
ANDRES
MARGRETH
AUSRUFER einer Schaubude
ALTER MANN
DER JUDE
WIRT
ERSTER HANDWERKSBURSCH
ZWEITER HANDWERKSBURSCH
KARL, ein Idiot
KÄTHE
GROSSMUTTER
ERSTES KIND
ZWEITES KIND
ANDERES KIND
ERSTE PERSON
ZWEITE PERSON
GERICHTSDIENER
ARZT
RICHTER
Soldaten, Studenten, Leute, Mädchen und Kinder

Woyzeck und Andres schneiden Stöcke im Gebüsch.

WOYZECK. Ja Andres; den Streif da über das Gras hin, da rollt
Abends der Kopf, es hob ihn einmal einer auf, er meint es wär
ein Igel. Drei Tag und drei Nächt und er lag auf den Hobel-
spänen, *(leise)* Andres, das waren die Freimaurer, ich hab's,
die Freimaurer, still!

ANDRES *(singt).*Saßen dort zwei Hasen
            Fraßen ab das grüne, grüne Gras ...

WOYZECK. Still! Es geht! Was!

ANDRES.   Fraßen ab das grüne, grüne Gras
            Bis auf den Rasen.

WOYZECK. Es geht hinter mir, unter mir *(stampft auf den Boden)* hohl, hörst du? Alles hohl da unten. Die Freimaurer!

ANDRES. Ich fürcht mich.

WOYZECK. 's ist so kurios still. Man möcht den Atem halten.
Andres!

ANDRES. Was?

WOYZECK. Red was! *(Starrt in die Gegend.)* Andres! Wie hell!
Ein Feuer fährt um den Himmel und ein Getös herunter wie
Posaunen. Wie's heraufzieht! Fort. Sieh nicht hinter dich.
(Reißt ihn in's Gebüsch.)

ANDRES *(nach einer Pause).* Woyzeck! hörst du's noch?

WOYZECK. Still, Alles still, als wär die Welt tot.

ANDRES. Hörst du? Sie trommeln drin. Wir müssen fort.

⟨2⟩   MARIE MIT IHREM KIND AM FENSTER. MARGRETH

Der Zapfenstreich geht vorbei, der Tambourmajor voran.

MARIE *(das Kind wippend auf dem Arm).* He Bub! Sa ra ra ra!
Hörst? Da komme sie.

MARGRETH. Was ein Mann, wie ein Baum.

MARIE. Er steht auf seinen Füßen wie ein Löw.
(Tambourmajor grüßt.)

MARGRETH. Ei, was freundliche Auge, Frau Nachbarin, so was
is man an Ihr nit gewöhnt.

MARIE *(singt).* Soldaten das sind schöne Bursch ...

MARGRETH. Ihre Auge glänze ja noch.

MARIE. Und wenn! Trag Sie Ihr Auge zum Jud und laß Sie sie

putze, vielleicht glänze sie noch, daß man sie für zwei Knöpf verkaufe könnt.

MARGRETH. Was Sie? Sie? Frau Jungfer, ich bin eine honette Person, aber Sie, Sie guckt siebe Paar lederne Hose durch.

MARIE. Luder! *(Schlägt das Fenster zu.)* Komm mein Bub. Was die Leut wollen. Bist doch nur en arm Hurenkind und machst deiner Mutter Freud mit deim unehrliche Gesicht. Sa! Sa!

(Singt.)　　Mädel, was fangst du jetzt an
　　　　　Hast ein klein Kind und kein Mann.
　　　　　Ei was frag ich danach
　　　　　Sing ich die ganze Nacht
　　　　　Heio popeio mein Bu. Juchhe!
　　　　　Gibt mir kein Mensch nix dazu.

　　　　　Hansel spann deine sechs Schimmel an
　　　　　Gib ihn zu fresse auf's neu.
　　　　　Kein Haber fresse sie
　　　　　Kein Wasser saufe sie
　　　　　Lauter kühle Wein muß es sein. Juchhe!
　　　　　Lauter kühle Wein muß es sein.

(Es klopft am Fenster.)

MARIE. Wer da? Bist du's Franz? Komm herein!

WOYZECK. Kann nit. Muß zum Verles.

MARIE. Was hast du Franz?

WOYZECK *(geheimnisvoll).* Marie, es war wieder was, viel, steht nicht gschrieben, und sieh da ging ein Rauch vom Land, wie der Rauch vom Ofen?

MARIE. Mann!

WOYZECK. Es ist hinter mir gegangen bis vor die Stadt. Was soll das werden?

MARIE. Franz!

WOYZECK. Ich muß fort. *(Er geht.)*

MARIE. Der Mann! So vergeistert. Er hat sein Kind nicht angesehn. Er schnappt noch über mit den Gedanken. Was bist so still, Bub? Furchst dich? Es wird so dunkel, man meint, man wär blind. Sonst scheint als die Latern herein. Ich halt's nicht aus. Es schauert mich. *(Geht ab.)*

⟨3⟩   ÖFFENTLICHER PLATZ. BUDEN. LICHTER

ALTER MANN. KIND *(das tanzt)*.
>   Auf der Welt ist kein Bestand.
>   Wir müssen alle sterbe,
>   das ist uns wohlbekannt!

WOYZECK. He! Hopsa! Arm Mann, alter Mann! Arm Kind! Junges Kind! Hei Marie, soll ich dich trage? Ein Mensch muß ... damit er esse kann. Welt! Schön Welt!

AUSRUFER *(an einer Bude)*. Meine Herren. Meine Herren! Sehn Sie die Kreatur, wie sie Gott gemacht, nix, gar nix. Sehen Sie jetzt die Kunst, geht aufrecht, hat Rock und Hosen, hat ein Säbel! Ho! Mach Kompliment! So bist brav. Gib Kuß! *(Er trompetet.)* Michl ist musikalisch. Meine Herren, meine Damen, hier sind zu sehn das astronomische Pferd und die kleine Kanaillevogele, sind Liebling von alle Potentate Europas und Mitglied von alle gelehrte Sozietät; weissage de Leute Alles, wie alt, wieviel Kinder, was für Krankheit, schießt Pistol los, stellt sich auf ei Bein. Alles Erziehung, haben eine viehische Vernunft, oder vielmehr eine ganze vernünftige Viehigkeit, ist kei viehdummes Individuum wie viel Person, das verehrliche Publikum abgerechnet. Herein. Es wird sein die räpräsentation, das commencement vom commencement wird sogleich nehm sein Anfang.
Sehn Sie die Fortschritte der Zivilisation. Alles schreitet fort, ei Pferd, ei Aff, ei Kanaillevogel. Der Aff ist schon ei Soldat, s' ist noch nit viel, unterst Stuf von menschliche Geschlecht! Die räpräsentation anfangen! Man mackt Anfang von Anfang. Es wird sogleich sein das commencement von commencement.

WOYZECK. Willst du?

MARIE. Meinetwege. Das muß schön Dings sein. Was der Mensch Quasten hat und die Frau hat Hosen.

Unteroffizier. Tambourmajor.

UNTEROFFIZIER. Halt, jetzt. Siehst du sie! Was ei Weibsbild!

TAMBOURMAJOR. Teufel, zum Fortpflanze von Kürassierregimenter und zur Zucht von Tambourmajor.

UNTEROFFIZIER. Wie sie den Kopf trägt, man meint, das schwarze Haar müßt ihn abwärts ziehn, wie ei Gewicht, und Auge, schwarz ...

TAMBOURMAJOR. Als ob man in ein Ziehbrunn oder zu ein Schornstei hinunteguckt. Fort, hinte drein!

MARIE. Was Lichter!

WOYZECK. Ja..., ei groß schwarze Katze mit feurige Auge. Hei, was 'n Abend!

Das Innere der Bude

AUSRUFER *(mit dressiertem Pferd).* Zeig dein Talent! Zeig dein viehische Vernünftigkeit! Bschäme die menschlich Sozietät! Mei Herre, dies Tier, was Sie da sehn, Schwanz am Leib, auf sei vier Hufe, ist Mitglied von alle gelehrte Sozietät, ist Professor an unsre Universität, wo die Studente bei ihm reiten und schlage lernen. Das war einfacher Verstand! Denk jetzt mit der doppelten raison. Was machst du wann du mit der doppelten Raison denkst? Ist unter der gelehrte Société da ein Esel? *(Der Gaul schüttelt den Kopf.)* Sehn Sie jetzt die doppelte Räson! Das ist Viehsionomik. Ja das ist kei viehdummes Individuum, das ist ein Person! Ei Mensch, ei tierische Mensch und doch ei Vieh, ei bête. *(Das Pferd führt sich ungebührlich auf.)* So bschäm die Société. Sehn Sie, das Vieh ist noch Natur, unverdorbe Natur! Lern Sie bei ihm. Fragen Sie den Arzt, es ist höchst schädlich! Das hat geheiße, Mensch sei natürlich, du bist geschaffe Staub, Sand, Dreck. Willst du mehr sein als Staub, Sand, Dreck? Sehn Sie, was Vernunft, es kann rechnen und kann doch nit an de Finger herzählen, warum? Kann sich nur nit ausdrücke, nur nit expliziern, ist ein verwandlter Mensch! Sag den Herrn, wieviel Uhr es ist. Wer von den Herrn und Damen hat ein Uhr, ein Uhr?

UNTEROFFIZIER. Eine Uhr! *(Zieht großartig und gemessen eine Uhr aus der Tasche.)* Da mein Herr.

MARIE. Das muß ich sehn. *(Sie klettert auf den 1. Platz. Tambourmajor hilft ihr.)*

⟨4⟩ KAMMER

Marie sitzt, ihr Kind auf dem Schoß, ein Stückchen Spiegel in der Hand.

MARIE *(bespiegelt sich).* Was die Steine glänze! Was sind's für? Was hat er gesagt? – Schlaf Bub! Drück die Auge zu, fest, *(das Kind versteckt die Augen hinter den Händen)* noch fester, bleib so, still oder er holt dich.

(Singt.)   Mädel mach's Ladel zu,
              s' kommt e Zigeunerbu,
              Führt dich an deiner Hand
              Fort in's Zigeunerland.

(Spiegelt sich wieder.) s' ist gewiß Gold! Unsereins hat nur ein Eckchen in der Welt und ein Stückchen Spiegel, und doch hab' ich einen so roten Mund als die großen Madamen mit ihren Spiegeln von oben bis unten und ihren schönen Herrn, die ihnen die Händ küssen; ich bin nur ein arm Weibsbild. – *(Das Kind richtet sich auf.)* Still Bub, die Auge zu, das Schlafengelchen! wie's an der Wand läuft, *(sie blinkt mit dem Glas)* die Auge zu, oder es sieht dir hinein, daß du blind wirst.

       Woyzeck tritt herein, hinter sie.
   Sie fährt auf mit den Händen nach den Ohren.

WOYZECK. Was hast du?

MARIE. Nix.

WOYZECK. Unter deinen Fingern glänzt's ja.

MARIE. Ein Ohrringlein; hab's gefunden.

WOYZECK. Ich hab so noch nix gefunden. Zwei auf einmal.

MARIE. Bin ich ein Mensch?

WOYZECK. s' ist gut, Marie. – Was der Bub schläft. Greif ihm unter's Ärmchen, der Stuhl drückt ihn. Die hellen Tropfen stehn ihm auf der Stirn; alles Arbeit unter der Sonn, sogar Schweiß im Schlaf. Wir arme Leut! Das is wieder Geld Marie, die Löhnung und was von mein'm Hauptmann.

MARIE. Gott vergelt's Franz.

WOYZECK. Ich muß fort. Heut Abend, Marie. Adies.

MARIE *(allein, nach einer Pause)*. Ich bin doch ein schlecht Mensch. Ich könnt mich erstechen. – Ach! Was Welt? Geht doch Alles zum Teufel, Mann und Weib.

⟨5⟩   DER HAUPTMANN. WOYZECK

   Hauptmann auf einem Stuhl. Woyzeck rasiert ihn.

HAUPTMANN. Langsam, Woyzeck, langsam; eins nach dem andern; Er macht mir ganz schwindlig. Was soll ich dann mit den zehn Minuten anfangen, die Er heut zu früh fertig wird? Woyzeck, bedenk Er, Er hat noch seine schöne dreißig Jahr zu leben, dreißig Jahr! macht 360 Monate, und Tage, Stunden, Minuten! Was will Er denn mit der ungeheuren Zeit all anfangen? Teil Er sich ein, Woyzeck.

WOYZECK. Ja wohl, Herr Hauptmann.

HAUPTMANN. Es wird mir ganz angst um die Welt, wenn ich an die Ewigkeit denke. Beschäftigung, Woyzeck, Beschäftigung! Ewig das ist ewig, das ist ewig, das siehst du ein; nun ist es aber wieder nicht ewig und das ist ein Augenblick, ja, ein Augenblick. – Woyzeck, es schaudert mich, wenn ich denk, daß sich die Welt in einem Tag herumdreht, was'n Zeitverschwendung, wo soll das hinaus? Woyzeck, ich kann kein Mühlrad mehr sehn, oder ich werd melancholisch.

WOYZECK. Ja wohl, Herr Hauptmann.

HAUPTMANN. Woyzeck Er sieht immer so verhetzt aus. Ein guter Mensch tut das nicht, ein guter Mensch, der sein gutes Gewissen hat. – Red Er doch was Woyzeck. Was ist heut für Wetter?

WOYZECK. Schlimm, Herr Hauptmann, schlimm; Wind.

HAUPTMANN. Ich spür's schon, 's ist so was Geschwindes draußen; so ein Wind macht mir den Effekt wie eine Maus. *(Pfiffig.)* Ich glaub wir haben so was aus Süd-Nord.

WOYZECK. Ja wohl, Herr Hauptmann.

HAUPTMANN. Ha! ha! ha! Süd-Nord! Ha! Ha! Ha! O Er ist dumm, ganz abscheulich dumm. *(Gerührt.)* Woyzeck, Er ist ein guter Mensch, ein guter Mensch – aber *(mit Würde)* Woyzeck, Er hat keine Moral! Moral, das ist wenn man moralisch ist, versteht Er. Es ist ein gutes Wort. Er hat ein Kind, ohne den Segen der Kirche, wie unser hochehrwürdiger Herr Garnisonsprediger sagt, ohne den Segen der Kirche, es ist nicht von mir.

WOYZECK. Herr Hauptmann, der liebe Gott wird den armen Wurm nicht drum ansehn, ob das Amen drüber gesagt ist, eh er gemacht wurde. Der Herr sprach: Lasset die Kindlein zu mir kommen.

HAUPTMANN. Was sagt Er da! Was ist das für n'e kuriose Antwort? Er macht mich ganz konfus mit seiner Antwort. Wenn ich sag: Er, so mein ich Ihn, Ihn.

WOYZECK. Wir arme Leut. Sehn Sie, Herr Hauptmann, Geld, Geld. Wer kein Geld hat. Da setz eimal einer seinsgleichen auf die Moral in die Welt. Man hat auch sein Fleisch und Blut. Unseins ist doch eimal unselig in der und der andern Welt, ich glaub wenn wir in Himmel kämen, so müßten wir donnern helfen.

HAUPTMANN. Woyzeck, Er hat keine Tugend, Er ist kein tugendhafter Mensch. Fleisch und Blut? Wenn ich am Fenster lieg, wenn es geregnet hat, und den weißen Strümpfen so nachsehe, wie sie über die Gassen springen, – verdammt Woyzeck, – da kommt mir die Liebe! Ich hab auch Fleisch und Blut. Aber Woyzeck, die Tugend, die Tugend! Wie sollte ich dann die Zeit herumbringen? Ich sag mir immer, du bist ein tugendhafter Mensch, *(gerührt)* ein guter Mensch, ein guter Mensch.

WOYZECK. Ja Herr Hauptmann, die Tugend! ich hab's noch nicht so aus. Sehn Sie, wir gemeinen Leut, das hat keine Tugend, es kommt einem nur so die Natur, aber wenn ich ein Herr wär und hätt ein Hut und eine Uhr und eine Anglaise, und könnt vornehm reden, ich wollt schon tugendhaft sein. Es muß was Schönes sein um die Tugend, Herr Hauptmann. Aber ich bin ein armer Kerl.

HAUPTMANN. Gut Woyzeck. Du bist ein guter Mensch, ein guter Mensch. Aber du denkst zuviel, das zehrt, du siehst immer so verhetzt aus. Der Diskurs hat mich ganz angegriffen. Geh jetzt und renn nicht so; langsam, hübsch langsam die Straße hinunter.

⟨6⟩   KAMMER

Marie. Tambourmajor.

TAMBOURMAJOR. Marie!

MARIE *(ihn ansehend, mit Ausdruck)*. Geh einmal vor dich hin. – Über die Brust wie ein Stier und ein Bart wie ein Löw. So ist keiner. – Ich bin stolz vor allen Weibern.

TAMBOURMAJOR. Wenn ich am Sonntag erst den großen Federbusch hab und die weiße Handschuh, Donnerwetter, Marie, der Prinz sagt immer: Mensch, Er ist ein Kerl.

MARIE *(spöttisch)*. Ach was! *(Tritt vor ihn hin.)* Mann!

TAMBOURMAJOR. Und du bist auch ein Weibsbild, Sapperment, wir wollen eine Zucht von Tambourmajors anlegen. He? *(Er umfaßt sie.)*

MARIE *(verstimmt)*. Laß mich!

TAMBOURMAJOR. Wild Tier.

MARIE *(heftig)*. Rühr mich an!

TAMBOURMAJOR. Sieht dir der Teufel aus den Augen?

MARIE. Meintwegen. Es ist Alles eins.

⟨7⟩   AUF DER GASSE

Marie. Woyzeck.

WOYZECK *(sieht sie starr an, schüttelt den Kopf).* Hm! Ich seh
nichts, ich seh nichts. O, man müßt's sehen: man müßt's
greifen können mit Fäusten.

MARIE *(verschüchtert).* Was hast du Franz? Du bist hirnwütig,
Franz.

WOYZECK. Eine Sünde so dick und so breit. Es stinkt, daß man
die Engelchen zum Himmel hinaus räuchern könnt. Du hast
ein rote Mund, Marie. Kein Blase drauf? Adie, Marie, du bist
schön wie die Sünde. – Kann die Todsünde so schön sein?

MARIE. Franz, du redst im Fieber.

WOYZECK. Teufel! – Hat er da gestande, so, so?

MARIE. Dieweil der Tag lang und die Welt alt ist, könne viel
Mensche an eim Platz stehn, einer nach dem andern.

WOYZECK. Ich hab ihn gesehn.

MARIE. Man kann viel sehn, wenn man zwei Augen hat und
man nicht blind ist und die Sonn scheint.

WOYZECK. Wirst sehn.

MARIE *(keck).* Und wenn auch.

⟨8⟩   BEIM DOKTOR

Woyzeck. Der Doktor.

DOKTOR. Was erleb ich, Woyzeck? Ein Mann von Wort.

WOYZECK. Was denn Herr Doktor?

DOKTOR. Ich hab's gesehn Woyzeck; Er hat auf die Straß gepißt, an die Wand gepißt wie ein Hund. Und doch zwei
Groschen täglich. Woyzeck das ist schlecht. Die Welt wird
schlecht, sehr schlecht.

WOYZECK. Aber Herr Doktor, wenn einem die Natur kommt.

DOKTOR. Die Natur kommt, die Natur kommt! Die Natur! Hab
ich nicht nachgewiesen, daß der musculus constrictor vesicae
dem Willen unterworfen ist? Die Natur! Woyzeck, der
Mensch ist frei, in dem Menschen verklärt sich die Individuali-
tät zur Freiheit. Den Harn nicht halten können! *(Schüttelt den
Kopf, legt die Hände auf den Rücken und geht auf und ab.)*
Hat Er schon seine Erbsen gegessen, Woyzeck? – Es gibt eine
Revolution in der Wissenschaft, ich sprenge sie in die Luft.
Harnstoff, 0,10, salzsaures Ammonium, Hyperoxydul.

Woyzeck muß Er nicht wieder pissen? Geh Er eimal hinein
und probier Er's.

WOYZECK. Ich kann nit Herr Doktor.

DOKTOR *(mit Affekt)*. Aber auf die Wand pissen! Ich hab's
schriftlich, den Akkord in der Hand. Ich hab's gesehn, mit
diesen Augen gesehn, ich streckte grade die Nase zum Fenster hinaus und ließ die Sonnestrahlen hinein fallen, um das
Niesen zu beobachten. *(Tritt auf ihn los.)* Nein Woyzeck, ich
ärgere mich nicht, Ärger ist ungesund, ist unwissenschaftlich.
Ich bin ruhig, ganz ruhig, mein Puls hat seine gewöhnlichen
60 und ich sag's Ihm mit der größten Kaltblütigkeit! Behüte
wer wird sich über einen Menschen ärgern, ein Menschen!
Wenn es noch ein Proteus wäre, der einem krepiert! Aber Er
hätte doch nicht an die Wand pissen sollen –

WOYZECK. Sehn Sie Herr Doktor, manchmal hat man so n'en
Charakter, so n'e Struktur. – Aber mit der Natur ist's was
andres, sehn Sie, mit der Natur, *(er kracht mit den Fingern)*
das ist so was, wie soll ich doch sagen, zum Beispiel –

DOKTOR. Woyzeck, Er philosophiert wieder.

WOYZECK *(vertraulich)*. Herr Doktor habe Sie schon was von
der doppelten Natur gesehn? Wenn die Sonn in Mittag steht
und es ist als ging die Welt im Feuer auf, hat schon eine
fürchterliche Stimme zu mir geredt!

DOKTOR. Woyzeck, Er hat eine aberratio.

WOYZECK *(legt den Finger an die Nase)*. Die Schwämme Herr
Doktor. Da, da steckt's. Haben Sie schon gesehn in was für
Figurn die Schwämme auf dem Boden wachsen? Wer das
lesen könnt.

DOKTOR. Woyzeck Er hat die schönste aberratio mentalis partialis, zweite Spezies, sehr schön ausgeprägt. Woyzeck Er
kriegt Zulage. Zweite Spezies, fixe Idee, mit allgemein vernünftigem Zustand, Er tut noch alles wie sonst, rasiert sein
Hauptmann?

WOYZECK. Ja wohl.

DOKTOR. Ißt sei Erbse?

WOYZECK. Immer ordentlich Herr Doktor. Das Geld für die
Menage kriegt die Frau.

DOKTOR. Tut sei Dienst?

WOYZECK. Ja wohl.

DOKTOR. Er ist ein interessanter Kasus, Subjekt Woyzeck Er
kriegt Zulag. Halt Er sich brav. Zeig Er sei Puls! Ja.

⟨9⟩ STRASSE

Hauptmann. Doktor

HAUPTMANN. Herr Doktor, die Pferde machen mir ganz Angst; wenn ich denke, daß die armen Bestien zu Fuß gehn müssen. Rennen Sie nicht so. Rudern Sie mit Ihrem Stock nicht so in der Luft. Sie hetzen sich ja hinter dem Tod drein. Ein guter Mensch, der sein gutes Gewissen hat, geht nicht so schnell. Ein guter Mensch. *(Er erwischt den Doktor am Rock.)* Herr Doktor erlaube Sie, daß ich ein Menschenleben rette. Sie schießen ...

Herr Doktor, ich bin so schwermütig, ich habe so was Schwärmrisches, ich muß immer weinen, wenn ich meinen Rock an der Wand hängen sehe, da hängt er.

DOKTOR. Hm, aufgedunsen, fett, dicker Hals, apoplektische Konstitution. Ja Herr Hauptmann, Sie können eine apoplexia cerebralis kriegen, Sie können sie aber vielleicht auch nur auf der einen Seite bekommen, und dann auf der einen gelähmt sein, oder aber Sie können im besten Fall geistig gelähmt werden und nur fort vegetiern, das sind so ohngefähr Ihre Aussichten auf die nächsten vier Wochen. Übrigens kann ich Sie versichern, daß Sie einen von den interessanten Fällen abgeben, und wenn Gott will, daß Ihre Zunge zum Teil gelähmt wird, so machen wir die unsterblichsten Experimente.

HAUPTMANN. Herr Doktor erschrecken Sie mich nicht, es sind schon Leute am Schreck gestorben, am bloßen hellen Schreck. – Ich sehe schon die Leute mit den Zitronen in den Händen, aber sie werden sagen, er war ein guter Mensch, ein guter Mensch – Teufel Sargnagel!

DOKTOR *(hält seinen Hut hin)*. Was ist das, Herr Hauptmann? Das ist Hohlkopf!

HAUPTMANN *(macht eine Falte in den Hut)*. Was ist das, Herr Doktor? Das ist Einfalt.

DOKTOR. Ich empfehle mich, geehrtester Herr Exerzierzagel.

HAUPTMANN. Gleichfalls, bester Herr Sargnagel.

Woyzeck kommt die Straße heruntergerannt.

HAUPTMANN. Ha Woyzeck, was hetzt Er sich so an mir vorbei? Bleib Er doch Woyzeck. Er läuft ja wie ein offnes Rasiermesser durch die Welt, man schneidt sich an Ihm, Er läuft, als hätt Er ein Regiment Kosack zu rasiern und würde gehenkt über dem letzten Haar nach einer Viertelstunde – aber, über die lange Bärte, was – wollt ich doch sagen? Woyzeck – die lange Bärte –

DOKTOR. Ein langer Bart unter dem Kinn, schon Plinius spricht davon, man muß es den Soldaten abgewöhnen, du, du

HAUPTMANN *(fährt fort)*. Hä? über die lange Bärte? Wie is, Woyzeck, hat Er noch nicht ein Haar aus ein Bart in seiner Schüssel gefunden? He, Er versteht mich doch, ein Haar von einem Menschen, vom Bart eins Sapeur, eins Unteroffizier, eins – eins Tambourmajor? He Woyzeck? Aber Er hat eine brave Frau. Geht ihm nicht wie andern.

WOYZECK. Ja wohl! Was wollen Sie sage, Herr Hauptmann?

HAUPTMANN. Was der Kerl ein Gesicht macht!... muß nun auch nicht in de Suppe, aber wenn Er sich eilt und um die Eck geht, so kann Er vielleicht noch auf Paar Lippen eins finde, ein Paar Lippen, Woyzeck, ich habe wieder die Liebe gefühlt, Woyzeck. Kerl, Er ist ja kreideweiß.

WOYZECK. Herr, Hauptmann, ich bin ein armer Teufel, – und hab sonst nichts – auf de Welt. Herr Hauptmann, wenn Sie Spaß mache –

HAUPTMANN. Spaß ich, daß dich Spaß, Kerl!

DOKTOR. Den Puls Woyzeck, den Puls, klein, hart, hüpfend, ungleich.

WOYZECK. Herr Hauptmann, die Erd ist hölleheiß, mir eiskalt, eiskalt, die Hölle ist kalt, wollen wir wetten. Unmöglich. Mensch! Mensch! unmöglich.

HAUPTMANN. Kerl, will Er erschoß, will ei paar Kugeln vor den Kopf haben? Er ersticht mich mit sei Auge, und ich mein es gut mit ihm, weil Er ein guter Mensch ist Woyzeck, ein guter Mensch.

DOKTOR. Gesichtsmuskeln starr, gespannt, zuweilen hüpfend, Haltung aufgerichtet, gespannt.

WOYZECK. Ich geh! Es ist viel möglich. Der Mensch! Es ist viel möglich. Wir habe schön Wetter Herr Hauptmann. Sehn Sie, so ein schön festen grauen Himmel, man könnte Lust bekomm, ein Klobe hineinzuschlage und sich daran zu hänge, nur wege des Gedankestrichels zwische ja und nein – ja und nein. Herr Hauptmann, ja und nein? Ist das Nein am Ja oder das Ja am Nein Schuld? Ich will drüber nachdenke. *(Geht mit breiten Schritten ab, erst langsam, dann immer schneller.)*

DOKTOR *(schießt ihm nach)*. Phänomen, Woyzeck, Zulag.

HAUPTMANN. Mir wird ganz schwindlig, von den Mensche, wie schnell, der lange Schlegel greift aus, es läuft der Schatten von einem Spinnbein, und der Kurze, das zuckelt. Der Lange ist der Blitz und der Kleine der Donner. Haha, hinterdrein. Das hab ich nicht gern! Ein guter Mensch ist dankbar und hat sei Leben lieb, ein guter Mensch hat keine Courage nicht! ein Hundsfott hat Courage! Ich bin bloß in Krieg gegangen, um mich in meiner Liebe zum Leben zu befestigen ... von da zur Courage; wie man zu so Gedanken kommt, grotesk! grotesk!

⟨10⟩   DIE WACHTSTUBE

                     Woyzeck. Andres.

ANDRES *(singt).*Frau Wirtin hat 'ne brave Magd,
                 Sie sitzt im Garten Tag und Nacht,
                 Sie sitzt in ihrem Garten ...
WOYZECK. Andres!
ANDRES. Nu?
WOYZECK. Schön Wetter.
ANDRES. Sonntagsonnwetter, und Musik vor der Stadt. Vorhin sind die Weibsbilder hin, die Mensche dämpfe, das geht.
WOYZECK *(unruhig).* Tanz, Andres, sie tanze.
ANDRES. Im Rössel und in Sternen.
WOYZECK. Tanz, Tanz.
ANDRES. Meintwege.
                 Sie sitzt in ihrem Garten
                 Bis daß das Glöcklein zwölfe schlägt
                 Und paßt auf die Solda-aten.
WOYZECK. Andres, ich hab kein Ruh.
ANDRES. Narr!
WOYZECK. Ich muß hinaus. Es dreht sich mir vor den Augen. Was sie heiße Händ habe. Verdammt Andres!
ANDRES. Was willst du?
WOYZECK. Ich muß fort.
ANDRES. Mit dem Mensch.
WOYZECK. Ich muß hinaus, 's ist so heiß da hie.

⟨11⟩   WIRTSHAUS

Die Fenster offen, Tanz. Bänke vor dem Haus. Burschen.

ERSTER HANDWERKSBURSCH.
                    Ich hab ein Hemdlein an,
                    Das ist nicht mein.
                    Meine Seele stinkt nach Brandewein. –
ZWEITER HANDWERKSBURSCH. Bruder, soll ich dir aus Freund-
    schaft ein Loch in die Natur mache? Verdammt! Ich will ein
    Loch in die Natur machen. Ich bin auch ein Kerl, du weißt,
    ich will ihm alle Flöh am Leib tot schlage.
ERSTER HANDWERKSBURSCH. Meine Seele, mei Seele stinkt
    nach Brandewein. – Selbst das Geld geht in Verwesung über.
    Vergißmeinicht! Wie ist diese Welt so schön. Bruder, ich
    muß ein Regenfaß voll greinen. Ich wollt unse Nasen wäre
    zwei Bouteille und wir könnte sie uns einander in de Hals
    gießen.
    Woyzeck stellt sich ans Fenster. Marie und der Tambourmajor
    tanzen vorbei, ohne ihn zu bemerken.

DIE ANDERN
(im Chor):   Ein Jäger aus der Pfalz,
                    Ritt einst durch einen grünen Wald,
                    Halli, halloh, gar lustig ist die Jägerei
                    Allhier auf grüner Heid,
                    Das Jagen ist mei Freud.

MARIE *(im Vorbeitanzen).* Immer, zu, immer zu. –
WOYZECK *(erstickt).* Immer zu – immer zu! *(Fährt heftig auf*
    und sinkt zurück auf die Bank.) Immer zu, immer zu.
    (Schlägt die Hände ineinander.) Dreht euch, wälzt euch.
    Warum bläst Gott nicht die Sonn aus, daß Alles in Unzucht
    sich übernander wälzt, Mann und Weib, Mensch und Vieh.
    Tut's am hellen Tag, tut's einem auf den Händen, wie die
    Mücken. – Weib. – Das Weib ist heiß, heiß! – Immer zu,
    immer zu. *(Fährt auf.)* Der Kerl! Wie er an ihr herumtappt,
    an ihrn Leib, er, er hat sie ... – zu Anfang.
ERSTER HANDWERKSBURSCH *(predigt auf dem Tisch).* Jedoch
    wenn ein Wandrer, der gelehnt steht an den Strom der Zeit
    oder aber sich die göttliche Weisheit beantwortet und sich
    anredet: Warum ist der Mensch? Warum ist der Mensch? –
    Aber wahrlich ich sage euch, von was hätte der Landmann,
    der Weißbinder, der Schuster, der Arzt leben sollen, wenn
    Gott den Menschen nicht geschaffen hätte? Von was hätte

der Schneider leben sollen, wenn er dem Menschen nicht die Empfindung der Scham eingepflanzt, von was der Soldat, wenn er ihn nicht mit dem Bedürfnis sich totzuschlagen ausgerüstet hätte. Darum zweifelt nicht, ja ja, es ist lieblich und fein, aber Alles Irdische ist eitel, selbst das Geld geht in Verwesung über. – Zum Beschluß, mei geliebte Zuhörer, laßt uns noch übers Kreuz pissen, damit ein Jud stirbt.

⟨12⟩   FREIES FELD

WOYZECK. Immer zu! immer zu! Still. Musik. – *(Reckt sich gegen den Boden.)* He was, was sagt ihr? Lauter, lauter, stich, stich die Zickwolfin tot? Stich, stich die Zickwolfin tot. Soll ich? Muß ich? Hör ich's da auch, sagt's der Wind auch? Hör ich's immer, immer zu, stich tot, tot.

⟨13⟩   NACHT

Andres und Woyzeck in einem Bett.

WOYZECK *(schüttelt Andres).* Andres! Andres! ich kann nit schlafe, wenn ich die Auge zumach, dreht sich's immer und ich hör die Geigen, immer zu, immer zu, und dann spricht's aus der Wand, hörst du nix?
ANDRES. Ja, – laß sie tanze! Gott behüt uns. Amen. *(Schläft wieder ein.)*
WOYZECK. Es zieht mir zwischen de Auge wie ein Messer.
ANDRES. Du mußt Schnaps trinke und Pulver drein, das schneidt das Fieber.

⟨14⟩   WIRTSHAUS

Tambourmajor. Woyzeck. Leute.

TAMBOURMAJOR. Ich bin ein Mann! *(schlägt sich auf die Brust)* ein Mann sag ich. Wer will was? Wer kein bsoffe Herrgott ist der laß sich von mir! Ich wollt ihm die Nas ins Arschloch prügeln. Ich will – *(zu Woyzeck)* da Kerl, sauf, der Mann muß saufen. Ich wollt die Welt wär Schnaps, Schnaps.
WOYZECK *(pfeift).*
TAMBOURMAJOR. Kerl, soll ich dir die Zung aus dem Hals ziehe und sie um den Leib herumwickle? *(Sie ringen, Woyzeck verliert.)* Soll ich dir noch soviel Atem lassen als ein Altweiberfurz, soll ich?

Woyzeck *(setzt sich erschöpft zitternd auf die Bank.)*
Tambourmajor. Der Kerl soll dunkelblau pfeifen. Ha.
                Brandewein das ist mein Leben
                Brandwein gibt Courage!
Eine. Der hat sei Fett.
Andre. Er blut.
Woyzeck. Eins nach dem andern.

⟨15⟩   WOYZECK. DER JUDE

Woyzeck. Das Pistolche is zu teuer.
Jud. Nu, kauft's oder kauft's nit, was is?
Woyzeck. Was kost das Messer?
Jud. 's ist ganz, grad. Wollt Ihr Euch den Hals mit abschneide?
    Nu, was is es? Ich geb's Euch so wohlfeil wie ein andern, Ihr
    sollt Euern Tod wohlfeil habe, aber doch nit umsonst. Was is
    es? Er soll en ökonomische Tod habe.
Woyzeck. Das kann mehr als Brot schneiden.
Jud. Zwe Grosche.
Woyzeck. Da! *(Geht ab.)*
Jud. Da! Als ob's nichts wär. Und es is doch Geld. Der Hund.

⟨16⟩   MARIE. DAS KIND. DER IDIOT

Marie *(blättert in der Bibel).* »Und ist kein Betrug in seinem
    Munde erfunden . . .« Herrgott, Herrgott! Sieh mich nicht an.
    (Blättert weiter.) ». . . aber die Pharisäer brachten ein Weib zu
    ihm, im Ehebruche begriffen und stelleten sie ins Mittel dar. –
    Jesus aber sprach: so verdamme ich dich auch nicht. Geh hin
    und sündige hinfort nicht mehr.« *(Schlägt die Hände zusam-*
    men.) Herrgott! Herrgott! Ich kann nicht. Herrgott gib mir
    nur soviel, daß ich beten kann. *(Das Kind drängt sich an sie.)*
    Das Kind, gibt mir einen Stich ins Herz. Fort! Das brüht sich
    in der Sonne!
Karl *(liegt und erzählt sich Märchen an den Fingern).* Der hat
    die golden Kron, der Herr König. Morgen hol ich der Frau
    Königin ihr Kind. Blutwurst sagt: komm Leberwurst. *(Er*
    nimmt das Kind und wird still.)
Marie. Der Franz ist nit gekomm, gestern nit, heut nit, es wird
    heiß hier. *(Sie macht das Fenster auf.)* ». . . Und trat hinein zu
    seinen Füßen und weinete und fing an seine Füße zu netzen
    mit Tränen und mit den Haaren ihres Hauptes zu trocknen

und küssete seine Füße und salbete sie mit Salben.« *(Schlägt sich auf die Brust.)* Alles tot! Heiland, Heiland ich möchte dir die Füße salben.

⟨17⟩   KASERNE

Andres. Woyzeck kramt in seinen Sachen.

WOYZECK. Das Kamisolche Andres, ist nit zur Montur, du kannst's brauche, Andres. Das Kreuz is mei Schwester und das Ringlein, ich hab auch noch ein Heiligen, zwei Herze und schön Gold, es lag in meiner Mutter Bibel, und da steht:

> Leiden sei all mein Gewinst,
> Leiden sei mein Gottesdienst,
> Herr wie dein Leib war rot und wund,
> So laß mein Herz sein aller Stund.

Mei Mutter fühlt nur noch, wenn ihr die Sonn auf die Händ scheint. Das tut nix.

ANDRES *(ganz starr, sagt zu Allem:)* Ja wohl.

WOYZECK *(zieht ein Papier heraus).* Friedrich Johann Franz Woyzeck, geschworner Füsilier im 2. Regiment, 2. Bataillon, 4. Kompagnie, geboren Mariä Verkündigung, ich bin heut, den 20. Juli, alt 30 Jahr, 7 Monat und 12 Tage.

ANDRES. Franz, du kommst ins Lazarett. Armer, du mußt Schnaps trinke und Pulver drei, das tödt das Fieber.

WOYZECK. Ja Andres, wann der Schreiner die Hobelspän sammelt, es weiß niemand, wer sein Kopf drauf lege wird.

⟨18⟩   DER HOF DES PROFESSORS

Studenten unten, der Professor am Dachfenster.

PROFESSOR. Meine Herrn, ich bin auf dem Dach, wie David, als er die Bathseba sah; aber ich sehe nichts als die culs de Paris der Mädchenpension im Garten trocknen. Meine Herrn wir sind an der wichtigen Frage über das Verhältnis des Subjektes zum Objekt. Wenn wir nur eins von den Dingen nehmen, worin sich die organische Selbstaffirmation des Göttlichen, auf einem der hohen Standpunkte manifestiert, und ihre Verhältnisse zum Raum, zur Erde, zum Planetarischen untersuchen, meine Herrn, wenn ich diese Katze zum Fenster hinauswerf, wie wird diese Wesenheit sich zum centrum gravitationis und dem eignen Instinkt verhalten. He Woyzeck, *(brüllt)* Woyzeck!

WOYZECK. Herr Professor sie beißt.

PROFESSOR. Kerl, Er greift die Bestie so zärtlich an, als wär's sei Großmutter.

WOYZECK. Herr Doktor ich hab's Zittern.

DOKTOR *(ganz erfreut)*. Ei, Ei, schön Woyzeck. *(Reibt sich die Hände. Er nimmt die Katze.)* Was seh ich meine Herrn, die neue Spezies Hasenlaus, eine schöne Spezies, wesentlich verschieden, enfoncé, der Herr Doktor. *(Er zieht eine Lupe heraus.)* Rizinus, meine Herrn – *(Die Katze läuft fort.)* Meine Herrn, das Tier hat kein wissenschaftlichen Instinkt.

PROFESSOR. Rizinus, herauf, die schönsten Exemplare, bringen Sie Ihre Pelzkragen!

DOKTOR. Meine Herrn, Sie können dafür was andres sehen, sehn Sie der Mensch, seit einem Vierteljahr ißt er nichts als Erbsen, beackte Sie die Wirkung, fühle Sie einmal was ein ungleicher Puls, da, und die Augen.

WOYZECK. Herr Doktor es wird mir dunkel. *(Er setzt sich.)*

DOKTOR. Courage Woyzeck noch ein paar Tage, und dann ist's fertig, fühlen Sie, meine Herrn, fühlen Sie. *(Sie betasten ihm Schläfe, Puls und Busen.)*
à propos, Woyzeck, beweg den Herren doch eimal die Ohre, ich hab es Ihnen schon zeigen wollen. Zwei Muskeln sind bei ihm tätig. Allons frisch!

WOYZECK. Ach Herr Doktor!

DOKTOR. Bestie, soll ich dir die Ohre bewege, willst du's machen wie die Katze! So meine Herrn, das sind so Übergänge zum Esel, häufig auch in Folge weiblicher Erziehung, und die Muttersprache. Wieviel Haare hat dir dei Mutter zum Andenke schon ausgerissen aus Zärtlichkeit? Sie sind dir ja ganz dünn geworden, seit ein Paar Tagen, ja die Erbse, meine Herren.

⟨19⟩   MARIE MIT MÄDCHEN VOR DER HAUSTÜR

MÄDCHEN *(singen)*. Wie scheint die Sonn Sankt Lichtmeßtag
　　　　　　　　Und steht das Korn im Blühn.
　　　　　　　　Sie ginge wohl die Straße hin,
　　　　　　　　Sie ginge zu zwei und zwein.
　　　　　　　　Die Pfeifer gingen vorn
　　　　　　　　Die Geiger hinter drein.
　　　　　　　　Sie hatte rote ...

ERSTES KIND. 's ist nit schön.

ZWEITES KIND. Was wills du auch immer.

ERSTES KIND. Was hast zuerst angefange.

ZWEITES KIND. Ich kann nit.

ANDERES. Es muß sing.

KINDER. Marieche sing du uns.

MARIE. Kommt ihr klei Krabbe!

>   Ringle, ringel Rosekranz,
>   König Herodes.
>   ...

ANDERE
*(abwechselnd
dazwischen).*
Warum?
Darum!
Aber warum
darum?

Großmutter erzähl!

GROSSMUTTER. Es war eimal ein arm Kind und hat kein Vater und kei Mutter, war Alles tot und war Niemand mehr auf der Welt. Alles tot, und es ist hingangen und hat gerrt Tag und Nacht. Und wie auf der Erd Niemand mehr war, wollt's in Himmel gehn, und der Mond guckt es so freundlich an und wie's endlich zum Mond kam, war's ein Stück faul Holz und da ist es zur Sonn gangen und wie's zur Sonn kam, war's ein verwelkt Sonneblum und wie's zu den Sterne kam warn's klei golde Mücke, die warn angesteckt wie der Neuntöter sie auf die Schlehe steckt, und wie's wieder auf die Erd wollt, war die Erd ein umgestürzter Hafen und war ganz allein und da hat sich's hingesetzt und gerrt und da sitzt es noch und ist ganz allein.

WOYZECK. Marie!

MARIE *(erschreckt).* Was ist?

WOYZECK. Marie wir wolle gehn, 's ist Zeit.

MARIE. Wohinaus?

WOYZECK. Weiß ich's?

⟨20⟩   MARIE UND WOYZECK

MARIE. Also dort hinaus ist die Stadt, 's ist finster.

WOYZECK. Du sollst noch bleiben. Komm setz dich.

MARIE. Aber ich muß fort.

WOYZECK. Du würdst dir die Füße nicht wund laufen.

MARIE. Wie bist du denn auch!

WOYZECK. Weißt du auch wie lang es jetzt ist Marie?

MARIE. Um Pfingsten zwei Jahr.

WOYZECK. Weißt du auch wie lang es noch sein wird?

MARIE. Ich muß fort, der Nachttau fallt.

WOYZECK. Friert's dich, Marie, und doch bist du warm. Was

du heiße Lippen hast! – heiß, heißn Hurenatem und doch
möcht ich den Himmel gebe sie noch eimal zu küsse – und
wenn man kalt ist, so friert man nicht mehr. Du wirst vom
Morgentau nicht friern.

MARIE. Was sagst du?

WOYZECK. Nix.

(Schweigen.)

MARIE. Was der Mond rot aufgeht.

WOYZECK. Wie ein blutig Eisen.

MARIE. Was hast du vor? Franz, du bist so blaß. Franz halt. Um
des Himmels willen, Hü- Hülfe!

WOYZECK. Nimm das, und das! Kannst du nicht sterbe? So! so!
Ha sie zuckt noch, noch nicht noch nicht? Immer noch?
(Stößt zu.) Bist du tot? Tot! Tot! *(Es kommen Leute, läuft
weg.)*

⟨21⟩   ES KOMMEN LEUTE

ERSTE PERSON. Halt!

ZWEITE PERSON. Hörst du? Still! Dort!

ERSTE PERSON. Uu! Da! Was ein Ton.

ZWEITE PERSON. Es ist das Wasser, es ruft, schon lang ist Niemand ertrunken. Fort, 's ist nicht gut, es zu hören.

ERSTE PERSON. Uu, jetzt wieder. Wie ein Mensch der stirbt.

ZWEITE PERSON. Es ist unheimlich, so duftig – halb Nebel,
grau, und das Summen der Käfer, wie gesprungne Glocke.
Fort!

ERSTE PERSON. Nein, zu deutlich, zu laut. Da hinauf. Komm
mit.

⟨22⟩   DAS WIRTSHAUS

WOYZECK. Tanzt alle, immer zu, schwitzt und stinkt, er holt
euch doch eimal Alle.

   (Singt.)   Frau Wirtin hat 'ne brave Magd.
                  Sie sitzt im Garten Tag und Nacht,
                  Sie sitzt in ihrem Garten
                  Bis daß das Glöcklein zwölfe schlägt
                  Und paßt auf die Soldate.

(Er tanzt.) So Käthe! setz dich! Ich hab heiß! heiß, *(er zieht
den Rock aus)* es ist eimal so, der Teufel holt die eine und läßt
die andre laufen. Käthe du bist heiß! Warum denn Käthe? Du

wirst auch noch kalt werden. Sei vernünftig. Kannst du nicht
singe?

KÄTHE.   Ins Schwabeland, das mag ich nicht,
                  Und lange Kleider trag ich nicht,
                  Denn lange Kleider, spitze Schuh,
                  Die kommen keiner Dienstmagd zu.

WOYZECK. Nein, kei Schuh, man kann auch ohne Schuh in die
Höll gehn.

KÄTHE.   O pfui mein Schatz, das war nicht fein.
                  Behalt dei Taler und schlaf allein.

WOYZECK. Ja wahrhaftig, ich möchte mich nicht blutig mache.

KÄTHE. Aber was hast du an dei Hand?

WOYZECK. Ich? Ich?

KÄTHE. Rot! Blut. *(Es stellen sich Leute um sie.)*

WOYZECK. Blut? Blut?

WIRT. Uu Blut.

WOYZECK. Ich glaub ich hab mich geschnitte, da an die rechte
Hand.

WIRT. Wie kommt's aber an de Ellenbog?

WOYZECK. Ich hab's abgewischt.

WIRT. Was, mit der rechten Hand an de rechte Ellboge? Ihr
seid geschickt.

NARR. Und da hat de Ries gesagt: ich riech, ich riech, ich riech
Menschefleisch. Puh! Der stinkt schon.

WOYZECK. Teufel, was wollt Ihr? Was geht's Euch an? Platz!
oder de erste – Teufel! Meint Ihr ich hätt jemand umgebracht? Bin ich Mörder? Was gafft Ihr! Guckt Euch selbst an!
Platz da. *(Er läuft hinaus.)*

⟨23⟩   WOYZECK ALLEIN

WOYZECK. Das Messer? Wo ist das Messer? Ich hab es da gelas-
se. Es verrät mich! Näher, noch näher! Was ist das für ein
Platz? Was höre ich? Es rührt sich was. Still. Da in der Nähe.
Marie? Ha Marie! Still. Alles still! Da liegt was! kalt, naß,
stille. Weg von dem Platz. Das Messer, das Messer, hab ich's?
So! Leute. – Dort. *(Er läuft weg.)*

⟨24⟩   WOYZECK AN EINEM TEICH

WOYZECK. So, da hinunter! *(Er wirft das Messer hinein.)* Es
taucht in das dunkle Wasser, wie Stein! Der Mond ist wie ein

blutig Eisen! Will denn die ganze Welt es ausplaudern? Nein
es liegt zu weit vorn, wenn sie sich bade, *(er geht in den Teich
und wirft weit)* so jetzt, aber im Sommer, wenn sie tauchen
nach Muscheln, bah, es wird rostig! Wer kann's erkennen.
Hätt' ich es zerbroche! Bin ich noch blutig? Ich muß mich
wasche. Da ein Fleck und da noch einer.

⟨25⟩   KINDER

ERSTES KIND. Fort. Mariechen!
ZWEITES KIND. Was is?
ERSTES KIND. Weißt du's nit? Sie sind schon alle hinaus. Drauß
liegt eine?
ZWEITES KIND. Wo?
ERSTES KIND. Links über die Lochschanz in die Wäldche, am
roten Kreuz.
ZWEITES KIND. Fort, daß wir noch was sehen. Sie trage sonst
hinein.

⟨26⟩   GERICHTSDIENER. ARZT. RICHTER

GERICHTSDIENER. Ein guter Mord, ein ächter Mord, ein schöner Mord, so schön als man ihn nur verlangen tun kann, wir
haben schon lange so kein gehabt.

⟨27⟩   DER IDIOT. DAS KIND. WOYZECK

KARL *(hält das Kind vor sich auf dem Schoß).* Der ist ins Wasser
gefallen, der is ins Wasser gefalle, nein, der is ins Wasser
gefalle.
WOYZECK. Bub, Christian.
KARL *(sieht ihn starr an).* Der is ins Wasser gefalle.
WOYZECK *(will das Kind liebkosen, es wendet sich weg und
schreit).* Herrgott!
KARL. Der is ins Wasser gefalle.
WOYZECK. Christianche, du bekommst en Reuter, sa, sa. *(Das
Kind wehrt sich. Zu Karl.)* Da kauf dem Bub en Reuter.
KARL *(sieht ihn starr an).*
WOYZECK. Hop! hop! Roß.
KARL *(jauchzend).* Hop. hop! Roß! Roß, *(Läuft mit dem Kind
weg.)*

PROBEVORLESUNG
ÜBER SCHÄDELNERVEN

Zürich 1836

Hochgeachtete Zuhörer!

⟨...⟩ Es treten uns auf dem Gebiete der physiologischen und anatomischen Wissenschaften zwei sich gegenüberstehende Grundansichten entgegen, die sogar ein nationelles Gepräge tragen, indem die eine in England und Frankreich, die andere in Deutschland überwiegt. Die erste betrachtet alle Erscheinungen des organischen Lebens vom *teleologischen* Standpunkt aus; sie findet die Lösung des Rätsels in dem Zweck der Wirkung, in dem Nutzen der Verrichtung eines Organs. Sie kennt das Individuum nur als etwas, das einen Zweck außer sich erreichen soll, und nur in seiner Bestrebung, sich der Außenwelt gegenüber teils als Individuum, teils als Art zu behaupten. Jeder Organismus ist für sie eine verwickelte Maschine, mit den künstlichen Mitteln versehen, sich bis auf einen gewissen Punkt zu erhalten. Das Enthüllen der schönsten und reinsten Formen im Menschen, die Vollkommenheit der edelsten Organe, in denen die Psyche fast den Stoff zu durchbrechen und sich hinter den leichtesten Schleiern zu bewegen scheint, ist für sie nur das Maximum einer solchen Maschine. Sie macht den Schädel zu einem künstlichen Gewölbe mit Strebepfeilern, bestimmt, seinen Bewohner, das Gehirn, zu schützen, – Wangen und Lippen zu einem Kau- und Respirationsapparat, – das Auge zu einem komplizierten Glase, – die Augenlider und Wimpern zu dessen Vorhängen; – ja die Träne ist nur der Wassertropfen, welcher es feucht erhält. Man sieht, es ist ein weiter Sprung von da bis zu dem Enthusiasmus, mit dem *Lavater* sich glücklich preist, daß er von so was Göttlichem, wie den Lippen, reden dürfe.

Die teleologische Methode bewegt sich in einem ewigen Zirkel, indem sie die Wirkungen der Organe als Zwecke voraussetzt. Sie sagt zum Beispiel: soll das Auge seine Funktion versehen, so muß die Hornhaut feucht erhalten werden, und somit ist eine Tränendrüse nötig. Diese ist also vorhanden, damit das Auge feucht erhalten werde, und somit ist das Auftreten dieses Organs erklärt; es gibt nichts weiter zu fragen, – die entgegengesetzte Ansicht sagt dagegen: die Tränendrüse ist nicht da, damit das Auge feucht werde, sondern das Auge wird feucht, weil eine Tränendrüse da ist, oder, um ein anderes Beispiel zu geben, wir haben nicht Hände, damit wir greifen können, sondern wir greifen, weil wir Hände haben. Die *größtmöglichste Zweckmäßigkeit* ist das einzige Gesetz der teleologischen Methode; nun fragt man aber natürlich nach dem Zwecke dieses Zweckes, und so macht sie auch ebenso natürlich bei jeder Frage einen progressus in infinitum.

Die Natur handelt nicht nach Zwecken, sie reibt sich nicht in einer unendlichen Reihe von Zwecken auf, von denen der eine den anderen bedingt; sondern sie ist in allen ihren Äußerungen sich unmittelbar *selbst genug*. Alles, was ist, ist um seiner selbst willen da. Das Gesetz dieses Seins zu suchen, ist das Ziel der, der teleologischen gegenüberstehenden Ansicht, die ich die *philosophische* nennen will. Alles, was für *jene* Zweck ist, wird für *diese* Wirkung. Wo die teleologische Schule mit ihrer Antwort fertig ist, fängt die Frage für die philosophische an. Diese Frage, die uns auf allen Punkten anredet, kann ihre Antwort nur in einem Grundgesetze für die gesamte Organisation finden, und so wird für die philosophische Methode das ganze körperliche Dasein des Individuums nicht zu seiner eigenen Erhaltung aufgebracht, sondern es wird die Manifestation eines Urgesetzes, eines Gesetzes der Schönheit, das nach den einfachsten Rissen und Linien die höchsten und reinsten Formen hervorbringt. Alles, Form und Stoff, ist für sie an dies Gesetz gebunden. Alle Funktionen sind Wirkungen desselben; sie werden durch keine äußeren Zwecke bestimmt, und ihr sogenanntes zweckmäßiges Aufeinander- und Zusammenwirken ist nichts weiter, als die notwendige Harmonie in den Äußerungen eines und desselben Gesetzes, dessen Wirkungen sich natürlich nicht gegenseitig zerstören.

Die Frage nach einem solchen Gesetze führte von selbst zu den zwei Quellen der Erkenntnis, aus denen der Enthusiasmus des absoluten Wissens sich von je berauscht hat, der Anschauung des Mystikers und dem Dogmatismus der Vernunftphilosophen. Daß es bis jetzt gelungen sei, zwischen letzterem und dem Naturleben, das wir unmittelbar wahrnehmen, eine Brücke zu schlagen, muß die Kritik verneinen. Die Philosophie a priori sitzt noch in einer trostlosen Wüste; sie hat einen weiten Weg zwischen sich und dem frischen grünen Leben, und es ist eine große Frage, ob sie ihn je zurücklegen wird. Bei den geistreichen Versuchen, die sie gemacht hat, weiter zu kommen, muß sie sich mit der Resignation begnügen, bei dem Streben handle es sich nicht um die Erreichung des Ziels, sondern um das Streben selbst.

War nun auch nichts absolut Befriedigendes erreicht, so genügte doch der Sinn dieser Bestrebungen dem Naturstudium eine andere Gestalt zu geben. Hatte man auch die Quelle nicht gefunden, so hörte man doch an vielen Stellen den Strom in der Tiefe rauschen und an manchen Orten sprang das Wasser frisch und hell auf. Namentlich erfreuten sich die Botanik und Zoologie, die Physiologie und vergleichende Anatomie eines bedeutenden Fortschritts. In einem ungeheuren, durch den Fleiß von Jahrhunderten zusammengeschleppten Material, das kaum unter die Ordnung eines Kataloges gebracht war, bildeten sich einfache, natürliche Gruppen; ein Gewirr seltsamer Formen unter den abenteuerlichsten Namen, löste sich im schönsten Ebenmaß auf; eine Masse Dinge, die sonst nur als getrennte, weit auseinander liegende facta das Gedächtnis beschwerten, rückten zusammen, entwickelten sich auseinander oder stellten sich in Gegensätzen gegenüber. Hat man auch nichts Ganzes erreicht, so kamen doch zusammenhängende Strecken zum Vorschein und das Auge, das an einer Unzahl von Tatsachen ermüdet, ruht mit Wohlgefallen auf so schönen Stellen, wie die Metamorphose der Pflanze aus dem Blatt, die Ableitung des Skeletts aus der Wirbelform; die Metamorphose, ja die Metempsychose des Fötus während des Fruchtlebens; die Repräsentationsidee Okens in der Klassifikation des Tierreichs u.d.gl.m. In der vergleichenden Anatomie strebte Alles nach einer gewissen Einheit, nach dem Zurückführen aller Formen auf den einfachsten primitiven Typus. ⟨So gelangte man bald zur⟩ Deutung der Gebilde des vegetativen ⟨Nervensystems für die Ausbildung⟩ des Skeletts; nur für das ⟨Hirn ließ sich bis⟩ jetzt kein so glückliches Resultat zeigen. ⟨Aber da man⟩ gesagt hatte: der Schädel ist eine Wirbelsäule, so mußte man auch sagen das Hirn ist ein metamorphosiertes Rückenmark und die Hirnnerven sind Spinalnerven. Wie aber dies im Einzelnen nachzuweisen sei, bleibt bis jetzt ein schweres Rätsel. Wie können die Massen des Gehirns auf die einfache Form des Rückenmarkes zurückgeführt werden? Wie kann man die in ihrem Ursprung und Verlauf so verwickelten Nerven des Gehirns mit den so gleichmäßig mit ihrer doppelten Wurzelreihe längs des Rückenmarks entspringenden und im Ganzen so einfach und regelmäßig verlaufenden Spinalnerven vergleichen, und wie endlich ihr Verhältnis zu den Schädelwirbeln dartun? Mancherlei Antworten wurden auf diese Fragen versucht. Eine besondere Mühe verwendete Carus darauf.

Hier die Art wie er die Hirnnerven in seinem Werke *von den Urteilen des Knochen und ⟨Schalen⟩gerüstes* ordnet. Das Ge-

hirn hat nach ihm drei Hauptanschwellungen: die Hemisphären, die Vierhügel und das kleine Gehirn. Diesen entsprechen
drei Paar Schädelnerven. Jeder Schädelnerv entspringt gleich
den Spinalnerven mit zwei Wurzeln, einer hinteren und einer
vorderen, die sich aber nicht zu einem gemeinschaftlichen
Stamm vereinigen, sondern jede für sich einen eigentümlichen
Nerven bilden. Die drei hinteren Wurzeln sind nun der Riech,
Seh und Hörnerv, die vorderen dagegen das fünfte Paar entsprechend dem Sehnerven, und das zehnte Paar entsprechend
dem Hörnerven, während die vordere Wurzel des ⟨Riechner-
ven durch das infundibulum⟩ nur rudimentär angedeutet ist.
⟨Die übrigen Hirnnerven erweisen⟩ sich als Unterabteilungen
dieser Wurzeln. ⟨So zerfällt die hintere⟩ Wurzel des zweiten
Schädelnerven ⟨in den opticus und patheticus⟩ und die vordere
in den facialis, oculomotorius, ⟨abducens und den⟩ eigentlichen
trigeminus, und so zerfällt die vordere Wurzel des dritten Schädelnerven in den glossopharyngeus, hypoglossus, accessorius
Willis und eigentlichen vagus. Man braucht nur aufmerksam zu
machen, wie unpassend es sei zwei so deutliche Empfindungsnerven wie den vagus und trigeminus zu isolierten motorischen
Wurzeln zu machen, um das Ungenügende dieser Anordnung
nachzuweisen. – Der bedeutendste Versuch ist wohl der, welchen Arnold machte. Er zählt zwei Schädelwirbel; daraus ergeben sich zwei Intervertebrallöcher und somit zwei Paar Schädelnerven. Die vordere oder die motorische Wurzel des ersten
Schädelnerven bildet die drei Muskelnerven des Auges und die
kleine Portion des trigeminus; die hintere dagegen die große
Portion dieses Nerven. Was den zweiten Schädelnerven betrifft
so geht seine vordere Wurzel in den hypoglossus und den Beinerven und seine hintere in den vagus über. Die Knoten des
vagus und trigeminus entsprechen den Spinalknoten. Der facialis wird zum vorderen, der glossopharyngeus zum hinteren
Schädelnerven gerechnet, ohne daß sie jedoch einer von beiden
Wurzeln beigezählt würden, sondern sie werden als gemischte,
aus Bewegungs und Empfindungsfäden zusammengesetzte
Nerven betrachtet. Die obere Augenhöhlenspalte und das zer-
rissene Loch bilden die zwei Intervertebrallöcher, das ovale und
runde Loch werden als zu der erstern, das Gelenkhügelloch als
zu dem letzteren gehörig ⟨betrachtet. Die Nerven des Gesichts,⟩ Geruchs und Gehörs machen ⟨eine besondere Gruppe
aus; sie⟩ werden nicht als eigentliche ⟨Hirnnerven, sondern als⟩
Ausstülpungen des Gehirns betrachtet, ⟨eine Anschauung, die⟩

auf ihre Entwicklung beim Fötus, ihren Mangel an Knoten, die den Spinalknoten entsprächen und auf ihr Unvermögen eine andre Empfindung, als die ihres eigentümlichen Sinnes, zur Erkenntnis zu bringen, basiert wird. Gegen diese Einteilung, welche sich, wie man auf den ersten Blick sieht, im höchsten Grade durch ihre Einfachheit empfiehlt, erheben sich jedoch mehrere bedeutende Gründe, namentlich macht das Absondern der drei höheren Sinnesnerven Schwierigkeiten. Die passive Seite des Nervenlebens erscheint unter der allgemeinen Form der Sensibilität; die sogenannten einzelnen Sinne sind nichts als Modifikationen dieses allgemeinen Sinnes, Sehen, Hören, Riechen, Schmecken sind nur die feineren Blüten desselben. So ergibt es sich aus der stufenweisen Betrachtung der Organismen. Man kann Schritt für Schritt verfolgen, wie von dem einfachsten Organismus an, wo alle Nerventätigkeit in einem dumpfen Gemeingefühl besteht, nach und nach besondere Sinnesorgane sich abgliedern und ausbilden. Ihre Sinne sind nichts neu Hinzugefügtes, sie sind nur Modifikationen in einer höheren Potenz. Das Nämliche gilt natürlich von den Nerven, welche ihre Funktionen vermitteln; sie erscheinen unter einer vollkommneren Form, als die übrigen Empfindungsnerven, ohne deswegen ihren ursprünglichen Typus zu verlieren. *Jeder Empfindungsnerv charakterisiert sich aber bei den Wirbeltieren als ein aus den hinteren Marksträngen entspringendes Wurzelbündel und somit sind die 3 höheren Sinnesnerven nichts weiter als isoliert gebliebne sensible Wurzeln.* Bei den Fischen wird dies Verhalten ziemlich deutlich und bei den Cyprinen glaube ich ihren Ursprung von den hinteren Marksträngen oder den oberen Pyramiden gleich den übrigen Empfindungsnerven nachgewiesen zu haben. Übrigens würde mich die weitere Diskussion dieser Frage, über die noch Viel zu sagen wäre, zu weit führen.

Es dürfte wohl immer verg⟨eblic⟩h ⟨bleiben gerade mit der⟩ verwickeltsten Form, nämlich bei dem M⟨enschen anzufangen.⟩ Die einfachsten Formen leiten immer am Sichersten, wei⟨l in⟩ ihnen sich nur das Ursprüngliche, absolut Notwendige zeigt. Diese einfache Form bietet uns nun die Natur für dieses Problem entweder vorübergehend im Fötus, oder stehen geblieben, selbstständig geworden in den niedern Wirbeltieren dar. Die Formen wechseln jedoch beim Fötus so rasch und sind oft nur so flüchtig angedeutet, daß man nur mit der größten Schwierigkeit zu einigermaßen genügenden Resultaten gelangen kann, während sie bei den niedrigen Wirbeltieren zu einer vollständigen Ausbildung gelangen und uns so die Zeit lassen sie in ihrem einfachsten und bestimmtesten Typus zu studieren. Es fragt sich also in unserem Falle, welche Schädelnerven treten bei den niedrigsten Wirbeltieren zuerst auf, wie verhalten sie sich zu den Hirnmassen und den Schädelwirbeln und nach welchen Gesetzen wird, die Reihe der Wirbeltiere durch bis zum Menschen, ihre Zahl vermehrt oder vermindert, ihr Verlauf einfacher oder verwickelter? Faßt man nun die Tatsachen, welche die Wissenschaft uns bis jetzt an die Hand gibt zusammen, so findet man 9 Paar Schädelnerven, nämlich den: olfactivus, opticus, die 3 Muskelnerven des Auges, den trigeminus, acusticus, vagus und hypoglossus bei allen Klassen der Wirbeltiere, während die drei ⟨übrigen Schädelnerven, nämlich der facialis, glossopharyngeus⟩ und accessorius Willisii, bald ⟨als selbständige Nerven ausgebildet sind, bald⟩ nur als Äste des vagus ⟨oder des trigeminus auftret⟩en, oder gänzlich verschwinden. ⟨So tr⟩itt bei den Fischen der facialis, als der Deckelast des 5. Paares auf, verschwindet dann bei der Mehrzahl der Reptilien und Vögel, und zeigt sich wieder bei den Säugetieren in dem Maße als die Physiognomie mehr Ausdruck bekommt und die Nasenrespiration bedeutender wird. So tritt der glossopharyngeus bei den Fischen zwar als ein selbstständiger Stamm auf, verhält sich jedoch durch seine Verteilung an die erste Kieme ganz wie ein Ast des vagus, verschmilzt dann bei den Batrachiern und Ophidiern mit dem vagus, dessen ramus lingualis er bildet, isoliert sich wieder bei den Cheloniern und bleibt endlich bei den Vögeln und Säugetieren ein selbstständiger Nerv. So zeigt sich bei den Fischen und Batrachiern keine Spur von einem Beinerven, indem der vagus selbst die motorischen Fäden abgibt; erst bei den Sauriern, Cheloniern und Vögeln fängt er an sich zu isolieren und selbst bei den Säugetieren ist er im Allgemeinen eigentlich nicht von dem vagus getrennt. Ich nenne diese drei Nervenpaare abgeleitete Nerven und betrachte sie, wo sie selbstständig auftreten als isolierte Zweige des vagus und trigeminus, deren Isolation von der mehr oder weniger gesteigerten Funktion ihres Primitivnervenstammes abhängt. Damit wird das Problem viel einfacher und ⟨es erhebt sich nun die Frage: Wie lassen⟩ sich die übrigen Paare auf den ⟨Typus der Spinalnerven⟩ zurückführen? – Jeder Spinalnerv entspringt, ⟨wenn er den Rückenmarkkanal verläßt,⟩ 2 Wurzelbündeln, einem vorderen die Bewegung, ⟨und einem⟩ hinteren die Empfindung vermittelnden. Beide Wurzeln vereinigen sich in einer gewissen Distanz vom Mark zu einem gemeinschaftlichen Nervenstamm. Je zwei Spinalnerven bilden durch ihre Insertion einen Markabschnitt, dem ein Wirbel entspricht. Dies das einfachste Verhältnis. Auf welche Weise kann nun dasselbe modifiziert werden?

1.) Beide Wurzeln vereinigen sich nicht mehr zu einem gemeinschaftlichen Stamm, sondern jede bleibt isoliert und bildet einen eignen, rein motorischen oder rein sensibeln Nerven.

2.) Beide Wurzeln vereinigen sich zwar, doch tritt eine partielle Trennung in ihren Fäden ein, so daß in den Ästen, welche der von ihnen zusammengesetzte Nerv abgibt die motorischen und sensibeln Fäden nicht mehr gleichmäßig verteilt sind. Dies Verhalten bildet den Übergang zu dem vorhergehenden.

3.) Eine von den Wurzeln avortiert, so daß sich nur die andere entwickelt.

4.) So wie von den zwei Wurzeln jede einen besondern Nerven bilden kann, so kann dieser Nerv selbst wieder in mehrere isolierte Stämme zerfallen.

Auf diese 4 Modifikationen nun lassen sich, wie ich sogleich nachweisen werde, die Unterschiede zwischen den Schädel und ⟨Spinalnerven zurückführen. Mit ihr⟩er Hülfe lassen sich 6 ⟨Hirnnervenpaare unterscheiden⟩, denen entsprechend ich 6 Schädelwirbel ⟨annehme, was ich speziell bei den Fischen begr⟩ünden zu können glaube. ⟨Die sechs⟩ Paar Schädelnerven sind: der Zungenfleischnerv, der vagus, der Hörnerv, das 5. Paar, der Sehnerv mit dem Muskelnerv des Auges und der Riechnerv.

Nichts ist leichter, als nachzuweisen, daß der hypoglossus ursprünglich mit einer hintern Wurzel und einem Spinalknoten versehen sei, und somit so gut als jeder andre Spinalnerv als ein selbstständiger Nervenstamm betrachtet werden müsse. Bei den Fischen entspringt der letzte Schädelnerv mit einer vorderen breiten und einer hinteren feinen mit einem Knoten versehenen Wurzel. Er tritt durch ein eignes Loch aus der Schädelhöhle und teilt sich darauf in zwei Äste, einen vordern und einen hintern. Der vordere läuft indem er einen Bogen bildet nach vorn zu den Muskeln des Zungenbeins, der hintere vereinigt sich mit dem ersten Spinalnerven und geht zur vorderen Extremität. Die Bedeutung dieses Nerven als hypoglossus ergibt sich fast auf den ersten Blick, indem der vordere Ast dem Bogen, der hintere der ansa entspricht. Der Frosch liefert übrigens den direkten Beweis. Zwischen dem vagus und dem ersten Spinal-

nerven entspringt ein Nerv mit zwei Wurzeln gerade wie bei
den Fischen; er teilt sich ebenfalls in zwei Äste, einen ⟨vorde-
ren, der sich an die Muskulatur der⟩ Zunge verteilt und ⟨einen
hinteren, der bei den Fischen und den höheren Wirbeltieren⟩
zur vordern Extremität geht. ⟨Es ist ohne weiters klar, daß
dieser⟩ Nerv dem hypoglossus der höheren Tiere entspricht
und ⟨eben⟩ so evident, daß er mit dem fraglichen Nerven der
Fische identisch ist. Bei den Fischen und Fröschen erscheint
also der hypoglossus als ein selbstständiger Nerv ⟨und⟩ zeigt
auf das deutlichste den Typus eines Spinalnerven. ⟨Ja,⟩ noch
mehr, bei dem Frosch ist er eigentlich der ⟨erste⟩ Spinalnerv,
indem der ihm entsprechende Schädelwirbel sich wieder in einen Rückenwirbel verwandelt hat und somit der vagus der letzte Gehirnnerv ist. Außerdem hat Maier selbst bei verschiednen
Säugetieren und einmal sogar bei dem Menschen, eine feinere,
hinten mit einem Knötchen versehene Wurzel des hypoglossus
gefunden. – Bei dem hypoglossus des Menschen tritt also die
dritte der erwähnten Modifikationen ein, die Empfindungswur-
zel ist avortiert und nur die motorische hat sich entwickelt, ein
Verhältnis das übrigens schon bei dem Fisch und Frosch durch
das Überwiegen der vorderen Wurzel über die hintere angedeutet ist.

Was den trigeminus anbelangt, so ist selbst bei dem Menschen, aus dem eigentümlichen Verhältnisse seiner portio major
und minor, seine Analogie mit dem Spinalnerven unverkennbar
und längst anerkannt.

⟨Ähnlich liegen die Verhältnisse bei den⟩ Fischen, wo außerdem ⟨eine enge Beziehung zwischen dem trigeminus und dem
facialis besteht, und wo die eigen⟩artigen Gebilde des ⟨ramus
opercularis vorhanden sind, der als hauptsächlich motorischer
Ast der vorderen Wurzel der⟩ Spinalnerven entspricht.

⟨Mit dem⟩ vagus hat die Sache bei den höheren Tieren mehr
Schwierigkeit, doch helfen auch hier die niederen Formen. So
entspringt bei dem Hecht zum Beispiel der vagus auf's Deutlichste mit 2 Wurzeln, einer vorderen und hinteren, die sich erst
nach ziemlich langem Verlauf bei ihrem Austritt aus der Schädelhöhle ⟨vereinigen⟩ und daselbst einen Knoten zeigen. Dieser
Spinalknoten ⟨des⟩ vagus ist bei vielen Fischen von enormer
Größe und ⟨findet⟩ sich, wie bekannt, noch bei dem Menschen.
Vagus und trigeminus bieten die zweite Modifikation dar, nämlich die partielle Trennung der motorischen und sensibeln Fäden in den Stämmen, in welche diese Nerven sich teilen, näm-

lich den facialis, glossopharyngeus und accessorius Willisii, wie ich bereits gezeigt habe. Im vagus wird diese Trennung vollständiger als beim trigeminus, wenigstens scheint dies aus dem Verhältnis des Beinerven zum vagus hervorzugehen, indem letzterer wirklich ohne alle motorische Fäden zu sein scheint. – Das 10. und 5. Paar zeigen in der ganzen Reihe der Wirbeltiere eine auffallende Symmetrie. Der vagus verhält sich zur Brust und Bauchhöhle wie der trigeminus zur Wiederholung dieser Höhlen am Kopf, nämlich der Mund und Nasenhöhle. Kurz der trigeminus ist ein vagus in einer höheren Potenz. Dies Verhältnis wird bei den Säugetieren besonders deutlich. Das 10. Paar teilt sich in 3 Nervenstämme, den accessorius Willisii, den eigentlichen vagus und den glossopharyngeus; das 5. Paar ebenfalls in drei, den facialis, den ⟨eigentlichen trigeminus und den Zungenast des trigeminus, den⟩ man eben so gut als ⟨vollständig selbstständigen Nerven auffassen kann.⟩ Wie der accessorius Willisii Atemnerv ⟨des Halses und eines Teiles der Brusthöhle ist, so ist⟩ der facialis Respirationsnerv des Kopfs; wie der ⟨Vagusstamm der Empfindungsnerv des⟩ Darmkanals ist, so ist der Zungenast des trigeminus der ⟨sensible Nerv der Zunge,⟩ diesem vollkommensten Teile des Darmkanals, diesem Organe ⟨des Eingeweidesinnes,⟩ wie Oken so sinnreich den Geschmack nennt. Endlich wie der ⟨vagus den⟩ glossopharyngeus als ⟨Geschmacks)nerven zur Zunge, so schickt der trigeminus den ⟨getrennt verlaufenden ophthalmicus⟩ als Hülfsnerven ⟨zur Na⟩se und dem Auge.

Es bleibt mir jetzt noch die Analogie der drei höheren Sinnesnerven mit den ⟨Spin⟩alnerven nachzuweisen. Der acusticus und olfactivus sind als hintere Wurzeln zu betrachten, deren vordere avortiert ist. Die Analogie, woraus ich dies schließe, liefert der hypoglossus, dessen hintere bei den Fischen, Fröschen und manchen Säugetieren vorkommende Wurzel, bei dem Menschen avortiert, während nur die vordere sich entwikkelte. Das Umgekehrte ist bei dem acusticus und olfactivus der Fall; nur die hintere Wurzel entwickelt sich und die vordere avortiert. Für beide wird die motorische Wurzel durch den facialis ersetzt. Für den acusticus erklärt sich dies leicht, wenn man bedenkt in welchem Verhältnis der, dem facialis entsprechende Deckelast der Fische zu der Kiemenhöhle steht. Oken hat nämlich nachgewiesen, das Ohr mit Ausnahme des Labyrinths sei nur eine metamorphosierte Kiemenhöhle und so sieht man leicht, daß die Fäden, welche der facialis bei Vögeln und

Säugetieren dem äußeren und inneren Ohr gibt, das Verhältnis des Deckelastes zur Kiemenhöhle wiederholen. –

In dem Sehnerven und den Muskelnerven des Auges treten endlich beide Wurzeln als isolierte Nerven auf, die hintere als zweites, die vordere als 3., 4. und 6. Paar, indem diese letzteren der vierten Modifikation, ⟨wo eine Wurzel wieder in besondere isolierte Nervenstämme zerfällt, entsprechen.⟩ Das 3. und 6. Paar ⟨entspringen ganz nahe beieinander und ungefähr auf gleicher Höhe,⟩ das eine vor dem ⟨andern, und bilden so zwei Bündel einer gemeinsamen Wur⟩zel, von denen das eine ⟨etwas früher als das andere aus dem⟩ Mark tritt. Das vierte Paar macht dagegen ⟨größere Schwierigkeiten,⟩ doch sein Verhalten bei manchen Fischen hebt sie größtenteils. ⟨Es entspringt⟩ bei den Cyprinen und dem Hecht vom äußeren Rand der vorderen Pyrami⟨denstränge,⟩ folglich vom nämlichen Markstrang wie das dritte und sechste.

In dem ⟨Augen⟩muskelnerv erreicht der Nerv als solcher seine höchste Entfaltung; er ⟨verhält⟩ sich, um ein Beispiel zu geben, zu den übrigen Nerven wie der Huf ⟨des Pferdes zu⟩ der Hand des Menschen. Was in dem ersteren noch verbunden liegt, glie⟨dert⟩ sich in der letzteren im schönsten Verhältnis ab. Diese Entwicklung fällt mit der Bedeutung des Auges zusammen, von dem Oken wahrhaftig mit Recht ⟨sagt,⟩ es sei das höchste Organ, die Blüte oder vielmehr die Frucht aller organischen Reiche.

So wären denn 6 Paar Schädelnerven gefunden: 1.) der Riechnerv, 2.) der Sehnerv mit dem 3., 4. und 6. Paar, 3.) der trigeminus, 4.) der acusticus, 5.) der vagus, 6.) der hypoglossus.

Ihre rechte Begründung kann übrigens diese Einteilung der Schädelnerven erst durch ihre Vergleichung mit den Schädelknochen erhalten. Diese jedoch auszuführen und nachzuweisen, wie ich diesen 6 Paaren 6 Schädelwirbel entsprechend, gefunden zu haben glaube, erlaubt die Zeit nicht.

Vergleicht man endlich die Schädelnerven untereinander, so findet man, daß sie sich in zwei Gruppen teilen. Die eine, gebildet vom acusticus und opticus, diesen Nerven des Schalls und des Lichts, ist der reinste Ausdruck des animalen Lebens; die andere, bestehend aus dem hypoglossus, vagus, trigeminus und olfactivus erhöht das vegetative zum animalen Leben. So werden wir uns des Aktes der Verdauung und der Respi⟨ration durch den vagus bewußt, so wird die Zunge als⟩ ein wesent⟨licher Bestandteil des Verdauungskanals durch den Einfluß⟩ des

hypoglossus dem Willen un⟨terworfen und dadurch ein⟩ wahres Glied des Kopfes; so entwickeln sich ⟨Geschmack und Ge-
⟩ruch, als die Sinne des Darm- und des Atemsystems ⟨unter
dem⟩ Einflusse des trigeminus und des olfac⟨tivus. Die Ner-
ven⟩ dieser letzteren Gruppe unterscheiden sich jedoch dadurch
⟨nicht⟩ wesentlicher von den übrigen Spinalnerven, als die Len-
dennerven, welche zu den Organen der Zeugung gehn. Die
ersteren verhalten sich zur Verdauung und Respiration, wie die
letzteren zu den Geschlechtsverrichtungen. Außerdem sind ja
alle Spinalnerven durch ihren Einfluß auf die Respirationsbewe-
gungen ebenfalls an das vegetative Leben geknüpft.

BRIEFE

CRITIQUE

1. An die Familie

Straßburg, ⟨nach dem 4. Dezember⟩ 1831.

⟨...⟩ Als sich das Gerücht verbreitete, daß Ramorino durch Straßburg reisen würde, eröffneten die Studenten sogleich eine Subskription und beschlossen, ihm mit einer schwarzen Fahne entgegenzuziehen. Endlich traf die Nachricht hier ein, daß Ramorino den Nachmittag mit den Generälen Schneider und Langermann ankommen würde. Wir versammelten uns sogleich in der Akademie; als wir aber durch das Tor ziehen wollten, ließ der Offizier, der von der Regierung Befehl erhalten hatte, uns mit der Fahne nicht passieren zu lassen, die Wache unter das Gewehr treten, um uns den Durchgang zu wehren. Doch wir brachen mit Gewalt durch und stellten uns drei- bis vierhundert Mann stark an der großen Rheinbrücke auf. An uns schloß sich die Nationalgarde an. Endlich erschien Ramorino, begleitet von einer Menge Reiter; ein Student hält eine Anrede, die er beantwortet, ebenso ein Nationalgardist. Die Nationalgarden umgeben den Wagen und ziehen ihn; wir stellen uns mit der Fahne an die Spitze des Zugs, dem ein großes Musikchor vormarschiert. So ziehen wir in die Stadt, begleitet von einer ungeheuren Volksmenge unter Absingung der Marseillaise und der Carmagnole; überall erschallt der Ruf: Vive la liberté! vive Ramorino! à bas les ministres! à bas le juste milieu! Die Stadt selbst illuminiert, an den Fenstern schwenken die Damen ihre Tücher, und Ramorino wird im Triumph bis zum Gasthof gezogen, wo ihm unser Fahnenträger die Fahne mit dem Wunsch überreicht, daß diese Trauerfahne sich bald in Polens Freiheitsfahne verwandeln möge. Darauf erscheint Ramorino auf dem Balkon, dankt, man ruft Vivat! – und die Komödie ist fertig. ⟨...⟩

2. An die Familie

Straßburg, im Dezember 1831.

⟨...⟩ Es sieht verzweifelt kriegerisch aus; kommt es zum Kriege, dann gibt es in Deutschland vornehmlich eine babylonische Verwirrung, und der Himmel weiß, was das Ende vom Liede sein wird. Es kann *Alles* gewonnen und *Alles* verloren werden; wenn aber die Russen über die Oder gehn, dann nehme ich den Schießprügel, und sollte ich's in Frankreich tun. Gott mag den allerdurchlauchtigsten und gesalbten Schafsköpfen gnädig sein; auf der Erde werden sie hoffentlich keine Gnade mehr finden. ⟨...⟩

3. An die Familie

Straßburg, ⟨vor dem 16. Mai⟩ 1832.

⟨...⟩ Das einzige Interessante in politischer Beziehung ist, daß die hiesigen republikanischen Zierbengel mit roten Hüten herumlaufen, und daß Herr Périer die Cholera hatte, die Cholera aber leider nicht ihn. ⟨...⟩

4. An Edouard Reuss

Darmstadt d. 20ᵗ August 1832.

Lieber Eduard!

Nicht wahr, ich sollte eigentlich mit einigen Dutzend Entschuldigung anfangen? aber Himmel, ich habe dies schon im beiliegenden Brief getan, und wiederhole dergleichen nicht gern, ich krieche also untertänigst zu Kreuz und bitte um Pardon für den nachlässigen Delinquenten. Ich denke Du nimmst diesen papiernen Ölzweig und Friedensfahne auch so ohne weit⟨r⟩e Friedens-Präliminarien an und zankst nicht weiter mit mir, der ich Dich 3 volle Wochen warten ließ und lässest mich nicht eben so lange warten. Ich freue mich ordentlich, daß dieser Wisch Papier an einen Ort kommen soll, der mir meine zweite Vaterstadt geworden und dem ich, wenn ich einmal als ein gefürsteter Zweifüßler, longimanus und omnivore sterben sollte, die eine Herzkammer nebst meinem übrigen durchlauchtigsten Kadaver vermachen würde, während ich denn doch wohl die andere Herzkammer meinem Vaterhause ließe, aber auch nur meinem *Vaterhause,* denn ach! ich armseliger Kreuzträger, sitze *erstens* im lieben heiligen teutschen Reich, *zweitens* im Großherzogtum *Hessen, drittens* in der Residenz *Darm-*

stadt, zuletzt sitze ich nun noch freilich in der Mitte meiner Familie, aber ich bin leider noch nicht so patriarchalisch geworden, daß ich über diesen Abrahamsschoß die drei übrigen Klassifikationen vergessen sollte.

Die erste umfaßt die Sekte der Nabelbeschauer, die sich von der alten wohlbekannt nur dadurch unterscheidet, daß sie beim Nabel nicht mehr an Gott, sondern bei Gott an den Nabel denkt, die zweite, als Unterabteilung umfaßt ein Stück des Teils, wo der Nabel und Bauch-Gottesdienst als konstitutionell aufgeklärter Liberalismus getrieben wird, die dritte endlich umfaßt die ordinierten Geistlichen und trägt als Ordenskleid die Hoflivree und als Wappen den Hessischen Haus und Zivil-Verdienstorden e.c.t.

Du kannst Dir wohl denken, wie wohl ich mich dabei befinde, doch füge ich mich in die Umstände und bin dabei so ein anständiger, so ein rechtlicher, so ein zivilisierter junger Mann geworden, daß ich bei einem Minister den Tee einnehmen, bei seiner Frau auf dem Kanapee sitzen und mit seiner Tochter eine Françoise tanzen könnte; wir sind im neunzehnten Jahrhundert, bedenke was das heißen will!

Ach, lieber Eduard! schreibe mir nur bald, daß ich doch etwas aus Straßburg zu sehen bekomme, ich habe wohl Eltern und Geschwister hier, aber alle meine Freunde sind fort und ich bin fast ganz isoliert; ich war wohl die ersten Tage froh, aber ich kann einmal diese Luft nicht vertragen, sie ist mir noch eben so zuwider, als zur Zeit da ich fortging. Ich lamentiere Dir da etwas vor und Du möchtest wohl etwas Vernünftiges von mir hören, aber es ist unmöglich weder von, noch in *Darmstadt* dergleichen zu schreiben, ist auch noch nie geschehen. Nur das: Deine Aufträge sind besorgt, Zimmermann's Sohn hat noch die Redaktion der Kirchen-Zeitung, wird sie jedoch wie man sagt, mit *Bretschneider* teilen, und ein Geistlicher aus Mainz, dessen Name mir entfallen, wird Zimmermanns Platz hier ausfüllen. Dies interessiert Dich vielleicht, mich verzweifelt wenig. Lebe wohl, schreibe bald, herzliche Grüße an die Tante, Pauline und Mad. Bauer

vo⟨n Dei⟩nem G. Büchner.

5. An August Stoeber

Darmstadt d. 24ten August 1832

Liebes Brüderpaar!

Obgleich die Adresse nur an einen von Euch lautet, so gilt sie doch Euch beiden; doch seht vorerst nach der zweiten, denn mein Brief ist nur die Schale und figuriert nur als Käspapier. Habt Ihr das andre Papier gelesen, so werdet Ihr wissen, daß es sich um nichts geringeres handelt, als um die Muse der teutschen Dichtkunst; ob Ihr dabei als Accoucheurs oder als Totengräber auftreten sollt, wird der Erfolg lehren. Ihr seid gebeten mit Eurer poetischen Haus und Feld-Apotheke bei der Wiederbelebung des Kadavers tätige Hilfe zu leisten; am besten wäre es man suchte ihn in einem Backofen zu erwärmen, denn dies ist noch das einzige Kunstwerk, welches das liebe Teutsche Volk zu bauen und zu genießen versteht! Doch, Spaß bei Seite! ich lege Euch die Sache ernstlich an's Herz; wenn die Männer, welche Ihre Beihülfe versprochen haben, Wort halten, so kann etwas Tüchtiges geleistet werden, daß Ihr *viel* dazu beitragen könnt, weiß ich, ohne Euch schmeicheln zu wollen. Die Herausgeber kenne ich persönlich, *Künzel* ist Kandidat der Theologie, *Metz* steht einer Buchhandlung vor, beide sehr gebildete junge Leute; die *Zimmermänner* sind Zwillinge und studieren in Heidelberg, sie gehören zu meinen ältesten und besten Freunden, namentlich hat der eine von ihnen ausgezeichnete poetische Anlagen. Eure Antwort seid Ihr gebeten, an mich zu adressieren, ich hoffe dabei auch einige herzliche Worte an mich zu finden; heute sind es zuerst 3 Wochen, daß ich Euch verlassen, und doch könnte ich Euch schon manche epistolas ex ponto schreiben! Ach säße ich doch wieder einmal unt⟨er⟩ Euch im Drescher. Herzliche Grüße an die edlen *Eugeniden,* namentlich an Boekel und Baum.

Lebt wohl!   Euer G. Büchner

6. An Adolph Stoeber

⟨Straßburg, den 3ten Novb. 1832⟩

Lieber Adolph!

Nur wenige Zeilen bringen Dir diesmal meine Grüße. Ich komme eben aus dem Leichendunst und von der Schädelstätte, wo ich mich täglich wieder einige Stunden selbst kreuzige, und nach den kalten Brüsten und den toten Herzen, die ich da berührte, erquickte mich wieder das lebendige, warme an das Du mich drücktest über die Paar Meilen hinaus, die unsere Kadaver trennen. Wahrhaftig der Lindwurm, von dem Du sprichst ist nicht so gefährlich, man müßte ein armer Tropf sein, wenn unsre Arme nicht einmal über die dreißig Stunden hinübergreifen könnten. Wenn das Frühjahr kommt hoffe ich Dich zu sehen. Seit acht Tagen bin ich wieder hier, die teutsche naßkalte Holländeratmosphäre ist mir zuwider, die französische Gewitterluft ist mir lieber.

Lebe wohl,

Dein G. Büchner.

7. An die Familie

Straßburg, im Dezember 1832.

⟨...⟩ Ich hätte beinahe vergessen zu erzählen, daß der Platz in Belagerungsstand gesetzt wird (wegen der holländischen Wirren). Unter meinem Fenster rasseln beständig die Kanonen vorbei, auf den öffentlichen Plätzen exerzieren die Truppen und das Geschütz wird auf den Wällen aufgefahren. Für eine politische Abhandlung habe ich keine Zeit mehr, es wäre auch nicht der Mühe wert, das Ganze ist doch nur eine Komödie. Der König und die Kammern regieren, und das Volk klatscht und bezahlt. ⟨...⟩

8. An die Familie

Straßburg, im Januar 1833.

⟨...⟩ Auf Weihnachten ging ich Morgens um vier Uhr in die Frühmette ins Münster. Das düstere Gewölbe mit seinen Säulen, die Rose und die farbigen Scheiben und die kniende Menge waren nur halb vom Lampenschein erleuchtet. Der Gesang des unsichtbaren Chores schien über dem Chor und dem Altare zu schweben und den vollen Tönen der gewaltigen Orgel zu antworten. Ich bin kein Katholik und kümmerte mich wenig um das Schellen und Knien der buntscheckigen Pfaffen, aber der Gesang allein machte mehr Eindruck auf mich, als die faden, ewig wiederkehrenden Phrasen unserer meisten Geistlichen, die Jahr aus Jahr ein an jedem Weihnachtstag meist nichts Gescheiteres zu sagen wissen, als, der liebe Herrgott sei doch ein gescheiter Mann gewesen, daß er Christus grade um diese Zeit auf die Welt habe kommen lassen. –

9. *An die Familie*

Straßburg, ⟨um den 6.⟩ April 1833.

Heute erhielt ich Euren Brief mit den Erzählungen aus *Frankfurt*. Meine Meinung ist die: Wenn in unserer Zeit etwas helfen soll, so ist es *Gewalt*. Wir wissen, was wir von unseren Fürsten zu erwarten haben. Alles, was sie bewilligten, wurde ihnen durch die Notwendigkeit abgezwungen. Und selbst das Bewilligte wurde uns hingeworfen, wie eine erbettelte Gnade und ein elendes Kinderspielzeug, um dem ewigen Maulaffen *Volk* seine zu eng geschnürte Wickelschnur vergessen zu machen. Es ist eine blecherne Flinte und ein hölzerner Säbel, womit nur ein Deutscher die Abgeschmacktheit begehen konnte, Soldatchens zu spielen. Unsere Landstände sind eine Satyre auf die gesunde Vernunft, wir können noch ein Säkulum damit herumziehen, und wenn wir die Resultate dann zusammennehmen, so hat das Volk die schönen Reden seiner Vertreter noch immer teurer bezahlt, als der römische Kaiser, der seinem Hofpoeten für zwei gebrochene Verse 20,000 Gulden geben ließ. Man wirft den jungen Leuten den Gebrauch der Gewalt vor. Sind wir denn aber nicht in einem ewigen Gewaltzustand? Weil wir im Kerker geboren und großgezogen sind, merken wir nicht mehr, daß wir im Loch stecken mit angeschmiedeten Händen und Füßen und einem Knebel im Munde. Was nennt Ihr denn *gesetzlichen Zustand*? Ein *Gesetz*, das die große Masse der Staatsbürger zum fronenden Vieh macht, um die unnatürlichen Bedürfnisse einer unbedeutenden und verdorbenen Minderzahl zu befriedigen? Und dies Gesetz, unterstützt durch eine rohe Militärgewalt und durch die dumme Pfiffigkeit seiner Agenten, dies Gesetz ist eine *ewige, rohe Gewalt,* angetan dem Recht und der gesunden Vernunft, und ich werde mit *Mund* und *Hand* dagegen kämpfen, wo ich kann. Wenn ich an dem, was geschehen, keinen Teil genommen und an dem, was vielleicht geschieht, *keinen Teil* nehmen werde, so geschieht es weder aus Mißbilligung, noch aus Furcht, sondern nur weil ich im gegenwärtigen Zeitpunkt jede revolutionäre Bewegung als eine vergebliche Unternehmung betrachte und nicht die Verblendung Derer teile, welche in den Deutschen ein zum Kampf für sein Recht bereites Volk sehen. Diese tolle Meinung führte die Frankfurter Vorfälle herbei, und der Irrtum büßte sich schwer. Irren ist übrigens keine Sünde, und die deutsche Indifferenz ist wirklich von der Art, daß sie alle Berechnung zu Schanden macht. Ich bedaure die Unglücklichen von Herzen. Sollte keiner von meinen Freunden in die Sache verwickelt sein? ⟨...⟩

10. An die Familie
⟨Straßburg, im Frühjahr 1833.⟩
⟨...⟩ Wegen mir könnt Ihr ganz ruhig sein; ich werde nicht nach Freiburg gehen, und ebenso wenig wie im vorigen Jahre an einer Versammlung Teil nehmen. ⟨...⟩

11. An die Familie
Straßburg, ⟨nach dem 27.⟩ Mai 1833.
⟨...⟩ So eben erhalten wir die Nachricht, daß in Neustadt die Soldateska über eine friedliche und unbewaffnete Versammlung hergefallen sei und ohne Unterschied mehrere Personen niedergemacht habe. Ähnliche Dinge sollen sich im übrigen Rheinbayern zugetragen haben. Die liberale Partei kann sich darüber grade nicht beklagen; man vergilt Gleiches mit Gleichem, Gewalt mit Gewalt. Es wird sich finden, wer der Stärkere ist. – Wenn Ihr neulich bei hellem Wetter bis auf das Münster hättet sehen können, so hättet Ihr mich bei einem langhaarigen, bärtigen, jungen Mann sitzend gefunden. Besagter hatte ein rotes Barett auf dem Kopf, um den Hals einen Cashmir-Shawl, um den Kadaver einen kurzen deutschen Rock, auf die Weste war der Name ⟨Rousseau⟩ gestickt, an den Beinen enge Hosen mit Stegen, in der Hand ein modisches Stöckchen. Ihr seht, die Karikatur ist aus mehreren Jahrhunderten und Weltteilen zusammengesetzt: Asien um den Hals, Deutschland um den Leib, Frankreich an den Beinen, 1400 auf dem Kopf und 1833 in der Hand. Er ist ein Kosmopolit – nein, er ist mehr, er ist *St. Simonist*! Ihr denkt nun, ich hätte mit einem Narren gesprochen, und Ihr irrt. Es ist ein liebenswürdiger junger Mann, viel gereist. – Ohne sein fatales Kostüm hätte ich nie den St. Simonisten verspürt, wenn er nicht von der femme in Deutschland gesprochen hätte. Bei den Simonisten sind Mann und Frau gleich, sie haben gleiche *politische* Rechte. Sie haben nun ihren père, der ist *St. Simon*, ihr Stifter; aber billigerweise müßten sie auch eine mère haben. Die ist aber noch zu suchen, und da haben sie sich denn auf den Weg gemacht, wie Saul nach seines Vaters Eseln, mit dem Unterschied, daß – denn im neunzehnten Jahrhundert ist die Welt gar weit vorangeschritten – daß die

Esel diesmal den Saul suchen. Rousseau mit noch einem Ge-
fährten (beide verstehen kein Wort deutsch) wollten die femme
in Deutschland suchen, man beging aber die intolerante
Dummheit, sie zurückzuweisen. Ich sagte ihm, er hätte nicht
viel an den Weibern, die Weiber aber viel an ihm verloren; bei
den Einen hätte er sich ennuyiert und über die Anderen gelacht.
Er bleibt jetzt in Straßburg, steckt die Hände in die Taschen
und predigt dem Volke die Arbeit, wird für seine Kapazität gut
bezahlt und marche vers les femmes, wie er sich ausdrückt. Er
ist übrigens beneidenswert, führt das bequemste Leben unter
der Sonne, und ich möchte aus purer Faulheit St. Simonist werden, denn man müßte mir meine Kapazität gehörig honorieren.
⟨...⟩

12. An die Familie

Straßburg, im Juni 1833.
⟨...⟩ Ich werde zwar immer meinen Grundsätzen gemäß
handeln, habe aber in *neuerer* Zeit gelernt, daß nur das notwendige Bedürfnis der großen Masse Umänderungen herbeiführen
kann, daß alles Bewegen und Schreien der *Einzelnen* vergebli-
ches Torenwerk ist. Sie schreiben, man liest sie nicht; sie schrei-
en, man hört sie nicht; sie handeln, man hilft ihnen nicht. – Ihr
könnt voraussehen, daß ich mich in die Gießener Winkelpolitik
und revolutionären Kinderstreiche nicht einlassen werde.

13. An die Familie (Reise in die Vogesen)

Straßburg, den 8. Juli 1833.
Bald im Tal, bald auf den Höhen zogen wir durch das lieb-
liche Land. Am zweiten Tage gelangten wir auf einer über 3000
Fuß hohen Fläche zum sogenannten weißen und schwarzen
See. Es sind zwei finstere Lachen in tiefer Schlucht, unter etwa
500 Fuß hohen Felsenwänden. Der weiße See liegt auf dem
Gipfel der Höhe. Zu unseren Füßen lag still das dunkle Wasser.
Über die nächsten Höhen hinaus sahen wir im Osten die Rhein-
ebene und den Schwarzwald, nach West und Nordwest das
Lothringer Hochland; im Süden hingen düstere Wetterwolken,
die Luft war still. Plötzlich trieb der Sturm das Gewölke die
Rheinebene herauf, zu unserer Linken zuckten die Blitze, und
unter dem zerrissenen Gewölk über dem dunklen Jura glänzten
die *Alpengletscher* in der Abendsonne. Der dritte Tag gewährte

uns den nämlichen herrlichen Anblick; wir bestiegen nämlich
den höchsten Punkt der Vogesen, den an 5000 Fuß hohen *Bölgen*. Man übersieht den Rhein von Basel bis Straßburg, die
Fläche hinter Lothringen bis zu den Bergen der Champagne,
den Anfang der ehemaligen franche Comté, den Jura und die
Schweizergebirge vom Rigi bis zu den entferntesten Savoy-
ischen Alpen. Es war gegen Sonnenuntergang, die Alpen wie
blasses Abendrot über der dunkel gewordenen Erde. Die Nacht
brachten wir in einer geringen Entfernung vom Gipfel in einer
Sennerhütte zu. Die Hirte haben hundert Kühe und bei neunzig
Farren und Stiere auf der Höhe. Bei Sonnenaufgang war der
Himmel etwas dunstig, die Sonne warf einen roten Schein über
die Landschaft. Über den Schwarzwald und den Jura schien das
Gewölk wie ein schäumender Wasserfall zu stürzen, nur die
Alpen standen hell darüber, wie eine blitzende Milchstraße.
Denkt Euch über der dunklen Kette des Jura und über dem
Gewölk im Süden, soweit der Blick reicht, eine ungeheure,
schimmernde Eiswand, nur noch oben durch die Zacken und
Spitzen der einzelnen Berge unterbrochen. Vom Bölgen stiegen
wir rechts herab in das sogenannte Amarinental, das letzte
Haupttal der Vogesen. Wir gingen talaufwärts. Das Tal schließt
sich mit einem schönen Wiesengrund im wilden Gebirg. Über
die Berge führte uns eine gut erhaltene Bergstraße nach Lothringen zu den Quellen der Mosel. Wir folgten eine Zeitlang dem
Laufe des Wassers, wandten uns dann nördlich und kehrten
über mehrere interessante Punkte nach Straßburg zurück.

Hier ging es seit einigen Tagen etwas unruhig zu. Ein ministe-
rieller Deputierter, Herr *Saglio,* kam vor einigen Tagen aus
Paris zurück. Es kümmerte sich Niemand um ihn. Eine banke-
rotte Ehrlichkeit ist heutzutage etwas zu Gemeines, als daß ein
Volksvertreter, der seinen Frack wie einen Schandpfahl auf dem
Rücken trägt, noch Jemanden interessieren könnte. Die Polizei
war aber entgegengesetzter Meinung und stellte deshalb eine
bedeutende Anzahl Soldaten auf dem Paradeplatz und vor dem
Hause des Herrn Saglio auf. Dies lockte denn endlich am zweiten oder dritten Tage die Menge herbei, gestern und vorgestern
Abend wurde etwas vor dem Hause gelärmt. Präfekt und Maire
hielten es für die beste Gelegenheit, einen Orden zu erwischen,
sie ließen die Truppen ausrücken, die Straßen räumen, Bajonet-
te und Kolbenstöße austeilen, Verhaftungen vornehmen, Pro-
klamationen anschlagen u.s.w.

14. An Edouard Reuss

Darmstadt d. 31ᵗ August 33

Lieber Edouard!

Soll ich meine träge Hand entschuldigen? Für mein Gedächtnis ist's nicht nötig; ich kümmerte mich sonst wenig darum, jetzt aber macht es bei mir den Wiederkäuer und füttert mich mit der Erinnerung an frohe Tage. Ich könnte in diesem lamentierenden Style fortfahren um Dir einen Begriff von meiner hiesigen Existenz zu geben, wenn Du nicht schon einmal selbst so eine Art vom Darmstädter Geschmack gehabt hättest. Meine Familie im engern Sinne traf ich im erwünschtesten Wohlsein, und meine Mutter erholt sich zusehends von ihrer schweren Krankheit. Eltern und Geschwister wiederzusehen, war eine große Freude; das entschädigt aber nicht für meine sonstigen furchtbar, kolossal, langweiligen Umgebungen. Es ist etwas großartiges in dieser Wüstenei, die Wüste Sahara in allen Köpfen und Herzen. Von den übrigen Verwandten weiß ich wenig. Nach dem pflichtmäßigen Antritts-Genüssel, mache ich so gegen Ende Oktobers mein offizielles Abschieds-Genüssel, wo ich nach Gießen abziehe. Meine verwandtschaftlichen Regungen sind damit beseitigt. Von Gießen verspreche ich mir wenig, meine Freunde sind flüchtig oder im Gefängnis. Für mich ist nichts zu fürchten, ich bin hier konstitutionell, liberal aufgeklärt worden, seit ich weiß, daß das tausendjährige Reich mit der konstitutionellen Ära angefangen. Unser Landtag führt den Beweis, seine Lebensfrage ist seit 8 Monat noch nicht entschieden. Ein Mensch braucht höchstens eine Stunde um auf die Welt zu kommen, (wo die Zivilisation und Aufklärung noch nicht so weit gekommen wie z. B. bei den Indiern: 10. Minuten) ein deutscher Landtag deren 5760, ein Mensch lebt 60 Jahr, ein Landtag 41272; O Messias! Über seine Physiognomie kann ich Dir grade nichts sagen, sintemal es noch nicht entschieden, ob das Kind mit Kopf oder podex zuerst auf die Welt kommt.

Doch wird es wahr⟨scheinlich d⟩ie Familienzüge behalten und so zi⟨em⟩lich seiner französischen Mama gleichen.

Bei unsrer Manier im Briefschreiben, hoffe ich kaum bald Antwort zu erhalten; doch dürftest Du mit mir einmal eine Ausnahme machen, so eine gänzliche Trennung von Straßburg schmerzt mich. Ich habe an Boeckel geschrieben, aber keine Antwort. Grüße ihn und sag' ihm er möge bald antworten und mir die These von Goupil schicken, die andere hätte ich erhalten und ließe ihm danken. Ist *Stöber* in Straßburg? Viel Grüße

an ihn und die andern Freunde. Und *Wulfes*? Ist er noch bei
Dir, so sag ihm, ich hoffte ihn bei mir zu sehen, wenn seine
Reise ihn in unsre Gegend brächte. Ihr werdet mich doch über
einem Monat ohne Briefe nicht vergessen haben. Ich bitte und
hoffe auf baldige Antwort.

Bringe meine herzlichsten Grüße Deiner Mutter, Schwester
und Tante, und sage ihnen, daß d⟨ie in ih⟩rer Nähe verlebten
Augenblicke zu ⟨den f⟩rohsten meines Lebens gehörten.

Lebe wohl, Dein *Georg*.

GIESSEN UND DARMSTADT 1833–1835

15. An die Familie

Gießen, den 1. November 1833.

⟨...⟩ Gestern wurden wieder zwei Studenten verhaftet, der
kleine *Stamm* und *Groß*. ⟨...⟩

16. An die Familie

Gießen, den 19. November 1833.

⟨...⟩ Gestern war ich bei dem Bankett zu Ehren der zurück-
gekehrten Deputierten. An zweihundert Personen, unter ihnen
Balser und *Vogt*. Einige loyale Toaste, bis man sich Courage
getrunken, und dann das Polenlied, die Marseillaise gesungen
und den in Friedberg Verhafteten ein Vivat gebracht! Die Leute
gehen ins Feuer, wenn's von einer brennenden Punschbowle
kommt! ⟨...⟩

17. An August Stoeber

Darmstadt: d. 9. Dez. 33.

Lieber August!

Ich schreibe in Ungewißheit, wo Dich dieser Brief treffen
wird. Ich müßte mich sehr irren, wenn mir nicht Lambossy
geschrieben hätte, daß Du Dich gewöhnlich in Oberbrunn auf-
hieltest. Das nämliche sagte mir Künzel, der von Deinem Vater
auf einen an Dich gerichteten Brief Antwort erhalten hatte. Du
erhäl⟨t⟩st am spätesten einen Brief, weil ich Dich am letzten mit

einem finstren Gesicht quälen wollte, denn wenigstens Eurer Teilnahme halte ich mich immer versichert. Ich schrieb mehrmals, vielleicht sahst Du meine Briefe; ich klagte über mich und spottete über andre; beides kann Dir zeigen, wie übel ich mich befand. Ich wollte Dich nicht auch in's Lazarett führen und so schwieg ich. Du magst entscheiden ob die Erinnerung an 2 glückliche Jahre, und die Sehnsucht nach All dem, was sie glücklich machte oder ob die widrigen Verhältnisse unter denen ich hier lebe, mich in die unglückselige Stimmung setzen. Ich glaube s'ist beides. Manchmal fühle ich ein wahres Heimweh nach Euren Bergen. Hier ist Alles so eng und klein. Natur und Menschen, die kleinlichsten Umgebungen, denen ich auch keinen Augenblick Interesse abgewinnen kann. Zu Ende Oktobers ging ich von hier nach Gießen. 5 Wochen brachte ich daselbst halb im Dreck und halb im Bett zu. Ich bekam einen Anfall von Hirnhautentzündung; die Krankheit wurde im Entstehen unterdrückt, ich wurde aber gleichwohl gezwungen nach Darmstadt zurückzukehren um mich daselbst völlig zu erholen. Ich denke noch bis Neujahr hier zu bleiben und d. 5. od. 6. Januar wieder nach Gießen abzureisen.

Ein Brief von Dir würde mir große Freude machen, und, nicht wahr Christ einem Rekonvaleszenten schlägt man nichts ab? Seit ich Euch am Mittwoch Abend vor 5 Monaten zum letzten mal die Hände zum Kutschenschlag hinausstreckte, ist's mir als wären sie mir ab⟨gebrochen⟩ und ich denke wir drücken uns die Hände um so fester, je seltner wir sie uns reichen. 3 treffliche Freunde habe ich in Gießen gelassen und bin jetzt ganz allein.

H. Dr. H. K. ... ist freilich noch da, aber das ästhetische Geschlapp steht mir am Hals, er hat schon alle mögliche poetischen Accouchierstühle probiert, ich glaube er kann höchstens noch an eine kritische Nottaufe in der Abendzeitung appellieren.

Ich werfe mich mit aller Gewalt in die Philosophie, die Kunstsprache ist abscheulich, ich meine für menschliche Dinge müsse man auch menschliche Ausdrücke finden; doch das stört mich nicht, ich lache über meine Narrheit und meine es gäbe im Grund genommen doch nichts als taube Nüsse zu knacken. Man muß aber unter der Sonne doch auf irgend einem Esel reiten und so sattle ich in Gottes Namen den meinigen; für's Futter ist mir nicht bang, an Distelköpfen wird's nicht fehlen, so lang die Buchdruckerkunst nicht verloren geht. Lebe wohl,

Bester. Grüße die Freunde, es geschieht dann doppelt, ich habe auch Boeckel drum gebeten.

Die politischen Verhältnisse könnten mich rasend machen. Das arme Volk schleppt geduldig den Karren, worauf die Fürsten und Liberalen ihre Affenkomödie spielen. Ich bete jeden Abend zum Hanf und zu d. Laternen.

Was schreiben Viktor und Scherb.

Und *Adolph* ist er wieder in Metz? ich schicke Dir nächstens einige Zeilen an ihn.

18. An die Familie

Gießen, im Februar 1834.

⟨...⟩ *Ich verachte Niemanden,* am wenigsten wegen seines Verstandes oder seiner Bildung, weil es in Niemands Gewalt liegt, kein Dummkopf oder kein Verbrecher zu werden, – weil wir durch gleiche Umstände wohl Alle gleich würden, und weil die Umstände außer uns liegen. Der *Verstand* nun gar ist nur eine sehr geringe Seite unsers geistigen Wesens und die Bildung nur eine sehr zufällige Form desselben. Wer mir eine solche Verachtung vorwirft, behauptet, daß ich einen Menschen mit Füßen träte, weil er einen schlechten Rock anhätte. Es heißt dies, eine Roheit, die man Einem im Körperlichen nimmer zutrauen würde, ins Geistige übertragen, wo sie noch gemeiner ist. Ich kann Jemanden einen Dummkopf nennen, ohne ihn deshalb zu *verachten;* die Dummheit gehört zu den allgemeinen Eigenschaften der menschlichen Dinge; für ihre Existenz kann ich nichts, es kann mir aber Niemand wehren, Alles, was existiert, bei seinem Namen zu nennen und dem, was mir unangenehm ist, aus dem Wege zu gehn. Jemanden kränken, ist eine Grausamkeit, ihn aber zu suchen oder zu meiden, bleibt meinem Gutdünken überlassen. *Daher* erklärt sich mein Betragen gegen alte Bekannte; ich kränkte Keinen und sparte mir viel Langeweile; halten sie mich für hochmütig, wenn ich an ihren Vergnügungen oder Beschäftigungen keinen Geschmack finde, so ist es eine Ungerechtigkeit; mir würde es nie einfallen, einem Andern aus dem nämlichen Grunde einen ähnlichen Vorwurf zu machen. Man nennt mich einen *Spötter.* Es ist wahr, ich lache oft, aber ich lache nicht darüber, *wie* Jemand ein Mensch, sondern nur darüber, *daß* er ein Mensch ist, wofür er ohnehin nichts kann, und lache dabei über mich selbst, der ich sein

Schicksal teile. Die Leute nennen das Spott, sie vertragen es
nicht, daß man sich als Narr produziert und sie duzt; sie sind
Verächter, Spötter und Hochmütige, weil sie die Narrheit nur
außer sich suchen. Ich habe freilich noch eine Art von Spott, es
ist aber nicht der der Verachtung, sondern der des Hasses. Der
Haß ist so gut erlaubt als die Liebe, und ich hege ihn im vollsten
Maße gegen die, *welche verachten.* Es ist deren eine große Zahl,
die im Besitze einer lächerlichen Äußerlichkeit, die man Bildung, oder eines toten Krams, den man Gelehrsamkeit heißt,
die große Masse ihrer Brüder ihrem verachtenden Egoismus
opfern. Der Aristokratismus ist die schändlichste Verachtung
des heiligen Geistes im Menschen; gegen ihn kehre ich seine
eigenen Waffen; Hochmut gegen Hochmut, Spott gegen Spott. –
Ihr würdet euch besser bei meinem Stiefelputzer nach mir um-
sehn; mein Hochmut und Verachtung Geistesarmer und Unge-
lehrter fände dort wohl ihr bestes Objekt. Ich bitte, fragt ihn
einmal ... Die Lächerlichkeit des Herablassens werdet Ihr mir
doch wohl nicht zutrauen. Ich hoffe noch immer, daß ich leidenden, gedrückten Gestalten mehr mitleidige Blicke zugewor-
fen, als kalten, vornehmen Herzen bittere Worte gesagt habe. –
⟨...⟩

19. An die Braut

⟨Gießen, Februar 1834.⟩
    ⟨...⟩ Ich dürste nach einem Briefe. Ich bin allein, wie im
Grabe; wann erweckt mich deine Hand? Meine Freunde verlassen mich, wir schreien uns wie Taube einander in die Ohren;
ich wollte, wir wären stumm, dann könnten wir uns doch nur
ansehen, und in neuen Zeiten kann ich kaum Jemand starr an-
blicken, ohne daß mir die Tränen kämen. Es ist dies eine Au-
genwassersucht, die auch beim Starrsehen oft vorkommt. Sie
sagen, ich sei verrückt, weil ich gesagt habe, in sechs Wochen
würde ich auferstehen, zuerst aber Himmelfahrt halten, in der
Diligence nämlich. Lebe wohl, liebe Seele, und verlaß mich
nicht. Der Gram macht mich Dir streitig, ich lieg' ihm den
ganzen Tag im Schoß; armes Herz, ich glaube, du vergiltst mit
Gleichem. ⟨...⟩

20. An die Braut

⟨Gießen, um den 7. März 1834.⟩

⟨...⟩ Der erste helle Augenblick seit acht Tagen. Unaufhörliches Kopfweh und Fieber, die Nacht kaum einige Stunden dürftiger Ruhe. Vor zwei Uhr komme ich in kein Bett, und dann ein beständiges Auffahren aus dem Schlaf und ein Meer von Gedanken, in denen mir die Sinne vergehen. Mein Schweigen quält dich wie mich, doch vermochte ich nichts über mich. Liebe, liebe Seele, vergibst du? Eben komme ich von draußen herein. Ein einziger, forthallender Ton aus tausend Lerchenkehlen schlägt durch die brütende Sommerluft, ein schweres Gewölk wandelt über die Erde, der tiefbrausende Wind klingt wie sein melodischer Schritt. Die Frühlingsluft löste mich aus meinem Starrkrampf. Ich erschrak vor mir selbst. Das Gefühl des Gestorbenseins war immer über mir. Alle Menschen machten mir das hippokratische Gesicht, die Augen verglast, die Wangen wie von Wachs, und wenn dann die ganze Maschinerie zu leiern anfing, die Gelenke zuckten, die Stimme herausknarrte und ich das ewige Orgellied herumtrillern hörte und die Wälzchen und Stiftchen im Orgelkasten hüpfen und drehen sah, – ich verfluchte das Konzert, den Kasten, die Melodie und – ach, wir armen schreienden Musikanten, das Stöhnen auf unsrer Folter, wäre es nur da, damit es durch die Wolkenritzen dringend und weiter, weiter klingend, wie ein melodischer Hauch in himmlischen Ohren stirbt? Wären wir das Opfer im glühenden Bauch des Peryllusstiers, dessen Todesschrei wie das Aufjauchzen des in den Flammen sich aufzehrenden Gottstiers klingt? Ich lästre nicht. Aber die Menschen lästern. Und doch bin ich gestraft, ich fürchte mich vor meiner Stimme und – vor meinem Spiegel. Ich hätte Herrn Callot-Hoffmann sitzen können, nicht wahr, meine Liebe? Für das Modellieren hätte ich Reisegeld bekommen. Ich spüre, ich fange an, interessant zu werden. –

Die Ferien fangen morgen in vierzehn Tagen an; verweigert man die Erlaubnis, so gehe ich heimlich, ich bin mir selbst schuldig, einem unerträglichen Zustande ein Ende zu machen. Meine geistigen Kräfte sind gänzlich zerrüttet. Arbeiten ist mir unmöglich, ein dumpfes Brüten hat sich meiner bemeistert, in dem mir kaum ein Gedanke noch hell wird. Alles verzehrt sich in mir selbst; hätte ich einen Weg für mein Inneres, aber ich habe keinen Schrei für den Schmerz, kein Jauchzen für die Freude, keine Harmonie für die Seligkeit. Dies Stummsein ist meine Verdammnis. Ich habe dir's schon tausendmal gesagt:

Lies meine Briefe nicht, – kalte, träge Worte! Könnte ich nur
über dich einen vollen Ton ausgießen; – so schleppe ich dich in
meine wüsten Irrgänge. Du sitzest jetzt im dunkeln Zimmer in
deinen Tränen allein, bald trete ich zu dir. Seit vierzehn Tagen
steht dein Bild beständig vor mir, ich sehe dich in jedem Traum.
Dein Schatten schwebt immer vor mir, wie das Lichtzittern,
wenn man in die Sonne gesehen. Ich lechze nach einer seligen
Empfindung, die wird mir bald, bald, bei dir.

21. An die Braut

⟨Gießen, um den 9.–12. März 1834.⟩

Hier ist kein Berg, wo die Aussicht frei sei. Hügel hinter
Hügel und breite Täler, eine hohle Mittelmäßigkeit in Allem;
ich kann mich nicht an diese Natur gewöhnen, und die Stadt ist
abscheulich. Bei uns ist Frühling, ich kann deinen Veilchen-
strauß immer ersetzen, er ist unsterblich wie der Lama. Lieb
Kind, was macht denn die gute Stadt Straßburg? es geht dort
allerlei vor, und du sagst kein Wort davon. Je baise les petites
mains, en goûtant les souvenirs doux de Strasbourg. –

»Prouve-moi que tu m'aimes encore beaucoup en me donnant
bientôt des nouvelles.« Und ich ließ dich warten! Schon seit
einigen Tagen nehme ich jeden Augenblick die Feder in die
Hand, aber es war mir unmöglich, nur ein Wort zu schreiben.
Ich studierte die Geschichte der Revolution. Ich fühlte mich
wie zernichtet unter dem gräßlichen Fatalismus der Geschichte.
Ich finde in der Menschennatur eine entsetzliche Gleichheit, in
den menschlichen Verhältnissen eine unabwendbare Gewalt,
Allen und Keinem verliehen. Der Einzelne nur Schaum auf der
Welle, die Größe ein bloßer Zufall, die Herrschaft des Genies
ein Puppenspiel, ein lächerliches Ringen gegen ein ehernes Gesetz, es zu erkennen das Höchste, es zu beherrschen unmöglich.
Es fällt mir nicht mehr ein, vor den Paradegäulen und Eckste-
hern der Geschichte mich zu bücken. Ich gewöhnte mein Auge
ans Blut. Aber ich bin kein Guillotinenmesser. Das *muß* ist eins
von den Verdammungsworten, womit der Mensch getauft worden. Der Ausspruch: es muß ja Ärgernis kommen, aber wehe
dem, durch den es kommt, – ist schauderhaft. Was ist das, was
in uns lügt, mordet, stiehlt? Ich mag dem Gedanken nicht weiter nachgehen. Könnte ich aber dies kalte und gemarterte Herz
an deine Brust legen! B. wird dich über mein Befinden beruhigt
haben, ich schrieb ihm. Ich verwünsche meine Gesundheit. Ich

glühte, das Fieber bedeckte mich mit Küssen und umschlang mich wie der Arm der Geliebten. Die Finsternis wogte über mir, mein Herz schwoll in unendlicher Sehnsucht, es drangen Sterne durch das Dunkel, und Hände und Lippen bückten sich nieder. Und jetzt? Und sonst? Ich habe nicht einmal die Wollust des Schmerzes und des Sehnens. Seit ich über die Rheinbrücke ging, bin ich wie in mir vernichtet, ein einzelnes Gefühl taucht nicht in mir auf. Ich bin ein Automat; die Seele ist mir genommen. Ostern ist noch mein einziger Trost; ich habe Verwandte bei Landau, ihre Einladung und die Erlaubnis, sie zu besuchen. Ich habe die Reise schon tausendmal gemacht und werde nicht müde. – Du frägst mich: sehnst du dich nach mir? Nennst du's Sehnen, wenn man nur in einem Punkt leben kann und wenn man davon gerissen ist, und dann nur noch das Gefühl seines Elendes hat? Gib mir doch Antwort. Sind meine Lippen so kalt? ⟨...⟩ – Dieser Brief ist ein Charivari: ich tröste dich mit einem andern.

22. An die Familie

Gießen, den 19. März 1834.

⟨...⟩ Wichtiger ist die Untersuchung wegen der Verbindungen; die Relegation steht wenigstens dreißig Studenten bevor. Ich wollte die Unschädlichkeit dieser Verschwörer eidlich bekräftigen. Die Regierung muß aber doch etwas zu tun haben! Sie dankt ihrem Himmel, wenn ein paar Kinder schleifen oder Ketten schaukeln! – Die in Friedberg Verhafteten sind frei, mit Ausnahme von Vieren. – ⟨...⟩

23. An die Braut

⟨Gießen, um den 19.–21. März 1834.⟩

⟨...⟩ Ich wäre untröstlich, mein armes Kind, wüßte ich nicht, was dich heilte. Ich schreibe jetzt täglich, schon gestern hatte ich einen Brief angefangen. Fast hätte ich Lust, statt nach Darmstadt, gleich nach Straßburg zu gehen. Nimmt dein Unwohlsein eine ernste Wendung, – ich bin dann im Augenblick da. Doch was sollen dergleichen Gedanken? Sie sind mir Unbegreiflichkeiten. – Mein Gesicht ist wie ein Osterei, über das die Freude rote Flecken laufen läßt. Doch ich schreibe abscheulich, es greift deine Augen an, das vermehrt das Fieber. Aber nein, ich glaube nichts, es sind nur die Nachwehen des alten nagenden Schmerzes; die linde Frühlingsluft küßt alte Leute und hektische tot; dein Schmerz ist alt und abgezehrt, er stirbt, das ist Alles, und du meinst, dein Leben ginge mit. Siehst du denn nicht den neuen lichten Tag? Hörst du meine Tritte nicht, die sich wieder rückwärts zu dir wenden? Sieh, ich schicke dir Küsse, Schneeglöckchen, Schlüsselblumen, Veilchen, der Erde erste schüchterne Blicke ins flammende Auge des Sonnenjünglings. Den halben Tag sitze ich eingeschlossen mit deinem Bild und spreche mit dir. Gestern Morgen versprach ich dir Blumen; da sind sie. Was gibst du mir dafür? Wie gefällt dir mein Bedlam! Will ich etwas Ernstes tun, so komme ich mir vor, wie Larifari in der Komödie; will er das Schwert ziehen: so ist's ein Hasenschwanz. ⟨...⟩

Ich wollte, ich hätte geschwiegen. Es überfällt mich eine unsägliche Angst. Du schreibst gleich, doch um's Himmelswillen nicht, wenn es dich Anstrengung kostet. Du sprachst mir von einem Heilmittel; lieb Herz, schon lange schwebt es mir auf der Zunge. Ich liebte aber so unser stilles Geheimnis, – doch sage deinem Vater Alles, – doch zwei Bedingungen: *Schweigen*, selbst bei den nächsten Verwandten. Ich mag nicht hinter jedem Kusse die Kochtöpfe rasseln hören, und bei den verschiedenen Tanten das Familienvatersgesicht ziehen. Dann: nicht eher an meine Eltern zu schreiben, als bis ich selbst geschrieben. Ich überlasse dir Alles, tue, was dich beruhigen kann. Was kann ich sagen, als daß ich dich liebe; was versprechen, als was in dem Worte Liebe schon liegt, Treue? Aber die sogenannte Versorgung? Student noch zwei Jahre; die gewisse Aussicht auf ein stürmisches Leben, vielleicht bald auf fremdem Boden!

Zum Schlusse trete ich zu dir und singe dir einen alten Wiegengesang:

> War nicht umsonst so still und schwach,
> Verlass'ne Liebe trug sie nach.
> In ihrer kleinen Kammer hoch
> Sie stets an der Erinnrung sog;
> An ihrem Brodschrank an der Wand
> Er immer, immer vor ihr stand,
> Und wenn ein Schlaf sie übernahm,
> Er immer, immer wieder kam.

Und dann:

> Denn immer, immer, immer doch
> Schwebt ihr das Bild an Wänden noch
> Von einem Menschen, welcher kam
> Und ihr als Kind das Herze nahm.

Fast ausgelöscht ist sein Gesicht,
Doch seiner Worte Kraft noch nicht,
Und jener Stunden Seligkeit,
Ach jener Träume Wirklichkeit,
Die, angeboren jedermann,
Kein Mensch sich wirklich machen kann.

24. An die Braut

Gießen, März 1834.

〈...〉 Ich werde gleich von hier nach Straßburg gehen, ohne
Darmstadt zu berühren; ich hätte dort auf Schwierigkeiten gestoßen, und meine Reise wäre vielleicht bis zu Ende der Vakanzen verschoben worden. Ich schreibe dir jedoch vorher noch
einmal, sonst ertrag' ich's nicht vor Ungeduld; dieser Brief ist
ohnedies so langweilig, wie ein Anmelden in einem vornehmen
Hause: Herr Studiosus Büchner. Das ist Alles! Wie ich hier
zusammenschrumpfe, ich erliege fast unter diesem *Bewußtsein;*
ja sonst wäre es ziemlich gleichgiltig; wie man nur einen Be-
täubten oder Blödsinnigen beklagen mag! Aber du, was sagst du
zu dem Invaliden? Ich wenigstens kann die Leute auf halbem
Sold nicht ausstehen. Nous ferons un peu de romantique, pour
nous tenir à la hauteur du siècle; et puis me faudra-t-il du fer à
cheval pour faire de l'impression à un cœur de femme? Aujourd'hui on a le système nerveux un peu robuste. Adieu.

25. An die Familie

〈Straßburg, Ende März/Anfang April 1834.〉

〈...〉 Ich war 〈in Gießen〉 im Äußeren ruhig, doch war ich in
tiefe Schwermut verfallen; dabei engten mich die politischen
Verhältnisse ein, ich schämte mich, ein Knecht mit Knechten zu
sein, einem vermoderten Fürstengeschlecht und einem krie-
chenden Staatsdiener-Aristokratismus zu Gefallen. Ich komme
nach Gießen in die niedrigsten Verhältnisse, Kummer und Wi-
derwillen machen mich krank. 〈...〉

26. An die Familie

Gießen, den 25. Mai 1834.

〈...〉 Das Treiben des »Burschen« kümmert mich wenig, gestern Abend hat er von dem Philister Schläge bekommen. Man

schrie *Bursch heraus!* Es kam aber Niemand, als die Mitglieder
zweier Verbindungen, die aber den Universitätsrichter rufen
mußten, um sich vor den Schuster- und Schneiderbuben zu
retten. Der Universitätsrichter war betrunken und schimpfte
die Bürger; es wundert mich, daß er keine Schläge bekam; das
Possierlichste ist, daß die Buben liberal sind und sich daher an
die loyal gesinnten Verbindungen machten. Die Sache soll sich
heute Abend wiederholen, man munkelt sogar von einem Auszug; ich hoffe, daß der Bursche wieder Schläge bekommt; *wir*
halten zu den Bürgern und bleiben in der Stadt. ⟨...⟩

27. An die Familie

Gießen, den 2. Juli 1834.

⟨...⟩ Was sagt man zu der Verurteilung von *Schulz*? – Mich
wundert es nicht, es riecht nach Kommißbrod. – A propos,
wißt Ihr die hübsche Geschichte vom Herrn Commissär, ⟨...⟩?
Der gute Columbus sollte in X.... bei einem Schreiner eine
geheime Presse entdecken. Er besetzt das Haus, dringt ein.
»Guter Mann, es ist Alles aus, führ' er mich nur an die Presse.«
Der Mann führt ihn an die Kelter. »Nein, Mann! Die Presse!
Die Presse!« – Der Mann versteht ihn nicht, und der Commissär wagt sich in den Keller. Es ist dunkel. »Ein Licht, Mann!« –
»Das müssen Sie kaufen, wenn Sie eins haben wollen.« – Aber
der Herr Commissär spart dem Lande überflüssige Ausgaben.
Er rennt, wie Münchhausen, an einen Balken, er schlägt Feuer
aus seinem Nasenbein, das Blut fließt, er achtet nichts und *findet nichts.* Unser lieber Großherzog wird ihm aus einem Zivil-
verdienstorden ein Nasenfutteral machen. – ⟨...⟩

28. An die Familie

Frankfurt, den 3. August 1834.

⟨...⟩ Ich benutze jeden Vorwand, um mich von meiner Kette
loszumachen. *Freitag Abends* ging ich von Gießen weg; ich
wählte die Nacht der gewaltigen Hitze wegen, und so wanderte
ich in der lieblichsten Kühle unter hellem Sternenhimmel, an
dessen fernstem Horizonte ein beständiges Blitzen leuchtete.
Teils zu Fuß, teils fahrend mit Postillonen und sonstigem Ge-
sindel, legte ich während der Nacht den größten Teil des Wegs
zurück. Ich ruhte mehrmals unterwegs. Gegen Mittag war ich

in Offenbach. Den kleinen Umweg machte ich, weil es von dieser Seite leichter ist, in die Stadt zu kommen, ohne angehalten zu werden. Die Zeit erlaubte mir nicht, mich mit den nötigen Papieren zu versehen. ⟨...⟩

29. An die Familie

Gießen, den 5. August 1834.

⟨...⟩ Ich meine, ich hätte Euch erzählt, daß *Minnigerode* eine halbe Stunde vor meiner Abreise arretiert wurde, man hat ihn nach Friedberg abgeführt. Ich begreife den Grund seiner Verhaftung nicht. Unserem scharfsinnigen Universitätsrichter fiel es ein, in meiner Reise, wie es scheint, einen Zusammenhang mit der Verhaftung Minnigerodes zu finden. Als ich hier ankam, fand ich meinen Schrank *versiegelt,* und man sagte mir, meine Papiere seien durchsucht worden. Auf mein Verlangen wurden die Siegel sogleich abgenommen, auch gab man mir meine Papiere (nichts als Briefe von Euch und meinen Freunden) zurück, nur einige französische Briefe von W⟨ilhelmine⟩, Muston, L⟨ambossy⟩ und B⟨oeckel⟩ wurden zurückbehalten, wahrscheinlich weil die Leute sich erst einen Sprachlehrer müssen kommen lassen, um sie zu lesen. Ich bin empört über ein solches Benehmen, es wird mir übel, wenn ich meine heiligsten Geheimnisse in den Händen dieser schmutzigen Menschen denke. Und das Alles – wißt Ihr auch warum? Weil ich an dem nämlichen Tag abgereist, an dem Minnigerode verhaftet wurde. Auf einen vagen Verdacht hin verletzte man die heiligsten Rechte und verlangte dann weiter Nichts, als daß ich mich über meine Reise ausweisen sollte!!! Das konnte ich natürlich mit der größten Leichtigkeit; ich habe Briefe von B., die jedes Wort bestätigen, das ich gesprochen, und unter meinen Papieren befindet sich *keine* Zeile, die mich kompromittieren könnte. Ihr könnt über die Sache ganz unbesorgt sein. Ich bin auf freiem Fuß und es ist unmöglich, daß man einen Grund zur Verhaftung finde. Nur im Tiefsten bin ich über das Verfahren der Gerichte empört, auf den Verdacht eines möglichen Verdachts in die heiligsten Familiengeheimnisse einzubrechen. Man hat mich auf dem Universitätsgericht *bloß gefragt,* wo ich mich während der drei letzten Tage aufgehalten, und um sich darüber Aufschluß zu verschaffen, *erbricht* man schon am zweiten Tag in meiner Abwesenheit meinen Pult und bemächtigt sich meiner Papiere! Ich werde mit einigen Rechtskundigen sprechen und sehen, ob die Gesetze für eine solche Verletzung Genugtuung schaffen! ⟨...⟩

30. An die Familie

Gießen, den 8. August 1834.

⟨...⟩ Ich gehe meinen Beschäftigungen wie gewöhnlich nach, vernommen bin ich nicht weiter geworden. Verdächtiges hat man nicht gefunden, nur die französischen Briefe scheinen noch nicht entziffert zu sein; der Herr Universitätsrichter muß sich wohl erst Unterricht im Französischen nehmen. Man hat mir sie noch nicht zurückgegeben. ⟨...⟩ Übrigens habe ich mich bereits an das Disziplinargericht gewendet und es um Schutz gegen die Willkür des Universitätsrichters gebeten. Ich bin auf die Antwort begierig. Ich kann mich nicht entschließen, auf die mir gebührende Genugtuung zu verzichten. Das Verletzen meiner heiligsten Rechte und das Einbrechen in alle meine Geheimnisse, das Berühren von Papieren, die mir Heiligtümer sind, empörten mich zu tief, als daß ich nicht jedes Mittel ergreifen sollte, um mich an dem Urheber dieser Gewalttat zu rächen. Den Universitätsrichter habe ich mittelst des höflichsten Spottes fast ums Leben gebracht. Wie ich zurückkam, mein Zimmer mir verboten und mein Pult versiegelt fand, lief ich zu ihm und sagte ihm ganz kaltblütig mit der größten Höflichkeit, in Gegenwart mehrerer Personen: wie ich vernommen, habe er in meiner Abwesenheit mein Zimmer mit seinem Besuche *beehrt,* ich komme, um ihn um den Grund seines gütigen Besuches zu fragen etc. – Es ist Schade, daß ich nicht nach dem Mittagessen gekommen, aber auch so barst er fast und mußte diese beißende Ironie mit der größten Höflichkeit beantworten. Das Gesetz sagt, nur in Fällen sehr *dringenden* Verdachts, ja nur eines Verdachtes, der statt *halben Beweises* gelten *könne,* dürfte eine Haussuchung vorgenommen werden. Ihr seht, wie man das Gesetz auslegt. Verdacht, am wenigsten ein dringender, kann nicht gegen mich vorliegen, sonst müßte ich verhaftet sein; in der Zeit, wo ich hier bin, könnte ich ja jede Untersuchung durch Verabreden gleichlautender Aussagen und dergleichen unmöglich machen. Es geht hieraus hervor, daß ich durch nichts kompromittiert bin und daß die Haussuchung nur vorgenommen worden, weil ich nicht liederlich und nicht sklavisch genug aussehe, um für keinen Demagogen gehalten zu werden. Eine solche Gewalttat stillschweigend ertragen, hieße die Regierung zur

Mitschuldigen machen; hieße aussprechen, daß es keine gesetzliche Garantie mehr gäbe; hieße erklären, daß das verletzte
Recht keine Genugtuung mehr erhalte. Ich will unserer Regierung diese grobe Beleidigung nicht antun.

Wir wissen nichts von Minnigerode; das Gerücht mit Offenbach ist jedenfalls reine Erfindung; daß ich auch schon da gewesen, kann mich nicht mehr kompromittieren, als jeden anderen
Reisenden. ⟨...⟩ – Sollte man, sowie man ohne die gesetzlich
notwendige Ursache meine Papiere durchsuchte, mich auch ohne dieselbe festnehmen, in Gottes Namen! ich kann so wenig
darüber hinaus, und es ist dies so wenig meine Schuld, als wenn
eine Herde Banditen mich anhielte, plünderte oder mordete. Es
ist Gewalt, der man sich fügen muß, wenn man nicht stark
genug ist, ihr zu widerstehen; aus der Schwäche kann Einem
kein Vorwurf gemacht werden. ⟨...⟩

31. An die Familie

Gießen, Ende August 1834.

Es sind jetzt fast drei Wochen seit der Haussuchung verflossen, und man hat mir in Bezug darauf noch nicht die *mindeste*
Eröffnung gemacht. Die Vernehmung bei dem Universitätsrichter am ersten Tage kann nicht in Anschlag gebracht werden,
sie steht damit in keinem *gesetzlichen* Zusammenhang; der Herr
Georgi verlangt nur als *Universitätsrichter* von mir als *Studenten:* ich solle mich wegen meiner Reise ausweisen, während er
die Haussuchung als *Regierungscommissär* vornahm. Ihr sehet
also, wie weit man es in der *gesetzlichen Anarchie* gebracht
hat. Ich vergaß, wenn ich nicht irre, den wichtigen Umstand
anzuführen, daß die Haussuchung sogar ohne die drei, durch
das Gesetz vorgeschriebenen *Urkundspersonen* vorgenommen
wurde, und so um so mehr den Charakter eines *Einbruchs* an
sich trägt. Das Verletzen unserer Familiengeheimnisse ist ohnehin ein bedeutenderer Diebstahl, als das Wegnehmen einiger
Geldstücke. Das Einbrechen in meiner *Abwesenheit* ist ebenfalls ungesetzlich; man war nur berechtigt, meine Türe zu ver-
siegeln, und erst *dann* in meiner *Abwesenheit* zur Haussuchung
zu schreiten, wenn ich mich auf *erfolgte Vorladung* nicht gestellt hätte. Es sind also *drei Verletzungen des Gesetzes* vorgefallen: Haussuchung *ohne dringenden Verdacht* (ich bin, wie
gesagt, noch nicht vernommen worden, und es sind drei Wochen verflossen), Haussuchung *ohne Urkundspersonen,* und

endlich Haussuchung am dritten Tage meiner Abwesenheit *ohne vorher erfolgte Vorladung.* –

Die Vorstellung an das Disziplinargericht war im Grund genommen überflüssig, weil der Universitätsrichter als *Regierungscommissär* nicht unter ihm steht. Ich tat diesen Schritt nur vorerst, um nicht mit der Türe ins Haus zu fallen; ich stellte mich unter seinen Schutz, ich überließ ihm meine Klage. Seiner Stellung gemäß *mußte* es meine Sache zu der *seinigen* machen, aber die Leute sind etwas furchtsamer Natur; ich bin überzeugt, daß sie mich an eine andere Behörde verweisen. Ich erwarte ihre Resolution ... Der Vorfall ist so einfach und liegt so klar am Tage, daß man mir entweder volle Genugtuung schaffen oder öffentlich erklären muß, das Gesetz sei aufgehoben und eine Gewalt an seine Stelle getreten, gegen die es keine Appellation, als Sturmglocken und Pflastersteine gebe. ⟨...⟩

32. An Sauerländer

Darmstadt, d. 21. Febr. 35.

Geehrtester Herr!

Ich gebe mir die Ehre Ihnen mit diesen Zeilen ein Manuskript zu überschicken. Es ist ein dramatischer Versuch und behandelt einen Stoff der neueren Geschichte. Sollten Sie geneigt sein das Verlag desselben zu übernehmen, so ersuche ich Sie mich so bald als möglich davon zu benachrichtigen, im entgegengesetzten Falle aber das Manuskript an die Heyerische Buchhandlung dahier zurückgehn zu lassen.

Sie würden mich sehr verbinden, wenn Sie dem Herrn Karl Guzkow den beigeschlossnen Brief überschicken und ihm das Drama zur Einsicht mitteilen wollten.

Haben Sie die Güte eine etwaige Antwort in einer Couverte mit der Adresse: an Frau Regierungsrat Reuß zu Darmstadt, an mich gelangen zu lassen. Verschiedne Umstände lassen mich dringend wünschen, daß dies in möglichster Kürze der Fall sei.

Hochachtungsvoll verbleibe ich

Ihr

ergebenster Diener   G. Büchner.

33. An Gutzkow

⟨Darmstadt, Ende Februar 1835.⟩

Mein Herr!

Vielleicht hat es Ihnen die Beobachtung, vielleicht, im unglücklicheren Fall, die eigne Erfahrung schon gesagt, daß es
einen Grad von Elend gibt, welcher jede Rücksicht vergessen
und jedes Gefühl verstummen macht. Es gibt zwar Leute, welche behaupten, man solle sich in einem solchen Falle lieber zur
Welt hinaushungern, aber ich könnte die Widerlegung in einem
seit Kurzem erblindeten Hauptmann von der Gasse aufgreifen,
welcher erklärt, er würde sich totschießen, wenn er nicht gezwungen sei, seiner Familie durch sein Leben seine Besoldung
zu erhalten. Das ist entsetzlich. Sie werden wohl einsehen, daß
es ähnliche Verhältnisse geben kann, die Einen verhindern, seinen Leib zum Notanker zu machen, um ihn von dem Wrack
dieser Welt in das Wasser zu werfen und werden sich also nicht
wundern, wie ich Ihre Türe aufreiße, in Ihr Zimmer trete, Ihnen
ein Manuskript auf die Brust setze und ein Almosen abfordere.
Ich bitte Sie nämlich, das Manuskript so schnell als möglich zu
durchlesen, es, im Fall Ihnen Ihr *Gewissen als Kritiker dies
erlauben sollte,* dem Herrn S⟨auerländer⟩ zu empfehlen, und
sogleich zu antworten.

Über das Werk selbst kann ich Ihnen nichts weiter sagen, als
daß unglückliche Verhältnisse mich zwangen, es in höchstens
fünf Wochen zu schreiben. Ich sage dies, um Ihr Urteil über
den Verfasser, nicht über das Drama an und für sich, zu motivieren. Was ich daraus machen soll, weiß ich selbst nicht, nur
das weiß ich, daß ich alle Ursache habe, der Geschichte gegenüber rot zu werden; doch tröste ich mich mit dem Gedanken,
daß, Shakespeare ausgenommen, alle Dichter vor ihr und der
Natur wie Schulknaben dastehen.

Ich wiederhole meine Bitte um schnelle Antwort; im Falle
eines günstigen Erfolgs können einige Zeilen von Ihrer Hand,
wenn sie noch vor nächstem Mittwoch hier eintreffen, einen
Unglücklichen vor einer sehr traurigen Lage bewahren.

Sollte Sie vielleicht der Ton dieses Briefes befremden, so bedenken Sie, daß es mir leichter fällt, in Lumpen zu betteln, als
im Frack eine Supplik zu überreichen und fast leichter, die
Pistole in der Hand: la bourse ou la vie! zu sagen, als mit
bebenden Lippen ein: Gott lohn' es! zu flüstern.   *G. Büchner.*

STRASSBURG 1835–1836

34. An die Familie

Weißenburg, den 9. März 1835.

Eben lange ich wohlbehalten hier an. Die Reise ging schnell und bequem vor sich. Ihr könnt, was meine persönliche Sicherheit anlangt, völlig ruhig sein. Sicheren Nachrichten gemäß bezweifle ich auch nicht, daß mir der Aufenthalt in Straßburg gestattet werden wird. ⟨...⟩ Nur die dringendsten Gründe konnten mich zwingen, Vaterland und Vaterhaus in der Art zu verlassen. ⟨...⟩ Ich konnte mich unserer politischen Inquisition stellen; von dem Resultat einer Untersuchung hatte ich nichts zu befürchten, aber Alles von der Untersuchung selbst. ⟨...⟩ Ich bin überzeugt, daß nach einem Verlaufe von zwei bis drei Jahren meiner Rückkehr nichts mehr im Wege stehen wird. Diese Zeit hätte ich im Falle des Bleibens in einem Kerker zu Friedberg versessen; körperlich und geistig zerrüttet wäre ich dann entlassen worden. Dies stand mir so deutlich vor Augen, dessen war ich so gewiß, daß ich das große Übel einer freiwilligen Verbannung wählte. Jetzt habe ich Hände und Kopf frei. ⟨...⟩ Es liegt jetzt Alles in meiner Hand. Ich werde das Studium der medizinisch-philosophischen Wissenschaften mit der größten Anstrengung betreiben, und auf *dem* Felde ist noch Raum genug, um etwas Tüchtiges zu leisten und unsere Zeit ist grade dazu gemacht, dergleichen anzuerkennen. Seit ich über der Grenze bin, habe ich frischen Lebensmut, ich stehe jetzt ganz allein, aber gerade das steigert meine Kräfte. Der beständigen geheimen Angst vor Verhaftung und sonstigen Verfolgungen, die mich in Darmstadt beständig peinigte, enthoben zu sein, ist eine große Wohltat. ⟨...⟩

35. An Gutzkow

Straßburg, ⟨März 1835.⟩

Verehrtester!

Vielleicht haben Sie durch einen Steckbrief im Frankfurter Journal meine Abreise von Darmstadt erfahren. Seit einigen Tagen bin ich hier; ob ich bleiben werde, weiß ich nicht, das hängt von verschiedenen Umständen ab. Mein Manuskript wird unter der Hand seinen Kurs durchgemacht haben.

Meine Zukunft ist so problematisch, daß sie mich selbst zu interessieren anfängt, was viel heißen will. Zu dem subtilen Selbstmord durch *Arbeit* kann ich mich nicht leicht entschließen; ich hoffe, meine Faulheit wenigstens ein Vierteljahr lang fristen zu können, und nehme dann Handgeld entweder von den Jesuiten für den Dienst der Maria oder von den St. Simonisten für die femme libre oder sterbe mit meiner Geliebten. Wir werden sehen. Vielleicht bin ich auch dabei, wenn noch einmal das Münster eine Jakobiner-Mütze aufsetzen sollte. Was sagen Sie dazu? Es ist nur mein Spaß. Aber Sie sollen noch erleben, zu was ein Deutscher nicht fähig ist, wenn er Hunger hat. Ich wollte, es ginge der ganzen Nation wie mir. Wenn es einmal ein Mißjahr gibt, worin nur der Hanf gerät! Das sollte lustig gehen, wir wollten schon eine Boa Constriktor zusammen flechten. Mein Danton ist vorläufig ein seidnes Schnürchen und meine Muse ein verkleideter Samson.

36. An die Familie

Straßburg, den 27. März 1835.

⟨...⟩ Ich fürchte sehr, daß das Resultat der Untersuchung den Schritt, welchen ich getan, hinlänglich rechtfertigen wird; es sind wieder Verhaftungen erfolgt, und man erwartet nächstens deren noch mehr. Minnigerode ist in flagranti crimine ertappt worden; man betrachtet ihn als den Weg, der zur Entdeckung aller bisherigen revolutionären Umtriebe führen soll, man sucht ihm um jeden Preis sein Geheimnis zu entreißen; wie sollte seine schwache Konstitution der langsamen Folter, auf die man ihn spannt, widerstehen können? ⟨...⟩ Ist in den deutschen Zeitungen die Hinrichtung des Lieutenant Kosseritz auf dem Hohenasperg in Württemberg bekannt gemacht worden? Er war *Mitwisser* um das Frankfurter Komplott, und wurde vor einiger Zeit erschossen. Der Buchhändler *Frankh* aus Stuttgart ist mit noch mehreren Anderen aus der nämlichen Ursache zum Tode verurteilt worden, und man glaubt, daß das Urteil vollstreckt wird. ⟨...⟩

37. An die Familie

Straßburg, den 20. April 1835.

⟨...⟩ Heute Morgen erhielt ich eine traurige Nachricht; ein Flüchtling aus der Gegend von Gießen ist hier angekommen; er erzählte mir, in der Gegend von Marburg seien mehrere Personen verhaftet und bei einem von ihnen eine Presse gefunden worden, außerdem sind meine Freunde *A. Becker* und *Klemm* eingezogen worden, und Rektor *Weidig* von Butzbach wird verfolgt. Ich begreife unter solchen Umständen die Freilassung von P⟨.....⟩ nicht. Jetzt erst bin ich froh, daß ich weg bin, man würde mich auf keinen Fall verschont haben. ⟨...⟩ Ich sehe meiner Zukunft sehr ruhig entgegen. Jedenfalls könnte ich von meinen schriftstellerischen Arbeiten leben. ⟨...⟩ Man hat mich auch aufgefordert, Kritiken über die neu erscheinenden französischen Werke in das Literaturblatt zu schicken, sie werden gut bezahlt. Ich würde mir noch weit mehr verdienen können, wenn ich mehr Zeit darauf verwenden wollte, aber ich bin entschlossen, meinen *Studienplan nicht aufzugeben.* ⟨...⟩

38. An die Familie

Straßburg, den 5. Mai 1835.

Schulz und seine Frau gefallen mir sehr gut, ich habe schon seit längerer Zeit Bekanntschaft mit ihnen gemacht und besuche sie öfters. Schulz namentlich ist nichts weniger, als die unruhige Kanzleibürste, die ich mir unter ihm vorstellte; er ist ein ziemlich ruhiger und sehr anspruchsloser Mann. Er beabsichtigt in aller Nähe mit seiner Frau nach Nancy und in Zeit von einem Jahr ungefähr nach Zürich zu gehen, um dort zu dozieren. ⟨...⟩ Die Verhältnisse der politischen Flüchtlinge sind in der Schweiz keineswegs so schlecht, als man sich einbildet; die strengen Maßregeln erstrecken sich nur auf diejenigen, welche durch ihre fortgesetzten Tollheiten die Schweiz in die unangenehmsten Verhältnisse mit dem Auslande gebracht und schon beinahe in einen Krieg mit demselben verwickelt haben. ⟨...⟩ Böckel und Baum sind fortwährend meine intimsten Freunde; Letzterer will seine Abhandlung über die Methodisten, wofür er einen Preis von 3000 Francs erhalten hat und öffentlich gekrönt worden ist, drucken lassen. Ich habe mich in seinem Namen an *Gutzkow* gewendet, mit dem ich fortwährend in Korrespondenz stehe. Er ist im Augenblick in Berlin, muß aber bald wieder zurückkommen. Er scheint viel auf mich zu halten, ich bin froh darüber, sein Literaturblatt steht in großem Ansehn. ⟨...⟩ Im Juni wird er hierherkommen, wie er mir schreibt. Daß Mehreres aus meinem Drama im Phönix erschienen ist, hatte ich durch ihn erfahren, er versicherte mich auch, daß das Blatt viel

Ehre damit eingelegt habe. Das Ganze muß bald erscheinen. Im Fall es euch zu Gesicht kommt, bitte ich euch, bei eurer Beurteilung vorerst zu bedenken, daß ich der Geschichte treu bleiben und die Männer der Revolution geben mußte, wie sie waren, blutig, liederlich, energisch und zynisch. Ich betrachte mein Drama wie ein geschichtliches Gemälde, das seinem Original gleichen muß. ⟨...⟩ Gutzkow hat mich um Kritiken, wie um eine besondere Gefälligkeit gebeten; ich konnte es nicht abschlagen, ich gebe mich ja doch in meinen freien Stunden mit Lektüre ab, und wenn ich dann manchmal die Feder in die Hand nehme und schreibe über das Gelesene etwas nieder, so ist dies keine so große Mühe und nimmt wenig Zeit weg. ⟨...⟩ Der Geburtstag des Königs ging sehr still vorüber, Niemand fragt nach dergleichen, selbst die Republikaner sind ruhig; sie wollen keine Emeuten mehr, aber ihre Grundsätze finden von Tag zu Tag, namentlich bei der jungen Generation mehr Anhang, und so wird wohl die Regierung nach und nach, ohne gewaltsame Umwälzung von selbst zusammenfallen. ⟨...⟩ *Sartorius* ist verhaftet, sowie auch *Becker*. Heute habe ich auch die Verhaftung des Herrn *Weidig* und des Pfarrers *Flick* zu Petterweil erfahren. ⟨...⟩

39. An die Familie

Straßburg, Mittwoch nach Pfingsten 1835.
⟨...⟩ Was ihr mir von dem in Darmstadt verbreiteten Gerüchte hinsichtlich einer in Straßburg bestehenden Verbindung sagt, beunruhigt mich sehr. Es sind höchstens acht bis neun deutsche Flüchtlinge hier, ich komme fast in keine Berührung mit ihnen, und an eine politische Verbindung ist nicht zu denken. Sie sehen so gut wie ich ein, daß unter den jetzigen Umständen dergleichen im Ganzen unnütz und dem, der daran Teil nimmt, höchst verderblich ist. Sie haben nur einen Zweck, nämlich durch Arbeiten, Fleiß und gute Sitten das sehr gesunkene Ansehn der deutschen Flüchtlinge wieder zu heben, und ich finde das sehr lobenswert. Straßburg schien übrigens unserer Regierung höchst verdächtig und sehr gefährlich, es wundern mich daher die umgehenden Gerüchte nicht im Geringsten, nur macht es mich besorgt, daß unsere Regierung die Ausweisung der Schuldigen verlangen will. Wir stehen hier unter keinem gesetzlichen Schutz, halten uns eigentlich gegen das Gesetz hier auf, sind nur *geduldet* und somit ganz der Willkür des Präfek-

ten überlassen. Sollte ein derartiges Verlangen von unserer Regierung gestellt werden, so würde man nicht fragen: existiert
eine solche Verbindung oder nicht? sondern man würde ausweisen, was da ist. Ich kann zwar auf Protektion genug zählen,
um mich hier halten zu können, aber das geht nur so lange, als
die hessische Regierung nicht *besonders* meine Ausweisung verlangt, denn in diesem Falle spricht das Gesetz *zu* deutlich, als
daß die Behörde ihm nicht nachkommen müßte. Doch hoffe
ich, das Alles ist übertrieben. Uns berührt auch folgende Tatsache: *Dr. Schulz hat nämlich vor einigen Tagen den Befehl erhalten*, Straßburg zu verlassen; er hatte hier ganz zurückgezogen gelebt, sich ganz ruhig verhalten und *dennoch!* Ich hoffe,
daß unsere Regierung mich für zu unbedeutend hielt, um auch
gegen mich ähnliche Maßregeln zu ergreifen und daß ich somit
ungestört bleiben werde. Sagt, ich sei in die Schweiz gegangen. –
Heumann sprach ich gestern. – Auch sind in der letzten Zeit
wieder fünf Flüchtlinge aus Darmstadt und Gießen hier eingetroffen und bereits in die Schweiz weiter gereist. *Rosenstiel,
Wiener* und *Stamm* sind unter ihnen. ⟨...⟩

40. An Wilhelm Büchner

⟨Straßburg, 1835⟩

⟨...⟩ Ich würde Dir das nicht sagen, wenn ich im Entferntesten jetzt an die Möglichkeit einer politischen Umwälzung
glauben könnte. Ich habe mich seit einem halben Jahre vollkommen überzeugt, daß Nichts zu tun ist, und daß Jeder, der
im Augenblicke sich aufopfert, seine Haut wie ein Narr zu
Markte trägt. Ich kann Dir nichts Näheres sagen, aber ich kenne
die Verhältnisse, ich weiß, wie schwach, wie unbedeutend, wie
zerstückelt die liberale Partei ist, ich weiß, daß ein zweckmäßiges, übereinstimmendes Handeln unmöglich ist, und daß jeder
Versuch auch nicht zum geringsten Resultate führt. ⟨...⟩

41. An unbekannten Empfänger

⟨Straßburg, 1835⟩

⟨...⟩ Eine genaue Bekanntschaft mit dem Treiben der deutschen Revolutionärs im Auslande hat mich überzeugt, daß auch
von dieser Seite nicht das Geringste zu hoffen ist. Es herrscht
unter ihnen eine babylonische Verwirrung, die nie gelöst werden wird. Hoffen wir auf die Zeit! ⟨...⟩

42. An Gutzkow

⟨Straßburg⟩

⟨...⟩ Die ganze Revolution hat sich schon in Liberale und Absolutisten geteilt und muß von der ungebildeten und armen Klasse aufgefressen werden; das Verhältnis zwischen Armen und Reichen ist das einzige revolutionäre Element in der Welt, der Hunger allein kann die Freiheitsgöttin und nur ein Moses, der uns die sieben ägyptischen Plagen auf den Hals schickte, könnte ein Messias werden. Mästen Sie die Bauern, und die Revolution bekommt die Apoplexie. Ein *Huhn* im Topf jedes Bauern macht den gallischen *Hahn* verenden. ⟨...⟩

43. An die Familie

Straßburg, im Juli 1835.

⟨...⟩ Ich habe hier noch mündlich viel Unangenehmes aus Darmstadt erfahren. *Koch, Walloth, Geilfuß* und einer meiner Gießener Freunde, mit Namen *Becker,* sind vor Kurzem hier angekommen, auch ist der junge *Stamm* hier. Es sind sonst noch Mehrere angekommen, sie gehen aber sämtlich weiter in die Schweiz oder in das Innere von Frankreich. Ich habe von Glück zu sagen und fühle mich manchmal recht frei und leicht, wenn ich den weiten, freien Raum um mich überblicke und mich dann in das Darmstädter Arresthaus zurückversetze. Die Unglücklichen! Minnigerode sitzt jetzt fast ein Jahr, er soll körperlich fast aufgerieben sein, aber zeigt er nicht eine heroische Standhaftigkeit? Es heißt, er sei schon mehrmals geschlagen worden, ich kann und mag es nicht glauben. *A. Becker* wird wohl von Gott und der Welt verlassen sein; seine Mutter starb, während er in Gießen im Gefängnis saß, *vierzehn Tage* darnach eröffnete man es ihm!!! *Kl⟨emm⟩* ist ein Verräter, das ist gewiß, aber es ist mir doch immer, als ob ich träumte, wenn ich daran denke. Wißt Ihr denn, daß seine Schwester und seine Schwägerin ebenfalls verhaftet und nach Darmstadt gebracht worden sind, und zwar höchst wahrscheinlich auf seine eigne Aussage hin? Übrigens gräbt er sich sein eignes Grab; seinen Zweck, die Heirat mit Fräulein v. ⟨Grolmann⟩ in Gießen, wird er doch nicht erreichen, und die öffentliche Verachtung, die ihn unfehlbar trifft, wird ihn töten. Ich fürchte nur sehr, daß die bisherigen Verhaftungen nur das Vorspiel sind; es wird noch bunt hergehen. Die Regierung weiß sich nicht zu mäßigen; die Vorteile, welche ihr die Zeitumstände in die Hand geben, wird sie

auf's Äußerste mißbrauchen, und das ist sehr unklug und für
uns sehr vorteilhaft. Auch der junge *v. Biegeleben, Weidenbusch, Floret* sind in eine Untersuchung verwickelt; das wird
noch ins Unendliche gehen. Drei Pfarrer, *Flick, Weidig* und
Thudichum sind unter den Verhafteten. Ich fürchte nur sehr,
daß unsere Regierung uns hier nicht in Ruhe läßt, doch bin ich
der Verwendung der Professoren Lauth, Duvernoy und des
Doktor Boeckels gewiß, die sämtlich mit dem Präfekten gut
stehen. – Mit meiner Übersetzung bin ich längst fertig; wie es
mit meinem Drama geht, weiß ich nicht; es mögen wohl fünf
bis sechs Wochen sein, daß mir Gutzkow schrieb, es werde
daran gedruckt, seit der Zeit habe ich nichts mehr darüber gehört. Ich denke es muß erschienen sein, und man schickt es mir
erst, wenn die Rezensionen erschienen sind, zugleich mit diesen
zu. Anders weiß ich mir die Verzögerung nicht zu erklären.
Nur fürchte ich zuweilen für *Gutzkow;* er ist ein Preuße und
hat sich neuerdings durch eine Vorrede zu einem in Berlin erschienenen Werke das Mißfallen seiner Regierung zugezogen.
Die Preußen machen kurzen Prozeß; er sitzt vielleicht jetzt auf
einer preußischen Festung; doch wir wollen das Beste hoffen.
⟨...⟩

44. An die Familie

Straßburg, 16. Juli 1835.

⟨...⟩ Ich lebe hier ganz unangefochten; es ist zwar vor einiger
Zeit ein Reskript von Gießen gekommen, die Polizei scheint
aber keine Notiz davon genommen zu haben. ⟨...⟩ Es liegt
schwer auf mir, wenn ich mir Darmstadt vorstelle; ich sehe
unser Haus und den Garten und dann unwillkürlich das ab-
scheuliche Arresthaus. Die Unglücklichen! Wie wird das enden? Wohl wie in Frankfurt, wo Einer nach dem Andern stirbt
und in der Stille begraben wird. Ein Todesurteil, ein Schafott,
was ist das? Man stirbt für seine Sache. Aber so im Gefängnis
auf eine langsame Weise aufgerieben zu werden! Das ist entsetzlich! Könntet Ihr mir nicht sagen, wer in Darmstadt sitzt?
Ich habe hier Vieles untereinander gehört, werde aber nicht
klug daraus. *Kl⟨emm⟩* scheint eine schändliche Rolle zu spielen.
Ich hatte den Jungen sehr gern, er war grenzenlos leidenschaftlich, aber offen, lebhaft, mutig und aufgeweckt. Hört man
nichts von Minnigerode? Sollte er wirklich Schläge erhalten? Es

ist mir undenkbar. Seine heroische Standhaftigkeit sollte auch
den verstocktesten Aristokraten Ehrfurcht einflößen. ⟨...⟩

45. An die Familie

Straßburg, 28. Juli 1835.

⟨...⟩ Über mein Drama muß ich einige Worte sagen: erst
muß ich bemerken, daß die Erlaubnis, einige Änderungen machen zu dürfen, allzusehr benutzt worden ist. Fast auf jeder
Seite weggelassen, zugesetzt, und fast immer auf die dem Ganzen nachteiligste Weise. Manchmal ist der Sinn ganz entstellt
oder ganz und gar weg, und fast platter Unsinn steht an der
Stelle. Außerdem wimmelt das Buch von den abscheulichsten
Druckfehlern. Man hatte mir keinen *Korrekturbogen* zuge-
schickt. Der Titel ist abgeschmackt, und mein Name steht darauf, was ich ausdrücklich verboten hatte; er steht außerdem
nicht auf dem Titel meines Manuskripts. Außerdem hat mir der
Korrektor einige Gemeinheiten in den Mund gelegt, die ich in
meinem Leben nicht gesagt haben würde. Gutzkows glänzende
Kritiken habe ich gelesen und zu meiner Freude dabei bemerkt,
daß ich keine Anlagen zur Eitelkeit habe. Was übrigens die
sogenannte Unsittlichkeit meines Buchs angeht, so habe ich
Folgendes zu antworten: der dramatische Dichter ist in meinen
Augen nichts, als ein Geschichtschreiber, steht aber *über* Letzterem dadurch, daß er uns die Geschichte zum zweiten Mal
erschafft und uns gleich unmittelbar, statt eine trockne Erzählung zu geben, in das Leben einer Zeit hinein versetzt, uns statt
Charakteristiken Charaktere, und statt Beschreibungen Gestalten gibt. Seine höchste Aufgabe ist, der Geschichte, wie sie sich
wirklich begeben, so nahe als möglich zu kommen. Sein Buch
darf weder *sittlicher* noch *unsittlicher* sein, als die *Geschichte
selbst;* aber die Geschichte ist vom lieben Herrgott nicht zu
einer Lektüre für junge Frauenzimmer geschaffen worden, und
da ist es mir auch nicht übel zu nehmen, wenn mein Drama
ebensowenig dazu geeignet ist. Ich kann doch aus einem Danton und den Banditen der Revolution nicht Tugendhelden machen! Wenn ich ihre Liederlichkeit schildern wollte, so mußte
ich sie eben liederlich sein, wenn ich ihre Gottlosigkeit zeigen
wollte, so mußte ich sie eben wie Atheisten sprechen lassen.
Wenn einige unanständige Ausdrücke vorkommen, so denke
man an die weltbekannte, obszöne Sprache der damaligen Zeit,
wovon das, was ich meine Leute sagen lasse, nur ein schwacher

Abriß ist. Man könnte mir nur noch vorwerfen, daß ich einen solchen Stoff gewählt hätte. Aber der Einwurf ist längst widerlegt. Wollte man ihn gelten lassen, so müßten die größten Meisterwerke der Poesie verworfen werden. Der Dichter ist kein Lehrer der Moral, er erfindet und schafft Gestalten, er macht vergangene Zeiten wieder aufleben, und die Leute mögen dann daraus lernen, so gut, wie aus dem Studium der Geschichte und der Beobachtung dessen, was im menschlichen Leben um sie herum vorgeht. Wenn man *so* wollte, dürfte man keine Geschichte studieren, weil sehr viele unmoralische Dinge darin erzählt werden, müßte mit verbundenen Augen über die Gasse gehen, weil man sonst Unanständigkeiten sehen könnte, und müßte über einen Gott Zeter schreien, der eine Welt erschaffen, worauf so viele Liederlichkeiten vorfallen. Wenn man mir übrigens noch sagen wollte, der Dichter müsse die Welt nicht zeigen wie sie ist, sondern wie sie sein solle, so antworte ich, daß ich es nicht besser machen will, als der liebe Gott, der die Welt gewiß gemacht hat, wie sie sein soll. Was noch die sogenannten Idealdichter anbetrifft, so finde ich, daß sie fast nichts als Marionetten mit himmelblauen Nasen und affektiertem Pathos, aber nicht Menschen von Fleisch und Blut gegeben haben, deren Leid und Freude mich mitempfinden macht, und deren Tun und Handeln mir Abscheu oder Bewunderung einflößt. Mit einem Wort, ich halte viel auf Goethe oder Shakspeare, aber sehr wenig auf Schiller. Daß übrigens noch die ungünstigsten Kritiken erscheinen werden, versteht sich von selbst; denn die Regierungen müssen doch durch ihre bezahlten Schreiber beweisen lassen, daß ihre Gegner Dummköpfe oder unsittliche Menschen sind. Ich halte übrigens mein Werk keineswegs für vollkommen, und werde jede wahrhaft ästhetische Kritik mit Dank annehmen. –

Habt ihr von dem gewaltigen Blitzstrahl gehört, der vor einigen Tagen das Münster getroffen hat? Nie habe ich einen solchen Feuerglanz gesehen und einen solchen Schlag gehört, ich war einige Augenblicke wie betäubt. Der Schade ist der größte seit Wächtersgedenken. Die Steine wurden mit ungeheurer Gewalt zerschmettert und weit weg geschleudert; auf hundert Schritt im Umkreis wurden die Dächer der benachbarten Häuser von den herabfallenden Steinen durchgeschlagen. –

Es sind wieder drei Flüchtlinge hier eingetroffen, *Nievergelder* ist darunter; es sind in Gießen neuerdings zwei Studenten verhaftet worden. Ich bin äußerst vorsichtig. Wir wissen hier

von Niemand, der auf der Grenze verhaftet worden sei. Die
Geschichte muß ein Märchen sein. ⟨...⟩

46. An die Familie

Straßburg, Anfangs August 1835.

⟨...⟩ Vor Allem muß ich Euch sagen, daß man mir auf besondere Verwendung eine Sicherheitskarte versprochen hat, im
Fall ich einen *Geburts-* (nicht Heimats-) *Schein* vorweisen
könnte. Es ist dies nur als eine vom Gesetze vorgeschriebene
Förmlichkeit zu betrachten; ich muß ein Papier vorweisen können, so unbedeutend es auch sei. ⟨...⟩ Doch lebe ich ganz
unangefochten, es ist nur eine prophylaktische Maßregel, die
ich für die Zukunft nehme. Sprengt übrigens immerhin aus, ich
sei nach Zürich gegangen; da ihr seit längerer Zeit keine Briefe
von mir durch die Post erhalten habt, so kann die Polizei unmöglich mit Bestimmtheit wissen, wo ich mich aufhalte, zumal
da ich meinen Freunden geschrieben, ich sei nach Zürich gegangen. Es sind wieder einige Flüchtlinge hier angekommen, ein
Sohn des Professor *Vogt* ist darunter, sie bringen die Nachricht
von neuen Verhaftungen dreier Familienväter! Der eine in Rödelheim, der andere in Frankfurt, der dritte in Offenbach. Auch
ist eine Schwester des unglücklichen *Neuhof,* ein schönes und
liebenswürdiges Mädchen, wie man sagt, verhaftet worden.
Daß ein Frauenzimmer aus Gießen in das Darmstädter Arresthaus gebracht wurde, ist gewiß; man behauptet, sie sei die
⟨...⟩. Die Regierung muß die Sachen sehr geheim halten, denn
ihr scheint in Darmstadt sehr schlecht unterrichtet zu sein. Wir
erfahren Alles durch die Flüchtlinge, welche es am besten wissen, da sie meistens zuvor in die Untersuchung verwickelt waren. Daß Minnigerode in Friedberg eine Zeit lang Ketten an den
Händen hatte, weiß ich gewiß; ich weiß es von Einem, der mit
ihm saß. Er soll tödlich krank sein; wolle der Himmel, daß
seine Leiden ein Ende hätten! Daß die Gefangenen die Gefan-
genkost bekommen und weder Licht noch Bücher erhalten, ist
ausgemacht. Ich danke dem Himmel, daß ich voraussah, was
kommen würde, ich wäre in so einem Loch verrückt geworden.
⟨...⟩ In der Politik fängt es hier wieder an, lebendig zu werden.
Die Höllenmaschine in Paris und die der Kammer vorgelegten
Gesetz-Entwürfe über die Presse machen viel Aufsehn. Die Regierung zeigt sich sehr unmoralisch; denn, obgleich es gerichtlich erwiesen ist, daß der Täter ein verschmitzter Schurke ist,

der schon allen Parteien gedient hat und wahrscheinlich durch Geld zu der Tat getrieben wurde, so sucht sie doch das Verbrechen den Republikanern und Carlisten auf den Hals zu laden und durch den momentanen Eindruck die unleidlichsten Beschränkungen der Presse zu erlangen. Man glaubt, daß das Gesetz in der Kammer durchgehen und vielleicht noch geschärft werden wird. Die Regierung ist sehr unklug; in sechs Wochen hat man die Höllenmaschine vergessen, und dann befindet sie sich mit ihrem Gesetz einem Volke gegenüber, das seit mehreren Jahren gewohnt ist, Alles, was ihm durch den Kopf kommt, öffentlich zu sagen. Die feinsten Politiker reimen die Höllenmaschine mit der Revue in Kalisch zusammen. Ich kann ihnen nicht ganz Unrecht geben; die Höllenmaschine unter Bonaparte! der Rastadter Gesandtenmord!! ⟨...⟩

Wenn man sieht, wie die absoluten Mächte Alles wieder in die alte Unordnung zu bringen suchen, Polen, Italien, Deutschland wieder unter den Füßen! es fehlt nur noch Frankreich, es hängt ihnen immer, wie ein Schwert, über dem Kopf. So zum Zeitvertreib wirft man doch die Millionen in Kalisch nicht zum Fenster hinaus. Man hätte die auf den Tod des Königs folgende Verwirrung benutzt und hätte gerade nicht sehr viele Schritte gebraucht, um an den Rhein zu kommen. Ich kann mir das Attentat auf keine andere Weise erklären. Die Republikaner haben erstens kein Geld und sind zweitens in einer so elenden Lage, daß sie nichts hätten versuchen können, selbst wenn der König gefallen wäre. Höchstens könnten einige Legitimisten hinein verwickelt sein. Ich glaube nicht, daß die Justiz die Sache aufklären wird. ⟨...⟩

47. An die Familie

Straßburg, den 17. August 1835.

Von Umtrieben weiß ich nichts. Ich und meine Freunde sind sämtlich der Meinung, daß man für jetzt Alles der Zeit überlassen muß; übrigens kann der Mißbrauch, welchen die Fürsten mit ihrer wieder erlangten Gewalt treiben, nur zu unserem Vorteil gereichen. Ihr müßt Euch durch die verschiedenen Gerüchte nicht irre machen lassen; so soll sogar ein Mensch Euch besucht haben, der sich für Einen meiner Freunde ausgab. Ich erinnere mich gar nicht, den Menschen je gesehen zu haben; wie mir die Anderen jedoch erzählten, ist er ein ausgemachter Schurke, der wahrscheinlich auch das Gerücht von einer hier

bestehenden Verbindung ausgesprengt hat. Die Gegenwart des
Prinzen *Emil,* der eben hier ist, könnte vielleicht nachteilige
Folgen für uns haben, im Fall er von dem Präfekten unsere
Ausweisung begehrte; doch halten wir uns für zu unbedeutend,
als daß seine Hoheit sich mit uns beschäftigen sollte. Übrigens
sind fast sämtliche Flüchtlinge in die Schweiz und in das Innere
abgereist, und in wenigen Tagen gehen noch Mehrere, so daß
höchstens fünf bis sechs hier bleiben werden. ⟨...⟩

48. An Gutzkow

⟨Straßburg, September 1835.⟩

⟨...⟩ Was Sie mir über die Zusendung aus der Schweiz sagen,
macht mich lachen. Ich sehe schon, wo es herkommt. Ein
Mensch, der mir einmal, es ist schon lange her, sehr lieb war,
mir später zur unerträglichen Last geworden ist, den ich schon
seit Jahren schleppe und der sich, ich weiß nicht aus welcher
verdammten Notwendigkeit, ohne Zuneigung, ohne Liebe, ohne Zutrauen an mich anklammert und quält und den ich wie ein
notwendiges Übel getragen habe! Es war mir wie einem Lahmen oder Krüppel zu Mut und ich hatte mich so ziemlich in
mein Leiden gefunden. Aber jetzt bin ich froh, es ist mir, als
wäre ich von einer Todsünde absolviert. Ich kann ihn endlich
mit guter Manier vor die Türe werfen. Ich war bisher unvernünftig gutmütig, es wäre mir leichter gefallen ihn tot zu schlagen, als zu sagen: Pack dich! Aber jetzt bin ich ihn los! Gott sei
Dank! Nichts kommt Einem doch in der Welt teurer zu stehen,
als die Humanität. ⟨...⟩

49. An die Familie

Straßburg, den 20. September 1835.

⟨...⟩ Mir hat sich eine Quelle geöffnet; es handelt sich um ein
großes Literaturblatt, *deutsche Revue* betitelt, das mit Anfang
des neuen Jahres in Wochenheften erscheinen soll. *Gutzkow*
und *Wienbarg* werden das Unternehmen leiten; man hat mich
zu monatlichen Beiträgen aufgefordert. Ob das gleich eine Gelegenheit gewesen wäre, mir vielleicht ein regelmäßiges Einkommen zu sichern, so habe ich doch meiner Studien halber die
Verpflichtung zu regelmäßigen Beiträgen abgelehnt. Vielleicht,
daß Ende des Jahres noch etwas von mir erscheint. – *Kl⟨emm⟩*
also frei? Er ist mehr ein Unglücklicher, als ein Verbrecher, ich

bemitleide ihn eher, als ich ihn verachte; man muß doch gar pfiffig die tolle Leidenschaft des armen Teufels benützt haben. Er hatte sonst Ehrgefühl, ich glaube nicht, daß er seine Schande wird ertragen können. Seine *Familie verleugnet* ihn, seinen älteren Bruder ausgenommen, der eine Hauptrolle in der Sache gespielt zu haben scheint. Es sind viel Leute dadurch unglücklich geworden. Mit Minnigerode soll es besser gehen. Hat denn *Gladbach* noch kein Urteil? Das heiße ich einen doch lebendig begraben. Mich schaudert, wenn ich denke, was vielleicht mein Schicksal gewesen wäre! ⟨...⟩

50. An die Familie

Straßburg im Oktober 1835.

⟨...⟩ Ich habe mir hier allerhand interessante Notizen über einen Freund Goethes, einen unglücklichen Poeten Namens *Lenz* verschafft, der sich gleichzeitig mit Goethe hier aufhielt und halb verrückt wurde. Ich denke darüber einen Aufsatz in der deutschen Revue erscheinen zu lassen. Auch sehe ich mich eben nach Stoff zu einer Abhandlung über einen philosophischen oder naturhistorischen Gegenstand um. Jetzt noch eine Zeit lang anhaltendes Studium, und der Weg ist gebrochen. Es gibt hier Leute, die mir eine glänzende Zukunft prophezeien. Ich habe nichts dawider. ⟨...⟩

51. An die Familie

Straßburg, den 2. November 1835.

⟨...⟩ Ich weiß bestimmt, daß man mir in Darmstadt die abenteuerlichsten Dinge nachsagt; man hat mich bereits dreimal an der Grenze verhaften lassen. Ich finde es natürlich; die außerordentliche Anzahl von Verhaftungen und Steckbriefen muß Aufsehen machen, und da das Publikum jedenfalls nicht weiß, um was es sich eigentlich handelt, so macht es wunderliche Hypothesen. ⟨...⟩

⟨...⟩ Aus der Schweiz habe ich die besten Nachrichten. *Es wäre möglich,* daß ich noch vor Neujahr von der Züricher Fakultät den Doktorhut erhielte, in welchem Fall ich alsdann nächste Ostern anfangen würde, dort zu dozieren. In einem Alter von zwei und zwanzig Jahren wäre das Alles, was man fordern kann. ⟨...⟩

⟨...⟩ Neulich hat mein Name in der Allgemeinen Zeitung

paradiert. Es handelte sich um eine große literärische Zeitschrift, *deutsche Revue,* für die ich Artikel zu liefern versprochen habe. Dies Blatt ist schon vor seinem Erscheinen angegriffen worden, worauf es denn hieß, daß man nur die Herren *Heine, Börne, Mundt, Schulz, Büchner* u. s. w. zu nennen brauche, um einen Begriff von dem Erfolge zu haben, den diese Zeitschrift haben würde. – Über die Art, wie Minnigerode mißhandelt wird, ist im Temps ein Artikel erschienen. Er scheint mir von Darmstadt aus geschrieben; man muß wahrhaftig weit gehen, um einmal klagen zu dürfen. Meine unglücklichen Freunde! ⟨...⟩

52. An Gutzkow

⟨Straßburg 1835.⟩

⟨...⟩ Sie erhalten hiermit ein Bändchen Gedichte von meinem Freunde Stöber. Die Sagen sind schön, aber ich bin kein Verehrer der Manier à la Schwab und Uhland und der Partei, die immer rückwärts ins Mittelalter greift, weil sie in der Gegenwart keinen Platz ausfüllen kann. Doch ist mir das Büchlein lieb; sollten Sie nichts Günstiges darüber zu sagen wissen, so bitte ich Sie, lieber zu schweigen. Ich habe mich ganz hier in das Land hineingelebt; die Vogesen sind ein Gebirg, das ich liebe, wie eine Mutter, ich kenne jede Bergspitze und jedes Tal und die alten Sagen sind so originell und heimlich und die beiden Stöber sind alte Freunde, mit denen ich zum Erstenmal das Gebirg durchstrich. Adolph hat unstreitig Talent, auch wird Ihnen sein Name durch den Musenalmanach bekannt sein. August steht ihm nach, doch ist er gewandt in der Sprache.

Die Sache ist nicht ohne Bedeutung für das Elsaß, sie ist einer von den seltnen Versuchen, die noch manche Elsässer machen, um die deutsche Nationalität Frankreich gegenüber zu wahren und wenigstens das geistige Band zwischen ihnen und dem Vaterland nicht reißen zu lassen. Es wäre traurig, wenn das Münster einmal ganz auf fremdem Boden stünde. Die Absicht, welche zum Teil das Büchlein erstehen ließ, würde sehr gefördert werden, wenn das Unternehmen in Deutschland Anerkennung fände und von der Seite empfehle ich es Ihnen besonders.

Ich werde ganz dumm in dem Studium der Philosophie; ich lerne die Armseligkeit des menschlichen Geistes wieder von einer neuen Seite kennen. Meinetwegen! Wenn man sich nur einbilden könnte, die Löcher in unsern Hosen seien Palastfenster, so könnte man schon wie ein König leben, so aber friert man erbärmlich. ⟨...⟩

53. An Ludwig Büchner

⟨Straßburg, Ende Dezember 1835⟩

Prost Neujahr Hammelmaus!

Ich höre, daß Du ein braver Junge bist, die Eltern haben ihre Freude an Dir. Mache, daß es immer so sei. Es ist mir ein schönes Weihnachtgeschenk, dies von Dir zu hören. Du zeichnest nett, fahre so fort, Louis Jaeglé hatte große Freude daran und am Büchsenlecker und da läßt er Dir durch mich ein Buch mit Zeichnungen schicken. Da hat Du etwas um Dich zu üben. – Ist Lottchen Cellarius mit dir zufrieden und ist es mit dem Stück am Weihnachtabend gut gegangen? Wenn Du in die Klavierstunde gehst, so sage der Fräulein Lottchen einen schönen Gruß von mir, aber sage um des Himmelswillen Niemand ein Wort davon.

Nächstes Frühjahr gehe ich in die Schweiz. Wenn du brav bist und etwas größer, als jetzt, so mußt du Stock und Ranzen nehmen und mich besuchen. Erst gehst du auf das Straßburger Münster und dann gehn wir an den Rheinfall nach Schaffhausen und an de⟨n⟩ Vierwaldstätter-See nach der Tellenplatte und der Tellskapelle. Adieu Mäuschen, ich denke Du bist jetzt eine Maus und wenn du so fort machst, kannst du es noch weit bringen; ich hoffe, daß du für den grauen Biberrock jetzt zu groß bist.

Lebwohl

Dein Bruder Georg.

54. An die Familie

Straßburg, den 1. Januar 1836.

⟨...⟩ Das Verbot der *deutschen Revue* schadet mir nichts. Einige Artikel, die für sie bereit lagen, kann ich an den Phönix schicken. Ich muß lachen, wie fromm und moralisch plötzlich unsere Regierungen werden; der König von ⟨Bayern⟩ läßt unsittliche Bücher verbieten! da darf er seine Biographie nicht erscheinen lassen, denn die wäre das Schmutzigste, was je geschrieben worden! Der Großherzog von ⟨Baden⟩, erster Ritter vom doppelten M⟨opsorden⟩, macht sich zum Ritter vom heiligen Geist und läßt *Gutzkow* arretieren, und der liebe deutsche

Michel glaubt, es geschähe Alles aus Religion und Christentum und klatscht in die Hände. Ich kenne die Bücher nicht, von denen überall die Rede ist; sie sind nicht in den Leihbibliotheken und zu teuer, als daß ich Geld daran wenden sollte. Sollte auch Alles sein, wie man sagt, so könnte ich darin nur die Verirrungen eines durch philosophische Sophismen falsch geleiteten Geistes sehen. Es ist der gewöhnlichste Kunstgriff, den großen Haufen auf seine Seite zu bekommen, wenn man mit recht vollen Backen: »unmoralisch!« schreit. Übrigens gehört sehr viel Mut dazu, einen Schriftsteller anzugreifen, der von einem deutschen Gefängnis aus antworten soll. *Gutzkow* hat bisher einen edlen, kräftigen Charakter gezeigt, er hat Proben von großem Talent abgelegt; woher denn plötzlich das Geschrei? Es kommt mir vor, als stritte man sehr um das Reich von dieser Welt, während man sich stellt, als müsse man der heiligen Dreifaltigkeit das Leben retten. Gutzkow hat in seiner Sphäre mutig für die Freiheit gekämpft; man muß doch die Wenigen, welche noch aufrecht stehn und zu sprechen wagen, verstummen machen! Übrigens gehöre ich *für meine Person* keineswegs zu dem sogenannten *Jungen Deutschland,* der literarischen Partei Gutzkows und Heines. Nur ein völliges Mißkennen unserer gesellschaftlichen Verhältnisse konnte die Leute glauben machen, daß durch die Tagesliteratur eine völlige Umgestaltung unserer religiösen und gesellschaftlichen Ideen möglich sei. Auch teile ich *keineswegs ihre Meinung über die Ehe und das Christentum,* aber ich ärgere mich doch, wenn Leute, die in der Praxis tausendfältig mehr gesündigt, als diese in der *Theorie,* gleich moralische Gesichter ziehn und den Stein auf ein jugendliches, tüchtiges Talent werfen. Ich gehe meinen Weg für mich und bleibe auf dem Felde des Dramas, das mit all diesen Streitfragen nichts zu tun hat; ich zeichne meine Charaktere, wie ich sie der Natur und der Geschichte angemessen halte, und lache über die Leute, welche mich für die Moralität oder Immoralität derselben verantwortlich machen wollen. Ich habe darüber meine eignen Gedanken. ⟨...⟩

⟨...⟩ Ich komme vom Christkindelsmarkt, überall Haufen zerlumpter, frierender Kinder, die mit aufgerissenen Augen und traurigen Gesichtern vor den Herrlichkeiten aus Wasser und Mehl, Dreck und Goldpapier standen. Der Gedanke, daß für die meisten Menschen auch die armseligsten Genüsse und Freuden unerreichbare Kostbarkeiten sind, machte mich sehr bitter. ⟨...⟩

55. An Gutzkow

〈Straßburg, um Anfang Januar 1836.〉

Mein Lieber!

Ich weiß nicht ob bei der verdächtigen Adresse diese Zeilen in ihre Hände gelangen werden.

Haben Sie den Brief von Boulet erhalten? Ich habe ihn nach Mannheim geschickt. Ich wagte damals nicht einige Zeilen an Sie beizulegen. Ich hielt die Sache für ernsthafter. Nach den Zeitungen müssen Sie bald frei sein. 4 Wochen. Das ist bald herum. Dann habe ich noch besondere Nachrichten über Sie aus Mannheim. Ihre Haft ist leicht. Sie dürfen Besuche annehmen, sogar aus gehen. *Verhält* es sich so?

Haben Sie nichts *weiter zu fürchten?* Geben Sie mir Auskunft so *bald, als möglich!* Die Frage ist nicht müßig. Glauben Sie, daß man sie frei läßt, nach Verlauf der *bestimmten Frist?* Sie sitzen im Amthaus, nicht wahr?

Sobald Sie frei sind, verlassen Sie Teutschland so schnell, als möglich. Sie haben von Glück zu sagen, daß es *so* abzulaufen *scheint.* Es sollte mich wundern.

Im Fall Sie den Weg über Straßburg nehmen, so fragen Sie nach mir bei Herrn *Schroot* Gastwirt zum Rebstock.

Ich erwarte Sie mit Ungeduld.   Ihr G.

56. An die Familie

Straßburg, den 15. März 1836.

〈...〉 Ich begreife nicht, daß man gegen K〈üchle〉r etwas in Händen haben soll; ich dachte, er sei mit nichts beschäftigt, als seine Praxis und Kenntnisse zu erweitern. Wenn er auch nur kurze Zeit sitzt, so ist doch wohl seine ganze Zukunft zerstört: man setzt ihn vorläufig in Freiheit, spricht ihn von der Instanz los, läßt ihn versprechen, das Land nicht zu verlassen, und verbietet ihm seine Praxis, was man nach den neusten Verfügungen kann. – Als sicher und gewiß kann ich Euch sagen, daß man vor Kurzem in Bayern zwei junge Leute, nachdem sie seit fast *vier Jahren* in strenger Haft gesessen, als *unschuldig* in Freiheit gesetzt hat! Außer K〈üchle〉r und *Groß* sind noch drei Bürger aus Gießen verhaftet worden. Zwei von ihnen haben ihr Geschäft, und der eine ist obendrein Familienvater. Auch hörten wir, *Max v. Biegeleben* sei verhaftet, aber gleich darauf wieder gegen Kaution in Freiheit gesetzt worden. *Gladbach* soll vor einiger Zeit zu acht Jahren Zuchthaus verurteilt worden sein; das Urteil sei aber wieder umgestoßen, und die Untersuchung fange von Neuem an. Ihr würdet mir einen Gefallen tun, wenn ihr mir über Beides Auskunft gäbet.

Ich will euch dafür sogleich eine sonderbare Geschichte erzählen, die Herr J. in den englischen Blättern gelesen, und die, wie dazu bemerkt, in den deutschen Blättern nicht mitgeteilt werden durfte. Der Direktor des Theaters zu ⟨Braunschweig⟩ ist der bekannte Komponist *Methfessel*. Er hat eine hübsche Frau, die dem Herzog gefällt, und ein Paar Augen, die er gern zudrückt, und ein Paar Hände, die er gern aufmacht. Der Herzog hat die sonderbare Manie, Madame Methfessel im Kostüm zu bewundern. Er befindet sich daher gewöhnlich vor Anfang des Schauspiels mit ihr allein auf der Bühne. Nun intrigiert Methfessel gegen einen bekannten Schauspieler, dessen Name mir entfallen ist. Der Schauspieler will sich rächen, er gewinnt den Maschinisten, der Maschinist zieht an einem schönen Abend den Vorhang ein Viertelstündchen früher auf, und der Herzog spielt mit Madame Methfessel die erste Szene. Er gerät außer sich, zieht den Degen und ersticht den Maschinisten; der Schauspieler hat sich geflüchtet. –

Ich kann euch versichern, daß nicht das geringste politische Treiben unter den Flüchtlingen hier herrscht; die vielen und guten Examina, die hier gemacht werden, beweisen hinlänglich das Gegenteil. Übrigens sind wir Flüchtigen und Verhafteten gerade nicht die Unwissendsten, Einfältigsten oder Liederlichsten! Ich sage nicht zuviel, daß bis jetzt die besten Schüler des Gymnasiums und der fleißigsten und unterrichtetsten Studenten dies Schicksal getroffen hat, die mitgerechnet, welche von Examen und Staatsdienst zurückgewiesen sind. Es ist doch im Ganzen ein armseliges, junges Geschlecht, was eben in ⟨Darmstadt⟩ herumläuft und sich ein Ämtchen zu erkriechen sucht!

57. *An die Familie*

Straßburg, im Mai 1836.

⟨...⟩ Ich bin fest entschlossen, bis zum nächsten Herbste hier zu bleiben. Die letzten Vorfälle in Zürich geben mir einen Hauptgrund dazu. Ihr wißt vielleicht, daß man unter dem Vorwande, die deutschen Flüchtlinge beabsichtigten einen Einfall in Deutschland, Verhaftungen unter denselben vorgenommen hat. Das Nämliche geschah an anderen Punkten der Schweiz. Selbst hier äußerte die einfältige Geschichte ihre Wirkung, und es war ziemlich ungewiß, ob wir hier bleiben dürften, weil man wissen wollte, daß wir (höchstens noch sieben bis acht an der Zahl) mit bewaffneter Hand über den Rhein gehen sollten! Doch hat sich Alles in Güte gemacht, und wir haben keine weiteren Schwierigkeiten zu besorgen. Unsere hessische Regierung scheint unserer zuweilen mit Liebe zu gedenken. ⟨...⟩

⟨...⟩ Was an der ganzen Sache eigentlich ist, weiß ich nicht; da ich jedoch weiß, daß die Mehrzahl der Flüchtlinge jeden direkten revolutionären Versuch unter den jetzigen Verhältnissen für Unsinn hält, so konnte höchstens eine ganz unbedeutende, durch keine Erfahrung belehrte Minderzahl an dergleichen gedacht haben. Die Hauptrolle unter den Verschworenen soll ein gewisser Herr *v. Eib* gespielt haben. Daß dieses Individuum ein Agent des Bundestags sei, ist mehr als wahrscheinlich; die Pässe, welche die Züricher Polizei bei ihm fand, und der Umstand, daß er starke Summen von einem Frankfurter Handelshause bezog, sprechen auf das direkteste dafür. Der Kerl soll ein ehemaliger Schuster sein, und dabei zieht er mit einer liederlichen Person aus Mannheim herum, die er für eine ungarische Gräfin ausgibt. Er scheint wirklich einige Esel unter den Flüchtlingen übertölpelt zu haben. Die ganze Geschichte hatte keinen andern Zweck, als, im Falle die Flüchtlinge sich zu einem öffentlichen Schritt hätten verleiten lassen, dem Bundestag einen gegründeten Vorwand zu geben, um auf die Ausweisung aller Refugiés aus der Schweiz zu dringen. Übrigens war dieser *v. Eib* schon früher verdächtig, und man war schon mehrmals vor ihm gewarnt worden. Jedenfalls ist der Plan vereitelt und die Sache wird für die Mehrzahl der Flüchtlinge ohne Folgen bleiben. Nichts destoweniger fände ich es nicht rätlich, im Augenblick nach Zürich zu gehen; unter solchen Umständen hält man sich besser fern. Die Züricher Regierung ist natürlich eben etwas ängstlich und mißtrauisch, und so könnte man wohl unter den jetzigen Verhältnissen meinem Aufenthalte Schwierigkeiten machen. In Zeit von zwei bis drei Monaten ist dagegen die ganze Geschichte vergessen. ⟨...⟩

58. An Eugen Boeckel

D. 1. Juni ⟨1836⟩. Straßburg.

Mein lieber Eugen!

Ich sitze noch hier, wie Du aus dem Datum siehst. »Sehr unvernünftig!« wirst Du sagen und ich sage: meinetwegen! Erst gestern ist meine Abhandlung vollständig fertig geworden. Sie hat sich viel weiter ausgedehnt, als ich Anfangs dachte und ich habe viel gute Zeit mit verloren; doch bilde ich mir dafür ein sie sei gut ausgefallen – und die société d'histoire naturelle scheint der nämlichen Meinung zu sein. Ich habe in 3 verschiednen Sitzungen 3 Vorträge darüber gehalten, worauf die Gesellschaft sogleich beschloß sie unter ihren Memoiren abdrucken zu lassen; obendrein machte sie mich zu ihrem korrespondierenden Mitglied. Du siehst, der Zufall hat mir wieder aus der Klemme geholfen, ich bin ihm überhaupt großen Dank schuldig und mein Leichtsinn, der im Grund genommen das unbegrenzteste Gottvertrauen ist, hat dadurch wieder großen Zuwachs erhalten. Ich brauche ihn aber auch; wenn ich meinen Doktor bezahlt habe, so bleibt mir kein Heller mehr und schreiben habe ich die Zeit nichts können. Ich muß eine Zeitlang vom lieben Kredit leben und sehen, wie ich mir in den nächsten 6–8 Wochen Rock und Hosen aus meinen großen weißen Papierbogen, die ich vollschmieren soll, schneiden werde. Ich denke: »befiehl du deine Wege.« und lasse mich nicht stören.

Habe ich lange geschwiegen? Doch du weißt warum und verzeihst mir. Ich war wie ein Kranker der eine ekelhafte Arznei so schnell, als möglich mit einem Schluck nimmt, ich konnte nichts weiter, als mir die fatale Arbeit vom Hals schaffen. Es ist mir unendlich wohl, seit ich das Ding aus dem Haus habe. – Ich denke den Sommer noch hier zu bleiben. Meine Mutter kommt im Herbst. Jetzt nach Zürich, im Herbst wieder zurück, Zeit und Geld verlieren, das wäre Unsinn. Jedenfalls fange ich aber nächste⟨s⟩ Wintersemester meinen Kurs an, auf den ich mich jetzt in aller Gemächlichkeit fertig präpariere.

Du hast frohe Tage auf Deiner Reise, wie es scheint. Ich freue mich darüber. Das Leben ist überhaupt etwas recht Schönes und jedenfalls ist es nicht so langweilig, als wenn es noch einmal so langweilig wäre. Spute dich etwas im nächsten Herbst, komme zeitig, dann sehe ich Dich noch hier. Hast du viel gelernt, unterwegs? Ist dir die Kranken und Leichenschau noch nicht zur Last geworden? Ich meine eine Tour durch die Spitäler von halb Europa müßte einem sehr melancholisch und die Tour durch die Hörsäle unserer Professor⟨en⟩ müßte einem halb verrückt und die Tour durch unsere teutschen Staaten müßte einem ganz wütend machen. 3 Dinge, die man übrigens auch ohne die drei Touren sehr leicht werden kann z. B. wenn es regnet und kalt ist, wie eben; wenn man Zahnweh hat, wie ich vor

8 Tagen, u. wenn man einen vollen Winter und ein halbes Frühjahr nicht aus seinen 4 Wänden gekommen, wie ich dies Jahr.

Du siehst ich stehe viel aus und ehe ich mir neulich meinen hohlen Zahn ausziehen lassen, habe ich im vollständigsten Ernst überlegt, ob ich mich nicht lieber totschießen sollte, was jedenfalls weniger schmerzhaft ist.

Baum seufzt jeden Tag, bekommt dabei einen ungeheuren Bauch und macht ein so selbstmörderisches Gesicht, daß ich fürchte, er will sich auf subtile Weise durch einen Schlagfluß aus der Welt schaffen. Er ärgert sich dabei regelmäßig jeden Tag, seit ich ihn versichert habe, daß Ärger der Gesundheit sehr zuträglich sei. Das Fechten hat er eingestellt und ist dabei so entsetzlich faul, daß er zum großen Verdruß deines Bruders noch keinen von Deinen Aufträgen ausgerichtet hat. Was ist mit dem Menschen anzufangen? Er muß Pfarrer werden, er zeigt die schönsten Dispositionen.

Die beiden Stöber sitzen noch in Oberbrunn. Leider bestätigt sich das Gerücht hinsichtlich der Frau Pfarrerin. Das arme Mädel hier ist ganz verlassen und unten sollen die Leute über die poetische Bedeutung des Ehebruchs philosophieren. Letztes glaube ich nicht, – aber zweideutig ist die Geschichte.

Was macht unser Freund und Vetter, Zipfel? Ist ihm die Zeit nirgends weiter gezündet worden? Siehst Du meinen Vetter aus Holland zuweilen? Grüße Beide vielmals von mir.

Wilhelmine war lange Zeit unwohl, sie litt an einem chronischen Friesel, ohne jedoch je bedenklich krank gewesen zu sein.

à propos, sie hat mir Deine beiden Briefe, unerbrochen gegeben, dennoch hätte ich es passender gefunden Du hättest schicklichkeitshalber eine Couverte um deinen Brief gemacht; konnte ein Frauenzimmer ihn nicht lesen, so war es unpassend ihn auch an ein Frauenzimmer zu adressieren; mit einer Couverte ist es etwas anders. Ich hoffe Du verdenkst mir diese kleine Zurechtweisung nicht.

Jedenfalls bin ich die nächsten 4 Wochen noch hier, während des Drucks meiner Abhandlung. Wirst Du mich noch mit einem Brief erfreuen, ehe du aus Wien abreisest? à propos, du machst ja ganz ästhetische Studien, Dem. Peche ist eine alte Bekanntin von mir.

Lebwohl   Dein G. B.

59. An Gutzkow

⟨*Straßburg, Anfang Juni (?) 1836*⟩

Lieber Freund!

War ich lange genug stumm? Was soll ich Ihnen sagen? Ich saß *auch* im Gefängnis und im langweiligsten unter der Sonne, ich habe eine Abhandlung geschrieben in die Länge, Breite und Tiefe. Tag und Nacht über der ekelhaften Geschichte, ich begreife nicht, wo ich die Geduld hergenommen. Ich habe nämlich die fixe Idee, im nächsten Semester zu Zürich einen Kurs über die Entwickelung der deutschen Philosophie seit Cartesius zu lesen; dazu muß ich mein Diplom haben und die Leute scheinen gar nicht geneigt, meinem lieben Sohn Danton den Doktorhut aufzusetzen.

Was war da zu machen?

Sie sind in Frankfurt, und unangefochten?

Es ist mir leid und doch wieder lieb, daß Sie noch nicht im Rebstöckel angeklopft haben. Über den Stand der modernen Literatur in Deutschland weiß ich so gut als nichts; nur einige versprengte Broschüren, die, ich weiß nicht wie, über den Rhein gekommen, fielen mir in die Hände.

Es zeigt sich in dem Kampf gegen Sie eine *gründliche* Niederträchtigkeit, eine recht *gesunde* Niederträchtigkeit, ich begreife gar nicht, wie wir noch so natürlich sein können! Und Menzels Hohn über die politischen Narren in den deutschen Festungen – und das von Leuten! mein Gott, ich könnte Ihnen übrigens erbauliche Geschichten erzählen.

Es hat mich im Tiefsten empört; meine armen Freunde! Glauben Sie nicht, daß Menzel nächstens eine Professur in München erhält?

Übrigens; um aufrichtig zu sein, Sie und Ihre Freunde scheinen mir nicht grade den klügsten *Weg* gegangen zu sein. Die Gesellschaft mittelst der *Idee,* von der *gebildeten* Klasse aus reformieren? Unmöglich! Unsere Zeit ist rein *materiell,* wären Sie je direkter politisch zu Werke gegangen, so wären Sie bald auf den Punkt gekommen, wo die Reform von selbst aufgehört hätte. Sie werden nie über den Riß zwischen der gebildeten und ungebildeten Gesellschaft hinauskommen.

Ich habe mich überzeugt, die gebildete und wohlhabende Minorität, so viel Konzessionen sie auch von der Gewalt für sich begehrt, wird nie ihr spitzes Verhältnis zur großen Klasse aufgeben wollen. Und die große Klasse selbst? Für die gibt es nur zwei Hebel, materielles Elend und *religiöser Fanatismus.* Jede

Partei, welche diese Hebel anzusetzen versteht, wird siegen. Unsre Zeit braucht Eisen und Brod – und dann ein *Kreuz* oder sonst so was. Ich glaube, man muß in sozialen Dingen von einem absoluten *Rechts*grundsatz ausgehen, die Bildung eines neuen geistigen Lebens im *Volk* suchen und die abgelebte moderne Gesellschaft zum Teufel gehen lassen. Zu was soll ein Ding, wie diese, zwischen Himmel und Erde herumlaufen? Das ganze Leben desselben besteht nur in Versuchen, sich die entsetzlichste Langeweile zu vertreiben. Sie mag aussterben, das ist das einzig Neue, was sie noch erleben kann. ⟨...⟩

60. An die Familie

Straßburg im Juni 1836.

⟨...⟩ Es ist nicht im Entferntesten daran zu denken, daß im Augenblick ein Staat das Asylrecht aufgibt, weil ein solches Aufgeben ihn den Staaten gegenüber, auf deren Verlangen es geschieht, politisch annullieren würde. Die Schweiz würde durch einen solchen Schritt sich von den liberalen Staaten, zu denen sie ihrer Verfassung nach natürlich gehört, lossagen und sich an die absoluten anschließen, ein Verhältnis, woran unter den jetzigen politischen Konstellationen nicht zu denken ist. Daß man aber Flüchtlinge, welche die Sicherheit des Staates, der sie aufgenommen, und das Verhältnis desselben zu den Nachbarstaaten kompromittieren, ausweist, ist ganz natürlich und hebt das Asylrecht nicht auf. Auch hat die Tagsatzung bereits ihren Beschluß erlassen. Es werden *nur* diejenigen Flüchtlinge ausgewiesen, welche als Teilnehmer an dem *Savoyer Zuge schon früher waren ausgewiesen worden,* und diejenigen, welche *an den letzten Vorfällen Teil genommen haben.* Dies ist *authentisch.* Die Mehrzahl der Flüchtlinge bleibt also ungefährdet, und es bleibt Jedem unbenommen, sich in die Schweiz zu begeben. Nur ist man in vielen Kantonen gezwungen, eine Kaution zu stellen, was sich aber schon seit längerer Zeit so verhält. Meiner Reise nach Zürich steht also kein Hindernis im Weg. – Ihr wißt, daß unsere Regierung uns hier schikaniert, und daß die Rede davon war, uns auszuweisen, weil wir mit den Narren in der Schweiz in Verbindung ständen. Der Präfekt wollte genaue Auskunft, wie wir uns hier beschäftigten. Ich gab dem Polizeicommissär mein Diplom als Mitglied der Société d'histoire naturelle nebst einem von den Professoren mir ausgestellten Zeugnisse. Der Präfekt war damit *außerordentlich* zufrieden, und man sagte mir, daß *ich namentlich* ganz ruhig sein könne. ⟨...⟩

61. An Wilhelm Büchner

Straßburg, den 2. September 1836.

⟨...⟩ Ich bin ganz vergnügt in mir selbst, ausgenommen, wenn wir Landregen oder Nordwestwind haben, wo ich freilich einer von denjenigen werde, die Abends vor dem Bettgehn, wenn sie den einen Strumpf vom Fuß haben, im Stande sind, sich an ihre Stubentür zu hängen, weil es ihnen der Mühe zuviel ist, den andern ebenfalls auszuziehen. ⟨...⟩ Ich habe mich jetzt ganz auf das Studium der Naturwissenschaften und der Philosophie gelegt, und werde in Kurzem nach *Zürich* gehen, um in meiner Eigenschaft als überflüssiges Mitglied der Gesellschaft meinen Mitmenschen Vorlesungen über etwas ebenfalls höchst Überflüssiges, nämlich über die philosophischen Systeme der Deutschen seit Cartesius und Spinoza, zu halten. – Dabei bin ich gerade daran, sich einige Menschen auf dem Papier totschlagen oder verheiraten zu lassen, und bitte den lieben Gott um einen einfältigen Buchhändler und ein groß Publikum mit so wenig Geschmack, als möglich. Man braucht einmal zu vielerlei Dingen unter der Sonne Mut, sogar, um Privatdozent der Philosophie zu sein ⟨...⟩

62. An die Familie

Straßburg, im September 1836.

⟨...⟩ Ich habe meine zwei Dramen noch nicht aus den Händen gegeben, ich bin noch mit Manchem unzufrieden und will nicht, daß es mir geht, wie das erste Mal. Das sind Arbeiten, mit denen man nicht zu einer bestimmten Zeit fertig werden kann, wie der Schneider mit seinem Kleid. ⟨...⟩

63. An Bürgermeister Hess

Straßburg, d. 22. September 1836

Euer Wohlgeboren

werden, wie ich hoffe, einen Fremden entschuldigen, der sich die Freiheit nimmt in einer für ihn höchst wichtigen Angelegenheit Ihre Güte in Anspruch zu nehmen.

Die politischen Verhältnisse Teutschlands zwangen mich,

mein Vaterland vor ungefähr anderthalb Jahren zu verlassen. Ich hatte mich der akademischen Laufbahn bestimmt. Ein Ziel aufzugeben, auf dessen Erreichung bisher all meine Kräfte gerichtet waren, konnte ich mich nicht entschließen und so setzte ich in Straßburg meine Studien fort, in der Hoffnung in der Schweiz meine Wünsche realisieren zu können. Wirklich hatte ich vor Kurzem die Ehre von der philosophischen Fakultät zu Zürich einmütig zum Doktor kreiert zu werden. Nach einem so günstigen Urteile über meine wissenschaftliche Befähigung konnte ich wohl hoffen auch als Privatdozent von der Züricher Universität angenommen zu werden und im günstigen Fall, im nächsten Semester meine Vorlesungen beginnen zu können. Ich suchte daher bei den hiesigen Behörden um einen Paß nach. Diese erklärten mir jedoch, es sei ihnen durch das Ministerium des Innern auf Ansuchen der Schweiz, untersagt einem Flüchtling einen Paß auszustellen, der nicht von einer Schweizerbehörde die schriftliche Autorisation zum Aufenthalt in ihrem Bezirk vorweisen könne. In dieser Verlegenheit nun wende ich mich an Sie, hochgeehrter Herr, als die oberste Magistratsperson Zürichs, mit der Bitte um die von den hiesigen Behörden verlangte Autorisation. Das beiliegende Zeugnis kann beweisen, daß ich seit der Entfernung aus meinem Vaterlande allen politischen Umtrieben fremd geblieben bin und somit nicht unter die Kategorie derjenigen Flüchtlinge gehöre, gegen welche die Schweiz und Frankreich neuerdings die bekannten Maßregeln ergriffen haben. Ich glaube daher auf die Erfüllung einer Bitte zählen zu dürfen, deren Verweigerung die Vernichtung meines ganzen Lebensplanes zur Folge haben würde.

Sollten Euer Wohlgeboren gesonnen sein, mich mit einer Antwort auf dies Gesuch zu beehren, so bitte ich dieselbe unter der Adresse: Dr. Büchner bei Herrn Weinhändler Siegfried an der Douane zu Straßburg, an mich gelangen zu lassen.

Mit der größten Hochachtung

Ihr

ergebenster

Dr. Büchner.

⟨Beilage: Zeugnis der Straßburger Polizei⟩

Nous, Jonathan Pfister, Commissaire de Police du Canton Sud, de la ville de Strasbourg, certifions que:

Mons. George Büchner, Docteur en Philosophie, agé de 23 ans, natif de Darmstadt, est inscrit sur nos registres rue de la Douane No 18, comme demeurant en cette ville depuis dix huit mois jusqu'à ce jour, sans interruption; et que pendant ce laps de tems, sa conduite, tant sous le rapport Politique que moral, n'a donné lieu à aucune plainte.

En foi de quoi le présent

Strasbourg ce 21 Sept^{b.} 1836. Pfister.

64. An das Präsidium des Erziehungsrats von Zürich

Herr Präsident, hochgeachtete Herren!

Nach Einreichung einer Abhandlung über einen naturhistorischen Gegenstand, hatte ich die Ehre von der philosophischen Fakultät zu Zürich in ihrer Sitzung vom 3ten dieses Monats einmütig zum Doctor philosophiae ernannt zu werden. Gestützt auf dieses Urteil über meine wissenschaftliche Befähigung wünsche ich mich als Privatdozent für Vorlesungen an der philosophischen Fakultät zu Zürich zu habilitieren. Ich habe daher die Ehre mich an Sie mit der Bitte um Zulassung zu der für diesen Fall nach § 157 des Organisationsgesetzes über das Unterrichtswesen erforderlichen öffentlichen Probevorlesung zu wenden.

Mit der größten Hochachtung und Ergebenheit

Straßburg d 26. Sep. 1836. *G. Büchner* Dr. phil.

ZÜRICH 1836–1837

65. An die Familie

Zürich, den 26. Oktober 1836.

⟨...⟩ Wie es mit dem Streite der Schweiz mit Frankreich gehen wird, weiß der Himmel. Doch hörte ich neulich Jemand sagen: »die Schweiz wird einen kleinen Knicks machen, und Frankreich wird sagen, es sei ein großer gewesen.« Ich glaube, daß er Recht hat. ⟨...⟩

66. An die Familie

Zürich, den 20. November 1836.

⟨...⟩ Was das politische Treiben anlangt, so könnt Ihr ganz ruhig sein. Laßt euch nur nicht durch die Ammenmärchen in

unseren Zeitungen stören. Die Schweiz ist eine Republik, und
weil die Leute sich gewöhnlich nicht anders zu helfen wissen,
als daß sie sagen, jede Republik sei unmöglich, so erzählen sie
den guten Deutschen jeden Tag von Anarchie, Mord und Tot-
schlag. Ihr werdet überrascht sein, wenn ihr mich besucht;
schon unterwegs überall freundliche Dörfer mit schönen Häusern, und dann, je mehr Ihr Euch Zürich nähert und gar am See
hin, ein durchgreifender Wohlstand; Dörfer und Städtchen haben ein Aussehen, wovon man bei uns keinen Begriff hat. Die
Straßen laufen hier nicht voll Soldaten, Accessisten und faulen
Staatsdienern, man riskiert nicht von einer adligen Kutsche
überfahren zu werden; dafür überall ein gesundes, kräftiges
Volk, und um wenig Geld eine einfache, gute, rein *republikanische* Regierung, die sich durch eine *Vermögenssteuer* erhält, eine
Art Steuer, die man bei uns überall als den Gipfel der Anarchie
ausschreien würde. ⟨...⟩

Minnigerode ist tot, wie man mir schreibt, das heißt, er ist
drei Jahre lang tot gequält worden. Drei Jahre! Die französischen Blutmänner brachten einen doch in ein paar Stunden um,
das Urteil und dann die Guillotine! Aber drei Jahre! Wir haben
eine gar menschliche Regierung, sie kann kein Blut sehen. Und
so sitzen noch an vierzig Menschen, und das ist keine Anarchie,
das ist Ordnung und Recht, und die Herren fühlen sich empört,
wenn sie an die anarchische Schweiz denken! Bei Gott, die
Leute nehmen ein großes Kapital auf, das ihnen einmal mit
schweren Zinsen kann abgetragen werden, mit sehr schweren. –
⟨...⟩

67. An Wilhelm Büchner

Zürich, Ende November 1836.
⟨...⟩ Ich sitze am Tage mit dem Skalpell und die Nacht mit
den Büchern. ⟨...⟩

68. An die Braut

⟨Zürich⟩ 13. Januar 1837.
Mein lieb Kind! ⟨...⟩ Ich zähle die Wochen bis zu Ostern an
den Fingern. Es wird immer öder. So im Anfange ging's: neue
Umgebungen, Menschen, Verhältnisse, Beschäftigungen – aber
jetzt, da ich an Alles gewöhnt bin, Alles mit Regelmäßigkeit vor
sich geht, man vergißt sich nicht mehr. Das Beste ist, meine

Phantasie ist tätig, und die mechanische Beschäftigung des Präparierens läßt ihr Raum. Ich sehe dich immer so halb durch
zwischen Fischschwänzen, Froschzehen etc. Ist das nicht rüh-
render, als die Geschichte von Abälard, wie sich ihm Heloise
immer zwischen die Lippen und das Gebet drängt? O, ich werde jeden Tag poetischer, alle meine Gedanken schwimmen in
Spiritus. Gott sei Dank, ich träume wieder viel Nachts, mein
Schlaf ist nicht mehr so schwer. ⟨...⟩

69. An die Braut

⟨Zürich⟩ 20. Januar ⟨1837.⟩

⟨...⟩ Ich habe mich verkältet und im Bett gelegen. Aber jetzt
ist's besser. Wenn man so ein wenig unwohl ist, hat man ein so
groß Gelüsten nach Faulheit; aber das Mühlrad dreht sich als
fort ohne Rast und Ruh. ⟨...⟩ Heute und gestern gönne ich mir
jedoch ein wenig Ruhe und lese nicht; morgen geht's wieder im
alten Trab, du glaubst nicht, wie regelmäßig und ordentlich. Ich
gehe fast so richtig, wie eine Schwarzwälder Uhr. Doch ist's
gut: auf all das aufgeregte, geistige Leben Ruhe, und dabei die
Freude am Schaffen meiner poetischen Produkte. Der arme
Shakspeare war Schreiber den Tag über und mußte Nachts
dichten, und ich, der ich nicht wert bin, ihm die Schuhriemen
zu lösen, hab's weit besser. – ⟨...⟩ Lernst Du bis Ostern die
Volkslieder singen, wenn's Dich nicht angreift? Man hört hier
keine Stimme; das *Volk* singt nicht, und Du weißt, wie ich die
Frauenzimmer lieb habe, die in einer Soiree oder einem Kon-
zerte einige Töne totschreien oder winseln. Ich komme dem
Volk und dem Mittelalter immer näher, jeden Tag wird mir's
heller – und gelt, du singst die Lieder? Ich bekomme halb das
Heimweh, wenn ich mir eine Melodie summe. ⟨...⟩ Jeden
Abend sitz' ich eine oder zwei Stunden im Kasino; Du kennst
meine Vorliebe für schöne Säle, Lichter und Menschen um
mich. ⟨...⟩

70. An die Braut

⟨Zürich, 27. Januar 1837⟩

Mein lieb Kind, Du bist voll zärtlicher Besorgnis und willst
krank werden vor Angst; ich glaube gar, Du stirbst – aber *ich*
habe keine Lust zum Sterben und bin gesund wie je. Ich glaube,
die Furcht vor der Pflege hier hat mich gesund gemacht; in

Straßburg wäre es ganz angenehm gewesen, und ich hätte mich mit dem größten Behagen in's Bett gelegt, vierzehn Tage lang, rue St. Guillaume Nro. 66, links eine Treppe hoch, in einem etwas überzwergen Zimmer, mit grüner Tapete! Hätt' ich dort umsonst geklingelt? Es ist mir heut einigermaßen innerlich wohl, ich zehre noch von gestern, die Sonne war groß und warm im reinsten Himmel – und dazu hab' ich meine Laterne gelöscht und einen edlen Menschen an die Brust gedrückt, nämlich einen kleinen Wirt, der aussieht, wie ein betrunkenes Kaninchen, und mir in seinem prächtigen Hause vor der Stadt ein großes elegantes Zimmer vermietet hat. Edler Mensch! Das Haus steht nicht weit vom See, vor meinen Fenstern die Wasserfläche und von allen Seiten die Alpen, wie sonnenglänzendes Gewölk. – Du kommst bald? mit dem Jugendmut ist's fort, ich bekomme sonst graue Haare, ich muß mich bald wieder an Deiner inneren Glückseligkeit stärken und Deiner göttlichen Unbefangenheit und Deinem lieben Leichtsinn und all Deinen bösen Eigenschaften, böses Mädchen. Adio piccola mia!

⟨...⟩

71. An die Braut

⟨Zürich, 1837.⟩

⟨... Ich werde⟩ in längstens acht Tagen Leonce und Lena mit noch zwei anderen Dramen erscheinen lassen. ⟨...⟩

BRIEFE AN BÜCHNER

1. Von Wilhelm Büchner nach Straßburg

Lieber Georg!
vulgo Hempes I.

Die Gelegenheit, welche sich mir darbiedet, Dir zu schreiben, kann ich nicht unbenutzt lassen, indem ich Dir sehr viel mitzuteilen habe. Das erste ist, Dir zu sagen, daß sich hier mehrere tüchtige Männer miteinander verbunden haben, wie Herr Ökonomierat Papst, Herr Doktor Moldenhauer, Herr Doktor Külp, Herr Doktor Schnittspan u. noch mehrere, welche Vorlesungen über Mineralogie, Chemie, Physik, Mathematik, Ökonomie, Tierarzneikunde u. noch einige andere, in der Meierei halten, von welchen ich den 4 ersten beiwohne u. welche mir sehr viel Unterhaltung u. Vergnügen gewähren. Morgens gehe ich noch in die Apotheke u. Mittags zum Herrn Kaup, bei welchem ich unlängst einen Fuchs, den ich vom Onkel Louis geschickt bekommen habe u. das Ausstopfen ist mir auch so ziemlich gelungen. Dann habe ich Dir noch zu sagen, daß wir Montag den 7ten Große-Tanzstunde hatten u. Montag den 14ten abermals haben werden. Ich möchte doch wissen wie es mit Deinen Tanzbelustigungen steht. Ich hoffe, daß Du jetzo ein sehr eleganter Herr bist; eine Lorniet anhängen, den Hut unter dem Arm, eine Cravatte bis über die Ohren, Sporen an den Stiefeln, sehe ich Dich zum Abmalen auf den Lustplätzen u. den Bällen herumstolzieren. Auch hoffe ich daß Du Schmetterlinge einsammeln wirst. Die Schmetterlinge von Rosenberg sind wahrscheinlicher Weise von ihm seinem Onkel hinweggeluchst worden; doch hierüber nichts weiteres, weil ich nichts gewisses davon weiß. Der Mutter war es sehr leid, daß Du ihr gar nicht für die Vorhängen an den Schmetterlingskästen gedankt hast, welche sich sehr schön ausnehmen.

Wilhelm Fehr ist kein Kaufmann mehr, sondern hier u. ein eleganter Herr u. hört die Vorlesungen mit an, da er Ökonom werden will u. geht daher nächsten Sommer nach Reinheim, zum Ökonom Willig. Seine Schwester wird vielleicht mit Herrn Doktor Schnittspan versprochen werden.

Eine Geschichte, welche hier passiert ist, will ich Dir doch

erzählen: Der älteste Möllinger I, lag nämlich, während sein
Vetter verreist war, eines Abends, allein, im Bette, konnte aber
nicht einschlafen. Gegen 10 Uhr des Nachts hörte er leise seine
Türe aufmachen u. sah einen Menschen mit einer Blendlaterne
hereintreten: Er verhielt sich aus Angst ruhig u. wollte sich
lieber bestehlen, als sich umbringen lassen. Dieser, nachdem er
die Stube durchsucht hatte, blendete ihm einige Male in das
Gesicht u ging plötzlich auf ihn los. Er in seiner Todesangst
warf die Boutellie nach ihm, u. aufspringend riß er den Stuhl in
die Höhe u. machte einen fürchterlichen Lärmen, worauf der
Dieb für gut fand, sich so schnell als möglich zu entfernen;
obgleich man ihm zuredet u. ihm sagt, daß es wahrscheinlicher
Weise ein Traum gewesen wäre, so behauptet er doch, daß es
wirklich geschehen wäre.

Es setzte uns alle sehr in Erstaunen, daß Du gar nichts von
Trapp in Deinen Briefen bemerkt hast, doch ich hoffe, daß
dieses in Deiner Reisebeschreibung aufgezeichnet ist. Gegen die
Geschichte, welche ich Dir oben mitgeteilt habe, kannst du mir
in einem abaten Brief einige sich dort zugetragenen Wolfsge-
schichten erzählen; auch läßt Dich die Mutter warnen, nicht
allein zu weit von Strasburg fortzugehen, weil sie Angst hat, es
möchte Dir ein Unglück mit einem Wolfe zu stoßen.

Minigerode, Dörr, Kaup, Frisch u. Schnitspan, welcher Doktor geworden ist, lassen Dich vielmals grüßen. Dein Pflänzchen
ist besorgt. Jedoch ich muß schließen, weil ich keine Zeit mehr
habe u. auch nichts mehr wichtiges weiß. Doch habe ich Dir
noch zu sagen, daß Du, wenn Du mir schreibst, Dich nicht des
Namens Schnittspan bedienest (bei dem Verspruch) denn sie
sind hier sehr darauf versessen, es zu wissen, aber ich darf es
nicht sagen, weil es ein Geheimnis ist, sondern schreibe statt des
Namens: NN.

Indem ich auf einen Brief von Dir an *mich* warte,
                    verbleibe ich
             Dein Dich herzlich liebender Bruder
Darmstadt den 13ten Nov 1831.   Wilhelm Büchner

2. Von Eugen Boeckel nach Darmstadt

                    Niederbronn den 7ten September ⟨1832⟩
Nur Geduld mein lieber, ich will Dir gleich erklären warum
ich Dir erst jetzt schreibe, obgleich Dein Brief vom 20 August
ist. Aber um eine chronologische Ordnung beizubehalten, will

ich mit einer kurzen Selbstbiographie beginnen, die v. der Zeit anfängt wo Du Straßburg verlassen, ich weiß Dir wahrhaftig nichts interessanteres zu schreiben als von mir selbst. Siehe mein lieber diese kurze Einleitung wird verzweifelt lang ergo finis introduct. prolegom. exaudii

Soviel ich mich erinnere reistest Du von Straßburg fort in den ersten Tagen des August's, ich blieb in Straßburg bis den 27 August während welcher Zeit ich Deinen lieben lang erwarteten Brief erhielt. In dieser Zeit besuchte ich meistens den Hospital, u. dann noch einige Kranke mit mein. Bruder, hauptsächlich habe ich viele *Rubeolas* u Nervenfieber gesehn, erstere nahmen in der letzten Zeit einen sehr bösartigen Carakter an, so daß sehr viele daran starben, denn als konsekutive Krankheit folgte oft Skorbut, Brustkrankheiten zuweilen hydrocephalus. Mein Bruder u. ich machten die Autopsie v. mehrern Kindern welche an diesen Krankheiten starben. Einen interessanten Kranken sahe ich welcher als Folge eines zu reichlichen Genusses v. geistigen Getränken das delirium tremens bekam, durch 20 bis 40 gr. tartarus stibiatus geheilt wurde, einige Wochen nachher an Brust- u. Leber-Krankheit starb u. von uns autopsiert wurde, der untere Teil der Leber war in Fäulnis übergegangen u. so weich wie ein altes Hirn, Lungen u pleura an den Thorax ganz angewachsen etc. requiescat in pace.

Eine Frau die hydrothorax u. überh. hydropisie hatte u. mehrere Rückfälle erlitt wurde hauptsächlich durch *digitalis* u. nitrum glücklich behandelt. Von den 2 od. 3 Dutzend Schwindsüchtigen die ich sahe, spreche ich Dir nicht – ohne Übertreibg.

Zu Hause studierte ich für mich Chommel, pathologie générale u Armusière, materia medica u. ein. Teil v. Barbier, matière médicale. Zuweilen oder vielmehr öfters tat ich nichts, Du kennst ja meine Natur. – Lambossy sah ich ziemlich oft, doch weniger als ich es wünschte, weil ich sehr oft in Ittenheim war. Scherb ist nach Genf nicht nach Ungarn abgereist, Roth nach Berlin, Ad. Stöb⟨er⟩ kommt wahrscheinlich nach Colmar. Baum ist vor einigen Tagen auf's Land. – Der Concurs im Spital hatte statt, wie Du weißt konkurrierte ich nicht, Hirtz wurde gleich angenommen, Lintzler zuerst zurückgeschickt später angenommen weil sich nur zwei präsentierten u. man doch zwei surnuméraires haben mußte. Lintzler wollte nämlich nach Öffnung d. Arterie aus Versehn bei dem Aderlassen, die Wunde kauterisieren, u. den triceps zu den Muskeln des Vorder-Arms zählen, nämlich sein. Antworten nach, nicht daß Du Dir einbildest er habe wirklich eine Arteriam getroffen. – Duvernoy, der etc. gibt sich alle Mühe ohne Konkurs Physiologie Professor zu werden constat. Ich hoffe er wird mit seinem breiten Maul abfahren wie zu Paris, das Vieh bleibe doch bei seiner Zoologie, ich wollte lieber den Kerl dissezieren od. totschlagen als ihn in der Physiologie hören oder sehn, Du weißt es ist meine Antipathie; seit 3 Wochen ist er re infecta aus Paris zurückgekehrt u. lauft od. tanzt in schwarzibus in den Gassen v. Straßburg herum, glücklicher Weise treff ich den Intriganten noch nicht an, denn es hätte mir wahrhaftig wieder die Gelbsucht zuziehen können. Ich will auf seine Gesundheit trinken, wenn ihm sein Vorhaben mißlingt –

Melle jolis pieds et jolies mains machte ich erst einen Besuch, ehe ich Deinen Brief erhielt, seither nicht mehr, sie seufzt noch zwei Monate lang lang!

Nun komme ich wieder auf die Hauptperson das heißt auf mich zurück. Ende August's reiste ich mit Ad. u. Aug. Stöber nach Weißenburg, Amsler u. Held erwarteten uns an der Diligence bis um Mitternacht wo wir ankamen, ich mußte bei Held logieren u. wurde v. der ganzen Familie sehr zuvorkommend u. wohl empfangen. Held, Amsler, 2 Stöber u. ich gingen die folgenden Tage nach Landau in das Rheinbairische v. dort besuchten wir einige alten Burge⟨n⟩, Dryfels, Madenburg etc. kehrten Dienstags Abend wieder nach Weißenburg zurück. – Mittwoch ging ich mit 2 Stöber nach Woerth v. dort ins Jägertal, wo wir einige alte Burgen besuchten u. langten gestern glücklich hier an, heute ist abscheulich Regenwetter, ich bin allein, denn die beiden Stöber sind in Oberbronn bei ihrer Schwester, u. ich hier bei mein. Cousin welcher aber den ganzen Tag auf d. Bureau ist. Ich sitze also hier in Niederbron⟨n⟩ in ein. hübschen Kaffeehaus u. schreibe an meinen lieben Büchner⟨.⟩ Die Zeit würde mir zu fürchterlich lang werden, wenn sich nicht ein artiges, hübsches Mädchen sich meiner erbarmte, welche auf einige Zeit hier im Kaffeehaus ist. – Sie ist aus Straßburg klein gut gebaut etc. doch ein wenig viel Kokette, gestern schrieb ich an mein. Bruder, heute an Dich⟨.⟩ Du siehst also daß ich über dem Mädchen durchaus Dich nicht gedenke, vielmehr wäre es mir zehnmal lieber Dich als die Kokette hier zu haben –

Morgen wenn es das Wetter erlaubt ziehen wir nach Bitsch die famose Festung dann nach Lützelstein zu Follen, dann zu Baum, endlich nach Barr, heut über acht Tagen bin ich bestimmt wieder in Straßburg vielleicht auch früher, ich werde dann hauptsächlich Anatomie u. Physiologie studieren od. ochsen, dazu noch die Therapie v. Hecker.

Lebe wohl, ich erwarte gleich nach mein. Ankunft in Straßburg Briefe von Dir, ich denke Du kannst wohl dieses Opfer mir bringen; – denn Du weißt, wie mich Deine Briefe erfreuen

Vale u. komme je eher je lieber

nach Straßbg zurück.   Dein Eug. Böckel.

3. Von Adolph Stoeber nach Darmstadt

Hier, lieber Freund! meine Beiträge für den Musenalmanach, dem ich von Herzen einen guten Fortgang wünsche; es läge vielleicht im Interesse dieses Unternehmens, denselben noch vor Weihnachten auszugeben, da man um diese Zeit am liebsten Almanache kauft.

Ich muß mich kurz fassen, lieber Büchner; in einer Stunde ziehen wir Beide mit Böckel und *Lambossy* nach dem Odilienberg.

Ich freue mich, dich bald wiederzusehen!

Dein

Straßburg, 23 Sept. 32.   Adolph Stöber

4. Von Eugen Boeckel nach Darmstadt

Straßburg d. 3ten Sept. 33.

Endlich mein Lieber ergreife ich die Feder um Dir zu schreiben, entschuldigen will ich mich nicht Du kennst meine Schwachheiten zu gut; ich denke: il vaut mieux tard que jamais.

Deine beiden Briefe erhielt ich richtig u. ersehe daraus daß Du mehr arbeitest als ich. Du weißt wie viel Zeit mir das *Balbieren* wegnimmt, so daß ich beinah verzweifeln muß zu einer ordentlich. wissenschaftlichen Bildg zu gelangen; indessen denke ich auch in dieser Hinsicht il vaut mieux tard que jamais, u. gründliche Studien suche ich soviel als möglich bei meiner Lage u. meinem unruhigen Charakter.

Botanique hab ich während dieser Zeit ziemlich betrieben, Du wirst freilich es mir nicht glauben, wenn ich Dir sage daß ich viele Pflanzen analysiert habe nach den descriptions de Decandolle u. nach seinem clavis, freilich hab ich hauptsächlich den Unterschied der Familien studieren müssen, weil ich diesen noch nicht hinlänglich kannte.

In Conradi hab ich die Blut u. Bauchflüsse studiert u. die
Frakturen von Astley Cooper, Übersetzung von Froriep. Endlich den Thiers, hist. d. la révolution geendigt. Du weißt daß ich
durch Aufzählg dieser Bücher Dir keines-wegs beweisen will,
daß ich viel studiert habe.

Stöber Auguste, ist seit 3 Tagen in Oberbronn, nichtsdesto
weniger ist seine Adresse, Aug. Stöb. rue d. jeu des enfans
N° 35. Ich denke, ihn in 8 od 14 Tagen zu besuchen.

Ad. Stöber ist seit 8 Tagen hier in Straßburg u. wird hier
bleiben bis zu Ende des Oktobers. Er ist auf dem Landgute v.
Hr. Reybel in der Ruprechtsau.

Baum arbeitet an seiner Schrift üb. die Methodisten, eine
Preisfrage; die Arbeit muß bis Ende Oktobers abgeliefert wer-
den. Der Preis beträgt 3000 fr. Außer ihm konkurrieren noch
Ernst u. Becker. Reuß teilte ich Deinen Brief mit so wie auch
Lambossy, welcher wirklich in Baden ist. Louis u. Melle sah ich
mehrere male während dies. Zeit.

Wie sehr alle u. hauptsächlich wir Eugeniten bedauern daß
Du nicht hier bist, brauche ich Dir nicht zu sagen, besonders da
jetzt Adolphe hier sich befindet.

Die These v. Lauth wirst Du durch die Buchhandlung erhalten haben. Die v. Goupil habe ich selbst nicht u. Lambossy
konnte sie mir auch nicht verschaffen. Sein sujet ist: La contraction musculaire, étant donné à considérer les muscles en action,
particulièrement dans la station, la progression, le saut etc.

Lauth wurde oft kolliert hauptsächlich über Fragen, welche
auf mécanique u. physique Bezug hatten. Goupil wurde v. d.
Jury zum Professor proklamiert. Lauth soll die anatomie chaire
erhalten u. Ehrenmann die Accouchement chaire nehmen; wenigstens wurde v. d. Doyen Cailliot dieses Begehren an das
ministerium gemacht. Was geschehen wird, zeigt sich mit d.
Zeit. Lauth ist seit 14 Tagen in Paris. Wie sehr es ihn kränkt den
Sieg nicht davon getragen zu haben kannst Du Dir vorstellen.
Alle ⟨Einzelheiten⟩ des Concurs kann ich Dir unmöglich
schreiben, es würde zu lange dauern, die Fragen waren über
folgende Gegenstände: sur la vue, schriftlich in acht Stunden
(séance tenante) eingeliefert. 2. fonctions du foie et d. l. rate frei
darüb. gesprochen noch 3 Stunden, etc.

Volpes ist noch bei Reuß, er läßt Dich vielmal grüßen. Apostel Petrus hat seit seiner Abreise noch nicht geschrieben.

                                                    Dein Eug. Boeckel.

Grüß Gott, lieber Büchner! Ich bin wieder in der Heimat u. atme Elsässerluft. Wie sehr hätte michs gefreut, auch Deine Hand wieder zu drücken! Doch gebe ich die Hoffnung nicht auf, Dich auf diesem Erdenrund wiederzusehen: ich hoffe nach einigen Jahren, von meinem ägyptischen Dienst erlöst, ins gelobte Land der Freiheit heimzukehren; dann will ich Deutschland durchwandern u. auch an Deiner Türe anpochen. Doch vielleicht kommst Du selbst noch früher zu mir. Einstweilen bleiben wir uns jedenfalls treu – mit warmem Bruderhandschlag – Gottbefohlen!

Dein Ad. Stoeber.

5. Von Johann Georg Wilhelm Reuß nach Gießen

Darmstadt den 24ten Merz 1834.

Lieber Georg!

Ich war wirklich nicht wenig erstaunt heute Morgen, einen Brief von Dir zu erhalten, worin Du noch um Geld bittest, im größten Regen ging ich sogleich in die Heyrische Buchhandlung, und ließ mir eine Anweisung von 17 fl 30 kr an die dortige Buchhandlung geben, diese nebst einem Briefe folgt anbei, wogegen Du sogleich das Geld in Empfang nehmen kannst. Wenn Du Dich nun beeilts, so mußt Du bis den Mittwoch Abend mit dem Gieser Briefkurier hier eintreffen, dies verlang ich vor allem von Dir: denn der Zustand worin sich Dein Vater, ins besondere Deine leidente Mutter befindet, über Dein Ausbleiben, ist der Raum zu kurz es hier zu beschreiben, ich weiß nicht wie Du Dich hierüber genügend verantworten willst. Dein Vater ist so aufgeregt so wie auch Deine Mutter, daß ich Ihnen von Deinem Verlangen nach Geld ohnmöglich etwas sagen konnte, sinne nun auf Deiner Reise darnach, wie wir es dem Vater beibringen wollen, und wie Du Dein Ausbleiben entschuldigen kannst. Wärest Du wie andere Menschen, das heißt gäbst Du Dir Mühe etwas Lebensklugheit Dir anzueignen, so hättest Du in Deinem ersten Brief an mich, nur geschrieben, ich habe den Vater um 22 f gebeten, ich brauche aber außerdem noch 20 f, so wärest Du nun schon hier, es ist recht schlimm, wenn man mit viel Kenntnissen, als ein Schussel auf der Welt herumgehet. Mündlich ein mehreres. Dein Onkel

George Reuß.

6. *Von Gutzkow nach Darmstadt*

Verehrtester Herr!

In aller Eile einige Worte! Ihr Drama gefällt mir sehr, u ich werde es Sauerl⟨änder⟩ empfehlen: nur sind theatralische Sachen für Verleger keine lockende Artikel. Deshalb müßten Sie bescheidene Honorarforderungen machen.

Wenn diese vorläufige Anzeige dazu dienen könnte, Ihren Mut wieder etwas aufzurichten, so würd' es mich freuen. In einigen Tagen mehr!

Ihr

Frankf.   ergebenster
d. 25 Febr. 35   K Gutzkow

7. *Von Gutzkow nach Darmstadt*

Frankf. 28 Febr. 35

Verehrtester;

Sie hätten mir schreiben sollen, was Ihre Forderung in betreff Danton's ist. Viel (am wenigsten aber das, was Ihre Dichtung wert ist,) kann Sauerländer nicht geben. Es ist für ihn ein harter Entschluß, das Mskr zu drucken; denn wie günstig die Kritik urteilen mag, so ist doch mit dem Absatz dramatischer Sachen bei dem gegenwärtigen Publikum die größte Not. Kaum, daß sich das Papier herausschlägt. Ich weiß das. Das sind keine Redensarten.

Rechnen Sie das Notdürftigste, was Sie im Augenblick brauchen, zusammen, resignieren Sie auf jede glänzende Erwartung u. suchen Sie sich durch weitere Arbeiten etwa für den Phönix, zu dem ich Sie einlade, sich einige wiederkehrende Einkünfte zu verschaffen.

Ihrer Angabe seh' ich also demnächst entgegen. Ihr ergebenster
K Gutzkow

8. *Von Gutzkow nach Darmstadt*

Fr. 3 März 35

Verehrtester!

10 Friedrichsd'or will Ihnen Sauerländer geben unter der Bedingung, daß er mehres aus dem Drama für den Phönix benutzen darf, u daß Sie sich bereitwillig finden lassen, die Quecksilberblumen Ihrer Phantasie, u alles, was zu offenbar in die

Frankfurter Brunnengasse u die Berlinische Königsmauer ab-
lenkt, halb u halb zu kassieren. Mir freilich ist das so ganz recht,
wie Sie es gegeben haben; aber Sauerl⟨änder⟩ ist ein Familienvater, der 7 rechtmäßige Kinder im Ehebett gezeugt hat, u dem ich
schon mit meinen Zweideutigkeiten ein Alp bin: wieviel mehr
Sie mit Ihren ganz grellen und nur auf Eines bezüglichen Ein-
deutigkeiten! Also dies ist sehr notwendig.

   Nun scheint es aber, als hätten Sie große Eile. Wo wollen Sie
hin? brennt es Ihnen wirklich an den Sohlen? Ich kann Alles
hören, nur nicht, daß Sie nach Amerika gehen. Sie müssen sich
in der Nähe halten, (Schweiz, Frankr.) wo Sie Ihre herrlichen
Gaben in die deutsche Literatur hineinflechten können; denn
Ihr Danton verrät einen tiefen Fond, in den viel hineingeht, u
viel heraus, u das sollten Sie ernstlich bedenken. Solche ver-
steckte Genies, wie Sie, kommen mir grade recht; denn ich
möchte, daß meine Prophezeiung für die Zukunft nicht ohne
Belege bliebe, u Sie haben ganz das Zeug dazu, mitzumachen.
Ich hoffe, daß Sie mir hierauf keine Antwort schuldig bleiben.

   Wollen Sie Folgendes: Ich komme zu Ihnen hinüber nach
Darmstadt, bring' Ihnen das Geld u fange mit Ihnen gemeinschaftlich an, aus Ihrem Danton die Veneria herauszutreiben
nicht durch Metall, sondern linde, durch Vegetabilien u etwas
sentimentale Tisane. Es ist verflucht, aber es geht nicht anders,
u ich vergebe Ihnen nicht, daß Sie mich bei dieser Dolmetsche-
rei u Vermittlerschaft zwingen, die Partie der Prüderie zu führen. Können Sie sich aber noch halten in Darmstadt, so bekommen Sie das Geld und Mskrpt durch Heyer, worauf Sie aber
letzteres unfehlbar einen Tag später wieder abliefern müssen.

                                                      Ihr Gutzkow

9. Von Gutzkow nach Darmstadt

                                              Fr. 5ten März 35
   Liebster!
   Sauerländer widerrät mir, nach Darmst. zu gehen, weil ihm
freilich daran gelegen sein muß, daß ich mich so kauscher, als
möglich verhalte. Doch möcht' ich Sie gern sprechen; u. ich
erwarte deshalb bestimmt von Ihnen (Sie können direkt an mich
adressieren *Wolfseck*) genaure Angabe Ihrer Lage, ob Sie nicht
ausgehen dürfen u es dann nicht möglich wäre, daß wir uns in
irgend einem Gasthofe ein Rendezvous gäben. Um 10 Uhr
Morgens geht hier ein Postwagen ab: da wär' ich zu Mittag

drüben, spräche einige Stunden mit Ihnen u wäre Abends wieder in meiner Behausung. Was dabei so gefährliches ist, seh' ich nicht: es sei denn, daß Sie als Pech in Darmstadt herum wandeln, u jeden wieder in's Pech brächten, der einige Worte mit Ihnen spricht. Oder gehen Sie gar nicht aus; dann such' ich Sie in Ihrem Versteck. Vor allem Dingen vertilgen Sie meine Briefe!

Daß Sie nach Fr⟨ankreich⟩ gehen: ist gut. So bleiben Sie doch in der Nähe u können für Deutschl. etwas tun. Arbeiten Sie ja für den Phönix: wenn Sie keine Quellen in Fr⟨ankreich⟩ haben, müssen Sie solche Verbindungen nicht abweisen. – Wenn Sie mir über Ihre Lage einige Aufklärungen geben, komm' ich sogleich: ich bin so einer Erholung bedürftig, da ich in einigen Tagen meine Tragödie *Nero* fertig habe. Ihr Gutzkow

Herrn B.

P. S. Überschicken Sie mit Ihrem Briefe auch die Quittung!

10. Von Gutzkow nach Straßburg

Frankfurt aM. 17 März 35

Lieber, ich habe vor länger als 8 Tagen, beinahe 14 Tagen schon 10 Fr. an die Darmstädter Adresse gesandt u von Ihrem *Vater* darauf die Anzeige erhalten, Sie wären nach Friedberg u das Geld würde Ihnen eingehändigt werden. Ihr Vater schien von der Herkunft dieses Geldes nichts zu wissen.

Werden Sie in Strasburg bleiben? Ich halte es für ratsam, da Sie wie Enghien wohl keine Aushebung durch Dragoner zu fürchten haben. Sie sollten meine Ermunterung, in der Teilnahme an deutscher Literatur fortzufahren, nicht in den französischen Wind schlagen. Was Sie leisten können, zeigt Ihr Danton, den ich heute zu säubern angefangen habe, u der des Vortrefflichsten soviel enthält. Glauben Sie denn, daß sich irgend Etwas Positives für Deutschlands Politik tun läßt? Ich glaube, Sie taugen zu mehr, als zu einer Erbse, welche die offne Wunde der deutschen Revolution in der Eiterung hält. Treiben Sie wie ich den Schmuggelhandel der Freiheit: Wein verhüllt in Novellenstroh, nichts in seinem natürlichen Gewande: ich glaube, man nützt so mehr, als wenn man blind in Gewehre läuft, die keineswegs blindgeladen sind. Wär' es nicht, so hätt' ich mich in der Rechnung meines Lebens betrogen u müßte dann selbst meinen Untergang beschleunigen.

Noch drückt Sie Mangel. Hoffentlich haben Sie jetzt das, was Sie zehnmal verdient haben. Das beste Mittel der Existenz

bleibt die Autorschaft, d.h. nicht die geächtete, sondern die
noch etwas geachtete, wenigstens honorierte bei den Philistern,
welche das Geld haben. Spekulieren Sie auf Ideen, Poesie, was
Ihnen der Genius bringt. Ich will Kanal sein, oder Trödler, der
Ihnen klingend antwortet. Bessern Rat weiß ich nicht, u ich
möchte Ihnen doch welchen geben, u recht altklug Ihnen zurufen: gehen Sie in sich, werden Sie praktisch, u regeln Sie Ihr
Leben. Aber ich tu' es zagend; denn unsre Zeit hat eine ganz
besondre Art Scham erfunden, nämlich die, *nicht unglücklich
zu sein.*

Vergessen Sie nicht, von sich hören zu lassen.

Ihr G.

11. Von Gutzkow nach Straßburg

Frankfurt d 7. April 35

Mein nach Darmstadt geschickter Brief enthält nichts We-
sentliches. Ich freue mich, daß Sie sich zu arrondieren anfangen
u sich wohl fühlen. Vom Danton hat der Phönix sein Teil schon
abgedruckt, u damit viel Ehre eingelegt. Was ich Ihnen über
Ihre Fähigkeit schon sagte, muß ich wiederholen. Es ist mir, als
hätten Sie eine literarische Prädestination. Ich warte nur den
Druck u die Ausgabe Ihres Buches ab, um Sie beim Publikum
einzuführen. Aber warten Sie das nicht ab (denn Sauerländers
Pressen schwitzen Tag u Nacht und für Danton könnte sich der
Termin noch etwas hinausschieben) reißen Sie selbst die Flügel-
türen auf, u stürzen Sie auf's Parquet. Man wird erst spröde
sein, dann horchen u zuletzt sich hingeben. Das Selbstgefühl
wird schon kommen. Meine Muse bäumte sich auch erst wie ein
scheues Pferd vor der Autorschaft; ich hatte sogar schon ein
Buch geschrieben, als ich noch immer daran zweifelte, ob ich's
könnte: als ich aber Hunger bekam u mir in meiner Heimat, in
Preußen, der Brodkorb hochgehangen wurde, da schrieb ich
aus Desperation u freue mich nun, daß das Ding flott geht.

Die Übersetzung lassen Sie unterweges, an Originale machen
Sie sich. Sie haben selbst viel Ähnlichkeit mit Ihrem Danton:
genial u träge. Mich feuerte vor 4 Jahren ein Brief Menzels zur
Schriftstellerei an; wenn ich auch nicht soviel auf Sie vermag,
wie *der* auf mich, so ist doch meine Aufforderung gewiß aus
reiner Freude über Sie entstanden. Ich wiege mich in dem Gedanken, Sie entdeckt zu haben u Sie recht als ein schlagendes
Beispiel, als Armidaschild der Menge, mit der ich mich zu bal-

gen habe, gegenüberhalten zu können. Soll ich noch mehr loben? Nein, Sie sollen sich Ihren eignen Stolz machen.

Ich weiß nicht, ob Sie den Phönix gelesen haben d.h. mein Lit. Blatt, u noch lesen. Bei Levrault, der ihn für die Revue Germanique bezieht, können Sie ihn einsehen. Mir wär' es willkommen, wenn Sie einige Aufmerksamkeit auf das, was an mir ist u was ich will, verwendeten. Sind sie überhaupt wegen unsrer laufenden liter. Verhältnisse au fait? Sie brauchen es nicht zu sein: Sie scheinen ganz positiver Natur. Schreiben Sie mir, was Sie arbeiten wollen. Ich bringe Alles unter; aber bald; denn in 14 Tagen reis' ich auf kurze Zeit nach Berlin; daß ich Sie sehe, könnte sich im Juni ereignen. Ich freue mich sehr darauf: ich stelle mir in Ihnen einen nicht über 5 Fuß hohen Kerl oder Menschen oder Mann, wie Sie wollen, vor, und zwar fröhlicher Laune; doch haben Sie dunkles Haar.

Jen. theologischen Antrag kann zwar Sauerl., der viel Verlag für das Jahr schon auf den Schultern hat, nicht annehmen; doch hab' ich schon andre Verbindungen deshalb eingeleitet, u erwart' ich nun Angabe des *Umfangs* der Schrift in ungefährem Druck, nebst der Erklärung, ob bei der Sache auch verdient werden soll?

Ihr G.

Apropos! Wollen Sie mir Kritiken über *neueste* franz. Literatur schicken für mein Blatt, so sind mir die willkommen; aber schneller Entschluß! Eine Zusage, um mir Freude zu machen!

12. Von Gutzkow nach Straßburg

Mannheim 12 Mai 35

Mein Lieber,

Statt daß Sie mich um tausend Parasangen weiter von sich denken, bin ich Ihnen um hundert näher gerückt. Meine Paßverhältnisse sind etwas in Unordnung, sonst käm' ich schon zu Ihnen. Ich spare das auf. Die Berliner Reise ist mit Gefahren verknüpft. Durch eine Vorrede zu Schleiermachers Briefen über Schlegels Luzinde hab' ich die Geistlichkeit u den Hof gegen mich empört: ich fürchte ein Autodafé u halte mich am Rheingeländer, das bald übersprungen ist. Adressieren Sie recht bald eine Nachricht hieher an *mich*, wohnhaft bei HE Reitz. Ihre Äußerungen über neure Lit. vermag ich nicht aufzunehmen, weil mir jetzt die Muße fehlt. Nur glauben Sie nicht, daß ich z.B. durch meine Besorgung einer Übersetzung V. Hugos eine große Verehrung vor der romantischen Konfusion in Paris an den Tag legen will: dies ist nur eine Gefälligkeit für einen Buchhändler, der auf mein Anraten auch Sie ins Interesse gezogen hat. Danton wird nun gedruckt.

Ihre Novelle Lenz soll jedenfalls, weil Straßburg dazu anregt, den gestrandeten Poeten zum Vorwurf haben? Ich freue mich, wenn Sie schaffen. Einen Verleger geb' ich Ihnen sogleich. Auch sagen Sie Ihrem theologischen Freunde, daß er für seine Schrift einen Abnehmer hat, falls Matter in Straßburg sich dazu entschließen könnte, sie zu bevorworten.

Wer war der Freund, der mich in Frankf. treffen wollte?

Vergelten Sie mir diese Abbreviatur von einem Briefe nicht, sondern seien Sie mitteilsam u vollständig!

Ihr Gutzkow

13. Von Gutzkow nach Straßburg

Wiesbaden 23 Juli 35.

Mein lieber Freund; ich habe länger geschwiegen, als verziehen werden kann. Heidelberg u Mannheim nahmen mich sehr in Anspruch, dann eine Rheinreise, Frankfurt mit all seinen Verbindungen, die wieder aufgefrischt werden mußten, nun gar Wiesbaden, wohin ich gegangen bin um zu schwitzen – das Alles hat mich in ewige Unruhe gebracht. Zuletzt noch hab' ich in der Hast von 3 Wochen (schnelle Arbeiten sind die besten) einen Roman geschrieben: *Wally, die Zweiflerin.* Auch jetzt bin ich nur erst in der Stimmung, ein Billet statt eines Briefes zu schreiben, u Ihnen in der Eile zu sagen, daß ich viel u herzlich an Sie denke. Sie haben mehr Zeit als ich. Regen Sie mich durch einen langen Brief zu einem längern auf! – Sauerländer trödelte lange mit dem Druck Ihres Danton. Für den Schreckenstitel kann ich nicht: das ist eine der buchhändlerischen Dreistigkeiten, die man sich bei seinem zweiten Buche nicht mehr gefallen läßt. Sie werden jetzt Exemplare haben, u meine von der Zensur verstümmelte Anzeige. Ich trug S⟨auerlände⟩r auf, Ihnen den Korrekturabzug zu schicken; denn ich habe ein böses Gewissen. Ich fühle, daß ich mich nicht erschöpfend genug über Sie ausgedrückt habe, wenigstens viel zu allgemein; u. da ist mir jeder verlorne Buchstabe wichtig, wenn Sie ihn nicht sehen sollten. Geben Sie bald ein zweites Buch: Ihren *Lenz,* (für den ich schon einen bessern Verleger habe) dann will ich das Versäumte nachholen.

Auf die theol. Schrift Ihres Freundes kann man nur eingehen, wenn *Matter* auf dem Titel steht. Matter hat Renommee in Deutschland, der von Ihnen genannte Name nicht.

Schreiben Sie nach Frankfurt: der Brief trifft mich sicherer.

Mit bestem Gruß   Ihr Gutzkow

14. Von Gutzkow nach Straßburg

Stuttgart 28 Aug 35

Jetzt werd' ich klagen, mein lieber Freund, daß Sie sich in ein nebelhaftes Schweigen hüllen. Wie leben Sie? Ich bin in Ihrer Nähe; aber leider werd' ich die Muße nicht haben, Straßburg besuchen zu können. Zwar bin ich jetzt ungebundener, als je, weil ich mein Literaturblatt am Phönix preisgegeben habe, aber es drücken mich doch mancherlei Geschäfte, weil ich gesonnen bin, noch vor dem neuen Jahre selbst ein Journal mit meinem Freunde L. Wienbarg zu edieren. Der Titel wird sein: *Deutsche Revue;* die Form, wöchentlich ein Heft. Ich gestehe aufrichtig, daß ich mich bei diesem Unternehmen ernstlich auf Sie verlassen möchte. Schreiben Sie mir so bald Sie können *nach Frkft im Wolfseck,* ob ich, monatlich wenigstens 1 Artikel (spekulativ, poetisch, kritisch, quidquid fert animus) von Ihnen erwarten darf? Mit den buchhändlerischen Bedingungen werden Sie zufrieden sein.

Mein Frankfurter Lit. Bl. ennuyierte mich, der Dullerschen Sozietät wegen. Die Deutschen, welche sehr viel auf Hörensagen, wenig auf Autopsie geben, pflegen gern nach dem Grundsatz zu urteilen: Nenne mir, mit wem du umgehst, u ich will dir sagen, wer du bist! Diesen Dullerschen Maßstab somit an mich anlegen zu lassen, bin ich zu hoffärtig. Eine Sauerländersche Plumpheit (Sauerl. ist kein Buchhändler sondern ein Frankforter Borjär) gab mir Rechtsvorwand, abzubrechen.

Über Ihren Danton hör' ich sonst noch nichts. Wienbarg hat ihn mit Vergnügen gelesen. Von Grabbe sind 2 Dramen erschienen. Wenn man diese aufgesteifte, forcierte, knöcherne Manier betrachtet, so muß man Ihrer frischen, sprudelnden Naturkraft das günstigste Horoskop stellen.

Haben Sie Freunde in der Schweiz? nämlich Freunde, die Sie dafür halten? Man hat mir von dort anonyme Zusendungen gemacht, um Ihr Talent zu verdächtigen u namentlich mich von der Hingebung, die ich öffentlich gegen Sie gezeigt habe, zurückzubringen. Mehr mag ich nicht sagen. Es scheinen Knaben zu sein, die mit Ihnen auf der Schulbank saßen, u sich ärgerten, wenn Sie raschere Antworten gaben.

Schreiben Sie nach Frkft.

Ihr Gutzkow

15. Von Gutzkow nach Straßburg

(Poststempel: Frankfurt 28 Sept 35)

Mein lieber Freund,

Sie erbauen weder mich, noch meinen Plan durch Ihren jüngsten, doch so willkommnen Brief. Ich hatte sicher auf Sie gerechnet, ich spekulierte auf lauter Jungfernerzeugnisse, Gedankenblitze aus erster Hand, Lenziana, subjektiv & objektiv: Sie können auch Ihre abschlägige Antwort nicht so rund gemeint haben u werden schon darauf eingehen, folgenden Kalkül, mit sich anzustellen: Du hast ein Buch mit deinem Namen geschrieben. Ein Enthusiast hat es unbedingt gelobt. Ja, du hast dich sogar herabgelassen, 2 wahrscheinlich sehr elende Dramen von V. Hugo zu übersetzen; du stehst nun mitten drinnen, und mußt dich entweder behaupten, oder avancieren. Die Deutsche Revue wird großartig verbreitet, sie zahlt für den 8°bogen 2 Fried.d'ors. Sie hat einige glänzende Aushängeschilde von Namen, welche sogar das alte u besorgliche Publikum anlokken. In der Tat, lieber Büchner, häuten Sie sich zum 2ten Male: geben Sie uns, wenn weiter nichts im Anfang, *Erinnerungen an Lenz:* da scheinen Sie Tatsachen zu haben, die leicht aufgezeichnet sind. Ihr Name ist einmal heraus, jetzt fangen Sie an, geniale Beweise für denselben zu führen.

Das Brockhaussche Repertorium kanzelt Sie mit 2 Worten ab. Die Abend-Zeitung, wie ich aus einem Briefe von Th. Hell an einen Dritten, sehe, wird desgleichen tun. Basenhaft genug schreibt dieser Hofrat Hell genannt Winckler: Wer ist dieser Büchner? Antworten Sie ihm darauf!

W. Schulz hat an mich geschrieben. Er scheint recht gedrückt zu sein; was ich für ihn ausrichten kann, will ich sehen. Er solle sich noch einige Tage gedulden.

Von Menzels elendem Angriffe auf meine Person werden Sie gehört haben. Ich mußte ihn für seine Schamlosigkeit fordern; er schlug diesen Weg aus u zwingt mich nun ihm öffentlich zu dienen. Menzeln wär' es eine Freude gewesen, wenn ich bei ihm noch immer die zweite Violine gespielt hätte u einmal executor seines Testaments geworden wäre. Prinzipien hat er für keine größere Fehde mehr, seine letzten Patronen hat er gegen Göthe verschossen: Nun muß die Religion, die Moral u mein Leben herhalten, um mich zu stürzen. In einigen Tagen erscheinen von mir u Wienbarg Broschüren. Ich kann nichts Besseres tun, als aus seiner Infamie eine literarische Streitfrage machen. Zeit ist's, endlich einmal die Menzelsche Stellung zu revidieren u die kritischen Annalen zu kontrollieren, welche er seit beinahe 10 Jahren geschrieben hat.

Am 1 Dez. erscheint das 1ste Heft der Revue. Benimmt sich Menzel nicht, als woll' er sagen: »O Herr Zebaoth, siehe, sie wollen herausgeben ein Blatt, das da heißet: Deutsche Revue u soll es erscheinen wöchentlich einmal! spricht der Herr: Sela.«

Ihr Gutzkow

Adressieren Sie nicht an Sauerl., sondern kurzweg an meinen Namen.

16. Von Gutzkow nach Straßburg

Mein Lieber!

Ich sitz' im Gefängnis – wie u wodurch das kam, ein Andermal – wenn ich mich in mein Schicksal zu finden weiß. Zunächst dies, daß ich des Angriffes auf die Religion beschuldigt bin.

Erst wollt' ich fliehen u schrieb an Mr. Boulet in Paris, für mich zu sorgen. Wahrscheinlich ist unter Ihrer Adresse von da ein Brief an mich gekommen. Schicken Sie ihn mir hieher mit besonderm Couvert an den Dr. Löwenthal.

Wie glücklich sind Sie in der Freiheit! Ich sehe voraus, daß ich lange werde geplagt werden. Menzel hat mich soweit gebracht. Ich bin zusammenhängender Ideen nicht fähig. Ein andermal mehr, wenn es sich aus den Eisenstäben schmuggeln läßt.

Mannheim   Ihr G.
d. 4 Dez. 35

17. Von Eugen Boeckel nach Straßburg

Mademoiselle Wilhelmine Jägle

Entschuldigen Sie gütigst die Freiheit die ich mir nehme den Brief an Sie zu adressieren, ich tue es um mir das Vergnügen zu machen, mich meiner Freundin ins Gedächtnis zurückzurufen, u. um unserm George Unannehmlichkeiten zu ersparen.

Ihr Freund Eugène.

N. B. Da in dem Brief medizinische Gegenstände zur Sprache kommen muß ich Sie bitten zu tun was Ihnen gefällt.

Mein lieber George, wahrscheinlich wirst Du schon einiges von meiner Reise erfahren haben durch meinen Bruder u. Deine Eltern, bei denen ich gerne länger verweilt hätte wenn es die Jahreszeit u. die übrigen Umstände gelitten hätten. Es war mir auf jeden Fall angenehm u. interssant die Familie meines lieben Freundes kennen zu lernen, Deine Mutter ist übrigens eine der angenehmsten u. unterhaltensten Personen welche ich jemalen gesehn habe, ich würde mich sehr freuen Deine Mutter u. Deine Schwester in Straßburg nächsten Ostern zu sehn wenn es möglich wäre – Dein Vater ist billig aber mit Recht etwas ungehalten über Dich – Deine Großmutter ist besonders gut konserviert – Dein kleiner Bruder Louis gleicht Dir außerordentlich. Du kannst leicht denken daß wir sehr viel von Dir u. d^{elle} Wilhelmine sprachen –

In Heidelberg wurden wir sehr gut von Nägele empfangen, ich logierte daselbst auf Kosten des Großherzogs in der Geburtshülflichen Anstalt mit 36 andern schwangern Weibern, ich konnte ohne Übertreibung kaum einen Schritt im Hausgang machen ohne an eine wohlbeleibte Person zu stoßen. Übrigens bewohnte ich ein großes hübsches Zimmer wo gewöhnlich die vornehmen Sünderinnen sich ihrer Last u. Sünde zu entledigen pflegen. Von Heidelberg bis Frankfurt hatten wir einige aventuren, deren Erzählung Du mir ersparen wirst da ich von Cassel aus schon einen ziemlich detaillierten Brief hierüber an meine Familie geschrieben habe. In Cassel hielten wir uns einen Tag auf u. bestiegen daselbst die Wilhelm's Höhe. Die Gegend um Cassel herum ist eine der schönsten u. anziehendsten in der schönen Jahreszeit, aber wir treffen leider überall Schnee, Regen, Nässe u. Kälte an, so daß wir eigentlich die Schönheiten einer Gegend nicht beurteilen können, dies sah ich namentlich bei Heidelberg das ein sehr tristes Aussehn hatte in dieser Winterzeit. Durch Giesen fuhren wir Nachts so daß ich Deine liebe Musen-Stadt nicht recht genießen konnte. In Marburg hielten wir uns eine halbe Stunde auf, ich sah doch soviel davon um mich zu überzeugen daß es viel hübscher gelegen ist als Giesen. Wirklich sitze ich in Göttingen wo ich den 15ten ankam, den

20sten dieses Monats reisen wir nach Berlin den 22ten werde ich in Berlin ankommen si diis placet. Wir hatten zuerst beschlossen über Braunschweig u. Magdeburg durch den Harz zu reisen. Allein das geht nicht bei dieser Jahreszeit. Zu Fuß können wir nicht gehn wegen des Kotes u. der kurzen Tage u. zu Wagen geht es langsam u. unbequem u. teuer. Reisen wir mit Eilwagen über Braunschweig u. Magdeburg so müssen wir entweder bloß durch diese Städte fahren ohne etwas zu sehn oder an jedem Ort mehrere Tage liegen bleiben. Also sind wir entschlossen den kürzesten Weg über Halle zu nehmen. Dafür bleiben wir fünf Tage in Göttingen denn ich denke es ist besser wenig Universitäten recht zu sehn als bloß sich einen Tag aufhalten damit man sagen kann ich bin dort gewesen.

Studiert habe ich nicht viel während meiner Reise, ich glaube auch es wäre sehr deplaziert gewesen – Bloß in Heidelberg habe ich während acht Tagen einen Teil von Siebold, Frauenzimmerkrankheiten, u. Cooper über Blasen-Kkht. studiert, ich hatte daselbst beinahe Hausarrest wegen meines podagra's. In Heidelberg habe ich das Klinikum von Chelius u. Nägele besucht, u. hauptsächlich mich im touchieren geübt weil die Gelegenheit dazu vortrefflich war bei meinen 36 Hausgenossen – In Göttingen besuchte ich diesen Morgen Langenbeck, Siebold u. Conradi, von beiden letztern wurden wir besonders gut empfangen u. hauptsächlich von Dr. Conradi, Sohn des Professors, welcher den ganzen Tag mit uns herumlief, u. uns alle möglichen renseignemens über die hiesige Universität gab. Morgen werden wir bei Konradi den Café trinken. Auf der ganzen Reise mußten wir unsere Pässe bloß in Kehl u. Frankfurt vorweisen, an keinem andern Ort kümmerte sich irgend ein Polizei-Diener um uns.

Wie geht es Dir mein lieber? ist die Dissertation geschrieben, werden wir Dich in Zürich treffen, kommst Du oft zu Baum – Deine Mutter läßt Dir sagen Du sollst nicht oft Nachts arbeiten, u. ich füge meine Bitte u. meinen wohlmeinenden ärztlichen Rat bei, allein ich fürchte vergebens, ferner sollst du die Fechtstunde fortsetzen u. dies tue mir, Deiner Mutter, u. Deiner Gesundheit zu gefallen –

Frage meinen Bruder ob der Doktor den Brief erhielt den ich ihm von Heidelberg aus schrieb, ferner ob Dr. Schützenberger meinen Brief erhielt, u. endlich ob die Epistel angelangt die ich von Cassel aus an Me. Marie Boeckel schrieb, diese Aufträge vergiß nicht. Sage auch meinem Bruder daß ich den 22 Januar in

Berlin anlange meiner Berechnung nach u. man soll mir dorthin schreiben, poste restante, was tante Schneegans macht. Sobald ich am Ziel meiner Reise bin schreibe ich an Baum meine Adresse, wenn ich ihm nicht noch diese Tage von Göttingen aus schreibe, es ist meine Lieblings-Beschäftigung mich Abends mit meinen Freunden u. Freundinnen schriftlich zu unterhalten weil es mir unmöglich ist mich mündlich zu unterhalten mit ihnen – Mit meinem Reise-Kompagnon Dr. Schwebel bin ich komplett zufrieden, er läßt Dir einen freundlichen Gruß entbieten, er sitzt in diesem Augenblick bei mir u. schreibt an seine Eltern. Die Aufträge an Hoffmann habe ich ausgerichtet darüber ausführlicher an Baum – Ich habe die chronologische Ordnung in meinem Briefe nicht befolgt weil ich meine Reise in dieser Ordnung an meine Familie beschrieb u. weil ich mich nicht entschließen kann zweimal dasselbe zu schreiben. Grüße mir Baum, Deinen Schwager u. Gust. Schneegans, wenn Du mit ihm Schach spielst so denke an mich.

Göttingen den 16 Januar 1836.   Dein Freund Eugène.

Sage meiner Familie ich sei immer lustig u. immer bei Gelde, depensiert habe ich in den 14 Tagen 160 fr. circiter immer economisiert, freilich auf der Reise muß man an table d'hôte essen, Wein u. Café trinken, sich nichts abgehn lassen.

18. Von Gutzkow nach Straßburg

Mein lieber Freund!

In kurzer Zeit 3 Briefe von Ihnen: 2 die ziemlich gleich lauten u einen, der den Alsabildern beilag. Ihre Ratschläge sind entschieden; aber ich möchte sie noch nicht befolgen. Eine Entfernung aus Deutschland brächte mich um die Voraussetzung eines guten Gewissens, auf das ich mich dreist berufe. Wenn auch von Menzel als strikter Republikaner denunziert, so tritt doch die politische Seite meiner Anschuldigungen ziemlich in den Hintergrund, u. sogar in Preußen scheint man ein andres u milderes Benehmen einleiten zu wollen. Meine Taktik muß die sein, Preußen (ich bin aus Berlin gebürtig) so lange zu vermeiden, bis ich das entschiedene Wort des Ministeriums hab, daß meiner Freiheit nichts in den Weg tritt. Da Laube u Mundt frei passieren, würde man vielleicht auch Anstand nehmen, gegen mich persönlich einzuschreiten. Solange ich kann, halt' ich mich um Frkft herum; denn ich bin daselbst verlobt; aber die elenden Krämer werden mich unsanft empfangen, u. das *binnen 24 Stunden* hör' ich schon, wie natürlich. Diese Menschen wissen nun Alle, daß mich nichts nach Frkft zieht, als meine Braut; und doch sind sie spitzbübisch genug, mir andre Zwecke unterzuschieben. Kurz, ich sehe Not u Plage voraus u werde soviel gehänselt werden, daß ich zuletzt doch im »Rebstöckel« nachfragen könnte. Aber die Freude, Sie zu sehen, müßt' ich dann teuer erkaufen, da mir schwerlich der Rückweg dann offen bliebe.

Die gegen mich bereits erhobene Appellation ist zurückgenommen durch die Minister in Karlsruhe. Ich danke Gott, von dieser Ungewißheit befreit zu sein. Am 10 Februar bin ich nun frei: mit der Weisung, Baden zu verlassen. Ich saß dann 2½ Monate u zwar wie Sie richtig annahmen im Amthause oder Kaufhause, wie der ganze Arkadenwürfel heißt. Behandlung war erst massiv; dann milderte sie sich u endete zuletzt in entschied. Höflichkeit. Erst wollte man mich steinigen, u jetzt bin ich ziemlich populär. Die Deutschen sind wenigstens gutmütig u können Niemanden lange leiden sehen.

Können Sie denn in Str⟨aßburg⟩ vollkommen die deutschen Affären seit einem halb. Jahre übersehen? Eine Kette von Nichtswürdigkeiten u Dummheiten: die gänzliche innre Auflösung Deutschlands charakterisierend. Ich will mich nicht in Schutz nehmen, ich weiß, daß ich outriert habe; aber was erlaubte man sich nicht dagegen! Vieles ist sehr versteckt u Sie erfahren es noch einmal mündlich.

Ich höre gern von Ihren Beschäftigungen. Eine Novelle Lenz war einmal beabsichtigt. Schrieben Sie mir nicht, daß Lenz Göthes Stelle bei Friederiken vertrat. Was Göthe von ihm in Straßburg erzählt, die Art, wie er eine ihm in Kommission gegebene Geliebte zu schützen suchte, ist an sich schon ein sehr geeigneter Stoff.

Sie studieren Medizin u sind, wie ich höre, an eine junge Dame in Str⟨aßburg⟩ gefesselt, von früher her, wo Ihnen die Flucht dorthin sehr willkommen war. So sagte man mir wenigstens in Rödelheim.

Wenn Sie mir schreiben, so adressieren Sie: Generalkonsul Freinsheim in Frankfurt a/M. Wolfseck.

Freundlich grüßend

Mannheim d. 6 Febr. 36   Ihr Gutzkow

19. Von Eugen Boeckel nach Straßburg

Sonntag. d. 15ten Mai 1836.
Wien, an d. Ufern d. Donau

Ma Demoiselle

Erlauben Sie daß ich noch einmal meine Zuflucht zu Ihnen nehme um einen Brief an Büchner gelangen zu lassen, ich weiß durchaus nicht ob er noch in Strasburg od. Zürich ist. Seit vier Monaten erhielt ich gestern die erste Kunde von ihm – Ich ersuche Sie auch die Gefälligkeit zu haben meinem Bruder d. Doktor melden zu lassen daß ich seinen Brief vom ersten Mai empfangen habe – Verzeihen Sie George zu Gefallen, die Freiheit die ich mir nehme an Sie zu schreiben, u. seien Sie versichert daß ich die aufrichtigsten Wünsche hege zum Glücke von Ihnen beiden – Ich danke Ihnen wegen des Grußes den Sie durch Büchner an mich sandten, u. verbleibe Ihr Freund

Eug. Boeckel

P.S. Ich erneuere meine Bemerkung daß in d. Brief zuweilen medizinische Gegenstände verhandelt werden – Sie werden tun was Ihnen beliebt.

Mein lieber Freund. Gestern erhielt ich durch Deinen Vetter einen Brief von Dir, adressiert v. d. 18 März, dazumalen konntest Du natürlich meine adresse nicht wissen, denn ich wußte sie selbst nicht. Von meinem Aufenthalt in Berlin wirst Du Nachricht erhalten haben durch Baum, welchem ich von Dresden u. zuletzt von hier aus schrieb – Freund Baum hat sich wie immer sehr nachlässig gezeigt u. mir ein einzigesmal geschrieben – Von Dir, mein Lieber erwartete ich auch nichts besseres u. habe mich in meiner Prognose auch nicht getäuscht.

Ende des Monats März zogen wir von Berlin weg über Leipzig nach Dresden. In beiden Städten hielten wir uns mehrere Tage auf um die medizinischen Anstalten u. die übrigen Merkwürdigkeiten der Stadt zu sehn – An Abenteuer aller Art u. beinahe noch ärger als Dir hat es uns durchaus nicht gefehlt, wenn Du noch in Straßburg bist so kann Dir Baum etwas davon erzählen – Dresden ist überaus hübsch gelegen an den Ufern d. Elbe – Von Dresden gingen wir nach Töplitz u. Prag durch die böhmischen Wälder in tiefem Schnee – In Prag wo wir während vier Tagen das abscheulichste Wetter hatten mußten wir größtenteils auf die Besuchung d. Umgegend Verzicht leisten. Den ersten Tag gleich besuchten wir Charles X. et sa chère famille auf d. Hradschin – Das Theater in Prag ist vortrefflich.

Von Prag nach Wien hatten wir wieder eine abenteuerliche winterliche Reise in den böhmischen u. mährischen Wäldern u. d. schlechten böhmischen Kneipen. In Wien befinde ich mich seit dem 17ten April – In medizinischer Rücksicht gewährt diese Stadt einem jungen Arzt sehr viele Vorteile, aber Berlin für ein Winter-Semester noch mehr – Die Maternité hier ist sehr groß. Täglich sind 6–8 accouchemens aber Fremde haben Mühe zum touchieren zugelassen zu werden, doch geht es wenn man sich recht darum bewirbt – Was hier vorzüglich gut ist das ist die Augenheilkunde bei Rosas u. Jäger, bei d. letztern nehme ich hierüber ein privatissim. u. ebenfalls eines bei Koletschka üb. Anat. patholgq. welche man hier sehr gut studieren kann wegen der großen Anzahl v. Autopsien in einem Hospital wo mehrere tausend Kranke sich befinden. Was mich hier speziell interessierte ist die Cholera welche sich wieder hier gezeigt hat, wir hatten einen Bestand von 20 Cholera Kranken, täglich 2 Tote, jetzt hat die Cholera wied. abgenommen, die Anzahl d. Kranken im Hospital ist auf zehne heruntergekommen. An Intensität hat die Krankheit nicht abgenommen und ich sah mehrere in 6–8 Stunden sterben – Ich habe hierüber ausführlicher an meinen Bruder geschrieben. 30–40 typhus Kranke – 10–15 metro peritonite, Kindbettenfieb. oft mit tödlichem Ausgang – Was Annehmlichkeiten anbelangt so bietet Wien Alles dar was sich ein Fremder nur wünschen kann. Die Gegend um Wien ist herrlich. Zwei drei Stunden von d. Stadt befindet man sich mitten in d. Gebirge, in den herrlichsten Tälern, gewöhnlich machen wir Sonntags unsere Exkursion, heute hindert uns das schlechte Wetter daran – Die boulevards u. glacis um Wien selbst herum bieten schon die angenehmsten Spaziergänge mit einer herrlichen Aussicht – Die Bekanntschaften mit den vielen jungen Ärzten aus allen Ländern, Holland, Schweden, Rußland, Preußen etc. etc. ist sehr interessant angenehm u. instruktiv wenn man es zu benutzen weiß – Der Aufenthalt hier ist angenehmer als man es sich in Frankreich denkt. Es herrschen viele Vorurteile wieder Östreich welche man ablegt wenn man in das Land selbst kommt. Die Weine hier sind sehr wohlfeil u. gut hauptsächlich d. ungarischen – Theater haben wir fünfe, drei sind ziemlich schlecht. Zwei sind vorzüglich gut – Die italienische Oper am Kärntner-Tor u. das Burgtheater, dieses letzte ist wohl das beste für Schauspiel, seit ich in Teutschland bin, bin ich ein Liebhaber vom Theater, ich gehe wöchentlich 2–4 mal hinein. Löwe, D. l. Roche, Costenoble, Anschütz, d.

anmutige Me Rettich, Me Peche, u. Melle Müller sind ausgezeichnet.

Wirklich gastiert auch hier Devrient aus Dresden, welcher gestern die Rolle Ferdinand in Kabale u. Liebe hatte – Hamlet, d. Ring u. mehrere andern pièces wurden ausgezeichnet gut gegeben – In Dresden ist das Lustspiel sehr gut, in Prag die Opern, Ballnacht, Zampa etc. in Berlin die Oper u. das ballett. In Prag hat mir D^elle Lutzer am besten gefallen, ich weiß nicht ob sie am besten singt, aber sie ist hübsch, anmutig u. hat eine liebliche Stimme, viel angenehmes in ihrem Betragen –

Dein Cousin lief hier 12 Tage herum ohne mich zu finden, er scheint ein solider junger Mann zu sein – Du wirst praeceps d. h. über Hals u. Kopf an Deiner These arbeiten, ich zweifle nicht daran daß sie gut ausfallen wird. Sie auf diese Art drucken zu lassen ist sehr bequem – Du wirst durch Baum wahrscheinlich erfahren haben, daß ich nicht durch die Schweitz nach Paris gehe sondern über Würzburg, wo ich mich bei professor D'Outrepont, Sept. u. Okt. noch speziell mit accouchem. beschäftigen werde – Also werden wir uns sobald nicht sehn, deswegen müssen wir uns durch schriftliche Unterhaltung trösten wenn es Dir möglich ist. Wo Du auch sein magst kannst Du bis zum ersten Juli inklus. Briefe an mich nach Wien adressieren, Du wirst wissen daß alle Briefe bis an die östreicher Grenze frankiert sein müssen, u. ebenso muß ich alle Briefe bis an die Grenze frankieren, denn die östreicher Regierung steht in dieser Beziehung in Rechnung mit keinem andern gouvernement – Ich finde nichts angenehmeres und Interessanter's als Reisen, auch bin ich ganz zufrieden u. glücklich, ich empfinde es als die glücklichste Zeit meines Lebens, übrigens ist es bei mir ⟨unlesbar⟩ Augenblick zu genießen u. nicht sein Glück in einer verborgenen Zukunft zu suchen. Wenn Dich dieser Brief noch in Strasburg trifft so frage Baum ob er meinen Brief erhielt von hier aus adressiert den 4ten Mai. Schreibe mir auch von Lambossy u. Held, diese beiden werden wahrscheinlich in Paris sein wo ich sie nächsten Winter zu treffen gedenke. Ich bin jetzt bald fünf Monate in Teutschland u. denke noch fünfe zu bleiben, Ende Juli's gehe ich über Lintz, Salzburg Innspruck nach München. Grüße d. Schwager Louis u. meine übrigen Freunde

Dein Dich liebd. Freund Eugène.

Meine adresse: E. B. Alser-Vorstadt, Wikburg-gasse N° 18, Wien –

20. Von Gutzkow nach Straßburg

Mein lieber Freund!

Sie geben mir ein Lebenszeichen u wollen eines haben. Allmählig kehr' ich auch wieder unter die Menschen zurück, u
lerne vor erträglicher Gegenwart die Vergangenheit vergessen.
Es geht mir gut, u es würde noch besser gehen, wenn mir in
meiner Resignation nicht die Zeit lang würde.

Sie scheinen die Arzeneikunst verlassen zu wollen, womit Sie,
wie ich höre, Ihrem Vater keine Freude machen. Seien Sie nicht
ungerecht gegen dies Studium; denn diesem scheinen Sie mir
Ihre hauptsächliche force zu verdanken, ich meine, Ihre seltene
Unbefangenheit, fast möcht' ich sagen, Ihre Autopsie, die aus
allem spricht, was Sie schreiben. Wenn Sie mit dieser Unge-
niertheit unter die deutschen Philosophen treten, muß es einen
neuen Effekt geben. Wann werden Sie nach Zürich abgehen?

Die Flüchtigen in der Schweiz spielen nun auch mit dem
jungen Deutschl. Komödie. Dadurch wird der Name, hoff ich,
von mir u meinen Freunden mit der Zeit abgewälzt, wie fatal es
mir auch im Augenblick ist, daß der wunderliche Titel auf diese
neue Weise adoptiert wurde. Mit der Zeit wird es ein pappener
Begriff werden u sich abnutzen, was immer gut ist unter Umständen, wie die heutigen, wo die Massen schwach sind u das
Tüchtige nur aus runden u vollkommenen Individualitäten geboren werden kann. So werden auch Sie gewiß die Berührungen
vermeiden, welche sich in der Schweiz genug darbieten u meinem Ihnen schon früher oft genug gegebenen Zurufe folgen,
daß Sie Ihre ungeschwächte Kraft der Literatur opfern.

Von Ihren »Ferkeldramen« erwarte ich mehr als Ferkelhaftes.
Ihr Danton zog nicht: vielleicht wissen Sie den Grund nicht?
Weil Sie die Geschichte nicht betrogen haben: weil einige der
bekannten heroice Dicta in Ihre Komödie hineinliefen u von
den Leuten drin gesprochen wurden, als käme der Witz von
Ihnen. Darüber vergaß man, daß in der Tat doch mehr von
Ihnen gekommen ist, als von der Geschichte u machte aus dem
Ganzen ein dramatisiertes Kapitel des Thiers. *Schicken Sie mir,
was Sie haben;* ich will sehen, was sich tun läßt.

Von mir ist soeben eine Schrift erschienen: Über Göthe im
Wendepkte zweier Jahrhunderte. Hätt' ich schon meine Frei-
exempl. würd' ich Ihnen eines schicken. Also künftig!

Frkft a/M 10/6 36   Ihr Gutzkow

21. Von Eugen Boeckel nach Straßburg

Wien den 18ten Juni 36.

Wie sehr mich Dein lang erwartetes liebes Schreiben freute kannst Du aus meiner schnellen Antwort sehn. Ich rechne es Dir doppelt hoch an wenn Du einmal Dich hinsetzest u. mir einen ordentlichen Brief schreibst, denn Du weißt wie wenig ich mir in dieser Hinsicht von Dir verspreche. Mit dem wohlbeleibten, lustig, fidelgrämlichen pädagogen ist also gar nichts zu machen wie ich aus Deinem Brief ersehe. Sage ihm doch daß ich seinen Brief vom 2ten Juni empfangen, ich werde ihm nächstens antworten – Was Du von d. couverte u. der adresse meines Briefes sagtest, daran hast Du vollkommen recht peccavi; ich wollte Dir übrigens das Brief-Porto nicht verteuern. Was das Lesen des Briefes anbetrifft traue ich es nicht jedem Frauenzimmer zu der Neugierde zu widerstehn, aber in diesem speziellen Fall hat mich doch nicht meine Menschen-Kenntnis verlassen. Es soll Dir Freude machen durch meinen Fehler, diese Eigenschaft erkannt zu haben – Was Du von Deiner These mir schreibst freuet mich, ich hoffe Du läßt mir ein exemplar davon in Strasburg. Zu Deinem Beitritt zur société d'hist. nat. gratuliere ich, Du hast also die Ehre der Kollege d. prof. Duvernoy zu sein. Ist Lauth bald profess. d. physiolog. wie steht es im übrigen mit unserer medizinischen Fakultät in Straßburg.

Was Du mir v. Stöber schreibst, ist sehr betrübend u. für mich bis jetzt unglaublich, ich traue Christ mehr Gefühl zu – Wenn übrigens eine Erkältung eingetreten so frägt es sich ob nicht die Erkältung durch gegenseitige Entfernung u. Entfremdung kam – Was macht Apostel Petrus? Er wird mit 1100 Fr. in Weißenburg heiraten, u. er hat recht wenn es ihm Vergnügen macht.

Dein cousin ist ein liebenswürdiger, artiger, vernünftiger naiver Holländer. Er hat Anatomie u. physiolog. gut los, u. dabei hat er die praktische Medizin nicht vernachlässigt. Er macht uns vielen Spaß u. es tut mir leid daß ich mich auf ewig von ihm trennen muß. Er spricht originell, naïv holländisch Teutsch.

Die tournée durch die teutschen Hospitäler u. Hörsäle ist für mich nicht so unangenehm wie Du glaubst. Was die Hörsäle betrifft, d.h. die theoretischen Colleg. so gehe ich nicht od. äußerst selten hinein, also fällt dieses weg. Zwei privatissima habe ich. Das eine bei Jäger, Ophthalmolog. Operat. mit Übung. einer phacectomie, das andere bei Koletschka: Anatom. patholog. – Hier ist nur ein Hospital, Du kannst also denken welche unzähl. v. Leichen sich da vorfinden, so daß man in zwei Monaten alle möglich. Fälle der Anat. patholog. u. viele Fälle med. forens. sehn kann – Diese privatiss. dauern v. 3 – 6 – 7 Uhr. Morgens besuche ich den Hospital, da gibt es viele Variationen u. interessante Gegenstände. Abends gehe ich öfters in das treffliche Burgtheater, od. auf die superben promenaden rings um die Stadt herum – Sonntags mache ich in Gesellschaft excursionen in die Gebirge in den schönsten Gegenden, Baden, Schönbrunn, Laxenburg, Dornbach etc. etc. Dabei habe ich hier eine angenehme interessante Gesellschaft – die ungarischen Weine sind sehr gut, die Cotelettes, Boeuf d'été, Schnitzel etc. etc. ebenfalls, es wird einem hier so behaglich zu Mute daß es selbst Dir u. sogar d. pädagogen recht gefallen würde.

Freilich würde dieser letztere mit ein. bedeutenden Bauch so groß wie der eines schwangeren Frauenzimmers zurückkehren – Nennst Du dies ein unangenehm Leben?

Was die politischen Verhältnisse anbelangt so kümmere ich mich wenig darum, od. vielmehr sie genieren mich nicht, denn Fremde können sich in dieser Rücksicht nicht beklagen, sie sind in sehr vieler Hinsicht hier so frei wie in Frankreich – Wenn Du übrigens Dich einige Zeit in Östreich aufhalten würdest, so könntest Du Dich überzeugen daß die hiesige Regierung unter ihrer jetzigen Form notwendig u. wohltätig für das Land ist, gänzlich den Bedürfnisen u. Begriffen der Untertanen angemessen, denn sie ist durch die öffentliche Meinung sanktioniert. Es wäre lächerlich u. unsinnig einem Volk das sich glücklich fühlt u. zufrieden ist eine Form aufzuzwingen die ihm zuwider ist u. nicht für dasselbe paßt.

sed absint politica – Mit d. Cholera hier geht es schlecht sie macht progresse, noch niemalen seit mein. hiesigen Aufenthalt war sie so heftig wie jetzt, u. hauptsächlich in der Vorstadt wo ich wohne, u. den zwei zunächst gelegenen. Es ist aber nicht nötig mein Lieber daß Du dieses meiner Familie mitteilst, da man in Strasburg noch nicht an die Cholera gewohnt ist so ist es noch daselbst ein rechtes Schreckbild, hier sind die Leute vernünftiger in dieser Beziehung. Heute beläuft sich die Anzahl der Cholera-Kranken im Hospital auf 60–70. – 30 darunter sind übrigens mehr od. minder leichte Fälle. Nur Cholerine, die ächt karakteristischen exemplare sind in geringerer Anzahl – Ich bleibe hier bis Mitte Juli's. Wo ich Juli u. August zubringe weiß ich noch nicht bestimmt, wahrscheinlich in Triest, Venedig u. Mailand – Sept. u Okt. in Würzburg, wenn Du v. Straßburg

weg bist so schicke Deine adresse an meinen Bruder – Schreibe
ich Dir unterdessen, so schreibe ich Dir über Straßburg mit ein.
Couverte.

Bis jetzt bin ich keineswegs gesonnen sobald definitivement
in's Elsaß zurückzuk⟨ehren,⟩ ich werde später wo möglich v.
Paris aus suchen weiter zu kommen. Ich bin das ⟨Reisen⟩ noch
keineswegs müde, auch wäre es noch zu frühe, denn es sind
kaum 6 Mon⟨ate, daß⟩ ich von zu Haus weg bin.

Lambossy hat soutieniert wie ich v. Baum erfahren, er wird
hoffentlich nächsten Winter in Paris sein wo ich ihn zu treffen
hoffe. Von meinen hiesigen Bekannten werde ich 6–8 wieder in
Paris sehn, einige gehn nach Berlin, mehrere davon siehst Du
vielleicht in Zürich. Dieses Jahr gehe ich bestimmt nicht nach d.
Schweiz, vielleicht später v. Paris aus si diis placet. Vor dem
November dieses Jahres komme ich auch nicht nach Strasburg
wenn ich überhaupt hinkomme also muß ich darauf Verzicht
leisten Dich dieses Jahr zu sehn – Ist Baum nicht zu bewegen
nächsten Winter nach Paris zu kommen, er hat freilich eine
Kette am Fuß u. dies ist verflucht unangenehm.

Was Du mir über den Leichtsinn schreibst, darin hast Du
vollkommen recht; wer nicht leichtsinnig ist soll sich Mühe
geben es zu werden, es trägt viel zu den Annehmlichkeiten
dieses Lebens bei; ich habe mir ziemlich Mühe gegeben diesen
Grundsätzen gemäß zu denken u. es ist mir auch so ziemlich
gelungen. Was die Identität des Leichtsinnes u. des Gottes-
Vertrauen betrifft, so ist es bloß wahr für einige Menschen, die
größere Anzahl sind eben bloß leichtsinnig, wenigstens kommt
es mir so vor, u. ich glaube der pädagog wird hierin meiner
Meinung sein. Die Anspielung des letztern in Beziehung d.
Geschichte Lambossy auf Wien ist sehr verzeihlich aber vielleicht nicht gegründet – Meinen Bruder Charles kannst Du gelegentlich fragen ob er den Brief erhielt den ich ihm den 17ten
Juni schrieb – Grüße Freund Lambossy u. Heidenreich – Ich
muß enden um in's josephinum zu gehn, die superben italiänischen Wachspräparaten (Anatomia) zu sehn. Sonntags ist das
Kabinett offen u. ich habe bis jetzt noch keinen versäumt hin zu
gehn. Lebe wohl. Wenn Du Deine Mutter früher od. später
siehst so grüße Sie vielmal von mir so wie die übrigen Mitglieder Deiner Familie, D^{elle} Wilhelm⟨ine⟩ nicht zu vergessen
                                                    – Dein Eugène –

22. Von Eugen Boeckel nach Straßburg

Würzburg den 4ten Sept. 1836.

Mein lieber Büchner, wo Du bist weiß ich nicht gewiß, u. darum muß ich auf's neue mich an Deine Geliebte wenden (sous enveloppe) um Dir den Brief zukommen zu lassen – Ich ließ zwar Deine adresse bei Melle Jägle begehren, allein ich erhielt sie nicht, wie mein Bruder versichert durch die Nachlässigkeit v. Melle – Du wirst hoffentlich den Brief erhalten haben welchen ich dir den 18ten Juni v. Wien aus schrieb, mit d. adresse bei Hr. Siegfried etc. Meine jetzige adresse ist bis Ende Oktobers – Würzburg – E. B. bei Hr. Broili, erstes Distrikt No. 262 – Bist Du noch in Straßburg so gebe meine adresse unserm vielgeliebten dickbauchigen Pädagog. – Vielleicht hat er wieder einmal Lust zu schreiben. Was freilich äußerst selten vorkömmt. Zweimal seit meiner Abreise v. Straßburg. Ich habe ihm 4mal geschrieben. Jetzt mache ich es aber wie d. pädagog, u. schreibe nicht mehr – Mit Dir mein Lieber bin ich um so mehr zufrieden, da ich aus der Kenntnis Deines Karakters kaum einen Brief zu hoffen wagte. Ich habe mich gänzlich geirrt, dies ist mir sehr lieb u. angenehm – Ich denke Du weißt, daß ich den zehnten Juli v. Wien wegreisete über Graz nach Triest, eine angenehme gebirgige interessante Gegend. V. Triest nach Venedig dann Verona, Mantua, Mayland u. über d. Garda-See, Roveredo, Trient u. Botzen nach Inspruck, v. Inspruck nach Salzburg, dann München u. endlich Würzburg – Diese Reise wenigstens wirst Du nicht für langweilig u. trocken halten, wie die tournée durch die Hörsaale der teutschen Professoren. Ich würde Dir eine detaillierte Reise-Beschreibung machen allein ich habe schon soviel davon geschrieben daß ich mich nicht dazu entschließen kann. An Baum schrieb ich v. Triest, an meinen Schwager v. Trient, an mein. Bruder v. München, u. an meine Schwester v. hier aus – In Teutschland befinde ich mich sehr wohl, es ist nicht halb so schlimm wie Du glaubst. Ich glaube es gibt keinen besser organisierten Staat in Europa wie Preußen beinahe in aller Beziehung – Die Regierung herrscht nach den bestehenden Gesetzen kraftvoll u. energisch, u. von eigentlichem Despotismus habe ich wenig od. nichts gesehn – Über Politik darf man sich, und hauptsächlich Fremde, ziemlich freimütig äußern, nur nicht gegen die bestehende Regierungs-Verfassung. Was ich hauptsächlich in Preußen bewundere dies sind die militärischen Institutionen, es ist nicht zu leugnen daß Preußen der erste und best organisierte Militär-Staat der Erde ist, u.

d. h. viel. Ich wünschte daß das preußische Militär-System nach
Frankreich verpflanzt würde. Man unterscheidet in Preußen die
National-Garde nicht von den Linien-Truppen. Die garde nationale bei uns wählt ihre Offiziere selbst ich wollte gern auf
dieses privilegium Verzicht leisten u. von der Regierung tüchti-
ge Offiziere ernannt sehn – Denn mit unsern Wahlen werden
wir nie tüchtige Offiziere bekommen. Nikolaus d. russische
Fürst wird wohl einer der trefflichsten u. besten Fürsten sein.
Er hat viel gegen den hohen Adel zu kämpfen u. sucht einen
eigentlichen Bürgerstand zu gründen – Wirklich arbeitet er an
der Aufhebung der Leibeigenschaft. Was Polen betrifft so weißt
Du wie sehr ich wünsche in aller Beziehung u. hauptsächlich als
Franzose daß die Polen den Sieg davon getragen hätten. Aber an
Nikolaus Stelle als Kaiser von Rußland hätte ich mir wahrhaftig
auch nicht Polen entreißen lassen. Was er tat war er dem Ruhme
Rußlands u. seinem Throne schuldig.

Die Östreicher sind zufrieden u. glücklich sie verehren ihren
Kaiser als ein von Gott eingesetztes Oberhaupt was brauchen
sie mehr. Zudem wäre eine andere Verfassung als die absolute
der Ruin der östreichischen Monarchie; bei diesen heterogenen
Massen ist es eine Unmöglichkeit eine konstitutionelle Verfassung zu bilden – Die Italiener verdienen in aller Beziehung ihr
Los, jetzt wünschen sie daß die Franzosen sie von der östreichischen Herrschaft befreien. Wenn die Franzosen ein Jahr daselbst wären würden sie die Östreicher wieder zurückrufen –
Denn die Italiener taten niemalen selbst etwas, sie schauten zu
wie sich die Teutschen u. Franzosen um Italien schlugen – Meiner Ansicht nach ist die östreichische Regierung eine wahre
Wohltat für Italien, wo Östreich herrscht kann man wenigstens
mit Sicherheit reisen – Du siehst daß ich meine politischen Ansichten in mancher Rücksicht erweitert u. geläutert habe.

Ich wünschte die adresse Deines cousin's zu haben also sobald Du dieselbe erfährst schreibe mir. Bis Ende Oktobers hieher, wenn Du später meine adresse nicht kennst so kannst Du
die Briefe immer Eug. Boeckel, librairie Treuttel et Würz à
Strasbg. adressieren. Ich reise von hier aus nach Paris über
Straßburg. Vielleicht komme ich auch nach Darmstadt, ich
wünsche also zu wissen ob ich Anfangs November Deine Familie in Darmstadt antreffe. Dich werde ich leider in keinem Fall
weder in Darmstadt noch in Strasburg treffen, aber im August
u. September 37. werden wir uns aller Wahrscheinlichkeit nach
sehn – In München hat es mir sehr gut gefallen, ich finde diese

Stadt verdient in aller Beziehung den Namen des neuen Athens, auch ist der Zudrang der Fremden so groß daß man viele Mühe hat in einem ordentlichen Gasthof unterzuk⟨ommen.⟩ Ich wäre sehr gerne 8 Tage in München geblieben u. hätte auch noch h⟨inlänglich⟩ Zeit und Geld dazu gehabt, aber v. Salzburg aus reisete ich mit einer ⟨unlesbar⟩ interessanten, schönen, liebenswürdigen Dame, diese blieb nur drei Tage in München u. reisete dann über Würzburg nach Frankfurt. Sie redete mir zu mitzureisen, u. schönen jungen Damen kann ich nichts abschlagen also blieb ich auch nur drei Tage in München. Hier mußte ich mich leider von meiner angenehmen Reisegefährtin trennen – Das privatissimum bei D'Outrepont hat seit sechs Tagen angefangen ich bin ganz damit zufrieden, an Gelegenheiten aller Art etwas zu lernen fehlt es nicht. Ich habe hier eigentlich nur einen Bekannten u. lebe viel zurückgezogener u. regelmäßiger als in Wien, auch hat man durchaus diese vielen Zerstreuungen nicht wie in Wien, ich studiere hier Me Lachapelle, einzelne Abhandlungen v. D'Outrepont über Geburtshülfe, Wigand etc. dann einige Schriften über Cholera – In Strasburg hoffe ich Deine dissertatio vorzufinden. Held war einige Tage hier, ich wurde allenthalben gefragt ob ich diesen jungen Windbeutel kenne. Er soll sich oft geäußert haben die hiesigen Institutionen mögen gut sein für die Studierenden, aber er docteur en médecine wisse hier nichts zu lernen. Lambossy ist in Paris. Schwebel wird nächstens auch dort eintreffen – In Hoffnung bald einen Brief von Dir zu erhalten schließe ich den meinigen.

Dein Freund Eugène

23. Von der Mutter nach Zürich

Darmstadt den 30ten Oktober ⟨1836⟩

Lieber Georg!

Welche Freude als Dein Brief vom 25ten Oktober das Postzeichen Zürich darauf ankam. Ich jubelte laut; denn obgleich wir uns gegenseitig nichts sagten; so hatten wir alle große Angst, und wir glaubten kaum daß Du glücklich über die Grenze kommen würdest. Die Sache hat mir vielen heimlichen Kummer gemacht, nun Gott lob auch dies ging glücklich vorüber. –

Wir waren die Zeit sehr beschäftiget, Mittwochs legte ich große Wäsche ein, und Montags zuvor kamen Beckers aus Frankfurt und blieben bis Donnerstag, sie erkundigten sich sehr nach Dir, und freuten sich recht über Deine guten Aussichten, wir hatten einige sehr vergnügte Tage. Auf Deinen Geburtstag tranken wir alle zusammen Deine Gesundheit. –

Wie Dein Brief ankam den 27ten biegelte ich gerade das letzte Stück, Vater war im Theater, ich kann Dir gar nicht sagen wie sehr er sich freute als er nach Hause kam. Er stimmt ganz mit Beiter überein und ermahnt Dich dringend ja über vergleichende Anatomie Vorlesungen zu halten, er glaubt sicher, daß Du darin am ersten einen festen Fuß fassen und Dich am ehrenvollsten emporhelfen könntest. –

Wilhelm war ohngefähr 14 Tage hier, und nun ist er seit Mittwoch nach Heidelberg mit Schenk abgereist. Mit Giesen war es für diesen Winter nichts. Ich kann Dir gar nicht sagen wie ich mich über diesen Jungen beunruhige, es ist noch ein gar zu großer Kindskopf, hat gar keinen Begrief vom Schaden hat einen falschen Ehrgeiz, und ist hinter seinem Rezeptiertisch gar zu schro geworden. Wie wir Briefe von ihm erhalten, werde ich ihm schreiben, ihm Deine Adresse schicken, damit er auch an Dich schreiben kann. Antworte ihm nur gleich und ermahne ihn recht. Mathilde wird selbsten an Dich schreiben, sonsten ist alles bei uns beim alten. Den 25ten Ok: war Alexanders Geburtstag er wurde 9 Jahre alt, heute wird er solenn gefeiert, er hat sich 10 Jungens gebeten, der Chokolade ist bereits gekocht könnte ich Dir doch auch eine Tasse einschenken. Onkel Georg ist bei seinem Leutnant auch noch so ein Stück Stallmeister geworden. Der bekannte Stall Schenk, zeither Stallmeister bei Prinz Louis ist am Nervenfieber gestorben, und nun reitet Onkel die Pferde vom Prinzen, er hofft auch die vom Prinzen Karl zu bekommen, und dann trägt es ihm rund 200 fl. ein. Das Reiten ist seine Liebhaberei, er ist sehr vergnügt darüber. –

Wenn Du hörst daß hier das Nervenfieber grassierte, so ängstige Dich nicht es ist nicht so arg, als es die Leute machen, es sind zwar schon viele Menschen daran gestorben. Kürzlich starben aus einer Familie drei jungen Leute. Zwei Söhne und eine Tochter, sie wurden an einem Tage begraben, und gestern soll auch die Mutter gestorben sein. – Der Vater ist Hoboist. Leider wurde kürzlich ein Mörder hingerichtet. Die Kinder sahen ihm auf dem Markt den Stab brechen, und Louis ging mit Vater auf die Richtstätte; er hatte vor 2 Jahren einen Förster erschlagen. –

Wie es hier mit den Gefangenen geht weiß Gott, es ist alles still. –

Der junge Baron von Bechtold ist Leutnant geworden, und wurde nach Butzbach versetzt, und heute hörten wir daß Herr

Regierungs⟨rat⟩ von Bechtold Ministerialrat geworden sei. Dies
unsere Neuigkeiten. – Ich kann nun gar nicht erwarten bis Dein
nächster Brief kommt, lasse uns nur nicht lange warten, gehe
nur recht unter Menschen und suche Dich zu zerstreuen. Doch
hoffe ich, daß ich Dich nicht mehr zu ermahnen brauche, Dich
von alle⟨m⟩ politischen Treiben entfernt zu halten, Du bist nun
mitten darin. Du wirst Dich denke ich nicht anstecken lassen, es
wird mir doch manchmal himmel Angst. – Morgen schreibe ich
und Mathilde an Mina, sie dauert mich gar zu sehr, ich kann das
Frühjahr kaum erwarten, dann hoffe ich fest, sie bei uns zu
sehen. Mathilde läßt Dich tausendmal grüßen; wie sie *endlich*
anfing zu schreiben bekam sie Besuch sie will es also aufsparen
bis ich wieder schreibe. –

Vater schickt Dir hier ein Rezept für Deine Nase, er bittet
Dich sehr es einmal recht ernstlich und anhaltend zu gebrauchen, und ihm über den Erfolg zu berichten. Wie hast Du die
Straßburger ⟨nach⟩einander verlassen? hast Du die Tante Reuß
noch gesprochen, ⟨warst⟩ Du bei's Himmlies? Wenn Du wieder
schreibst so gib mir Nachricht. Deine Kost und Logie finden
wir sehr billig, freilich eine Kost wie bei Fräulein Jäkele wirst
Du nicht leicht wieder finden, nun man muß sich an alles gewöhnen. Schreibe uns nur immer recht ausführlich, ich meine
seit Du von Straßburg weg bist nun seist Du erst in der Fremde,
in Straßburg glaubte ich Dich immer in meiner Nähe. Wirst Du
denn mein Geschmier lesen können? Ich schreibe aber in einem
solchen Tumult daß ich gar nicht weiß wo mir der Kopf steht.
Großmutter grüßt Dich vielmals schreibe ihr bald, weil es ihr
Freude macht, sie ist immer sehr niedergeschlagen, denn sie
sieht fast gar nichts mehr. Es ist sehr betrübt, und für uns alle
traurige Aussichten. Alles grüßt Dich jung und alt, auch Ema
die eben da ist auch die träge Mathilde. Nun lebe wohl und
schreibe bald wieder Deiner treuen   Mutter C. Büchner

24. Vom Vater nach Zürich

Darmstadt den 18ten Dezemb. 1836
· Lieber Georg!

Es ist schon lange her daß ich nicht persönlich an Dich geschrieben habe. Um Dich einigermaßen dafür zu entschädigen,
soll Dir das Christkindlein diese Zeilen bescheren und ich zwei-
fele nicht daran, daß sie Dir eine angenehme Erscheinung sein

werden. Meine Besorgnis um Dein künftiges Wohl war bisher noch zu groß und mein Gemüt war noch zu tief erschüttert, durch die Unannehmlichkeiten alle, welche Du uns durch Dein unvorsichtiges Verhalten bereitet und gar viele trübe Stunden verursacht hast, als daß ich mich hätte entschließen können, in herzliche Relation mit Dir zu treten; wobei ich jedoch nicht ermangelt habe, Dir pünktlich die nötigen Geldmitteln, bis zu der Dir bekannten Summe, welche ich zu Deiner Ausbildung für hinreichend erachtete, zufließen zu lassen. –

Nachdem Du nun aber mir den Beweis geliefert, daß Du diese Mittel nicht mutwillig oder leichtsinnig vergeudet, sondern wirklich zu Deinem wahren Besten angewendet und ein gewisses Ziel erreicht hast, von welchem Standpunkte aus Du weiter vorwärts schreiten wirst, und ich mit Dir über Dein ferneres Gedeihen der Zukunft beruhigt entgegen sehen darf, sollst Du auch so gleich wieder den gütigen und besorgten Vater um das Glück seiner Kinder in mir erkennen.

Um Dir hiervon sogleich einen Beweis zu geben, habe ich Deinem Wunsche »v. Froriep's Notizen« von mir zu erhalten, alsbald entsprochen, welche längstens bis zum 24ten d. M. per Kiste und ganz *franco* bei Dir eintreffen werden. Dieselben sind als eine kleine Bibliothek zu betrachten und werden Dir vielen Nutzen gewähren. Bis jetzt ist der 50ste Band im Erscheinen. Ich besaß nur 26 Bände welche mich, ohne Einband, 93 fl. 36 kr. kosteten u diese mache ich Dir zum Weihnachtsgeschenk. Die Bände 29–46, welche Du ebenfalls jetzt erhäl⟨t⟩st, habe ich für Deine dereinstige Rechnung mit Deinen Geschwistern um 20 fl. 52 kr erkauft und um diesen 3teil Preis sollst Du durch mich die Fortsetzung u eben so die fehlenden Bände 27 u 28 erhalten. Sollten Dir meine anatomischen Tafeln von Weber, welche Dir schon genau bekannt sind und die ich jetzt vollständig habe nötig sein, so will ich Dir auch diese schicken, oder wenn Du sonst Bücher nötig hast, so mache mir solche namhaft und bemerke mir genau den Ladenpreis, um welchen Du solche in Zürich würdest erhalten können. Auch findest Du in der Kiste unter anderem 2 Exemplare meiner Nadelgeschichte, die mir beim Packen als altes Papier in die Hände fielen. Vielleicht kannst Du Deinen Schülern gelegentlich eine Erzählung davon machen. So dann legte ich auch eine Beilage zu unsrer Zeitung in die Kiste, worin eine Konkurrenzeröffnung von Zürich aus bekannt gemacht wird. Hättest Du früher meinen so wohlgemeinten Rat befolgt und Dich mehr mit Mathe-

matik beschäftigt, so könntest Du vielleicht jetzt mit konkurrieren. Doch dies sei bloß nebenher bemerkt. Deine Abhandlung
hat mir recht viel Freude gemacht, und nicht weniger war ich
erfreut über Deine Kreierung zum Doktor der Philosophie, so
wie überhaupt über Deine gute Aufnahme in Zürich. Sei nur
recht v⟨orsichtig⟩ in Deinem Benehmen und in Deinen Äußerungen gegen u über jedermann. Bedenke stets daß man Freunde nötig hat u daß auch der geringste Feind schaden kann. Ich
bin recht begierig zu hören, wie es Dir bisher mit Deinen Vorlesungen ergangen und worauf besonders Dein weiterer Plan gerichtet ist. Zoologie u vergleichende Anatomie sind Felder worin noch viel zu lernen ist und wer Fleiß darauf verwendet dem
kann es nirgends fehlen, *merks tibi*. Auch Kaups systematische
Beschreibung des Tierreichs, wovon das 10 Heft erschienen ist,
könnte ich Dir schicken. –

Bei uns ist alles wohl u es werden die nötigen Vorbereitungen
zu Weihnachten gemacht. Deine weitere Bescherung findest Du
ebenfalls in der Kiste. In Reinheim ist kürzlich Oheim's jüng-
stes Kind, ein schöner Knabe von 1½ J. gestorben. Deine Mutter wollte meinem Brief noch einige Zeilen beilegen, bei dem
teuren Porto aber, wollen wir es unterlassen, zumal Du per
Kiste Briefe erhäl⟨t⟩st. Mutter u Tante Helene sitzen oben bei
der Großmutter, welche jetzt beinahe völlig blind ist. Im Frühling soll das eine Auge operiert werden. Mathilde u Louise sind
in der Oper »Die Stumme«. Louis ist wahrscheinlich mit Anfertigung von Weihnachtsgeschenken beschäftigt u Alexander liest
wie gewöhnlich sehr emsig die Geschichte. Dieser wird ein *ruhiger* Gelehrter werden in allem Ernste. Endlich ich sitze am
Schreibtische u schreibe in diesem Augenblicke am Ende meines Briefes meinen Namen.   E. Büchner

25. Von Eugen Boeckel nach Zürich

Paris den 11 Januar 1837.

Mein Lieber, il vaut mieux tard que jamais, allein es ist zu
bemerken daß ich deine adresse erst vor 14 Tagen erhielt, diejenige welche mir Melle Jägle gab verlor ich auf d. Reise hieher.
Seit meinem Aufenthalt in Strasburg hab ich nichts mehr von
Dir erfahren Du kannst Dir also denken wie begierig ich bin
von Dir Nachricht zu erhalten. Ich hoffe Du wirst mit gutem
Erfolg in Zürich aufgetreten sein u. so Deinem Ziele nähergе-
kommen. Schreibe mir doch wenn Du dieses Jahr nach Stras-

burg kommst, weil ich meine Reise darnach einrichten will, wenn Deine Vakanzen wie ich glaube im Mai statt haben so kann ich Dich auf jeden Fall sehn, aber früher werde ich wahrscheinlich nicht von hier fortgehn können. Ob ich durch die Schweiz nach Strasburg gehe ist noch ungewiß. Mit meinem Aufenthalt hier bin ich zufrieden, Du weißt übrigens daß ich ungefähr überall zufrieden bin. Im ganzen genommen hat es mir weit besser in Teutschland als in Frankreich gefallen. Ich gebe mich hier mit Syphilis, Auskultation u. Chirurgie ab, dies wären anziehende Studien für Dich. Die Auskultation seh ich als eine sehr wichtige Entdeckung an. Übrigens ist es hier ziemlich leicht viele Übung im Auskultieren zu erlangen. Die syphilitischen Kkht. werden besonders gut von Ricord behandelt. Für médecine operatoire sind gute privatissima u. viele Kadaver's vorhanden. Von der übrigen medizinischen Fakultät schreibe ich Dir nichts, weil Dich die praktische Medizin nicht interessiert u. ich mich hier ausschließlich mit abgebe.

Paris ist in Vergleich d. andern Städte welche ich gesehn, immens, grandios, u. reich. Es wundert mich nicht mehr daß man von Paris d. hyperbolischen Ausdruck braucht la capitale du monde, denn es ist hier auch so außerordentlich vieles vereinigt. Für Naturgeschichte, physiolog. u. Anatomie simple et comparée wäre ein Aufenthalt hier sehr interessant für Dich. Die Gemälde Galerie würde Dich auch größtenteils interessieren; übrigens weißt Du wie wenig ich davon verstehe – Unterdessen bin ich jedoch ein außerordentlicher Liebhaber d. italienischen Oper, Laplache, Tamburini u. D^{elle} Guri sind unübertrefflich u. müssen durch ihren Gesang selbst einen Laien ⟨und⟩ Unkundigen ergreifen. Du würdest hier gewiß öfters in die Oper gehn Puritani, Il matrimonio secreto, Othello etc – Die französische Oper ist ziemlich gut – Im theatre français tritt die D^{elle} Mars zuweilen auf. Die große Masse der übrigen Theater ist mittelmäßig od. schlecht u. gemein, zuweilen unerträglich. Die berühmte D^{elle} Ferrand, jetzt Me Roy sah ich in d. operacomique. Du wirst die tragische Geschichte dieser edlen Dame kennen; ich denke que les poils auront repoussé. Seit meinem Aufenthalt in Wien bin ich wider meine frühern Gewohnheiten ein ziemlich fleißiger Theater-Besucher worden. Aber freilich ein Theater wie das Burgtheater in Wien hab ich nicht wieder gefunden. Nirgends ist es angenehmer sich ohne Zweck in den Straßen herumtreiben flaner als hier, von der Pracht u. dem Reichtum der superben Buden, Bazar's hauptsächlich derjeni-

gen im palais-royal hat man in andern Städten kaum eine Idee –
An Spaziergängen hier fehlt es auch nicht hauptsächlich die
boulevards, d. jardin des tuileries, Luxembourg, jardin du roi u.
dann noch einige breite schöne Straßen, wie z. B. rue d. Rivoli,
Castiglione, place Vendôme etc.

Viele excursionen habe ich noch nicht gemacht, teils weil ich
viel zu tun habe, teils wegen des schlechten Wetters, ich verspa-
re die weiten Ausflüge auf das Frühjahr. In Paris selbsten kann
man für 6 sols überall in dem omnibus, hirondelles, Orléanaises
etc. herumfahren, ein wohlfeiles u. zuweilen angenehmes Vergnügen. Den arc d. triomphe, d. Obelisken, d. colonne Vendôme, den Platz d. bastille u. mehrere andere Merkwürdigkeiten
habe ich öfters besucht. In den salon's des palais-royal haben
mich die historischen Gemälde aus der revolution am meisten
interessiert. Lese-Cabinet's sind hier unzählige, in einigen hat
man auch die allgemeine Zeitung. In d. Café's w⟨ir⟩d nicht
geraucht. Dies ist etwas für Dich. Dagegen gibt es viele estaminets in welchen geraucht w⟨ir⟩d.

Lambossy ist schon lang von hier weg. Es hat ihm hier nicht
gefallen, wahrschlch. weil er sich in der ungeheuren Masse verlor. Held u. Schwebel sind noch hier, letzterer w⟨ir⟩d in einigen
Wochen von hier absegeln um sich in Barr als Arzt zu etablieren. Sonstige Bekannte habe ich hier sehr viele getroffen. Der
dickbauchige pädagog liegt im ⟨unlesbar⟩ in Strasburg, sauft
café, streicht sich den Bauch u. schneidet Gesichter, i⟨ch⟩ habe
zweimal an ihn geschrieben; natürlich ohne jemalen ⟨eine⟩ Zeile von ihm zu erhalten. Von einem Theologen muß man nicht
⟨zu⟩ viel begehren. Müntz welcher einige Zeit hier war ist leider
⟨unlesbar⟩ abgereiset. Er hat eine Stelle als professeur du collège Schlettstadt. Selestat. Ich denke mich nächsten Sommer ir-
gend⟨wo zu⟩ etablieren, ich weiß nicht ob ich in Strasburg
bleibe oder ob ich in den Oberrhein gehe, geschieht letzteres so
sind wir ganz nahe bei einander.

Sehr teuer ist d. Aufenthalt in Paris nicht wenn man keine
besondern Auslagen für Bücher od. Collegien od. sonstige Dinge hat so kann man mit 200 fr. monatlich leben. Die Zimmer
sind etwas teuer. Das Mittagessen nicht so sehr wie man glaubt
für 20 sols ißt man erträglich für 30 ziemlich gut.

Die Kleider sind hier sehr teuer, für ein. schwarzen Frack
zahlte ich 100 fr. u. es gibt auch zu 150–200 fr. – Im ganzen
habe ich im Laufe des vorigen Jahres 4000 fr. gebraucht. Dies ist
auch ein Beweggrund weswegen ich dieses Jahr dem Reisen ein

Ende machen will, denn mein kleines Kapital geht zu Grunde, u einige Tausend Franken will ich für mein établissement reservieren. Lange w⟨ir⟩d sich nächstens verheuraten. Stöber hat seine fiancée, definitiv aufgegeben wie man mir sagte; das arme Mädchen dauert mich. Sie w⟨ir⟩d schwer eine andere Partie machen können. Ich bin Dieu merci noch frei, teils weil ich es aus Grundsatz bleiben will, teils weil ich nicht weiß ob mich andere Leute wollen   Dein Eugène.

ANHANG

DOKUMENTE

MÜNDLICHE ÄUSSERUNGEN

Im Sommer 1831 begegnete ich Georg Büchner einmal in der Dämmerung am Jägertor. Er sah sehr ermüdet aus, aber seine Augen glänzten. Auf meine Frage, wo er gewesen, flüsterte er mir ins Ohr: »Ich wills dir verraten: den ganzen Tag am Herzen der Geliebten!« »Unmöglich!« rief ich. »Doch«, lachte er, »vom Morgen bis zum Abend in Einsiedel und dann in der Fasanerie!«

Erinnerung eines Jugendfreundes (Franzos, S. XXXV)

»Wie fühle ich mich glücklich! Ich darf werden, wozu ich einzig tauge. Ich bin nie, auch nur eine Sekunde lang im Zweifel über meinen Beruf gewesen!«

Zu demselben Freunde, der Theologe werden sollte
(Franzos, S. XXXVI)

»Ich habe Anlagen zur Schwermut.« *(Nachgelassene Schriften, S. 4)*

Die Versuche, welche man bis jetzt gemacht hat, um die Verhältnisse Deutschlands umzustoßen ⟨...⟩, beruhen auf einer durchaus knabenhaften Berechnung, indem man, wenn es wirklich zu einem Kampf, auf den man sich doch gefaßt machen mußte, gekommen wäre, den deutschen Regierungen und ihren zahlreichen Armeen nichts hätte entgegen stellen können, als eine handvoll undisziplinierte Liberale. Soll jemals die Revolution auf eine durchgreifende Art ausgeführt werden, so kann und darf das bloß durch die große Masse des Volkes geschehen, durch deren Überzahl und Gewicht die Soldaten gleichsam erdrückt werden müssen. Es handelt sich also darum, diese große Masse zu gewinnen, was vorderhand nur durch *Flugschriften* geschehen kann.

Die früheren Flugschriften, welche zu diesem Zweck etwa erschienen sind, entsprachen demselben nicht; es war darin die Rede vom Wiener Kongreß, Preßfreiheit, Bundestagsordonnanzen u. dgl., lauter Dinge, um welche sich die *Bauern* (denn an diese, meinte *Büchner*, müsse man sich vorzüglich wenden) nicht kümmern, so lange sie noch mit ihrer materiellen Not beschäftigt sind; denn diese Leute haben aus sehr nahe liegenden Ursachen durchaus keinen Sinn für die Ehre und Freiheit ihrer Nation, keinen Begriff von den Rechten des Menschen u. s. w., sie sind gegen all' das gleichgültig und in dieser *Gleichgültigkeit allein beruht* ihre angebliche *Treue* gegen die *Fürsten* und ihre Teilnahmlosigkeit an dem liberalen Treiben der Zeit; gleichwohl scheinen sie unzufrieden zu sein und sie haben Ursache dazu, weil man den dürftigen Gewinn, welchen sie aus ihrer saueren Arbeit ziehen, und der ihnen zur Verbesserung ihrer Lage so notwendig wäre, als Steuer von ihnen in Anspruch nimmt. So ist es gekommen, daß man bei aller parteiischen Vorliebe für sie doch sagen muß, daß sie eine ziemlich *niederträchtige Gesinnung* angenommen haben; und daß sie, es ist traurig genug, fast an keiner Seite mehr zugänglich sind, als gerade am *Geldsack.* Dies muß man benutzen, wenn man sie aus ihrer Erniedrigung hervorziehen will; man muß ihnen zeigen und vorrechnen, daß sie einem Staate angehören, dessen Lasten sie größtenteils tragen müssen, während andere den Vorteil davon beziehen; – daß man von ihrem Grundeigentum, das ihnen ohnedem so sauer wird, noch den größten Teil der Steuern erhebt, – während die Kapitalisten leer ausgehen; daß die Gesetze, welche über ihr Leben und Eigentum verfügen, in den Händen des Adels, der Reichen und der Staatsdiener sich befinden u.s.w., dieses Mittel, die Masse des Volkes zu gewinnen, muß man, fuhr *Büchner* fort, benutzen, so lange es noch Zeit ist. Sollte es den Fürsten einfallen, den *materiellen Zustand* des *Volkes* zu *verbessern,* sollten sie ihren Hofstaat, der ihnen fast ohnedem unbequem sein muß, sollten sie die kostspieligen stehenden Heere, die ihnen unter Umständen entbehrlich sein können, vermindern, sollten sie den künstlichen Organismus der Staatsmaschine, deren Unterhaltung so große Summen kostet, auf einfachere Prinzipien zurückführen, *dann* ist *die Sache der Revolution,* wenn sich der Himmel nicht erbarmt, in *Deutschland* auf immer *verloren.* Seht die *Östreicher,* sie sind *wohlgenährt* und *zufrieden!* Fürst *Metternich,* der geschickteste unter allen, hat allen revolutionären Geist, der jemals unter ihnen aufkommen könnte, für immer in ihrem eigenen *Fett* erstickt.

August Becker: Verhör vom 1. September 1837 (Noellner, S. 420ff.)

⟨…⟩ es sei keine Kunst, ein ehrlicher Mann zu sein, wenn man täglich Suppe, Gemüse und Fleisch zu essen habe.

Ebd. (Noellner, S. 423)

⟨…⟩ der materielle Druck, unter welchem ein großer Teil Deutschlands liege, sei eben so traurig und schimpflich, als der geistige; und es sei in seinen Augen bei weitem nicht so betrüb⟨end⟩, daß dieser oder jener Liberale seine Gedanken nicht drucken lassen dürfe, als daß viele tausend Familien nicht im Stande wären, ihre Kartoffeln zu schmälzen u.s.w. *Ebd. (Noellner, S. 422)*

Er glaubte nicht, daß durch die *konstitutionelle* landständische Opposition ein wahrhaft freier Zustand in Deutschland herbeigeführt werden könne. Sollte es diesen Leuten gelingen, sagte er ⟨d.i. Georg Büchner⟩ oft, die deutschen Regierungen zu stürzen und eine allgemeine Monarchie oder auch Republik einzuführen, so bekommen wir hier einen

Geldaristokratismus wie in Frankreich, und lieber soll es bleiben, wie es jetzt ist.

August Becker: Verhör vom 1. November 1837 (Noellner, S. 425)

Büchner meinte, in einer gerechten Republik, wie in den meisten nordamerikanischen Staaten, müsse jeder ohne Rücksicht auf Vermögensverhältnisse eine Stimme haben, und behauptete, daß *Weidig*, welcher glaubte, daß dann eine Pöbelherrschaft, wie in Frankreich, entstehen werde, die Verhältnisse des deutschen Volks und unserer Zeit verkenne. *Ebd. (Noellner, S. 425)*

»Ich schreibe im Fieber 〈...〉, aber das schadet dem Werke nicht – im Gegenteil! Übrigens habe ich keine Wahl, ich kann mir keine Ruhe gönnen, bis ich nicht den Danton unter der Guillotine habe und obendrein brauche ich Geld, Geld!«

Zum Bruder Wilhelm (Franzos, S. CLVIII)

Büchner wußte, was die Vorladung bedeute. Mit gräßlich entstellten Zügen trat er in das Stübchen Wilhelms, der eben seinen Koffer packte, weil er am Nachmittage nach Butzbach abreisen sollte, um als Praktikant in die dortige Apotheke einzutreten. »Sieh' her«, sagte er, »das ist mein Todesurteil!« *(Franzos, S. CLX)*

So schieden beide am Nachmittag des 27. Februar in düsterster Stimmung. »Wir sehen uns nie wieder«, sagte Georg, und die traurige Ahnung hat sich erfüllt. *(Franzos, S. CLXI)*

Seine Mutter und Schwester, die ihn diesen Sommer 〈1836〉 in seinem Exil besuchten, fanden ihn zwar gesund, aber doch in einer großen nervösen Aufgeregtheit und ermattet von den anhaltenden geistigen Anstrengungen. Er äußerte damals oft: »Ich werde nicht alt werden.«

(Nachgelassene Schriften, S. 33)

Auch hatte er niemals die Absicht, seine materielle Existenz durch literarische Tätigkeit zu begründen. »Ruhm will ich davon haben, nicht Brod«, pflegte er später zu sagen. *(Franzos, S. CLXII)*

GEBURTS- UND TAUFPROTOKOLL DER PFARREI GODDELAU

Im Jahre Christi 1813, am 17. Oktober früh um halb 6 Uhr, wurde dem Herrn Ernst Karl Büchner, Doktor und Amtschirurgus dahier zu Goddelau, und seiner Ehefrau Louise Caroline geb. Reuß das erste Kind, der erste Sohn geboren und am 28. Oktober getauft, wobei er den Namen Karl Georg erhielt.

Pate war 1) Johann Georg Reuß, Hofrat und Hospitalmeister zu Hofheim, des Kindes Großvater mütterlicherseits,

2) Jakob Karl Büchner, Doktor und Amtschirurgus zu Reinheim, des Kindes Großvater väterlicherseits,

3) Wilhelm Georg Reuß, der Mutter lediger Bruder. Stellvertreter der Taufpaten zu No 2) und 3) Johann Heinrich Schober, Pfarrer.

Der taufende Pfarrer, Jakob Wiener, zu Goddelau.

(Bergemann, S. 299)

GEORG BÜCHNERS
REIFEZEUGNIS

Der bisherige Gymnasiast Carl Georg Büchner aus Goddelau, Sohn des Herrn Medizinalrats Büchner hierselbst, lutherischer Konfession, hat 6½ Jahre lang das hiesige Gymnasium besucht, welches er jetzt, 17½ Jahre alt, von der ersten Ordnung in Selecta verläßt, um sich dem akademischen Studium der Medizin zu widmen, zu welchem Endzweck ihm gegenwärtiges Zeugnis ausgestellt wird. Im Griechischen hat er sich gute Kenntnisse erworben und vermag bei gehöriger Vorbereitung mit Geläufigkeit zu übersetzen und lobenswerte Arbeiten zu liefern. Im Erklären und Übersetzen der lateinischen Prosaiker zeigt er viele Gewandtheit, im Verstehen und Interpretieren der Dichter hinlänglichen Scharfsinn, der schriftliche Ausdruck im Lateinischen ist verständlich, ziemlich korrekt und fließend und zuweilen bis zur Fülle des oratorischen Numerus gesteigert. Das Studium der italienischen Sprache hat er mit glücklichem Erfolg in der letzten Zeit betrieben. Vorzügliches Interesse bezeigte er für die teutschen Lektionen, in denen er sich teils durch einen verständigen mündlichen Vortrag, teils durch einzelne, von vorzüglicher Auffassungs- und Darstellungsgabe zeugende schriftliche Arbeiten auszeichnete. Den Religionsstunden hat er mit Aufmerksamkeit beigewohnt und in denselben manche treffliche Beweise von selbständigem Nachdenken gegeben. In der Archäologie hat er mehr als gewöhnliche Schulkenntnisse, besonders in der Geschichte der Bildhauerkunst. In der Geschichte sind die Kenntnisse bedeutend. In der Mathematik war es wegen mangelnder Vorkenntnisse und kurzen Gesichts nicht möglich, mit den meisten Mitschülern gleichen Schritt zu halten, doch hat es am vielfachen Bestreben nicht gefehlt, noch manches nachzuholen. Bei guten Anlagen läßt sich auch in seinem künftigen Berufsstudium etwas Ausgezeichnetes von ihm erwarten, und von seinem klaren und durchdringenden Verstande hegen wir eine viel zu vorteilhafte Ansicht, als daß wir glauben könnten, er würde jemals durch Erschlaffung, Versäumnis oder voreilig absprechende Urteile seinem eigenen Lebensglück im Wege stehen. Vielmehr berechtigt uns sein bisheriges Benehmen zu der Hoffnung, daß er nicht

bloß durch seinen Kopf sondern auch durch Herz und Gesinnung das
Gute zu fördern, sich angelegentlichst bestreben werde.

Darmstadt am 30. März 1831. C. Dilthey
Gymnasialdirector.

(Bergemann, S. 299f.)

SCHULERINNERUNGEN FRIEDRICH ZIMMERMANNS
⟨*13. Okt. 1877 an Franzos*⟩

Die Bekanntschaft mit Georg Büchner, diesem hochsinnigen, genialen
und kraftvollen Menschen, machte ich im Laufe des Jahres 1829, und
wir schlossen herzliche Freundschaft. Wir verkehrten sehr häufig zusammen bis Herbst 1831, wo er nach Straßburg, ich nach Heidelberg
studienhalber abgingen (ohne Maturitätszeugnis, dergleichen damals
nur in Ausnahmefällen erfordert ward). Wir arbeiteten gemeinsam an
unserer Geistesbildung, besonders in philosophierenden Gesprächen
auf Spaziergängen (Wirtshäuser besuchten wir nicht). Wir vertieften
uns in die Lektüre großer Dichterwerke. Büchner liebte vorzüglich
Shakespeare, Homer, Goethe, alle Volkspoesie, die wir auftreiben
konnten, Äschylos und Sophokles; Jean Paul und die Hauptromantiker
wurden fleißig gelesen. Bei der Verehrung Schillers hatte Büchner doch
vieles gegen das Rhetorische in seinem Dichten einzuwenden. Übrigens
erstreckte sich der Bereich des Schönliterarischen, das er las, sehr weit;
auch Calderon war dabei. Für Unterhaltungslektüre hatte er keinen
Sinn; er mußte beim Lesen zu denken haben. Sein Geschmack war
elastisch. Während er Herders ›Stimmen der Völker‹ und ›Des Knaben
Wunderhorn‹ verschlang, schätzte er auch Werke der französischen
Literatur. Er warf sich frühzeitig auf religiöse Fragen, auf metaphysische und ethische Probleme, in einem inneren Zusammenhang mit Angelegenheiten der Naturwissenschaften, für deren Studium er sich frühe entschied. Gedichtet hat er, meines Wissens, damals nichts; aber für
echte Poesie war seine Liebe groß, sein Verständnis fein und sicher. Für
die Antike und für das Seelenbezwingende in der Dichtung neuerer
Zeiten hatte er gleiche Empfänglichkeit, übrigens so, daß er sich dem
einfach Menschlichen mit Vorliebe zuwandte. Sein mächtig strebender
Geist machte sich eigne Wege; in der Schule befriedigte er durch recht
mäßige Anstrengung. Sein sittlicher Wandel war durchaus unbescholten; nur für edlere Genüsse des Geistes und Gemütes hatte er Sinn, das
Gemeine stieß er unwillig von sich. Die Natur liebte er mit Schwärme-
rei, die oft in Andacht gesammelt war. Kein Werk der deutschen Poesie
machte darum auf ihn einen so mächtigen Eindruck wie der Faust. –
Den ehemaligen Lehrern des hiesigen Obergymnasiums muß ich viel
Gutes nachrühmen; unter den Schülern befand sich eine erhebliche
Zahl von Talenten und Emporstrebenden. Die Grundfärbung des Un-

terrichts war Griechisch-Lateinisch; in den exakten Wissenschaften
verlangte man vom Schüler sehr wenig, der Besuch des Französischen,
Englischen, Italienischen war fakultativ. Der Ordinarius der ehemaligen Prima, Karl Weber, der Herausgeber des Lucan, später Gymnasialdirektor zu Kassel, gestorben als Universitätsprofessor der klassischen
Philologie in Marburg, war ein sehr gelehrter Kenner des Griechischen,
ein redlich bemühter, energischer, charaktervoller Lehrer; der Führer
der Selekta war Gymnasialdirektor Karl Dilthey (gestorben 1857), ein
geistreicher, Lust und Liebe zum interpretierten Autor erweckender
Lehrer, von humanem und feinem Benehmen bei einer gewissen Zuge-
knöpftheit. Ein Hauptgegenstand der Pflege war ihm der lateinische
Aufsatz; die ungeduldig vorwärtsstrebende Seele Büchners hatte kein
Herz für Grammatik und Stillehre, auch nicht für die lateinischen Vers-
übungen und das lateinische Nachinterpretieren, was doch alles von
Nutzen gewesen ist. Im Deutschen verdanken die beiden jungen
Freunde sehr viele Anregung und Förderung dem noch lebenden, fast
neunzigjährigen Professor Karl Baur. – Ich bin überzeugt, daß mein
unvergeßlicher Jugendfreund und commilito in literis mehr zum Philosophen als zum Dichter geboren war; auch den Beruf zum bedeutenden Naturforscher scheint er mir schon damals entschieden angekündigt zu haben ...

⟨*16. Okt. 1877:*⟩ Als Mitschüler hatte ich mit Georg Büchner viele
Unterredungen, welche die Religion betrafen. Davon habe ich natürlich nur allgemeine Erinnerung. Ihr folgend, bin ich fest überzeugt, daß
er damals zwar ein kühner Skeptiker, aber nicht Atheist war. – Das
fromme Wort, auf dem Todesbett gesprochen (aus dem Tagebuch der
Frau Schulz), halte ich äußerlich und innerlich für sicher beglaubigt.

(Bergemann, S. 300f.)

MITTEILUNGEN LUDWIG WILHELM LUCKS
AUS SCHUL- UND UNIVERSITÄTSZEIT
⟨*11. Sept. 1878 an Franzos*⟩

In der untersten Abteilung der Prima des Gymnasiums in Darmstadt
kam im Frühjahr 1828 eine zu schönen Hoffnungen berechtigende Zahl
von Schülern aus Stadt und Land von sehr verschiedenartiger Vorbildung und unleugbaren Kontrasten zusammen, die gerade dadurch zu
desto interessanterem und anregenderem Geistesverkehr führten ⟨...⟩

Auf meiner Ordnung fand ich zwei nur wenig jüngere Zwillingsbrüder ⟨Friedrich und Georg Zimmermann⟩ von tüchtigen Schulkenntnis-
sen und relativ umfassender und eingehender ästhetischer Vorbildung
und großer Empfänglichkeit für alles höhere geistige Leben. Sie wurden meine intimen Freunde. Sie machten mich mit Shakespeare bekannt, in welchem sie in jugendlicher Überschwenglichkeit eine neue

und mehr als bloß poetische Offenbarung begrüßten. Natürlich waren sie nicht frei von Einseitigkeit, aber ihr Streben war ein ernstliches, ganzes und warmes. Ich fing an zu glauben, daß nur in unserm Meister Shakespeare eine neue, wahre und tiefere Weltoffenbarung vor uns trete und den Schlüssel zu den wichtigsten Rätseln des Menschenlebens biete.

Aber der nach seiner ganzen Beanlagung, namentlich hinsichtlich des Charakters vielleicht bedeutendste, selbständigste und tatkräftigste in unserm Kreise war der mir gleichaltrige Georg Büchner. Es war jedoch nicht seine Art, sich andern ungeprüft und voreilig hinzugeben, er war vielmehr ein ruhiger, gründlicher, mehr zurückhaltender Beobachter. Wo er aber fand, daß jemand wirklich wahres Leben suchte, da konnte er auch warm, ja enthusiastisch werden. Ich glaube, daß die erwähnten beiden Brüder ihm sympathischer waren als ich. Sie waren in den ihnen früher als mir entgegentretenden modernen Geistesströmungen mehr au fait und hatten überdies den residenzlichen Kulturboden mit ihm gemeinsam, der ihnen ergötzlichen Stoff zu allerlei kritischem und humoristischen Wetteifer in Beurteilung der Zustände bot, für den ich zu ernst und zu schwer war.

Auch ein junger, geschichtlich wohl begründeter und poetisch beanlagter Altersgenosse, der hernach eine juristisch schriftstellerische Zelebrität geworden ⟨Georg Karl Neuner⟩, ebenso ein sehr radikaler, enthusiastischer Freund Büchners, welcher sich sehr an politischen Angelegenheiten beteiligte und noch radikaler erschien als Georg Büchner ⟨Karl Minnigerode⟩, gehörten auch diesem Kreise an. Auch Exoteriker wurden von dem darin herrschenden Geiste angeweht und bis zu einem gewissen Grade angezogen. Unter uns allen bestand jedoch – und das war gut – ein solches Verhältnis, wodurch zwar der Kontakt erhalten, jedem aber nach seinem Bedürfnis die Freiheit seiner Richtung gelassen wurde.

Ich glaube, es ist von den erwähnten beiden Brüdern, die uns andere mit ihrer Begeisterung für Shakespeare ansteckten, ausgegangen, daß wir uns verabredeten, in dem schönen Buchwald bei Darmstadt an Sonntagnachmittagen im Sommer die Dramen des großen Briten zu lesen, die uns die anregendsten und teuersten waren, als den ›Kaufmann von Venedig‹, ›Othello‹, ›Romeo und Julia‹, ›Hamlet‹, ›König Richard III.‹ usw. Wir hatten Momente innigster und wahrster Hingerissenheit und Erhebung, z.B. beim Lesen der Stelle: »Wie süß das Mondlicht auf dem Hügel schläft...« und »Der Mann, der nicht Musik hat in sich selbst – trau keinem solchen«. Diese gemeinsamen wahren Geistesgenüsse bei jugendlicher Empfänglichkeit bewahrten uns allerdings vor Trivialität und Roheit und brachten uns tiefere Offenbarungen und Aufschlüsse über unsere Jahre. Es erstarkte das Bedürfnis, in das Wesen der Dinge einzudringen, uns demgemäß auszubilden und zu handeln. Allerdings, für die Gewissenhaftigkeit der Gymnasiasten war dergleichen nicht förderlich und den Lehrern nichts weniger als angenehm ⟨...⟩

Büchner ging schon frühe und allezeit gradaus auf das los, was er als das Wesen und den Kern der Dinge erkannte, auch in der Wissenschaft, besonders der Philosophie, sowie hinsichtlich der politischen Volksbedürfnisse, wie er sie ansah, und in allem war sein Prinzip die Freiheit, die er meinte. Er war nicht gewillt, daß die Unwissenheit des Volks benützt werde, es zu betrügen oder zum Werkzeug zu machen, oder gar mit seinem Talent lukrative Spekulationen zu machen. – Es wurde damals schon erzählt, daß er und jener in Exzentrizität mit ihm Wetteifernde ⟨Minnigerode⟩, dessen ich oben gedacht, sich in der letzten Gymnasialzeit nur mit den Worten zu grüßen pflegten: Bon jour, citoyen ⟨...⟩

In seinem Denken und Tun durch das Streben nach Wesenhaftigkeit und Wahrhaftigkeit frühe durchaus selbständig, vermochte ihm keine äußerliche Autorität noch nichtiger Schein zu imponieren. Das Bewußtsein des erworbenen geistigen Fonds drängte ihn fortwährend zu einer unerbittlichen Kritik dessen, was in der menschlichen Gesellschaft oder Philosophie und Kunst Alleinberechtigung beanspruchte oder erlistete. – Daher sein vernichtender, manchmal übermütiger Hohn über Taschenspielerkünste Hegelischer Dialektik und Begriffsformulationen, z.B.: »Alles, was wirklich, ist auch vernünftig, und was vernünftig, auch wirklich.« Aufs tiefste verachtete er, die sich und andere mit wesenlosen Formeln abspeisten, anstatt für sich selbst das Lebensbrot der Wahrheit zu erwerben und es andern zu geben ⟨...⟩ Man sah ihm an, an Stirne, Augen und Lippen, daß er auch, wenn er schwieg, diese Kritik in seinem in sich verschloßnen Denken übte. Ich weiß nicht, ob ein gutes Bild von ihm existiert. Aber ich sehe im Geist sein Angesicht, ähnlich einem alten Bilde Shakespeares, von bürgerlich gediegnem, tatkräftigem, aber auch liebenswürdig übermütigem Ausdruck. Es lag darin Zurückhaltung, Entschlossenheit, skeptische Verachtung alles Nichtigen und Niederträchtigen. Die zuckenden Lippen verrieten, wie oft er mit der Welt im Widerspruch und Streit lag ⟨...⟩

Nachdem Büchner seine zwei ersten akademischen Jahre in Straßburg zugebracht, kehrte er im Herbst 1833 auf die Landesuniversität Gießen zurück, um den bestehenden Gesetzen zu genügen. Auch meine beiden Freunde waren, soviel ich weiß, schon früher und ich im Herbst 1833 von Heidelberg dahin zurückgekehrt.

Mein Verkehr mit Georg Büchner war da nur ein gelegentlicher. Er lebte zurückgezogen. Ich glaubte wahrzunehmen, daß sich seiner eine leidenschaftliche Unruhe bemächtigt habe und daß er vieles verschlossen in sich herumwälze. Er klagte über seinen ganzen körperlichen und geistigen Zustand, daß er die Nächte zu Tagen und die Tage zu Nächten mache, und schien mit der Philosophie, mit sich und der Welt zerfallen. Einmal im Zimmer des Freundes ⟨Friedrich Zimmermann⟩ apostrophierte er mich lakonisch: »Luck, wieviel Götter glaubst du?« Antwort: »Nur einen.« – »Wieviel Staaten müßten wir in Deutschland haben und wieviel Fürsten?« – Pause des Schweigens von beiden Seiten ⟨...⟩

Ein Gläubiger im kirchlichen Sinn ist Georg Büchner nicht gewesen. Aber selbständig und objektiv in seinem Denken, ist er später, als Reiferer, auch gerechter gegen die geschichtlichen Mächte der Kirche geworden sowie gegen den Glauben des einzelnen, der auf einem andern Standpunkt stand als er. Namentlich war er von aller Aufdringlichkeit und Propaganda seiner Anschauung, von Ansichts- und Parteifabrikationskünsten für die zu dirigierende Menge weit entfernt. – Das bestätigte er schon in früheren Jahren. Trotz des jugendlichen Übermuts, womit er mit andern während des Gymnasialgottesdienstes statt des jedesmal zu singenden Liederverses halblaut die Worte des Totengräbers im Hamlet sang: ›Und o eine Grube gar tief und hohl für solchen Gast muß sein‹, indem er damit gegen den ihm ungenügenden Vortrag des Predigers als Hohlheit demonstrierte –, sagte er über mich zu andern, die mich Mucker oder Mystiker nannten: »Laßt mir den Luck gehn, der meint es ernst und ehrlich!« Er hat lebenslang aus wirklichem Durst nach Wahrheit gesucht und gerungen und deshalb, wie ich glaube, nie mit sich abgeschlossen ⟨...⟩

⟨*Über Georg Büchners Mutter:*⟩ Gewiß sie war eine ehrenwerte, charakterfeste deutsche Hausfrau. Des Gegensatzes zu ihrem Gatten wohl bewußt (Dies versichert meine Frau, die sie als j⟨unges⟩ Mädchen kannte), war sie ohne alle Prätension auf außergewöhnliche Bildung und gehörte nicht zu den fühligen Frauen, die sich selbst genießen und geltend machen. Diesen Eindruck haben mir die wenigen anfänglichen Besuche in G⟨eorg⟩ B⟨üchner⟩s Elternhaus hinterlassen.

⟨*Über Büchners Braut, 16. Oktober 1878 an Franzos:*⟩ Was den Einfluß der im allgemeinen gläubigen Braut G. Büchners auf ihn betrifft, so versichert mich G⟨eorg⟩ Zimmermann, sie – Minna ⟨Jae⟩gle – als eine religiöse, stilltiefe Natur persönlich kennen gelernt zu haben, die jedoch nur auf dem Boden der ihr mitgeteilten rationalistischen Auffassung gestanden habe. Es sei ihm sehr wahrscheinlich und natürlich, daß sie eine beruhigende, mildernde Einwirkung auf ihn ausgeübt und religiöser gestimmt habe.

(Bergemann, S. 302 ff.; nach Handschriften korrigiert)

KARL VOGTS EINDRUCK
VON DEM GIESSENER STUDENTEN BÜCHNER
⟨*Aus meinem Leben*‹. Stuttgart. 1896⟩

Offen gestanden, dieser Georg Büchner war uns nicht sympathisch. Er trug einen hohen Zylinderhut, der ihm immer tief unten im Nacken saß, machte beständig ein Gesicht wie eine Katze, wenn's donnert, hielt sich gänzlich abseits, verkehrte nur mit einem etwas verlotterten und verlumpten Genie, August Becker, gewöhnlich nur der ›rote August‹ genannt. Seine Zurückgezogenheit wurde für Hochmut ausgelegt, und da er offenbar mit politischen Umtrieben zu tun hatte, ein- oder zweimal auch revolutionäre Äußerungen hatte fallen lassen, so geschah es nicht selten, daß man abends, von der Kneipe kommend, vor seiner Wohnung still hielt und ihm ein ironisches Vivat brachte: ›Der Erhalter des europäischen Gleichgewichtes, der Abschaffer des Sklavenhandels, Georg Büchner, er lebe hoch!‹ – Er tat, als höre er das Gejohle nicht, obgleich seine Lampe brannte und zeigte, daß er zu Hause sei. In Wernekincks Privatissimum war er sehr eifrig, und seine Diskussionen mit dem Professor zeigten uns beiden andern bald, daß er gründliche Kenntnisse besitze, welche uns Respekt einflößten. Zu einer Annäherung kam es aber nicht; sein schroffes, in sich abgeschlossenes Wesen stieß uns immer wieder ab. *(Bergemann, S. 305)*

Aus August Beckers gerichtlichen Angaben

Ob ich mich ⟨...⟩ gleich meistens der Worte *Büchners* bedient habe, so dürfte es doch schwer sein, sich einen Begriff von der Lebhaftigkeit, mit welcher er seine Meinungen vortrug, zu machen.

Man braucht nur vier Jahre (und halb so viel im Gefängnis) älter zu sein, als ich damals war, da *Büchner* solche Reden führte, um die *Sophisterei,* die sie enthalten, einzusehen; damals war ich fast blind dagegen, sowie Andere, z.B. *Clemm,* Louis *Becker, Schütz,* denen allen *Büchner imponierte,* ohne daß sie es vielleicht selber gestehen mochten, sowohl durch die Neuheit seiner Ideen als durch den Scharfsinn, mit welchem er sie vortrug. Wären solche Meinungen das Rühmlichste von *Büchner* gewesen, dann würde der Abscheu, den sie vielleicht in den Augen des Gerichts erregen, mit Recht auf diejenigen, welche genaueren Umgang mit ihm gepflogen, zurückfallen; allein er hatte bei all' dem das edelste Herz und war für diejenigen, die ihn genau kannten, der liebenswürdigste Mensch etc. *(Noellner, S. 422)*

Die Mitglieder unserer Gesellschaft stimmten darin mit *Weidig* überein, daß man *gemeinschaftlich* handeln müsse, wenn unser politisches Wirken einigen Erfolg haben solle. *Büchner* meinte, daß man *Gesellschaften* errichten müsse, *Weidig* glaubte, daß es schon genüge, wenn man die verschiedenen Patrioten der verschiedenen Gegenden mit einander *bekannt* mache und durch sie *Flugschriften verbreiten* lasse. Über diesen Punkt wollte man sich auf der Badenburger Versammlung besprechen. *Büchner* hoffte, auf derselben seine Ansichten bei den Marburgern durchzusetzen. Ich weiß nicht, wie weit ihm dies gelungen ist. Als ich ihn nach meiner Rückkehr aus dem Hinterland über die Sache sprach, sagte er mir, daß auch die *Marburger* Leute seien, welche sich durch die französische Revolution, wie Kinder durch ein Ammenmärchen, hätten erschrecken lassen, daß sie in jedem Dorf ein Paris mit einer Guillotine zu sehen fürchteten u. s. w. Es muß demnach auf dieser Versammlung die Rede davon gewesen sein, in welchem *Geist* die Flugschriften abgefaßt werden müßten, und *Büchner,* welcher glaubte, daß man sich an die niederen Volksklassen wenden müsse, und der auf die öffentliche Tugend der s⟨o⟩ g⟨enannten⟩ ehrbaren Bürger nicht viel hielt, muß auf der Badenburg seine Ansichten nicht gebilligt gesehen haben, weil er über die Marburger sich so ungehalten äußerte.

(Noellner, S. 426)

Dieser Büchner ⟨...⟩ war mein Freund, der mich lange Zeit zum einzigen Vertrauten seiner teuersten Angelegenheiten machte, von welchen er weder seiner Familie, noch einem seiner anderen Freunde etwas gesagt hatte. Ein solches Vertrauen mußte ihm mein Herz gewinnen; seine liebenswürdige Persönlichkeit, seine ausgezeichnete Fähigkeiten, von welchen ich hier freilich keinen Begriff geben kann, mußten mich unbedingt für ihn einnehmen bis zur Verblendung. Die Grundlage seines Patriotismus war wirklich das reinste Mitleid und ein edler Sinn für alles Schöne und Große. Wenn er sprach und seine Stimme sich erhob, dann glänzte sein Auge, – ich glaubte es sonst nicht anders – wie die Wahrheit. Ich habe die von ihm verfaßte Flugschrift abgeschrieben. Was hätte ich nicht für ihn getan, wovon hätte er mich nicht überzeugt?! – *(Noellner, S. 249)*

Büchner, der bei seinem mehrjährigen Aufenthalte in Frankreich das deutsche Volk wenig kannte, wollte, wie er mir oft gesagt hat, sich durch diese Flugschrift überzeugen, in wie weit das *deutsche Volk* geneigt sei, an einer *Revolution* Anteil zu nehmen. Er sah indessen ein, daß das gemeine Volk eine Auseinandersetzung seiner Verhältnisse zum Deutschen Bund nicht verstehen und einem Aufruf, seine angeborenen Rechte zu erkämpfen, kein Gehör geben werde; im Gegenteil glaubte er, daß es nur dann bewogen werden könne, seine gegenwärtige Lage zu verändern, wenn man ihm seine nahe liegenden Interessen vor Augen lege. Dies hat *Büchner* in der Flugschrift getan. Er hatte dabei durchaus keinen ausschließlichen Haß gegen die *Großherzoglich Hessische* Regierung; er meinte im Gegenteil, daß sie *eine der besten* sei. Er haßte weder die Fürsten, noch die Staatsdiener, sondern nur das *monarchische Prinzip,* welches er für die Ursache alles Elends hielt. – Mit der von ihm geschriebenen Flugschrift wollte er vor der Hand nur die Stimmung des Volks und der deutschen Revolutionärs erforschen. Als er später hörte, daß die Bauern die meisten gefundenen Flugschriften auf die Polizei abgeliefert hätten, als er vernahm, daß sich auch die Patrioten gegen seine Flugschrift ausgesprochen, gab er alle seine politischen Hoffnungen in Bezug auf ein Anderswerden auf.

(Noellner, S. 425)

⟨*Über den Hessischen Landboten:*⟩ Die Tendenz der Flugschrift läßt
sich ⟨...⟩ vielleicht dahin aussprechen: sie hatte den *Zweck, die materiellen Interessen* des *Volks* mit denen der *Revolution* zu *vereinigen,* als
dem einzigen möglichen Weg, die letztere zu bewerkstelligen. – Solche
Mittel, die Revolution herbeizuführen, hielt *Büchner* für eben so erlaubt und ehrbar, als alle anderen ⟨...⟩

In dem oben angegebenen Sinn schrieb *Büchner* die Flugschrift, welche von *Weidig Landbote* genannt worden ist etc. Noch muß ich erwähnen, daß *Büchner* während meiner Abwesenheit einmal bei *Weidig*
gewesen sein muß, um bei demselben eine Statistik vom Großherzogtum, die er bei seiner Arbeit benutzt hat, zu entlehnen; ich weiß wenigstens nicht, wie er sonst dazu gekommen sein soll, denn diese Statistik
habe ich *Weidig* später überschickt. Auch wußte *Weidig* schon vorher
von der *Absicht Büchners,* etwas zu schreiben. Diese Schrift wurde
durch *Clemm* und mich an *Weidig* überbracht. Er machte zum Teil
dieselben Einwendungen, die er mir gegen dieselbe gemacht hatte und
sagte, daß bei solchen Grundsätzen kein ehrlicher Mann mehr bei uns
aushalten werde. (Er meinte damit die Liberalen.) Ich erinnere mich
dieser Einzelheiten nicht sehr genau; überhaupt war Weidig in Allem
der Gegensatz zu Büchner; er *(Weidig) hatte den Grundsatz,* daß man
auch den kleinsten revolutionären Funken sammeln müsse, wenn es
dereinst brennen solle; er war unter den Republikanern republikanisch
und unter den Konstitutionellen konstitutionell. – ⟨...⟩ Indessen konnte *Weidig* der Flugschrift einen gewissen Grad von Beifall nicht versagen und meinte, sie müsse *vortreffliche Dienste* tun, wenn sie verändert
werde. Dies zu tun, behielt er sie zurück *und gab ihr die Gestalt, in*
welcher sie später im Druck erschienen ist. Sie unterscheidet sich vom
Originale namentlich dadurch, daß an die Stelle der *Reichen* die *Vor-*
nehmen gesetzt sind und daß das, was gegen die s⟨o⟩g⟨enannte⟩ *libera-*
le Partei gesagt war, weggelassen und mit Anderem, was sich bloß auf
die Wirksamkeit der konstitutionellen Verfassung bezieht, ersetzt worden ist, wodurch denn der Charakter der Schrift *noch gehässiger* geworden ist. Das ursprüngliche Manuskript hätte man allenfalls als eine
schwärmerische, mit Beispielen belegte Predigt gegen den Mammon,
wo er sich auch finde, betrachten können, nicht so das Letzte. *Die*
biblischen Stellen, so wie überhaupt der Schluß, sind von *Weidig.* Als
Clemm und ich diese Schrift zu *Weidig* brachten, befand sich dessen
Frau krank zu Friedberg. Es mag Anfangs Juni 1834 gewesen sein, als
Schütz und *Büchner* nach Offenbach reisten, um die erwähnte Schrift
in Druck zu geben. Ungefähr einen Monat später gingen *Schütz* und
Minnigerode an denselben Ort, um sie abzuholen. Wer sie gedruckt
und wo diese Leute bei dieser Gelegenheit logiert, kann ich nicht angeben. Carl *Zeuner* hat damals einen Pack von der Flugschrift nach Butzbach gebracht. Ich war gerade in seinem Haus, als er zurückkehrte und
ich brachte sie in der Tasche in die Wohnung des *Weidig* etc.

  ⟨...⟩
Das Manuskript dieser Flugschrift habe ich bei *Büchner* in's Reine

geschrieben, weil seine eigene Hand durchaus unleserlich war. Es ist nachher in die Hände *Weidigs* gekommen, wie eben gesagt, aus welchen, so viel ich weiß, es *Schütz* und *Büchner* empfangen haben, um es in die Druckerei nach Offenbach zu tragen. Ich habe indessen nur das ursprüngliche Manuskript, wie es *Büchner* geliefert hat, abgeschrieben. Ich kann auch hier noch anführen, daß *der Vorbericht ebenfalls von Weidig* verfaßt worden ist. *Büchner* war über die Veränderungen, welche *Weidig* mit der Schrift vorgenommen hatte, außerordentlich aufgebracht; er wollte sie nicht mehr als die seinige anerkennen und sagte, daß er ihm gerade das, worauf er das meiste Gewicht gelegt habe und wodurch alles andere gleichsam legitimiert werde, durchgestrichen habe etc. *(Noellner, S. 422 ff.)*

Aus Karl Zeuners gerichtlicher Aussage

In der darauf folgenden Nacht (vom 1. auf den 2. August) klopfte mir um Mitternacht Jemand an meinem Fenster und rief mich bei Namen. Ich öffnete das Fenster und fragte: »was gibt's Neues?« worauf erwidert wurde: *Minnigerode* sei am Tor zu Gießen verhaftet worden, und man habe bei ihm Schriften vorgefunden, er habe sich sogleich aufgemacht, um uns davon zu benachrichtigen. Ich erkannte nun den *Büchner*, er wünschte, ich möge ihn alsbald zu *Weidig* begleiten, was ich dann auch tat. Ich klopfte dem *Weidig* am Fenster, so wie er heraussah, wurde ihm alsbald die Hiobspost mitgeteilt; er erwiderte, das sei sehr schlimm. *Weidig* öffnete das Haus und wir traten in seine Stube. *Weidig* pochte auch den A. *Becker* aus dem Schlaf, welcher damals in dem *Weidig*schen Haus übernachtete. *Becker* war sehr bestürzt. Außer uns vier Personen war Niemand zugegen. *Weidig* sagte sogleich zu *Büchner,* da er doch einmal auf dem Weg sei, so müsse er notwendig seine Reise fortsetzen, namentlich nach Offenbach, um den *Schütz*, wo möglich, zeitig zu benachrichtigen, damit er nicht in eine gleiche Falle gerate ⟨...⟩ *(Noellner, S. 431 f.)*

Wilhelm Büchner an Franzos

Scheveningen, den 9. September 1878.
Allerdings brachte ich die letzte Zeit vor der Flucht meines Bruders Georg mit demselben im väterlichen Hause zu, und war ich wohl der, welcher in seine politischen Verwicklungen der damaligen Zeit wie seine Pläne zu flüchten am tiefsten eingeweiht war.

Daß er flüchten müsse, sprach er mir gegenüber wiederholt aus, und alle Einreden halfen nicht; zog ihn doch zugleich sein Verhältnis zu seiner Braut mächtig nach Straßburg. Aber verschiedene Gründe hielten ihn noch immer zurück. Vor allen Dingen das daraus entspringende Zerwürfnis mit dem Vater, die Sorge um die in der Gefangenschaft befindlichen Freunde, denen zur Flucht zu helfen seine stete Sorge war, der Glaube, man könnte nicht an ihn heran, und der Mangel an Geld. Was sollte er in Straßburg beginnen, wenn ihm nicht einige Mittel zu Gebot gestellt würden? Letzter Grund war auch vorzugsweise das Motiv, das schon lange im Kopf herumgetragene Drama ›Dantons Tod‹ mit kurzen und raschen Zügen zu entwerfen, um sich Geld zu ›machen‹. Und was war das für ein kleines, schwer verdientes Geld. Einhundert Gulden! – Die letzten Tage meiner Anwesenheit in Darmstadt vergingen in furchtbarer Aufregung. Ich hatte das Manuskript für ihn zur Post gebracht, und nun kamen die Augenblicke der Abspannung wie der Erwartung. Damals war es, als er mich um die zwei Geldstücke bat, die hinreichen würden, ihn über die Grenze zu bringen.

Vorladungen nach Offenbach vor den Untersuchungsrichter wich er aus; eine Vorladung in das Arresthaus in Darmstadt zur Vernehmung umging er damit, daß er mich an seiner Statt hinschickte; ich war dahin instruiert, mich nicht früher zu erkennen zu geben, als bis das Protokoll angefangen würde, und möge ich beobachten, ob man die Absicht zeige, mich (für ihn) in Haft zu nehmen. Wir hatten schon tagelang eine Leiter in dem Garten an die Mauer gelehnt, mit deren Hülfe er in andere Gärten flüchten wollte, wenn die Häscher kämen. – Meinen Vorstellungen gegenüber, welchen Kummer er den Eltern bereiten würde, wenn er flüchte, erklärte er, es sei sein Tod, wenn er in Gefangenschaft geriete. Da ließ ich ab, ihn zu bitten, und mein Abschied war ein schmerzlicher.

Die Beratungen mit seinen politischen Freunden drehten sich in dieser Zeit nur um die Mittel, wie man die Gefangenen befreien könne. So wurde namentlich bezüglich der Befreiung von Minnigerode vieles besprochen, wobei ich die Umsicht meines Bruders wiederholt bewunderte. Sie mißglückte an der körperlichen Schwäche Minnigerodes.

Eine einzige politische Unterhaltung dürfte von allgemeinem Interesse sein. Es wurde darüber debattiert, ob es wünschenswerter sei und erfolgversprechender, gleich eine einheitliche Republik zu proklamieren, oder ob man nicht zuerst dahin streben müsse, zugunsten der Krone Preußens die anderen Dynastieen zu beseitigen. Mein Bruder meinte damals, das gäbe doppelte Arbeit, und wollte von dem stationsweisen Vorgehen nichts wissen. – Er würde niemals Nationalliberaler geworden sein, so wenig wie ich es heute bin.

Pfungstadt, den 23. Dezember 1878.

Inwieweit ich Ihren Wünschen nachkommen kann, will ich versuchen, fürchte aber, Sie nicht in allem befriedigen zu können; liegt doch eine so lange Zeit dazwischen und habe ich auch mit den Schwierigkeiten des Lebens zu kämpfen gehabt, die wohl dazu beigetragen haben mögen, daß mir jene so ernste Zeit nicht mehr ganz vor Augen steht.

Zu Ihren Fragen mich wendend, lege ich das gewünschte Gedicht bei.*

Ad. 2. Mein Vater, eine strenge Natur, die alles sich selbst verdankte, was sie erreichte, war im höchsten Grad sparsam für sich, aber gab mit vollen Händen, was zur Ausbildung seiner Kinder nötig war; er selbst, ein Zeitgenosse der großen Französischen Revolution, der als Arzt einige Feldzüge bei den holländischen Truppen mitmachte, die damals unter französischem Kommando waren, hatte die größte Sympathie für die Bewegung der Geister, und gehörte es zu seiner liebsten Lektüre, die erlebten Ereignisse in der später erscheinenden Zeitschrift ›Unsere Zeit‹ zu repetieren und zu ergänzen. Vielfach wurden diese abends vorgelesen, und nahmen wir alle den lebhaftesten Anteil daran. Wohl möglich, daß bei dem ohnehin freien Geist der Familie die Wirkung dieser Lektüre von besonderm Einfluß insbesondere auf Georg war, und ist wohl diese Lektüre der Entstehungsmoment von ›Dantons Tod‹. Bei aller Freisinnigkeit meines Vaters war derselbe aber sehr vorsichtig, und bei seiner großen Lebenserfahrung erkannte er ganz gewiß schon frühe die Gefahr einer politischen Richtung für seine Söhne. Von den Verbindungen und Beziehungen Georgs wußte er absolut nicht früher etwas, bevor die eingeleiteten Untersuchungen Tagesgespräch geworden waren. Ebenso war ihm die Arbeit über Danton völlig unbekannt. Hätte er gewußt, in welcher politischen Situation sich Georg befand, er würde mit äußerster Strenge gegen ihn verfahren sein. – Das persönliche Verhältnis zum Vater war ein sehr gutes im allgemeinen, und war Papa stolz auf die Talente seines Sohnes, von dessen Zukunft er sich viel versprach, weil er von den politischen Verbindungen nichts wußte. – Als nun gar Georg nach Straßburg flüchtete, war derselbe im höchsten Grad erbittert und hat jede pekuniäre Unterstützung positiv abgelehnt. Nur durch die Mutter und die Großmutter wurden Georg einige Mittel von Zeit zu Zeit zugewiesen, vielleicht nicht ganz ohne Wissen des Vaters, aber nicht mit seiner offiziellen Bewilligung.

Ad 3 glaube ich, daß vorzugsweise die Lektüre ›Unsere Zeit‹ Anlaß zur Arbeit über Danton gegeben hat; ob ein weiterer Anstoß durch Barères Memoiren gegeben wurde, weiß ich nicht. Sicherlich hat ihn am meisten zur beschleunigten Herausgabe und zur scharfen, markierten Sprache darin seine bedrohte Situation, sein Zorn gegen den Polizeistaat und sein Wunsch, nur einiges Geld in ⟨die⟩ Hand zu bekom-

---

* Im Nachlaß erhalten:
Erinnerung an meinen Bruder Georg! Pfungstadt, Juni 1875. Darin die Verse:

> Das blaue Aug, sein lockig Haar,
> Die kühne Stirn mit dem Apollo-Bogen,
> Ein schlanker, großer junger Mann,
> Geziert mit roter Jakobiner-Mütze,
> Im Polen-Rock, schritt stolz er durch die Straßen
> Der Residenz, die Augenweide seiner Freunde!

men, bewogen. Bei ruhigerer Überlegung würde er das Werk mehr ausgefeilt haben – vielleicht zum Schaden des Entwurfs: grade das Unfertige, die ungeschwächte Sprache, macht den tiefen Eindruck, dem jeder Leser sich nicht entziehen kann.

Ad 4. Allerdings hat Georg eine Gesellschaft der Menschenrechte in Darmstadt, ich glaube, auch in Gießen, begründet. Ich selbst habe diesen Versammlungen nie beigewohnt, indem Georg nicht auch mich in diese Gefahren hineinziehen wollte, ich auch um diese Zeit wenig zu Hause war. Die Persönlichkeiten waren Koch, *Nievergelder*, Minnigerode – die anderen Namen sind mir entfallen. In Butzbach, wo eine geheime Gesellschaft bestand und wohin ich wenige Zeit vor Georgs Flucht mich in Kondition als Apotheker begab, wurde ich als Bruder Georgs mit offnen Armen empfangen. Nachdem man mich kennen gelernt, sollte ich nun auch in den geheimen Bund aufgenommen werden; ich war mehr neugierig als erregt darüber. An einem bestimmten Abend wurde ich abgeholt, an einem Haus wurde vorsichtig Stellung genommen, beobachtet, ob man keinen Lichtschimmer an einem bestimmten Fenster sähe; darauf ging einer der ›Verschworenen‹ ins Haus und kam mit der Nachricht ›Alles in Ordnung‹. Im Dunkeln ging's nun eine steile Treppe vorsichtig hinauf; es brannte im Zimmer ein dampfendes Talglicht. – Nun wurde im Flüsterton gesprochen, Bier gebracht, Pfeifen angezündet und – über Mädchen, aber in anständiger Weise, gesprochen. Als das einige Zeit gedauert hatte, gingen die Verschworenen wieder einzeln mit größter Vorsicht fort, und aus war die ganze Geschichte. Hatte ich nun früher über die verwegenen Butzbacher so viel gehört, so hatte ich wohl das Recht, etwas Besonderes zu erwarten. Ich fand gute Kameraden, derb und bieder; aber um die Welt zu verbessern, dazu konnten sie kein Material abgeben –, und von dem Augenblick an war ich von dem Wahn befreit, als wenn durch Geheimbündelei etwas Gutes zu erzielen sei. Nur als Handlanger konnten die Leute gebraucht werden.

Ad 7. Bei der Vernehmung wußte ich, daß die Fragen nach Vor- und Zunamen, Alter etc. zuerst gestellt würden, um zu Protokoll genommen zu werden. Bei dem Fragen nach dem Vornamen mußte ich, wollte ich nicht als absichtlicher Lügner dastehen, meinen Namen angeben. Bei Nennung meines Namens Wilhelm hatte die Sache ein Ende, indem ich erklärte, ich sei nur gekommen, um meinen Bruder zu entschuldigen.

Hier muß ich bemerken, daß der Richter meine Familie genau kannte, indem mein Papa Arzt bei demselben war. Seiner Humanität war es wahrscheinlich ohnehin zu danken, daß Georg nicht gleich arretiert und nur sehr vorsichtig gegen ihn vorgegangen wurde, vielleicht in der Absicht, ihm Zeit zur Flucht zu lassen; denn die Verfolgungssucht eines Georgi hatte nicht bei allen Richtern Platz gegriffen, und viele legten den Verirrungen der Jugend die Bedeutung nicht bei, um ganze Familien deshalb ins Unglück zu bringen. –

(Bergemann, S. 309ff.; nach Handschriften korrigiert)

STECKBRIEF

Der hierunter signalisierte Georg Büchner, Student der Medizin aus Darmstadt, hat sich der gerichtlichen Untersuchung seiner indizierten Teilnahme an staatsverräterischen Handlungen durch die Entfernung aus dem Vaterlande entzogen. Man ersucht deshalb die öffentlichen Behörden des In- und Auslandes, denselben im Betretungsfalle festzunehmen und wohlverwahrt an die unterzeichnete Stelle abliefern zu lassen.

Darmstadt, den 13. Juli 1835.

Der von Großh. Hess. Hofgericht der Provinz Oberhessen bestellte Untersuchungs-Richter, Hofgerichtsrat   Georgi.

Personal-Beschreibung
Alter: 21 Jahre,
Größe: 6 Schuh, 9 Zoll neuen Hessischen Maßes,
Haare: blond,
Stirne: sehr gewölbt,
Augenbraunen: blond,
Augen: grau,
Nase: stark,
Mund: klein,
Bart: blond,
Kinn: rund,
Angesicht: oval,
Gesichtsfarbe: frisch,
Statur: kräftig, schlank,
Besondere Kennzeichen: Kurzsichtigkeit.

(Bergemann, S. 313 f.)

ZÜRICHER UNIVERSITÄTSPROTOKOLLE

⟨*Protokoll der philosophischen Fakultät,
Sitzung vom 3. September 1836*⟩

Da das Gutachten der Herren Professoren Oken, Schinz, Löwig und Heer durchaus günstig lautet für die von Herrn G. Büchner in Straßburg zur Erlangung der philosophischen Doktorwürde eingereichte

Schrift: Sur le système nerveux du barbeau par G. Büchner, Strasbourg 1836, wird beschlossen, Herrn Büchner auf diese Schrift hin die philosophische Doktorwürde zu erteilen.

⟨*Protokoll der philosophischen Fakultät,*
Sitzung vom November 1836⟩

Da die am heutigen Tage gemäß der Aufforderung des Hohen Erziehungsrates angestellte Probevorlesung des Herrn Dr. Büchner nach Form und Inhalt des Vorgetragenen den Forderungen der Fakultät vollkommen entsprochen, wird beschlossen, denselben dem Hohen Erziehungsrate zur Aufnahme unter die Privatdozenten der Hochschule zu empfehlen.

(Bergemann, S. 314)

AUGUST LÜNING:
ERINNERUNGEN AN DEN DOZENTEN BÜCHNER
⟨*9. November 1877 an Franzos*⟩

Rüschlikon bei Zürich, 9. XI. 77.
Herrn Dr. Franzos in Wien.
Von Dr. Calmberg in Küsnacht benachrichtigt, daß Sie von mir etwas über G. Büchners Lehrtätigkeit zu vernehmen wünschten, kann ich Ihnen Folgendes mitteilen. Mich hatte die politische Bewegung des Jahres 1834 (Verfolgung der Burschenschaft) von Greifswald nach Zürich verschlagen, woselbst ich im Herbst 1834, nachdem ich bereits 5 Semester Jura hinter mir hatte, unter Schönlein, Oken, Demme, Arnold, Löwig u. s. w. Medizin zu studieren begann. In meinem 4. Semester nun, im Sommer 1836, hörte ich zum ersten Male von einem Studiosus Trapp aus Gießen den Namen Georg Büchners aussprechen, u. zwar mit einer solchen überschwenglichen Begeisterung, daß wir Alle aufs Höchste gespannt auf B. wurden, dessen Ankunft in Zürich wie es hieß bevorstand. Es war dies derselbe Trapp, der später, als Gutzkow ›Dantons Tod‹ als ein Werk ersten Ranges pries, in einer seltsamen Anwandlung von einer Art von Eifersucht u. von einfältiger Altklugheit anonym an Gutzkow schrieb, er möge B. doch nicht so über alle Maßen loben, der junge Autor könne durch übertriebenes Lob leicht in Hochmut u. Eitelkeit verfallen. Gutzkow zeigte B. den Brief, der sogleich den Verfasser erriet, sich äußerte, er sei froh, auf diese Art von einem Menschen loszukommen, der sich wie eine Klette an ihn gehängt, u. schließlich hart aber gerecht Trapp dadurch strafte, daß er ihn von seiner Ankunft in Zürich an bis zu seinem Tode konsequent ignorierte. –

Meine erste Begegnung mit B. fand im Herbst 1836 statt, u. zwar auf der Burgruine Manegg im Sihltale bei Zürich, wohin er mit dem politischen Schriftsteller Dr. W. Schulz u. dessen geistvoller Gemahlin Caroline (der Herwegh später seine Gedichte dedizierte) gekommen war. Vor allem fiel er mir auf durch die breite, mächtige Dichter- u. Denkerstirn, wie ich sie imposanter nie wieder gesehen habe, u. durch eine gewisse, äußerst dezidierte Bestimmtheit in Aufstellung von Behauptungen, die zwar von hoher Selbständigkeit des Urteils zeugte, zuweilen aber doch ein wenig über das Ziel hinausschoß. So erinnere ich mich, daß er an dem selben Tage den bekannten Revolutionsmann Eulogius Schneider mit dem Philologen Schneider identifizieren wollte, u. mit der größten Hartnäckigkeit, ja fast Heftigkeit, auf seinem Satze bestand, als Hermann Sauppe (damals Professor in Zürich, jetzt in Göttingen) ganz maßvoll widersprach. – Daß er – an demselben Tage – kühn genug die landschaftlichen Schönheiten des eben erst verlassenen Elsaß als der Schweiz vollkommen ebenbürtig darstellte, daran mochten wohl zum Teil ein Paar lieber Augen mit beitragen, die das Land, dem sie angehörten, in verklärendem Schimmer erscheinen ließen. –

B. lebte in Zürich sehr zurückgezogen; sein Umgang beschränkte sich auf das Schulzsche Ehepaar, mit dem auch ich näher befreundet war, u. auf einige von früherher bekannte hessische Familien. Wir erfuhren unter anderm von ihm, daß er bis vor Kurzem noch ungewiß gewesen war, ob er sich der spekulativen Philosophie (über Spinoza hatte er eingehende Studien gemacht) oder der beobachtenden Naturwissenschaft zuwenden solle; nun habe er sich aber definitiv der letzteren gewidmet. – Damit übereinstimmend kündigte er mit Beginn des Wintersemesters 1836/37, nachdem er die *venia legendi* erhalten, an der Universität zu Zürich Vorlesungen über vergleichende Anatomie der Fische u. Amphibien an, die denn auch von mir besucht wurden. Unter den circa 20 Zuhörern, von denen die mir bekannten sämtlich gestorben sind, befand sich auch der später als Reisender in Neuseeland berühmt gewordene Dr. Ernst Diefenbach, wenn ich mich recht erinnere. Der Vortrag Büchners war nicht geradezu glänzend, aber fließend, klar u. bündig; rhetorischen Schmuck schien er fast ängstlich, als nicht zur Sache gehörig, zu vermeiden; was aber diesen Vorlesungen vor allem ihren Wert verlieh, u. was dieselben für die Zuhörer so fesselnd machte, das waren die fortwährenden Beziehungen auf die Bedeutung der einzelnen Teile der Organe u. auf die Vergleichung derselben mit denen der höheren Tierklassen, wobei sich B. aber von den damaligen Übertreibungen der s. g. naturphilosophischen Schule (Oken, Carus u. s. w.) weislich fern zu halten wußte; – das waren ferner die ungemein faßlichen, anschaulichen Demonstrationen an frischen Präparaten, die B., bei dem völligen Mangel daran an der noch so jungen Universität, sich größtenteils selbst beschaffen mußte. So präparierte er z. B. das gesamte Kopfnervensystem der Fische u. der Batrachier auf das Sorgfältigste an frischen Exemplaren, um diese Präparate jedesmal zu den Vorlesungen verwenden zu können. Diese beiden Momente, die beständige Hinweisung auf die Bedeutung der Teile, u. die anschaulichen Demonstrationen an den frischen Präparaten, hatten denn auch wirklich das lebendigste Interesse bei allen Zuhörern zur Folge. Ich habe während meines achtjährigen (juristischen u. medizinischen) Studiums manches Collegium gehört, aber ich wüßte keines, von dem mir eine so lebendige Erinnerung geblieben wäre als von diesem Torso von B.s Vorlesungen über vergleichende Anatomie der Fische u. Amphibien.

Es sind nun 41 Jahre, seit ich diese Vorlesungen besuchte, ich habe während meiner praktischen Laufbahn als Militär- u. Gerichtsarzt seitdem wenig Gelegenheit gehabt, mich speziell mit der feineren vergleichenden Anatomie zu beschäftigen; aber das weiß ich doch noch so deutlich als wenn es heute wäre, daß B. bei den Fischen (gegenüber den 12 Kopfnervenpaaren der höheren Tiere) nur 6 Kopfnervenpaare (u. demnach auch 6 Kopfwirbel) annahm, u. die den Fischen fehlenden als bloße Zweige der ihnen eigentümlichen Kopfnerven demonstrierte, so namentlich einen Ast des *Nervus vagus* als Repräsentanten des *Nervus glossopharyngeus*, u. den *Ramus opercularis* des *Nervus trigeminus* als Repräsentanten des *Nervus facialis* der höhern Tiere; die Augenmuskelnerven dagegen ließ er aus der bei den Fischen vorhandenen vorderen Wurzel des *Nervus opticus* entspringen. Bei den Batrachiern nahm er nur 5 Kopfnervenpaare an, weil das sechste (beim Menschen das zwölfte), der *Nervus hypoglossus*, bei denselben zwischen dem ersten u. zweiten Rückenwirbel seinen Ursprung nehme. Wir sehen daraus, daß er kein naturphilosophischer Pedant u. Fanatiker war, bei dem Alles in das System hineingezwängt werden mußte. So gestand er auch offen, daß ihm bei den Batrachiern der Ursprung der Augenmuskelnerven nicht ganz klar sei, er habe bei seinen Präparationen einigemal geglaubt, dieselben aus dem *Nervus trigeminus* hervorkommen zu sehen. Ein Naturphilosoph vom reinsten Wasser hätte natürlich die Möglichkeit der Verschiedenheit des Ursprungs dieser Nerven bei Fischen u. bei Batrachiern um keinen Preis zugegeben! –

Diese Vorlesungen, deren wissenschaftlicher Wert endlich noch durch die eingehendste Berücksichtigung der in- u. ausländischen Literatur erhöht wurde, sollten leider nicht beendigt werden; nach Beendigung der Vorlesungen über die Anatomie der Fische, ging der geniale junge Dozent über zur Anatomie der Amphibien; aber hier sprach leider das unerbittliche Geschick: bis hieher u. nicht weiter! Es war dem Vortragenden nur noch vergönnt, über Knochen- u. Nervensystem der Batrachier zu lesen; dann warf ihn der damals in Zürich grassierende Typhus auf das Krankenlager, von dem er nicht wieder erstehen sollte, u. nach einigen Wochen schon war das junge, vielversprechende Leben für immer entflohen, u. jenes Colleg über die vergleichende Anatomie der Fische u. Amphibien blieb das erste u. einzige, das B. gehalten hat. –

G. Büchner wohnte im Hause des kürzlich verstorbenen Bürgermeisters Dr. Zehnder von Zürich, der ihn in Gemeinschaft mit Schönlein

behandelte; verpflegt wurde er aufs Liebevollste von der Familie Schulz
u. andern deutschen Familien, u. wir deutschen Studenten ließen es uns
nicht nehmen, einen förmlichen Wachtdienst für Tag u. Nacht zu organisieren; da war ich denn oft genug Zeuge von jenen Phantasien, wie sie
das arme Gehirn des Gemarterten durchtobten, u. wie sie Herwegh
1841 in seinen 3 Gedichten auf Büchners Andenken so ergreifend schilderte; denn als ich 1839 in Emmishofen bei Constanz die Bekanntschaft des damals noch unbekannten ›Lebendigen‹ machte, ließ er nicht
nach, mich über Alles u. Jedes, was Büchner betraf, zu befragen, u. aus
diesen Erzählungen sind großenteils die Schilderungen jener Phantasien des kranken Dichters entstanden. –

Das ist ungefähr Alles, was ich Ihnen von B. zu erzählen wüßte; Sie
sehen, vergessen habe ich ihn nicht; wer mit dieser Feuerseele einmal in
Berührung kam, dem schwand sie nicht wieder aus der Erinnerung!

Jener oben erwähnte falsche Jugendfreund Büchners ließ sich bald
nach dessen Tode, ich glaube zum Teil aus Verzweiflung über die auf
ewig verscherzte Freundschaft, zu einer wissenschaftlichen Reise nach
Afrika (von Schönlein) engagieren; es kam aber nicht dazu: ein früher
nicht beachtetes Brustleiden nahm ernstlichere Dimensionen an, u.
nach ungefähr einem Jahre folgte Trapp seinem früheren Jugendfreun-
de nach. Die Erinnerung an die durch eignes Verschulden verlorene
Zuneigung u. Achtung des immer noch geliebten früheren Freundes
war der bitterste Stachel seines langen Krankenlagers. Auch ihm sei die
Erde leicht! –

Nehmen Sie, hochgeehrter Hr. Dr., aus vorstehenden Mitteilungen,
was Sie für die Herausgabe Ihres Buches brauchen können; mich hat es
in meinen alten Tagen innig erfreut, den Manen des von mir gefeierten
u. verehrten Dichters u. Gelehrten einen, wenn auch noch so geringen,
kleinen Tribut zollen zu können. –

Empfangen Sie die Versicherung meiner Hochachtung u. Ergebenheit!

Dr. Lüning, alt Kantonalstabsarzt u. Oberstleutnant.
(Hauschild, Büchner, S. 381 ff.)

CAROLINE SCHULZ:
BERICHT ÜBER GEORG BÜCHNERS KRANKHEIT UND TOD

Februar

2ten Fragten wir Büchner, ob er einen weiten Spaziergang mit uns
machen wollte; er antwortete, daß er mit seinem Freunde
Schmid nur einen kurzen Gang machen würde, weil er sich
nicht ganz wohl fühle. Als wir gegen Abend nach Hause kamen, klagte er, daß es ihm fieberisch zu Mute sei, da er sich

aber nicht zu Bette legen wollte, aus Furcht nicht einschlafen zu können, setzte er sich zu uns aufs Sofa. Ich bot ihm Tee an, den er ausschlug; bald bemerkte ich, daß er einschlief u. als er erwachte bat ich ihn dringend, sich zu Bett zu legen, was er auch endlich tat, nachdem er ein Senffußbad genommen hatte. Wir sagten ihm, daß er an der Wand klopfen solle, die an unsere Schlafstube stieß, wenn er des Nachts etwas bedürfe u. ließen seine Lampe brennen.

3ten hatte B. nicht gut geschlafen, klagte aber keinerlei Schmerzen. Da es sehr hell im Zimmer war, gab ich ihm grüne Vorhänge auch ein Pferdehaarkissen unter den Kopf, was ihm wohl tat. Ich hatte gehofft, daß er den Abend wieder bei uns zubringen könnte u. deswegen unser gewöhnliches Lesekränzchen nicht abgesagt; da er aber nicht dabei sein konnte, ließ er sich von uns erzählen, womit wir uns unterhalten hatten.

4ten war das Fieber etwas stärker; doch gab es zu keiner Besorgnis Raum; er aß etwas Suppe u. Obst u. versicherte, daß es ihm ganz wohl in seinem Bette sei. Wir erhielten Briefe von den Unsrigen, die ich ihm vorlas u. denen er mit Interesse zuhörte.

5te⟨n⟩ klagte er über Schlaflosigkeit; ich suchte ihn damit zu trösten, daß ich in meiner kürzlichen Krankheit viele Nächte nicht geschlafen habe u. dabei noch Schmerzen habe leiden müssen. Er war sehr geduldig und ruhig. Da wir genötigt waren einige Besuche zu machen, so blieb sein liebster Freund Schmid bei ihm; als wir wieder nach Hause kamen ließ er sich von uns erzählen; doch hatte er es nicht gerne, wenn man laut sprach.

6ten da ich keine häuslichen Geschäfte hatte, konnte ich mich ganz seiner Pflege widmen, was ich von Herzen gerne tat. Es zeigte sich nach und nach eine große Empfindlichkeit bei ihm; man konnte ihm nicht leicht etwas recht machen, was seine Freunde oft nicht begreifen konnten. Ich, die ich aber aus Erfahrung wußte, wie es einem ist, wenn man an den Nerven leidet, ich tat ihm alles was er nur haben wollte, worüber ich jetzt doppelt froh bin.

7ten schickte Frau Sell Suppe für B., die ihm sehr gut schmeckte; auch die vorgeschriebene Arzenei nahm er gerne, worüber ich ihn oft lobte. Da wir den Fastnachts Abend bei Sells zubringen sollten, so blieb Bs. Freund Braubach bei ihm, den er auch sehr gerne hatte.

8te⟨n⟩ zeigte sich nur sehr wenig Fieber u. er wollte, da Briefe von seiner Braut angekommen waren, an dieselbe schreiben; ich bat ihn dieses zu verschieben, bis er sich wieder ganz wohl fühlte; auch erbot ich mich statt seiner zu schreiben, was er aber ablehnte. Da die Briefe Minnas sehr fein geschrieben waren, legte er sie weg, um sie später fertig zu lesen.

9ten hatte der Kranke fast gar kein Fieber, doch klagte er fortwährend über Schlaflosigkeit; mein Mann war des Nachts lange bei ihm u. bemerkte doch, daß er zuweilen geschlafen hatte. Er war kleinmütig und wir sprachen ihm alle Mut ein; auch riet man ihm, ein wenig aufzustehen um dann vielleicht besser schlafen zu können. Es wurde ihm Mandelmilch verordnet, die ich ihm bereitete, u. die ihn sehr erquickte. Jeden Abend legte man ihm Senf auf die Waden.

10te(n) stand er Nachmittags auf und wollte schreiben; ich holte ihm alles Nötige herbei, da ich sah, daß er sich durchaus nicht wollte abhalten lassen u. da er sagte, daß er sich auf dem Sofa wohler wie im Bett füh⟨l⟩e, so freute ich mich sehr u. nahm es für ein Zeichen der Besserung. Er ergriff die Feder, erklärte aber sogleich nicht schreiben zu können; ich bot ihm abermals an in seinem Namen zu schreiben, was er jetzt geschehen ließ. Damit er seinen Geist nicht anstrengen sollte, schrieb ich den Brief nach meiner Idee u. er sagte mir alsdann was ich daran ändern solle. Endlich war das Schreiben nach seinem Wunsch ausgefallen; er nahm es mir hastig weg u. setzte die Worte: »Adieu mein Kind«, darunter, ließ mich eine seiner Locken hinein legen u. eilte schnell zu Bett, nach welchem er sehr verlangte. Nachdem der Brief weg war, fiel es mir schwer aufs Herz, daß die gute Minna vielleicht diese Worte für Abschiedsworte nehmen könnte, da doch die Krankheit damals nicht im Geringsten gefährlich schien. Dies beunruhigte mich sehr u. ich hatte einen traurigen Abend. Mein Mann u. seine anderen Freunde schliefen diese wie die folgenden Nächte abwechselnd in seinem Zimmer, was ihm lieb war.

11te(n) B. hatte viel Schleim im Halse und mußte oft auswerfen. Der schwache Tee, den er Morgens genoß u. die Suppen, die ich ihm selbst kochte, schmeckten ihm recht gut; doch fiel uns eine Art Unempfindlichkeit (Apathie) an ihm auf. Ich fragte ihn an diesem Morgen, ob es ihm angenehm wäre, wenn ich mit meiner Arbeit mich zu ihm setzte, was er gerne zu haben schien. Da er viel Schleim im Munde hatte, fiel ihm das Sprechen schwer u. er drückte sich oft durch Gebärden aus, die mich zu Tränen rührten, auch weil sie mich lebhaft an meinen verstorbenen Vater erinnerten, mit dem ich sogar in der hohen freien Stirne einige Ähnlichkeit bei B. zu entdecken glaubte (Mein Vater litt in seinen letzten Lebensjahren öfter an einer Art Sprachlähmung u. pflegte sich dann durch Gebärden auszudrücken.⟨⟩)

An einigen Äußerungen die er an diesem Tage tat, bemerkte ich, daß sein Geist nicht ganz helle war. Wir beschlossen noch einen Arzt kommen zu lassen u. zwar Schönlein; der Kranke wollte aber nichts davon hören, da er sich nicht so krank fühlte.

Es wurde indessen jetzt jede Nacht gewacht, was seine Freunde gerne übernahmen.

12te⟨n⟩ Sonntag. Erklärte endlich B., daß er Schönlein zu sprechen
wünsche, dieser war aber verreist; sein Assistent hatte indessen B. schon besucht u. sich mit den von Dr. Zehnder verordneten Mitteln ganz einverstanden erklärt.

13te⟨n⟩ die Betäubung dauerte fort; am Tage vorher war es, wo er zum
erstenmale sagte, der Kopf sei ihm schwer u. dies war das
einzigemal in seiner ganzen Krankheit, daß er den Kopf klagte. Er war ganz bei sich, sprach aber zuweilen im Schlaf. Wir
schrieben an diesem Tage an unsre Geschwister nach Darmstadt.

14te⟨n⟩ Morgens frühe kam Schönlein und *billigte ganz das bisherige
Verfahren des Dr. Zehnder,* auch behielt er dieselben Arzenei-
en bei. B. sprach sehr vernünftig mit ihm, bekam aber schon
während der Anwesenheit der Ärzte starke Hitze; ich blieb
bei ihm u. er nannte mich manchmal Schmid; wenn ich dann
sagte ich sei Frau Schulz, lächelte er mir zu. ⟨A⟩uch glaubte er
zuweilen es stände Jemand in der Ecke u. dgl. Ich las für mich
im Morgenblatt, das er für einen Brief hielt, ich legte es daher
weg. Gegen Abend bekam er einen heftigen Anfall von Zittern
(Zittern der Hände hatte man schon früher bemerkt) wobei er
ganz irre sprach. Ich wurde sehr unruhig. sorgte von nun an
dafür, daß außer mir auch immer noch einer seiner Freunde
bei ihm war. Er wurde nach u. nach wieder ruhiger. Gegen
8 Uhr kam das Delirieren wieder und sonderbar war es, daß er
oft über seine Phantasien sprach sie selbst beurteilte, wenn
man sie ihm ausgeredet hatte. Eine Phantasie, die oft wieder-
kehrte war die, daß er wähnte ausgeliefert zu werden. Die
Nacht war unruhig; er sprach viel französisch u. redete mehreremale seine Braut an.

15 Fand ich ihn Morgens früh sehr verändert; doch kannte er
mich; verlangte zu seinem Tee weil die Tasse groß war auch
einen großen Löffel u. spülte sich den Mund aus. Er sprach
wenn er bei sich war etwas schwer, sobald er aber delirierte
sprach er ganz geläufig. Er erzählte mir eine lange zusammenhängende Geschichte wie man ihn gestern schon vor die Stadt
gebracht habe, wie er zuvor eine Rede auf dem Markte gehalten u. s. w. Ich sagte ihm, er sei ja hier in seinem Bette u. habe
das alles geträumt; da erwiderte er, ich wisse ja daß Professor
Escher (einer seiner Schüler) sich für ihn verbürgt habe u.
deshalb sei er wieder zurückgebracht worden. Es hatte sich
nämlich die Idee bei ihm gebildet er habe Schulden, was aber
in der Wirklichkeit nicht der Fall war. Solche Phantasien ließ
er sich leicht ausreden, verfiel aber alsdann in andere. Um
12 Uhr kam Schönlein den B. nicht erkannte und da ich um
jeden Preis wissen wollte wie es um den Kranken stehe blieb
ich im Zimmer, ob es schicklich war, oder nicht. Schon als
Schönlein eintrat sagte er: »welch ein Geruch!« ließ sich den

Stuhlgang zeigen, der ganz schwarz war u. aus dickem Blut bestand, betrachtete den Kranken u. sagte zu mir: »alles paßt zusammen; es ist das Faulfieber und die Gefahr ist sehr groß.« Ich erschrak heftig u. da meine Nerven sehr angegriffen waren, empfahl mir der Arzt dringend das Krankenzimmer zu meiden. ⟨A⟩uch war männliche Pflege jetzt dringender. Ich konnte jetzt nichts mehr für ihn tun als beten. – Es wurde ein braver Wärter angenommen; doch war bei diesem immer noch einer von Bs. Freunden, besonders Wilhelm u. Schmid. Ich war sehr traurig u. schrieb sogleich nach Straßburg.

16te⟨n⟩ die Nacht war unruhig; der Kranke wollte mehreremale fort, weil er wähnte in Gefangenschaft zu geraten, oder schon darin zu sein glaubte u. sich ihr entziehen wollte. Den Nachmittag vibrierte der Puls nur u. das Herz schlug 160 mal in der Minute. Die Ärzte gaben die Hoffnung auf. Mein sonst frommes Gemüte fragte bitter die Vorsehung: »warum?« da trat Wilhelm ins Zimmer u. da ich ihm meine verzweiflungsvollen Gedanken mitteilte, sagte er: »unser Freund gibt Dir selbst Antwort, er hat soeben, nachdem ein heftiger Sturm von Phantasieren vorüber war, mit ruhiger, erhobener, feierlicher Stimme die Worte gesprochen: *Wir haben der Schmerzen nicht zu viel, wir haben ihrer zu wenig, denn durch den Schmerz gehen wir zu Gott ein*«! »*Wir sind Tod, Staub, Asche, wie dürften wir klagen!*«⟨«⟩ Mein Jammer l⟨ö⟩ste sich in Wehmut auf; aber ich war sehr traurig u. werde es noch lange sein.

17te⟨n⟩ In der Nacht phantasierte der Kranke von seinen Eltern und Geschwistern in den rührendsten Ausdrücken. Er sprach fast immerwährend. Schönlein wunderte sich, ihn am Morgen noch lebend zu finden; er kam täglich zweimal u. nahm den größten Anteil, so wie Alle die B. auch nur entfernt kannten. Jeden Morgen ließ man sich von verschiedenen Seiten nach seinem Befinden erkundigen. Gegen 10 Uhr kam Frau Pfarrer Schmid von Straßburg u. benachrichtigte uns, daß Minna angekommen sei; ich erschrak sehr, denn ich fürchtete für sie, wenn sie den Kranken in so verändertem Zustande sehen würde. Ich eilte zu ihr ins Wirtshaus u. bereitete sie nach u. nach auf die große Gefahr vor, in der ihr Teuerstes schwebte. Ich machte mich recht stark bei ihr. Ich holte sie nach Tisch mit ihrer Begleiterin zu uns. Die Ärzte hatten ihr erlaubt den Kranken zu sehen. Er erkannte sie was eine schmerzliche Freude für sie war; unsere Tränen flossen vereint an diesem Tage u. mein Herz litt viel denn es verstand das ihrige. Sie u. Frau Schmid blieben von nun an bei uns. Die Nacht war für uns alle traurig. Der Kranke delirierte fortwährend.

18te⟨n⟩ besuchte Minna frühe den Kranken, der sie deutlicher wie am vorigen Tage erkannte; er sprach zu ihr, auch von ihrem Vater, doch konnte man nicht alles verstehen, denn seine Stimme war jetzt schwächer. Er ließ sich den Mund reinigen, nahm aus Ms. Händen ein wenig Wein u Confitür, aß Mittags etwas Suppe, nannte mehrere seiner Freunde mit Namen, auch der Puls hob sich ein wenig; alles dieses war ein Hoffnungsstrahl für uns, trotz den Ärzten, die nichts darauf gaben, aber nur *ein* Hoffnungsstrahl, denn am Abend traten von neuem üble Symptome ein. Die Nacht war ruhig, da die Schwäche zunahm; doch sprach der Kranke immerfort.

19 *Sonntag.* Der Atem wurde schwerer, die Schwäche größer, der Tod mußte nahe sein. Das starke Mädchen bat meinen Mann sie zu rufen, wenn der verhängnisvolle Augenblick käme, denn lange konnte u. durfte sie nicht im Krankenzimmer verweilen. Es war Sonntag; der Himmel war blau u. die Sonne schien. Die Kinder hatte man weggeschickt, es war stille im Hause u. stille auf der Straße. Die Glocken läuteten. Minna u. ich saßen allein in meinem traulichen Stübchen. Wir wußten, daß wenige Schritte von uns ein Sterbender lag und *Welcher!* Wir hatten uns aber in den Willen der Vorsehung ergeben, denn was ja in der Menschen Macht lag den Teuren zu retten war geschehen. Ich erinnere mich in meinem Leben wenig so feierlicher Stunden wie diese; eine heilige Ruhe goß sich über uns. Wir lasen einige Gedichte, wir sprachen von Ihm, bis Wilhelm eintrat Minna zu rufen, damit sie dem Geliebten den letzten Liebesdienst erzeige. Sie tat es mit starker Ruhe, aber dann brach ihr Schmerz laut aus. Ich nahm sie in meine Arme u. weinte mit ihr. Sie wurde ruhiger u. endigte einen angefangenen Brief. Der Abend verging uns in Gespr⟨ä⟩chen über den Hingeschiedenen; oft gedachten wir mit Schmerz der armen Eltern u. Geschwister des Verewigten. Minna brachte die Nacht bei mir zu u. da wir lange nicht geschlafen hatten, behauptete die Natur ihr Recht u. ein sanfter Schlummer stärkte uns. Am Abend war ein Brief aus Darmstadt gekommen, der uns tief bewegte; ich beantwortete ihn am

20te⟨n⟩; auch Minna schrieb an ihren Vater. Wir lasen in einer Art Tagebuch, das sich unter Bs. Papieren gefunden hatte u. reiche Geistesschätze enthält. Die Freunde des Verewigten brachten den Abend bei uns zu u. Er war wie immer der Gegenstand unsrer Unterhaltung. Da er sich über alles was uns interessierte, so oft mit uns besprochen hatte, so wußten wir viel von ihm zu erzählen. Fast jeder Gegenstand der uns umgab erinnerte uns an diese oder jene geistreiche Bemerkung die er darüber gemacht. Bald flossen unsre Tränen u. bald mußten wir lachen, wenn wir uns seine treffende Satyre, seine witzigen Einfälle und launige Scherze ins Gedächtnis zurückriefen.

21te⟨n⟩ Der Himmel war helle u. die Sonne schien dem Tage, an dem seine irdische Hülle der Erde wiedergegeben werden sollte.

Wir wanden am Morgen einen großen Kranz von lebendigem
Grün, Lorbeer u. Myrten und weißen Blüten, der nach hiesiger Sitte den ganzen Sarg umgeben sollte. Auch ließ Minna
dem Dichter u. Bräutigam durch Wilhelm, einen Lorbeer u.
Myrtenkranz auf die hohe blasse Stirne drücken. Ein Strauß
von lebendigen Blumen, den einige Freundinnen schickten,
ruhte in seinen Händen. Um 4 Uhr sollte das Begräbnis statt
finden; ich verließ daher gleich nach Tisch mit Minna das
Haus, denn einem zerrissenen Herzen können die Anstalten
dazu keinen Trost gewähren. Wir besuchten zuerst den Lieb-
lingsspaziergang unsers Freundes, ein kleiner Platz am See, u.
dann begaben wir uns zu einer teilnehmenden Freundin, wo
wir bis zum Abend blieben. Wilhelm holte uns dort ab u.
erzählte uns, daß mehrere hundert Personen, die beiden Bürgermeister u. andere der angesehensten Einwohner der Stadt,
an der Spitze, den Verewigten zur Ruhestätte begleitet hatten.
Die Teilnahme der ganzen Stadt war groß.
Bekannte und Unbekannte waren tief erschüttert durch den
Tod eines so Geist u. Talentvollen jungen Mannes.
Am Abend schickte eine Freundin einen Blumentopf gefüllt
mit der Erde in der der Vollendete ruht. Das Immergrün das
darin stand u. das auch auf seinem Grabe sproßt, sei uns ein
Symbol der Hoffnung, der Hoffnung des Wiedersehens. Mit
den herzlichsten teilnehmendsten Worten an Minna, war die-
ses sinnige Geschenk begleitet.   *(Grab, S. 132 ff.)*

WILHELM SCHULZ:
NEKROLOG
⟨28. Februar 1837⟩

Im Verlaufe weniger Tage hat der Tod zwei ausgezeichnete deutsche
Männer den Reihen ihrer trauernden Landsleute und der Genossen
ihres Schicksals entrissen. Am 15. Februar wurde Ludwig Börne zu
Paris, am 21. Februar *Georg Büchner* zu Zürich beerdigt. Beide ruhen
in fremdem Lande, denn Beiden hatte sich das Vaterland verschlossen.
Wenn Börne im heiligen Kampfe für Licht und Recht ein lang erprob-
ter Streiter war, der mit steter Ausdauer die scharfen Geisteswaffen
gegen Unterdrückung und Knechtschaft, gegen Heuchelei und Lüge
gerichtet hatte; so begrüßten Alle, welche *G. Büchner* näher kannten,
in diesem die frische Jugendkraft, der eine weite Bahn des Ruhms und

der Ehre offen lag. Große Hoffnungen ruhten auf ihm, und so reich war er mit Gaben ausgestattet, daß er selbst die kühnsten Erwartungen übertroffen haben würde.

G. Büchner, der Sohn eines angesehenen Arztes zu Darmstadt, wurde am 17. Oktober 1813 zu Goddelau bei Darmstadt geboren. Nachdem er das Gymnasium dieser Stadt besucht, widmete er sich zu Straßburg vom Herbste 1831 bis zum August 1832, sodann vom Oktober dieses Jahres bis zur Mitte des Jahres 1833 dem Studium der Naturwissenschaften, besonders der Zoologie und vergleichenden Anatomie. In dieser Zeit von einer Unpäßlichkeit befallen, fand er sorgsame Pflege im Hause seines Verwandten, des Pfarrers Jägle zu Straßburg. Während dieser Krankheit verlobte er sich mit der Tochter dieses würdigen Geistlichen, welche durch Geist und Herz in jeder Beziehung seiner würdig war. Die Gesetze seines Heimatlandes riefen ihn im Herbst 1833 auf die Universität Gießen, wo er sein Studium der Naturwissenschaften fortsetzte, und zugleich, nach dem Wunsche seines Vaters, mit der praktischen Medizin sich befaßte. Durch eine Hirnentzündung im Frühjahr 1834 erlitten diese Studien einige Unterbrechung; doch kehrte er nach kurzem Aufenthalte in Darmstadt nach Gießen zurück, wo er bis zum Herbst 1834 verweilte. Von da begab er sich abermals in sein elterliches Haus zu Darmstadt, wo er fortwährend mit Naturwissenschaften, sowie mit Philosophie sich beschäftigte, und zugleich, im Auftrage seines Vaters, anatomische Vorlesungen hielt.

In der letzten Zeit seines Aufenthalts in Gießen wurde *Büchner,* mit vielen andern Jünglingen seines Sinnes und Alters, in die politischen Bewegungen jener Zeit verwickelt. Der gegen ihn eingeleiteten Untersuchung entzog er sich im März 1835 durch seine Abreise nach Straßburg. Hier gab er entschieden die praktische Medizin auf, und widmete sich mit rastlosem Eifer dem Studium der neueren Philosophie. Besonders tief drang er in die Lehren von Cartesius und Spinoza ein. Eine gleiche Tätigkeit, die ihn häufig seine Arbeiten bis tief in die Nacht fortsetzen ließ, wendete er auf die Naturwissenschaften. Im Dezember 1835 begann er die Vorarbeiten für seine Abhandlung: »Sur le système nerveux du barbeau,« welcher er die Ernennung zum korrespondierenden Mitgliede der naturforschenden Gesellschaft zu Straßburg verdankte. Durch Einsendung derselben Abhandlung an die philosophische Fakultät zu Zürich erwarb er sich die philosophische Doktorwürde. Von den ausgezeichnetsten Kennern der Naturwissenschaften ist diese Schrift für eine meisterhafte Arbeit erklärt worden, die zu den höchsten Erwartungen berechtige. Gleich bedeutend kündigte er sich durch seine Probevorlesung und seine akademischen Vorträge über vergleichende Anatomie an der Hochschule zu Zürich an, wohin er sich am 18. Oktober vorigen Jahrs zu bleibendem Aufenthalte begeben hatte.

Aber nicht bloß die Natur, auch das reiche innere Leben der Menschen, ihre Leidenschaften und Neigungen, ihre Schwächen und Tugenden zogen ihn mächtig an, und was er mit scharfem Blicke aufgefaßt, gestaltete sich seinem produktiven Geiste zu poetischen Schöpfungen. Besonders hatte ihn das große Drama der neueren Zeit, die französische Revolution, lebhaft ergriffen. Er studierte gründlich die Geschichte derselben, und bemächtigte sich eines ihrer bedeutendsten Stoffe. In politische Untersuchungen verwickelt, unter mannigfachen Störungen und Beschäftigungen verschiedener Art, vollendete er in wenigen Wochen, während seines letzten Aufenthalts zu Darmstadt, sein dramatisches Werk: »*Dantons Tod;* dramatische Bilder aus der Zeit der Schreckensherrschaft.« Einer der strengsten und geistvollsten Kritiker Deutschlands bezeichnete dieses Drama als das Werk des Genies, und pries sich glücklich, der Erste zu sein, welcher das deutsche Publikum auf den so hervorragenden Geist aufmerksam mache. In Straßburg gab sodann *Büchner* sehr gelungene Übersetzungen der beiden Dramen Viktor Hugo's, *Lucrece Borgia* und *Marie Tudor,* heraus. In derselben Zeit und später zu Zürich vollendete er ein im Manuskript vorliegendes Lustspiel, *Leonce und Lena,* voll Geist, Witz und kecker Laune. Außerdem findet sich unter seinen hinterlassenen Schriften ein beinahe vollendetes Drama, sowie das Fragment einer Novelle, welche die letzten Lebenstage des so bedeutenden als unglücklichen Dichters *Lenz* zum Gegenstande hat. Diese Schriften werden demnächst im Druck erscheinen.

Der so reich begabte junge Mann war mit zu viel Tatkraft ausgerüstet, als daß er bei der jüngsten Bewegung im Völkerleben, die eine bessere Zukunft zu verheißen schien, in selbstsüchtiger Ruhe hätte verharren sollen. Durch seinen frühe gereiften Geist auf eine heitere Höhe gestellt, blieb er indessen in seinen politischen Ansichten von manchen Täuschungen frei, welchen sich die Jugend willig hinzugeben pflegt. Ein Feind jeder töricht unbesonnenen Handlung, die zu keinem günstigen Erfolge führen konnte, haßte er doch jenen tatenlosen Liberalismus, der sich mit seinem Gewissen und seinem Volke durch leere Phrasen abzufinden sucht, und war zu jedem Schritte bereit, den ihm die Rücksicht auf das Wohl seines Volkes zu gebieten schien. So haben denn in gleicher Weise die Wissenschaft, die Kunst und das Vaterland seinen frühzeitigen Verlust zu beklagen. Dieses Vaterland hatte er verlassen müssen, aber der Genius ist überall zu Hause. In Zürich hätte er eine zweite Heimat gefunden; dafür bürgt die Anerkennung, die ihm seine Talente erwarben, dafür die Teilnahme, die von so vielen der ausgezeichnetsten Bewohner dieser Stadt seinem Andenken am Tage der Beerdigung bezeigt wurde.

Keiner seiner Freunde hatte diesen Tag noch vor wenigen Wochen nahe geglaubt. Außer einigen leichten Unpäßlichkeiten war *Büchner* während seines Aufenthalts in Zürich stets gesund geblieben. Sein Äußeres schien mit seinem Innern in Harmonie zu stehen, und die breit gewölbte Stirne schien noch lange seinem umfassenden Geiste eine sichere Stätte zu sein. Doch mochte er selbst ein Vorgefühl seines frühen Endes haben. Wenigstens vergleicht er in einem hinterlassenen Tagebuche den Zustand seiner Seele mit einem Herbstabende, und schließt seine Bemerkung mit den Worten: »Ich fühle keinen Ekel, keinen Überdruß; aber ich bin müde, sehr müde. Der Herr schenke mir Ruhe!«

Am 2. Februar mußte er sich zu Bette legen, das er von jetzt an nur für wenige Augenblicke verließ. Trotz der Sorgfalt der Ärzte und der Pflege seiner Freunde machte die Krankheit unaufhaltbare Fortschritte, und bildete sich bald zum heftigen Nervenfieber aus. Am 12. Tage fingen die Delirien an. Der Gegenstand seiner Phantasien waren seine Braut, seine Eltern und Geschwister, deren er mit der rührendsten Anhänglichkeit gedachte, und das Schicksal seiner politischen Jugendgenossen, die seit Jahren in den Kerkern seiner Heimat schmachten. Wie vor seiner Krankheit, so sprach er jetzt in bitteren aber wahren Worten, die im Munde eines Sterbenden ein doppeltes Gewicht haben, über jene Schmach unserer Tage sich aus, über die verwerfliche Behandlung der politischen Schlachtopfer, die nach gesetzlichen Formen und mit dem Anschein der Milde in Jahre langer Untersuchungshaft gehalten werden, bis ihr Geist zum Wahnsinne getrieben und ihr Körper zu Tode gequält ist. »In jener französischen Revolution,« so rief er aus, »die wegen ihrer Grausamkeit so verrufen ist, war man milder als jetzt. Man schlug seinen Gegnern die Köpfe ab. Gut! Aber man ließ sie nicht Jahre lang hinschmachten und hinsterben.« Später jedoch, als ihm der Tod näher gerückt war, schien er sich bereits von allen irdischen Banden losgerissen zu haben, und mit gehobener Sprache, deren Worte die erhabensten Stellen der Bibel ins Gedächtnis riefen, ergoß sich seine Seele in religiöse Phantasien.

Auf die erste Nachricht von seiner Krankheit eilte seine Verlobte an das Krankenbett ihres Bräutigams. Die Nähe der Geliebten leuchtete freundlich in seine Träume hinein, und seine sichtbar freudige Bewegung weckte einen letzten Schimmer der Hoffnung bei denen, die ihm nahe standen. Aber es war nur ein kurzes Aufflackern des verglimmenden Lebens! Von Landsleuten und Freunden umgeben, starb er am 19. Februar, Nachmittags gegen 4 Uhr, und seine treue Braut schloß ihm das gebrochene Auge. Sein Verscheiden war schmerzlos und sanft, denn der Segen der Liebe ruhte auf ihm!

KARL GUTZKOW:
NACHRUF AUF GEORG BÜCHNER
⟨Juni 1837⟩

Ein Kind der neuen Zeit
Um die Wehmut zu verstehen, welche diesen Nachruf an einen früh vollendeten jungen deutschen Dichter durchbebt, denke man sich eine Freundschaft, die aus der Ferne, ohne persönliche Begrüßung, nur

durch wechselseitige Bestrebungen, durch gleiche Gesinnungen hervorgerufen, und durch das Band objektiver Ideale zusammengehalten wurde! Man wechselt Briefe und Zusprüche, man tauscht seine Zukunft aus und schüttet das reiche Füllhorn lachender, dreister Hoffnungen sich einander in den Schoß. Man spricht sich in trüben Stunden Mut zu und malt sich eine Wendung der Dinge aus, an welcher wir selbst vom Winde, der sich dreht, gefaßt werden dürften. Man hofft auf persönliche Begrüßung und gibt sich Kennzeichen, wenn man sich plötzlich begegnen sollte. Ein solcher Gemüt und Geist bewegender Verkehr dauert ein Jahr; da tritt eine kleine Pause ein, der Eine bestellt sein Haus, der Andre rüstet sich zu einer Reise und neuen Lebensbahn. Der Briefwechsel stockt. Man ist ohne Sorge über den still fortglimmenden Freundschaftsfunken und tritt eines Tages an einen Ort, wo sich das Echo der tausend Tagesgerüchte, der Irrtümer und der Verfolgungen in Zeitungen durchkreuzt. Man ergreift sorglos eine derselben und liest, daß der Freund, der hoffnungsvolle, strebende, mutige, schon seit Monaten hinübergegangen ist in das Reich des Friedens, sanft entschlummert im Arme einer Geliebten, ausgelöscht aus dem jungen Nachwuchsregister unsrer Hoffnungen, tot – ja mehr als tot – schon seit Monden *verstorben!*

So ging es mir mit *Georg Büchner,* einem strebenden Jünglinge aus dem nahen Darmstadt, dessen Freundschaft ich mir durch die Tat erworben hatte und der sie mir leistete mit vollem, ideenreichem Herzen, einer Knospe, deren Entfaltung ein herrliches Farbenspiel am Sonnenlicht gespiegelt hätte, die die volle Ahnung eines nicht bloß genießenden Frühlingslebens in sich trug, sondern auch das Versprechen eines durch außerordentliche Fähigkeiten gesicherten Gewinnes für seine Nation. Noch glaubt' ich einen jungen Titanen aus widerwärtigen Verhältnissen sich losringend zu wissen; und in dem Augenblicke barg ihn schon der kühle Schoß der Erde. Ich sah ihn seine Waffenrüstung zum Kampfe mit der Unbill der Zeiten schmücken – und schon schlummerte er in jenem ewigen Reiche des Friedens, wo die Widersprüche versöhnt und der Egoismus des Zeitalters in kalte Asche verwandelt ist. Mein Herz bebte vor Rührung. Ich kann jenes tiefe, grausame Weh verstehen, auf dem Totenbette mit seiner Liebe zum Leben und seinen Zukunftsträumen zu ringen, sich trennen zu müssen von dem Großen und Edlen, was man noch von sich bewahrheiten und bewähren wollte, und in jener Hand, die sich eben ausstreckte, um ein Reich des Ruhmes und der Ehre zu erobern, den lähmenden Tod zu fühlen! J⟨u⟩nger Kämpe, vielleicht warst du ergeben, als sich die Sinne und dein Bewußtsein lösten, vielleicht lächeltest du, schon verklärt über der Menschen ehrgeiziges Rennen und Treiben und dachtest selig, daß Alles eitel wäre und auch die Irrtümer, die du bekämpfen wolltest, ja selbst die Dichterträume, die wie Lorbeer schon auf deiner Stirne lagen, an der Pforte der Ewigkeit zerschellen und wie bunte Farben sich in Vergängliches auflösen. Vielleicht vermißtest du, schon im Vorhofe der Ewigkeit, den Nachruf deiner Freunde nicht. Aber dennoch sind sie ihn dir schuldig; sie müssen dein Andenken mit frischem Rasen belegen und einen Kranz von Immergrün um das bescheidne Kreuz hängen, welches deine Grabstätte bezeichnet. Du gehörtest in die Legion der edlen Streiter für die Sache des Jahrhunderts. Die Menschen, die du haßtest, sollen wissen, wer du warst; und die du liebtest, sollen hören, was sie an dir verloren haben.

In den letzten Tagen des Februar 1835, dieses für die Geschichte unsrer neuern schönen Literatur so stürmischen Jahres, war es, als ich einen Kreis von ältern und jüngern Kunstgenossen und Wahrheitsfreunden bei mir sahe. Wir wollten einen Autor feiern, der bei seiner Durchreise durch Frankfurt am Main nach Literatenart das Handwerk begrüßt und lange genug zurückgezogen gelebt hatte, um uns zu verbergen, daß er im Begriff war, Bücher herauszugeben, welche, ob sie gleich jüdischen Inhalts waren, dennoch von der evangelischen Kirchenzeitung kanonisiert werden sollten. Kurz vor Versammlung der Erwarteten erhielt ich aus Darmstadt ein Manuskript nebst einem Briefe, dessen wunderlicher und ängstlicher Inhalt mich reizte, in ersterem zu blättern. Der Brief lautete:

Mein Herr!
Vielleicht hat es Ihnen die Beobachtung, vielleicht, im unglücklicheren Fall, die eigne Erfahrung schon gesagt, daß es einen Grad von Elend gibt, welcher jede Rücksicht vergessen und jedes Gefühl verstummen macht. Es gibt zwar Leute, welche behaupten, man solle sich in einem solchen Falle lieber zur Welt hinaushungern, aber ich könnte die Widerlegung in einem seit Kurzem erblindeten Hauptmann von der Gasse aufgreifen, welcher erklärt, er würde sich totschießen, wenn er nicht gezwungen sei, seiner Familie durch sein Leben seine Besoldung zu erhalten. Das ist entsetzlich. Sie werden wohl einsehen, daß es ähnliche Verhältnisse geben kann, die Einen verhindern, seinen Leib zum Notanker zu machen, um ihn von dem Wrack dieser Welt in das Wasser zu werfen und werden sich also nicht wundern, wie ich Ihre Türe aufreiße, in Ihr Zimmer trete, Ihnen ein Manuskript auf die Brust setze und ein Almosen abfordere. Ich bitte Sie nämlich, das Manuskript so schnell als möglich zu durchlesen, es, im Fall Ihnen Ihr *Gewissen als Kritiker* dies *erlauben sollte*, dem Herrn S⟨auerländer⟩ zu empfehlen, und sogleich zu antworten.

Über das Werk selbst kann ich Ihnen nichts weiter sagen, als daß unglückliche Verhältnisse mich zwangen, es in höchstens fünf Wochen zu schreiben. Ich sage dies, um Ihr Urteil über den Verfasser, nicht über das Drama an und für sich, zu motivieren. Was ich daraus machen soll, weiß ich selbst nicht, nur das weiß ich, daß ich alle Ursache habe, der Geschichte gegenüber rot zu werden; doch tröste ich mich mit dem Gedanken, daß, Shakespeare ausgenommen, alle Dichter vor ihr und der Natur wie Schulknaben dastehen.

Ich wiederhole meine Bitte um schnelle Antwort; im Falle eines günstigen Erfolgs können einige Zeilen von Ihrer Hand, wenn sie noch

vor nächstem Mittwoch hier eintreffen, einen Unglücklichen vor einer
sehr traurigen Lage bewahren.

   Sollte Sie vielleicht der Ton dieses Briefes befremden, so bedenken
Sie, daß es mir leichter fällt, in Lumpen zu betteln, als im Frack eine
Supplik zu überreichen und fast leichter, die Pistole in der Hand: la
bourse ou la vie! zu sagen, als mit bebenden Lippen ein: Gott lohn' es!
zu flüstern.

G. Büchner

Dieser Brief, den ich abdrucke, um gleich ein Bild von der Aufregung
des Charakters zu geben, dessen Erinnerung wir feiern, den ich auch,
unbekümmert um seine noch lebenden, vermöglichen Eltern, abdruk-
ke, weil wir die kleine Affektation und das *unmotivierte* Elend darin
bald erklären werden, reizte mich, augenblicklich das Manuskript zu
lesen. Es war ein Drama: *Dantons Tod.* Man sahe es der Produktion an,
mit welcher Eile sie hingeworfen war. Es war ein zufällig ergriffener
Stoff, dessen künstlerische Durchführung der Dichter abgehetzt hatte.
Die Szenen, die Worte folgten sich rapid und stürmend. Es war die
ängstliche Sprache eines Verfolgten, der schnell noch etwas abzuma-
chen und dann sein Heil in der Flucht zu suchen hat. Allein diese Hast
hinderte den Genius nicht, seine außerordentliche Begabung in kurzen
scharfen Umrissen schnell, im Fluge, an die Wand zu schreiben. Alles,
was in dem lose angelegten Drama als Motiv und Ausmalung gelten
sollte, war aus Charakter und Talent zusammengesetzt. Jenes ließ diesem keine Zeit, sich breit und behaglich zu entwickeln; dieses aber auch
jenem nicht, nur bloß Gesinnungen und Extravaganzen hinzuzeichnen,
ohne wenigstens eine in der Eile versuchte Abrundung der Situationen
und namentlich der aus der köstlichsten Stahlquelle der Natur fließen-
den krystallhellen und muntern Worte. *Dantons Tod* ist im Druck
erschienen. Die ersten Szenen, die ich gelesen, sicherten ihm die gefälli-
ge, freundliche Teilnahme jenes Buchhändlers noch an dem bezeichneten Abend selbst. Die Vorlesung einer Auswahl davon, obschon von
diesem oder jenem mit der Be⟨m⟩erkung, dies oder das stände im
Thiers, unterbrochen, erregte Bewunderung vor dem Talent des jugendlichen Verfassers.

Kaum hatte *Georg Büchner* ein Resultat, so erfuhren wir, daß er auf
dem Wege nach Straßburg war. Ein Steckbrief im Frankfurter Journal
folgte ihm auf der Ferse. Er hatte in Darmstadt, vor seiner Familie
sogar, verborgen gelebt, weil er jeden Augenblick fürchten mußte, in
eine Untersuchung gezogen zu werden. Er war in jene unglückseligen
politischen Wirrnisse verwickelt, welche die Ruhe so vieler Familien
untergraben, so vielen Vätern ihre Söhne und Frauen ihre Gatten genommen haben. Ob ihn Verdacht oder eine vorliegende Beschuldigung
verfolgte, weiß ich nicht; man versicherte, daß er den Frankfurter Vorfällen nicht fremd gewesen. Vielleicht hatten ihn auch nur seine in
Straßburg früher fortgeführten Studien verdächtig gemacht. Jedenfalls

ergab sich, daß Büchner die Partie der Flucht *gern* ergriff. Er war mit einer jungen Dame in Straßburg versprochen; das Exil, für Andre eine Plage, war Wohltat für ihn. Er gestand mir ein, daß er die Teilnahme seiner (wahrscheinlich loyalen) Eltern durch seine tollkühnen Schritte auf eine harte Probe stelle, und daß er nicht den Mut hätte, diese abzuwarten. Dies spornte ihn an, sich selbst einen Weg zur bürgerlichen Existenz zu bahnen und von seinen Gaben die möglichen Vorteile zu ziehen. Daher das verzweifelnde Begleitungsschreiben des Danton: daher das Pistol und die unschuldige Banditenphrase: la bourse ou la vie!

Mehre der aus Straßburg an mich gerichteten Briefe Büchners sind mir im Augenblick nicht zur Hand. Ich hatte indessen große Mühe mit seinem *Danton.* Ich hatte vergessen, daß solche Dinge, wie sie Büchner dort hingeworfen, solche Ausdrücke sogar, die er sich erlaubte, heute nicht gedruckt werden dürfen. Es tobte eine wilde Sansćülottenlust in der Dichtung; die Erklärung der Menschenrechte wandelte darin auf und ab, nackt und nur mit Rosen bekränzt. Die Idee, die das Ganze zusammenhielt, war die rote Mütze. Büchner studierte Medizin. Seine Phantasie spielte mit dem Elend der Menschen, in welches sie durch Krankheiten geraten; ja die Krankheiten des Leichtsinns mußten ihm zur Folie seines Witzes dienen. Die dichterische Flora des Buches bestand aus ächten Feld- und Quecksilberblumen. Jene streute seine Phantasie, diese seine übermütige Satyre. Als ich nun, um dem Zensor nicht die Lust des Streichens zu gönnen, selbst den Rotstift ergriff, und die wuchernde Demokratie der Dichtung mit der Schere der Vorzensur beschnitt, fühlt' ich wohl, wie grade der Abfall des Buches, der unsern Sitten und unsern Verhältnissen geopfert werden mußte, der beste, nämlich der individuellste, der eigentümlichste Teil des Ganzen war. Lange zweideutige Dialoge in den Volksszenen, die von Witz und Gedankenfülle sprudelten, mußten zurückbleiben. Die Spitzen der Wortspiele mußten abgestumpft werden oder durch aushelfende dumme Redensarten, die ich hinzusetzte, krumm gebogen. Der *ächte Danton* von Büchner ist *nicht* erschienen. Was davon herauskam ist ein notdürftiger Rest, die Ruine einer Verwüstung, die mich Überwindung genug gekostet hat. An dem merkantilischen Titel jedoch: »dramatische Bilder aus Frankreichs Schreckensherrschaft« bin ich unschuldig. Diesen setzte der Verf. der fortgesetzten Döring'schen Phantasiegemälde darauf. Verklärter Geist, *hier* wasch' ich meine Hände in Unschuld!

Büchner schrieb im Sommer 1835 an mich:

»Straßburg.

Verehrtester!

Vielleicht haben Sie durch einen Steckbrief im Frankfurter Journal meine Abreise von Darmstadt erfahren. Seit einigen Tagen bin ich hier; ob ich bleiben werde, weiß ich nicht, das hängt von verschiedenen Umständen ab. Mein Manuskript wird unter der Hand seinen Kurs durchgemacht haben.

Meine Zukunft ist so problematisch, daß sie mich selbst zu interessieren anfängt, was viel heißen will. Zu dem subtilen Selbstmord durch *Arbeit* kann ich mich nicht leicht entschließen; ich hoffe, meine Faulheit wenigstens ein Vierteljahr lang fristen zu können, und dann sterbe ich mit meiner Geliebten.«

Der wilde Geist in diesem Briefe ist die Nachgeburt Dantons. Der junge Dichter muß seinen Thiers und Mignet loswerden; er verbraucht noch die letzten Reste auf seiner Farbenpalette, mit welcher er, wie der prosaische Titelgeber gesagt: die »dramatischen Bilder aus Frankreichs Schreckensherrschaft« gemalt hatte. Der Ausdruck ist ihm wichtiger als die Sache. Die revolutionäre Phraseologie reißt ihn hin, für sie nach idealen Unterlagen zu suchen. Er wird bald andere Ansichten haben und sich von jener Unruhe befreien, die man besonders dann spürt, wenn man eben vom Reisewagen absteigt. Der Puls schlägt öfter in der Minute, als man Gedanken für jeden Schlag hat. G. Büchner hörte bald auf, von gewaltsamen Umwälzungen zu träumen. Die zunehmende materielle Wohlfahrt der Völker schien ihm auch die Revolution zu verschieben. Je mehr jene zunimmt, desto mehr schwindet ihm eine Aussicht auf diese. Wir geben die Erinnerung an ein *Kind unsrer Zeit* und halten die Geständnisse *G. Büchners,* der, obschon deutscher Flüchtling, sich *nicht* der jeune Allemagne in der Schweiz, sondern der vieille Allemagne der Leibnitz, Wolf und Kant anschloß, für einen Beitrag zur modernen Kulturgeschichte.

Inzwischen hatte ich den erschienenen *Danton* nach Verdienst im Phönix gewürdigt. Büchners Bescheidenheit schmollte, daß ich ihn zu hoch gestellt; er käme in Verlegenheit, meine in seinem Namen gegebenen Versprechungen zu halten. Meine Kritik hatte aber noch eine andre Folge, die für unsre Zustände nicht uninteressant war. Ich erhielt nämlich aus der Schweiz einen anonymen Brief, der allem Anscheine nach von der dortigen jeune Allemagne herrührte und worin mir über mein Lob eines patriotischen Apostaten, wofür Büchner nun schon galt, die heftigsten Vorwürfe gemacht wurden. Es war zu gleicher Zeit der Neid eines Schulkameraden, der sich in dem Briefe aussprach. Den Verf., den ich wohl errate, ärgerte das einem ehemaligen Freund gespendete Lob und um seine kleinliche Empfindung zu verbergen, hüllte er sich in pädagogische Vorwände. Der geärgerte Schulkamerad schrieb: »Bei der unbedingtesten Gerechtigkeit, die ich Büchners Genie widerfahren ließ, ist es mir doch nie eingefallen, mich vor ihm in eine Ecke zu verkriechen.« Darauf folgte ein Erguß über die Eitelkeit, in der nun der Kamerad bestärkt werden würde, eine Versicherung, daß er Büchners *wahrer* Freund wäre und in einem Postskript – ob ich nicht eine Antikritik abdrucken wollte! Mir schien dies anonyme Treiben so verdächtig, daß ich Büchnern einen Wink gab und von ihm Aufklärung erhielt. Ich will die betreffende Stelle hersetzen; nicht, weil das ganze Verhältnis von Bedeutung ist; sondern weil ich darin eine Abspiegelung von Jugenderinnerungen sehe, die gewiß in vielen Lesern dieses Gedächtnisses auftauchen. Wer hätte nicht in Beziehungen gestanden, wo *bre-*

chen so schwer, fast unmöglich ist und wo man durch das freundschaft-
liche Verhältnis doch nicht erquickt, sondern im Gegenteil nur belä-
stigt wird, und mit Freuden jede Gelegenheit ergreift, sich mit *gutem
Grund* die Last abzuschütteln! Büchner antwortete: »Was Sie mir über
die Zusendung aus der Schweiz sagen, macht mich lachen. Ich sehe
schon, wo es herkommt. Ein Mensch, der mir einmal, es ist schon lange
her, sehr lieb war, mir später zur unerträglichen Last geworden ist, den
ich schon seit Jahren schleppe und der sich, ich weiß nicht aus welcher
verdammten Notwendigkeit, ohne Zuneigung, ohne Liebe, ohne Zutrauen an mich anklammert und quält und den ich wie ein notwendiges
Übel getragen hab⟨e⟩! Es war mir wie einem Lahmen oder Krüppel zu
Mut und ich hatte mich so ziemlich in mein Leiden gefunden. Aber
jetzt bin ich froh, es ist mir, als wäre ich von einer Todsünde absolviert.
Ich kann ihn endlich mit guter Manier vor die Türe werfen. Ich war
bisher unvernünftig gutmütig, es wäre mir leichter gefallen ihn totzuschlagen, als zu sagen: Pack dich! Aber jetzt bin ich ihn los! Gott sei
Dank! Nichts kommt Einem doch in der Welt teurer zu stehen, als die
Humanität.«

Weil sich Büchner mit allen Kräften auf eine akademische Stellung
vorbereitete, so konnte er seine Mußezeit nur leichten Arbeiten widmen. Er übersetzte in der Serie von *Victor Hugos Werken* die Tudor
und Borgia mit ächt dichterischer Verwandtschaft zu dem Originale.
Einen seiner Briefe, wo er die Schwächen Victor Hugos mit seinem
Auge musterte, kann ich leider nicht wiederfinden. Alfred de Musset
zog ihn an, während er nicht wußte, »wie er sich durch V. Hugo durch-
nagen« solle, Hugo gäbe nur »aufspannende Situationen« A. de Musset
aber doch »Charaktere, wenn auch ausgeschnitzte«. Wie wenig er auch
arbeitete und erklärte, für den Danton, der so hurtig zu Stande gekommen, wären »die NN'schen Polizeidiener seine Musen gewesen«; so
trug er sich doch mit einem Lustspiele, wo *Lenz* im Hintergrund stehen
sollte. Er wollte viel Neues und Wunderliches über diesen Jugendfreund Göthes erfahren haben, viel Neues über Friederiken und ihre
spätere Bekanntschaft mit Lenz. Ich höre, daß sich in seinem Nachlasse
Einiges von der Ausarbeitung dieses Stoffes vorgefunden haben soll.
Möchte es in fromme Hände gekommen sein, die es durch geordnete
Herausgabe zu ehren wissen!

   Die *deutsche Revue,* welche von Wienbarg und mir herausgegeben
werden sollte, ließ eine interessante Geschichte ihres Auf- und Unter-
ganges zu. Ich hatte Lust, sie unter dem Titel: *Lebenslauf eines Embryo*
herauszugeben, wollte aber diskreter sein als die noblen Herren waren,
die darin hätten aufgeführt werden müssen. Die Materialien liegen jedoch geordnet dazu da, .autographisches Zeug, von welchem bei den
Protestationen nur das *Unter*futter, welches man plötzlich herauskehr-
te, sichtbar wurde. *G. Büchner* sprach dem Unternehmen Mut zu. Er
wollte hülfreiche Hand leisten. Seine Motive zu dem Glauben an einen
guten Fortgang sind aber zu persönlich, als daß ich sie wiedergeben

könnte. Die auf mich hereinbrechenden Wallystürme machten dem sorglosen Streben für eine Sache, die in ihrem Grunde besser war, als ihr öffentlicher Widerschein, ein frühes Ende. Allein auch in Mannheim blieb Georg Büchner dem Freunde treu. Seine Besorgnis irrte um die Haft, welche ihn traf, wie eine Braut umher. Er wandte List über List an, um ihm zu raten und gleichsam aus der Ferne mit einem Tuche zu winken. Er kannte die Lokalität und schilderte sie mit einer Einbildungskraft, als wär' er selbst zugegen. Wär' ich seinem ängstlichen Mißtrauen gefolgt, so würd' ich ihm, dem frühvollendeten, vielleicht mit eigner Hand Züricher Erde als frommen leidtragenden Tribut der Freundschaft auf seinen Sarg nachgeworfen haben.

Büchners späte Briefe beschäftigen sich meist mit seinen Zukunftsplänen. Sein Herz war gefesselt, er suchte eine Existenz, als *Schmied* seines Glückes. Er hatte die Medizin verlassen und sich auf die abstrakte Philosophie geworfen. Er schrieb (wie gewöhnlich ohne Datum)

»Straßburg.

Lieber Freund!

War ich lange genug stumm? Was soll ich Ihnen sagen? Ich saß *auch* im Gefängnis und im langweiligsten unter der Sonne, ich habe eine Abhandlung geschrieben in die Länge, Breite und Tiefe. Tag und Nacht über der ekelhaften Geschichte, ich begreife nicht, wo ich die Geduld hergenommen. Ich habe nämlich die fixe Idee, im nächsten Semester zu Zürich einen Kurs über die Entwicklung der deutschen Philosophie seit Cartesius zu lesen; dazu muß ich mein Diplom haben und die Leute scheinen gar nicht geneigt, meinem lieben Sohn Danton den Doktorhut aufzusetzen.

Was war da zu machen?

Sie sind in Frankfurt, und unangefochten?

Es ist mir leid und doch wieder lieb, daß Sie noch nicht im Rebstökkel, (Straßburger Gasthof) angeklopft haben. Über den Stand der modernen Literatur in Deutschland weiß ich so gut als nichts; nur einige versprengte Broschüren, die, ich weiß nicht wie, über den Rhein gekommen, fielen mir in die Hände.

Sie erhalten hiermit ein Bändchen Gedichte von meinem Freunde Stöber. Die Sagen sind schön, aber ich bin kein Verehrer der Manier à la Schwab und Uhland und der Partei, die immer rückwärts ins Mittelalter greift, weil sie in der Gegenwart keinen Platz ausfüllen kann. Doch ist mir das Büchlein lieb; sollten Sie nichts Günstiges darüber zu sagen wissen, so bitte ich Sie, lieber zu schweigen. Ich habe mich ganz hier in das Land hineingelebt; die Vogesen sind ein Gebirg, das ich liebe wie eine Mutter, ich kenne jede Bergspitze und jedes Tal und die alten Sagen sind so originell und heimlich und die beiden Stöber sind alte Freunde, mit denen ich zum Erstenmal das Gebirg durchstrich. Adolph hat unstreitig Talent, auch wird Ihnen sein Name durch den Musenalmanach bekannt sein. August steht ihm nach, doch ist er gewandt in der Sprache.

Die Sache ist nicht ohne Bedeutung für das Elsaß, sie ist einer von den seltnen Versuchen, die noch manche Elsässer machen, um die deutsche Nationalität Frankreich gegenüber zu wahren und wenigstens das geistige Band zwischen ihnen und dem Vaterland nicht reißen zu lassen. Es wäre traurig, wenn das Münster einmal ganz auf fremdem Boden stünde. Die Absicht, welche zum Teil das Büchlein erstehen ließ, würde sehr gefördert werden, wenn das Unternehmen in Deutschland Anerkennung fände und von der Seite empfehle ich es Ihnen besonders.

Ich werde ganz dumm in dem Studium der Philosophie; ich lerne die Armseligkeit des menschlichen Geistes wieder von einer neuen Seite kennen. Meinetwegen! Wenn man sich nur einbilden könnte, die Löcher in unsern Hosen seien Palastfenster, so könnte man schon wie ein König leben, so aber friert man erbärmlich.«

Dies Ganze ist die Zusammensetzung zweier Briefe, der letzte Teil ist älter, als der erste. Der Umzug nach Zürich brachte eine momentane Störung hervor. Die Habilitation beschäftigte Büchner, der übermäßig arbeitete; ich drang auf keine Nachrichten, weil ich hoffte, die Zürcher Niederlassung würde gute Wege haben. Inzwischen erkrankte Büchner und starb.

Beweisen nicht schon diese von mir mitgeteilten Brieffragmente, um welch einen reichen Geist mit ihm unsre Nation gekommen ist? Alles, was er berührte, wußte er in eine bedeutsame Form zu gießen. Er hatte die Rede und den Gedanken stets in gleicher Gewalt und wußte mit einer an jungen Gelehrten so *seltenen* Besonnenheit, seine Ideen abzurunden und zu krystallisieren. Seine Inaugurationsabhandlung wird als ein seltner Beleg von Gelehrsamkeit und Scharfsinn gerühmt; wie es denn nichts geben kann, was dem Denker mehr einen Erfolg sichert, als eine solche Freiheit des Geistes, eine solche dilettantische Unbefangenheit von Vorurteilen, wenn sie sich einmal auf einen gegebenen Stoff wirft und eine Tradition toter Fakultätsbegriffe in ihrer lebendigen Weise prüft und sichtet. Büchner würde, wie Schiller, seine Dichterkraft durch die Philosophie geregelt und in der Philosophie mit der Freiheitsfackel des Dichters die dunkelsten Gedankenregionen gelichtet haben. Alle diese Hoffnungen knickte der Sturm. Ein frühes Grab war der Punkt, in welchen sich all die frischen, kühnen Perioden, die wir von einem Jünglinge in diesen Mitteilungen gelesen haben, enden sollten. In dem Trotze, der aus diesem Charakter sprach, lachte der Tod. Der Friedensbogen, der sich über diese gärende Kampfes- und Lebenslust zog, war die Sense des Schnitters, von welcher so frühe gemäht zu werden, uns schmerzlich und fast mit einem gerechten Scheine die Unbill des Schicksals anklagen läßt. Könnt' ich diese Erinnerungsworte ansehen, als in Stein und nicht in Sand gegraben, daß sie vom Winde nicht verweht werden! Könnt' ich in künftigen Darstellungen unsrer Zeit, wie sie war, rang, litt und hoffte, wenigstens den Namen: *Georg Büchner* in der Zahl derjenigen, welche durch ihr Leben und ihr Arbeiten die Entwicklung unsrer Übergangsperiode bezeichnen, dauernd und mit goldnem Scheine erhalten! Wenn die Flut der Vergessenheit über uns Alle kömmt, möcht' er einer der ersten sein, von welchen, wenn der Zorn Gottes verronnen ist, ein grünes Blatt die Friedenstaube in die Arche der dann entscheidenden Gerechtigkeit trägt!   K. G.

JOHANN JAKOB TSCHUDI AN FRANZOS
⟨*Wien, 14. November 1877*⟩

⟨...⟩ Daß Büchner ein *Collegium* über vergleich. Anatomie las, das von 20 Studenten besucht worden sein soll, ist mir nicht bekannt. Bei den genauen Angaben, die Dr. Lüning über Büchners Vortrag machte und deren Richtigkeit ich vollkommen anerkenne, scheint es mir kaum zweifelhaft, daß er wirklich ein Collegium las; ich habe in meiner kurzen Aufzeichnung vom Privatissimum gesprochen, das nur von drei Hörern u. zuletzt von mir allein besucht wurde. Da Büchner⟨s⟩ Zimmer nicht groß war, und er das Priv. auf seinem Zimmer las, so schließt das schon eine Anzahl von 20 Zuhörern aus. Sein Arbeitstisch stand am Fenster und demselben schief gegenüber an der entgegengesetzten Wand sein Bett. Ich kann Ihnen noch den Situation⟨s⟩plan des Zimmers angeben:

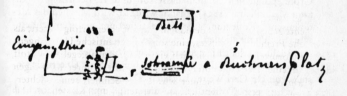

⟨...⟩ Dr. Lünings Angaben, daß die Deutschen Studenten einen förmlichen Wachtdienst an Büchners Krankenbett hielten, sowie daß Dr. Zehnder u Schoenlein den Kranken behandelten sind ganz richtig. Gerade damals war ich täglich in Schoenleins Haus um ihm eine Sendung von Reptilien, vorzüglich Schlangen, die er von einem seiner ehemaligen Schüler aus Ostindien erhalten hatte, zu bestimmen und erhielt Tag für Tag von dem berühmten Arzte trostlosere Nachrichten über Bs Befinden. ⟨...⟩

(Hauschild, Büchner, S. 395 f.)

ZEITTAFEL

(Vgl. die jeweiligen Kommentarabschnitte zur Entstehung der Werke, dazu die ausführliche Chronik bei Mayer III, S. 357–425 sowie Poschmann, Büchner, S. 287–296 und Mayer, Almanach, S. 163–167)

1813 17. Oktober: Carl Georg Büchner wird in Goddelau (südwestlich von Darmstadt, Großherzogtum Hessen-Darmstadt) geboren. Vater: Dr. Ernst Karl Büchner (1786–1861), Mediziner, Amtschirurg in Goddelau, ab 1816 Medizinalassessor in Darmstadt, stammt aus einer Familie im Odenwald, in der seit dem 16. Jahrhundert der Beruf des ›Baders‹ oder ›Chirurgus‹ häufig ist. Mutter: Caroline Büchner, geb. Reuß (1791–1858), aus landgräflich-hessischer Beamtenfamilie. Geschwister: 1. Mathilde (1815–88), 2. Wilhelm (1816–92), Pharmazeut, Inhaber einer chemischen Fabrik, Abgeordneter im hessischen Land- und im deutschen Reichstag, politische Schriften. 3. Luise (1821–77), Schriftstellerin und Frauenrechtlerin. 4. Ludwig (1824–99), Arzt; sein Buch ›Kraft und Stoff‹ machte ihn als Vertreter des Materialismus populär. 5. Alexander (1827–1904), 1848 deutscher Revolutionär, ging nach Frankreich und wurde in Caën Literaturprofessor.

1816 Übersiedlung der Familie nach Darmstadt, wo der Vater vom Großherzoglichen Medizinalassessor und II. Bezirks-Physikus zum Medizinalrat (1825) ernannt wird. Er wird Mitglied des Medizinischen-Kollegiums (1832), praktiziert und veröffentlicht einschlägige Publikationen.

1819–22 Büchner erhält Elementarunterricht von seiner Mutter.

1822 Ostern: Eintritt in die ›Privat-Erziehungs- und Unterrichtsanstalt‹ von Dr. Carl Weitershausen in Darmstadt.

1823 25. März: erstes öffentliches Auftreten; zum Klassenabschluß Vortrag eines Dialogs in lateinischer Sprache zusammen mit einem anderen Schüler: »Vorsicht bei dem Genusse des Obstes!«

1825 26. März: Eintritt in das humanistische Gymnasium (»Pädagog«) zu Darmstadt (II. Klasse 2. Ordnung = Tertia). Direktor wird ein Jahr später der Altphilologe Carl Dilthey (1797–1857), Subkonrektor ist Deutschlehrer Karl Baur (1788–1877).
Juli/August: *Fragment einer Erzählung, dem Vater zugedacht* (S. 9). Büchner schreibt im Deutsch-, Latein- und Geschichtsunterricht Diktataufsätze: »Lebensbeschreibung Ulrichs von Hutten«, »Lebensbeschreibung des Epaminondas«, »Über die Freundschaft«, »Geschichte des Messenischen Krieges«.

1826 Ostern: Versetzung nach Sekunda.

1827 Herbst: Versetzung nach Prima.

1828 Frühjahr: Teilnahme an einem zunächst literaturbegeisterten, dann auch politisch-oppositionellen Schülerzirkel, in dem sich spätere Mitglieder der Gießener wie der Darmstädter ›Gesellschaft für Menschenrechte‹ treffen (1834).

August (vor dem 19.): Gedicht zum Geburtstag der Mutter *Gebadet in des Meeres blauer Flut* (S. 10).

Weihnachten: Das Gedicht *Leise hinter düstrem Nachtgewölke* (S. 12).

1829 Herbst/Wintersemester 1829/30: Heldentod-Rede. Versetzung nach Selekta.

1830 29. September: *Rede zur Verteidigung des Kato von Utika* (S. 27), gehalten auf einem Gymnasial-Redeaktus in Darmstadt.

Sommer oder 1831: Rezension eines Mitschüleraufsatzes über den Selbstmord (S. 34).

1831 30. März: nicht erhaltene Rede in lateinischer Sprache (»G. Büchner mahnt im Namen des Menenius Agrippa das auf dem heiligen Berg gelagerte Volk zur Rückkehr nach Rom«), gehalten zur Schlußfeier des Gymnasiums.

Sommer: Im medizinischen Labor des Vaters Vorbereitungen auf das Studium.

5. September: Büchners Vater ersucht um Erlaubnis zum Studium des Sohnes in Straßburg.

2. November: Büchner trifft in Straßburg ein, wo Verwandte der Mutter leben.

9. November: Immatrikulation an der medizinischen Fakultät in Straßburg. Büchner wohnt in der Rue St. Guillaume Nr. 66, bei Pfarrer Johann Jakob Jaeglé, mit dessen Tochter Luise Wilhelmine, ›Minna‹ (1810–80), er sich vermutlich 1832 verlobt.

17. November: Anschluß an den Kreis um die Theologen/Dichter August und Adolf Stoeber, die Studentenverbindung ›Eugenia‹. Weitere enge Freunde dieser Zeit sind: Eugen Boeckel, Johann Wilhelm Baum, Alexis Muston. Dozenten Büchners sind u. a. der Anatom und Zoologe Georges Louis Duvernoy und Ernst Alexander Lauth, Physiologe.

4. Dezember: Einzug des polnischen Generals und Freiheitskämpfers Ramorino in Straßburg. Büchner nimmt an einem Empfang für die polnischen Freiheitskämpfer teil. Brief an die Eltern.

1832 24. Mai: Vortrag Büchners in der ›Eugenia‹ über die politischen Verhältnisse in Deutschland. (Drei Tage später findet das ›Hambacher Fest‹ statt).

August/September/Oktober: Semesterferien in Darmstadt.

1833 3. April: Frankfurter Wachensturm, den Büchner in einem Brief an die Eltern kommentiert (Brief Nr. 9).

Auseinandersetzung mit französischer Gesellschafts- und Revolutionstheorie: Neobabouvismus (Blanqui) und Saint-Simonismus.

Juni: Büchner schreibt an die Eltern (Brief Nr. 12), daß er sich
nicht in »revolutionäre Kinderstreiche« einlassen werde, vertritt
aber die Meinung, daß eine gewaltsame Auseinandersetzung nötig
sei, um die sozialen und politischen Probleme zu lösen.

25. Juni–Anfang Juli: Wanderungen (mit dem Verwandten Reuss
und Freunden) durch die Vogesen.

August: Rückkehr Büchners nach Darmstadt, um das Studium
gemäß den hessischen Gesetzen abzuschließen.

Semesterferien in Darmstadt; Besuch des Freundes Alexis Muston.

31. Oktober: Immatrikulation als Medizinstudent an der Universität Gießen. Büchner wohnt im Seltersweg Nr. 46 bei Rentamt-
mann Bott. Sein Lehrer ist vor allem der Anatom Wernekinck; in
Gießen unterrichten zu der Zeit u. a. Justus von Liebig und der
Anatom Wilbrand.

November: Anfall von Hirnhautentzündung, die unterdrückt
wird. Büchner kehrt nach Darmstadt zurück und unterbricht das
Studium.

1834 Anfang Januar: Fortsetzung des Studiums in Gießen. Sein Freund
August Becker macht ihn mit dem Rektor in Butzbach Friedrich
Ludwig Weidig (1791–1837) bekannt, der Verbindung zu den verschiedenen Oppositionsbewegungen in Süddeutschland unterhält
und die illegale Flugschrift ›Leuchter und Beleuchter für Hessen‹
herausgibt.

Februar: Psychosomatische Krise. Studium der Geschichte der
Französischen Revolution.

6.–8. März: Haftentlassung mehrerer Wachenstürmer, danach mit
ihnen Gründung der ›Gesellschaft der Menschenrechte‹ in Gießen
nach dem Vorbild der frz. ›Société des Droits de l'homme et du
citoyen‹. Mitglieder neben Büchner und Becker: u. a. Karl Minnigerode, Jakob Friedrich Schütz und Gustav Clemm. Vermutlich
unmittelbar nach dem

9.–12. März schreibt Büchner den ›Fatalismus‹-Brief an Minna
Jaeglé (Nr. 21). Etwa zwischen dem

13. und 25. März schreibt Büchner den Entwurf des *Hessischen
Landboten*.

Ende März bis etwa Mitte April: Osterbesuch bei Minna Jaeglé in
Straßburg.

April: Büchner eröffnet eine Sektion der ›Gesellschaft der Menschenrechte‹ in Darmstadt.

28. April: Beginn der Vorlesungen des Sommersemesters in Gießen.

Mai: Überarbeitung der Flugschrift durch Weidig, die den Titel
Der Hessische Landbote und einen »Vorbericht« (S. 40) erhält.

3. Juli: Versammlung hessen-darmstädtischer und kurhessischer
Republikaner auf der Ruine Badenburg zwischen Gießen und

Marburg zu Fragen der Flugschriftenagitation. Weidig setzt sich mit der Linie seiner Bearbeitung des *Landboten* (s. S. 443 und S. 448 ff.) gegen Büchner durch.

5.–9. Juli: Büchner und ein weiteres Mitglied der ›Gesellschaft der Menschenrechte‹ bringen das von Weidig veränderte Manuskript der Flugschrift zum Druck nach Offenbach.

31. Juli: Minnigerode, Schütz und Karl Zeuner holen in Offenbach die gedruckten Exemplare des *Landboten* ab, um sie zu verteilen.

1. August: Verhaftung Minnigerodes mit 139 Exemplaren des *Landboten*, Denunziation durch den Spitzel Johann Konrad Kuhl. Büchner warnt Zeuner, Weidig und Schütz in Butzbach, Offenbach und Frankfurt. Nach der Rückkehr nach Gießen findet er seinen Schrank versiegelt und seine Papiere durchsucht (4./5. August).

Etwa Anfang September: Büchner geht, während die nicht konfiszierten Exemplare des *Hessischen Landboten* weiterverbreitet werden, nach Darmstadt und reorganisiert die dortige Sektion der ›Gesellschaft der Menschenrechte‹.

September: Besuch der Braut in Darmstadt.

Ab Oktober: Büchner arbeitet in einem Laboratorium des Vaters, beschäftigt sich u. a. mit Rousseau, Tennemanns Philosophiegeschichte und verschiedenen Darstellungen der Französischen Revolution.

Oktober bis Dezember: Konspirative Tätigkeiten der ›Gesellschaft der Menschenrechte‹, verschiedene Kontakte zwischen den Gießener und Darmstädter Sektionen; in Darmstadt Waffenübungen, Befreiungspläne für die politischen Häftlinge, Geldsammlungen für eine eigene Druckerpresse zur Fortsetzung der Flugschriftenagitation; Büchner verfaßt (nicht erhaltene) Grundsatzpapiere für die ›Gesellschaft‹, entleiht vermutlich in diesem Zusammenhang wie auch bereits für das geplante Drama mehrere Werke zur Französischen Revolution aus der Darmstädter Hofbibliothek. Der Versuch, Minnigerode aus dem Gefängnis zu befreien, scheitert.

November: veränderte Neuauflage des *hessischen Landboten* in Marburg (s. S. 446).

1835 Januar: Verhöre vor den Untersuchungsrichtern in Offenbach und Friedberg.

Mitte Januar: Beginn der Niederschrift von *Dantons Tod*.

21. Februar: Büchner schickt das Danton-Manuskript an den Verleger Sauerländer und dessen Redakteur Karl Gutzkow in Frankfurt am Main. Eine Woche später erhält er eine Vorladung vom Darmstädter Untersuchungsrichter.

Anfang März: Flucht aus Darmstadt.

um den 6. März: Büchner flieht über die französische Grenze.

9. März: Büchner trifft in Weißenburg ein. In Straßburg verschie-

dene Wohnungen und/oder Deckadressen. Kontakte mit politischen Flüchtlingen aus Hessen während des ganzen Jahres.

26. März – 7. April: gekürzter Vorabdruck des *Danton* in der Frankfurter Tageszeitung ›Phönix‹, dessen Literatur-Blatt Gutzkow leitet.

April: zahlreiche Verhaftungen von Freunden Büchners im Großherzogtum und Kurfürstentum Hessen.

Mai: Erste Pläne zur Erzählung *Lenz*, Arbeit daran im Verlauf des Jahres, vor allem im Oktober. Bis Juni auch Arbeit an den Übersetzungen von Victor Hugos ›Lucrèce Borgia‹ und ›Marie Tudor‹.

18., 23. und 27. Juni: Steckbrief Büchners wegen »Teilnahme an staatsverräterischen Handlungen« im ›Frankfurter Journal‹ und in der ›Großherzoglich Hessischen Zeitung‹ (Darmstadt).

Juli: *Dantons Tod* erscheint in verstümmelter Form als Buch bei Sauerländer. Abschluß der Victor-Hugo-Übersetzungen ›Lucretia Borgia‹ und ›Maria Tudor‹.

Oktober: Erscheinen der Hugo-Übersetzungen ebenfalls bei Sauerländer. Erste Pläne »zu einer Abhandlung über einen philosophischen oder naturhistorischen Gegenstand« als Voraussetzung einer Dozentur in Zürich.

Winter: naturwissenschaftliche und philosophische Studien. Büchner schreibt seine Untersuchung über das Nervensystem der Barben. Er wohnt in Straßburg in der Rue de la Douane Nr. 18. Umgang mit alten Freunden und dem politischen Autor Wilhelm Schulz und dessen Frau Caroline.

Vermutlich ab November oder später: Arbeit an philosophischen Vorlesungsskripten über Griechische Philosophie, Descartes und Spinoza. Dezember (spätestens): Vorarbeiten, d. h. Fischpräparationen, für das ›Mémoire‹ (s. 13. April 1836).

1836 16. Januar: erste Ausschreibung der Lustspiel-›Preisaufgabe‹ des Cotta-Verlags in der Augsburger ›Allgemeinen Zeitung‹ (S. 563).

13., 20. April, 4. Mai: Büchner trägt seine Abhandlung *Mémoire sur le système nerveux du barbeau* auf den Sitzungen der Straßburger Gesellschaft ›Société d'histoire naturelle‹ in drei Teilen vor. Er wird am 18. Mai als korrespondierendes Mitglied in die Gesellschaft aufgenommen. Die Arbeit erscheint in den ›Mémoires‹ der Gesellschaft.

Juni: bis zum endgültig auf den 1. Juli festgelegten Abgabetermin für den Lustspielwettbewerb (s. 16. Januar) Arbeit an einer ersten Fassung von *Leonce und Lena*, die jedoch wegen Verspätung nicht mehr zur Konkurrenz zugelassen wird.

Spätsommer bis Mitte Oktober: Fortsetzung der Arbeit an *Leonce und Lena* und *Woyzeck*. Besuch der Mutter und seiner Schwester Mathilde in Straßburg. Büchner bereitet eine Vorlesung »Über die Entwicklung der deutschen Philosophie seit Cartesius« in Zürich vor (vgl. November 1835).

3. September: Aufgrund der Untersuchung über das Nervensystem der Barben wird Büchner von der Universität Zürich zum Dr. phil. promoviert.

22. September: Antrag auf Papiere zur Einreise in die Schweiz.

26. September: Antrag auf Zulassung zu einer öffentlichen Probevorlesung in Zürich.

18. Oktober: Abreise aus Straßburg nach Zürich.

24. Oktober: Büchner wohnt in der Spiegelgasse Nr. 12, im Haus des liberalen Regierungsrats und Dr. med. Zehnder, wo außer dem mit Büchner bereits seit 1835 eng befreundeten hessischen Emigrantenehepaar Caroline und Wilhelm Schulz noch mehrere andere politische Flüchtlinge wohnen.

5. November: Büchner hält an der Universität Zürich seine Probevorlesung *Über Schädelnerven*, er wird zum Privatdozenten ernannt und offiziell in die Fakultät aufgenommen.

November bis Ende Januar: Büchner hält sein erstes Kolleg (»Zootomische Demonstrationen«), knüpft Kontakte zu den Mitgliedern der Fakultät (Lorenz Oken, Friedrich Arnold, Johann Lukas Schönlein u. a.), arbeitet weiter an seinen Dramen *Leonce und Lena*, *Woyzeck* und vermutlich *Pietro Aretino* (verschollen).

26. November: vorläufige Asyl-Aufenthaltsgenehmigung für 6 Monate im Kanton Zürich.

1837 Ende Januar: Plan zur Veröffentlichung der drei Dramen. Anmietung eines großen Zimmers am Zürichsee.

2. Februar: Büchner erkrankt plötzlich.

14. Februar: Schönlein diagnostiziert Typhusinfektion. Der Zustand verschlechtert sich zusehends.

17. Februar: Minna Jaeglé trifft in Zürich ein.

19. Februar: Büchner stirbt nachmittags gegen 4 Uhr.

21. Februar: Begräbnis auf dem Zürcher Friedhof am Zeltberg, dem ›Krautgarten‹–Friedhof der Großmünstergemeinde.

KOMMENTAR

POETISCHE MISZELLANEEN

Vorbemerkung

Georg Büchners Arbeiten aus seiner Schulzeit sind von der Forschung bisher mehr oder minder stark vernachlässigt worden. Erst im Rahmen der Erforschung der Geschichte des Deutschunterrichts sowie seiner Beziehung zum Latein- und Rhetorikunterricht sind die Aufsätze und Reden aus B.s Schuljahren in den Blickpunkt des Interesses geraten. Vgl. dazu S. 437.

Sämtliche bisherigen Ausgaben haben aus dem, was aus B.s Schul- und Entwicklungsjahren an poetischen und rhetorischen Versuchen überliefert ist, ausgewählt – mit dem freilich nur begrenzt gültigen Argument, daß vieles davon, insbesondere die Glossen und poetischen Notizen in B.s Schulheften, lediglich für die Geschichte des Deutschunterrichts von Bedeutung sei, zur Erkenntnis der Entwicklung B.s jedoch kaum etwas beitragen könne. Einige der kleineren Texte teilte bereits Bergemann im Anhang seiner kritischen Ausgabe von 1922, in der die hier abgedruckten Miszellaneen erstmals veröffentlicht wurden, mit. Auch die vorliegende Ausgabe druckt nur einige Beispiele aus den inzwischen bekannt gewordenen Schülerschriften im Kommentar ab (S. 437ff.).

Zu einer kleinen ›Forschungs‹-Kontroverse führte der überlieferte Dreizeiler, der in dieser Ausgabe mit gutem Grund ebenfalls hier im Kommentar – und nicht im Textteil – wiedergegeben wird.

> »Boire sans soif et faire l'amour en
> tout temps, il n'y a que ça qui
> nous distingue des autres bêtes.
>   Georg Büchner.«

Unter dem Titel ›Boire sans soif … in Zürich oder: Büchner Miszellen‹ wird im Georg Büchner Jahrbuch 1 (1981), S. 214–220, der Fall beschrieben: »Die Deutsche Vierteljahrsschrift des Jahrgangs 1978 enthält zwei Büchner-Miszellen von Richard Thieberger (Heft 3, S. 521) und hierauf bezüglich von Peter Michelsen (Heft 4, S. 691), die beide gleichermaßen und in vieler Hinsicht, wenn auch en miniature, symptomatisch für den gegenwärtigen Zustand der Büchner-Forschung sind. Thieberger teilt einen Text mit, der seit mehr als einem halben Jahrhundert in der kritischen Ausgabe Bergemanns von 1922 (S. 765, Anm. 1) gedruckt vorliegt, und der seit Jahren als wörtliches Zitat aus Beaumarchais, ›Figaro‹ (II, 21) nachgewiesen ist.« (Georg Büchner Jahrbuch 1, S. 214).

Thieberger bietet eine gegenüber Bergemann korrektere Zitation (in »ça« statt »ce«). Michelsen hat darauf aufmerksam gemacht, daß der Text nicht von B. stammt, wie Bergemann und Thieberger angenommen hatten, sondern ein wörtliches Zitat aus Beaumarchais, ›Le mariage de Figaro‹ II, 21 darstellt. Michelsen versäumt aber, darauf hinzuweisen, daß fünf Jahre zuvor bereits Maurice B. Benn den Sachverhalt aufgeklärt hat.

Der Text wurde weder in der Gießener noch in der Straßburger Studienzeit B.s, sondern aller Wahrscheinlichkeit nach 1836/37 auf einem Formular (Inscriptions-Liste) der Universität Zürich von B. notiert: »⟨...⟩ spricht alles für den Dozenten Büchner, der 1836/37 einen bald außer Gebrauch gekommenen, da vielleicht ⟨...⟩ gründungsperfektionistischen Vordruck als Schmierpapier verwendete.« Aber: »Streng genommen wissen wir trotz aller Miszellen (einschließlich der vorliegenden) nicht mehr und nicht weniger, als daß Büchner 1836/37 in Zürich eine Stelle aus Beaumarchais, ›Figaro‹ aufschreibenswert fand und daß dieses Zitat selbst einer bestimmten Richtung des französischen Materialismus zuzuordnen ist oder aber diesen seinerseits karikiert.« (Georg Büchner Jahrbuch 1, S. 220).

Karl Walther, ein Mülhauser Heimatforscher, der den ›Fond littéraire‹ der Stoebers gesichtet hatte (›Die Brüder Stoeber. Zwei Vorkämpfer für das deutsche Volkstum im Elsaß des 19. Jahrhunderts‹, Kolmar im Elsaß 1943), beschreibt einige Büchneriana, die später, auch bei den umfangreichen Recherchen durch Thomas M. Mayer, nicht wieder aufgetaucht sind. »Karl Walther verdanken wir immerhin die Auffindung und Beschreibung jenes in Leder gebundenen Freundschaftsalbums, August Stoebers Souvenir d'amitié, das neben diversen blütenkranzgeschmückten Eintragungen eben auch ein paar eigenhändige Zeilen von Georg Büchner enthält. Bis eine erneute Nachforschung dieses Albumblatt für uns möglicherweise wiederentdeckt, solange werden die Büchner-Exegeten gebeten, mit dem hier (in diplomatischer Wiedergabe von Karl Walthers möglicherweise modernisierender und ggf. die Abkürzungen auflösender Transkription) unter Vorbehalt mitgeteilten Wortlaut und der entsprechenden Typographie vorlieb zu nehmen.

›Verse kann ich keine machen, eine Phrase fällt mir eben nicht ein, ich habe also nur die einfache Bitte, erinnere Dich zuweilen Deines Georg Büchner
Straßburg, 2. August 1833.‹«
(B.s Zeilen bei Walther, S. 63; hier zitiert nach: Jan-Christoph Hauschild: ›(Un)bekannte Stammbuchverse Georg Büchners. Weitere biographische Miszellen aus dem Nachlaß der Gebrüder Stoeber‹, in: Georg Büchner Jahrbuch 1, S. 223–241, v. a. S. 234f.)

Die poetischen Versuche des vierzehn- bis fünfzehnjährigen B. sind in der Tat reine Gelegenheitsarbeiten, dediziert dem Vater oder der Mutter, auf deren Einfluß gerade die lyrischen Arbeiten zurückzuführen sind. »Man merkt ihnen die Mühsal des Verfertigens und das literarische Vorbild gleichermaßen an. Die Nacht und Vergänglichkeit, den Eltern 1828 vorgelegt, sind ganz offenkundig dem damaligen Mode-Lyriker Friedrich von Matthisson nachempfunden, einem der Lieblingsautoren der Mutter.« (Johann, Georg Büchner, S. 22). Matthisson (1761–1831), klassizistischer Lyriker mit formglatten, rhetorisch ausgefeilten Gedichten, wurde von seinen Zeitgenossen, selbst von Schiller und Wieland, hoch geschätzt. Seine Lyrik, von der Schule Klopstocks, Voß' und Claudius' geprägt, galt vielen als Vorbild.

Die Mutter unterrichtet B. im Lesen, Schreiben und Rechnen, sie macht ihn vertraut mit den Märchen und der Sprache seiner Heimat. »Durch sie ⟨die Mutter⟩ erfährt er die erste Begegnung mit der Literatur der Zeit.« (Knapp, Georg Büchner, S. 10). Ab Herbst 1821, als Achtjähriger, besucht er dann das Darmstädter Institut des Dr. Carl Weitershausen: eine Vorbereitung auf die Einschulung in das humanistische Gymnasium (»Pädagog«) am 26. März 1825. Dort interessiert er sich ebenso wie für die ›humanistischen‹ Disziplinen auch für die Naturwissenschaften, »die im curriculum des Gymnasiums natürlich eine Nebenrolle spielen«. (Knapp, Georg Büchner, S. 10)

Fragment einer Erzählung, dem Vater zugedacht

Das fragmentarisch erhaltene kleine Schriftstück entstand vermutlich im Juli/August 1827 oder 1828 (Büchner, Katalog Marburg, S. 54) und ist ein Beispiel für die am Lateinischen orientierte spätaufklärerische Rhetorik.

9 *Augen von der Brandung verschlungen:* Hier klingt bereits das Meer-, Hafen- und Schiffbruchmotiv an, das in den späteren Werken B.s, besonders in *Dantons Tod* und *Woyzeck,* immer wiederkehrt. Vgl. auch zu S. 19 (»Sie hat kein Dichter besungen«) sowie Büchner, Katalog Marburg, S. 54: »Das Thema war am Pädagog beliebt. Noch in B.s letzter Gymnasialklasse stand auf dem Programm des Lateinunterrichts: ›Vergleichung der bei alten und neueren Dichtern vorkommenden Schilderungen von Seestürmen‹, und auch Wilhelm Hamm nennt unter seinen Aufsatzthemen die ›Beschreibung eines Schiffbruchs‹« (›Jugenderinnerungen an Darmstadt im Biedermeier‹. In der Bearbeitung von Karl Esselborn hg. von Reinhold Staudt, Darmstadt 1970, S. 90f.). Noch im Begleitschreiben zum Manuskript von *Dantons Tod* an Gutzkow (1835) spricht B. vom »Wrack dieser Welt« – vielleicht in Anlehnung an Michel Montaignes klassische und auch von Friedrich Hölderlin aufgegriffene Formulierung vom »Schiffbruch der Welt« (vgl. Büchner, Katalog Darmstadt, S. 79). – *Yölle*: Jolle, Landungsboot. – *Kanton*: Hauptstadt der chines. Provinz Kuangtung, wichtigster Handels- und Industrieplatz Südchinas. – *Faktoren der Handelscompagnie:* Leiter der Handelsniederlassung. – *Nimm o bester der Väter...:* Dedikation in Hexametern abgefaßt.

Gebadet in des Meeres blauer Flut

Entstanden wohl kurz vor dem 19. August 1828, dem Geburtstag der Mutter. Das reimlose Gedicht, in fünfhebigen Jamben mit durchgehend stumpfem Versschluß, ist nur in einer Abschrift erhalten, die Luise Büchner, Georgs Schwester, wohl für Karl Emil Franzos machte. Sie leitete die Abschrift mit folgenden Worten ein: »Ein Jugendgedicht von Georg, das er zu einem Geburtstag der Mutter verfaßt. Es trägt leider kein Datum, aber schwerlich war er damals über sechzehn Jahre.« Vgl. Bergemann, S. 766.

10 *Meeres blauer Flut:* Auch hier klingt das Meer-Motiv an. – *purpurroter Osten:* Auch das Wort-Bildfeld ›rot‹ erhält bei B. eine zentrale Bedeutung. Vgl. *Woyzeck* an zahlreichen Stellen. – *Horen:* griech. Göttinnen der Jahreszeiten; bei Hesiod die drei Göttinnen der Gesetzmäßigkeit (Eunomia), Gerechtigkeit (Dike) und des Friedens (Eirene).

Die Nacht

Erhalten in handschriftlicher Fassung; geschrieben, wie die auf die erste Seite gesetzte Widmung ausweist, zu Weihnachten 1828. Auf der letzten freien Seite des Doppelbogens das S. 13 abgedruckte Gedicht als Variante mit Bleistift verzeichnet. Es wurde von B. in späterer Zeit hinzugesetzt.

Das Gedicht besteht aus 9 vierzeiligen Strophen; die Verse bestehen aus je fünf Trochäen, teils aus fünfhebigen Jamben, teils mit dem Reimschema abab, teils xbxb oder reimlos. Das Nacht- und Mondmotiv ist seit dem Barock eines der beliebtesten literarischen Motive. Von B. wird es an zahlreichen Stellen seines Werkes parodistisch oder sarkastisch (vgl. im *Woyzeck* das Märchen der Großmutter, S. 204f.) verwendet.

10 *des Tages goldner Wagen:* Allegorie der Sonne; der Gott Helios umlief mit seinem Sonnenwagen die Erde.
11 *auf Leben und auf Grab:* Übernahme barocker antithetischer Metaphorik. – *Myriaden:* griech. ›Zehntausendschaft‹, oft für Unzahl, Riesenmenge. – *Unendlicher... Erhabener... Allgütiger... Erbarmender...:* nach der traditionellen christlichen Lehre die vier wesentlichen Attribute Gottes.

Leise hinter düstrem Nachtgewölke

Die Handschrift dieses Gedichts ist erhalten. Es weist keine Dedikation auf. Es entstand wohl kurz nach dem Gedicht *Die Nacht.* Luise Büchner erwähnt es im Anschluß an ihre Notiz zu dem der Mutter gewidmeten Gedicht S. 10: »Ein anderes Gedicht im Matthissonschen Stil, an eine verfallene Burgruine, wobei Georg, soviel ich weiß, das Heidelberger Schloß im Sinne hatte, konnte ich seinerzeit, da es mir sehr gut gefiel, auswendig, erinnere mich aber jetzt nur noch einzelner Verse.« Vgl. Bergemann, S. 766.

Das Gedicht besteht aus 10 Strophen zu je vier Zeilen in fünfhebigen Trochäen, durchgehend nach dem Schema xbxb gereimt mit wechselnd klingendem und stumpfem Versschluß. Es spielt – wie die übrigen Gedichte B.s – mit Metaphern und Motiven als Versatzstücken der nachwirkenden Empfindsamkeit ebenso wie der (Schauer-)Romantik.
12 *Philomele:* aus der griech. Mythologie übernommener Name für Nachtigall bzw. Schwalbe. Philomele, die Tochter des athen. Königs Pandion, wurde von ihrem Schwager Tereus mißhandelt und der Zunge beraubt, damit das Verbrechen geheim bliebe. Um ihrer weiteren Verfolgung zu entgehen, wurde sie später von den Göttern in eine Schwalbe, ihre Schwester Prokne in eine Nachtigall verwandelt (in der röm. Überlieferung meist umgekehrt). – *Nachtviole:* auch Frauenkilte, Kilte oder Mutterblume genannt, Kreuzblütler mit purpurvioletten, veilchenduftenden Blüten. Vgl. auch zu S. 179. – *Selenens:* die Mondgöttin der griech. Mythologie, Schwester des Helios. – *Söller:* lat. Lehnwort: Sonnenplatz, Altan, offener Umgang, offener Saal.

Nacht

Zu diesem Vierzeiler in fünfhebigen Trochäen s. S. 415.

Stammbuchblatt für Heinrich Ferber

Das handschriftliche Original ist 1944 verbrannt; Abbildung bei G. Lind: ›Heinrich Ferber, ein Gießener Bürgerleben‹, in: ›Heimat und Bild. Beilage zum Gießener Anzeiger‹. 1938, Nr. 1, 6. Januar, S. 4. »Die bereits in Dantons Tod (I, 2) verwendeten Verse aus dem sog. ›Schinderhanneslied‹ hatte Büchners Gießener Freund August Becker offenbar als 10jähriger von den 1824 in Gießen hingerichteten Hinterländer Wildschützen und Posträubern Geiz (›Der plötzliche Reichtum der armen Leute von Krombach‹) gelernt« (Mayer, Almanach, S. 174).

SCHRIFTEN AUS DER GYMNASIALZEIT

Vorbemerkung

Am 26. März 1825 kam B. auf das humanistische Gymnasium in Darmstadt, das sogenannte »Pädagog«.

»Das humanistische Gymnasium, in dessen fünf Klassen nach dem Fächersystem etwas mehr als 250 Schüler unterrichtet wurden, war zu Büchners Schulzeit nicht nur die bedeutendste Gelehrtenschule des Großherzogtums Hessen, sondern auch ›eines der wichtigsten teutschen Gymnasien‹ überhaupt (Schaub). Im Vordergrund des Unterrichts standen mit dem ›größeren Teil der ordentlichen Lehrstunden‹ die alten Sprachen. Die ›Instruction für den Unterricht‹ gliederte 1827 die Fächer in: ›I. Sprachen: 1) Hebräisch. 2) Griechisch. 3) Lateinisch. 4) Französisch. 5) Deutsch. II. Wissenschaften: 6) Encyclopädie der Wissenschaften und Literärgeschichte. 7) Religion. 8) Geographie und Geschichte. 9) Mathematik. 10) Naturkunde. III. Künste: 11) Zeichnen. 12) Kalligraphie. 13) Singen.‹ Auf Deutsch und Französisch entfielen jeweils nur 2, auf Mathematik immerhin 4 Wochenstunden, während z. B. Physik (unter ›Naturkunde‹) lediglich in den beiden letzten Klassen einstündig unterrichtet wurde. In den Erinnerungen mehrerer Schüler (so auch denen Alexander Büchners) kommt gerade das Übergewicht der alten Philologien und der Rhetorik kritisch zum Ausdruck. Wilhelm Hamm (1820–1880), der das ›Pädagog‹ von 1829 bis 1834 besuchte, schien ›das Wesentlichste der gesamten Gymnasialbildung darauf hinauszugehen, nur Poeten zu bilden. ⟨...⟩ Die Realien wurden ⟨...⟩ in ganz untergeordneter und völlig geisttötender Weise gelehrt. Wie wenig wußte man damals von der Geschichte und dem Wesen der Natur! ⟨...⟩ Dampfmaschinenmodelle primitivster Art wurden von fahrenden Leuten in der Schule herumgezeigt und erklärt, aber der Theologe, der Naturwissenschaften lehrte, schüttelte bedenklich den Kopf dazu.‹ (ebd. S. 91 f.) Dennoch waren unter den Schülern nicht nur bedeutende Geisteswissenschaftler wie Gervinus (1814–19 am ›Pädagog‹), sondern neben Georg und Ludwig Büchner noch weitere Naturforscher. Justus Liebig hatte das Gymnasium von 1811 bis 1817 besucht.« (Büchner, Katalog Marburg, S. 45). Zum Schülerzirkel (im Zusammenhang der ›Gesellschaft der Menschenrechte‹) vgl. Büchner, Katalog Marburg, S. 56 f.

Aus dieser Zeit hat sich neben Glossen und Marginalien in Schülerheften eine Anzahl von Aufsätzen und Reden erhalten, die durch Aufgabenstellungen im Deutsch- und Lateinunterricht angeregt worden sind. Die Mehrzahl dieser Arbeiten besteht allerdings aus sogenannten Diktieraufsätzen, die kaum eine eigenständige Leistung des Schülers erkennen lassen. Sie sind deshalb in die vorliegende Ausgabe nicht aufgenommen. Es handelt sich um Arbeiten zur Botanik, Geometrie, Ethik, Geographie, zur römischen Geschichte, Übungen zur lateinischen Syntax und um kunstgeschichtliche Versuche im weitesten Sinn. Im Weimarer Nachlaß haben sich rund 650 Seiten mit Schülerskripten B.s erhalten. Sie stellen – auch wenn es sich um nicht-originäre Texte, also abhängige Aufzeichnungen, Diktatmitschriften und Versionen handelt (vgl. Marburger Denkschrift, S. 63) – einen außerordentlichen, nicht nur für die Büchnerforschung bedeutsamen Quellenfundus dar (vgl. Marburger Denkschrift, S. 9). Sie werden – zusammen mit weiteren Nachlaßtexten – im Rahmen der neuen historisch-kritischen Ausgabe Burghard Dedners und Thomas Michael Mayers ausgewertet werden. Eine vollständige Veröffentlichung ist auch dort erst zu einem späteren Zeitpunkt vorgesehen.

Von den fünf bzw. vier veröffentlichten selbständigen Aufsätzen und Reden B.s hatte K. E. Franzos in seiner Ausgabe von 1879 lediglich die Cato-Rede erstmals abgedruckt (S. 398–408); Bergemann veröffentlichte in seiner Ausgabe von 1922 die vier hier aufgenommenen größeren Arbeiten sowie den Aufsatz *Über die Freundschaft* (S. 430f.). Da auch diese Schrift einen Diktieraufsatz darstellt, wird sie in der vorliegenden Edition lediglich im Kommentarteil abgedruckt (S. 419).

»Seit Hans Mayer haben die Jugendschriften die Forschung in zusehends stärkerem Maße beschäftigt. Gerade Büchners Cato-Rede, die thematisch an seine Rezension ›Über den Selbstmord‹ anschließt, indem sie eine Rechtfertigung des Suizids Catos versucht, mußte im politischen Klima der Zeit einige Brisanz enthalten: Selbstmord als glaubwürdige Alternative gegenüber der Unterwerfung unter die Tyrannei. Wenn man Luise Büchner glauben möchte, so gingen jedoch Büchners Zurückweisung eines christlich-organisierten Moralbegriffs und die Aktualität seiner Rede am Publikum und dem Gymnasialdirektor *Carl Dilthey* (1797–1857) vorbei. Erhalten ist auch Büchners Abgangszeugnis vom 30. März 1831, dessen Schlußbewertung lautet: ›(...) und von seinem klaren und durchdringenden Verstande hegen wir eine viel zu vorteilhafte Ansicht, als daß wir glauben könnten, er würde jemals durch Erschlaffung, Versäumnis oder voreilig absprechende Urteile seinem eigenen Lebensglück im Wege stehen. Vielmehr berechtigt uns sein bisheriges Benehmen zu der Hoffnung, daß er nicht bloß durch seinen Kopf, sondern auch durch Herz und Gesinnung das Gute zu fördern, sich angelegentlichst bestreben werde.‹

Büchners Rede auf der Abschlußfeier am 30. März 1831 (das Schulprogramm kündigte an: ›Karl Georg Büchner wird im Namen des Menenius Agrippa das auf dem heiligen Berge gelagerte Volk zur Rückkehr nach Rom in lateinischer Sprache ermahnen‹ (zum genauen Titel der Rede vgl. Schaub, Schulrhetorik, S. 92, Anm. 251)) ist bislang verschollen. Die Spekulation wäre zulässig, daß Büchner sich bei einer eng abgesteckten Pflichtübung im Rahmen der traditionellen Abschlußfeier kaum zu provokativen Äußerungen hätte hinreißen lassen.

Nichts dergleichen ist jedenfalls bekannt aus den Zeugnissen der Zeitgenossen. Als Beispiel einer solchen Pflichtleistung mag auch der erhaltene konventionelle Schulaufsatz ›Über die Freundschaft‹ gelten.« (Knapp, Georg Büchner, S. 11).

ÜBER DIE FREUNDSCHAFT

Die Fähigkeit zur Freundschaft gehört zu den edelsten, welche unsere Seele überhaupt besitzt; die Freundschaft selbst ist zugleich eine der reinsten und genußreichsten unserer Gemütsstimmungen, und vielleicht die einzige Leidenschaft, deren Übermaß nichts Tadelnswertes hat. Das Gefühl der Freundschaft erwacht vornehmlich in dem Lebensalter, in welchem der Mensch mit seiner Ausbildung und Erziehung beschäftigt ist, in die Welt zu treten beginnt, sich zu Unternehmungen anschickt und überhaupt einen gewissen Lebensplan für seine Zukunft sich ansetzt. Zugleich findet sich in dieser Epoche noch ein anderes Motiv, welches das Aufkeimen der Freundschaft befördert und ihr alle Energie verleiht, deren sie fähig ist. Jene Zeit ist nämlich auch die Zeit des Vertrauens und des unwillkürlichen Triebes, der unsere Seele anregt, mit einer andern Seele ins Eins sich zu verschmelzen und derselben alle Gefühle und Empfindungen mitzuteilen. Um sich zu verstärken und mehr Lebendigkeit zu gewinnen, muß die Freundschaft Hindernisse zu überwinden, Gefahren zu bestehen und durch Erprobungen sich zu bewähren suchen; es muß den Freunden alles gemeinschaftlich sein, Glück und Unglück, sowie aller Wechsel des Schicksals im menschlichen Leben. Man kennt nichts Rührenderes und zugleich nichts, was mehr das wahre Wesen der Freundschaft bezeichnete, als die Worte des sterbenden Doktors Eubreuil. Dieser ebenso kenntnisreiche als mitleidige Arzt war ein wohltätiger Gott für alle diejenigen gewesen, welche sich seiner Sorge anvertraut hatten, und der Anteil, den man allgemein an ihm nahm, hatte eine große Menge Personen jegliches Standes in sein Zimmer geführt, während die Armen in seinem Vorsaale den bevorstehenden Verlust ihres Wohltäters beweinten. ›Mein Freund‹, sagte er zu Techmeja, der mit der größten Zärtlichkeit liebte, ›man muß jedermann von hier entfernen; meine Krankheit ist ansteckend, und nur du sollst bei mir bleiben.‹ Die wahre Freundschaft ist nur diejenige, welche nichts in ihren großmütigen Ergüssen aufhält, welche den Menschen in allen Lagen und Zuständen, worin ihn ein Schicksal versetzt, begleitet, welche sich durch keine Rücksicht erschüttern läßt und sich unveränderlich auch im Unglücke ausspricht und bewährt. *(zitiert nach Bergemann, S. 430 f.).*

Über B.s Schulzeit, zur Biographie und Charakteristik seiner Lehrer vgl. auch Büchner, Katalog Marburg, S. 45 ff., sowie zur Bedeutung von Schulzeit und Rhetorik besonders Schaub, Schulrhetorik und Schaub, Rhetorikschüler, S. 664 f.:

»Georg Büchner hat in den letzten Jahren seiner Gymnasialzeit (1829–1831) drei Reden verfaßt: die Rede auf den ›Helden-Tod der vierhundert Pforzheimer‹, die als Grab- und Gedächtnisrede dem *genus demonstrativum* zuzurechnen ist; die am 29. September 1830 im Darmstädter Gymnasium beim öffentlichen Redeaktus gehaltene ›Rede zur Verteidigung des Kato von Utika‹, die als Verteidigungsrede ⟨...⟩ ein Modellfall des *genus indiciale* ist; und die am 30. März 1831 beim Abgang vom Gymnasium auf dem Redeaktus in lateinischer Sprache vortragene, leider nicht erhaltene, aber dem Thema nach bekannte ›Rede des Menenius Agrippa an das römische Volk auf dem heiligen Berge‹, die als mahnende Volksrede zum *genus deliberativum,* zur beratenden, politischen Beredsamkeit gehört.

Büchner war also nicht nur mit dem kompletten System der Rhetorik, d. h. mit der rhetorischen Therorie, der *ars rhetorica* vertraut, sondern er hat sich auch schreibend in allen drei klassischen Redegattungen der antiken Rhetorik versucht und geübt, d. h. er war auch gründlich in der rhetorischen Praxis, der schriftlichen und mündlichen Beredsamkeit, der *ars oratoria* geschult. Was die Qualität und Wertschätzung der Schülerreden Büchners angeht, so ist es bemerkenswert, daß Büchner bei den öffentlichen Redeaktus seiner Schule, die in der Residenzstadt als bedeutendes gesellschaftliches Ereignis betrachtet wurden, zweimal als Redner aufgetreten, d. h. von dem für die Rednerlise zuständigen Direktor Dilthey zweimal als Aktus-Redner nominiert worden ist, eine Ehre, die zwischen Herbst 1829 und Ostern 1832 von über 40 Darmstädter ›Abiturienten‹ außer Büchner nur fünf Schülern zuteil wurde.«

Helden-Tod der vierhundert Pforzheimer

Der Feldherr Maximilians von Bayern und Führer der katholischen Liga, Johann Tserclaes, Graf von Tilly, siegte zu Beginn der Kämpfe auf deutschen Territorien während des Dreißigjährigen Krieges am 6. 5. 1622 bei Wimpfen (Reichsstadt in der Nähe Heilbronns) über den Markgrafen Georg Friedrich von Baden-Durlach. Im Verlauf dieser Schlacht sollen sich 400 Pforzheimer Bürger (Pforzheim war 1535–65 Sitz der Markgrafen von Baden-Durlach gewesen) für den Markgrafen geopfert haben. Die Berichte über diese Schlacht und die legendäre Haltung der Pforzheimer Bürger wurden bis weit ins 19. Jh. hinein in vielen Fassungen tradiert. Büchner gestaltet diesen Bericht zum Exempel freiheitlicher Gesinnung und prärevolutionärer Handlungen. Die Idee des Opfertodes ist in den Schulschriften zentral.

Die Rede, deren Handschrift sich erhalten hat, entstand vermutlich im Herbst/Winter 1829 oder zu Anfang 1830. Vgl. Knapp, Georg Büchner, S. 10, und Bergemann, S. 767. Lehmann, Prolegomena, hat auf die Bedeutung von Fichtes ›Reden an die deutsche Nation‹ als allgemeine ›Gesinnungsquelle‹ für die Frühschriften B.s hingewiesen.

Vgl. Büchner, Katalog Marburg, S. 52: »In der zweiten Hälfte des Textes, der – möglicherweise durch die Themenstellung vorgegeben – stark anachronistische Züge trägt, schreibt Büchner z.T. sinngemäß, z.T. wörtlich (und ohne Quellenhinweis) entscheidende Passagen aus Fichtes ›Reden an die deutsche Nation‹ ab.« Siehe auch Th. M. Mayers Büchner-Chronik, in: Georg Büchner I/II, S. 363.

Die »historisch-legendarische Hauptquelle« zu dieser Rede hat Schaub ermittelt. Die Quelle sei »mit größter Wahrscheinlichkeit in der ›Dem Vaterlandstod der vierhundert Bürger von Pforzheim‹ gewidmeten Denkrede des Historikers Ernst Ludwig Posselt (1763–1804) zu suchen« (Schaub, Schulrhetorik, S. 32). Broch, Schülerschriften, verfolgt einige Unstimmigkeiten der Schülerrede mit Hinweis auf mögliche weitere Quellen (s. zu S. 18 f.).

Die Posseltsche Rede, gehalten am 29. 1. 1788 in Karlsruhe, erlangte besonders in den Jahren von 1788 bis 1830 große Popularität und Verbreitung. 1788 wurde sie zweimal gedruckt; einmal als Sonderpublikation in Karlsruhe, einmal in dem von Posselt herausgegebenen ›Wissenschaftlichen Magazin für Aufklärung‹, Dritten Bandes fünftes Heft, Leipzig 1788, S. 462–482. 1795 wurde sie in Posselts ›Kleinen Schriften‹ (Nürnberg, S. 183–214) gedruckt, und noch zu B.s Schulzeit erschienen wenigstens zwei Drucke (Freiburg 1824, hg. von C. V. Sommerlatt; Freiburg 1830, in: ›Gemälde aus der Wirklichkeit alter und neuer Zeiten . . .‹, S. 124–146).

»Für die Wahrscheinlichkeit, daß Büchner Posselts Rede kannte, spricht darüber hinaus die Tatsache, daß Posselt in mehreren der am Darmstädter Gymnasium benutzten Rhetoriken als Muster weltlicher und politischer Beredsamkeit angeführt und zitiert wird, und das nicht ohne Grund, muß doch Posselt als einer der ganz großen Redner des 18. Jahrhunderts angesehen und gewürdigt werden.« (Schaub, Schulrhetorik).

Schaub führt beweiskräftig eine Reihe von Parallelstellen zwischen Posselts und B.s Rede an, die belegen, daß B. die Posseltsche Denk-Rede gekannt hat.

17 *Motto von Bürger:* 1. Strophe des Gedichts ›Die Tode‹ von Gottfried August Bürger (1747–94), Sturm-und-Drang-Lyriker und Begründer der deutschen Kunstballade. – *Erhaben . . . Menschen im Kampfe mit der Natur:* Vgl. auch S. 27. – *Im Kampfe mit seinem Schicksale:* Vgl. auch S. 27. – *Speichen des Zeitrades:* aus der Antike überlieferte und weit verbreitete Vorstellung von Zeit/Schicksal als Rad; lat. rota fortunae, Glücksrad. – *Wer nur einen Zweck . . .:* Vgl. Johann Gottlieb Fichte, ›Reden an die deutsche Nation‹. Neue wohlfeilere Auflage, Leipzig 1824, S. 210 (8. Rede): »Wer gar kein Ziel sich gesetzt hat, sondern alles, und das höchste, was man hienieden verlieren kann, das Leben, daran setzt, gibt den Widerstand nie auf, und siegt, so der Gegner ein begrenzteres Ziel hat, ohne Zweifel.« (Hinweis von G. Schaub). – *Sparta . . . Rom:* Anspielung auf den griech. Stadtstaat Sparta (auf der Peloponnes), der durch

den Peloponnesischen Krieg nach dem Fall Athens (404 v. Chr.) die
Hegemonie über Griechenland gewann. B. sieht das imperialisti-
sche Sparta idealisierend als Mythos der inneren Festigkeit eines
vorbildlich verfaßten Staates – wie ihn schon antike Historiogra-
phen beschrieben –, der tapfere und unerschrockene, ›Geschichte
machende‹ Männer hervorbringe (s. zu S. 18). Die Anspielung auf
Rom bezieht sich auf die Zeit der Republik und auf die Zeitenwen-
de von der römischen Republik zum monarchistischen Caesaren-
Staat. Nach dem Sieg Caesars bei Thapsus über die Pompejaner 46
v. Chr. ist die Republik faktisch zu Ende. Marcus Porcius Cato (s.
zu S. 27ff.) begeht daraufhin in Utika Selbstmord. – *Leonidas:* König von Sparta, fand 480 v. Chr. bei der Verteidigung der Thermopylen (s. u.) den Tod. – *Cocles:* Horatius Cocles rettete der Sage
nach Rom durch Verteidigung des pons sublicius gegen das Etrus-
kerheer des Königs Porsenna (508 v. Chr.). – *Scävola:* Caius Mucius
Scaevola versuchte 507 v. Chr. den Etrusker Porsenna zu ermorden.
Nach der Gefangennahme soll er zum Zeichen seiner Furchtlosig-
keit seine rechte Hand verbrannt haben; daher sein Beiname Scävola = Linkshand. – *Brutus:* lat. der Plumpe, Lucius Iunius Brutus,
legendärer Begründer der Republik und des Konsulats 509 v. Chr.,
soll außerordentliche Härte gegen die eigene Familie gezeigt haben,
indem er seine Söhne hinrichten ließ. B.s Deckname während der
Flucht nach Straßburg war Jacques Lucius, wohl in Anspielung auf
Lucius Brutus; vgl. Schaub, ›Der melancholische Revolutionär.
Georg Büchner alias Jacques Lucius‹, in: Georg Büchner Jahrbuch 6; s. auch zu *Dantons Tod,* S. 84.

18 *Karls des Großen:* Karl I., röm. Kaiser, König der Franken (742–
814), führte das Fränkische Reich zur Vorherrschaft im Abendland;
kulturelle Erneuerung während seiner Regierungszeit (Karolingi-
sche Renaissance). – *Hohenstaufen:* das nach dem Randberg der
Schwäb. Alb nordöstl. von Göppingen (darauf die 1525 im Bauern-
krieg zerstörte Stammburg) benannte Geschlecht der Hohenstaufen
oder Staufer, die 1138 mit Konrad III. den Königsthron erlangten,
den sie bis 1254 mit Friedrich I. (Barbarossa), Heinrich VI., Philipp,
Friedrich II. und Konrad IV. hielten; zu ihrer Zeit Blüte der hö-
fisch-ritterlichen Kultur. – *Freiheits-Kämpfe der Schweizer:* 1291–
1516 gründete sich in zahlreichen Kämpfen besonders gegen die
habsburgische Dynastie die ›Eidgenossenschaft‹ Schweiz; am bekanntesten die Sage von Tell und dem Rütli-Schwur. – *Freiheits-
Kampf der Franken:* Anspielung auf die Französische Revolution
von 1789; vgl. zu *Dantons Tod,* Historischer Hintergrund, S. 475 ff.
– *L'Atour d'Auvergne:* frz. Adelsgeschlecht, seit Beginn des 13. Jhs.
bekannt. Théophile Malo Corret de L'Atour (1743–1800) führte in
den Revolutionskriegen ein Grenadierkorps, er lehnte die Beförderung zum General ab und erhielt von Napoleon den Titel des ›Ersten Grenadiers von Frankreich‹. – *Riesenbild:* Broch, Schülerschriften, S. 290f., deckt einen möglichen Quellenaspekt auf: »War-

um Riese, warum Bild? Ist Büchner am Ende gar von der Vorstellung jener Wendung ›ein Turm jeder Mann‹ geleitet und liest diese in der Umkehrung: *ein Mann wie ein Turm = La Tour* (d'Auvergne)...? Oder hat er irgendwo ein *Bild* dieses ›Riesen‹ *gesehen,* was ihm dann jene Formulierung eingab? Immerhin erschien am 13. November 1829 in der Frankfurter ›Didaskalia‹ unter der Überschrift ›Lebende Bilder‹ eine Anzeige, womit auf die Darbietungen eines Herrn Carl Leißring hingewiesen wurde, »welche ⟨...⟩ an vielen Orten großen Beifall erh⟨a⟩lten« hätten (ob bzw. wann auch in Darmstadt, wäre noch zu überprüfen). Unter »den Darstellungen seiner *lebenden Bilder*« präsentierte Leißring nämlich an vierter Stelle »auch ein *Schlachttableau in zwölf verschiedenen Gruppen,* betitelt: *Latour d'Auvergne, erster Grenadier von Frankreich*«. In ihrer Nro. 319 vom 15. November 1829 brachte die ›Didaskalia‹ deshalb eine einspaltige ›kurze Biographie dieses Latour d'Auvergne‹ und teilte ferner mit:

»*Latour d'Auvergne* ist als tapferer, uneigennütziger und menschenfreundlicher ⟨!⟩ Krieger in seinem Vaterlande noch in so ehrenvollem Andenken, daß ein militärisches Stück, worin seine Taten vorkommen, auf einem der Theater in Paris in 50 Vorstellungen an 300,000 Fr. eingetragen hat, und immer noch mit dem größten Enthusiasmus aufgenommen wird.«

Selbst wenn sich nicht nachweisen lassen sollte, daß Leißring mit seinen Arrangements auch in Darmstadt zu Gast war, ist festzuhalten, daß die Ruhmestaten des L'Atour d'Auvergne in jenem Herbst/Winter 1829, als Georg Büchner ihrer gedachte, in der nahen Mainmetropole ein öffentliches Thema waren. – *Thermopylen:* im Altertum der Engpaß zwischen Kallidromosgebirge und Malischem Meerbusen, durch den die einzige Straße zwischen Mittel- und Nordgriechenland ging, daher von militärischer Bedeutung. 480 v. Chr. verteidigte Leonidas (s. o.) die T. gegen die Perser. Das den Kämpfern gewidmete Distichon des Simonides wurde von Schiller (auch von Geibel) nachgedichtet: »Wanderer, kommst du nach Sparta, verkündige dorten, du habest / Uns hier liegen gesehn, wie das Gesetz es befahl.« – *Dumouriez:* Charles François D. (1739–1823), frz. General. In der Revolution wechselte er von den Jakobinern zu den Girondisten (s. zu *Dantons Tod,* Historischer Hintergrund, S. 479), wurde 1792 Führer der Nordarmee, siegte bei Valmy und Jemappes und eroberte Belgien. Bei Neerwinden wurde er geschlagen und mit Anklage bedroht. Er ging dann zu den Engländern über, in deren Diensten er seit 1804 stand. – *Nordholland:* »Sowohl die Tatsache, daß Georg Büchner in der dem ›Freiheits-Kampf der Franken‹ gewidmeten Passage seiner Rede von 1829 das darin von ihm geschilderte Marine-Gefecht *irrtümlich* ›an der Küste von Nordholland‹ lokalisierte, als auch die, daß er den Namen des dabei versenkten Schiffes, über das ›der Genius der Freiheit weint ⟨...⟩ und die Nachwelt staunt‹, *fälschlich* mit ›*Vainqueur*‹ (zu

deutsch: Sieger) angab, ist der Forschung bislang entgangen.«
(Broch, Schülerschriften, S. 287). – *Vainqueur:* frz. Sieger. Das
Schiff hieß tatsächlich ›Vengeur‹ (Rächer).

19 *sie hat kein Dichter besungen:* dazu Broch, Schülerschriften, S. 288:
»Michel Vovelle (Heldenverehrung...), Berlin 1983) führt dazu
aus, es sei der *Helden-Tod* (genaugenommen: der Massen-Selbst-
mord) der Matrosen des *Vengeur* das ›charakteristischste Beispiel‹
offiziell sanktionierter revolutionärer Heldenverehrung gewesen –
ihr ›kollektives Opfer im Prairial des Jahres Zwei‹ wurde ›durch
Lied und Bild popularisiert‹.« Ilona Broch zitiert Albert Soboul's
Darstellung der Revolutionsgeschichte (Frankfurt am Main 1973),
S. 371: »Am 9., 10. und 13. Prairial (28. und 29. Mai, 1. Juni des
Jahres 1794) lieferte die von *Brest* ausgelaufene Flotte von Villaret-
Joyeuse der englischen Flotte von Howe eine Schlacht auf offener
See bei der Insel *Quessant*, um Getreideschiffe aus Amerika zu
schützen: die französischen Verluste waren hoch (Le Vengeur (zu
deutsch: der Rächer) wurde versenkt), doch mußten sich die Engländer zurückziehen, so daß der Konvoi passieren konnte.« Broch
vermutet für die in den genannten Details historisch unzutreffende
Beschreibung B.s Erzählungen in der Familie, in der oft aus der
französischen Geschichte vorgelesen oder berichtet wurde:»Möglicherweise liegen Büchners anschaulicher und eindrucksvoller ›Ab-
schweifung vom Thema‹ entsprechende (mehr oder minder authentische) Familieninterna, d.h. mündliche Überlieferungen seitens des
Vaters (oder der holländischen Verwandten) zugrunde, die dann
vom ältesten Sohn ausgeschmückt oder umgestaltet worden sein
könnten. *Für* eine solche – vorerst noch – einfache Spekulation
spräche etwa, daß Büchner den *Vainqueur/Vengeur* ja kurzerhand
als ›eines der *Holländischen* Schiffe‹ deklariert und Nord*frankreich*
mit ›Nord*holland*‹ durcheinanderwirft« (S. 289). – *Trümmern Karthagos:* die Hauptstadt des karthagischen Reichs, in der Nähe der
heutigen Stadt Tunis, wurde im 3. Punischen Krieg 146 v. Chr. von
den Römern zerstört. – *die Teutschen kämpften den schönsten
Kampf:* bezogen auf die Reformation und den Dreißigjährigen
Krieg. – *dreißigjährigen Krieges:* zwischen 1618 und 1648 andau-
ernder Kriegszustand (in dessen Folge Deutschland seine bis dahin
größten Verwüstungen erlitt), entstanden einerseits aus den religiösen Gegensätzen der Reformation und Gegenreformation, andererseits aus handfesten machtpolitischen Interessen (Widerstand gegen
den habsburgischen Absolutismus). Äußerer Anlaß war der sog.
Prager Fenstersturz (23. 5. 1618). – *Schlacht am weißen Berge bei
Prag:* Der Führer der katholischen Liga Tilly, S. 420 und zu S. 20,
schlug hier am 8. 11. 1620 Christian von Anhalt, den Führer der
böhmischen Stände, die sich gegen das Haus Habsburg auflehnten.
– *Markgraf Friedrich von Baden:* S. 420.

20 *Grafen von Mansfeld:* Mansfeld, Stadt im Bezirk Halle; das 1229
erloschene Geschlecht, das von den Herren von Querfurt beerbt

wurde, die den Namen Mansfeld weiterführten, gehörte in der Folge zu den Vorkämpfern der lutherischen Bewegung. – *Liguistischen:* Liga, span. Bund, Bündnis; die katholische Liga wurde 1609 gegründet und spielte in der ersten Hälfte des Dreißigjährigen Krieges die entscheidende Rolle (gegen die protestantische Union) unter ihrem Führer Graf Tilly. – *Tilly:* Johann Tserclaes, Graf von T. (1559–1632), der neben Wallenstein bekannteste katholische Feldherr im Dreißigjährigen Krieg, gewann entscheidende Schlachten in Böhmen und in der Pfalz, wurde 1630 Generalissimus der kaiserl. Truppen, 1632 von Gustav Adolf bei Breitenfeld geschlagen und 1632 bei Rain am Lech tödlich verwundet. – *Ober-Pfalz:* gemeint ist der rechtsrheinische Teil der Kurpfalz zwischen Mittelrhein und Neckar, nicht die Oberpfalz, das Gebiet zwischen Regensburg und Bayreuth, das 1628 von den Kurpfälzern an die bayerische Linie der Wittelsbacher abgetreten werden mußte. Seit 1556 lutherisch, übernahmen die pfälzischen Kurfürsten 1608 die Führung der protestantischen Union. Friedrich V. (›Winterkönig‹) nahm 1619 die böhmische Königskrone an, die er 1620 durch die Niederlage in der Schlacht am Weißen Berge verlor (s.o.). – *Wimpfen:* S. 420.

21 *auf die Motiven und die Umstände* ...: B.s Ablehnung der bloßen Ereignisgeschichte zugunsten einer Motiv-Geschichte dokumentiert sich bereits hier.

23 *bluteten für die Nachwelt* ...: nicht im Sinne des leeren Ruhms (s. zu S. 140, »Meine Theorie«), sondern im Hinblick auf den moralischen Nutzen, den eine Handlung zur Verbesserung der Lebensverhältnisse der Nachwelt bewirkt. – *Welt-Erlöser-Tod:* Der Erlösungsgedanke im christlich-religiösen, aber auch im philosophisch-moralischen Sinn der Befreiung von irdischem Leid findet sich in B.s Werk sehr häufig.

24 *Am toten Buchstaben* ...: Verhältnis von totem Buchstaben, in der Bedeutung abgelebten, verstaubten, unnützen Wissens, und von lebendigem Geist ist Topos der aufklärerischen Kritik (zentrales Motiv bei Lessing). – *geistige Selbständigkeit:* Diese Formulierung kann als abgrenzende Definition des auch von B. (sowie von vielen liberal-progressiven Zeitgenossen) vertretenen Nationalstaat-Gedankens gegenüber konservativer Staatstheorie gelten.

Über den Traum eines Arkadiers

Fragment, nach dem Aufsatz über die vierhundert Pforzheimer entstanden. Nach Schaub, Schulrhetorik, S. 31, ist dieser Aufsatz »aus einer schriftlichen Ausarbeitung für den Lateinunterricht der Selekta hervorgegangen, in der Dilthey (der Latein unterrichtende Schuldirektor) im WS 1829/30 unter vielen anderen Themen auch das Aufsatzthema ›über den Traum eines Arkadiers‹ (Cicero, De divinatione I, 27)

bearbeiten ließ. Damit steht nicht nur die fächermäßige Zuordnung
sowie der terminus post quem fest, sondern auch die genaue Quelle
und Vorlage dieses fragmentarischen Aufsatzes ⟨...⟩«. Bergemann,
S. 789, sieht in diesem Essay einen frühen Beleg für B.s Interesse an
psychologischen Problemen.

»Daß es Büchner nicht so sehr um den von Cicero berichteten
Wahrtraum ging, sondern um das Allgemeine an ihm, um den überall
und zu allen Zeiten verbreiteten ›Wunder-Glauben‹ an Träume, um
jenes ›geistige Band‹, ›das uns gemeinsam mit allen Erdbewohnern umschlingt‹, um jenes ›Gefühl, das uns alle an die Mutterbrust der Natur
drückt‹ (S. 26 dieser Ausgabe), zeigt die Tatsache, daß Büchner seinen
Aufsatz mitten auf einer Seite abbricht, ohne die spannende Geschichte
von den beiden Arkadiern zu Ende erzählt zu haben« (Schaub, Schulrhetorik, S. 31).

26 *Arkadiers:* Arkadien, Landschaft auf der Peloponnes, rauhes Hochland; in der Schäferdichtung das in guter ländlicher Sitte, ›sorgenfrei
und dichterisch‹ und in stillem Frieden lebende Land. – *Wunder-
Glauben:* Hier nimmt B. Bezug auf die spinozistisch-romantische
Theorie der Allbeseelung, die besonders in der Spätromantik in
zahllosen Spuk- und Doppelgängergeschichten ihren popularisier-
ten Ausdruck fand. – *Urprinzip ... die Natur:* naturphilosophisch-
spekulative Vorstellung des deutschen Idealismus, daß alle Natur-
gesetze auf ein metaphysisches Urprinzip zurückgeführt werden
können. – *Megara:* Stadt in Mittelgriechenland.
Das von B. nicht übersetzte Ende der Erzählung lautet: »Durch
diesen Traum aber war er so erschreckt, daß er sich frühzeitig morgens
mit einem Knecht zum Tor begab und fragte, was in dem Wagen sei;
dann wurde der Tote ausgegraben und der Wirt, nachdem die Sache
aufgedeckt war, seiner Bestrafung zugeführt.«

Rede zur Verteidigung des Kato von Utika

Diese Rede (Titel von Ludwig Büchner hinzugefügt) wurde am
29. September 1830 auf einem der sogenannten Redeaktus gehalten,
also in öffentlichem Vortrag aus Anlaß einer Schulfeier – ein fester
Bestandteil der höheren Schulen bis ins 19. Jahrhundert hinein. Die
dort vorgetragenen Reden gingen meist auf eine schriftliche Ausarbeitung in Form eines Schulaufsatzes zurück.

Das Herbstprogramm des Darmstädter Gymnasiums 1830 kündigt
als ersten Redner an: »Carl Georg Büchner wird in einer teutschen
Rede den Kato von Utika zu rechtfertigen suchen.« Die Tatsache, daß
B. zweimal bei öffentlichen Redeaktus seiner Schule aufgetreten ist (das
zweitemal auf der Abschlußfeier am 30. März 1831 mit der lateinischen
Rede im Namen des Menenius Agrippa, S. 420), beweist, daß schon die
Schulleitung, insbesondere Carl Dilthey, B.s oratorische Fähigkeiten
hoch einschätzte.

Schaub, Schulrhetorik, S. 36 f., nennt die verschiedenen Möglichkeiten der Anregung zu dieser Rede: das Aufsatzthema Diltheys aus dem Wintersemester 1829/30, eine Bearbeitung der Rede des sterbenden Cato, oder aus dem Sommersemester 1830 eine Ausarbeitung über Leben und Charakter des Cato, nach Plutarch. Bereits im Sommersemester 1828 beschäftigte sich B. mit der Gestalt des Cato von Utika, da zu dieser Zeit der Lateinlehrer der Klasse von allen Schülern einen Aufsatz über Cato anfertigen ließ.

Als Hauptquelle für die Rede kommt Plutarch in Frage, der in seinen ›Vitae parallelae‹ auch Phokion und Cato Minor oder Cato Uticensis (nach seinem Sterbeort Utika) zusammenstellte. Auf eine weitere Quelle, Lukans Epos ›Pharsalia‹, macht Schaub, Schulrhetorik, S. 36 f., aufmerksam. Vgl. Büchner, Katalog Marburg, S. 52 f.: »Im Pädagog wurde großer Wert auf ›mündliche Wohlredenheit‹ gelegt, auf ›Übungen des mündlichen Vortrags‹, auf ›Declamation‹, ›Gesticulation und Action‹. Besonders gelungene Reden wurden bei den Halbjahresfeiern der Schule in einem öffentlichen ›Redeactus‹ vorgetragen. Da diese Schulfeiern ein vielbeachtetes gesellschaftliches Ereignis der Residenzstadt darstellten, bedeutete die Zulassung zum Redeactus eine besondere Auszeichnung. Georg Büchner war einer der wenigen, dem diese Ehre zweimal zuteil wurde. Den ersten Auftritt, der zeitlich mit dem oberhessischen Aufstand zusammenfiel, nützte Büchner, um im Medium des schulrhetorisch unverfänglichen Antikenpathos Katos Selbstmord als beispielgebende republikanisch-patriotische Tat zu feiern. Zu den Quellen der Rede zählt neben Herders Legende ›Der Schiffbruch‹ vor allem Ludens ›Allgemeine Geschichte‹. Luise Büchner schilderte in ihrem Fragment ›Ein Dichter‹ die Wirkung der Rede auf Eltern und Lehrer, die nicht ›mehr als eine Stylübung, eine schöne rhetorische Probe‹ erkannten (S. 212; vgl. in dieser Ausgabe S. 418); für den seit 1828 bestehenden Schülerzirkel, d. h. Büchners Freunde um Karl Minnigerode, sei sie ›nicht bloß eine poetische Phrase‹ gewesen, sondern habe ›der Wirklichkeit und dem Leben‹ gegolten. Die Rede, deren Anfang mit dem des ›Helden-Tods‹ weitgehend identisch war (nur der Satz von den Männern, ›die ganze Nationen ⟨...⟩ mit sich fortrissen‹ und ›vor welchen die Tyrannen bebten‹, war nach der Julirevolution nicht wiederholbar), habe unter ihnen ›einen geheimen Bund besiegel⟨t⟩, der der Gemeinheit, der Unterdrückung und Knechtschaft auf ewig den Krieg erklärte.« (S. 213).

B. steht mit seiner Rede in einer langen Tradition der Pro-Cato-Literatur und gleichzeitig in einer langen rhetorischen Tradition. Schaub, Schulrhetorik, S. 37 ff., hat nachgewiesen, daß und wie B. die gültigen rhetorischen Forderungen in seine Rede umgesetzt hat: Cato gilt ihm als Beispielfigur, sein Leben als ›exemplum‹ für stoische Tugend, Patriotismus und Freiheitsliebe. Einen ähnlichen exemplum-Charakter hat schon die Binnen-Erzählung vom *Heldentod der vierhundert Pforzheimer,* worauf schon der im Wortlaut nahezu identische Beginn beider Reden hinweist. B. will hier den Begriff ›virtus‹ exemplarisch vorführen. Er umschreibt ihn mit den Begriffen der Tugend, Beharrlichkeit, Größe und Erhabenheit.

»Von den beiden erhaltenen ⟨...⟩ Schülerreden ist die Cato-Rede – sub specie rhetoricae betrachtet – zweifellos der bedeutsamere, ergiebigere, ausgereiftere und ausgefeiltere Text, ja, noch mehr: unter allen bisher veröffentlichten Schüleraufsätzen und -reden Büchners ist die Cato-Rede das Glanzstück einer schulischen Beredsamkeit. Gerade sie dürfte daher besonders gut dazu geeignet sein, einer exemplarischen rhetorischen Analyse unterzogen zu werden.« (Schaub, Rhetorikschüler, S. 665). Die Rede ist der Tradition der sog. Verteidigungs- oder Rechtfertigungsreden zuzuordnen, einer Gruppe des genus iudiciale oder der Gerichtsrede. Die klassische Gliederung, das ideale Grundmuster dieser Redeform, nimmt B., selbstverständlich mit Abwandlungen, auf: 1. Einleitung (prooemium oder exordium) 1 a. Ankündigung (propositio) und/oder 2. Erzählung (narratio) 3. Beweisführung (argumentatio oder probatio) 4. Widerlegung gegnerischer Behauptungen (refutatio) 5. Schluß (peroratio oder epilogus). Differenziertere Strukturanalyse bei Schaub, Rhetorikschüler, S. 666 ff.

Die Einleitung in B.s Rede reicht von S. 27, Anf. bis Zl. 30. Der Abschnitt 27, 31–28, 13 könnte als transitio, Überleitung oder bereits als propositio gedeutet werden. Jedenfalls gehört das Folgende, S. 28, 14–20 unbedingt zur propositio. S. 28, 21 beginnt die probatio. S. 29, 1 wird die narratio zwischengeschaltet. Es geht S. 30, 8 mit der probatio oder refutatio weiter, und zwar in Form der argumentatio. Den Höhepunkt der Rede, gleichzeitig Mittelpunkt der Redeform nach der klassischen Oratorik, stellen die Sätze S. 30, 29 ff. dar, die besonderen Nachdruck durch zahlreiche rhetorische Stilfiguren erhalten. S. 32, 38 folgt dann, vor dem Epilog, eine weitere transitio, die Widerlegung eines Einwandes, der in der Form der sermocinatio, des Direktzitats, vorgetragen wird. S. 33, 34 beginnt der Epilog.

»Der Schluß der Büchnerschen Cato-Rede, der mit dem letzten, dem 20. Abschnitt anhebt, ist ein Muster- und Glanzstück einer peroratio. So wie diese nach den Vorschriften der Rhetoriker im allgemeinen keine neuen Gedanken bringt, sondern organisch aus den Darlegungen der ganzen Rede herauswächst, die vorgetragenen Hauptgedanken kurz und deutlich zusammenfaßt und wiederholt (recapitulatio) und dabei durch Lebhaftigkeit, Pathos und Prägnanz der Darstellung versucht, das Publikum für das angestrebte Redeziel zu gewinnen, so hat auch Büchner in bewußter und strikter Befolgung der in der antiken Rhetoriktradition aufgestellten Regeln seinen Epilog konzipiert und formuliert.« (Schaub, Schulrhetorik, S. 44).

Nicht nur in der Makrostruktur, sondern auch »in den eher mikrostrukturellen Bereichen der Stilfiguren und Tropen, der Stilarten und Stilprinzipien, der Syntax und der Interpunktion, der Gestaltung der Übergänge und der Schlüsse von Sätzen, Absätzen und Redeteilen richtet sich Büchner nach bewährten rhetorischen Regeln und Vorschriften. Bis in die kleinsten Details der Sprach- und Stilgebung hinein ist die Cato-Rede ein durch und durch rhetorisierter, alle Register der Beredsamkeit ziehender Redetext. Die Schülerrede, die Büchner als 17½jähriger Pennäler gehalten hat, ist kein dilettantisches Lehrlings-, sondern bereits ein kleines rhetorisches Meisterstück; sie ist ein früher Beleg für Büchners ›hinreißende Beredsamkeit‹, die man später – in der Gießener und Darmstädter Zeit (1834/35) – dem Studenten, Agitator und Flugschriftsteller attestiert hat« (Schaub, Rhetorikschüler, S. 680).

B. wählte aus einer bestimmten Anzahl von Möglichkeiten gerade die Figur des Cato als Vorwurf für seine Rede. Cato galt ihm, neben Brutus, als der Freiheitsheld der römischen Antike, »vorzüglich als Vehikel zur Propagierung freiheitlich-republikanischer Ideen«.

»Ein Thema aus der Antike zu wählen, entspricht dem humanistischen Bildungsprogramm des Gymnasiums und der politischen Gesinnung der Zuhörerschaft. Von Schülern abgesehen, die in Büchners Shakespeare-Zirkel verkehren, handelt es sich um bürgerliche Honoratioren des Magistrats, den Rektor, Lehrer, Eltern und Angehörige. Sie verstehen das Antikenthema als Hinweis auf ihr Selbstverständnis, Nachfolger der antiken Entdecker der Freiheit, der Griechen und Römer zu sein, deren Werte von den Germanen im Kampf gegen Rom übernommen, von Luther in ihrer Wahrheit erkannt und nach der Französischen Revolution, ihrer fehlgeleiteten Umsetzung, in der napoleonischen Zeit und dem anschließenden Freiheitskrieg politisch verwirklicht worden seien. Die ständische Verfassung des Großherzogtums Hessen regelt die Petitions- und Mitberatungsrechte der Untertanen und wahrt das Herrscher- und Gesetzgebungsrecht des Fürsten als Ausdruck des gottgewollten Treuebunds mit seinem Volk. Die Bemühung des Mittelstands, Teilnahme an der politischen Macht neben dem Hof, dem Adel und dem Großbürgertum zu erringen, bestimmt das gesellschaftliche, nicht spannungsfreie Klima.« (Fleck, S. 74).

»Hiernach kann es nicht mehr zweifelhaft sein, daß Büchner in seiner Cato-Rede von der sich geradezu anbietenden Möglichkeit, aus Anlaß eines antik-historischen Themas auch über aktuelle politische Tendenzen und Themen zu sprechen, Gebrauch machte, ja den Stoff unter diesem Aspekt wahrscheinlich auswählte. Büchner sprach nicht nur über ein historisches Thema, er sprach auch über seine Gegenwart, d.h. über die Unfreiheit seines Zeitalters, dem er die Freiheits- und Vaterlandsliebe eines Cato als Vorbild entgegenhielt.« (Schaub, Schulrhetorik, S. 47).

Das hessische Bürgertum hatte erschrocken bis panisch auf die Ereignisse in Frankreich reagiert (vgl. Fleck, S. 75 f.), so vier Tage zuvor, am 25. September, »auf die Nachricht, Bauern und Handwerker hätten sich, vom nachbarlichen Kurfürstentum Hessen-Kassel und der großherzoglichen Provinz Oberhessen ausgehend, zu landesweitem Aufruhr erhoben und zögen, mit dem Ruf ›Freiheit‹ und ›Gleichheit‹, Zollhäuser zerstörend, Wucherer einschüchternd und Standesherren zum Verzicht auf ehemals feudale Rechte nötigend, mit der Forderung nach

Landreform in Richtung Darmstädter Residenz. Nun, am 29. September, dem Tag von Büchners Rede, mobilisierten die Nachbarstaaten auf Geheiß der Bundesversammlung zu Frankfurt ihre Armeen, um notfalls einzugreifen«. Der Darmstädter Hof trifft Vorbereitungen zur Flucht, aber auch zur Militäraktion. B. gestaltet sein Thema, die Verteidigung von Rebellion und Freitod des römischen Republikaners Cato zu Beginn der Diktatur des Caesar, unter Umgehung des generellen Verbots öffentlicher politischer Äußerungen als Gleichnis des entsprechenden Entschlusses seiner Zuhörerschaft. »Die Einleitungssätze konfrontieren sie mit einer Natur- und Weltanschauung menschenrechtlicher, republikanischer und nicht untertanenhafter Art, die das klassisch-humanistische Menschenbild nachformt, es jedoch durch Diesseitigkeit, Geschlossenheit und Immanenz von den beherrschenden Normen der Obrigkeitstreue und Jenseitsaufrechnung reinigt. Das Thema verweist auch auf den Grundgedanken der Julirevolution, die Wiedereinführung der Ideen der Französischen Revolution in die historische Perspektive, und bejaht den von den Franzosen mit souveräner Geste vorgeführten Anspruch auf Selbstgestaltung der Geschichte. Ein tragisches, aus dem Protestantismus und der antiken Religiosität übernommenes Bewußtsein der Ausweglosigkeit und Ausgeliefertheit spricht den Handlungen das Recht des Widerstands gegen die Gewalt des Schicksals zu, die nach geltendem Recht als Empörung gegen den Staat und den Fürsten verurteilt werden, um darüber hinaus ihre Übereinstimmung mit einem unabänderlichen und alles bestimmenden Weltgesetz anzudeuten. Schließlich tritt, von Büchner in einer antik gefärbten Sprache so authentisch wiedergegeben wie selten in der Literatur, die politische Vision einer radikal gedachten antiken Freiheit hinzu, ein handlungsleitendes Symbol, das über die Schwelle der Tat zu führen vermag« (Fleck, S. 76).

Die Reaktion seiner Zuhörer überliefert die Schwester Luise Büchner in ihrem 1878 veröffentlichten Romanfragment ›Ein Dichter‹, S. 43 f.: »Der Direktor, welcher natürlich die Rede vorher geprüft, sprach sich abermals höchst lobend darüber aus; er dachte nicht daran, daß sie etwas Aufregendes oder Staatsgefährliches enthalten könne. Las er nicht die Ciceronianischen Reden in seinem Studierzimmer, warum sollte sein klassisch gebildeter Schüler nicht in einem Helden des Altertums in gleicher Weise mit demselben Schwung dieselbe Freiheit preisen, wie es dort auch geschah? ⟨...⟩ Ebenso gleichgültig blieb das Publikum bezüglich des tieferen Inhalts dieser Rede. Weder diesen Vätern, noch den Lehrern war es mehr als eine Stilübung, eine schöne rhetorische Probe. Von der Glut, die den Geist, das Herz beseelen mußte, welches seinen innersten Gedanken so verkörperte, hatte niemand eine Ahnung.«

So ist denn auch der Beifall: »Als der Großherzog am nächsten Tag gegen den Aufruhr Militär einsetzt und das Standrecht proklamiert, heißen ebendiese Zuhörer die Maßnahme gut. Einige Mitschüler erheben den Gruß der französischen Republikaner zum Verständigungszeichen und treten in Kontakt zum einfachen Volk. Büchner versucht erst wieder auf die hessische Öffentlichkeit einzuwirken, als in Paris im Frühjahr 1834 eine zweite, diesmal republikanische und soziale Revolution bevorzustehen scheint« (Fleck, S. 78). Welche politische Bedeutung die rhetorische Ausbildung B.s bekommen hat, zeigt dann eben der *Hessische Landbote.*

»Den Beginn ⟨der Rede⟩ übernimmt Büchner aus dem Text jener Schülerrede, um derentwillen man ihn für diesen Redeactus ausgewählt hatte. Doch das Erlebnis der Julirevolution hat ihn veranlaßt, den Kernsatz auszutauschen: ›einzugreifen in den Gang der Weltgeschichte‹ steht nun statt ›mit kühner Hand in die Speichen des Zeitrades zu greifen‹. Diese Veränderung bezeugt den unmittelbaren Eindruck des Revolutionsereignisses als Anlaß des Übergangs zum realistischen Weltbezug, der mit dem Entschluß einhergeht, das Eingreifen in den Stil selbst zu integrieren, der Sprache das Fließende zu nehmen, sie aufzureißen und zu verknappen, Umstellungen, Faltungen und Überlagerungen vorzunehmen und die Satzteile gegeneinander zu konfrontieren. Daraus ergibt sich eine neuartige Dynamik über die Brüche hinweg, eine Eindringlichkeit, die nicht mehr durch eingefügte Pathosformeln erzeugt wird, sondern als gewaltsamer Ausdruck realer Kräfte hervortritt. Mit der Streichung der Formel vom Greifen in das Zeitrad wird die Anschauung der älteren Generation, die Suche nach Kontinuität und vorgezeichnetem Weg, zugunsten einer diskontinuierlichen verlassen, die, ohne chronologischen Fortschritt, ein permanentes soziales Schicksalsdrama in einem geschlossenen Kosmos sieht. Zwei Momente des Erhabenen, das mathematisch Erhabene, das an den beschwingten Melodramenszenen von Paris und ihren kolossalen Folgen erfühlt wird, und das dynamische Erhabene, sein an der Furchtbarkeit des Aufruhrs, dem Sichtbarwerden der Lebenswirklichkeit der Bauern- und Handwerkerwelt, wahrgenommener tragischer Gegenpol, vermitteln nun den innerweltlichen Sinn« (Fleck, S. 77). Zum Anfang der Rede vgl. zu *Über den Selbstmord,* zu S. 435 ff.

Einen auf das naturwissenschaftliche Weltbild bezogenen Deutungsansatz auch der Cato-Rede liefert Schwedt, Marginalien, S. 169: »Natur wurde von Büchner, lange schon vor seiner Lektüre des Spinoza und nicht more geometrico, pantheistisch als Verkörperung des Absoluten begriffen. Daß der Selbstmörder gegen sie verstößt, machte schon für den Gymnasiasten den *einzigen, fast allgemein gültigen Vorwurf* gegen sein Tun aus, weil der Selbstmord *unserem Zweck und somit der Natur widerspricht, indem er die von der Natur uns gegebene, unserem Zweck angemessene Form des Lebens vor der Zeit zerstört.* In einer anderen Schülerarbeit Büchners ist die Rede von der Freiheit als des großartigen Lebenszwecks des Cato Uticensis, dessen *Erscheinung lange vorher durch jene Vorsehung angeordnet war, deren Gesetze ebenso unerforschlich als unabänderlich sind.* Weil der Tod Catos dem gleichen Zweck folgte wie sein Leben, rechtfertigte Büchner seinen Selbstmord.«

27 *Kato:* Marcus Porcius Cato Uticensis (95–46 v. Chr.), röm. Staatsmann und Gegner Caesars; stammte aus einflußreichem plebejischen Geschlecht, Urenkel des berühmten Censors (s. zu S. 29); in Cato verbanden sich die sprichwörtlichen altröm. Tugenden Rechtlichkeit, Genügsamkeit und Mut mit den sittlichen Forderungen der stoischen Philosophie (s. zu S. 28); öffentliche Ämter: 64 Quästur, 62 Volkstribunat, 58–44 Einziehung Cyperns als Provinz, 54 Prätur; geriet bald in Gegnerschaft zu Caesar, arbeitete gegen Anarchie und Diktatur, stimmte 63 mit Cicero für die Hinrichtung der Anhänger Catilinas (s. zu S. 29), stellte sich im Kampf gegen Caesar Pompeius zur Verfügung. Nach dessen Niederlage bei Pharsalus 48 hat Cato in Nordafrika den Widerstand gegen Caesar organisiert; nach Caesars Sieg bei Thapsus 46 gab sich Cato in Utika (Nordafrika) den Tod. – *exzentrischen Laufe:* Lauf ohne gemeinsamen Mittelpunkt, außerhalb der gewöhnlichen Bahn. Vgl. den Anfang des ›Thalia‹-Fragments von Hölderlins ›Hyperion‹: »exzentrische Bahn« sowie Gerhard Kurz: ›Mittelbarkeit und Vereinigung. Zum Verhältnis von Poesie, Reflexion und Revolution‹. Stuttgart 1975.

28 *Stoiker:* Stoa, Philosophenschule, um 308 v. Chr. gegründet (Stoa, griech. Säulenhalle). Durch Cicero griff der Einfluß der Stoa auf die römische Welt über. Im Mittelpunkt der Lehre steht die Ethik: Es gibt nur eine wahre Glückseligkeit, nämlich das Leben im Einklang mit der Allnatur, der Gehorsam gegen das göttliche Gesetz. Form dieser Glückseligkeit ist die Tugend, der Weg zu ihr Überwindung der Lust und Tötung der Affekte. Diesem Ziel gegenüber sind die gewöhnlichen Güter des Lebens gleichgültig (Adiaphora); gleichgültig ist auch das Leben des Individuums selbst, daher ist der freiwillige Tod sinnvoll. Grundtugenden sind Gerechtigkeit, Tapferkeit, Selbstbeherrschung.

29 *Voll unerschütterlicher Tugend …:* B. zitiert hier Sallust, ›Coniuratio Catilinae‹ (Die Verschwörung des Catilina), Kap. 54,6: »esse quam videri bonus malebat: ita, quo minus petebat gloriam, eo magis illum adsequebatur.« (Hinweis von G. Schaub). – *Cäsar:* Caius Iulius Caesar (100–44 v. Chr.), Feldherr und Staatsmann Roms, aus dem patrizischen Geschlecht der Iulier. Seine eigentliche politische Laufbahn begann 68 mit der Quästur, 65 wurde er Ädil, 63 Pontifex maximus; trat gegen die von Cicero für Catilina geforderte Todesstrafe ein; 62 wurde er Prätor, 59 Konsul, 1. Triumvirat (mit Crassus und Pompeius), 56 Statthalter in Dalmatien, Oberitalien und Südfrankreich (Gallien); 49 Krieg mit Pompeius, 48 Sieg bei Pharsalus, 46 Sieg bei Thapsus; umfangreiche Neuordnung des röm. Reiches; 44 Diktatur auf Lebenszeit, Verschwörung gegen ihn und Ermordung. – *Katilina:* Lucius Sergius Catilina (um 108–62 v. Chr.), aus verarmtem Adelsgeschlecht. Sein politisches Ziel, eine extreme Demokratisierung Roms mittels Umsturz durchzuführen, scheiterte. Der Aufstand in Etrurien 63 wurde niedergeschlagen,

Catilina (Ciceros berühmte Reden) aus der Stadt verbannt, seine Mitwisser wurden wider die Verfassung zum Tode verurteilt. – *Cäsar groß durch sein Glück:* Caesar galt von jeher als Günstling des Glücks. In diesem Sinne äußert sich Cicero Att. (epistulae ad Atticum) 7, 4, 3 sowie Cicero Marc. (pro M. Marcello) 6 f. (Hinweis von G. Schaub). – *Anderthalbe hundert Jahre zuvor:* vermutlich Anspielung auf die Zeit des älteren Cato, dessen im röm. Senat wiederholt geäußerte Forderung den Anstoß zur endgültigen Zerstörung Karthagos (149 v. Chr.) gab. – *Nach Cäsars Siege . . .:* B. zitiert hier, wie im folgenden noch öfter, Heinrich Luden, ›Allgemeine Geschichte der Völker und Staaten. Erster Teil, Geschichte der Völker und Staaten des Altertums‹, Jena 1814, S. 487: »Nach diesem Siege ⟨Caesars bei Thapsus⟩ verlor Cato die Hoffnung seines Lebens.« (Hinweis von G. Schaub). Vgl. zu S. 32. – *Thapsus:* Stadt in Nordafrika, s.o. *(Caesar).* – *da hielt er es für das Einzigwürdige . . .:* Vgl. Luden, S. 487: »also hielt er ⟨Cato⟩ für das Einzigwürdige, durch besonnenen Tod seine freie Seele zu retten.«

30 *in einer so heillosen Zeit:* Die Zeit des jüngeren Cato gehört zu den schwierigsten Epochen der röm. Geschichte. Der politische Alltag war von Verfassungsbrüchen, Bestechungen und skrupellosen Machtkämpfen geprägt. Vgl. Luden, S. 487: »Solch ein Ende konnte allein einer so großen Tugend in einer so heillosen Zeit geziemen, aber es muß auch die menschliche Seele beruhigen.« – *Gemeinplatz der Feigheit angezogen kommen:* Parallele in Goethes ›Werther‹ (1. Buch, Brief »Am 12. August«): »als wenn einer mit einem unbedeutenden Gemeinspruch angezogen kommt«. – *Vellejus Paterculus:* Velleius; röm. Geschichtsschreiber, verfaßte 29 n. Chr. eine röm. Geschichte in zwei nicht vollständig erhaltenen Büchern von den Anfängen bis zur Regierung des Kaisers Tiberius. – *homo virtuti . . .:* Zitat aus ›Historiae Romanae‹ II, 35: ein Mensch, ⟨dem Begriff⟩ der Tugend am ähnlichsten und insgesamt durch seine Sinnesart den Göttern mehr verwandt als den Menschen.

31 *Und war auch Rom . . .:* Vgl. Luden, S. 491: »Wenn Rom der Freiheit nicht wert war, so war doch die Freiheit selbst wert, daß Cato für sie lebte und starb.« – *Hyder:* Hydra, in der griech. Mythologie eine neunköpfige Riesenschlange im Sumpf von Lerna (südl. von Argos); da ihr für jeden abgeschlagenen Kopf zwei neue wuchsen, konnte Herakles sie erst bewältigen, als sein Gefährte Iolaos die Halsstümpfe ausbrannte. – *Tat eines Brutus:* Marcus Iunius Brutus, der Caesar-Mörder (85–42 v. Chr.), Neffe von Marcus Porcius Cato (Uticensis). Von Caesar 44 zum städtischen Prätor ernannt und für 41 zum Konsul vorgesehen. Die entscheidende Wendung gegen Caesar dürfte mit der Übertragung der Diktatur auf Lebenszeit an diesen zusammenhängen; sein Ansehen machte ihn zum Anführer der Verschwörung gegen Caesar, die im Attentat gegen diesen legitimistische Notwehr sah. In der zweiten Schlacht bei Philippi, 42

v. Chr., wurde Brutus von Antonius besiegt und gab sich daraufhin
den Tod.

32 *Ciceros Beispiel:* Marcus Tullius Cicero (106–43 v. Chr.), einer der
bedeutendsten röm. Redner, Politiker, Schriftsteller. B. spielt hier
vermutlich auf Ciceros Versuche, zwischen Caesar und Pompeius
zu vermitteln, an sowie auf die Koalition zwischen Marcus Antonius und Octavian (Augustus), der Cicero zum Opfer fiel. Er wurde 43 bei Formiae auf der Flucht ermordet. Vgl. Luden, S. 488:
»Und wie wenig durch Nachgeben und Fügsamkeit erreicht wurde,
das könnte ja wohl Ciceros Beispiel lehren!« – *Porcia . . .:* (gest. 43
v. Chr.) Tochter des jüngeren Cato, dessen geistiges und politisches
Vermächtnis sie sich zu eigen machte. 45 heiratete sie M. Iunius
Brutus (s. auch zu S. 76). – *sein Sohn:* M. Porcius Cato versuchte
vergeblich, seinen durch eigene Hand schwerverwundeten Vater am
Leben zu erhalten. Von Caesar begnadigt, gehörte er 43–42 als
Legatus (oder Präfekt?) zu den Truppen des Brutus. 42 v. Chr. fiel
Catos Sohn, mit dem die Familie wohl ausstarb, in der Schlacht bei
Philippi. – *Philippi:* antike Stadt in Thrakien, nach der Eroberung
durch Philipp II. von Makedonien (um 382–336 v. Chr.) nach ihm
neu benannt. 42 v. Chr. besiegten hier Antonius und Octavian die
Republikaner unter Brutus und Cassius. – *Ludens Worten:* Heinrich Luden (1780–1847), Historiker; seine Geschichtsphilosophie
ist beeinflußt von Fichte und Schelling sowie vom Volkstumsge-
danken Herders; er vertrat einen entschiedenen Liberalismus, der
stark auf die entstehende Burschenschaft einwirkte. (Hauptwerk:
›Die Geschichte des deutschen Volkes‹, bis 1237, 12 Bde., 1825–37;
vgl. Luden ⟨s. zu S. 29, *Nach Cäsars Siege*⟩, S. 487 f.: »Wer fragen
mag, ob Cato durch seine Tugend nicht Rom mehr geschadet habe
als genutzt, der hat weder Roms Art erkannt, noch Catos Seele,
oder den Sinn des menschlichen Lebens.«)

33 *Herder:* Johann Gottfried H. (1744–1803), eine der großen Integra-
tionsgestalten des 18. Jh.s; er übte starken Einfluß auf den jungen
Goethe sowie auf den entstehenden Sturm und Drang aus, verfaßte
ein weitreichendes, ungeheures Werk zu Themen aus allen Berei-
chen des geistigen Lebens (theoretische und dichterische Schriften).
Seine Kritik an der übersteigerten Aufklärung, am übertriebenen
Rationalismus war getragen von einem umfassenden Humanitäts-
ideal. – Das von B. zitierte ›verächtliche‹ Herder-Wort findet sich in
Herders Legende ›Der Schiffbruch‹, deren letzte Strophe lautet:
»Welch ein Geist war größer? Jenes Kato, / Der im Zorne sich die
Wunden aufriß, / Oder dieses Priesters, der, den Pflichten / Seines
Amtes treu, im Meer ersinket?« (Vgl. Schaub, Schulrhetorik, S. 95,
Anm. 277; vgl. zu S. 9).

Über den Selbstmord. Eine Rezension

Die Quellenlage dieser in der Handschrift titellosen Kritik, erhalten in einem besonderen Heft, auf dessen Deckel von späterer Hand »Kritik. 1831« hinzugefügt wurde, war lange Zeit ungeklärt; vgl. Schaub, Schulrhetorik, S. 33 f. Für den Aufsatz, den B. hier rezensiert, hatte Knight, S. 12, Anm. 2, einen der Lehrer B.s als Verfasser vermutet, doch konnte diese Vermutung anhand der Darmstädter Schulprogramme nicht verifiziert werden. Schaub, Büchners Rezension, S. 224–226, nimmt mit guten Gründen an, daß Büchner den Schulaufsatz eines Klassenkameraden rezensiert habe (eine seinerzeit keineswegs unübliche Aufgabenstellung); vgl. ebd., allgemein S. 231 f.: »Was immer der spätere Literatur- dem jugendlichen Aufsatz-Kritiker verdankt haben mag – im Hinblick auf Büchners schulische Rezensionstätigkeit wie auch auf seine anderen Schülerarbeiten gilt es festzuhalten und zu resümieren: 1. Büchner verwendet in seiner Rezension eine Reihe rhetorischer Beurteilungs- und Bewertungskriterien, die zumeist aus dem rhetorischen Tugendsystem, d.h. aus dem System der virtutes bzw. Vitia elocutionis stammen. 2. So wie Büchner rhetorische Kritik am Aufsatz eines Mitschülers übt, so dürften auch seine Klassenkameraden und Lehrer an seinen Aufsätzen und Reden rhetorische Kritik geübt haben. 3. In Erwartung rhetorisch fundierter Kritik werden Büchner und seine Mitschüler verständlicherweise besonders auf das Rhetorische in ihren Texten geachtet haben. Die erwartete, gefürchtete oder erhoffte, rhetorische Kritik provozierte eine rhetorische Sprach- und Stilgestaltung. Die Verfasser von Schulreden und Schulaufsätzen berücksichtigten den ›Erwartungshorizont‹ ihrer potentiellen Rezensenten und Kritiker, zu dem es gehörte, daß ein Text nach rhetorischen Regeln konzipiert, aufgebaut und gestaltet war.« Wenn die später hinzugefügte Datierung des Aufsatzes richtig ist, so entstand er im letzten Schulhalbjahr B.s und folgt der dem Selbstmord des Cato von Utika rechtfertigenden Rede; vgl. Bergemann, S. 768. Zu einem Deutungsansatz vgl. Schwedt, Marginalien, S. 169 sowie zur Cato-Rede in dieser Ausgabe S. 429. Vgl. auch Büchner, Katalog Marburg, S. 55: »Mit der Polemik gegen die christliche Eschatologie (Erde als ›Prüfungsland‹) und der Definition des Lebens als ›Zweck‹ seiner selbst verläßt Büchner endgültig die teilweise noch religiösen Argumentationsmuster der vorangegangenen Gedichte und Schülerarbeiten.«

35 *Kato:* s. zu S. 27 ff. – *Lukretia:* Tochter des Sp. Lucretius Tricipitinus und Gattin des L. Tarquinius Collatinus; von Sextus, dem ältesten Sohn des letzten röm. Königs, Tarquinius Superbus (534–510 v. Chr.), geschändet; nachdem sie den Vorfall enthüllt hatte, gab sie sich den Tod, der Anlaß zum Sturz des röm. Königtums wurde. – *Dieses subjektive ist aber das einzig richtige.* Vgl. auch zu S. 21. B.s Interesse gilt den subjektiv-psychologischen Beweggründen einer historischen Handlung, den Motiven und individuellen Ursachen.

36 *Roland:* Jean-Marie (1734–93), führender Girondist, 1792/93 Innenminister, flüchtete nach dem Sturz der Girondisten (s. Vorbemerkung zu *Dantons Tod,* S. 480) und beging nach der Hinrichtung
seiner Gattin Selbstmord. Marie-Jeanne R., geb. Phlipon (1754–93),
war durch das Studium des Altertums begeisterte Republikanerin
geworden und übte seit 1791 großen Einfluß auf die Girondisten-
führer aus. Nach dem Sturz der Partei wurde sie guillotiniert. –
Nach Broch, Schülerschriften, S. 290, bezieht sich B. wahrscheinlich auf die *Danton*-Quelle ›Unsere Zeit‹ (hier Band 10, 1827,
S. 440; vgl. S. 485): »*Roland* hatte sich in die Gegend von Rouen
geflüchtet. *Als er das traurige Ende seiner Frau vernahm, wollte er
sie nicht überleben.* Er verließ das gastfreie Dach, unter welchem er
eine Zuflucht gefunden hatte, und nahm sich, um keinem Freunde
Gefahr zu bringen, auf offener Landstraße das Leben. Man fand ihn
am Fuße eines Baumes von einem Degen durchbohrt liegen; er
hatte die Waffe gegen den Baum gestemmt. In seiner Tasche war
eine Schrift über sein Leben und sein Betragen als Minister.« –
Osiandern: Friedrich Benjamin O. (1759–1822), Professor der Medizin, Direktor des Entbindungshospitals zu Göttingen, veröffentlichte 1813 in Hannover eine Schrift: ›Über den Selbstmord, seine
Ursachen, Arten, medizinisch-gerichtliche Untersuchung und die
Mittel gegen den selben‹. Vgl. Schaub, Büchners Rezension,
S. 224f. – *solchen Menschen, welcher den Kato einen Monolog halten läßt . . . der Herr Professor:* Gemeint ist F. B. Osiander (s.
Schaub, Büchners Rezension, S. 224. Anm. 5: »Inhalt und Konnex
der beiden aufeinanderfolgenden Sätze zeigen unmißverständlich,
daß der ›Mensch‹, der ›den Kato einen Monolog halten läßt‹ und der
›Herr Professor‹ identisch sind. Ließe sich in Osianders Buch *Über
den Selbstmord* ein Monolog Catos, wie ihn Büchner in seiner Rezension sinngemäß wiedergibt, nachweisen, so wäre dies der Beweis
dafür, daß Büchner mit dem ›Menschen, welcher den Kato einen
Monolog halten läßt‹ und dem ›Herrn Professor‹ nur den Göttinger
Medizinprofessor Osiander gemeint haben kann. Tatsächlich findet
sich bei Osiander ein längerer Monolog Catos, der damit beginnt,
daß Cato ›den Triumph des Cäsars nicht überleben‹ will, und der
mit folgenden Worten endet: ›den Dolch in die Brust will ich mir
stoßen ⟨. . .⟩. Nach der Gleichheit meines vorigen patriotischen
Charakters werden die Schriftsteller ohne tiefsinnige Raisonne-
ments diese entscheidende Handlung mit lebhaften Farben schildern; sie werden dem unsterblichen Rufe noch einen vermehrten
Glanz geben‹ [Friedrich Benjamin Osiander: ›*Über den Selbstmord,
seine Ursachen, Arten, medizinisch-gerichtliche Untersuchung und
die Mittel gegen denselben‹,* Hannover 1813, S. 1287f.].«.) – *tintenklecksendes Seculum:* »Mir ekelt vor diesem tintenklecksenden Säkulum!« Worte Karl Moors in Schillers (1759–1805) ›Die Räuber‹
(1781) I, 2. – *Römerpatriotismus! . . .:* Kritik am klassizistischen
französischen Helden-Ethos. Nahezu wörtliches Zitat aus Goethes

Rezension eines Buches von J. v. Sonnenfels ›Über die Liebe des Vaterlandes‹. Die ursprünglich in den ›Frankfurter Gelehrten Anzeigen‹ (22. Mai 1772) erschienene Rezension ist in B.s Schulzeit wieder abgedruckt worden in: ›Goethe's Werke‹. Vollständige Ausgabe letzter Hand. 33. Bd., Stuttgart u. Tübingen 1830, S. 106–110. Die von B. zitierte Stelle S. 107 (Hinweis von Schaub). – *daß das Leben selbst Zweck sei;* vgl. zu *Über Schädelnerven;* zu S. 257 ff. und Meier, Woyzeck.

37 *Du gleichst dem Geist...:* Zitat aus Goethes (1749–1832) ›Faust. Der Tragödie Erster Teil‹ (1808), Vers 512 f.; schon in ›Faust. Ein Fragment‹ (1790). – *Selbstmord aus Patriotismus oder aus physischen und psychischen Leiden:* B. differenziert hier und im folgenden in einer sehr modern anmutenden sozialpsychologischen Weise. – *Melancholie:* eines der vier Grundtemperamente; pathologischer Zustand sich wiederholender Schwermut, grundloser Traurigkeit, des Weltschmerzes. Der Begriff der Melancholie war zu B.s Zeit als Ausdruck epigonaler »Weltstimmung« weitverbreitet und kennzeichnet auch viele der schreibenden Zeitgenossen. Im eigenen Werk sind fast alle Hauptfiguren von der Melancholie betroffen: Danton, Leonce, Lenz, Woyzeck. Siehe auch S. 695. – *gehoben:* beseitigt. – *Krankheit zum Tode:* Nach Johannes-Evangelium 11,4; vgl. ›Die Leiden des jungen Werthers‹ (1774), 1. Buch, Brief »Am 12. August«.

38 *klare, schöne und kräftige Sprache:* Vgl. Vietta, Sprachkritik, S. 144 f.

Aus der Fülle der kleineren – unselbständigen – Schülerschriften B.s wurden im Laufe der Jahre mehrere Beispiele veröffentlicht. Die Publikation der überlieferten 650 Seiten Schulheft-Eintragungen, Mitschriften etc. bleibt der historisch-kritischen Ausgabe vorbehalten. Im folgenden werden nur einige Muster wiedergegeben, die einen Eindruck dieser Notizen vermitteln sollen. Der erste Text wurde bereits von Bergemann in seiner Edition von 1922 gedruckt (S. 458); er erscheint hier nach dem mit der Handschrift verglichenen Druck im ›Insel-Almanach auf das Jahr 1987‹, hg. von Thomas Michael Mayer (Mayer, Almanach, S. 25):

VON DEM NUTZEN DER MÜNZ-KUNDE

Ich bin so fest von ihrem Nutzen überzeugt, daß ich es für höchst überflüssig halte, auch nur einen Grund hier aufzuschreiben, die Symptome die ich zufolge dieses Studiums an mir selbst bemerkte sind unleugbar und die *Langweile* und *Abspannung,* die eine Folge dieser höchst zu empfehlenden ⟨?⟩ Wissenschaft waren, genügen schon hinlänglich in den Augen jedes tiefer in den Geist der Philologie eingedrungnen *Philologen* als der schlagendste Beweis für den Nutzen dieses Studiums. Ich muß daher wirklich d. H. Dr. ersuchen mich mit allen fernren Erläuterungen zu verschonen. *Scharfsinn, Verstand, gesunde Vernunft*! lauter leere Namen; eine Dung-Kaktee ⟨?⟩ von Gelehrsamkeit, das allein würdige Ziel *alles menschlichen Bestrebens*!!! *Es ist vollbracht!*

> Der Trödel der mit tausendfachem Tand
> In dieser Mottenwelt mich dränget!*

Endresultat dieses gepriesen Studiums!

G. Büchner.

(*Faust I, Vers 658 f.)

Der zweite Text wurde in Mayer, Almanach (S. 23) aus der Handschrift erstveröffentlicht:

VON DEM EINDRUCK DEN DIE FARBEN HERVORBRINGEN

Die Farben machen schon an und für sich einen Eindruck auf das Auge, durch dieses auf den Geist und somit auf das ästhetische und sittliche Gefühl.

Das *Gelb* ist der Natur des Weißen am meisten verwandt und bringt einen heitern Eindruck hervor, dabei ist es aber höchst empfindlich und bringt einen unangenehmen Eindruck hervor, wenn sie nicht ganz rein gehalten wird.

Die *Steigerung in das Rote* ist ebenfalls als *orange* angenehm. Das *Rot* verliert das Angenehm⟨e⟩ u. Heitere u. hat etwas gewaltsames und erschütterndes. Verschwind⟨e⟩t alles *Gelb*, so bleibt das *Karmin* oder *Purpurrot*, sie ist die höchste Steigerung d. Farben.

Von dem *roten* geht es durch *carmoisin*, violett, u. *lila* in das *blaue* über. Die blaue Farbe ist dem Dunkel verwandt. Aus dem *Blau* entwikkelt sich durch Verdichtung das *Schwarze*. Unter den Nebenfarben ist *Grün* am meisten zu bemerken, es entspringt aus Blau u. Gelb u. steht in Mitten zwischen den hellen u. dunkeln Farben.

Bergemann hatte S. 458–460 weitere Beispiele gegeben:

ZUR GESCHICHTE DER HIEROGLYPHEN

⟨*Dem zugehörigen Text folgen hingekritzelte Stoßseufzer Büchners, von denen sich diese entziffern lassen:*⟩

o 's ist grausig wichtig, wenn's nur nicht so · langweilig wär. Philolog.Schandvolk⋯'s tut mir leid⋯ Donner u. Doria⋯⋯ Hilf Teufel mir die Zeit d. Angst ⟨?⟩ verkürzen! – Vier Uhr! Gottheit – o mon dieu! will denn die Zeit nicht verrinnen? –, die Welt ist stehn geblieben⋯
⟨*Darunter malt Büchner seinen Namen, ermannt sich dann zur neuen*

Kapitelüberschrift VON DER GRIECHISCHEN PALÄOGRA-
PHIE, bricht aber sogleich danach in erneute Klagen aus:⟩

Gelehrte Dungkaktee ⟨?⟩, wie ich mir all das Zeug in den Hirnkasten
jagen wollt······ Dunnerwetterkiel nochmal. Pelasgische Buchstaben!
⟨*Die nächste Seite des Heftes bringt solch Gekritzel, daß man an den
irren Lenz erinnert wird, der ›Hieroglyphen, Hieroglyphen!‹ an die
Wand schreibt[1]; aus dem wirren Gekritzel heben sich nur einzelne
Worte hier und da lesbar ab, aus Ophelias Wahnsinnssang z.B.[2]; im
übrigen ist auf dieser Seite nur am Rand entzifferbar:*⟩

> Zu Lauterbach hast du dein Strumpf verlorn,
> Ohne Strumpf du kommst heim,
> Drum geh nur wieder nach Lauterbach,
> Kauf dir zu dem ein' noch ein'.
> ⟨*Die letzte beschriebene Seite bringt nur noch
> Büchnerische Ergüsse:*⟩
> O du gelehrte Bestie, lambe me in podice.
> 's ist scheußlich, horribile dictu.
> O schaudervoll! höchst schaudervoll!
> Gott sei gelobt, es ist das letztemal.
>
> Hier ruht ein junges Öchselein,
> Dem Schreiner Ochs sein Söhnelein,
> Der liebe Gott hat nicht gewollt,
> Daß es ein Ochse werden sollt.
> Drum nahm er es aus dießer Welt
> Zu sich ins schöne Himmelszelt;
> Der Vater hat mit Vorbedacht
> Kind, Sarg und Grabschrift selbst gemacht.

ANDERE RANDNOTIZEN

> In jungen Tagen ich lieben tät,
> das däuchte mir so süß,
> Vom Morgen bis zum Abend spät
> Behagte mir nichts wie dieß.[3]
>
> Und oh eine Grube gar tief und hohl
> Für solchen Gast muß sein.[3]
>
> ⟨*Nach fünf gestrichnen Zeilen:*⟩
> Er ist lange tot und hin,
> Tot und hin, Fräulein –
> Ihm zu Häupten ein Rasen grün,
> Ihm zu Füßen ein Stein.

⟨[1] Vgl. S. 154. – [2] ›Hamlet‹ IV 5. – [3] ›Hamlet‹ VI.⟩

Wie erkenn ich dein Treulieb
Vor den andern nun?
An dem Muschelhut und Stab
    und den Sandelschuhn.[1]

⟨*Am Schluß einer andern Seite:*⟩
Doch es singen die Zungen
Frisch, fröhlich und frei,
Die mutigen Söhne der Turner⟨ei⟩
Sternaugen funkeln, die Schwerter sind
                        bloß,
Laut schallet der Freiheit Trompetenstoß.
Auf, die Posaunen erklingen,
Gräber und Särge zerspringen,
Freiheit steht auf.

⟨*Noch folgen, aber gestrichen:*⟩
Und Freiheit, Freiheit sei mein . .
Wenn die in meinem Vaterland verküm-
                        mert⟨?⟩
So sei mein Blut noch deine letzte Ölung,
Dann greif ich freudig in den Kranz der
Dörner,
Hell klingen mir die ewigen Siegeshör-
                        ner.«

(¹ Wieder ›Hamlet‹ IV 5 (Ophelias Sang).)

DER HESSISCHE LANDBOTE

Entstehung, Druck, Verbreitung und Wirkung

Der *Hessische Landbote* (HL) – nach Wilhelm Schulz »ein Meisterstück in seiner Art und unbedingt das Bedeutendste, was seit den s. g. Befreiungskriegen die revolutionäre und populäre Presse Deutschlands aufzuweisen hat« (Schulz, S. 217) – ist die erste – publizierte – literarische Schrift B.s. Wie der Dichter, so überrascht auch der politische Publizist B. gleich bei seinem ersten und einzigen Auftreten in der subbürgerlichen Öffentlichkeit mit einem großen schriftstellerisch-agitatorischen Wurf. Doch so unvorbereitet und unvorhersehbar, wie das auf den ersten Blick erscheinen mag, betritt B. keineswegs die literarische und publizistische Szene, hat doch der künftige Agitator und Schriftsteller bereits in seiner Schulzeit wichtige literarische Lehrjahre und stilistische Vorübungen in Form eines intensiven Rhetorikunterrichts absolviert, ohne die der spätere rhetorische Publizist und Dichter kaum denkbar ist. Vgl. S. 427 ff.

Was die Laufbahn des politischen Publizisten und Agitators angeht, so hat B. bereits in seiner ersten Straßburger Studienzeit – Ende 1832 – eine »politische Abhandlung« zu schreiben geplant, jedoch angeblich »keine Zeit mehr« (Brief Nr. 7) für die Realisierung dieses Vorhabens gefunden. Ob er dann irgendwann zu Anfang des Jahres 1834, als er durch Vermittlung August Beckers (1812–71) den Butzbacher Rektor Friedrich Ludwig Weidig (1791–1837) kennengelernt haben soll, neue und konkretere publizistisch-politische Pläne im Kopf hat, muß dahingestellt bleiben. Sicher scheint jedoch, daß er den Kontakt zu Weidig, der zentralen Gestalt der oberhessischen Oppositionsbewegung, gesucht und dabei »eindeutig politische Absichten« (Enzensberger, S. 55) verfolgt hat. Sein wichtigstes politisches Projekt dürfte schon in der Zeit der ersten Kontaktaufnahme die Gründung revolutionärer Geheimgesellschaften nach dem Vorbild der ihm wahrscheinlich von Straßburg her bekannten ›Société des droits de l'homme et du citoyen‹ gewesen sein. Jedenfalls hat B. dann im März 1834, wahrscheinlich »unmittelbar nach dem 9.–12.« (Mayer III, S. 374), in Gießen eine erste Sektion seiner ›Gesellschaft der Menschenrechte‹ gegründet, deren Zweck u. a. in der Herstellung und Verbreitung von revolutionären Flugschriften bestand und aus deren »Mitte« der HL »hervorgegangen« ist (Noellner, S. 114).

Schon in der Gründungsphase der Gießener ›Gesellschaft der Menschenrechte‹, vermutlich bei einer der ersten Zusammenkünfte der Sektionäre, hat sich B. – nach den von Thomas Michael Mayer ausfindig gemachten Akten und Verhörprotokollen zum Prozeß gegen die oberhessische Oppositionsbewegung um Weidig, B. und Eichelberg (im folgenden zitiert als: Prozeß) – zur Abfassung »einer Flugschrift verbindlich gemacht« und Becker sowie die übrigen »Freunde zu Ähnlichem aufgefordert« (Prozeß, nach Mayer III, S. 374). Nachdem er sich – wohl um die Mitte des März – in Butzbach bei Weidig die für die statistischen Zahlenangaben und das Argumentationsgerüst des HL als Quelle und Vorlage benutzte ›Allgemeine Statistik des Großherzogtums Hessen‹ von G. W. J. Wagner (vgl. S. 447 zu d. Quellen des HL) besorgt hat, macht sich B. in Gießen »etwa zwischen dem 13. und 25.« März (Mayer III, S. 374) an die Abfassung der geplanten – von Weidig später *Der Hessische Landbote* betitelten – Flugschrift, deren erste, allein von B. konzipierte und formulierte, im Manuskript nicht erhaltene, kaum rekonstruierbare Fassung der Autor mit größter Wahrscheinlichkeit vor seiner Abreise nach Straßburg, d.h. vor Ende März 1834, fertiggestellt hat. Während der österlichen Semesterferien (Ende März bis Ende April), die B. zuerst in Straßburg und vermutlich ab Mitte April in Darmstadt verbringt, wird das Manuskript der Flugschrift in Gießen aufbewahrt (vgl. Mayer III, S. 424, Anm. 6) und von August Becker, da B.s Handschrift »durchaus unleserlich« ist, »in's Reine geschrieben« (Noellner, S. 423). Nach B.s Rückkehr nach Gießen (die Vorlesungen des Sommersemesters 1834 beginnen am 28. April) wird das vom Verfasser vielleicht noch einmal durchgesehene Manuskript des HL in der Beckerschen Abschrift Ende April oder (wahrscheinlicher) Anfang Mai von Gustav Clemm (1814–66) und A. Becker nach Butzbach zu Weidig gebracht, »um es durch seine Vermittlung drucken zu lassen« (Prozeß, nach Mayer II, S. 163). »Daß Weidig dies ohne vorherige Bearbeitung verweigern würde, scheint man in Gießen trotz einiger warnender Indizien nicht erwartet zu haben, sonst würde Büchner vielleicht doch selbst mit nach Butzbach gekommen sein.« (Mayer II, S. 163). Nach der Lektüre des B.schen Entwurfs erklärt Weidig den Überbringern gegenüber, »daß die konstitutionellen Revolutionärs sich von uns trennen würden, wenn sie die heftigen Invektiven gegen die Reichen läsen, und daß daher diese, sowie auch die Ausfälle gegen die landständische Opposition ausgelassen und durch Anderes ersetzt werden müßten« (Prozeß, nach Mayer II, S. 163). Solche eher taktisch gemeinte Kritik darf nicht darüber hinwegtäuschen, daß Weidig die agitatorische Zugkraft des B.schen Textes offenbar sofort erkannt hat, kann er doch »der Flugschrift einen gewissen Grad von Beifall nicht versagen«, ja meint er doch sogar, »sie müsse *vortreffliche Dienste* tun, wenn sie verändert werde« (Noellner, S. 423). Um dies in Angriff nehmen zu können, behält Weidig das Manuskript zurück, wobei allerdings offenbleiben muß, ob er schon vor Beginn seiner ihn um Mitte Mai vor allem ins Rhein-Main-Gebiet führenden Organisations- und Werbereise für die Volksagitation nach der Art des *Hessischen Landboten* (vgl. Mayer II, S. 159–182), d.h. in der ersten Maihälfte, zu einer abschließenden Bearbeitung und teilweisen Neufassung des überbrachten Manuskripts gekommen ist oder ob er sich erst nach der spätestens in der letzten Juniwoche erfolgten Rückkehr von dieser Reise an die schriftliche Überarbeitung gemacht hat. Ziemlich sicher ist nur, »daß die prinzipielle Linie einer Bearbeitung für Weidig schon nach der ersten Lektüre ⟨des Landboten-Manuskripts Anfang Mai⟩ feststand«. (Mayer II, S. 167)

Ein nicht unwichtiges Datum in der Entstehungsgeschichte des HL ist die Versammlung auf der zwischen Marburg und Gießen gelegenen Badenburg am 3. Juli, eine auf Anregung und Einladung Weidigs zustande gekommene Zusammenkunft der hessen-darmstädtischen und kurhessischen Demokraten und Liberalen zur Gründung eines geheimen ›Preßvereins‹ für die Agitation durch Flugschriften. Mit der Begründung, daß der in B.s Fassung propagierte »Kampf der Armen gegen die Reichen« die »Wirkung stören« würde, »weil selbst in jedem Dörfchen der Unterschied zwischen arm und reich bestehe« und man daher anstelle der »Reichen« die »Vornehmen« sagen müsse (Prozeß, nach Mayer II, S. 241), versteht es Weidig bei den Diskussionen auf der Badenburger Versammlung, »gegen Büchner ein verbindliches Plazet für seine im wesentlichen wohl schon erfolgte oder wenigstens genau konzipierte Bearbeitung« (Mayer III, S. 380) des B.schen Entwurfs zu erhalten. Damit war für B. die letzte und wohl überhaupt einzige Chance dahin, den HL vielleicht doch noch in der von ihm gewünschten Form gedruckt zu sehen. Zwei Tage nach der Badenburger Versammlung, am Abend des 5. Juli 1834, holen dann Jakob Friedrich Schütz (1810–77) und B. das druckfertige, möglicherweise noch einer letzten Revision unterzogene Manuskript des HL bei Weidig in Butzbach ab, von wo sie – versehen mit einem Empfehlungsschreiben Weidigs an den Buchdrucker Carl Preller (1802–77) – »noch in derselben Nacht ihre Weiterreise« antreten (Prozeß, nach Mayer III, S. 383), um den in Botanisierbüchsen versteckten *Landboten* in Offenbach zum Druck zu befördern. Am 31. Juli wird die in der Offizin des Druckers und Buchhändlers Carl Preller gedruckte erste Ausgabe des HL, deren Auflagenhöhe Mayer auf »vielleicht 700–1000 Exemplare« schätzt (Mayer II, S. 106; vgl. auch Mayer III, S. 388), von Karl Minnigerode (1814–94), Jakob Friedrich Schütz und Karl Zeuner (geb. 1812) aus der Offenbacher Druckerei abgeholt und von dort nach Darmstadt, Friedberg, Butzbach und Gießen gebracht. Der nach Gießen zurückkehrende Minnigerode wird aufgrund einer erneuten Denunziation des zum Butzbacher Weidig-Kreis gehörenden Konrad Kuhl (1794–1855) am Abend des 1. August am Gießener Selzertor »mit nicht weniger als 139« (Noellner, S. 221) in Rock und Stiefeln verborgenen *Landboten*-Exemplaren verhaftet.

Um seine Freunde, Mitverschworenen und Mithelfer bei der *Landboten*-Aktion von der Verhaftung Minnigerodes in Kenntnis zu setzen und zu warnen, eilt B. noch in derselben Nacht (vom 1. auf den 2. August) zunächst nach Butzbach und von dort weiter nach Offenbach und kehrt über Frankfurt, Vilbel und Butzbach am 5. August nach Gießen zurück, wo er – die Flucht nach vorn antretend – sogleich bei dem

Universitätsrichter Konrad Georgi (1799–1857) vorspricht, um sich wegen der Verletzung von Rechten bei der in seiner Abwesenheit erfolgten Hausdurchsuchung zu beschweren. Durch sein forsches und kaltblütiges Auftreten sowie durch stichhaltige Alibis für seine Reise gelingt es B., den Gießener Universitätsrichter Georgi, der B. aufgrund einer Verfügung des Darmstädter Ministeriums des Innern und der Justiz als den mutmaßlichen, von Kuhl verratenen Verfasser des HL verhaften soll, so zu verunsichern und zu düpieren, daß dieser »*die befohlene Verhaftung nicht zu vollziehen*« wagt (Diehl, S. 16). B. bleibt den August über noch in Gießen, geht dann aber auf Drängen der Eltern und wegen der in Gießen unsicherer werdenden Situation im September nach Darmstadt, wo er die Reorganisation der von ihm in der zweiten Aprilhälfte gegründeten Sektion der ›Gesellschaft der Menschenrechte‹ betreibt, seit Anfang Oktober Quellen und Darstellungen zur Französischen Revolution studiert und wohl auch exzerpiert, im Januar und Februar 1835 die als Druckvorlage benutzte Reinschrift von *Dantons Tod* niederschreibt, bis er schließlich Anfang März ins Ausland nach Straßburg flieht.

Trotz der Verhaftung Minnigerodes und der damit verbundenen Konfiszierung vieler *Landboten*-Drucke kommt es im August und September 1834 zur »Verbreitung der überwiegend nicht beschlagnahmten Exemplare des *Landboten*« (Mayer III, S. 384) vor allem in den Dörfern um Butzbach und Gießen. Ob die Bauern tatsächlich »die meisten gefundenen Flugschriften« (Noellner, S. 425) – wie Becker später in apologetischer Absicht aussagt – freiwillig an die Behörden abgeliefert haben, muß in Zweifel gezogen werden, wissen doch die neu entdeckten Akten »mit Ausnahme eines einzigen Falles aus Butzbach« (Mayer III, S. 385) nichts von solchen Ablieferungen zu berichten.

So wie die Verbreitung des HL, die übrigens nach einem Plan Weidigs »entweder an Einem Tage, oder doch möglichst gleichzeitig« (Prozeß, nach Mayer II, S. 178) von verschiedenen Verteilerpunkten aus erfolgen sollte, um der Polizei ein Schnippchen zu schlagen und ihr die Recherchen zu erschweren, keinesfalls als gescheitert betrachtet werden darf, so darf auch die Wirkung der Flugschrift auf die angesprochenen Bauern, Handwerker und Landarbeiter nicht zu gering veranschlagt werden. Im Gegenteil: Nach August Becker, der später als freier Mann den HL die einzige »für die unterste Volksklasse« geschriebene »deutsche politische« Flugschrift nennt, »die zum Verständnis und Herz des Volks gelangt« sei (A. B., ›Die Volksphilosophie unserer Tage‹, Neumünster b. Zürich 1843, S. 29), hat Weidig eine Reihe von »Bauern gesprochen«, »auf welche der Landbote einen ungewöhnlichen Eindruck gemacht habe« (Schäffer, S. 54). Und eine »Gruppe offenbar nicht lesekundiger Landarbeiter«, denen die Flugschrift vorgelesen wird, ist immerhin so beeindruckt von dem Gehörten, »daß sie auch um den Preis eines Meineides ›nichts davon auszusagen‹ bereit« ist (Mayer III, S. 385).

Die erfreuliche Resonanz der Juli-Auflage sowie vor allem die ministerielle Auflösung des hessen-darmstädtischen Landtags am 24. Oktober 1834 und die dadurch gegebene Möglichkeit der publizistischen Einwirkung auf die bevorstehenden Neuwahlen scheinen Weidig im Herbst 1834 dazu veranlaßt zu haben, eine neue Auflage des HL anzuregen und zum Druck vorzubereiten. Druckvorlage für den Neudruck ist ein korrigiertes, inhaltlich jedoch von Weidig »nur an wenigen Stellen nachweislich oder vermutlich« (Mayer III, S. 388) verändertes Exemplar des Erstdrucks vom Juli, das der Student Franz Karl Weller im November zum Druck nach Marburg bringt. Drucker ist der durch den Marburger praktischen Arzt und ehemaligen Privatdozenten Leopold Eichelberg (1804–79) für illegale Druckaufträge gewonnene Faktor der Elwertschen Buchdruckerei in Marburg, Ludwig August Rühle, der außerhalb der Dienstzeit und ohne Mitwissen des Verlagsinhabers Noa Gottfried Elwert Satz und Druck der neuen Auflage besorgt. Rühle gibt später im Verhör an: die handschriftlichen »Zusätze« zum Juli-Druck des HL seien »von verschiedener Handschrift« gewesen; die Zusätze hätten auf kleinen separaten »Blättchen« gestanden, die »nach bestimmten Zeichen in den Haupttext« eingerückt werden mußten; und zumindest eins dieser »Blättchen« habe er »mit Wahrscheinlichkeit für die Handschrift des Eichelberg« gehalten (Prozeß, nach Mayer II, S. 248, u. Mayer III, S. 388). Nachdem Rühle im November »in mehreren«, ihm »sehr sauer gewordenen« Nächten (Franz, S. 10) an die 400 Exemplare der Zweitfassung des HL für 10 Taler Honorar ausgedruckt hat, transportieren der Marburger Medizinstudent Gustav von Stockhausen und August Becker je einen Teil der fertigen Exemplare nach Gießen zu den verbliebenen Mitgliedern der dortigen ›Gesellschaft der Menschenrechte‹ sowie nach Obergleen zu dem seit Anfang September dorthin strafversetzten Weidig. Verbreitet werden die Exemplare der November-Auflage von Dezember 1834 bis März 1835 »vor allem von Gießen, Butzbach, Obergleen und Alsfeld aus an zahlreichen Orten beider Oberhessen« (Mayer III, S. 388). Die Distribution der November-Fassung des HL und anderer revolutionärer Flugschriften erfolgt so lange, bis Anfang April 1835 – ausgelöst durch den Verrat Gustav Clemms – eine Verhaftungswelle im kurhessischen Marburg und anschließend auch im Großherzogtum Hessen einsetzt, die Eichelberg, Becker, Weidig und viele andere hessische Oppositionelle ins Zuchthaus bringt.

Überlieferung

Der Text des HL ist in zwei Fassungen überliefert, von denen die erste im Juli, die zweite im November 1834 erschien, und zwar – wie bei illegalen Flugschriften üblich – ohne Orts-, Verlags-, Drucker- und Verfasserangaben:

Erstdruck (D[1]): Der Hessische Landbote. Erste Botschaft. Darmstadt, im Juli 1834 (Offenbach: Carl Preller, 1834).

Zweitdruck (D²): Der hessische Landbote. Erste Botschaft. Darmstadt, im Nov. 1834 (Marburg: August Ludwig Rühle, 1834).

Wie bei Flugschriften nicht anders zu erwarten, haben sich nur wenige Exemplare der beiden Drucke des HL erhalten. Bis Anfang der siebziger Jahre war von den beiden Fassungen nur jeweils ein Exemplar bekannt. Das aus dem Besitz der Familie B. stammende Exemplar des Erstdrucks kam 1924 zusammen mit dem handschriftlichen Nachlaß B.s ins Goethe- und Schiller-Archiv nach Weimar, wo das an einigen Stellen durch Wortverluste defekte, von Mäusen angefressene Exemplar noch heute aufbewahrt wird. Vom Zweitdruck ist erst kurz vor dem Zweiten Weltkrieg ein Exemplar in Darmstädter Privatbesitz aufgetaucht; es verbrannte 1944, wurde jedoch vorher vollständig photographiert.

In der ersten Hälfte der siebziger Jahre ist es dann Thomas Michael Mayer und Hans-Joachim Ruckhäberle gelungen, in Polizei- und Gerichtsakten aus der Vormärzzeit einige bis dahin unbekannte, gut erhaltene Exemplare der beiden Ausgaben des HL zu entdecken. Sie finden sich im Hessischen Staatsarchiv Marburg, im Bayerischen Geheimen Staatsarchiv München (GSTA Mü MA 1922 Lit. H 6) und im Württembergischen Staatsarchiv Ludwigsburg (WSTA L E 319/Bü 45, 72 ad 53). Durch den 1973 erschienenen, von Eckhart G. Franz mit einem Nachwort versehenen Faksimile-Neudruck der beiden Fassungen ist der überlieferte Text des HL nun in seiner ursprünglichen Form jedermann leicht zugänglich. Der Juli- und der November-Druck des HL sind 1987 als Band 1 und 2 in folgender Reprint-Edition erschienen: Georg Büchner, ›Gesammelte Werke. Erstdrucke und Erstausgaben in Faksimiles‹. 10 Bändchen in Kassette. Hg. von Thomas Michael Mayer. Frankfurt a. M. 1987.

Handschriftliche Textzeugen aus der Entstehungszeit der Flugschrift haben sich vom HL aus naheliegenden Gründen nicht erhalten. Die als Druckvorlage benutzten Handschriften bzw. der mit handschriftlichen Zusätzen versehene Juli-Druck sind bestimmt sogleich nach Abschluß der Drucklegung vernichtet worden, um die Behörden bei eventuellen Verhaftungen oder Hausdurchsuchungen (letztere sind sowohl bei Preller wie auch bei Elwert durchgeführt worden) nicht unnötigerweise in den Besitz belastenden Beweismaterials kommen zu lassen.

Quellen

Aufgrund seiner Revolutionsstrategie von den zwei »Hebeln«, die man zur Mobilisierung und Revolutionierung des Volkes ansetzen müsse, nämlich: »materielles Elend und *religiösen Fanatismus*« (Brief Nr. 59), mußte B. fast zwangsläufig auf die beiden hierfür wohl am besten geeigneten Argumentations- und Agitations-Quellen der Steuerstatistik und der Bibel stoßen. Wollte B., wie es seiner August Becker gegenüber erklärten Absicht entsprach, den hessischen Bauern »zeigen und vorrechnen, daß sie einem Staate angehören, dessen Lasten sie größtenteils tragen müssen, während andere den Vorteil davon beziehen« (Noellner, S. 421), so konnte er seine Argumente und Belege aus keiner anderen Quelle als aus der Steuerstatistik des Großherzogtums Hessen schöpfen. Daß B. zu diesem Zweck bei Weidig tatsächlich »eine Statistik vom Großherzogtum« (Noellner, S. 422) entliehen hat, ist durch eine Aussage Beckers bezeugt. Diese während der Arbeit am HL benutzte Statistik war der 4. Band der ›Statistisch-topographisch-historischen Beschreibung des Großherzogtums Hessen‹ von Georg Wilhelm Justin Wagner (Darmstadt: Leske, 1831), der die ›Statistik des Ganzen‹ oder – wie es auf dem separaten Nebentitelblatt heißt – die ›Allgemeine Statistik des Großherzogtums Hessen‹ enthält. Wie aus dem »Subskribenten-Verzeichnis« im 1. Band der statistischen ›Beschreibung‹ von Wagner hervorgeht (vgl. Bd. 1, Darmstadt 1829, S. XV), war Weidig Subskribent und damit Besitzer dieser Statistik. In dem ›Finanzwesen‹ überschriebenen Kapitel des 4. Bandes der Wagnerschen Statistik (S. 295–319), das die Staats-Einnahmen und die Staats-Ausgaben des Großherzogtums Hessen für die Finanzperiode 1830 bis 1832 detailliert aufführt, findet sich das gesamte von B. benutzte und ausgewertete finanzstatistische Zahlenmaterial.

Die andere Quelle, aus der die Verfasser des HL wichtiges Argumentationsmaterial für ihre Agitation bezogen, war die Bibel. Die durch nichts als ihn selbst beglaubigte Aussage August Beckers, daß »die«, d.h. sämtliche »*biblischen Stellen*« (Noellner, S. 423) des HL von Weidig seien, ist für fast alle Büchner-Forscher Beweis genug gewesen, die Bibelstellen der Flugschrift der alleinigen Verfasserschaft Weidigs zuzuschreiben. Dabei wird zumeist übersehen, daß zu B.s Topik effektiver Flugschriftenliteratur für das Volk unbedingt die Benutzung der Bibel als Argumentationsquelle gehört. Adam Koch, ein Mitglied der von B. gegründeten Darmstädter ›Gesellschaft der Menschenrechte‹, hat ausgesagt, B. habe im Erscheinungsjahr des HL die Meinung vertreten, man müsse »den revolutionären Hebel« der Flugschriften am »materiellen Elend des Volks« ansetzen und dabei seine »Überzeugungsgründe aus der Religion des Volks hernehmen«, d.h., man müsse »in den einfachen Bildern und Wendungen« der Bibel »die heiligen Rechte der Menschen erklären« (zit. nach Schaub, S. 184). Daher wird man B. nicht länger von der Mitautorschaft an den zahlreichen Bibelstellen des HL ausschließen dürfen. In diesem Sinne hat übrigens schon ein Zeitgenosse und guter Bekannter B.s, Wilhelm Schulz, in seiner Rezension der *Nachgelassenen Schriften von G. Büchner* aus dem Jahre 1851 erklärt, Weidig habe »*Büchner's* ›Landboten‹ einige biblische Stellen beigefügt« (Schulz, S. 227).

Wer von den beiden Verfassern des HL welche Bibelzitate an welchen Textstellen eingesetzt hat, wird sich mit letzter Sicherheit nur in Ausnahmefällen genau eruieren lassen. Nach den plausiblen Untersuchungen Th. M. Mayers zu den mutmaßlichen Anteilen B.s und Weidigs am Text der Juli-Fassung zu urteilen, wird man jedoch davon ausgehen können, daß in der ersten Texthälfte des Juli-Drucks die Bibelstellen zum größten Teil von B., in der zweiten Texthälfte dagegen fast ausschließlich von Weidig stammen dürften, wobei es freilich durchaus möglich, ja wahrscheinlich ist, daß Weidig der ersten – vermutlich weitgehend B.s Originaltext reproduzierenden – Texthälfte von sich aus die eine oder andere Bibelstelle hinzugefügt hat, wie er umgekehrt in die zweite Texthälfte auch einmal ein Bibelzitat aus dem wahrscheinlich sonst nur stellenweise berücksichtigten Schlußteil von B.s März-Fassung übernommen haben mag.

Der Nachweis von Bibelstellen in den Zeilenanmerkungen muß sich aus Platzgründen auf die Ermittlung eindeutiger Bibelzitate und Bibelanspielungen beschränken. Daß sich Weidig und B., die beide evangelisch-lutherischer Konfession waren, bei der Abfassung ihrer Flugschrift an den ihnen und ihren Adressaten geläufigen Text der Lutherbibel hielten, bedarf keiner weiteren Erklärung oder Begründung; dies um so weniger, als sie sich mit dem HL vornehmlich an die Bevölkerung der Provinz Oberhessen wandten, die um 1830 zu 92,5 % aus Evangelischen (Lutheraner, Reformierte und Vereinigte zusammengenommen, davon fast 80 % Lutheraner) und nur zu 4,7 % aus Katholiken (und zu 2,7 % aus Juden) bestand (vgl. hierzu Wagner, S. 69–74). Ob die Verfasser bei ihrer Arbeit am HL die Bibel aus dem Kopf zitierten oder ob sie eine bestimmte Ausgabe der Lutherbibel – möglicherweise sogar zwei verschiedene Bibelausgaben – vorliegen hatten, wird sich kaum entscheiden lassen.

Zu den Anteilen Büchners und Weidigs am Text der Juli-Fassung

Die aus der Entstehungsgeschichte des HL seit Friedrich Noellners ›Actenmäßiger Darlegung‹ von 1844 bekannte Tatsache, daß die Flugschrift, genauer: ihre Juli-Auflage, zwei Verfasser hat, ist für Herausgeber des *Landboten* seit Eduard David (1896) und Fritz Bergemann (1922 ff.) immer wieder Anlaß und Anreiz gewesen, die mutmaßlichen Anteile B.s und Weidigs am Text der Juli-Fassung zu sondieren und zu eruieren und sie durch Anwendung zweier verschiedener Drucktypen (meist der Antiqua für B. und der Kursive für Weidig) voneinander zu unterscheiden. Als Argumentationsbasis für die Zuschreibung von Textstellen und Textpassagen an B. und Weidig dienten bis vor kurzem ausschließlich die Verhöraussagen August Beckers, der 1837 erklärte, außer dem Titel und dem Vorbericht stammten *die biblischen Stellen, so wie überhaupt der Schluß«* (Noellner, S. 422–424) von Weidig.

Die scheinbar unmißverständlichen Aussagen Beckers zur Textverteilung des HL haben jedoch keineswegs zu einer derartig einheitlichen Zuschreibung geführt, daß die verschiedenen Herausgeber (abgesehen vom Titel und Vorbericht) jeweils die gleichen Textstellen des *Landboten* dem einen oder dem anderen Verfasser zuerkannt hätten.

So unbefriedigend, unsystematisch, zum Teil in sich widersprüchlich, oft nur das eigene »Stilgefühl« bemühend die Versuche Davids und Bergemanns zur Frage der Textverteilung des HL sind, so insgesamt überzeugend, aufschlußreich, philologisch und interpretatorisch gut abgesichert und belegt ist die kürzlich von Thomas Michael Mayer vorgelegte Untersuchung zu dieser Frage (vgl. Mayer II, S. 183–287), deren Hauptergebnisse hier referiert werden sollen. Nach Mayers Hauptthese verrät der Drucktext der Juli-Fassung ungefähr in der Mitte, d. h. »nach dem genuin Büchnerschen Bild« von den »Lampen«, »aus denen man mit dem Fett der Bauern illuminiert« (S. 50), »einen derart tiefen Bruch«, daß das Vorstehende, d. h. ungefähr die erste Hälfte des Textes, auf ein »überarbeitetes Manuskript Büchners schließen« lasse, während das Nachstehende, d. h. die gesamte zweite Texthälfte, »auf ein integrales Manuskript Weidigs« hindeute (Mayer II, S. 267). Mit anderen Worten: Die handschriftliche Druckvorlage des Juli-Drucks setzte sich nach Mayer aus zwei unterschiedlichen Autographen zusammen: die erste Hälfte der Druckvorlage bis zu dem besagten »Bruch« war Beckers Abschrift des B.schen Manuskripts, die Weidig – abgesehen von punktuellen Änderungen in Form von Wortersetzungen (vgl. Mayer II, S. 269) – wahrscheinlich nur an vier oder fünf kleineren Stellen durch am Rand notierte und notierbare Zusätze handschriftlich bearbeitet hat, ohne sonst weiter in die Struktur des B.schen Textes einzugreifen, während »die gesamte zweite Hälfte des ›Landboten‹-Textes« etwa ab der Stelle: »Das alles duldet ihr, weil euch Schurken sagen: ›diese Regierung sei von Gott‹« (S. 50) »in Weidigs Handschrift und Formulierung zum Setzer und Drucker Preller gelangte« (Mayer II, S. 256f.). Zur Stützung seiner Annahme »zweier mutmaßlicher Handschriften etwa gleicher Länge« (Mayer II, S. 267) führt Mayer zwei neuaufgefundene Verhöraussagen über das Aussehen der präsumtiven Druckvorlage an, aus denen hervorgeht, »daß die Schriftzüge des Manuskripts nicht von einer und derselben Hand, sondern von mehreren Händen herrührten« (Prozeß, nach Mayer II, S. 183), daß die Druckvorlage höchstwahrscheinlich die Beckersche Abschrift des B.schen Manuskripts »in veränderter Gestalt« (Prozeß, nach Mayer II, S. 184), d. h. in der Umarbeitung und teilweisen Neufassung durch Weidig, gewesen ist. Gegenüber diesen Indizien ist der Hinweis auf Beckers Bemerkung, von Weidig stamme »überhaupt der Schluß« der Flugschrift, nicht sonderlich überzeugend, denn diese Formulierung läßt sich wohl kaum, wie Mayer überinterpretiert, »auf fast exakt die ganze letzte Hälfte des ›Hessischen Landboten‹ beziehen« (Mayer II, S. 229).

Aufgrund der aus der Entstehungsgeschichte der Flugschrift gewonnenen Einsicht, daß der im Juli gedruckte Text »nicht im eigentlichen Sinn einen ›Kompromiß‹« oder eine Gemeinschaftsarbeit zwischen B. und Weidig darstelle, sondern daß er »nach dem Votum der Badenburger Versammlung ganz überwiegend dem Belieben und der maßgeblichen Bearbeitung Weidigs« entspreche, weshalb dieser »ihn letztlich«

auch »verantworte«, kommt Mayer zu der wichtigen methodischen Konsequenz, daß bei künftigen Zuschreibungsversuchen »eher der Büchner-Text im Weidig-Text erkannt und nachgewiesen werden« müsse »als umgekehrt« (Mayer II, S. 243). Dies gilt insbesondere für den zweiten, Weidigschen Teil des Textes, in den der Butzbacher Rektor »wörtlich oder wie modifiziert auch immer« sicher »einzelne Gedanken, Bilder, Inhalte« und wohl auch ganze Sätze »aus Büchners Fassung« (Mayer II, S. 266) übernommen hat. Beim ersten, B.schen Textteil empfiehlt sich dagegen – aufgrund der Annahme, daß hierfür als Druckvorlage »das ursprüngliche Manuskript« (Noellner, S. 424) B.s in Beckers Abschrift diente – das umgekehrte Verfahren, nämlich nach Weidig-Spuren und -Zusätzen im vermutlich relativ homogenen, nur leicht modifizierten B.-Text zu suchen.

Bei seinem subtilen und gründlichen Rekonstruktionsversuch ist sich Mayer durchaus des »philologischen Dilemmas« bewußt, »daß gerade der entscheidende handschriftliche Überlieferungsträger«, die Druckvorlage der Juli-Fassung, nicht erhalten ist und daß sich daher hinsichtlich der Frage der Textverteilung des HL auch »nie letzte Sicherheit erreichen lassen« wird (Mayer II, S. 186). Abgesehen von dieser philologischen Schwierigkeit soll abschließend noch ein hermeneutisches Problem angesprochen werden, das die zweifelsfreie Zuweisung von Textstellen an die beiden Autoren der Flugschrift so überaus schwierig macht.

Dieses auch von Mayer kaum berücksichtigte Problem besteht in der eminenten Adressatengebundenheit und -bezogenheit des HL. Ein Text, der wie der *Landbote* mit der Wirkungsabsicht und dem Wirkungsziel geschrieben und verbreitet wurde, eine bestimmte Bevölkerungsschicht eines bestimmten Landes, die hessischen Bauern, für die Revolution »zu gewinnen« (Noellner, S. 421), sie rebellionsbereiter und revolutionsgeneigter zu machen, ein solch wirkungs- und adressatenbezogener Text ist in seiner Struktur, seinem Aufbau, seiner Argumentation, seiner Aussage, seiner Stilgebung, ja bis in die Mikrostrukturen der Bilder, der Wortwahl und der Syntax hinein wesentlich durch die Rücksichtnahme auf und die Anpassung an die angesprochene Adressatengruppe der Bauern geprägt und prädisponiert. (Ein Blick in die Briefe B.s genügt, um sich zu überzeugen, wie gut und genau sich B. auf den jeweiligen Empfänger seiner Briefe einzustellen und wie virtuos er dabei verschiedene Register zu ziehen versteht.) Den Text des HL so zu lesen und zu interpretieren, als sei er der unmittelbare, bekenntnishafte, unretuschierte, authentische Ausfluß der politischen, sozialen und ökonomischen Anschauungen seiner beiden Autoren, deren Anteile am Text man durch Vergleich mit anderen Weidig- und B.-Texten säuberlich unterscheiden könne, ist vom Standpunkt des Rhetorikers aus gesehen ein problematisches, ja naives Unterfangen. Von der ›romantischen‹ Vorstellung einer angeblichen Unmittelbarkeit poetischer und anderer verbaler Äußerungen scheint auch Mayer nicht ganz frei zu sein, wenn er neben den vernichteten, internen Papieren B.s für die Darmstädter ›Gesellschaft der Menschenrechte‹ auch und gerade den »Entwurf des ›Hessischen Landboten‹« zu den »einzigen authentischen ⟨...⟩ Zeugnissen für Büchners ökonomische, soziale und strategisch-taktische Positionen« zählt (Mayer II, S. 28).

Was die zu revolutionierenden und zu mobilisierenden Adressaten angeht, so waren sich die beiden Verfasser der Flugschrift in dieser Frage offenbar vollkommen einig (vgl. Noellner, S. 304). Mögen B. und Weidig, die beide »a priori von der Notwendigkeit einer gewaltsamen Volksrevolution« ausgingen (Mayer II, S. 244), hinsichtlich der Bedeutung einer solchen Revolution unterschiedlicher Ansicht gewesen sein (vgl. hierzu Mayer II, S. 244), so spielten solche Differenzen bei der Abfassung der Flugschrift sicher keine oder doch keine bedeutende Rolle. Die beiden wichtigsten rhetorischen Faktoren und Aspekte bei der ›Textkonstitution‹ des HL waren zweifellos die anzusprechenden Adressaten und das intendierte Wirkungsziel bzw. die verfolgte Wirkungsabsicht. Um ihrer gemeinsamen Sache, d.h. der Abfassung einer wirkungsvollen, auf die hessischen Bauern berechneten Flugschrift willen, werden beide Autoren des HL – B. bereits in seiner Fassung vom März und Weidig bei seiner Über- und Umarbeitung des Textes – in Anbetracht ihres besonderen ›Publikums‹ gewisse Abstriche von ihren sonst vertretenen Anschauungen, Positionen und Konzeptionen gemacht und Register der Sprach- und Stilgebung gezogen haben, die nicht unbedingt ihrem jeweiligen Personalstil entsprechen; wie ja überhaupt bei der Unterscheidung Büchnerscher und Weidigscher Textanteile im HL als besonders erschwerend hinzukommt, daß das Medium bzw. Genre ›Flugschrift‹ von alters her zu einer gewissen Anonymität des Stils tendiert. Daß nicht nur die Aussage, die ›Botschaft‹, sondern gerade auch der Stil eines Textes, besonders eines Gebrauchstextes, gattungs-, gegenstands-, wirkungs- und adressatengebunden ist, ist eine rhetorische Binsenwahrheit, die den Textanalytiker des *Landboten* davor bewahren kann, aufgrund personalstilistischer Argumente und Indizien bestimmte Textstellen in angeblich ›typisch‹ B.schem oder Weidigschem ›Stil‹ voreilig dem einen oder dem anderen der beiden Flugschriftsteller zuzuweisen. Damit soll keinesfalls geleugnet werden, daß B. und Weidig nicht auch Stileigentümlichkeiten und für sie charakteristische inhaltlich-politische Konzeptionen und Vorstellungen in den Text des HL eingebracht hätten. Auch sollen keineswegs die Berechtigung und Notwendigkeit von Rekonstruktionsversuchen bezweifelt werden, die zur Lösung der ebenso schwierigen wie interessanten Frage der Textverteilung im HL beitragen. Vielmehr geht es hier einzig und allein darum, das hermeneutische Bewußtsein hinsichtlich der Problematik einer Methode der philologischen Textzuschreibung zu schärfen, die vorwiegend mit Stil- und Inhaltsindizien operiert, ohne dabei – wie im Falle des HL – die Adressatengebundenheit und Wirkungsbezogenheit des Textes in all seinen Bereichen gebührend zu berücksichtigen.

Unterschiede
zwischen der Juli- und der November-Fassung

Bei der Erörterung und Beurteilung der Unterschiede zwischen den beiden Auflagen des HL ist von folgenden, als hinreichend gesichert anzusehenden, im wesentlichen die veränderten Entstehungsbedingungen und -umstände des Zweitdrucks vom November 1834 betreffenden, Fakten und Informationen auszugehen: Die veränderte, an mehreren Stellen geringfügig gekürzte, um drei größere Passagen – insgesamt um eine Druckseite – erweiterte Neuauflage des HL ist höchstwahrscheinlich auf Initiative Weidigs zustande gekommen, der nach der Auflösung des hessen-darmstädtischen Landtags am 24. Oktober 1834 (dem vermutlichen terminus post quem) erneut ein überregionales Treffen und Geldsammlungen für weitere Flugschriftenaktionen anregte, darunter auch für eine spätestens zu diesem Zeitpunkt konkreter geplante Neuausgabe des *Landboten* (vgl. Mayer III, S. 388). Der Druck der modifizierten Neufassung wurde von dem Marburger Radikalliberalen Leopold Eichelberg in die Wege geleitet, der das von Weidig korrigierte und aktualisierte, als Druckvorlage dienende Exemplar des Juli-Drucks mit größter Wahrscheinlichkeit einer abschließenden Überarbeitung unterzogen hat, auf die Weidig offenbar keinen Einfluß mehr nehmen konnte. (Wer einen Drucker gewonnen hatte bzw. über eine Druckerpresse verfügte, der hatte im oft kollektiven Herstellungsprozeß einer revolutionären Flugschrift zumeist das letzte und entscheidende Wort, was für B. sicher einer der Gründe dafür war, daß er sich im Herbst 1834 in Darmstadt so intensiv um die »Anschaffung einer ⟨eigenen⟩ Handpresse« – zit. nach Schaub, S. 184 – bemühte.) Daß Eichelberg an der Veränderung und teilweisen Neufassung des Juli-Textes nicht unmaßgeblich beteiligt war, geht aus der bereits zitierten Verhöraussage des Marburger Setzers und Druckers Rühle hervor (S. 445).

Nach dieser neuaufgefundenen Aussage kann man nicht länger – wie bisher fast ausschließlich in der B.-Forschung – Weidig allein für die Textabweichungen der November- von der Juli-Fassung verantwortlich machen und ihm eine abermalige mildernde Tendenzverschiebung der B.schen ›Original‹-Fassung unterstellen. Der von Mayer (III, S. 388 u. II, S. 248) vorgetragenen Argumentation ist vorbehaltlos zuzustimmen, wenn er auch in seiner Neigung, Eichelberg ⟨und dessen Gruppe⟩ einen größeren Anteil an den Abänderungen der November-Auflage zuzuschreiben als Weidig, etwas zu weit zu gehen scheint. Jedenfalls bedarf die thesenartige Behauptung, daß Weidig den als Druckvorlage benutzten Erstdruck vom Juli »nur an wenigen Stellen nachweislich oder vermutlich« (Mayer III, S. 388; vgl. auch Mayer II, S. 248) bearbeitet habe, noch einer genaueren Überprüfung. Dies schon deshalb, weil von den drei großen, bei der Druckvorlage auf gesonderten »Blättchen« niedergeschriebenen, »Zusätzen« zwei mit hoher Wahrscheinlichkeit von Weidig stammen. Bei diesen beiden Zusätzen (vgl. S. 47/49 und S. 57) handelt es sich um Texterweiterungen von 16 bzw. 11 Zeilen Umfang, die mit dem aktuellen politischen Geschehen im Großherzogtum Hessen seit Erscheinen des Erstdrucks im Juli zusammenhängen: mit der Verurteilung von Wilhelm Schulz zu strenger Festungshaft (vgl. S. 49), mit der vorzeitigen Pensionierung des Hofgerichtspräsidenten Ludwig Minnigerode (vgl. ebd.), mit der Auflösung des Landtags (vgl. ebd. u. S. 49) sowie mit den dadurch notwendig gewordenen Neuwahlen, für welche die 2. Ausgabe des HL dadurch im Sinne der liberalen Oppositionspartei zu agitieren versucht, daß führende konservative Repräsentanten des Staates wie der leitende Staatsminister du Thil (vgl. S. 47 u. S. 57), der Staatsrat Knapp (vgl. S. 47) und der neue Hofgerichtspräsident Weller (vgl. S. 49) durch persönliche Invektiven attackiert, liberale Mitglieder des Landtags wie Gagern (vgl. S. 47) oder Sympathisanten der liberalen Opposition wie Minnigerode oder bürgerliche Demokraten wie Schulz dagegen als Opfer staatlicher und gerichtlicher Willkür hingestellt werden.

Die Art der hier angewendeten Argumentation, die ›argumentatio ad hominem‹, ist exakt die von Weidig auch in seinen Flugschriften des ›Leuchters und Beleuchters‹ bevorzugte Argumentationstechnik der persönlichen Invektiven, der »Einmischung von Persönlichkeiten«, die Becker, B. und Clemm »für unzulässig und zweckwidrig« hielten, während Weidigs »Absicht« – nach einer Aussage Clemms – »immer dahin‹ ging, »in den Flugschriften einzelne Staatsbeamte, auf die er es besonders gepackt hatte, anzugreifen und zu verleumden« (Prozeß, nach Mayer II, S. 161).

Neben Texterweiterungen gehen wahrscheinlich auch einige Textkürzungen, d. h. Streichungen im Juli-Druck, auf das Konto Weidigs. Hatte dieser – nach dem Zeugnis August Beckers – bereits im Erstdruck manches, »was gegen die s. g. *liberale* Partei gesagt war, weggelassen« (Noellner, S. 423) – einige davon war, sei es aus Nachlässigkeit bei der Durchsicht, sei es vielleicht doch aus Rücksichtnahme gegenüber B., gleichwohl stehengeblieben –, so könnte Weidig diese Änderungstendenz – sei es, um etwas Versäumtes nachzuholen, sei es aus taktischen Erwägungen der Marburger Gruppe um Eichelberg gegenüber – in der Zweitfassung punktuell verstärkt haben, indem er etwa den folgenden, liberale Wertvorstellungen und Errungenschaften geringschätzenden Satz der Juli-Fassung kurzerhand strich: »Was ist von Ständen zu erwarten, die kaum die elenden Fetzen einer armseligen Verfassung zu verteidigen vermögen!« (S. 56).

Was die vermutlich von Eichelberg veranlaßten und selbst vorgenommenen Textabänderungen angeht, so hat er später im Verhör angegeben, Weidig habe auf sein Drängen den »Vorbericht« für den Neudruck gestrichen, nachdem er, Eichelberg, »bei einem vorausgegangenen Zusammentreffen mit Weidig« – Ende September in Marburg (dies wäre der früheste terminus post quem der November-Fassung) – »das auf dem ersten Blatt abgedruckte N. B. an die Leser sehr gemißbilligt

hatte« (Prozeß, nach Mayer II, S. 186). Auf Eichelberg dürfte darüber
hinaus die Ersetzung des Begriffs »Vornehme« durch die Begriffe des
»Fürsten«, des »Beamten des Fürsten« und des »Zwingherrn« (S. 41)
zurückgehen. Für diese von Thomas M. Mayer begründete Vermutung
spricht nicht nur die Tatsache, daß Eichelberg für die 6. Folge des
›Bauern-Konversations-Lexikons‹ Ende 1834/Anfang 1835 den Artikel
»Fürst« schrieb, sondern vor allem auch das Faktum, daß es ja gerade
Weidig war, der in der Juli-Fassung anstelle der B.schen »Reichen« die
»Vornehmen« gesetzt hat (vgl. Noellner, S. 423), eine recht gravierende
Umformulierung (vgl. hierzu jetzt Mayer II, S. 239–245), die Weidigs
Ziele und Intentionen »exakt« bezeichnet (Mayer II, S. 248), so daß für
ihn keinerlei Notwendigkeit bestand, den von ihm eingebrachten Be-
griff der »Vornehmen« plötzlich fallen zu lassen und durch einen neuen
zu ersetzen.

Erst durch die von Eichelberg (oder einem der anderen Marburger
Liberalen) vorgenommene Substitution des »Vornehmen« durch den
»Fürsten« bzw. den »Beamten des Fürsten« werden die Besitzenden,
die Reichen und Vornehmen, d. h. das obere Bürgertum, die aristocra-
tie bourgeoise, von der Kritik und Polemik ausgenommen. Der in der
Juli-Fassung an mehreren Stellen noch deutlich durchschimmernde,
von B. apostrophierte ökonomische Gegensatz zwischen Arm und
Reich wird in der November-Fassung durch die liberale Parole »Volk
gegen Fürst« ersetzt, wobei hier zum »Volk« durchaus auch das obere
Bürgertum zählt. Besonders deutlich manifestiert sich die erneute, jedoch kaum von Weidig verursachte Abschwächung der klassenkämpfe-
rischen, antibourgeoisen und antiliberalen Tendenz des Erstdrucks in
der wohl eher Eichelberg als Weidig zuzutrauenden Streichung der
folgenden Sätze: »sie ⟨die höheren Beamten⟩ haben die Häute der Bauern an, der Raub der Armen ist in ihrem Hause« (S. 42). »Das Gesetz
ist das Eigentum einer unbedeutenden Klasse von Vornehmen und
Gelehrten, die sich durch ihr eignes Machwerk die Herrschaft zuspricht.« (S. 44).

Ganz im Sinne liberaler Hoffnungen und Wünsche ist schließlich der
– vermutlich von Eichelberg und/oder Franz Karl Weller oder auch
Sylvester Jordan stammende, in der Druckvorlage auf einem gesonderten »Blättchen« wahrscheinlich in der »Handschrift des Eichelberg«
notierte – letzte große Einschub gegen Ende des Zweitdrucks (vgl.
S. 63), in dem für die Überwindung der Kleinstaaterei und die Schaf-
fung eines national geeinten Deutschland plädiert wird. Die Schilderung dieses gelobten Landes ist die einzige Passage des HL, die konkretere Angaben über die Beschaffenheit eines postrevolutionären Zu-
stands in Deutschland enthält.

An den Abänderungen und Abweichungen der Zweitfassung lassen
sich zwar schwerlich die ideologischen und politischen Differenzen
zwischen B. und Weidig ablesen, wohl aber die kaum geringeren Unterschiede zwischen der »bourgeoisradikalen Marburger Gruppe«
(Mayer II, S. 52) und Weidig verdeutlichen, der von B. »auf der Linken

etwa ebensoweit« entfernt war »wie von Eichelberg auf der Rechten« (Mayer II, S. 243). Diese drei Namen können stellvertretend für drei ideologische Positionen innerhalb der (ober-)hessischen Oppositionsbewegung der Jahre 1830 bis 1835 stehen, deren politisches Spektrum »von Bourgeoisradikalen bis zu plebejischen Revolutionären reichte« (Mayer II, S. 180). Nach Mayer sind diese drei Positionen etwa wie folgt zu lokalisieren, zu etikettieren und zu differenzieren: Rechts eine Gruppe von »Radikalliberalen« bzw. »Bourgeoisradikalen«, d.h. vornehmlich die Marburger Gruppe um Eichelberg, die einen »bourgeois-republikanischen Revolutionarismus« vertrat und so weit ging, »die Bauernbewegung mit Flugschriften nach Art des ›Landboten‹ im wohlverstandenen Interesse gerade der ›Mittelklasse‹ ›am Schnürchen‹ zu halten, d.h. für den Umsturz zu benützen« (Mayer III, S. 381); in der Mitte der revolutionäre Demokrat Weidig mit seinen »kleinbürgerlich philanthropischen Vorstellungen von einer quasijakobinischen, brüderlichen Harmonie der verschiedenen bürgerlichen und subbürgerlichen ›Stände‹ im Ankampf gegen den ›Aristokratismus‹« (Mayer III, S. 381); Weidigs politischer Standort ist nach Mayer »in etwa, eine ›jakobinische‹ Position« (Mayer II, S. 244), auf die Gerhard Jancke B. festzulegen versucht; »und erst links von dieser Position« (Mayer III, S. 381) die nach Eichelbergs Formulierung »extravaganten Ansichten Clemms und Büchners«, nach denen »die Mittelklasse ⟨...⟩ für nichts mehr empfänglich« (Prozeß, nach Mayer III, S. 381) und »weder in der Revolution noch anschließend anders denn als Feind der ›niederen Volksklassen‹, d.h. der großen besitzlosen Masse ländlicher und städtischer Plebejer zu betrachten sei« (Mayer III, S. 381). Aufgrund einiger von ihm selbst und Ruckhäberle neuentdeckter Dokumente, die im Zusammenhang mit den Eigentumsvorstellungen der von B. gegründeten ›Gesellschaft der Menschenrechte‹ vom »Prinzip der Gütergemeinschaft«, vom »Vermögen« als »Gemeingut«, von gefährlichen, »zum Umsturz und Verderben« führenden »Ansichten über das Eigentum« sprechen (vgl. Mayer II, S. 25 f., 47), glaubt Mayer – da mit ›Gütergemeinschaft‹ bzw. ›Gemeingut‹ »nichts anderes als die frühkommunistische, neobabouvistische *communauté des biens*« (Mayer I, S. 6) bzw. der »babouvistische und neobabouvistische *bien commun*« (Mayer II, S. 26) gemeint sein kann –, B. erstmals dezidiert als einen neobabouvistischen, »revolutionären Frühkommunisten« oder als einen »revolutionär-utopistischen Kommunisten« bezeichnen und reklamieren zu können, »und zwar in dem Sinne, in dem dieser Begriff ⟨des Kommunisten⟩ nicht nur von der neueren Forschung zum französischen Neobabouvismus, sondern schon von Marx und Engels gebraucht wurde« (Mayer II, S. 23).

Mit dieser politischen Standortbestimmung, die den politisch kaum ›ausgegorenen‹ 21jährigen Studenten B. über Jancke hinaus noch ein Stück weiter nach links rückt, ja ihn der wohl avanciertesten Fraktion des französischen Frühkommunismus zuordnet, steht – wie Mayer nach der Devise »Nur die Lumpe sind bescheiden« selbst erklärt – »ein

ganz neues Porträt Georg Büchners« (Mayer I, S. 5), ein neues Büchner-Bild, zur Debatte, das als Kontroversthema die Forschung noch
einige Zeit beschäftigen dürfte. Bei aller verständlichen und berechtigten Entdeckerfreude Th. M. Mayers darf jedoch nicht übersehen werden, daß dessen Büchner-Bild so neu nun wiederum auch nicht ist, hat
doch etwa Hans Mayer B. bereits 1946 einen »Babeuf-Schüler« genannt, in dem die »Tradition von Babeufs ›Verschwörung der Gleichen‹« lebendig gewesen sei (H. Mayer, Georg Büchner, S. 157f.), und
hat doch auch Ruckhäberle (allerdings wohl nicht ganz unabhängig von
Th. M. Mayer) einen »gewissen Einfluß babouvistischen Denkens auf
Georg Büchners revolutionäre Überlegungen« festgestellt (Ruckhäberle, S. 230; vgl. auch Ruckhäberle, S. 104).

Die Unterscheidung dreier Positionen bzw. Fraktionen innerhalb
der oberhessischen Oppositionsbewegung kann als Hilfskonstruktion
für eine bessere Beurteilung und genauere Differenzierung der verschiedenen Fassungen des HL herangezogen werden. In etwa dem Ma
ße, wie die nicht erhaltene, ›neobabouvistische‹ März-Fassung B.s hinsichtlich ihres sozialrevolutionären Potentials von Weidig zur Juli-Fassung hin ›neojakobinisch‹ abgeschwächt worden sein könnte, dürfte
dann später die Juli-Fassung von den Marburger Liberalen um Eichelberg zu einer stärker liberal als sozialrevolutionär ausgerichteten Flugschrift abgemildert worden sein. Am Ergebnis dieser erneuten ›Tendenzverschiebung‹, d.h. an der November-Fassung des HL, kann man
ablesen, wie stark die klassenkämpferische, antiliberale, antibourgeoise
Tendenz des B.schen Originals vom März stufenweise abgeschwächt,
wie sehr durch die wahrscheinlich hauptsächlich auf Eichelberg zurückgehenden Abänderungen im Zweitdruck vom November der ursprünglich »sozialrevolutionäre Ton in den des liberalen Freiheitskampfes verwandelt« worden ist (Viëtor, S. 103). Wie weit die beiden
Druckfassungen des HL im einzelnen von den ursprünglichen Tendenzen und Intentionen der B.schen März-Fassung wegführen mögen: der
Juli- wie der November-Druck dokumentieren nach Mayer jeder auf
seine Weise, daß sich Weidig wie Eichelberg »unter dem Eindruck von
Büchners Entwurf jeweils bis an die äußersten Grenzen ihres Horizonts bewegt haben« (Mayer II, S. 275).

Der hessische Landbote im Spiegel der Prozeßakten*

Die Beurteilung des HL durch die Untersuchungsbehörden ist in mehrfacher Hinsicht aufschlußreich. So läßt sich an der juristischen Einschätzung der Flugschrift ablesen, wie der HL im Verhältnis zu anderen zeitgenössischen Flugschriften hinsichtlich seiner Strafbarkeit, Gefährlichkeit und Radikalität eingestuft wurde. Weiterhin läßt sich aus den Charakteristiken der Behörden auf die Wirksamkeit bzw. die Wirkungsmöglichkeit des HL bei den angesprochenen Adressaten schließen, wie ja überhaupt die behördlichen Äußerungen über die Flugschrift zu den wichtigsten Zeugnissen zur unmittelbaren Wirkungsgeschichte des HL gehören. Darüber hinaus verraten gerade die absprechendsten und negativsten Urteile über den HL, worin die Behörden die besondere Gefährlichkeit, d.h. die eigentliche agitatorische Zugkraft der Flugschrift sahen.

Aufschlußreich ist vor allem die strafgesetzliche ›Klassifikation‹, welche die Flugschriften der oberhessischen Oppositionsbewegung um Weidig durch den Referenten beim Gießener Hofgericht hinsichtlich des Grads ihrer Strafbarkeit erfahren haben. Während die anderen Flugschriften des Weidig-Kreises als »Schmähschriften« mit »beleidigenden Drohungen« bzw. mit »aufwieglerischer Tendenz« sowie als »volksaufwieglerische« Schriften mit »Majestätsbeleidigung« (Noellner, S. 108 f.) charakterisiert werden, wird der HL als eine »hochverräterische«, »unzweifelhaft revolutionäre Flugschrift« (Noellner, S. 109, 114) bezeichnet, wobei noch auf den »ganz besonders rücksichtslosen und gemeinen Ton dieser Schrift, welche alle andern an ehrverletzenden Äußerungen überbietet und als der Ausfluß der verwerflichsten Gesinnung, als das Produkt des frechsten, zügellosesten Republikanismus erscheint« (Noellner, S. 114), aufmerksam gemacht wird. Auch andere Juristen und Politiker wie Martin Schäffer, Ludwig Emil Mathis, Konrad Georgi und du Thil, der leitende Staatsminister von Hessen-Darmstadt, haben dem HL ein Höchstmaß an Gefährlichkeit und Radikalität attestiert und ihn superlativisch als »die bei weitem gefährlichste und strafbarste« (Schäffer, S. 48), als eine die anderen Flugschriften der Zeit »an Bösartigkeit weit hinter sich lassende Flugschrift« (Mathis, S. 63), als »ohne Frage ⟨...⟩ revolutionärste aller Schriften« (Georgi; zit. nach Franz, S. 13), als eine »höchst revolutionäre Zeitschrift« (du Thil; zit. nach Ruckhäberle, S. 245, Anm. 16) qua-

---

* Es konnte hier nur bereits veröffentlichtes Prozeßaktenmaterial herangezogen werden, wie es in den aktenmäßigen Darstellungen von Noellner, Schäffer und Mathis vorliegt bzw. von Thomas Michael Mayer in seiner in der Reihe ›Text + Kritik‹ (Georg Büchner I/II) als Sonderband erschienenen Dissertation auszugsweise angeführt wird. Unveröffentlichte Verhörprotokolle und Prozeßakten zur radikaldemokratischen Bewegung in Oberhessen werden in den weiteren B.-Arbeiten von Th. M. Mayer zugänglich gemacht.

lifiziert. Was den hochverräterischen, revolutionären Charakter der Flugschrift angeht, so ist der Tatbestand des Hochverrats nach Auffassung der Behörden deshalb gegeben, weil der HL »geradezu zum Umsturz des Bestehenden aufforderte« (Schäffer, S. 48), während die anderen Flugschriften des Weidig-Kreises »nur gegen einzelne Regierungshandlungen, nicht auf Umsturz oder Veränderung der Verfassung gerichtet« gewesen seien (Noellner, S. 113). Registrierenswert, wie genau der Staatsapparat erkannt hatte, daß der HL (so eine Akte vom 31. 1. 1835) »zu offenbarem Aufruhr und Umkehrung der bürgerlichen Ordnung« aufrief (Prozeß, nach Mayer II, S. 24).

Die Betroffenheit, Heftigkeit, ja kaum verhüllte Empörung, mit der die Untersuchungsbehörden auf den Inhalt und Ton des HL reagierten, läßt den Schluß zu, daß die Wirkung bzw. die Wirkungsmöglichkeit der Flugschrift auf die angesprochenen Adressaten von den staatlichen Stellen nicht gering eingeschätzt wurde. Als besonders infam und verwerflich am HL wurde die Textstrategie der revolutionären Verwendung der Bibel empfunden. So moniert der hessische Hofgerichtsrat Friedrich Noellner, daß im HL »sogar die *Religion* des *Friedens* mit der Brandfackel des revolutionären *Umsturzes* vermengt und in deutlichen Zügen ausgeprägt« werde (Noellner, S. 108), und der Referent der Bundes-Zentralbehörde, der preußische Kammergerichtsrat Mathis, konstatiert mit vorwurfsvollem Unterton, daß im HL »unter Mißbrauch biblischer Sprache« der »Unterschied zwischen Begüterten und Nichtbegüterten als Unrecht dargestellt, zum Kampfe gegen die ersteren aufgerufen, und Aufruhr in einer Weise gepredigt« werde, »als ob er ein heiliges Werk sei« (Mathis, S. 63). Die staatstragenden Justizbehörden scheinen nicht ganz zu Unrecht befürchtet zu haben, ihrer Monopolstellung hinsichtlich der ideologischen Bibelverwendung verlustig zu gehen, d. h. die Bibel und die Religion als ein wichtiges Instrument der ideologischen Rechtfertigung und Fortschreibung der bestehenden Verhältnisse zu verlieren, mußte doch der »Anspruch der Reaktion auf die Religion als Bann gegen die Revolution« (Ruckhäberle, S. 216) in Frage gestellt werden, wenn es der Gegenseite gelang, die Bibel für ihre revolutionären, kaum weniger ideologischen Zwecke einzusetzen und wirksam werden zu lassen.

Bei aller Sorge um den Bestand des politischen und sozialen Status quo, bei aller tatsächlichen und eingebildeten Revolutionsfurcht, die freilich von den Regierenden und Herrschenden auch bewußt geschürt und vorgeschoben und damit gezielt »als Mittel restaurativer Politik eingesetzt« wurde (Ruckhäberle, S. 168), waren die Untersuchungsbehörden jedoch keineswegs so naiv und realitätsblind, anzunehmen, daß eine staatsgefährdende, »eine ›erfolgreiche‹ Flugschrift auf der Stelle Insurrektionen und die Revolution« hätte »auslösen können« (Mayer III, S. 385). Konrad Georgi, der Gießener Universitätsrichter und spätere Hofgerichtsrat, jedenfalls hielt eine »positive Äußerung« über »Anklang« und »Wirkungen« von Flugschriften einschließlich der beiden *Landboten*-Drucke für »beinahe unmöglich«, da »deren Eindrücke unmerklich fortwährend« seien und »nur nach und nach« wirkten (Prozeß, nach Mayer III, S. 385). Diese Einschätzung der Wirkungsmöglichkeiten von Flugschriften entspricht ziemlich genau der Wirkungsabsicht vieler Flugschriftsteller der Vormärzzeit, die ihre Flugschriften in der Regel nicht als Vehikel zur unmittelbaren Vorbereitung der revolutionären Tat betrachtet, sondern vielmehr »bewußt langfristig als Agitationsmedien zur Bildung revolutionären Bewußtseins angelegt« haben (Ruckhäberle, S. 168). Gerade B. scheint sich – dies spricht wieder einmal mehr für seinen realpolitischen Sinn – keinerlei Illusionen über die ›Machbarkeit‹ von Revolutionen durch Flugschriften gemacht zu haben, überliefert doch Wilhelm Schulz glaubhaft als B.s ›Überzeugung‹ folgendes wörtliches Diktum in doppelten Anführungszeichen: »Zwar lassen sich Revolutionen nicht *machen*, am wenigsten durch Flugschriften, selbst wenn diese die Notzustände noch so treffend *schildern*. Ist aber die Volksbewegung einmal da, so muß sie mit denselben Triebfedern der materiellen Interessen, die sie erzeugt haben, auch im Gange erhalten werden.« (Schulz, S. 233).

Anmerkungen

40 *Der Hessische Landbote:* Der von Weidig stammende Titel bezeichnet die Adressaten der Flugschrift: die hessischen Bauern, die hessische Landbevölkerung. Die geographisch-politische Titelspezifizierung »*Hessischer* Landbote« deutet darauf hin, daß auch in den anderen süddeutschen Verfassungsstaaten ›Landboten‹ in der Art des hessischen für die »*niederen Volksklassen*« erscheinen sollten, wobei der »Stoff zu diesen Flugschriften« aus den »individuellen Verhältnissen der einzelnen Völker entnommen« (Noellner, S. 101) werden sollte. Eine implizite Lese- bzw. Rezeptionsanweisung enthält der Titel insofern, als sich Weidig mit ihm »zweifellos auf jene Ende des 16. Jahrhunderts aufgekommene Figur des *hinkenden Boten*« bezog, »der den offiziellen Siegesnachrichten auch Auskünfte über die Kosten folgen ließ, der es *mit der Wahrheit genauer als sein übereifriger Vorläufer* – die amtliche Ordinari-Post – nahm und deshalb von Strategen des Dreißigjährigen Krieges weniger gern gesehen wurde« (Mayer II, S. 184). Diese »aufklärerisch-kritische Tradition« (Mayer II, S. 185) des ›Hinkenden Boten‹ ist von den süd- und südwestdeutschen Liberalen und Demokraten der 1830er Jahre wieder aufgegriffen worden. Außer dem HL bezeugen dies Zeitungs- und Zeitschriftentitel wie ›Der Bote aus Westen‹, der ›Westbote‹ oder ›Der deutsche Volksbote‹ von Karl Buchner und Wilhelm Schulz. – *Erste Botschaft:* Diese – Assoziationen an die ›frohe Botschaft« des Neuen Testaments hervorrufende – Botschaft sollte offenbar nicht die letzte bleiben. Vielleicht war sogar an ein Periodikum gedacht, etwa eine unregelmäßig erscheinende Zeitschrift. Jedenfalls hat der Marburger Radikalliberale Leopold Ei-

chelberg ein an die »erste Botschaft« direkt anknüpfendes Manuskript mit dem Titel ›Der Hessische Landbote. Zweite Botschaft‹
verfaßt (nicht mit der November-Fassung des HL zu verwechseln!), das er Ende August oder Anfang September an die Gießener
Sektion der ›Gesellschaft der Menschenrechte‹ zur Begutachtung
übermittelte. Da in dieser zweiten Botschaft die »Zeichen« vom
Schluß der Juli-Fassung des HL mit dem für 1834/35 erwarteten
Halleyschen Kometen identifiziert werden und da auch der als
»Feuerkopf und Revolutionär« apostrophierte »Herr Jesus Christus
öfters« vorkommt, erregt das »Machwerk« nur »allgemeines Lachen« bei den Gießener Sektionären, die der Realisierung des Ei-
chelbergschen Flugschriftenprojekts ihre Unterstützung versagen
(vgl. Mayer III, S. 386). – *Darmstadt, im Juli 1834:* Wohl um ihr
mehr Autorität zu geben, trägt die Flugschrift diese fingierte Orts-
angabe. Von Darmstadt, der Residenz des Großherzogtums Hessen, kamen die Anweisungen, Verordnungen und Gesetze der Regierung. – *Vorbericht:* Der von Weidig stammende Vorbericht
zeugt nach Enzensberger (S. 51) »von dem gewissenhaften Realismus« des Butzbacher Rektors, »der sich darüber klar war, welchen
Gefahren er sein Publikum aussetzte«. Nach Th. M. Mayer ist er
dagegen »eher als ein Mißgriff aus fast patriarchalischer Überper-
fektion«, »als ein Schlag ins Wasser, wenn nicht als Eigentor« zu
beurteilen, da die im Vorbericht gegebenen konspirativen Verhal-
tensmaßregeln eine mögliche Verteidigung vorwegnahmen und für
Verbreiter wie Leser der Flugschrift »in strafrechtlicher Hinsicht
ein verstärkendes Eingeständnis des *hochverräterischen* Charakters
der Schrift bedeuteten« (Mayer II, S. 185 f.). Dies waren wohl auch
die Hauptgründe, warum Weidig, nachdem Eichelberg ihm gegenüber »das auf dem ersten Blatt abgedruckte N. B. an die Leser sehr
gemißbilligt hatte« (Prozeß, nach Mayer II, S. 186), den Vorbericht
für die November-Auflage ersatzlos gestrichen hat. – *Friede den
Hütten! Krieg den Pallästen!:* Der in der Französischen Revolution
häufig gebrauchte Slogan ›Guerre aux châteaux! Paix aux chaumi-
ères‹, den der französische Schriftsteller Nicolas Chamfort (1741–
94) den Soldaten der Revolutionsheere als Wahlspruch vorgeschlagen haben soll. Der Kampfruf »tendiert zur babouvistischen Formel vom ›Krieg der Reichen gegen die Armen‹« (Ruckhäberle,
S. 225). – *als hätte Gott ... zum Gewürm gezählt:* Vgl. 1. Mose 1,
20–28. – *Vornehmen:* Nach August Becker hat Weidig in der Juli-
Fassung überall, wo B. die »Reichen« geschrieben hatte, die »Vornehmen« eingesetzt (Noellner, S. 423). Zur Kontroverse um die
Begriffe ›Vornehme‹ und ›Reiche‹ zwischen B. und Weidig vgl.
Mayer II, S. 239–245, der nachweist, daß man nicht – wie sonst
einhellig in der neueren *Landboten*-Forschung – von einer »Syn-
onymität«, sondern »nur von einer spezifischen Überlagerung« der
beiden Begriffe sprechen kann. B. habe sich mit dem Begriff der
›Reichen‹ gegen »feudalen *und* bürgerlichen Reichtum« (Mayer II,

S. 245) gewandt, während mit dem von Weidig benutzten Begriff der ›Vornehmen‹, der »mehr oder weniger eng dem Bereich der Aristokratie zugeordnet« war (Mayer II, S. 243), der Angriff nur gegen den feudal-aristokratischen Reichtum formuliert sei. Wilhelm Schulz (S. 227) wunderte sich, daß man sich nicht auf die Formel »Reiche *und* Vornehme« geeinigt hatte. – *zierliche Kleider:* Das Adjektiv bewahrt hier noch die ältere Bedeutung von: prächtig, glänzend, schön. – *er nimmt das Korn:* Vgl. Amos, 5, 11: »Darum, weil ihr die Armen unterdrückt und nehmt das Korn mit großen Lasten von ihnen ⟨...⟩«. Das Verb ›nehmen‹ bedeutet hier noch im älteren, unabgeblaßten Sinn: gewaltsam nehmen, rauben, beanspruchen. – *Fremde verzehren seine Äcker vor seinen Augen:* Jes. 1, 7.

42 *718,373 Einwohner:* Korrekte Angabe der Bevölkerungszahl (Stand von 1828) nach der von B. benutzten Statistik Wagners (vgl. Wagner, S. 69). – Das »Finanzwesen« überschriebene Kapitel aus Wagners ›Allgemeiner Statistik des Großherzogtums Hessen‹ (Darmstadt 1831), aus dem B. das Zahlenmaterial für seine Flugschrift bezog, ist fast vollständig in meiner kommentierten Ausgabe des HL (vgl. Schaub, S. 164–175) abgedruckt und mit B.s Angaben verglichen worden. B.s Zahlenangaben weichen mehrfach von seiner Quelle ab; in den meisten Fällen lassen sich jedoch Nachlässigkeit oder Rechenfehler nachweisen. Es sei hier auf die Einzelnachweise bei Schaub (S. 68–73) verwiesen. – *Geldstrafen:* Der bei B. als gesonderter Haupttitel an fünfter Stelle aufgeführte Einnahme-Posten »Geldstrafen« ist bei Wagner nicht als Hauptposten, sondern lediglich als Unterposten unter dem letzten Hauptposten »Aus verschiedenen Quellen« placiert. B. nimmt hier aus agitatorisch-persuasorischen Gründen eine Ausgliederung, gesonderte Aufführung und damit Herausstellung einer umstrittenen, gerade bei den unteren Bevölkerungsschichten verhaßten Einnahmequelle des Staates vor. – *Wohnt eine Anzahl Menschen... hervorgehen sollen:* Mayer II, S. 269 f. schreibt diese Passage Weidig zu und kommentiert »die seltsame Floskel« von den »Gesetzen«, »die aus dem Wohl *Aller* hervorgehen sollen«. R. Saviane (S. 93, Anm.) sieht in der Textstelle die Idee der ›Volonté générale‹ ausgedrückt. – *Ihre Anzahl ist Legion:* Vgl. Mark. 5, 9 – *Das Volk ist ihre Herde, sie sind seine Hirten, Melker und Schinder:* Vgl. vor allem Hes. 34, 1 ff., wo Gott durch den Propheten wider die untreuen Hirten des Volkes Israel weissagt. Vgl. auch Jer. 23, 1 ff. – *sie haben die Häute der Bauern an:* In Jean Pauls Roman ›Hesperus‹ (1795) heißt es in einer zentralen, von B. auch an anderen Stellen des HL zitierten (vgl. Anm. zu »Der Fürst ist der Kopf des Blutigels«, S. 50, und zu S. 62: »Ihr seid nichts, ihr habt nichts!«) Passage (40. Hundposttag): »und die Herren vom Hofe haben eure ⟨des Volkes⟩ Häute an.« Vgl. auch Micha 3, 2 f. – *der Raub der Armen ist in ihrem Hause:* Jes. 3, 14.

44 *Für das Ministerium des Innern... 1,110,607 Gulden:* B. beginnt hier mit der Aufzählung und agitatorischen Kommentierung einer

Reihe von ausgewählten Ausgabeposten des Staatsbudgets. – *Das Gesetz ist das Eigentum ... Herrschaft zuspricht:* Mayer II, S. 62 f. verweist auf die »vom Saint-Simonismus in die neobabouvistische Theorie eingegangene Erkenntnis«, nach der die »Gesetze immer denen nützlich« sind, »die sie machen«, sowie auf die Neobabouvisten Blanqui und Voyer d'Argenson, die 1832/33 von den »Gesetzen der Privilegierten« bzw. von den »Reichen, welche Gesetze machen«, gesprochen haben. – *Stempelpapier:* Wertmarken für Stempelsteuern. Hoher, verhaßter Einnahmeposten (460,500 Gulden) innerhalb der indirekten Steuern (vgl. Schaub, S. 167). – *Sporteln:* Gebühren für Gerichtsschreiber, Eichämter, Einregistrierung und Hypotheken (vgl. Schaub, S. 166f.). Die Sporteln gehörten ebenfalls zum Einnahmeposten der indirekten Steuern. – *Fettwänste:* Vgl. Hiob 15, 27 und Psalm 73, 7, wo es von dem bzw. von den Gottlosen heißt, er bzw. ihre Person »brüstet sich wie ein fetter Wanst«. – *Die Ketten eurer Vogelsberger Mitbürger, die man nach Rokkenburg schleppte:* In der Nähe des oberhessischen Dorfs Rokkenberg (bei Friedberg) befand sich die Landes-Strafanstalt Marienschloß, die »für alle diejenigen bestimmt« war, »welche von den Gerichten ⟨...⟩ wegen schwererer Kriminal-Verbrechen zu einer Zuchthausstrafe verurteilt« worden waren (Wagner, S. 292). An dem oberhessischen Bauernaufstand im Herbst 1830 waren viele Bewohner der Vogelsberg-Region beteiligt. – *Und will endlich ... selber geschunden:* Nach Bergemann und Th. M. Mayer eine von Weidig stammende Textpassage.

46 *ihr Bauch:* Vgl. Röm. 16, 18 und Phil. 3, 19. – *Mamon:* Mammon; biblischer Begriff zur Bezeichnung ungerechten Reichtums; vgl. Matth. 6, 24 und Luk. 16, 9, 11. – *sie legen die Hände an ...:* Der Ausdruck »die Hände an jemanden legen« ist biblisch; vgl. etwa Psalm 55, 21 und Luk. 21, 12. – *Lenden und Schultern:* Die Zusammenstellung dieser beiden Körperteile ist biblisch; vgl. Richt. 15, 8 und Hes. 24, 4. – *jeden Herbst einmal blind schießen:* Im September jeden Jahres fanden die Herbstmanöver bzw. Hauptübungen des hessen-darmstädtischen Militärs statt (vgl. Wagner, S. 328ff.). – *Södel:* Während der oberhessischen Bauernunruhen war es am 30. September 1830 in dem Dorf Södel aufgrund eines Mißverständnisses – Regierungssoldaten hielten unbeteiligte Dorfbewohner für versprengte Insurgenten und schossen in die Menge – zu einem bewaffneten Zwischenfall gekommen, bei dem es nicht nur Verwundete, sondern auch einige Tote gab.

47 *Staatsminister du Thil:* Karl Wilhelm Heinrich Freiherr du Bos du Thil (1777–1859), seit 1821 hessen-darmstädtischer Außen- und Finanzminister, war von 1829–48 leitender Staatsminister. – *Staatsrat Knapp:* Johann Friedrich Knapp (1776–1848), seit 1825 Geheimer Staatsrat im Ministerium des Innern und der Justiz, engster Mitarbeiter du Thils. – *der junge Gagern ...:* Heinrich Freiherr von Gagern (1799–1880), bedeutender Politiker des frühen deutschen Li-

beralismus, wurde 1833 zwangsweise in den Ruhestand versetzt, war von 1832–36 Mitglied des Landtags. – In der zur Auflösung des Landtags führenden Kammersitzung am 24. Oktober 1834 hat Gagern von einer »Partei« gesprochen, »welche gegenwärtig die Geschäfte in unserm Staate führt«, »welche das konstitutionelle Prinzip nicht versteht und in ihren einzelnen Mitgliedern auch vergessen zu haben scheint, was Recht ist«, wobei er hinzufügte, diese »Partei« sei vor allem durch den Staatsrat Knapp repräsentiert. Das Verlangen Knapps, Gagern zur Ordnung zu rufen, wurde von der Mehrheit der Zweiten Kammer abgelehnt. Darauf erklärte Knapp, nicht er, sondern die Regierung sei beleidigt worden. Damit hatte du Thil den willkommenen Vorwand für die längst beabsichtigte Auflösung der ihm wegen ihrer liberalen Zusammensetzung äußerst mißliebigen Kammer.

48 *ja:* Neben dem Verb stehende Versicherungspartikel, die u. a. in Bedingungssätzen vorkommt, um anzudeuten, daß der Eintritt der Bedingungen nicht wahrscheinlich ist. – *nur eine Drahtpuppe . . . oder alle zusammen:* Vorgebildet ist diese Stelle nach Wolfgang Wittkowski (S. 101) – »freilich weit maßvoller« – in Werthers Brief vom 8. Januar 1772: »Wie mancher König wird durch seinen Minister, wie mancher Minister durch seinen Sekretär regiert!« – *Günstling:* Geliebter. – *In Deutschland stehet . . . teuer bezahlen:* Eduard David, Bergemann und Mayer schreiben diese Passage Weidig zu. – *Ludwig von Gottes Gnaden:* Gemeint ist hier der Großherzog Ludwig II. (1777–1848), der von 1830–48 regierte. Sein offizieller Titel lautete: »Ludwig II., von Gottes Gnaden Großherzog von Hessen und bei Rhein.« – *Feldgeschrei:* In der Bibel vorkommender Begriff; vgl. Jos. 6, 5; 1. Thess. 4, 16. – *euer Gerät versteigern, euer Vieh wegtreiben, euch in den Kerker werfen:* Vgl. Jer. 49, 29 sowie Jer. 37, 15–18. – *Menschenkinde:* Häufig in der Bibel vorkommendes Kompositum. – *es kroch so nackt und weich in die Welt . . . und wird so hart und steif hinausgetragen:* Vgl. Die Weisheit Salomonis 7, 1–6 sowie Hiob 1,21 und Pred. 5, 14. – ⟨*eurem*⟩ *Nacken:* im Erstdruck: »einem Nacken« (vermutlich Druckfehler). – *was* ⟨*es*⟩ *tut:* im Erstdruck: »was er tut« (vermutlich Druckfehler). – ⟨*über*⟩ *euer Leben:* im Erstdruck: »aber euer Leben« (vermutlich Druckfehler).

49 *verwilligen:* einwilligen, zustimmen. – *Präsidenten Minningerode:* Ludwig Minnigerode (1771–1839), der Vater von B.s Schulfreund und Mitverschworenem Karl Friedrich Ernst Minnigerode (1814–94), war seit 1815 Präsident des Hofgerichts der Provinz Starkenburg in Darmstadt, als welcher er wegen der am 1. August 1834 erfolgten Verhaftung seines Sohnes Karl am 12. August vorzeitig in den Ruhestand versetzt wurde. – *Millionendieb Weller:* Eberhard Jodocus Heinrich Weller (gest. 1856), Oberappellationsgerichtsrat in Darmstadt, konservatives Mitglied des Landtags 1826–30, wurde im August 1834 Minnigerodes Nachfolger im Präsidium des Darm-

städter Hofgerichts. Weller hatte 1830 für die Übernahme der privaten Millionenschuld des Großherzogs Ludwig II. aus dessen Erbprinzenzeit auf die Staatskasse gestimmt. – *die Sache des Dr. Schulz:* Friedrich Wilhelm Schulz (1797–1860), aus Darmstadt stammender liberaler Publizist und Politiker, 1820 als Verfasser des ›Frag- und Antwortbüchleins‹ (1819) aus dem Militärdienst entlassen, wurde im Herbst 1833 wegen Anteilnahme an ›staatsgefährlichen Bestrebungen‹ verhaftet, jedoch nicht vor ein Zivil-, sondern vor ein Kriegsgericht gestellt, das ihn im Sommer 1834 zu fünf Jahren Festungshaft verurteilte; Ende Dezember 1834 Flucht aus der Haft nach Frankreich. – *Prinzen Emil:* Emil (Maximilian Leopold August Carl), Prinz von Hessen (1790–1856), Sohn des Großherzogs Ludwig I. (1753–1830), jüngster Bruder Ludwigs II., seit 1832 Präsident der Ersten hessischen Kammer, Parteigänger Metternichs, hatte großen Einfluß auf seinen Bruder Ludwig II.

50 *Wehe über euch Götzendiener:* Der Ausruf »Wehe euch« kommt häufig in der Bibel vor, der Begriff »Götzendiener« dagegen nur einmal (vgl. Eph. 5, 5). – *Wehe über euch Götzendiener... und eure Kinder:* Bergemann und Mayer vermuten hier ein Stück Weidig-Text. Weidig hat wiederholt vom »Götzendienst« und in der Predigt »vom gemeinen Nutzen« (gehalten um 1819 in Butzbach) eingehend vom »ägyptischen Volk« mit seinem »Götzendienst«, seiner mangelnden Vaterlandsliebe und seiner starren Trennung in verschiedene Stände gesprochen, und zwar im Sinne eines abschreckenden historischen Beispiels mit durchaus politischen Absichten. – *Ihr setzt ihm eine Krone auf, aber es ist eine Dornenkrone...:* Anspielung auf die Verspottung Christi durch die Kriegsknechte; vgl. Matth. 27, 27–30; Mark. 15, 16–19; Joh. 19, 2–5. – *Rute, womit ihr gezüchtigt werdet:* Vgl. Sprüche 22, 15: »Rute der Zucht«. – *euern Thron:* Holmes (S. 11 ff.) vermutet hier einen Druckfehler und konjiziert statt des Possessivpronomens »euern« den unbestimmten Artikel »einen«. – *Marter‹stuhl›:* im Erstdruck: »Marterstrahl« (vermutlich Druckfehler). – *Der Fürst ist der Kopf des Blutigels... und bückt euch auf euren steinichten Äckern:* Diese Passage ist in mehreren Einzelheiten durch eine imaginierte Rede aus Jean Pauls Roman ›Hesperus‹ beeinflußt, die der bürgerliche Regierungsrat Flamin vor seiner Hinrichtung halten will, um das Volk zur Rebellion zu mobilisieren. In Flamins »Freiheit-Dithyrambus« heißt es (40. Hundposttag): »Sind denn die tausend aufgerissenen Augen um mich alle starblind, die Arme alle gelähmt, daß keiner den langen Blutigel sehen und wegschleudern will, der über euch alle hinkriecht und dem der Schwanz abgeschnitten ist, damit wieder der Hofstaat und die Kollegien hinten daran saugen? Seht, ich war sonst mit dabei und sah, wie man euch schindet – und die Herren vom Hofe haben eure Häute an. Seht einmal in die Stadt: gehören die Paläste euch, oder die Hundshütten? Die langen Gärten, in denen sie zur Lust herumgehen, oder die steinigen Äcker, in

denen ihr euch totbücken müsset?« – *Schröpfköpfe:* »kleine zylin-
drische Gefäße von Glas oder Messing, welche man über ein Licht
hält, um die Luft heraus zu treiben, und sie geschwinde über den
mit dem Schröpfschnepper aufgeritzten Teil der Haut decket, da sie
denn das Blut aus demselben an sich ziehen« (Joh. Christ. Adelung,
›Grammatisch-kritisches Wörterbuch der Hochdeutschen Mundart‹ 3. Teil, Leipzig/Wien 1798, Sp. 1661). – *das Malzeichen des
Tieres:* Vgl. Offb. 16, 2 und Offb. 19, 20f. Mit diesem Zeichen ist
nach Offb. 13, 16f. u. 14, 9–11 das Erkennungszeichen, das Stigma
des Antichrists gemeint. – *kostbaren:* kostspieligen. – *Die Töchter
des Volks:* Zur Personalmetapher »Tochter meines Volks« vgl. Jer.
6, 26; 8, 22; 14, 17; Klgl. 4, 6. 10. Zur Vorstellung, daß die Töchter
eines Volkes zu Huren werden bzw. nicht werden sollen, vgl. 5.
Mose 23, 17f.; Hos. 4, 13f. – *wenn ein Erbprinz mit einer Erbprinzessin für einen andern Erbprinzen Rat schaffen will:* Der in der
Bibel (vgl. Richter 20, 7) vorkommende Ausdruck »Rat schaffen«
bedeutet: Abhilfe schaffen, Hilfe leisten, beistehen. Gemeint ist mit
dieser provozierenden Feststellung, daß die einzige Aufgabe eines
Erbprinzen darin besteht, mit einer Erbprinzessin einen weiteren
Erbprinzen in die Welt zu setzen, Sorge dafür zu tragen, daß das
unnütze ›Geschlecht‹ der Erbprinzen nicht ausstirbt. Äußerer Anlaß zu dieser Erbprinzen-Invektive war die am 26. Dezember 1833
in München erfolgte, Ende 1833/Anfang 1834 überall im Großherzogtum und vor allem in der Residenz Darmstadt mit großem
Pomp gefeierte Vermählung des hessen-darmstädtischen Erbgroßherzogs Ludwig von Hessen mit der Prinzessin Mathilde von Bayern. Vgl. hierzu: ›Chronik der Feierlichkeiten, welche auf Veranlassung der hohen Vermählung Seiner Hoheit des Erbgroßherzogs
Ludwig von Hessen mit Ihrer Königl. Hoheit der Prinzessin Mathilde von Bayern in Bayern und Hessen Statt fanden‹, Darmstadt
1834. – *durch die geöffneten Glastüren das Tischtuch sehen…:* Vgl.
Leonce und Lena III, 2. – *die Lampen riechen, aus denen man mit
dem Fett der Bauern illuminiert:* Vgl. *Dantons Tod* I, 2: »wir wollen ihnen das Fett auslassen und unsere Suppen mit schmelzen.« –
*Das alles duldet ihr, weil euch Schurken sagen… Das Teil von
Judas:* Bergemann und Th. M. Mayer schreiben diese Passage Weidig zu. Mit guten Gründen: Die Erwähnung des »deutschen Kaisers« und der »freien Voreltern«, die »kaum noch lutherische Konzeption« (Mayer II, S. 257) von »Teufels-Obrigkeit« (S. 58) und
vom »Reich der Finsternis« wie überhaupt die ganze theologische
Begründung entsprechen sehr genau Weidigs Vorstellungen. – *diese
Regierung sei von Gott:* Vgl. hierzu Röm. 13, 1: »Jedermann sei
untertan der Obrigkeit, die Gewalt über ihn hat. Denn es ist keine
Obrigkeit, ohne von Gott; wo aber Obrigkeit ist, die ist von Gott
verordnet.« Mit dieser vielzitierten und umstrittenen Paulus-Stelle
setzt sich Weidig noch an drei weiteren Textstellen des HL auseinander (vgl. S. 52, 58). Zur Bedeutung dieser Auseinandersetzung als

Bedingung für einen Persuasionserfolg der Flugschrift vgl. Schaub,
S. 57–59. Vgl. vor allem auch Noellner, S. 326f. (Verhöraussage
Carl Braubachs). – *Vater der Lügen:* Vgl. Joh. 8, 44, wonach der
Teufel »ein Lügner und ein Vater derselben« ist. – *den deutschen
Kaiser, der vormals vom Volke frei gewählt wurde:* Geschichtsklit-
terung.

52 *Wahl:* Bedeutet hier ›freie Bestimmung‹. – *Gewalt:* Macht. Diese
Bedeutung hat ›Gewalt‹ auch sonst im HL. Entsprechend sind »die
Gewaltigen« (S. 48) die Mächtigen. – *Wesen und Tun:* Vgl. Hes. 20,
43 f.; 36, 17, 19, 31 sowie Jer. 18, 11. – *Sie zertreten das Land:* Vgl.
Hab. 3, 12. – *zerschlagen die Person des Elenden:* Vgl. Jes. 3, 15. –
einen Gesalbten des Herrn: 1. Sam. 24, 7, 11; 26, 9, 11, 16, 23; 2.
Sam. 1, 16; 19, 21. – *freien Voreltern:* Lieblingsbegriff und -vorstel-
lung Weidigs, der in seinem triadischen Denken von einem ur-
sprünglich harmonischen Gesellschaftszustand, einem romantisch
verklärten Mittelalter angeblich freier deutscher »Voreltern« ausgeht, worauf eine bis in seine Zeit anhaltende Zwischenphase der
»Erniedrigung und Dienstbarkeit« folgt, bis schließlich die Zeit der
»Befreiung« in einer »bürgerlichen Ordnung« anbricht; vgl. hierzu
Weidigs Predigt, gehalten zu Ostern 1823 in Butzbach, sowie
Mayer II, S. 198, 204, 255, 257. – ⟨diese⟩: im Erstdruck »diesen«
(vermutlich Druckfehler). – *Über ein Kleines und Deutschland …
wird … wieder auferstehn:* Vgl. Joh. 16, 16, wo Jesus in Anspielung
auf seine Wiederkunft und Auferstehung sagt: »Über ein Kleines,
so werdet ihr mich nicht sehen; und aber über ein Kleines, so
werdet ihr mich sehen: denn Ich gehe zum Vater.« – *Freistaat:* In
etwa gleichbedeutend mit Republik. Noch an zwei weiteren Stellen
ist im HL vom »Freistaat« die Rede (vgl. S. 54 und S.60). »Und in
allen drei Fällen stammen die Formulierungen wie ihr besonderer
Inhalt zweifelsfrei von Weidig, denn der *Freistaat* ist parallel zu den
Franken die in der Tradition Follens und der Revolutionäre von
1815/19 deutschtümelnde Variante der Republik und doch nicht
ganz ihr Synonym.« (Mayer II, S. 272). – *Gebet dem Kaiser, was des
Kaisers ist:* Matth. 22, 21 und Mark. 12, 17. – *Das Teil von Judas:*
Den Fürsten gebührt nach der Argumentation des HL dasselbe
»Teil«, d.h. derselbe »Lohn«, wie dem Verräter Judas. Gemeint
sind jedoch nicht etwa die dreißig Silberlinge, sondern vielmehr der
Strick, mit dem sich Judas erhängte. – *Im Jahr 1789 … Und so ward
Deutschland betrogen wie Frankreich* (S. 52–54): Nach Schirmbeck
und Th. M. Mayer stammt der historische Exkurs zu den Französischen Revolutionen von 1789 und 1830 und den Auswirkungen für
Deutschland von Weidig. Als Begründung hierfür dienen: Der
Nachweis mehrerer Lieblingsthemen und -vorstellungen Weidigs in
dieser Passage (vgl. Mayer II, S. 256–265) sowie der Hinweis, daß
auf die – dem Exkurs unmittelbar vorangehende – statistische Angabe »Für die Landstände 16,000 Gulden« nicht – wie in den anderen sechs Fällen der Aufzählung von Ausgabeposten – ein Text

folgt, der mit zupackenden Anschlußsätzen direkt auf diesen Ausgabeposten (»Landstände«) Bezug nimmt. Die Kommentierung
dieses Postens beginnt im HL eigentlich erst nach Abschluß des
historischen Exkurses mit dem Fragesatz: »Denn was sind diese
Verfassungen in Deutschland?« (S. 54) – *ein König sei ein Mensch
wie ein anderer auch . . ., er müsse sich vor dem Volk verantworten:*
Nach der Verfassung von 1791 blieb der französische König »unverletzlich« und »heilig« (S. 48); allein die Minister waren »verantwortlich« (vgl. Saviane, S. 75; Mayer II, S. 258). – *der erste Diener
im Staat:* Der Ausspruch geht auf Friedrich den Großen (1712–86)
zurück, der ihn in verschiedenen Wendungen, aber stets in französischer Form gebraucht hat. – *Dann erklärten sie die Rechte des
Menschen:* Die ›Déclaration des droits de l'homme et du citoyen‹ in
17 Artikeln erfolgte am 26. August 1789 durch die Konstituante. Sie
ist wörtlich in die Verfassung vom 3. September 1791 aufgenommen
worden. – *Titel:* Dasjenige, worauf man einen rechtlichen Anspruch stützt. – *die Vertreter des Volks . . .:* Nach dem Gesetz vom
22. Dezember 1790 teilte die Konstituante die Bürger nach dem
Vermögen »in ›aktive‹, besitzende *mit* und ›passive‹, besitzlose
⟨Bürger⟩ *ohne* Wahlrecht« ein (Mayer II, S. 258). Das Wahlrecht
der Verfassung von 1791 war also nicht, wie der *Landbote* unterstellt, ein allgemeines, sondern ein Zensus-Wahlrecht. – *der König
hat nur für die Ausübung der . . . erlassenen Gesetze zu sorgen:*
»Tatsächlich aber hatte er das Veto« (Mayer II, S. 258), das Einspruchsrecht. Die »drei gravierenden Beschönigungen ausgerechnet
zugunsten der konstitutionellen Monarchie«, die Mayer in der Ein-
gangspassage des historischen Exkurses feststellt, sprechen in der
Tat mehr für Weidig, der »zum Zweck immer Fünf gerade« sein
ließ, als für B., der derartige »Stilisierungen auch und gerade der
›Geschichte, wie sie sich wirklich begeben‹ ⟨Brief Nr. 45⟩«, nach
Möglichkeit »vermied« (Mayer II, S. 258) und der alles andere als
ein Anhänger der konstitutionellen Monarchie war. – *Der König
schwur dieser Verfassung treu zu sein . . .:* Ludwig XVI. (1754–93),
König von Frankreich (1774–92), sanktionierte und beschwor die
Verfassung am 13. und 14. September 1791, fand sich jedoch nicht
mit der ihm durch die Verfassung vorgeschriebenen Rolle eines
konstitutionellen Monarchen ab, ersuchte am 3. 12. 1791 Preußen
insgeheim um Intervention, wurde nach dem Sturm auf die Tuilerien (10. 8. 1792) und dem Sturz der Monarchie am 21. 9. 1792 für
abgesetzt erklärt, am 15. 1. 1793 zum Tode verurteilt und am 21. 1.
1793 hingerichtet. – *er wurde aber meineidig . . .:* Meineid und Verrat der Obrigkeit sind Lieblingsthemen Weidigs. Die meineidige
Obrigkeit diente ihm als »eine ganz spezifische Konterbegrün-
dung« (Mayer II, S. 261) zur Rechtfertigung des Meineids vor Gericht bei politischen Prozessen.

54 *sie könnten alle über der ersten Königsleiche den Hals brechen:* Den
Satz könnte Weidig »mehr oder weniger wörtlich aus Büchners

Manuskript« (Mayer II, S. 259) in seinen Text übernommen haben.
Für die Zuschreibung an B. spricht die Sentenz von Lacroix aus
Dantons Tod (IV, 7): »Die Tyrannen werden über unsern Gräbern
den Hals brechen.« – *möchten:* könnten. – *reisigem Zeug:* Reiterei,
Kavallerie. Der nicht mehr gebräuchliche Ausdruck kommt in den
Bibelausgaben der Büchner-Zeit recht häufig vor. – *erhob sich in
seiner Kraft:* Vgl. Ps. 21, 14. – *Die junge Freiheit wuchs im Blut der
Tyrannen . . .:* Gemeint ist hier die Zeit der jakobinischen Schrek-
kensherrschaft (1793/94). Eine solche Simplifizierung und Heroi-
sierung der Geschichte ist dem in *Dantons Tod* heftige Kritik an
den Jakobinern übenden B. nach Mayer II, S. 258 »kaum zuzutrau-
en«. – *jauchzten die Völker:* Vgl. Ps. 67, 5; 89, 16 sowie 1. Sam. 10,
24. – *Napoleon:* Napoleon I. (1769–1821), Kaiser der Franzosen
(1804–14/15). – *Bourbonen wieder zu Königen:* Die französische
Dynastie der Bourbonen regierte von 1589–1792 und von 1814–30.
Nach der Abdankung Napoleons 1814 wurden die Bourbonen mit
Ludwig XVIII. (1755–1824), einem Bruder Ludwigs XVI., wieder-
eingesetzt. – *die Menschen frei und gleich geschaffen:* Vgl. Artikel 1
der französischen Menschenrechtserklärung vom 3. September
1791. Vgl. auch S. 58, wo die sprachliche Übereinstimmung mit
Art. 1 noch deutlicher ist. – *König Karl den Zehnten:* Karl X.
(1757–1836), König von Frankreich (1824–30), löste durch die sog.
Juliordonnanzen vom 26. 7. 1830, welche die Pressefreiheit und das
Wahlrecht einschränkten, die Julirevolution aus (27.–29. Juli). Am
2. August 1830 mußte er abdanken. – *Louis Philipp:* Louis Philippe
(1773–1850), König (›Bürgerkönig‹) von Frankreich (1830–48); mit
ihm beginnen die Epoche des ›Bürgerkönigtums‹ und die Politik
des ›Juste-milieu‹. – *Zuchtrute:* Biblisches Bild (vgl. Sprüche Salo-
mos 22, 15 u. Jes. 9, 3 f.). Für Weidig, der seit 1814 wiederholt auf
die politische Gottesstrafe für ein Volk hinweist, das sich selbst
durch »Schande« und »Sünden« in die »Knechtschaft gestürzt« hat
(Noellner, Anlage 8, S. 43), ist die Zuchtrute nach Mayer II, S. 263
»wirklich das Instrument göttlicher Strafe«. – *Da ratschlagten die
Fürsten . . .:* Den Eindruck, »daß die nach 1830 erlassenen oder ver-
einbarten landständischen Verfassungen die Funktion eines ›betrü-
gerischen‹ Ablenkungsmanövers hatten, teilten spätestens nach
1832 alle deutschen Oppositionellen links der konstitutionellen
Szenerie.« (Mayer II, S. 264). – *Grimm:* Das Wort kommt in der
Bibel überaus häufig vor: mehr als 50 Belege. – *zitternd vor Furcht:*
Zur Formel »Furcht und Zittern« vgl. Hiob 4, 14: Psalm 55, 6; 1.
Kor. 2, 3; 2. Kor. 7, 15; Eph. 6, 5. – *warfen sie einige Brocken hin
und sprachen von ihrer Gnade:* Vgl. B.s Brief (um den 6.) April
1833 (Nr. 7) an die Familie: »Und selbst das Bewilligte wurde uns
hingeworfen, wie eine erbettelte Gnade.« Aufgrund dieser briefli-
chen Parallele sowie der beiden Gedankenstriche, die auch an anderen Stellen des HL »einen Übergang zweier verschiedener Textele-
mente signalisieren«, vermutet Mayer II, S. 264 f., daß Weidig die

beiden Sätze (»Und zitternd vor Furcht ... und legte sich zur Ruhe.–«) »aus Büchners Manuskript direkt in seinen Exkurs ›transplantiert‹ hat«. – *Was sind unsere Landtage:* Daß B. von den Landständen bzw. Landtagen nicht viel hielt, beweist u. a. sein Straßburger Brief ⟨um den 6.⟩ April 1833 (Nr. 7).

55 *K⟨ö⟩rner:* im Erstdruck »Kürner« (vermutlich Druckfehler).

56 *eine feste Burg:* Vgl. Luthers Lied »Ein feste Burg ist unser Gott« nach dem 46. Psalm. Es wurde »in ähnlicher politischer Wendung« (Mayer II, S. 266), wie das Bild im HL verwendet wird, auf politischen Banketten der hessischen Liberalen gesungen. – *wornach keiner gewählt werden kann, der nicht hoch begütert ist:* Vgl. vor allem Artikel 55, aber auch Art. 56 und 57 der hessen-darmstädtischen Staatsverfassung (Wagner, S. 106). – *Grolmann, der euch um die zwei Millionen bestehlen wollte:* Friedrich von Grolmann (1784–1859), konservatives Mitglied des Landtags, hatte 1830 für den Antrag der Regierung gestimmt, die Privatschulden Ludwigs II. in Höhe von 2 Millionen Gulden auf die Staatskasse zu übernehmen. – *Verfassung des Großherzogtums:* Das Großherzogtum Hessen hat als letzter süddeutscher Staat am 17. Dezember 1820 eine Verfassung erhalten. Seitdem hatte es den Status einer erblichen konstitutionellen Monarchie. Der häufig abgedruckte Text der Verfassung findet sich auch in der von B. benutzten Statistik Wagners (S. 98–115). Er gibt im folgenden wieder: Art. 4, Abs. 2, Art. 5, Art. 74, Art. 63, Art. 76, Art. 67 und 72. – *ein elend jämmerlich Ding:* Jesus Sirach 40, 1. – *Was ist von Ständen zu erwarten, die kaum ... zu verteidigen vermögen:* Dieser »sehr geradlinige Satz« (Mayer II, S. 267) könnte von Weidig aus B.s Manuskript übernommen worden sein.

57 *der 3ten Million zum Bau eines neuen Schlosses:* Die Zweite Kammer hat im Juni 1833 die von der Regierung für den Ausbau des neuen Schlosses verlangte Summe verweigert. – *Ehebrecher, wie du Thil:* Der hessische Hofgerichtsadvokat Reinhard Carl Theodor Eigenbrodt (1799–1866) spricht von einer »erotischen Schwäche« du Thils, die sich »schwer an ihm gerächt« habe; vgl. R. C. Th. Eigenbrodt, ›Meine Erinnerungen aus den Jahren 1848, 1849 und 1850‹. Hg. v. Ludwig Bergsträßer, Darmstadt 1914, S. 4. – *eher entläßt er den Landtag:* Vgl. zu S. 47 (*Gagern*). – *spricht öffentlich von seiner ›Langmut gegen die Landstände‹:* In der von Großherzog Ludwig II. und du Thil unterzeichneten »Verkündigung, die Auflösung der Stände-Versammlung betreffend«, die am 30. Oktober 1834 im ›Großherzoglich Hessischen Regierungsblatt‹ (Nr. 78) veröffentlicht wurde, heißt es (S. 504): »Trotz allem dem wollten Wir die Hoffnung nicht aufgeben, es werde Unsere Langmut durch ein befriedigendes Ende des Landtags segensreiche Früchte tragen.« – *der weder seine Schulden bezahlen, noch seinen Sohn ausstatten kann ... :* Für die Vermählung des Erbgroßherzogs Ludwig (1806–77) mit der bayerischen Prinzessin Mathilde wie auch für dessen

Ausstattung sind in dem 1833 aufgelösten Landtag Geldmittel beantragt und auch bewilligt worden.

58 *Die Raubgeier in Wien und Berlin:* Österreich und Preußen, die beiden nichtkonstitutionellen Großmächte, galten unter Oppositionellen der Metternichschen Restaurationszeit als Hort der Reaktion und Unterdrückung. – *Und diese Zeit ... ist nicht ferne:* Vgl. Hes. 12, 23 sowie Offb. 1, 3; 22, 10: »die Zeit ist nahe«. – *geliebte Mitbürger:* Zwar nicht diese (vgl. Mayer II, S. 251), aber ganz ähnliche pastorale Anredeformeln hat Weidig in seinen Predigten benutzt, so: »geliebte Freunde« und »meine andächtigen Zuhörer«. – *Der Herr hat das schöne deutsche Land, das viele Jahrhunderte das herrlichste Reich der Erde war:* Nach Weidig kann Deutschland werden, was es ursprünglich war: »ein freies und glückliches Land« (»frei und glücklich war Germanien«), das der »Herr« gesegnet hat durch »fruchtbare, wohnliche Tale, geschirmt von erzreichen Gebirgen, und getränkt mit anmutigen Bächen und Strömen«; so Weidig 1814 in der von ihm verfaßten ›Stiftungsurkunde‹ der deutschen Gesellschaft zu Butzbach (Noellner, Anlage 8, S. 43). – *das Herz des deutschen Volkes ... abgefallen war:* Vgl. Jes. 6, 10; Jer. 5, 23; Matth. 13, 15; Apg. 28, 27. – *Furcht des Herrn:* Ehrfurcht, Ehrerbietung gegenüber Gott. Zahlreiche Belege in der Bibel. – *Der Herr, der den Stecken des fremden Treibers Napoleon zerbrochen hat:* Vgl. Jes. 9, 3 ⟨4⟩. – *die Götzenbilder ... zerbrechen:* Vgl. 2. Mose 23, 24; 34, 13; Hes. 6, 6; Micha 1, 7. – *Hände des Volks:* Vgl. Hes. 7, 27; 1. Sam. 13, 22. – *Wohl glänzen diese Götzenbilder von Gold und Edelsteinen ... und ihre Füße sind von Lehm:* Vgl. Dan. 2, 31–34. – *aber in ihrem Innern stirbt der Wurm nicht:* Vgl. Jes. 66, 24; Mark. 9, 44 ff. – *Gott wird euch Kraft geben:* Vgl. Ps. 29, 11; 68, 34, 36. – *ihre Füße zu zerschmeißen:* Vgl. Dan. 2, 34. Zum Ausdruck »zerschmeißen« vgl. Ps. 68, 22; 110, 6; Hab. 3, 13. – *bekehret von dem Irrtum eures Wandels:* Vgl. Jak. 5, 19 f.; 2. Petr. 2, 18. – *die Wahrheit erkennet:* Vgl. Joh. 8, 32; 1. Tim. 4, 3; 2. Tim. 2, 25; 2. Joh. 1. Diese Bibelstelle hat Weidig auch in seiner Predigt »vom gemeinen Nutzen« (1819) zitiert. – *daß nur Ein Gott ist und keine Götter neben ihm:* Vgl. 2. Mose 20, 3. – *Allerhöchste:* Biblischer Titel bzw. Beiname Gottes; vgl. Ps. 47, 3; 57, 3; Mark. 5, 7; Luk. 8, 28. – *daß Gott alle Menschen frei und gleich in ihren Rechten schuf:* Vgl. hierzu Heinrich Leos Erinnerungen (›Meine Jugendzeit‹, Gotha 1880, S. 170), wonach Weidig spätestens im Sommer 1818, wahrscheinlich aber auch schon im Sommer 1814, die ganz exorbitante Doktrin« hatte: »Alle Menschen seien von Gott gleich berechtigt; da nun aber unser ganzes Leben ⟨...⟩ von der aus dem Egoismus und der Sünde gebornen Ungleichheit beherrscht werde, so sei unser ganzes Leben auch nur *ein* großer Sündenpfuhl ⟨...⟩; jede einzelne Sünde sei berechtigt, wenn sie aus diesem Sündenpfuhl hinauszuführen verspreche, und deshalb jedes Mittel gleichgiltig, wenn es nur den Zweck habe, mit dieser Sünde der Ungleichheit,

diesem Grundpfeiler aller übrigen Sünden, aufzuräumen; keine Obrigkeit sei rechtmäßig, die diesen Sündenpfuhl der Ungleichheit schütze, und jeder Führer sei als Obrigkeit berechtigt, der den Weg aus diesem Sündenpfuhl hinaus zeige.« – *daß keine Obrigkeit von Gott zum Segen . . . Teufelsgewalt gebrochen werden kann:* Zu dem für Weidigs politische Theologie überaus wichtigen Thema der von Gott »zum Segen« oder auch zur Strafe verordneten Obrigkeit vgl. Noellner, S. 326f. sowie Mayer II, S. 252–256. – *der Gott, der ein Volk durch Eine Sprache zu Einem Leibe vereinigte:* Vgl. 1. Kor. 12, 13. – *in dreißig Stücke:* Der deutsche Staatenbund, auf dessen Mitgliederzahl hier angespielt wird, bestand nicht aus 30, sondern aus 38 souveränen Staaten (34 Fürstentümern und 4 freien Städten). Vgl. auch S. 62. In der 2. Ausgabe des HL (vgl. S. 63) spricht Weidig von 34 Tyrannen bzw. »Götzen«, also den 34 deutschen Fürsten. – *was Gott vereinigt hat, soll der Mensch nicht trennen:* Vgl. Matth. 19, 6. Nach August Becker soll Weidig »selbst die Rechtlichkeit der Einheit Deutschlands« aus der Bibel »zu beweisen« versucht haben, wobei er auf dieses Bibelzitat hingewiesen habe (vgl. Noellner, S. 315). – *der aus der Einöde ein Paradies schaffen kann:* Vgl. 1. Mose 1, 2; 1. Mose 2, 8ff. Zur Verwandlung der Einöde, der Wüste in ein Paradies, einen »Lustgarten« vgl. auch Jes. 35, 1ff. und Hes. 36, 33–35. – *des Jammers und des Elends:* Jammer ist hier wie im Mhd. noch gleichbedeutend mit: Not, Elend. Zur Zusammenstellung dieser beiden synonymen Begriffe vgl. Ps. 10, 14; 25, 18.

60 *Er hat eine Zeitlang »den Satans-Engeln Gewalt gegeben . . .«:* Vgl. 2. Kor. 12, 7. Zum Ausdruck jemandem »Gewalt geben« vgl. Dan. 3, 30; 7, 14, 27; Matth. 28, 11; Luk. 9, 1. – *ihr Maß ist voll:* Seit Schillers ›Jungfrau von Orleans‹ (Johanna im 3. Auftritt des Prologs) ein geflügeltes Wort. – *Ludwig von Baiern . . . :* Ludwig I. (1786–1868), König von Bayern (1825–48), ließ gemäß dem Strafgesetzbuch für das Königreich Bayern von 1813 bei Majestätsbeleidigungen zweiten Grades (Art. 311) die Beleidiger »öffentliche Abbitte vor dem Bildnisse des Souverains« tun, eine erst 1861 abgeschaffte Strafe, die u. a. der Arzt und Politiker Johann Gottfried Eisenmann (1795–1867) sowie der Würzburger Bürgermeister und liberale Politiker Wilhelm Joseph Behr (1775–1851) über sich ergehen lassen mußten. – In den häufigen Kunstreisen Ludwigs I. nach Italien, die ihn zumeist mit seiner Freundin, der italienischen Marchesa Mariannina Florenzi, zusammenführten, sah die Volksstimmung ein »ausschweifendes Leben in fremden Landen«. In Schmähschriften wurde Ludwig I. wegen seiner ›Weibergeschichten‹ gelegentlich als »italienischer Hurenbock« bezeichnet. – *das Schwein:* Galt bei den Israeliten als ›unrein‹; daher das Verbot, Schweinefleisch zu essen (vgl. 3. Mose 11, 7f.; 5. Mose 14, 8). Wegen seiner angeblichen Unreinlichkeit ist das Schwein ein Bild der groben Sinnlichkeit. – *den Wolf:* Bereits in der Bibel werden die Fürsten gelegentlich mit Wölfen verglichen; vgl. Hes. 22, 27 sowie

Matth. 7, 15. In *Dantons Tod* (I, 2) werden die Aristokraten als
»Wölfe« bezeichnet. – *Baals-Hofstaat:* Zum Baals-Kult gehörte
nach der Bibel vor allem das Niederknien bzw. das Kniebeugen vor
der Gottheit; vgl. hierzu 1. Kön. 19, 18 und Röm. 11, 4. – *für immer
jährlich fünf Millionen:* Das dem bayerischen Königshaus 1834
durch den Landtag bewilligte Jahreseinkommen – die sog. Civilliste, eine Art Kronrente für alle Belange des königlichen Hofes –
betrug drei Millionen Gulden; das entsprach knapp 9% der gesamten Staatseinnahmen, aus denen das Geld auch genommen wurde.
Die drei Millionen betragende Civilliste wurde 1834 lebenslänglich
(»für immer«) und unveränderbar festgeschrieben. – *Ha! du wärst
Obrigkeit von Gott... Tyrann:* Letzte Strophe von Gottfried August Bürgers Gedicht ›Der Bauer. An seinen durchlauchtigen Tyrannen‹ (1773). Das »du schindest, kerkerst ein« in Vers 3 ist wohl
von Weidig hinzugefügt worden, auf dessen Konto überhaupt der
Einsatz der Bürger-Strophe gehen dürfte. Der Zusatz verrät Weidigs Wortschatz, und auch Thema und Inhalt des Gedichts stehen
Weidig näher als B. (vgl. Mayer II, S. 254). Das 1776 im Voßschen
Musenalmanach erschienene Gedicht Bürgers war während der Zeit
des literarischen Jakobinismus in Deutschland (1789–1806) sehr populär und ist damals oft nachgedruckt worden. – *Gott, der Deutschland um seiner Sünden willen geschlagen hat... wird es wieder
heilen:* Wohl Kombination mehrerer Bibelstellen; vgl. bes. 3. Mose
26, 24; 5. Mose 32, 39; Hos. 6, 1. – *Zwingburgen:* Gehört zum
Vokabular Weidigs (vgl. Noellner, S. 431), der das Wort im letzten
Abschnitt des HL noch einmal verwendet. – *Ezechiel:* Die aus der
Vulgata geläufige Namensform für Hesekiel. – *Der Herr führte
mich...:* Hes. 37, 1 f. – *ich will euch Adern geben...:* Hes. 37, 6.
62 *Siehe, es rauschte...:* Hes. 37, 7. – *Da kam Odem in sie...:* Hes.
37, 10. – *eure Gebeine sind verdorrt:* Hes. 37, 11. – *6 Millionen
bezahlt ihr im Großherzogtum... was sie euch aufbürden:* David
und Bergemann halten diese Passage für ein Stück B.-Text. Mayer
II, S. 254f. neigt dazu, sie eher Weidig zuzuschreiben. Für B.s Autorschaft sprechen: das statistische Argument, ein weiteres Zitat aus
der schon vorher wahrscheinlich von B. im HL benutzten Valediktionsrede Flamins und – nicht zuletzt – das in der ersten Texthälfte
wiederholt verwendete Bild der Lasten ›tragenden‹ und sich ›bükkenden‹ Bauern (vgl. S. 44, 46, 50), das hier wieder aufgegriffen
wird und an das sich der Anfangssatz des folgenden Abschnitts
»Hebt die Augen auf und zählt das Häuflein eurer Presser« (S. 64)
nahtlos anschließen würde, da er die gedrückten und gebückten
Adressaten auffordert, den Blick vom Boden zu nehmen und sich
aufrechten Gangs ihrer Kraft bewußt zu werden. Vielleicht gehörten diese beiden Passagen in B.s Manuskript zusammen. In
diesem Falle hätte sie Weidig durch den Einschub eines teilweise
redundanten Textabschnitts (»So weit ein Tyrann blicket... ein
großes Heer sein«) zum Schaden für die Textkohärenz und bild-

liche Stringenz auseinandergezogen. – *Ihr seid nichts, ihr habt nichts:* Vgl. den zu S. 50 (»Der Fürst ist der Kopf des Blutigels...«) nicht zitierten Schluß der imaginierten Valediktionsrede Flamins aus Jean Pauls ›Hesperus‹: »Ihr arbeitet wohl, aber ihr habt nichts, ihr seid nichts, ihr werdet nichts.« – *In dem Leichenfelde ...:* Vgl. Hes. 37, 7 u. 10

63 *die babylonische Hure:* Offb. 17, 3 ff. – *wie über die kleinen Diebe ... Eigentum ihrer Brüder:* Als möglicher Verfasser dieser Passage hat August Becker in einem Verhör den Marburger Liberalen Sylvester Jordan angegeben (vgl. Mayer II, S. 248).

64 *Hebt die Augen auf:* Dieser Imperativ kommt häufig in der Luther-Bibel vor. – *aber ich sage euch:* Vgl. Matth. 5, 22 ff.; Matth. 8, 11; Mark. 9, 13; Luk. 6, 27. – *Wer das Schwert erhebt...:* Vgl. Matth. 26, 52. – *Das deutsche Volk ist Ein Leib ihr seid ein Glied dieses Leibes:* Vgl. 1. Kor. 12, 12 ff. Das paulinische Gleichnis von dem Einen Leib und den vielen Gliedern war der zentrale Bibeltext in Weidigs Predigt »vom gemeinen Nutzen« (um 1819). – *Es ist einerlei, wo die Scheinleiche zu zucken anfängt:* Dieser im Klartext etwa wie folgt lautende Satz: »Es ist egal, wo in Deutschland, in welchem deutschen Staat die Erhebung (Revolution) beginnt«, nimmt sich nach Stil und Vokabular im umgebenden Text »wie ein Transplantat« aus und ist ohne weiteres dem Mediziner B. zuzutrauen. Nach Mayer II, S. 236 f. könnte der listige, »dialektische Satz« am ehesten so in die sonst fast durchweg Weidig zuzuschreibende Schlußpassage des HL gekommen sein, daß B. am Abend des 5. Juli 1834, als er das überarbeitete Manuskript bei Weidig abholte, um es nach Offenbach zum Druck zu befördern, »mit Weidigs Billigung die ›zuckende‹ Scheinleiche noch eingeflickt und vielleicht auch einige Zeilen weiter unten aus einem *auferstehen* ein prägnanteres *aufstehen* gebessert hat«. Zu weiteren Erklärungsversuchen vgl. Mayer II, S. 236 f. – *Wann der Herr euch seine Zeichen gibt:* Von numinosen Zeichen ist in der Bibel häufig die Rede; vgl. bes. Jes. 7, 14. Zu diesem ganzen Satz vgl. jetzt Mayer II, S. 232 ff. – *durch die Männer:* Vgl. hierzu die von Weidig im November 1814 verfaßte »Einleitung zur Stiftungsurkunde der deutschen Gesellschaft zu Butzbach«, in der es heißt: »Darum als nun (nach dem Sieg über Napoleon in der Völkerschlacht bei Leipzig) der Tag der Erlösung kam, haben viele Deutsche Biedermänner das Volk ermahnt, seiner urangestammten Kraft zu gedenken und sich ihrer neu zu gebrauchen, und ob Gott will, das Land wird auferstehen zu seiner alten Herrlichkeit.« (Noellner, Anlage 8, S. 43 f.). Solche »deutsche Biedermänner« wie 1814 etwa Ernst Moritz Arndt, Körner, Jahn, Nettelbeck, Blücher, Gneisenau, die er keinesfalls »etwa im buchstäblichen Sinne des Wortes für ›Werkzeuge‹ Gottes gehalten« habe, hat Weidig nach Mayer II, S. 233 f. mit den »Männern« im HL gemeint, wobei sich der »Bedeutungsgehalt« der »Männer«, »mit denen im gleichen übertragenen Sinn Weidig selbst und die übrigen oberhes-

sischen ›Volksmänner‹ gemeint waren«, »allenfalls in die Richtung
verschoben« habe, »daß aus den *Biedermännern* von 1814 inzwischen in den konspirativen Vorbereitungen des Frankfurter Wachensturms einschließlich Weidigs konsequent revolutionäre Demokraten geworden waren«. – *Dienstbarkeit:* Knechtschaft, Skla-
verei. Der auch in der Bibel vorkommende Begriff (vgl. Neh. 9, 17;
Jes. 40, 2) ist ein Lieblingsbegriff Weidigs, der in seiner Lamennais-
Bearbeitung aus dem Jahre 1834 die Begriffe servitude und esclavage
»fast durchgehend mit *Dienstbarkeit* übersetzte« (Mayer II, S. 232;
vgl. auch Mayer II, S. 283, Anm. 387, 388). – *Dornäckern der*
Knechtschaft: Dieses Bild ist wohl durch den Fluch angeregt worden, den Gott nach dem Sündenfall des Menschen gegenüber Adam
ausspricht; vgl. 1. Mose 3, 17f. Vgl. auch Jes. 32, 13. – *bis ins*
tausendste Glied: Vgl. 2. Mose 34, 7. – *Wasser des Lebens:* Offb. 22,
17; vgl. auch Offb. 22, 1. – *wachet und rüstet euch im Geiste und*
betet: Vgl. Matth. 26, 41 u. Mark. 14, 38 (»Wachet und betet«). Zur
Aufforderung »rüstet euch« vgl. Jes. 8, 9. – *Herr, zerbrich den*
Stecken unserer Treiber: Vgl. Jes. 9, 3 ⟨4⟩. – *laß dein Reich zu uns*
kommen: Vgl. Matth. 6, 10. – *das Reich der Gerechtigkeit:* Vgl.
Röm. 14, 17.

DANTONS TOD

Historischer Hintergrund

Die Ursachen der Französischen Revolution Durch die maßlose Übersteigerung höfisch-absolutistischer Lebensformen unter Ludwig XIV. und Ludwig XV. war Frankreich an den Rand des wirtschaftlichen Bankrotts gekommen. Nach dem Tod Ludwigs XIV. (1715) hatten die Staatsschulden bereits eine Höhe von drei Milliarden Livres erreicht; die Jahreseinnahmen des Staates betrugen etwa 150 Millionen Livres. 1780 wurden 50% der Staatseinnahmen für den Schuldendienst benötigt, weitere 6% verbrauchte der Hof. Eine wirksame Finanzreform mußte die unterschiedliche Belastung der drei Stände abschaffen.

Der *erste Stand*, der *Adel*, umfaßte etwa 1,5% der Bevölkerung (ca. 25 Millionen) mit rund 3–400000 Personen. Er war völlig von der Steuer befreit. Spannungen gab es jedoch zwischen dem reichen Hofadel mit Jahreseinnahmen bis zu einer halben Million Livres und dem armen Landadel, dessen Einkommen oft unter 600 Livres lag. – Vor allem der wohlhabende Geldadel, der aus dem Bürgertum aufgestiegen war, legte großen Wert auf die Erhaltung der neu erworbenen Privilegien.

Zum *zweiten Stand,* den *Geistlichen,* etwa 0,5%, gehörten rund 130000 Personen. Die hohe Geistlichkeit, die überwiegend dem Adel entstammte und über den Kirchenzehnten sowie die Einkünfte aus dem umfangreichen kirchlichen Grundbesitz verfügte, leistete zwar regelmäßig freie Spenden, bezahlte aber keine Steuern. Die einfachen Pfarrer dagegen hatten vielfach nur ein geringes Einkommen (etwa 300–400 Livres); sie standen auf der Seite des dritten Standes und trugen 1789 wesentlich zu dessen Bewußtseinsbildung bei.

Dem *dritten Stand,* bestehend aus *Bürgern* und *Bauern,* gehörten etwa 98% der Bevölkerung an. Maßgebend war eine kleine, einflußreiche Oberschicht (Manufaktur- und Bergwerksbesitzer, Grundherren, Akademiker). Die Förderung von Handel, Handwerk und Gewerbe durch den Merkantilismus hatte eine wirtschaftliche Blüte (der Export hatte sich von 1715 bis 1789 vervierfacht) und auch erheblichen Reichtum für den dritten Stand mit sich gebracht. Politisch und gesellschaftlich aber blieb dieser Stand bedeutungslos und ohne Rechte. Anlaß für die Unzufriedenheit war deshalb trotz der Steigerung der Lebenshaltungskosten und der wirtschaftlichen Stagnation in den achtziger Jahren nicht in erster Linie ein mangelnder materieller Fortschritt, sondern das fehlende politische Mitspracherecht im Staat sowie eine gesellschaftliche Geringschätzung, die dem gestiegenen Selbstgefühl entgegenstand. Dazu kam allerdings auch die Tatsache, daß der dritte Stand die finanziellen Hauptlasten zu tragen hatte, durch Abgaben an den

Staat (Steuern), an die Kirche (Zehnte) und an die Grund- und Gerichtsherren.

Die gebildeten Teile des Bürgertums kamen immer stärker mit aufklärerischen Ideen in Verbindung. Die Schriften Diderots (1713–84) etwa oder vor allem Jean-Jacques Rousseaus (1712–78) Abhandlung ›Le Contrat Social‹ mit der Betonung der Volkssouveränität wurden gelesen und in Salons, Freimaurerlogen und politischen Klubs diskutiert. Auch der Adel zeigte sich an manchen Ideen der Aufklärung interessiert, widersetzte sich dem Absolutismus des Königtums und trug zur Verbreitung aufklärerischer Gedanken bei. – Von nachhaltigem Eindruck war schließlich die Verfassung der USA mit der Erklärung der Menschenrechte im Jahre 1776.

1774 wurde Ludwig XVI., Enkel Ludwigs XV., im Alter von 20 Jahren König. Bestimmt von Ideen des aufgeklärten Absolutismus, erkannte er die Notwendigkeit von Reformen. So gewährte er weitgehende Meinungs- und Publikationsfreiheit (die Aufführungserlaubnis für Beaumarchais' ›Le mariage de Figaro‹ ging auf seine Intervention zurück), auch wenn sie sich gegen ihn selbst richtete, und sorgte für die Abschaffung der Folter. In entscheidenden Fragen jedoch konnte er sich gegen den Hofadel nicht durchsetzen.

Noch 1774 berief der König den Physiokraten Anne Robert Jacques Turgot zum Finanzminister. Dieser verlangte in seinen Reformplänen: Dezentralisation und Selbstverwaltung, Handels- und Gewerbefreiheit mit Beseitigung des Zunftzwanges, Verstaatlichung des Armen- und Unterrichtswesens. Grundlage seiner Ideen war die allmähliche Verwirklichung der Steuergerechtigkeit durch die Besteuerung sämtlicher Einkommen und die Abschaffung der Feudalrechte. Jedoch wurde Turgot eine Teuerung im Jahre 1775, nach der Mißernte des Vorjahres, angelastet. Mehrere Aufstände, die von den privilegierten, um ihre Rechte bangenden Ständen unterstützt wurden, führten zur überraschenden Entlassung des Ministers im Mai 1776.

Im Juni 1777 ernannte der König den Genfer Bankier Jacques Nekker zum Finanzminister. Nach vergeblichen Sanierungsversuchen verlangte auch er die Durchführung der Turgotschen Reformen. Er enthüllte in seinem ›Compte rendu‹ die Verschwendung des Hofes und erhielt im Mai 1781 plötzlich seine Entlassung. Seine unfähigen Nachfolger, darunter der skrupellose Charles Alexandre de Calonne, richteten die Staatsfinanzen völlig zugrunde. Das jährliche Defizit stieg auf annähernd 200 Millionen Livres. Wegen des drohenden Bankrotts berief Calonne im Februar 1787 die Notabeln ein und verlangte die Besteuerung des Adels und der Geistlichkeit. Jene nahmen jedoch seine schlechte Verwaltung zum Vorwand, jede Reform abzulehnen.

1788, der Staat war vorübergehend zahlungsunfähig, wurde Necker wiederum in den Staatsdienst berufen. Er verlangte die Einberufung der Generalstände und erregte dadurch eine ungeheure Begeisterung. 2000–3000 Flugschriften erschienen, darunter so bedeutende wie die von Abbé Sieyès mit dem Titel ›Qu'est ce que le Tiers État?‹, die dem

Bürgerstand die hervorragendste Rolle im politischen Leben der nächsten Zukunft zusprach und damit eine gewaltige Wirkung auf große Bevölkerungsteile ausübte.

Der Verlauf der Revolution   Necker eröffnete am 5. 5. 1789 in Versailles die Versammlung der Generalstände. Den dritten Stand vertraten 578 Abgeordnete aus dem gebildeten Bürgerstand; den ersten Stand vertraten 291, den zweiten Stand 270 Abgeordnete. Der dritte Stand forderte eine Abstimmung nach Köpfen, die ihm Aussicht auf die Mehrheit gab, und nicht nach Ständen. Adel und Geistlichkeit lehnten diese Forderung ab. Der dritte Stand konstituierte sich daraufhin am 17. 6. als Nationalversammlung. Als die Regierung den Versuch machte, die Versammlung aufzulösen, leisteten die Abgeordneten auf Veranlassung von Sieyès am 20. 6. den sogenannten ›Ballhausschwur‹, sich nicht zu trennen, ehe die neue Verfassung beschlossen sei. Damit hatte sich der dritte Stand über den Willen des Königs sowie der ersten beiden Stände hinweggesetzt. Am 9. 7. erklärte sich die Nationalversammlung zur Verfassunggebenden Versammlung.

Der König entließ am 11. Juli Necker und zog gleichzeitig Truppen nach Paris und Versailles. Das Volk, ohnehin schon durch die hohen Brotpreise beunruhigt, fürchtete ein gewaltsames Vorgehen der Regierung und stürmte am 14. Juli die Bastille, das alte Pariser Staatsgefängnis, das Symbol absolutistischer Macht. Dabei zeigten sich die Ohnmacht der Behörden und die Unzuverlässigkeit der Truppen. Ludwig XVI. rief Necker zurück und zog seine Truppen ab. Lafayette wurde Befehlshaber der aus Bürgern gebildeten Nationalgarde. In den Provinzen erhoben sich die Bauern gegen Adel und bürgerliche Grundbesitzer. Die Nationalversammlung befürchtete einen allgemeinen Umsturz und stellte sich an die Spitze aller Revolutionsbewegungen, um die Kontrolle zu behalten. Allerdings gelang ihr dies nur für kurze Zeit.

Unter dem Eindruck der Geschehnisse verzichtete der Adel am 4. August in der Nationalversammlung freiwillig auf seine Vorrechte. Die Abschaffung der Feudalordnung, Ämter- und Gewerbefreiheit signalisierten den Übergang vom ständisch orientierten Staat zum Klassenstaat. Allgemeine (Rechts-)Gleichheit, persönliche Freiheit und Volkssouveränität wurden – nach amerikanischem Vorbild – zu unveräußerlichen Menschenrechten erklärt (26. August). Der König weigerte sich, die Erlasse vom 4. August zu unterzeichnen. Diese Tatsache sowie der andauernde Brotmangel und die Arbeitslosigkeit führten zu einem weiteren Aufstand: am 6. 10. stürmte das Pariser Volk unter Anführung der Marktfrauen Versailles und zwang den König, seinen Sitz sowie die Nationalversammlung nach Paris zu verlegen. Im November beschloß die Nationalversammlung eine Reihe von Neuerungen: Anstelle der bisherigen 15 Provinzen wurde das Land in 83 Departements als Verwaltungsbezirke eingeteilt. Mit der Forderung nach Gleichheit, Freiheit und Brüderlichkeit sollten auch die Juden bürgerliche Gleichberechtigung erhalten. Der König erhielt nur ein beschränktes Veto gegenüber der Nationalversammlung. Allgemeine Religionsfreiheit wurde eingeführt. Die Kirchengüter fielen an den Staat; bis zu ihrem Verkauf wurde auf ihnen ein Papiergeld, die Assignaten, fundiert. Allzuviele Assignaten und das große Angebot an Land und Gebäuden führten jedoch bald zu einer Inflation von 50 bis 60% sowie zu einer neuen Klasse von Besitzbürgern.

Anstelle des weißen Lilienbanners wurde die Trikolore (blau-rot für die Farben von Paris und weiß für die Bourbonen) zur Nationalflagge. Adel, Wappen, Titel gab es nicht mehr. Die allgemeine Anrede lautete ›citoyen‹ und ›citoyenne‹ (Bürger und Bürgerin).

Etwa 40000 Adlige verließen von Juli 1789 bis Herbst 1791 Frankreich und arbeiteten in der Emigration gegen die Revolution. Auch der König entschloß sich zur Flucht aus Frankreich und verließ am 21. Juni 1791 mit seiner Familie heimlich Paris. In Varennes, in der Nähe der französisch-belgischen Grenze, wurde er erkannt und nach Paris zurückgebracht. Die Nationalversammlung setzte ihn vorläufig ab und stellte ihn in den Tuilerien unter Hausarrest.

Am 17. Juli fand auf dem Marsfeld eine Demonstration für die Absetzung des Königs statt. Die Mehrheit der Nationalversammlung hielt jedoch an der Monarchie fest, die Nationalgarde trieb die Demonstranten auseinander. Am 14. 9. 1791 wurde der König wieder eingesetzt, zugleich mußte er den Eid auf die neue Verfassung leisten, in der erstmals die Gewaltenteilung vollzogen war. Der König als Exekutive besaß gegenüber der Legislative nur ein aufschiebendes Veto. Er stand der Außenpolitik und dem Militär vor. Die Nationalversammlung mit 754 Abgeordneten wurde nach dem Zensuswahlrecht gewählt. Etwa 40% der Bevölkerung blieben von der Wahl ausgeschlossen. Die Richter wurden von den Bürgern auf begrenzte Zeit gewählt und Geschworenengerichte eingeführt. Das Zensuswahlrecht begünstigte die Vermögenden und trug dazu bei, daß die revolutionären Clubs immer mehr Einfluß erhielten.

Die Girondisten, eine eher gemäßigte Fraktion des kleinen und mittleren Bürgertums, zeigten sich anfangs bereit, mit dem König zusammenzuarbeiten. Sie traten für das bestehende Wahlrecht ein, wünschten eine parlamentarische Regierungsform nach dem Vorbild Englands und galten als Gegner der Machtkonzentration in der Hauptstadt.

Die Jakobiner, ein Club, der Ende April 1789 von den Abgeordneten der Bretagne gegründet und nach dem aufgelösten Dominikanerkloster St. Jakob benannt wurde, waren äußerlich erkennbar an der roten Mütze der Galeerensklaven (nach der Phrygiermütze) und den langen Hosen, im Gegensatz zu den Kniehosen des Adels. Sie forderten die politische Gleichberechtigung aller, wandten sich gegen die Vorherrschaft des besitzenden Bürgertums und wünschten eine republikanische Staatsform mit straffer Zentralisierung der Regierung. Führende Köpfe waren Robespierre (zunächst nicht Mitglied der Nationalversammlung, aber Wortführer im Club), Danton und Marat, die geschickt die Massen organisierten, um ihre Ziele zu verwirklichen. Eine Sektion der Jakobiner bildeten die *Cordeliers* (Strickträger, so benannt nach ihrem Versammlungsort in einem Franziskanerkloster) mit Danton, Desmoulins, Marat, Hébert und Chaumette als Wortführer.

In der neugewählten gesetzgebenden Nationalversammlung übernahmen zunächst die gemäßigten Republikaner (von den Girondisten angeführt) die Macht. Um royalistische Reaktionen zu verhindern und die Revolutionsbegeisterung neu zu entfachen, beschloß die Nationalversammlung am 20. 4. 1792 Krieg gegen Österreich und Preußen. Die Begeisterung wurde durch Parolen wie ›revolutionärer Kreuzzug‹ geschürt; Chaumette (s. zu S. 68) verkündete zum Beispiel: »Das Gebiet zwischen St. Petersburg und Paris wird bald französisch, munizipalisiert, jakobinisiert sein.« Robespierre beantragte im Jakobinerclub den Sturz des Königs, der verdächtigt wurde, Kontakte zu anderen europäischen Herrschern zu unterhalten. Als die verbündeten ausländischen Mächte den Parisern unter Strafe befahlen, sich ihrem König unterzuordnen, kam es am 10. 8. 1792 zum Aufstand. Die Tuilerien wurden gestürmt und der König verhaftet. Die Girondisten wagten keinen Widerstand gegen die herrschende Meinung, und die Regierungsgewalt ging auf einen »Provisorischen Vollzugsrat« über; Danton übernahm das Justizministerium.

Neuerdings emigrierten viele Adlige und bürgerliche Anhänger der konstitutionellen Monarchie. Die Heere der Verbündeten überschritten die französische Grenze, eroberten Verdun und marschierten gegen Paris. Auf Betreiben Marats und mit Duldung Dantons wurden vom 2.–5. 9. durch ›Volkstribunale‹ 1100–1400 politische Gefangene (in der Mehrheit Royalisten und Geistliche) ermordet (die sogenannten ›Septembermorde‹), da die an die Front ziehenden Sansculotten befürchteten, diese könnten ihnen in den Rücken fallen. Allerdings wandte sich die öffentliche Meinung gegen diese Morde; die anfänglich weit verbreitete Sympathie des europäischen Bürgertums für die Revolution ging erheblich zurück, und in den Wahlen zum Nationalkonvent erhielten die gemäßigten Girondisten doppelt so viele Stimmen wie die Jakobiner.

Am 20. 9. 1792 stießen die Armeen der verbündeten Monarchen erstmals bei Valmy auf Widerstand, der durch Artilleriefeuer gebrochen werden sollte (›Kanonade von Valmy‹). Da die Revolutionsarmee der Beschießung standhielt, zogen sich die Invasionstruppen zurück. Am 21. 9. trat der Nationalkonvent als Nachfolger der am 20. 9. aufgelösten Nationalversammlung zusammen und erklärte die Monarchie einstimmig für abgeschafft. Dantons etwa 140 Anhänger trennten sich als ›Berg‹ (weil sie die oberen Sitze im Versammlungsraum einnahmen) von den rund 160 Abgeordneten der Girondisten. Die etwa 450 Abgeordneten im ›Tal‹ oder ›Sumpf‹ wurden aus Angst oder Opportunismus immer mehr zu gefügigen Werkzeugen der Jakobiner. Am 25. 9. forderte Robespierre den Tod des Königs (jetzt Bürger Louis Capet genannt). Am 20. 11. wurden Geheimpapiere des Königs über Verhandlungen mit dem Ausland gefunden. Der Konvent verurteilte Ludwig XVI. mit geringer Stimmenmehrheit (361 gegen 360) zum Tod und ließ ihn am 21. 1. öffentlich durch die Guillotine hinrichten.

Auf Antrag Dantons wurde am 6. 4. 1793 der Wohlfahrtsausschuß als Regierung eingerichtet; er übte von da an die Exekutivgewalt aus. Erster Vorsitzender war Danton. Die Polizeibefugnisse wurden einem ›Allgemeinen Sicherheitsausschuß‹ übertragen. Ein Revolutionstribunal (eingerichtet am 10. 3. 1793) bestrafte alle politischen Vergehen; es erkannte nur auf Tod oder Freispruch, und allein in Paris wurden täglich bis zu 70 Menschen hingerichtet. Die Gesamtzahl der Ermordeten wird auf 35 000 bis 40000 geschätzt.

Gewalt und vor allem kriegsbedingte wirtschaftliche Zwangsmaßnahmen (Preisstopp, Zwangsanleihen etc.) führten zu Aufständen der Royalisten und Girondisten in den Departements, die grausam niedergeschlagen wurden. Am 15. 4. schloß der Konvent 22 Girondisten aus und ließ sie verhaften. Am 31. 5. erfolgten die Verhaftung von weiteren 29 Girondisten, am 2. 6. die Hinrichtung von 32 Führern der Gironde. Maßgebend war jetzt die Politik der revolutionären Diktatur, die auf einen sozialen Ausgleich abzielte, um den Krieg erfolgreich zu organisieren, nicht die des Rechts. Sodann weigerte sich der Konvent auch, die demokratische Verfassung, die am 2. 6. verabschiedet worden war, in Kraft treten zu lassen. Er stellte fest: die provisorische Regierung bleibt die Revolutionsregierung. Am 13. 7. wurde Marat durch Charlotte Corday ermordet. Die Girondisten versuchten Aufstände in Lyon (Enthauptung Chaliers), in Bordeaux, Caën, Marseille und Toulon.

Der Konvent berief am 10. 7. Danton aus dem Wohlfahrtsausschuß ab und wählte am 27. 7. Robespierre hinzu. In Paris brach am 4. 9. ein Hungeraufstand aus. Die Aufständischen umstellten den Konvent, forderten Maßnahmen gegen die wirtschaftliche Not und erzwangen die Aufnahme der radikalen Collot d'Herbois und Billaud-Varenne in den Wohlfahrtsausschuß. Wohlfahrtsausschuß und Nationalkonvent bekannten sich zur ›terreur‹ (Schreckensherrschaft) als Regierungsmittel. Der Konvent ließ am 16. 10. die Königin Marie Antoinette hinrichten und in der Folgezeit zahlreiche Girondisten. Anhänger Dantons wurden wegen der Korruptionsaffäre der ›Ostindien-Compagnie‹ verhaftet, und auch Danton stand nun im Verdacht der Korruption.

Im November forderte Danton das Ende der Schreckensherrschaft, um dadurch die Möglichkeit eines Kompromißfriedens mit den Nachbarstaaten zu erreichen. Dabei hoffte er auf die Hilfe Robespierres. Desmoulins unterstützte ihn in der Zeitschrift ›Le Vieux Cordelier‹, in der er am 15. 12. neben Hébert auch Robespierre angriff. Robespierre verteidigte am 25. 12. im Konvent die radikale Revolutionspolitik und suchte Hébert gegen Danton auszuspielen.

Am 13. 3. 1794 ließ Robespierre Hébert verhaften und am 24. 3. hinrichten. Hébert gehörte zu den radikalsten Jakobinern und stand mit Chaumette an der Spitze der nach ihm benannten Hébertisten, die das Erbe des im Juli 1793 ermordeten Marat an sich reißen und alle

Gewalt auf die Pariser Kommune übertragen wollten. Sie betrieben die Abschaffung des Christentums, des Gottesdienstes und die Einführung eines Kultes der Vernunft. Danton sowie Robespierre wurden von ihnen der Verletzung der Freiheit und der Menschenrechte beschuldigt. Während die Jakobiner bezüglich der Frage des Eigentums eine eher abwartende Haltung einnahmen, erstrebten die Hébertisten die soziale Gleichheit. Nach dem Ausschalten der Hébertisten bildeten die (gemäßigteren) Dantonisten die einzige Gefahr für Robespierres Macht. Die Spannungen wuchsen, und am 19. 3. 1794 trafen sich Robespierre und Danton zu einer letzten Unterredung, trennten sich aber unversöhnt. Robespierre erlangte am 30. 3. 1794 die Zustimmung des zögernden Konvents zur Verhaftung Dantons, ließ diesen in der Nacht vom 30. 3. zum 31. 3. gefangennehmen und mit seinen engsten Freunden (u. a. Desmoulins, Lacroix, Philippeau) vor das Revolutionstribunal bringen. Der Prozeß begann am 2. April, die Anklage lautete u. a. auf Bestechlichkeit und Verbindung mit dem Ausland. Danton behandelte seine Richter mit Verachtung und Sarkasmus. Bei der Verkündigung des Todesurteils am 5. April rief er aus: »Man opfert uns einigen feigen Räubern, aber sie werden ihren Sieg nicht lange genießen; ich ziehe Robespierre nach. Der Feige! Ich allein besaß die Macht, ihn zu retten.« Am 5. April wurde er hingerichtet. Dem applaudierenden Volk rief er zu: »Schweig still, undankbares Volk«.

Robespierre verstärkte den Terror, verlor aber immer mehr die Unterstützung durch die Sansculotten. Seine Gegner, alle Unzufriedenen aus verschiedenen Lagern, vereinigten sich. Am 27. 7., dem 9. Thermidor des republikanischen Kalenders, wurde er zusammen mit Saint Just auf Befehl des Konvents verhaftet und am 28. 7. ohne Prozeß hingerichtet, gleichzeitig mit etwa 100 Anhängern aus Konvent und Kommune. Der Jakobinerclub wurde am 11. 11. 1794 geschlossen.

Als Reaktion auf Terror und ›Volksdiktatur‹ richtete der Konvent 1795 ein Direktorium von fünf Männern ein, die den Gemäßigten angehörten. Die Girondisten hatten schließlich ihre Ziele durchgesetzt.

Georges Jacques *Danton* (28. 10. 1759–5. 4. 1794) gehörte zu den führenden Männern der Französischen Revolution. Bei ihrem Ausbruch lebte er als Advokat in Paris. Von 1787 bis 1791 praktizierte er als Anwalt beim Königlichen Rat. Er war ein hinreißender Redner und geschickter Propagandist, der seine Pläne mit rücksichtsloser Energie verwirklichte. Am 14. 7. 1789 begeisterte er das Volk zum Sturm auf die Bastille; am 10. 11. 1790 klagte er die Minister vor der Nationalversammlung an und gründete mit Desmoulins, Fabre d'Eglantine und Marat den Club der Cordeliers, der die Jakobiner bald an politischem Fanatismus übertraf. Im Sommer 1793 heiratete er Louise (bei B.: Julie) Gély (1777–1856) in kirchlicher Trauung.

In den letzten Wochen vor seiner Hinrichtung zeigte sich Danton eher resigniert: »Schon seine Zeitgenossen erstaunten über sein Verhalten im Frühjahr 1794, als er sich in keiner Weise gegen den drohenden Untergang wehrte, sondern gelassen und unter sarkastischen Glossen seinem Tod entgegenlebte« (Behrmann, Wohlleben, S. 32; Behrmann und Wohlleben berufen sich dabei auf die Darstellung von F. Mignet: ›Histoire de la Révolution française‹, Paris 1824).

Entstehung

Bereits im Februar/März 1834 beschäftigte sich B. intensiv mit historischen Werken zur Französischen Revolution; seiner Braut schrieb er nach dem 10. März 1834: »Ich studiere die Geschichte der Revolution. Ich fühlte mich wie zernichtet unter dem gräßlichen Fatalismus der Geschichte...« (Brief Nr. 21, S. 288). Vom 1. bis 19. Oktober Lektüre von Thiers, ›Histoire de la Révolution Française‹; B. entlieh die einzelnen Bände aus der Großherzoglichen Hofbibliothek in Darmstadt und fertigte vermutlich bereits Exzerpte zu dem geplanten Drama an. In der zweiten Dezemberhälfte exzerpierte er aus Merciers ›Le nouveau Paris‹ und der ›Galerie historique des Contemporains‹. Ab Mitte Januar bis vor dem 21. Februar 1835 endgültige Ausarbeitung des *Danton*. Zu dieser Zeit auch Lektüre des im Januar 1835 erschienenen zweiten Bandes von Heinrich Heines ›Salon‹ (›Zur Geschichte der Religion und Philosophie in Deutschland‹) mit Lesespuren, die nachträglich in das Manuskript des *Danton* eingefügt wurden.

Das fertige Manuskript schickte B. am 21.2. an Karl Gutzkow (1811–78), damals Redakteur im Verlag J.D. Sauerländer in Frankfurt (Briefe Nr. 32 und 33 an Sauerländer und Gutzkow). Gutzkow antwortete bereits am 25.2., daß er den Druck empfehlen wolle. Am 3.3. teilte er mit, daß sich die Höhe des Honorars auf 10 Friedrichsd'or belaufen werde, unter der Bedingung, daß schon vorher eine Teilveröffentlichung im ›Phönix‹ erscheine und daß die anstößigen Stellen (»Quecksilberblumen Ihrer Phantasie«) mit Rücksicht auf die Zensur gestrichen wurden (s. Briefe Gutzkows Nr. 6–8).

Erstdruck und Überlieferung

Dantons Tod. Von Georg Büchner. In: Phönix. Frühlings-Zeitung für Deutschland, hg. von Dr. Eduard Duller. Johann David Sauerländer, Frankfurt am Main 26.3.–7.4. 1835, Nr. 73–77 u. 79–83. Mit verbindenden Zwischentexten von Gutzkow sind folgende Ausschnitte gedruckt: Akt I, Szenen 1 und 6; Akt II, Szene 1; die Akte III und IV vollständig.

Dantons Tod. Dramatische Bilder aus Frankreichs Schreckensherrschaft von Georg Büchner. Druck und Verlag J.D. Sauerländer, Frankfurt am Main 1835.

Der Untertitel (Gutzkow bezeichnete ihn abwertend als »merkantilisch«) stand nicht im Manuskript, sondern wurde von E. Duller hinzugefügt. Auch die Nennung seines Namens lag nicht in B.s Absicht

(Brief an die Familie vom 28. 7. 1835, Nr. 45: »Der Titel ist abgeschmackt, und mein Name steht darauf, was ich ausdrücklich verboten hatte; er steht außerdem nicht auf dem Titel meines Manuskripts«).

»Um dem Zensor nicht die Lust des Streichens zu gönnen«, vor allem aber um ein Verbot des Stückes durch die Zensur zu vermeiden, nahm Gutzkow zahlreiche Änderungen in B.s Manuskript vor, wobei er sich bewußt war, daß er damit das Drama wesentlich veränderte: »Die Spitzen der Wortspiele mußten abgestumpft werden oder durch aushelfende dumme Redensarten, die ich hinzusetzte, krumm gebogen. Der *echte Danton* von Büchner ist *nicht* erschienen. Was davon herauskam, ist ein notdürftiger Rest, die Ruine einer Verwüstung, die mich Überwindung genug gekostet hat.« Einige Beispiele sollen die Veränderung verdeutlichen; sie werden zitiert nach: ›Dantons Tod. Faksimile der Erstausgabe von 1835 mit Büchners Korrekturen‹ (Darmstädter Exemplar). Mit einem Nachwort hg. von Erich Zimmermann, Darmstadt 1981, S. 166 ff.

Wörter wie »Hure«, »huren«, »Bordell« wurden ersetzt, »Venusberg« wurde zu »Berg«.

S. 71 die Venus mit dem schönen Hintern	die Venus
S. 73 wenn die jungen Herren die Hosen nicht bei ihr herunterließen.	wenn die jungen Herren nicht gegen sie – artig wären
S. 82 die Mücken treiben's ihnen sonst auf den Händen, das macht Gedanken.	Die unmoralischen Mücken erwecken ihnen sonst allerhand erbauliche Gedanken.
S. 82 Die Nönnlein von der Offenbarung durch das Fleisch hingen uns an den Rockschößen und wollten den Segen.	mehr als eine apokalyptische Dame hing uns an den Rockschößen.
S. 82 Da bringe ich zwei von den Priesterinnen mit dem Leib.	Da bringe ich zwei von ihnen.
S. 85 Gute Nacht Danton, die Schenkel der Demoiselle guillotinieren dich, der mons Veneris wird dein Tarpejischer Fels.	gestrichen
S. 94 Möchte man nicht drunter springen, sich die Hosen vom Leibe reißen und sich über den Hintern begatten wie die Hunde auf der Gasse.	gestrichen
S. 100 Was ist das, was in uns hurt, lügt, stiehlt und mordet?	Was ist das, was in uns lügt, stiehlt und mordet?
S. 106 wenn der liebe Gott in jedem von uns Zahnweh kriegen, den Tripper haben ... kann.	wenn der liebe Gott in jedem von uns Zahnweh kriegen ... kann.
S. 124 ein Frauenzimmer, was vom Tanzen schwitzt und stinkt ...	ein Frauenzimmer, was vom Tanzen schwitzt.
S. 125 sondern wie aus dem Bett einer barmherzigen Schwester wegschleichen	sondern wie aus der Kammer eines Mädchens wegschleichen

S. 127 wenn ich Robespierre meine Huren und Couthon meine Waden hinterließe.

wenn ich Robespierre meine Waden hinterließe.

S. 128 Schlafen, Verdaun, Kinder machen das treiben Alle

Schlafen, Verdauen, – das treiben alle.

S. 129 Ob wir uns nun Lorbeerblätter, Rosenkränze oder Weinlaub vor die Scham binden, oder das häßliche Ding offen tragen?

Ob wir uns Rosenkränze oder Weinlaub vorbinden oder uns nackt tragen?

S. 131 du kannst jetzt mit den Würmern Unzucht treiben.

du kannst jetzt die Würmer heiraten.

Im Brief an die Familie vom 28. Juli 1835 (Nr. 45) rechtfertigte Büchner die »sogenannte Unsittlichkeit«: »Seine ⟨des Dramatikers⟩ höchste Aufgabe ist, der Geschichte, wie sie sich wirklich begeben, so nahe als möglich zu kommen. Sein Buch darf weder *sittlicher* noch *unsittlicher* sein, als die *Geschichte selbst;* aber die Geschichte ist vom lieben Herrgott nicht zu einer Lektüre für junge Frauenzimmer geschaffen worden, und da ist es mir auch nicht übel zu nehmen, wenn mein Drama ebensowenig dazu geeignet ist. Ich kann doch aus einem Danton und den Banditen der Revolution nicht Tugendhelden machen! Wenn ich ihre Liederlichkeit schildern wollte, so mußte ich sie eben liederlich sein, wenn ich ihre Gottlosigkeit zeigen wollte, so mußte ich sie eben wie Atheisten sprechen lassen. Wenn einige unanständige Ausdrücke vorkommen, so denke man an die weltbekannte, obszöne Sprache der damaligen Zeit, wovon das, was ich meine Leute sagen lasse, nur ein schwacher Abriß ist.«

Erhalten sind neben dem Vorabdruck im ›Phönix‹ (j) und dem Erstdruck (e) eine vollständige Handschrift (H). Außerdem gibt es zwei Exemplare von e, die B. den Freunden J. W. Baum und August und Adolph Stoeber (e^B und e^S) – mit zahlreichen Bleistiftkorrekturen und Verärgerung anzeigenden Marginalien versehen – schenkte.

Verzeichnis der eigenhändigen (handschriftlichen) Korrektureintragungen B.s in die Widmungsexemplare des vollständigen Erstdrucks von *Dantons Tod,* soweit sie vom Wortlaut der Handschrift abweichen (e^B: an Johann Wilhelm Baum, e^S: an die Straßburger Freunde Stoeber).

S. 71: *und melodische Lippen*
　　　e^B und e^S: und von melodischen Lippen
S. 73: *die Hosen nicht bei ihr herunterließen*
　　　e^S: die Hosen nicht bei ihr hinunterließen
S. 75: *die Augen der Wahl und seine Hände*
　　　e^S: die Augen der Wahl, seine Hände
S. 83: *eine Sublimattaufe nötig hat, der zum Erstenmal die Linie*
　　　e^S: eine Sublimattaufe bekömmt, der die Linie
S. 85: *geht nicht in's Bordell*
　　　e^B und e^S: geht nicht ins Bordell
S. 89: *und sie begraben half*
　　　e^S: und sie alle begraben half

S. 91: *wir werden es uns einander*
    e[S]: wir werden es einander

S. 104: *ob sie nun an einer Seuche*
    e[B]: ob sie an einer Seuche

S. 111: *Das Schicksal führt uns die Arme*
    e[S]: Das Schicksal führt uns den Arm

S. 128: *Was sie aus dem Wahnsinn ein reizendes Ding gemacht hat*
    e[B] und e[S]: Was sie an dem Wahnsinn ein reizendes Kind geboren hat

S. 129: *alle Herzen ausglühen*
    e[B] und e[S]: alle Herzen ausschlagen

Uraufführung

5. Januar 1902: Belle-Alliance Theater und Neue Freie Volksbühne Berlin.

Quellen

Etwa »ein Sechstel« (Viëtor, Quellen) des Textes montierte B. aus wörtlich oder leicht abgeändert übernommenen Zitaten, um ihm so größere Authentizität und Unmittelbarkeit zu geben.

Die gesicherten Quellenwerke sind:

Die Geschichte Unserer Zeit, bearbeitet von Carl Strahlheim (= Johann Konrad Friederich)..., 30 Bde., Stuttgart 1826–30 (nach Mayer, Quellen, vor allem Bd. I–XII sowie die Außerordentlichen Hefte XI–XIII und die Supplement-Hefte I–V; letzteres enthält eine Übersetzung der Memoiren Honoré Riouffes). Zit. als: U. Z. – Das Werk stand B. im Elternhaus zur Verfügung. Nach Wilhlem Büchners Aussage wurde häufig abends daraus vorgelesen.

Louis-Adolphe Thiers: Histoire de la Révolution Française, 10 Bde. (Bde. I–II in Zusammenarbeit mit Felix Bodin), Paris 1823–27 (vor allem Bd. VI). Zit. als: Thiers.

Galerie historique des Contemporains, ou nouvelle Biographie..., 8 Bde. u. 2 Supplementbde., Brüssel 1818–26 (vor allem Bd. IV). Zit. als: Galerie historique.

Louis-Sébastien Mercier: Le nouveau Paris, 6 Bde., Paris und Braunschweig 1799. Zit. als: Mercier.

Charles Nodier: Recherches sur l'éloquence révolutionnaire. IV. Les sociétés populaires. In: Œuvres complètes de Charles Nodier, Bd. VII, Paris 1833. Zit. als: Nodier.

Überlieferungsparallelen enthalten insbesondere:

M. de Proussinalle (= Pierre-Joseph-Alexis Roussel): Histoire secrète du Tribunal révolutionnaire..., 2 Bde., Paris 1815.

Honoré Riouffe: Mémoires d'un Détenu, pour servir à l'Histoire de la Tyrannie de Robespierre, Paris 1794/95 und 1823. Zit. als: Riouffe.

Collection des Mémoires relatifs à la Révolution Française, Paris 1825
(darin: Le Vieux Cordelier. Journal Politique, rédigé en l'an II par
Camille Desmoulins; Causes secrètes de la journée du 9 au 10 thermidor an II, Suivies des Mystères de la mère de Dieu dévoilés par
Vilate, ex-juré au tribunal révolutionnaire; – vgl. dazu Beck, Quellen, S. 354f., aber auch die Bedenken von Mayer, Quellen).

Joseph Görres: Resultate meiner Sendung nach Paris im Brumaire des
achten Jahres, Koblenz 1800.

Als literarische Vorbilder ohne unmittelbaren Quellencharakter werden in der Forschung u. a. genannt:

Charles Nodier: Le dernier banquet des Girondins.

B. Pascal: Pensées.

W. Shakespeare: König Heinrich VI., II. Teil, IV, 2; Coriolan I,1;
Hamlet, Macbeth, Julius Caesar.

J. W. Goethe: Egmont, Faust (»Eine Promenade« in II, 2 parodiert den
Osterspaziergang).

C. Brentano: Godwi mit der Gestalt der Violette.

Des Knaben Wunderhorn (»Es ist ein Schnitter«).

Ch. D. Grabbe: Napoleon oder die hundert Tage I, 1.

B. folgt in vielen Details genau den geschichtlichen Vorgängen. Eine
Gegenüberstellung von Dramentext und Quelle soll durch eine Reihe
von Belegen B.s Arbeitsweise deutlich machen (nach Viëtor, Th. M.
Mayer sowie nach W. R. Lehmann):

S. 70: Camille. Du parodierst den So-crates. Weißt du auch, was der Göttli-che den Alcibiades fragte, als er ihn eines Tages finster und niedergeschla-gen fand? Hast du deinen Schild auf dem Schlachtfeld verloren, bist du im Wettlauf oder im Schwertkampf be-siegt worden? Hat ein Andrer besser gesungen oder besser die Cither ge-schlagen? Welche klassischen Repu-blikaner!	Thiers VI, S. 168: »Et ce divin Socrate, un jour rencontrant Alcibiade sombre et rêveur, apparemment parce qu'il était piqué d'une lettre d'Aspasie: qu'avez-vous? lui dit le plus grave des Mentors; auriez-vous perdu votre bouclier à la bataille? avez-vous été vaincu dans le camp à la course, ou à la salle d'armes? quelqu'un a-t-il mieux chanté ou mieux joué de la lyre que vous à la table du général? – Ce trait peint les mœurs. Quels républicains aimables!«
S. 70: Philippeau ⟨...⟩ vielleicht auch weil die Decemvirn sich verloren glaubten wenn es nur eine Woche Männer gegeben hätte, die man mehr fürchtete, als sie.	U. Z. XII, S. 60: Ihr seid verloren, wenn nur zwei Tage lang Männer exi-stieren, die man mehr als euch fürch-tet.

Vermutlich fügte B. Mitte Januar 1835 nachträglich aus Heines ›Salon
II‹ (›Zur Geschichte der Religion und Philosophie in Deutschland‹)
einzelne Passagen in das bereits abgeschlossene Dramenmanuskript ein
(nach Mayer III, S. 390f.):

S. 70: Hérault. Sie möchten uns zu Antediluvianern machen. St. Just säh'	Wir sind mündig und bedürfen keiner väterlichen Vorsorge. Auch sind wir

es nicht ungern, wenn wir wieder auf allen Vieren kröchen, damit uns der Advokat von Arras nach der Mechanik des Genfer Uhrmachers Fallhütchen, Schulbänke und einen Herrgott erfände.

S. 70: Philippeau. ⟨...⟩ Wie lange sollen wir noch schmutzig und blutig sein wie neugeborne Kinder ⟨...⟩?

S. 71: Camille. ⟨...⟩ Wir wollen nackte Götter, Bacchantinnen, olympische Spiel und melodische Lippen: ach, die gliederlösende, böse Liebe! Wir wollen den Römern nicht verwehren sich in die Ecke zu setzen und Rüben zu kochen aber sie sollen uns keine Gladiatorspiele mehr geben wollen.

Der göttliche Epicur und die Venus mit dem schönen Hintern müssen statt der Heiligen Marat und Chalier die Türsteher der Republik werden.

S. 71: Hérault. ⟨...⟩ Die Revolution muß aufhören und die Republik muß anfangen.

S. 78: Robespierre. Die Waffe der Republik ist der Schrecken, die Kraft der Republik ist die Tugend. Die Tugend, weil ohne sie der Schrecken verderblich, der Schrecken, weil ohne ihn die Tugend ohnmächtig ist. Der Schrecken ist ein Ausfluß der Tugend, er ist nichts anders als die schnelle, strenge und unbeugsame Gerechtigkeit. Sie sagen der Schrecken sei die Waffe einer despotischen Regierung, die unsrige gliche also dem Despotismus. Freilich, aber so wie das Schwert in den Händen eines Freiheitshelden dem Säbel gleicht, womit der Satellit der Tyrannen bewaffnet ist. Regiere der Despot seine tierähnlichen Untertanen durch den Schrecken, er hat Recht als Despot, zerschmettert durch den Schrecken die Feinde der Freiheit und ihr habt als Stifter der Republik nicht minder Recht. Die Revolutionsregierung ist der Despotismus der Freiheit gegen die Tyrannei.

keine Machwerke eines großen Mechanikus. Der Deismus ist eine Religion für Knechte, für Genfer, für Uhrmacher.

Wir wollen keine Sanskülotten sein, keine frugale Bürger, keine wohlfeile Präsidenten: wir stiften eine Demokrazie gleichherrlicher, gleichheiliger, gleichbeseligter Götter. Ihr verlangt einfache Trachten, enthaltsame Sitten und ungewürzte Genüsse; wir hingegen verlangen Nektar und Ambrosia, Purpurmäntel, kostbare Wohlgerüche, Wollust und Pracht, lachenden Nymphentanz, Musik und Komödien – Seid deshalb nicht ungehalten, Ihr tugendhaften Republikaner! Auf Eure zensorische Vorwürfe entgegnen wir Euch, was schon ein Narr des Shakespeare sagte: meinst du, weil du tugendhaft bist, solle es auf dieser Erde keine angenehmen Torten und keinen süßen Sekt mehr geben?

U.Z. XII, S. 120: die Revolution durch eine republikanische Regierung beendigen.

U.Z. XII, S. 34 f.: »Ist die Triebfeder der Volksregierung im Frieden die Tugend, so ist die Triebfeder der Volksregierung in einer Revolution zugleich die Tugend und der Schrecken: die Tugend, weil ohne sie der Schrecken verderblich, der Schrecken, weil ohne denselben die Tugend ohnmächtig ist. Der Schrecken ist nichts anders, als die schnelle, strenge und unbeugsame Gerechtigkeit ⟨...⟩. Man sagt, der Schrecken sei eine Triebfeder der despotischen Regierung. Die unsrige gliche also dem Despotismus? Freilich, aber so wie das Schwert in den Händen eines Freiheitshelden einem Säbel gleicht, womit der Satellit der Tyrannen bewaffnet ist. Regiere der Despot seine tierähnlichen Untertanen durch den Schrecken, er hat recht als Despot. Beherrscht durch den Schrecken die Feinde der Freiheit, und ihr habt als Stifter der Republik nicht minder recht. Die Revolutions-

S. 78: Die Unterdrücker der Menschheit bestrafen ist Gnade, ihnen verzeihen ist Barbarei.

U.Z. XII, S. 39: Die Unterdrücker der Menschheit bestrafen, ist Gnade; ihnen verzeihen, ist Barbarei.

Alle Zeichen einer falschen Empfindsamkeit, scheinen mir Seufzer, welche nach England oder nach Östreich fliegen.

U.Z. XII, S. 37: Alle Äußerungen einer falschen Empfindsamkeit scheinen mir Seufzer, welche nach England oder nach Österreich fliegen.

S. 79: Man sollte glauben, jeder sage zu sich selbst: Wir sind nicht tugendhaft genug um so schrecklich zu sein. Philosophische Gesetzgeber erbarmt euch unsrer Schwäche, ich wage euch nicht zu sagen, daß ich lasterhaft bin, ich sage euch also lieber, seid nicht grausam!

U.Z. XII, S. 73: ⟨...⟩ man sollte glauben, ein jeder sage zu sich selbst: »Wir sind nicht tugendhaft genug, um so schrecklich zu sein; philosophische Gesetzgeber, erbarmt euch unserer Schwäche; ich wage euch nicht zu sagen, daß ich lasterhaft bin, ich sage also lieber: seid nicht grausam!«

S. 84: Paris. ⟨...⟩ Brutus, der seine Söhne opfert. Er sprach im Allgemeinen von den Pflichten, sagte der Freiheit gegenüber kenne er keine Rücksicht, er würde Alles opfern, sich, seinen Bruder, seine Freunde.

Thiers VI, S. 200: ⟨...⟩ il répondit hypocritement qu'il ne pouvait rien, ni pour ni contre son collègue, que la justice était là pour défendre l'innocence; que pour lui, sa vie entière avait été un sacrifice continuel de ses affections à la patrie; et que si son ami était coupable, il le sacrifierait à regret, mais il le sacrifierait comme tous les autres à la république.

S. 84: Danton. Ich weiß wohl, – die Revolution ist wie Saturn, sie frißt ihre eignen Kinder. *(nach einigem Besinnen)* Doch, sie werden's nicht wagen.

Thiers VI, S. 201: ⟨...⟩ Mais non, ajoutait-il, ils n'oseront pas.

S. 85: Robespierre. ⟨...⟩ wer eine Revolution zur Hälfte vollendet, gräbt sich selbst sein Grab.

U.Z. XII, S. 73: ⟨Saint-Just⟩ Wer eine Revolution nur zur Hälfte vollendet, gräbt sich selbst sein Grab.

S. 92: Paris. So flieh Danton!
Danton. Nimmt man das Vaterland an den Schuhsohlen mit?
Und endlich – und das ist die Hauptsache: sie werden's nicht wagen.

Thiers VI, S. 201: Mais non, ajoutait-il, il n'oseront pas. – D'ailleurs que pouvait-il faire? ⟨...⟩ Et puis il aimait son pays. Emporte-t-on, s'écriait-il, sa patrie à la semelle de ses souliers?

Aus Heines ›Zur Geschichte der neueren schönen Literatur in Deutschland‹ stammt wohl die Anregung zur folgenden Textstelle (zit. nach Mayer III):

S. 96: Camille. ⟨...⟩ Sie gehen in's Theater, lesen Gedichte und Romane, schneiden den Fratzen darin die Gesichter nach und sagen zu Gottes Geschöpfen: wie gewöhnlich!
Die Griechen wußten, was sie sagten, wenn sie erzählten Pygmalions Statue

Die Tat ist das Kind des Wortes, und die Goetheschen schönen Worte sind kinderlos. Das ist der Fluch alles dessen, was bloß durch die Kunst entstanden ist. Die Statue, die der Pygmalion verfertigt, war ein schönes Weib, sogar der Meister verliebte sich

sei wohl lebendig geworden, habe aber keine Kinder bekommen.

S. 96: Danton. Und die Künstler gehn mit der Natur um wie David, der im September die Gemordeten, wie sie aus der Force auf die Gasse geworfen wurden, kaltblütig zeichnete und sagte: ich erhasche die letzten Zukkungen des Lebens in diesen Bösewichten.

S. 96: Danton. ⟨...⟩ Sie wollen meinen Kopf, meinetwegen. Ich bin der Hudeleien überdrüssig. Mögen sie ihn nehmen. Was liegt daran? Ich werde mit Mut zu sterben wissen ⟨...⟩

S. 100: Danton. ⟨...⟩ Puppen sind wir von unbekannten Gewalten am Draht gezogen; nichts, nichts wir selbst! Die Schwerter, mit denen Geister kämpfen, man sieht nur die Hände nicht, wie im Märchen.

S. 102: Robespierre. Die seit langer Zeit in dieser Versammlung unbekannte Verwirrung, beweist, daß es sich um große Dinge handelt. Heute entscheidet sich's ob einige Männer den Sieg über das Vaterland davon tragen werden. Wie könnt Ihr Eure Grundsätze weit genug verläugnen, um heute einigen Individuen das zu bewilligen, was Ihr gestern Chabot, Delaunay und Fabre verweigert habt? Was soll dieser Unterschied zu Gunsten einiger Männer? Was kümmern mich die Lobsprüche, die man sich selbst und seinen Freunden spendet? Nur zu viele Erfahrungen haben uns gezeigt, was davon zu halten sei. Wir fragen nicht ob ein Mann diese oder jene patriotische Handlung vollbracht habe, wir fragen nach seiner ganzen politischen Laufbahn.

Legendre scheint die Namen der Verhafteten nicht zu wissen, der ganze Konvent kennt sie. Kein Freund Lacroix ist darunter. Warum scheint Le-

darin, sie wurde lebendig unter seinen Küssen, aber soviel wir wissen, hat sie nie Kinder bekommen.

U. Z. XII, S. 121: David, sein ehemaliger Amtsgenosse und Freund, sah ihn ⟨Danton⟩ hinrichten, mit eben der Ruhe, womit er am 3. September die in die Mordhöhle la Force geworfenen Sterbenden zeichnete, und dem Deputierten Reboul, welcher ihm darüber Vorwürfe machte, zur Antwort gab: »Ich erhasche die letzten Bewegungen der Natur in diesen Bösewichtern.«

U. Z. XIII, S. 123: »Sie wollen meinen Kopf«, sagte er, »nun gut, ich bin der Hudeleien überdrüssig. Mögen sie ihn nehmen. Was liegt daran? Ich werde mit Mut zu sterben wissen.«

Mercier I, S. 6: Il viendra, l'historien qui avec de nouveaux documens, ayant pleine connaissance des actes hostiles et perfides des Cabinets étrangers, dira jusqu'à quel point tous les scélérats et mêmes les hommes de bien, ont été des marionettes, des pantins obéissans, qui ne soupçonnoient pas le fil qui les faisoit mouvoir.

Thiers VI, S. 205 f.: »Au trouble depuis longtemps inconnu qui règne dans cette assemblée, à l'agitation qu'a produite le préopinant, on voit bien qu'il est question ici d'un grand intérêt, qu'il s'agit de savoir si quelques hommes l'emporteront aujourd'hui sur la patrie. Mais comment pouvez-vous oublier vos principes, jusqu'à vouloir accorder aujourd'hui à certains individus ce que vous avez naguère refusé à Chabot, Delaunay et Fabre-d'Eglantine? Pourquoi cette différence en faveur de quelques hommes? Que m'importent à moi les éloges qu'on se donne à soi et à ses amis?... Une trop grande expérience nous a appris à nous défier de ces éloges. Il ne s'agit plus de savoir si un homme a commis tel ou tel acte patriotique, mais quelle a été toute sa carrière. ...

Legendre paraît ignorer le nom de ceux qui sont arrêtés. Toute la Convention les sait. Son ami Lacroix est du nombre des détenus; pourquoi Le-

gendre das nicht zu wissen? Weil er wohl weiß, daß nur die Schamlosigkeit Lacroix verteidigen kann. Er nannte nur Danton, weil er glaubt an diesen Namen knüpfe sich ein Privilegium. Nein, wir wollen keine Privilegien, wir wollen keine Götzen!

gendre feint-il de l'ignorer? Parce qu'il sait bien qu'on e peut sans impudeur défendre Lacroix. Il a parlé de Danton, parce qu'il croit qu'à ce nom sans doute est attaché un privilège… Non, nous ne voulons pas de privilèges; nous ne voulons point d'idoles!…«

U. Z. S. 95.: Robespierre nahm noch lebhafter das Wort. »Aus allen Bewegungen«, sagte er, »die Legendres Verwendung für Danton hervorgebracht hat, sieht man sehr deutlich, daß es hier auf nichts Geringeres ankommt, als auf die Entscheidung der Frage, ob einige Männer den Sieg über das Vaterland davon tragen sollen? Welche Veränderung in den Grundsätzen der Mitglieder dieser Versammlung, vorzüglich derjenigen, welche auf einer Seite sitzen, die bisher den Vorzug hatte, das Asyl der unerschrockensten Verteidiger des Vaterlandes zu sein! Warum wird eine Lehre, welche noch vor Kurzem verbrecherisch und verächtlich schien, von Neuem zum Vorscheine gebracht? Warum? Weil es heute entschieden werden muß, ob das Interesse einiger ehrgeizigen Heuchler den Sieg über das Interesse des französischen Volkes davon tragen muß. – ⟨…⟩ Was gehen mich alle Lobreden an, die man sich selbst und seinen Freunden hält? Eine nur allzu lange und allzu bittere Erfahrung hat uns den Wert kennen gelehrt, den wir auf dergleichen rednerische Formeln legen dürfen. Es ist nicht mehr die Rede davon, was ein Mann und seine Freunde in einer bestimmten Epoche und unter besondern Umständen für die Revolution getan haben; man fragt, was haben sie in dem ganzen Laufe ihres politischen Lebens getan? Wir werden an diesem Tage sehen, ob der Konvent im Stande ist, ein seit langer Zeit verfaultes Idol zu zerschlagen, oder ob dieses Idol in seinem Falle den Konvent und das französische Volk zerschmettern wird ⟨…⟩.«

S. 102: Was hat Danton vor Lafayette, vor Dumouriez, vor Brissot, Fabre,

Thiers VI, S. 206f.: »En quoi Danton est-il supérieur à Lafayette, à Dumou-

Chabot, Hebert voraus? Was sagt man von diesen, was man nicht auch von ihm sagen könnte? Habt ihr sie gleichwohl geschont? Wodurch verdient er einen Vorzug vor seinen Mitbürgern? Etwa, weil einige betrogne Individuen und Andere, die sich nicht betrügen ließen, sich um ihn reihten um in seinem Gefolge dem Glück und der Macht in die Arme zu laufen? Je mehr er die Patrioten betrogen hat, welche Vertrauen in ihn setzten, desto nachdrücklicher muß er die Strenge der Freiheitsfreunde empfinden.

S. 102 f.: Man will euch Furcht einflößen vor dem Mißbrauche einer Gewalt, die ihr selbst ausgeübt habt. Man schreit über den Despotismus der Ausschüsse, als ob das Vertrauen, welches das Volk euch geschenkt und das Ihr diesen Ausschüssen übertragen habt, nicht eine sichre Garantie ihres Patriotismus wäre. Man stellt sich, als zittre man. Aber ich sage Euch, wer in diesem Augenblicke zittert ist schuldig, denn nie zittert die Unschuld vor der öffentlichen Wachsamkeit.

riez, à Brissot, à Fabre, à Chabot, à Hébert? Que ne dit-on de lui qu'on ne puisse dire d'eux? Cependant les avez-vous ménagés?

U. Z. XII, S. 96: Konnte, was von Danton gesagt wird, nicht auch auf Brissot, Pethion, Chabot und Hébert angewendet werden? Was hat er für ein Vorrecht? Wodurch hat er den Vorzug vor seinen Kollegen, vor Chabot, vor Fabre d'Eglantine, seinem Freund und Vertrauten, dessen eifriger Verteidiger er gewesen ist? Wodurch hat er endlich den Vorzug vor seinen Mitbürgern? Etwa weil einige betrogene Individuen und andere, die sich nicht betrügen ließen, sich um ihn her stellten, um in seinem Gefolge dem Glück und der Macht in die Arme zu laufen? Je mehr er die Patrioten betrogen hat, welche Vertrauen in ihn setzen, desto nachdrücklicher muß er die Strenge der Freiheitsfreunde erfahren.

Thiers VI, S. 207: On vous parle du despotisme des comités, comme si la confiance que le peuple vous a donnée, et que vous avez transmise à ces comités, n'était pas un sûr garant de leur patriotisme. On affecte des craintes; mais je le dis, quiconque tremble en ce moment est coupable, car jamais l'innocence ne redoute la surveillance publique.

U. Z. XII, S. 97: Man will euch gegen die Mißbräuche einer Gewalt Furcht einjagen, welche ihr selbst ausgeübt habt, und die nicht der Anteil einiger Menschen ist. Was habt ihr denn getan, was ihr nicht mit Freiheit getan hättet, und was, indem es die Republik rettete, nicht von dem ganzen Frankreich gebilligt worden wäre? Man will euch mit der Besorgnis erfüllen, das Volk werde ein Schlachtopfer der Ausschüsse, welche das öffentliche Vertrauen erhalten haben, und von dem Konvente ausgegangen sind. Man fürchtet, daß die Verhafteten unterdrückt werden; man traut der Nationalgerechtigkeit nicht. Ich behaupte, wer in diesem Augenblicke zittert, ist für schuldig zu halten; denn

S. 103: Man hat auch mich schrecken wollen, man gab mir zu verstehen, daß die Gefahr, indem sie sich Danton nähere, auch bis zu mir dringen könne.

Man schrieb mir, Dantons Freunde hielten mich umlagert in der Meinung die Erinnerung an eine alte Verbindung, der blinde Glauben an erheuchelte Tugenden könnten mich bestimmen meinen Eifer und meine Leidenschaft für die Freiheit zu mäßigen. So erkläre ich denn, nichts soll mich aufhalten, und sollte auch Dantons Gefahr die meinige werden. Wir Alle haben etwas Mut und etwas Seelengröße nötig. Nur Verbrecher und gemeine Seelen fürchten Ihresgleichen an ihrer Seite fallen zu sehen, weil sie, wenn keine Schar von Mitschuldigen sie mehr versteckt, sich dem Licht der Wahrheit ausgesetzt sehen. Aber wenn es dergleichen Seelen in dieser Versammlung gibt, so gibt es in ihr auch heroische. Die Zahl der Schurken ist nicht groß. Wir haben nur wenige Köpfe zu treffen und das Vaterland ist gerettet.

Ich verlange, daß Legendres Vorschlag zurückgewiesen werde.

nie fürchtet die Unschuld die öffentliche Aufsicht.

Thiers VI, S. 207 f.: Et moi aussi, ajoute Robespierre, on a voulu m'inspirer des terreurs. On a voulu me faire croire qu'en approchant de Danton, le danger pouvait arriver jusqu'à moi. On m'a écrit, les amis de Danton m'ont fait parvenir des lettres, m'ont obsédé de leur discours; ils ont cru que le souvenir d'une ancienne liaison, qu'une foi antique dans de fausses vertus, me détermineraient à ralentir mon zèle et ma passion pour la liberté. Eh bien! je déclare que si les dangers de Danton devaient devenir les miens, cette considération ne m'arrêterait pas un instant. C'est ici qu'il nous faut à tous quelque courage et quelque grandeur d'âme. Les âmes vulgaires ou les hommes coupables craignent toujours de voir tomber leurs semblables, parce que, n'ayant plus devant eux une barrière de coupables, ils restent exposés au jour de la vérité; mais s'il existe des âmes vulgaires, il en est d'héroïques dans cette assemblée, et elles sauront braver toutes les fausses terreurs. D'ailleurs le nombre des coupables n'est pas grand; le crime n'a trouvé que peu de partisans parmi nous, et en frappant quelques têtes, la patrie sera délivrée.

U. Z. XII, S. 97: Man hat auch mir Schrecken einflößen wollen. Man gab mir zu verstehen, daß, indem ich mich an Danton wagte, die Gefahr auch mich ergreifen könnte; man stellte ihn mir als einen Schild vor, den ich zu meiner Verteidigung gebrauchen müßte. Seine Freunde hielten mich umlagert, indem sie glaubten, daß die Zurückerinnerung an eine alte Verbindung meinen Eifer und meine Leidenschaft für die Freiheit mäßigen würde. Ich beteuere euch aber, daß dies alles nicht den leisesten Eindruck auf mich gemacht hat. Und wenn auch Dantons Gefahren die meinigen werden sollten, so bin ich noch immer weit entfernt, hierin ein öffentliches Unglück zu sehen. Was bekümmern mich Gefahren? Mein Leben gehört dem Vaterland; frei ist mein Herz von aller Furcht; sterbe ich, so wird es ohne Vorwurf und Schande geschehen. Ich selbst bin Pethions Freund gewesen; aber habe ich ihn nicht verlassen, sobald er die Larve abzog? Ich stand mit Roland in Verbindung; aber sobald ich den Verräter in ihm entdeckte, gab ich ihn an. Danton will ihre Stelle einnehmen; er ist in meinen Augen nur ein Feind des Vaterlandes. Unter solchen Umständen bedarf es allerdings des Mutes und der Seelengröße. Nur gemeine Seelen und Schuldige fürchten ihresgleichen an ihrer Seite fallen zu sehen; aber wenn es dergleichen in dieser Versammlung gibt, so gibt es in ihr auch heroische. Wie? man will die Meinung verbreiten, daß die Ausschüsse der Wohlfahrt und Sicherheit den Konvent vernichten? Beschützen wir ihn nicht mit unsern Körpern? Ersticken wir nicht seine gefährlichen Feinde? Man sucht nur dann Verschwörer der Gerechtigkeit zu entreißen, wenn man ein gemeinschaftliches Interesse mit ihnen hat. Ich fordere eine genaue Untersuchung des Vorschlages von Legendre.

S. 105: St. Just. Alle geheimen Feinde der Tyrannei, welche in Europa und auf dem ganzen Erdkreise den Dolch des Brutus unter ihren Gewändern tragen, fordern wir auf diesen erhabenen Augenblick mit uns zu teilen.

U. Z. XII, S. 79: Alle geheimen Feinde der Tyrannei, welche in Europa und auf dem ganzen Erdkreise den Dolch des Brutus unter ihren Gewändern tragen, fordern wir auf, diesen erhabenen Augenblick mit uns zu teilen.

S. 110: Mercier. ⟨...⟩ die Guillotine republikanisiert!
S. 110: Danton. Die Revolution nennt meinen Namen. Meine Wohnung ist bald im Nichts und mein Namen im Pantheon der Geschichte.

U. Z. XII, S. 19: ⟨...⟩ die Guillotine republikanisiert ohne Unterlaß.
U. Z. XII, S. 107: »Meine Wohnung ist bald im Nichts und mein Name im Pantheon.«
U. Z. XII, S. 112, Anm.: »Meine Wohnung wird bald das Nichts sein, und meinen Namen werdet ihr im Pantheon der Geschichte lesen.«
Galerie historique, S. 118: »Je suis Danton, assez connu dans la révolution. J'ai trentecinq ans; ma demeure sera bientôt le néant, mais mon nom vivra dans le Panthéon de l'histoire.«
Thiers VI, S. 217f.: Danton, lui dit le président, la Convention vous accuse d'avoir conspiré avec Mirabeau, avec

S. 111: Herrmann: Danton, der Konvent beschuldigt Sie mit Mirabeau, mit Dumouriez, mit Orleans, mit den

Girondisten, den Fremden und der Faktion Ludwig des 17. konspiriert zu haben.

Danton. Meine Stimme, die ich so oft für die Sache des Volkes ertönen ließ, wird ohne Mühe die Verläumdung zurückweisen. Die Elenden, welche mich anklagen, mögen hier erscheinen und ich werde sie mit Schande bedekken. Die Ausschüsse mögen sich hierher begeben, ich werde nur vor ihnen antworten. Ich habe sie als Kläger und als Zeugen nötig.

Sie mögen sich zeigen.

Übrigens, was liegt mir an Euch und Eurem Urteil. Ich hab' es Euch schon gesagt das Nichts wird bald mein Asyl sein – das Leben ist mir zur Last, man mag mir es entreißen, ich sehne mich danach es abzuschütteln.

Herrmann. Danton, die Kühnheit ist dem Verbrechen, die Ruhe der Unschuld eigen.

Danton. Privatkühnheit ist ohne Zweifel zu tadeln, aber jene Nationalkühnheit, die ich so oft gezeigt, mit welcher ich so oft für die Freiheit gekämpft habe, ist die verdienstvollste aller Tugenden. Sie ist meine Kühnheit, sie ist es, der ich mich hier zum Besten der Republik gegen meine erbärmlichen Ankläger bediene. Kann ich mich fassen, wenn ich mich auf eine so niedrige Weise verläumdet sehe? Von einem Revolutionär, wie ich darf man keine kalte Verteidigung erwarten. Männer meines Schlages sind in Revolutionen unschätzbar, auf ihrer Stirne schwebt das Genie der Freiheit. *(Zeichen von Beifall unter den Zuhörern.)*

Mich klagt man an, mit Mirabeau, mit Dumouriez, mit Orleans konspiriert, zu den Füßen elender Despoten gekrochen zu haben, mich fordert man auf vor der unentrinnbaren, unbeugsamen Gerechtigkeit zu antworten.

Du elender St. Just wirst der Nachwelt für diese Lästerung verantwortlich sein!

Herrmann. Ich fordere Sie auf mit Ruhe zu antworten, gedenken Sie Ma-

Dumouriez, avec d'Orléans, avec les girondins, avec l'étranger, et avec la faction qui veut rétablir Louis XVII. –

Ma voix, répondit Danton avec son organe puissant, ma voix qui tant de fois s'est fait entendre pour la cause du peuple, n'aura pas de peine à repousser la calomnie. Que les lâches qui m'accusent paraissent, et je les couvrirai d'ignominie ... Que les comités se rendent ici, je ne répondrai que devant eux; il me les faut pour accusateurs et pour témoins ... Qu'ils paraissent ... Au reste peu m'importe, vous et votre jugement ... je vous l'ai dit: le néant sera bientôt mon asyle. La vie m'est à charge, qu'on me l'arrache ⟨...⟩. Il me tarde d'en être délivré.

Thiers VI, S. 218f.: »Danton, dit le président, l'audace est le propre du crime; le calme est celui de l'innocence.« – A ce mot Danton s'écrie. »L'audace individuelle est réprimable sans doute; mais cette audace nationale dont j'ai tant de fois donné l'exemple, dont j'ai tant de fois servi la liberté, est la plus méritoire de toutes les vertus. Cette audace est la mienne; c'est celle dont je fais ici usage pour la république contre les lâches qui m'accusent. Lorsque je me vois si bassement calomnié, puis-je me contenir? Ce n'est pas d'un révolutionnaire comme moi qu'il faut attendre une défense froide ... les hommes de ma trempe sont inappréciables dans les révolutions ... c'est sur leur front qu'est empreint le génie de la liberté.« – En disant ces mots, Danton agitait sa tête et bravait le tribunal. Ses traits si redoutés produisaient une impression profonde. Le peuple, que la force touche, laissait échapper un murmure approbateur. »Moi, continuait Danton, moi accusé d'avoir conspiré avec Mirabeau, avec Dumouriez, avec Orléans, d'avoir rampé aux pieds des vils despotes! c'est moi que l'on somme de répondre à la justice inévitable, inflexible ... Et toi, lâche Saint-Just, tu répondras à la

rats, er trat mit Ehrfurcht vor seine Richter.

postérité de ton accusation contre le meilleur soutien de la liberté...« – Le président lui recommande de nouveau d'être calme, et lui cite l'exemple de Marat, qui répondit avec respect au tribunal.

S. 112: Danton. ⟨...⟩ Ich habe auf dem Marsfelde dem Königtume den Krieg erklärt, ich habe es am 10. August geschlagen, ich habe es am 21. Januar getötet und den Königen einen Königskopf als Fehdehandschuh hingeworfen.

›Le Moniteur universel‹, 1.2. 1793: On vous menace des rois, vous avez déclaré la guerre aux rois; vous leur avez jeté le gant, ce gant est la tête d'un tyran.

S. 112: Danton. Jetzt kennt Ihr Danton; noch wenige Stunden und er wird in den Armen des Ruhmes entschlummern.

U. Z. XII, S. 111: »Seit zwei Tagen kennt das Tribunal Danton; morgen hofft er im Schoße des Ruhmes zu entschlummern ⟨...⟩.«

Zu der Szene III,4 (S. 110ff.) vgl. auch U. Z., S. 106–111:

Als die Reihe der Rechtfertigung an *Danton* kam, verschmähete er anfangs, sich vor einem Tribunal zu verteidigen, das er selbst gestiftet hatte, und dessen sklavische Verworfenheit er unstreitig nach dem Wohlfahrtsausschuß am besten kannte. Gleich beim Eingange des Verhörs hatte er auf die Frage: wie er heiße und wo er wohne, zur Antwort gegeben: »*Meine Wohnung ist bald im Nichts, und mein Name im Pantheon*«. Dies wiederholte er jetzt, indem er hinzufügte: »Sollten die Niederträchtigen, die mich verleumden, es wagen, sich mir selbst entgegenzustellen? Sie mögen sich zeigen, und bald werde ich sie selbst mit Schande und Schmach bedecken. Mein Kopf ist hier; er bürgt für alles. Das Leben ist mir zur Last; ich sehne mich nach dem Augenblicke, wo ich davon befreit sein werde.« – Der Präsident erinnerte ihn hierauf, daß Kühnheit dem Verbrechen, und Ruhe der Tugend eigen wäre, und daß er sich gegenwärtig vor dem Tribunal mit Präzision rechtfertigen müßte. – »Privatkühnheit«, antwortete Danton, »ist ohne Zweifel zu tadeln, und konnte mir nie zum Vorwurf gemacht werden; aber Nationalkühnheit, wovon ich so oft das Beispiel gegeben habe, und wodurch ich so oft der gemeinen Sache nützlich geworden bin, ist erlaubt, ist in Revolutionszeiten sogar notwendig; und aus dieser Kühnheit mache ich mir eine Ehre. Wenn ich mich so schwer und so ungerechterweise angeklagt sehe, wie kann ich da meinen Unwillen gegen meine Verleumder zurückhalten? Ist von einem Revolutionsfreunde, wie ich bin, eine kaltblütige Verteidigung zu erwarten? Männer meines Schlages sind nicht zu bezahlen; in unauslöschlichen Charakteren tragen sie das Siegel der Freiheit an der Stirn. Und doch beschuldigt man mich, zu den Füßen niedriger Despoten gekrochen, mich der Partei der Freiheit widersetzt, mich mit Mirabeau und Dumouriez verschworen zu haben! Und ich soll vor der unvermeidlichen, der unerbittlichen Gerechtigkeit antworten! Und du, St. Just, du wirst der Nachwelt für die Verunehrung des besten Volksfreundes, des be-

sten Volksverteidigers verantwortlich sein!« – Noch einmal von dem
Präsidenten erinnert, sich nicht an der Nationalrepräsentation, an dem
Tribunal und dem souveränen Volk zu vergehen, welche unbezweifelt
berechtigt wären, ihn über seine Handlungen zur Rechenschaft zu ziehen, fuhr Danton ruhiger fort, indem er sagte: Er wundere sich, wie
man ihn beschuldigen könnte, an Mirabeau, Orléans, Dumouriez verkauft gewesen zu sein, da er notorisch gegen den Willen aller Revolu-
tionsfeinde zum Administrator ernannt worden wäre, da er sich Mi-
rabeaus gegenrevolutionären Entwürfen immer widersetzt, Marat verteidigt, und die Reise des Königs nach St. Cloud verhindert hätte. Dabei berief er sich auf einen von ihm bekannt gemachten Anschlagezettel
über die Notwendigkeit einer Insurrektion, und forderte seine Ankläger auf, ihm ins Gesicht zu widersprechen. »Elende Betrüger«, rief er
aus, »zeigt euch hier! Ich will euch die Maske abreißen, unter welcher
ihr euch der öffentlichen Rache entzieht. Tadelt diese Sprache«, fuhr er
zu seinen Richtern fort; »aber ein Angeklagter, wie ich, der die Ausdrücke und die Sachen kennt, verantwortet sich vor den Geschwore-
nen, aber redet nicht zu ihnen; ich verteidige mich und verleumde
nicht.« Er versicherte hierauf, Ehrgeiz und Habsucht hätten nie seine
Schritte geleitet; er hätte immer ganz der Republik angehört, und von
solchen Gesinnungen belebt, hätte er wider den ehrlosen *Pastoret*, wider *Lafayette, Bailli* und alle übrigen Verschwörer gekämpft, welche
sich der vornehmsten Posten der Republik hätten bemächtigen wollen,
um desto sicherer die Freiheit zu töten. »Man wirft mir vor«, setzte er
hinzu, »ich habe mich in dem Augenblicke nach Arcis-sur-Aube begeben, wo die Ereignisse des 10. Augusts vorbereitet waren, und der
Kampf zwischen den freien Menschen und den Sklaven beginnen sollte.
Ich antworte auf diese Beschuldigung: Ich habe damals erklärt, daß das
französische Volk siegen oder daß ich sterben müßte ⟨...⟩. Wo sind
denn die, welche Danton nötigen mußten, sich an diesem merkwürdigen Tage zu zeigen? Wo sind die privilegierten Wesen, von denen er
seine Energie erborgte? ⟨...⟩ Es heißt, ich habe Fabre dem Nationalkonvent als einen geschickten Mann vorgestellt. Ja, das habe ich getan.
Ich soll gesagt haben, ein Prinz vom Geblüte, wie Orléans, würde,
wenn er seinen Platz unter den Volksrepräsentanten erhielte, ihnen in
Europas Augen mehr Gewicht geben. Das ist falsch. – Es sind 50 Millionen bei mir niedergelegt worden. Das gestehe ich, aber ich will treue
Rechenschaft davon ablegen. Die Absicht war, der Revolution eine
stärkere Bewegung zu geben. – Ich soll mit Guadet, Brissot, Barbaroux
und mit der ganzen geächteten Faktion im Einverständnisse gewesen
sein; und doch verlangte Barbaroux Dantons, Robespierres und Marats
Köpfe. – Was meine Verbindung mit Dumouriez betrifft, so habe ich
ihn ein einziges Mal wegen eines Privatmanns gesprochen, mit welchem er zerfallen war, und wegen der 17 Millionen, über welche ich
Rechenschaft von ihm verlangte. Zwar hat er mich für sich zu gewinnen gesucht, dies ist wahr; es ist ihm aber auf keine Weise gelungen
⟨...⟩.«

Die Lebhaftigkeit, mit welcher sich Danton verteidigt hatte, bewog seine Richter zu dem Vorschlag: Er möchte, was er noch zu seiner Rechtfertigung zu sagen hätte, auf einen Zeitpunkt verschieben, wo er gelassener sein würde. Danton nahme diesen Vorschlag mit den Worten an: »Seit zwei Tagen kennt das Tribunal Danton; morgen hofft er im Schoße des Ruhms zu entschlummern; nie hat er um Gnade gebeten, und mit aller Heiterkeit, welche dem ruhigen Gewissen eigen ist, wird er aufs Blutgerüst eilen.«

S. 120: Danton. ⟨...⟩ Ich werde mich in die Citadelle der Vernunft zurückziehen, ich werde mit der Kanone der Wahrheit hervorbrechen und meine Feinde zermalmen.

U. Z. IX, S. 282: ⟨Danton⟩ »schrie, mit der Faust auf die rechte Seite deutend: ›Ich, ich habe mich in die Zitadelle der Vernunft geflüchtet, ich werde mit den Kanonen der Wahrheit heraustreten und alle die Bösewichter zermalmen, die mich anklagen.‹ –«

S. 127: Danton. Ich lasse Alles in einer schrecklichen Verwirrung. Keiner versteht das Regieren.

Rioufe I, S. 67: Je laisse tout dans un gâchis épouvantable: il n' y en a pas un qui s'entende en gouvernement.

U. Z. XII, S. 124: Jetzt verlasse ich alles im größten Wirrwarr, und kein Einziger versteht das Regieren.

S. 127: Lacroix. Die Esel werden schreien, es lebe die Republik, wenn wir vorbeigehen.

Rioufe I, S. 68: Les f... bêtes, ils crieront: Vive la république! en me voyant passer.

U. Z. Supplement-Heft V, S. 63: Die Erzdummköpfe werden, wenn sie mich vorbeigehen sehen, schreien: Es lebe die Republik!«

S. 128: Danton. Sie sind Kainsbrüder.

U. Z. XII, S. 124: Sie sind Kains Brüder.

Lacroix. Nichts beweist mehr, daß Robespierre ein Nero ist, als der Umstand, daß er gegen Camille nie freundlicher war, als 2 Tage vor dessen Verhaftung. ⟨...⟩

Rioufe I, S. 75: Ce qui prouve que Robespierre est un Néron, c'est qu'il n'avait jamais parlé à Camille-Desmoulins avec tant d'amitié que la veille de son arrestation.

U. Z. Supplement-Heft V, S. 63: Daß Robespierre ein Nero ist, beweist der Umstand, daß er mit Camille Desmoulins nie so freundschaftlich gesprochen hat, als am Tage vor seiner Verhaftung.

U. Z. XII, S. 113: Dieser Nero war niemals freundlich gegen mich, als an dem Tage vor meiner Verhaftung.

S. 131: Danton. *(Zum Henker.)* Willst du grausamer sein als der Tod? Kannst du verhindern, daß unsere Köpfe sich auf dem Boden des Korbes küssen?

Thiers VI, S. 230: Arrivé au pied de l'échafaud, Danton allait embrasser Hérault Séchelles, qui lui tendait les bras: l'exécuteur s'y opposant, il lui adressa avec un sourire ces expressions terribles: Tu veux donc être plus cruel que la mort! Va, tu n'empêche-

ras pas que dans un moment nos têtes
s'embrassent dans le fond du panier.

S. 132: Reinhold Grimm (›Dantons Tod – ein Gegenentwurf zu Goethes Egmont?‹ in: GRM NF 35, 1983, S. 424–457) hat auf die Beziehungen zwischen ›Egmont‹ und *Dantons Tod* hingewiesen und eine
Reihe von Beispielen angeführt, darunter:

Erstes Weib. Ein hübscher Mann, der Hérault.

Zweites Weib. Wie er beim Konstitutionsfest so am Triumphbogen stand da dacht' ich so, der muß sich gut auf der Guillotine ausnehmen, dacht' ich. Das war so ne Ahnung.

Drittes Weib. Ja man muß die Leute in allen Verhältnissen sehen, es ist recht gut, daß das Sterben so öffentlich wird.

Jetter. Hast du das Kleid gesehen? Das war nach der neuesten Art, nach spanischem Schnitt.

Zimmermeister. Ein schöner Herr!

Jetter. Sein Hals wäre ein rechtes Fressen für einen Scharfrichter.

Soest. Bist du toll? was kommt dir ein?

Jetter. Dumm genug, daß einem so etwas einfällt. – Es ist mir nun so. Wenn ich einen schönen langen Hals sehe, muß ich gleich wider Willen denken: Der ist gut köpfen. – Die verfluchten Exekutionen! man kriegt sie nicht aus dem Sinne.

Anmerkungen

68 *Deputierte:* Abgeordnete im Konvent. – *Georg Danton:* s. S. 481 f.
– *Legendre:* Louis L. (1752–97), ehemaliger Metzger; gehörte
den Jakobinern und den Cordeliers an. Durch seine zwiespältige
Haltung überlebte er den Sturz Dantons, später beteiligte er sich am
Aufstand gegen Robespierre. – *Camille Desmoulins:* (1760–94),
Mitschüler und Freund Robespierres im Collège Louis-le-Grand,
der ehemaligen Jesuitenschule in Paris, wo er antike Mythologie und Philosophie (republikanische Tugenden und stoische Moral) kennenlernte. 1785 war er Advokat in Paris. Am 12. 7. 1789
fanatisierte er, der die Revolution leidenschaftlich propagierte,
durch feurige Reden im Palais Royal das Volk und verlangte die
Volkssouveränität. Initiator des Sturms auf die Bastille. Damals
Heirat mit der schönen und geistreichen Lucile Duplessis, die er
leidenschaftlich liebte. Mit Danton gründete er den Club der Cordeliers und leitete mit ihm den Tuileriensturm vom 10. 8. 1792.
Obwohl er der Bergpartei angehörte, suchte er mit Danton den
Ausgleich der Parteien und die Rettung der Gemäßigten. In dieser
Absicht gab er Ende 1793 die Zeitung ›Le Vieux Cordelier‹ (Der
alte Franziskaner) heraus, in der er sich mit Witz und Satire gegen
den Terror Robespierres wandte, zur wahren Freiheit, zur Mäßigung und zur vernünftigen Anwendung der Gesetze aufrief. Robespierre ließ ihn am 31. 3. 1794 mit Danton verhaften und am

5. 4. hinrichten. – Seine Frau *Lucile* (1771–94), die alles unternahm, um ihn vor dem Tod zu retten, wurde 14 Tage nach ihm als Opfer der Denunziation Laflottes mit 23 Jahren hingerichtet. Ihr Wahnsinn und ihre Selbstauslieferung an die Justiz sind Erfindung B. s. – *Hérault-Séchelles:* Marie-Jean (1759–94), entstammte einer alten Pariser Adelsfamilie, wurde 1781 königlicher Anwalt, 1791 Mitglied der Gesetzgebenden Versammlung. Im Konvent suchte er Anschluß an Danton, leitete mit diesem als Mitglied des Wohlfahrtsausschusses die äußere Politik, wurde Präsident des Konvents und Mitglied des zweiten Wohlfahrtsausschusses, in dem er die neue Verfassung entwarf. Wegen seines Versuches, einen gemäßigteren Weg einzuschlagen, wurde er am 17. 3. 1794 verhaftet, am 2. 4. vor das Revolutionstribunal gestellt und trotz geschickter Verteidigung am 5. 4. guillotiniert. Er galt als einer der schönsten Männer Frankreichs. – *Lacroix:* Jean-François Delacroix (1754–94) war Anwalt und 1790 Richter am Pariser Kassationsgerichtshof. Er wurde Mitglied der Gesetzgebenden Versammlung, gehörte der Bergpartei an und stand auf der Seite Dantons, mit dem er Ende 1792 im Auftrag des Konvents zur Armee in den Niederlanden reiste, wo er sich zum Generallieutenant und zum Feldmarschall ernennen ließ. Mit Danton war er vom 7. 4. bis 10. 7. 1793 Mitglied des ersten Wohlfahrtsausschusses. Die Girondisten warfen ihm Veruntreuung von Geldern vor. 1793 schickte ihn der Konvent in die aufständischen Departements Eure-et-Loire und Seine-Inférieure. Er lebte dort in solchem Luxus, daß er im Januar 1794 zurückgerufen wurde, vgl. dazu *Danton* I,5, S. 84f. Er wurde zusammen mit Danton hingerichtet. – *Philippeau:* Pierre Philippeaux (1754–94), ehemaliger Rechtsanwalt, der auf der Seite Dantons stand und ebenfalls für eine gemäßigte Politik eintrat. – *Fabre d'Eglantine:* Philippe-François-Nazaire (1755–94), Ordenspriester, Schauspieler und erfolgreicher Lustspieldichter. Er entwarf den neuen republikanischen Kalender. Als Mitglied des Konvents suchte er sich auf jede Weise zu bereichern und war am Betrug der »Fälscher« (s. zu S. 89) beteiligt. Robespierre ließ ihn am 12. 1. 1794 verhaften und mit Danton guillotinieren. – *Mercier:* Louis-Sébastien (1740–1814), Dramatiker und Schriftsteller. Als Konventsdeputierter stimmte er für eine lebenslängliche Gefangenschaft König Ludwigs XVI. und gegen die Hinrichtung. Er wurde deshalb verhaftet und erst durch den 9. Thermidor (27. 7. 1794) befreit; im Oktober 1795 in den Rat der Fünfhundert gewählt. Seine Schilderung der Revolutionszeit in ›Le nouveau Paris‹ (1800 in 6 Bänden in Braunschweig in dt. Übersetzung) wurde von B. als Quelle benützt. – *Thomas Payne:* (1737–1809), engl. Publizist und Philosoph, kämpfte 1776–83 in Amerika für die Unabhängigkeit. Veröffentlichte 1790 in London in zwei Bänden sein Werk über die Menschenrechte (›Rights of Man‹), in dem er gegen Burke die Ideen der Franz. Revolution verteidigte. 1791 Übersied-

lung nach Paris, 1792 Wahl in den Konvent, Mitglied der Girondisten. Er stimmte gegen die Hinrichtung König Ludwigs XVI. und wurde deshalb von Robespierre aus dem Konvent ausgeschlossen und am 12. 1. 1793 verhaftet. Auf Intervention des Gesandten der amerikanischen Regierung wurde er nach dem 9. Thermidor (27. 7. 1794) freigelassen und im Dezember 1794 wieder Mitglied des Nationalkonvents. Im Gefängnis Niederschrift des Buches ›The Age of Reason‹ (Das Zeitalter der Vernunft), eine Abhandlung gegen den Atheismus, mit der Ablehnung von Bibel und Kirche, aber der Anerkennung Gottes. 1802 Rückkehr nach Nordamerika. – *Robespierre:* Maximilien-François-Marie-Isidore Joseph de (1758–94); frühverwaist, erhielt er durch den Bischof von Arras ein Stipendium für das Collège Louis-le-Grand, die ehemalige Pariser Jesuitenschule, wo er Freundschaft mit Camille Desmoulins schloß. Er wurde Advokat in Arras und veröffentlichte Arbeiten zu politisch-theologischen Themen. Fleiß, Ausdauer, ein strenger Lebenswandel und der Ruf der Unbestechlichkeit verschafften ihm Achtung und Einfluß. 1789 wählte ihn Arras zum Abgeordneten für die Generalstände. 1790 wurde er Präsident des Jakobinerclubs. Nach der Flucht König Ludwigs XVI., den er daraufhin als Verräter bezeichnete, erbitterter Feind des Königtums. Seit Ende 1791 einer der einflußreichsten Männer der Revolution. Er zog in die einfache Wohnung des Schreiners Duplay, dessen Tochter Lenore seine Geliebte wurde. Bis Mai 1792 Ankläger beim Tribunal von Paris, Stimmführer des Jakobinerclubs. Haupturheber der Verurteilung und Hinrichtung des Königs. 1793 stürzte er die Gironde und wurde als Leiter des Wohlfahrtsausschusses zum Diktator über Frankreich. Um die Herrschaft der Tugend zu verwirklichen, wollte er die Verräter und Verschwörer beseitigen. Mit dem Ziel der Alleinherrschaft brachte er Hébert (24. 3. 1794), Danton und die Cordeliers (5. 4. 1794) sowie Chaumette (13. 4. 1794) auf das Schafott. Als er im Juni 1794 auch die Immunität der Abgeordneten bedrohte, regte sich Widerstand. Am 26. 7. 1794 verlangte er eine Säuberung des Wohlfahrtsausschusses. Am 27. 7. (9. Thermidor) ließen ihn seine Gegner nicht zu Wort kommen, Tallien hielt eine feurige Anklagerede gegen ihn, ein Antrag auf seine Verhaftung wurde sofort dekretiert. Zusammen mit Saint-Just wurde er am 27. 7. verhaftet und am 28. 7. hingerichtet. – *St. Just:* Louis-Antoine-Léon de Saint-Just (1767–94), Schriftsteller und Journalist. Durch antike Klassiker und Rousseau für die republikanische Staatsform begeistert. Ehrlicher, aber einseitiger und unerbittlicher Fanatiker. Wurde enger Vertrauter Robespierres und erhielt den Beinamen »Messiasjünger«. Kämpfte für die Hinrichtung des Königs und gegen die Girondisten. Bestärkte Robespierre bei seinem Vorgehen gegen Danton und dessen Anhänger. Am 27. 7. 1794 wurde er mit Robespierre verhaftet und am folgenden Tag hingerichtet. – *Barrère:* Bertrand

Barrère de Vieuxsac (1750–1841), Adliger, der als Anwalt am Parlamentsgericht von Toulouse tätig war, dann Abgeordneter bei den Generalständen wurde. Zunächst gemäßigter Girondist, dann radikales Mitglied des Wohlfahrtsausschusses, galt er als Opportunist und als unzuverlässig. Nach Thiers hatte er am 9. Thermidor zwei Redemanuskripte in der Tasche, je nach der Stimmung im Saal für oder gegen Robespierre. 1795 wurde er zur Deportation nach Guayana verurteilt, konnte jedoch fliehen. Nach der Amnestie durch Napoleon im November 1799 lebte er wieder in Frankreich. – *Collot d'Herbois:* Jean-Marie (1750–96), Schauspieler und Theaterdichter. Nach den Septembermorden war er Mitglied des Konvents und radikaler Verfolger der Girondisten. Am 21. 9. 1792 stellte er im Konvent den Antrag auf Abschaffung des Königtums. Vom 13.–27. Juni 1793 war er Präsident des Konvents. Die Sansculotten erzwangen am 6. September 1793 seine Aufnahme in den Wohlfahrtsausschuß. Er unterstützte Robespierre im Kampf gegen Danton und war dann als amtierender Konventspräsident am 27. Juli 1794 am Sturz Robespierres beteiligt, indem er ihn daran hinderte, sich zu verteidigen. 1795 wurde er zur Deportation nach Cayenne verurteilt, wo er an Trunksucht starb. – *Billaud-Varennes:* Jacques-Nicolas (1756–1819), 1785 Advokat in Paris, 1791 Leiter des Jakobinerclubs; Anstifter des Aufstands vom 10. 8. 1792; er unterstützte mit Wissen und Duldung Dantons die Septembermorde. Mitglied des Wohlfahrtsausschusses und zeitweise Präsident des Konvents. Auf seinen Antrag wurden die Königin und der Herzog von Orléans guillotiniert. Wandelte sich vom fanatischen Anhänger Robespierres zu dessen erbittertem Gegner, fühlte sich von ihm bedroht und arbeitete am 27. Juli 1794 auf dessen Sturz hin. 1795 wurde er nach Guyana deportiert, 1816 floh er nach Mexiko und von da nach Haiti. – *Chaumette:* Pierre-Gaspard (1763–94), 1792 Prokurator der Pariser Kommune; erklärter Atheist, der sich nach dem griechischen Philosophen Anaxagoras (um 500–428 v. Chr.) benannte; schuf den Kult der Natur und Vernunft und organisierte am 10. November 1793 in Notre-Dame das große Freiheitsfest, bei dem Mme. Momoro als Göttin der Vernunft auftrat. Danton und Robespierre wandten sich gegen eine völlige Entchristlichung. Chaumette schloß sich den Hébertisten an und wurde mit diesen guillotiniert. – *Dillon:* Arthur (1750–94), engl. General. Er kämpfte bei Valmy gegen die europäischen Verbündeten und eroberte Verdun zurück. Wegen seiner Beteiligung an der Gefängnisverschwörung zur Befreiung Dantons wurde er verhaftet und am 13. 4. 1794 mit Lucile Desmoulins guillotiniert. – *Fouquier-Tinville:* Antoine-Quentin (1746–95), Justizbeamter, dann Anwalt, seit 1793 öffentlicher Ankläger des Revolutionstribunals. Führte unter der Maske der Unbestechlichkeit die Blutbefehle des Wohlfahrtsausschusses mit unverhüllter Grausamkeit aus: »Die Köpfe fallen wie Dachziegel«. Er beantragte das

Todesurteil gegen Marie-Antoinette, gegen die Girondisten, die Hébertisten, die Dantonisten. Er wurde im Juli 1794 verhaftet und im Mai 1795 hingerichtet. – *Herrmann:* Martial-Joseph-Armand (1749–95), unter Robespierre Präsident des Revolutionstribunals und Innenminister. Er wurde als Terrorist angeklagt und im Mai 1795 guillotiniert. – *Dumas:* René-François (1758–94), zunächst Mönch, dann leidenschaftlicher Anhänger Robespierres. Er versuchte, seine Frau durch Auslieferung an die revolutionäre Justiz loszuwerden; sie war bereits verhaftet, wurde jedoch durch den Sturz Robespierres und ihres Mannes am 27. Juli gerettet. Dumas wurde zusammen mit Robespierre hingerichtet. – *Paris:* auch Fabricius genannt; Geschworener des Revolutionstribunals, bemüht um die Aussöhnung zwischen Robespierre und Danton. Als Gerichtsschreiber wußte er von den geplanten Maßnahmen gegen Danton und warnte diesen. Am 27. Juli 1794 wurde er zunächst verhaftet, dann aber freigelassen; er starb wenige Jahre danach. – *Laflotte:* Alexandre de (1766–?), Jurist und Diplomat, Mitgefangener von Dillon; er verriet den Plan zur Befreiung Dantons. – *Grisetten:* Dirnen.

A. Behrmann und I. Wohlleben verweisen darauf, daß die Anlage des Personenverzeichnisses dem Vorbild in Shakespeares Dramen folgt: Zunächst der Fürst oder Gebieter, dann die Männer entsprechend ihrem Rang bis herunter zu den Bediensteten, dann die Frauen, wiederum nach ihrem Rang geordnet.

69 *cœur... carreau:* wörtlich: Herz und Karo im Kartenspiel; im übertragenen Sinn will B. die »ganze Spannweite des Erotischen« ausdrücken, »von der reinsten, ja keuschesten Neigung, wie sie das alte Emblem des Herzens bezeichnet, bis zur unverhüllten krassen Fleischlichkeit, für die jenes andere Zeichen steht« (Grimm, Cœur, S. 300). Zu den häufigen obszönen Wendungen im *Danton* vgl. Brief an die Familie vom 28. 7. 1835 (Nr. 45): »Sein Buch darf weder *sittlicher* noch *unsittlicher* sein, als die *Geschichte selbst;* aber die Geschichte ist vom lieben Herrgott nicht zu einer Lektüre für junge Frauenzimmer geschaffen worden, und da ist es mir auch nicht übel zu nehmen, wenn mein Drama ebensowenig dazu geeignet ist. Ich kann doch aus einem Danton und den Banditen der Revolution nicht Tugendhelden machen!« – *im Grab sei Ruhe ...:* vgl. *Leonce und Lena* (II,4), S. 179 ff.

70 *rote Mütze:* eine rote Mütze nach dem Vorbild der phrygischen Mütze war das äußere Erkennungszeichen der Jakobiner. – *Guillotinierens:* Hinrichtung durch das Fallbeil; so benannt nach dem franz. Arzt Joseph Ignace Guillotin (1738–1814), der 1789 auch für eine Gleichheit der Strafen ohne Rücksicht auf den Stand und für eine humane Hinrichtung mittels eines »einfachen Mechanismus« eintrat. Der politisch tendenziöse Witz verknüpfte seinen Namen mit den von anderen erfundenen Köpfmaschinen. P. Michelsen (›Die Präsenz des Endes. Georg Büchners Dantons Tod‹,

S. 476–495) verweist auf die Bedeutung, die dem Begriff Guillotine im Drama zukommt. Er wird achtzehnmal verwendet und weitere achtzehnmal in »geistreich-makabren« Komposita, z.B. ›Guillotinenbetschwester, Guillotinenromantik, Guillotinenthermometer‹. »Die Guillotine ist das Vollzugsorgan der Gleichheit, die sie als ein ›Muß‹ – das Mord-Muß – an der Menschheit vollstreckt.« – *Socrates:* griech. Philosoph (469–399 v. Chr.), der durch gezieltes Fragen zu lehren suchte; hier Anspielung auf die vielen Fragen, die Hérault stellt. – *Alcibiades:* (452–404 v. Chr.), athen. Feldherr und Politiker, Schüler des Socrates. – *zwanzig Opfer:* gemeint sind hier die Hébertisten (vgl. Historischen Hintergrund S. 480f.), die am 24. März 1794 guillotiniert wurden. – *Decemvirn:* Dezemvirn; Mitglieder des Wohlfahrtsausschusses; benannt nach dem römischen Vorbild der 10 Römer, die um 450 v. Chr. das Zwölftafelgesetz aufstellen ließen. – *Antediluvianern:* wörtl. Urmenschen, vorsintflutliche Menschen; hier ironische Anspielung auf Erneuerungspläne, wie sie etwa St. Just mit Utopien vom einfachen, bescheidenen Landleben vertrat. – *Advokat von Arras:* Robespierre. – *Uhrmachers:* gemeint ist Jean-Jacques Rousseau (1712–78), den Robespierre sehr schätzte. Er war der Sohn eines Uhrmachers. Vgl. dazu Heines ›Religion und Philosophie in Deutschland‹, II. Buch: »die Schüler Rousseaus, die ganze Genfer Schule, denken sich ihn ⟨Gott⟩ als einen weisen Künstler, der die Welt verfertigt hat, ungefähr wie ihr Papa seine Uhren verfertigt, und als Kunstverständige bewundern sie das Werk und preisen den Meister dort oben«. – *Fallhütchen:* ausgestopfter Hut, der den Kopf des Kindes beim Fallen schützen sollte. – *Marats Rechnung:* Jean Paul Marat (1744–93), radikaler Präsident des Jakobinerclubs, fanatischer Gegner der Girondisten, mitverantwortlich für die Septembermorde. Am 13. 7. 1793 wurde er von Charlotte Corday im Bad erstochen. Hier Anspielung auf seine Äußerung: »Fünf- oder sechshundert abgeschlagene Köpfe der Royalisten hätten euch Ruhe, Freiheit und Glück gesichert.« – *Gnadenausschuß:* Vgl. dazu ›Le Vieux Cordelier‹: »Ich bin ... gewiß, daß die Freiheit gefestigt ... würde, wenn ihr einen Gnadenausschuß hättet.«

71 *ausgestoßnen Deputierten:* die Girondisten. – *Die Revolution muß aufhören ...:* Grundlage des Programms der Dantonisten. – *Bacchantinnen:* Begleiterinnen des röm. Gottes Bacchus. – *gliederlösende, böse Liebe:* Zitat aus einem Gedicht der griech. Lyrikerin Sappho (um 650 v. Chr.): »Ach! die gliederlösende böse Liebe quält mich lieblich bitter.« – *Gladiatorspiele:* Anspielung auf die öffentlichen Hinrichtungen. – *Epicur:* griech. materialistischer Philosoph (342–271 v. Chr.), der die Unsterblichkeit der Seele leugnete und die Lust als höchstes Ziel ansah. Der Weise erstrebt durch Selbstbeherrschung und maßvollen Genuß die Unerschütterlichkeit der Seele, ohne Furcht vor den Göttern oder vor dem Tode; vgl. auch *Leonce und Lena,* zu S. 167. – *Venus ...:* Venus

Kallipygos in Neapel. – *Chalier:* Joseph (1747–93), Revolutions-
führer in Lyon, der von den Royalisten hingerichtet wurde; er galt
ebenso wie Marat als Märtyrer der Revolution. – *die ehrlichen
Leute:* ›Les honnêtes gens‹, Adelige und Anhänger des alten Systems.

72 *Katonen:* Anspielung auf den sittenstrengen Marcus Porcius Cato
d. Ä. (234–149 v. Chr.), der zum Beispiel für altrömische Tradition
und Sitte wurde. Robespierre sah in ihm ein Vorbild. – *Kuppelpelz:* wörtl.: Lohn für die Kuppelei; hier auf die Kupplerin übertragen. – *Sublimatpille:* Quecksilberchlorid, das im 18. Jh. häufig
zur Behandlung der Syphilis benützt wurde. – *Sündenapfel:* Anspielung auf den Paradiesapfel in 1. Mose 3. – *Vestalin:* röm. Prie-
sterin der Göttin Vesta. Sie unterhielt auf dem Forum das ewige
Feuer und war zur Keuschheit verpflichtet.

73 *Virginius:* sagenhafter Römer, der seine Tochter Virginia erstach,
um sie dadurch vor den Nachstellungen des Dezemvirn Appius
Claudius zu retten und ihre Reinheit zu bewahren. – *Lucrecia:*
Simon verwechselt Virginia mit Lucretia, die sich erstach, weil sie
von Sextus Tarquinius, einem Sohn des Tyrannen Tarquinius Superbus, mißbraucht worden war. – *Appius Claudius:* s. oben. –
Kollern: Magenknurren wegen des Hungers.

74 *Veto:* aufschiebendes Einspruchsrecht des Königs nach der Verfassung von 1791; steht hier für die Person des Königs (vgl. dazu
auch K. Eibl: ›Ergo todtgeschlagen‹ in: ›Euphorion 75‹, 1981,
S. 411 ff., der nachweist, daß die Argumentationen hier daran
kranken, »daß Gedanke und Tat, allem Aufwand an *ergo's* zum
Trotz, nicht mehr schlüssig miteinander verknüpft werden können«. – *schmelzen:* schmalzen. – *auswärts:* die vornehme Gangart
des Adels mit nach außen gerichteten Fußspitzen. – *Die da liegen . . . :* Schlußverse des Liedes vom Schinderhannes, dem Räuber-
hauptmann Johann Bückler (1783–1803).

75 *Ohnehosen:* wörtl. Übersetzung von ›sansculottes‹, also Leute, die
keine Kniehosen wie der Adel tragen. Die Revolutionäre trugen
›pantalons‹, nämlich lange Hosen. – *August und September:* Sturm
auf die Tuilerien am 10. 8. 1792 und Septembermorde vom 2. bis
5. 9. 1792; s. Historischer Hintergrund, S. 479. – *Aristides:* (um
530–467 v. Chr.), athen. Staatsmann, der den Beinamen der Ge-
rechte bzw. Unbestechliche trug, den auch Robespierre vom Volk
erhielt. – *Messias:* Robespierre, der vom Volk als ›neuer Messias‹,
als ›Sohn des Höchsten Wesens‹ angesehen wurde. – *Schärfe des
Schwertes:* Zitat aus der Bibel (4. Mose 21,24): »Doch die Israeliten schlugen ihn mit des Schwertes Schärfe.« – *Armes, tugendhaftes Volk:* von Robespierre bezeugte Anrede an die Volksmassen. –
Blitzstrahlen und Donnerschlägen: Zitat aus 2. Mose 19,16 und
20,18, wo Gott in Blitz und Donner erscheint. Hier also Gleich-
setzung von Volk und Gott. – *Baucis:* in der griech. Sage gelten
Philemon und Baucis als vorbildliches Ehepaar. – *sammelst Koh-*

len: Zitat aus Spr. 25,22: »Denn Feuerkohlen häufst du auf sein Haupt, und auch der Herr wird es an dir vergelten« und Röm. 12,20 »Wenn dein Feind hungert, gib ihm zu essen; wenn er dürstet, gib ihm zu trinken; denn tust du das, wirst du feurige Kohlen sammeln auf sein Haupt.«

76 *Porcia:* (gest. 43 v. Chr.), Tochter des Cato Uticensis und Gemahlin des Caesarmörders Brutus; sie galt als Sinnbild der ehelichen Treue, weil sie nach dem Tod ihres Mannes Selbstmord beging. – *Sein Wahnsinn:* Zitat aus Shakespeares ›Hamlet‹ (V,2): »Wars Hamlet, der Laertes kränkte? Nein. Wenn Hamlet von sich selbst geschieden ist, und, weil er nicht er selbst, Laertes kränkt, dann tut es Hamlet nicht, Hamlet verleugnets. Wer tut es denn? Sein Wahnsinn ⟨ ... ⟩ Sein Wahnsinn ist des armen Hamlets Feind.« – *Lyon:* Hinweis auf die Gegenrevolution in Lyon, die von den Jakobinern blutig niedergeschlagen wurde. – *Ronsin:* Charles Philippe Henri (1751–94), Befehlshaber der Revolutionsarmee, die 1793 Lyon nach den dortigen gegenrevolutionären Bestrebungen zurückeroberte; er wurde als Anhänger der Hébertisten hingerichtet. – *Pitts:* William Pitt der Jüngere (1759–1806), engl. Premierminister, der gegen das revolutionäre Frankreich Krieg und eine Seeblockade verhängte. – *zehnten August:* 1792, Sturm auf die Tuilerien; s. Historischer Hintergrund, S. 479. – *des September:* Anspielung auf die Septembermorde; s. Historischer Hintergrund, S. 479. – *31. Mai:* Verhaftung von Girondisten durch die Jakobiner; s. Historischer Hintergrund, S. 480. – *Gaillard:* Schauspieler und Anhänger der Hébertisten, der Selbstmord beging wie Marcus Porcius Cato (95–46 v. Chr.), ein Gegner Caesars, der sich nach dessen endgültigem Sieg in Utica das Leben nahm. Er war ein Urenkel des Cato maior (s. zu S. 72). – *Becher des Socrates:* der griech. Philosoph Sokrates (s. zu S. 70) war dazu verurteilt worden, einen Becher mit dem giftigen Schierlingssaft zu trinken. Trotz der Fluchtmöglichkeit unterwarf er sich dem Urteil und tat so dem Gesetz Genüge. – *Dictionnär ... :* dictionnaire; Wörterbuch der Akademie, maßgebend für die franz. Schriftsprache. – *in effigie:* Nach altem Rechtsbrauch wurde die Strafe an nichtgefaßten Verbrechern symbolisch an deren Bild vollzogen. Vgl. auch *Leonce und Lena* S. 187.

77 *Medusenhäupter:* Ungeheuer in der griech. Mythologie, deren Anblick den Betrachter versteinerte. – *Die eine dieser Faktionen:* gemeint sind die Hébertisten. *Faktion* ist eine politisch aktive (radikale) Gruppierung. – *affektierten:* unnatürlichen, gekünstelten. – *Diversion:* Abweichung; Täuschungsmanöver. – *noch eine andere Faktion:* die Dantonisten.

78 *Satellit:* Anhänger. – *England oder ... Östreich:* führende Mitglieder der europäischen Koalition gegen Frankreich.

79 *Parade machen:* zur Schau stellen. – *schöngeistern:* sich in schöngeistigen, geistreichen Gesprächen ergehen, die nichts bewirken. –

den Tacitus parodiert: Anspielung auf Camille Desmoulins, der in seiner Zeitung ›Le Vieux Cordelier‹ aus den ›Annalen‹ des römischen Historikers Tacitus (um 55– nach 116) dessen Angriffe auf die Schreckensherrschaft des Kaisers Tiberius zitiert und damit die Herrschaft Robespierres attackiert hatte. – *Sallust . . . :* Der röm. Historiker Sallust (86–35 v. Chr.) hatte in seinem Werk ›Über die Verschwörung des Catilina‹ die Ereignisse im Zusammenhang mit den (erfolglosen) Versuchen des röm. Patriziers Catilina (108–62 v. Chr.), die Macht im Staat an sich zu reißen, dargestellt. Robespierre meint mit Catilina Danton. – *deinen Büsten:* die Büsten Marats und Chaliers.

80 *Contrerevolution:* Gegenrevolution. – *Decemvirn:* s. zu S. 70. – *Minotaurus:* in der griech. Sage ein Ungeheuer mit Stierkopf und Menschenkörper, das im Labyrinth des Königs Minos auf Kreta hauste und dem Menschenopfer gebracht werden mußten. – *mediceische Venus:* Marmorkopie einer griech. Aphroditestatue, die sich im Besitz der Medici in Florenz befand. – *palais royal:* ursprünglich Palast Richelieus in der Nähe des Louvre; dann Vergnügungsort mit Spielsälen, Restaurants und Bordellen. – *Medea:* in der griech. Sage Tochter des Königs von Kolchis; auf der Flucht mit Jason, dem sie beim Raub des goldenen Vlieses geholfen hatte, zerstückelte sie ihren Bruder Absyrtus, um ihre Verfolger aufzuhalten, weil die Kolcher die einzelnen Teile aus dem Meer fischten, um sie zu begraben.

81 *sprach oft tolles Zeug:* Anklang an Matthias Claudius' Gedicht ›Phidile‹. – *Absatz:* Pause.

82 *Dogge:* Danton wurde vielfach mit einer Dogge verglichen; vgl. auch S. 108. –*in d. Sonne sitzen:* vgl. Shakespeares ›Hamlet‹ (II,2): »Laßt sie nicht in der Sonne gehn. Empfangen ist ein Segen: aber da Eure Tochter empfangen könnte – seht Euch vor, Freund!« – *Nönnlein von der Offenbarung:* Dirnen. – *gibt . . . die Disziplin:* Züchtigung durch Geißeln im Kloster; hier wird der Klosterausdruck auf das Bordell übertragen, ebenso wie vorher »wollten den Segen«. – *zu fasten bekommen:* um die Ansteckung mit der Syphilis auszukurieren. – *Priesterinnen mit dem Leib:* Dirnen.

83 *Adonis:* in der griech. Sage ein schöner Jüngling, der von Aphrodite geliebt wurde. Auf der Jagd tötete ihn ein Eber; aus seinem Blut ließ Aphrodite Rose und Anemone wachsen, vgl. *Leonce und Lena* zu S. 169. – *gangbaren Straße:* Anspielung auf das Dasein der Dirnen. – *Herdweg:* Feldweg, den die Viehherden begehen. – *Quecksilberblüten . . . Sublimattaufe:* s. zu S. 72. – *barmherzige Schwestern:* Dirnen. – *in die Toga zu wickeln:* wie Caesar nach dem Attentat, als ihm nichts mehr übrig blieb, als in Würde zu sterben. – *Paetus:* Der Römer Caecina Paetus wurde 42 n. Chr. der Verschwörung gegen Kaiser Claudius verdächtigt und zum Tod verurteilt. Als er zögerte, die Selbsttötung zu vollziehen, stieß sich seine Gattin Arria den Dolch in die Brust, zog ihn wieder heraus

und reichte ihn mit dem Ausruf »Paete, non dolet!« (Paetus, es schmerzt nicht!) an ihren Mann weiter. – *Terreur:* Schrecken(sherrschaft), die politische Parole Robespierres. – *Halsweh:* Anspielung auf die Guillotine.

84 *die Masken abreißen:* vgl. *Leonce und Lena* S. 185. – *Brutus:* Lucius Iunius, sagenhafter altröm. Konsul, der um 500 v. Chr. die Königsherrschaft in Rom beendete und seine beiden Söhne zum Tod verurteilte, weil sie die Monarchie wiederherstellen wollten. – *Skala:* Leiter. – *das Volk ist materiell elend, das ist ein furchtbarer Hebel:* Vgl. Brief an Gutzkow 1836 (Nr. 59): »... zwei Hebel, materielles Elend und *religiöser Fanatismus.* Jede Partei, welche diese Hebel anzusetzen versteht, wird siegen.« – *Saturn:* Äußerung aus dem Kreis der Girondisten; Anspielung auf die röm. Sage von Saturn, der zur Sicherung seiner Herrschaft die eigenen Kinder verschlang. – *Sektion der roten Mütze:* eine der 48 revolutionären Vertretungen der Pariser Stadtbezirke; auch Anspielung auf die phrygische Mütze, s. zu S. 70. – *Mann des September:* Danton und seine Tätigkeit als Justizminister, s. zu S. 75.

85 *Carmagnole:* kurze Jacke der piemontesischen Arbeiter aus der Stadt Carmagnola; sie wurde in Paris von den Jakobinern getragen (s. auch zu S. 130); mit dem Schneidern einer Carmagnole ist hier ein lügenhafter Triumphbericht gemeint, mit dem Roman die Verfälschung der Wirklichkeit. – *Arsenal:* Zeughaus, Waffenlager. – *mons Veneris:* Schamhügel. – *Tarpejischer Fels:* Fels am röm. Kapitol, von dem die Staatsverbrecher hinabgestürzt wurden.

86 *Fleckkugeln:* Kugeln zum Entfernen von Flecken. – *proskribieren:* den politischen Gegner ächten.

87 *Streiche:* Schläge. – *aus der Sonne gehen:* Anspielung auf die Anekdote um den griech. Philosophen Diogenes (um 412–323 v. Chr.), der Alexander dem Großen, als ihm dieser einen Wunsch freistellte, geantwortet haben soll: »Geh mir aus der Sonne.«

88 *Epigrammen:* hier: Spottgedichten. – *Sitzung:* in der Nacht vom 30. zum 31. März 1794.

89 *Konstitutionsakte:* Verfassung von 1791. – *der alte Franziskaner:* deutsche Übersetzung der von Desmoulins herausgegebenen Zeitung ›Le Vieux Cordelier‹, in der Robespierre kritisiert und die gemäßigte Linie der Dantonisten vertreten wurde. – *Blutmessias:* s. zu S. 75; hier wieder Anspielung auf Christus und seine Erlösungstat auf dem Kalvarienberg. – *Couthon:* Georges Auguste (1755–94), ebenso wie Collot Mitglied des Wohlfahrtsausschusses und fanatischer Anhänger Robespierres, mit dem er auch hingerichtet wurde. Er war halbseitig gelähmt. – *Maria und Magdalena:* Maria, Jesu Mutter, und Magdalena standen mit Johannes, dem Lieblingsjünger Jesu, unter dem Kreuz Christi. – *apokalyptischen Offenbarungen:* über das Weltende und die Schreckensherrschaft des Antichrist, die dem Evangelisten Johannes zugeschrieben werden. – *St. Denis:* Dionysius, erster Bischof von Paris, der 273 auf

dem Montmartre enthauptet wurde und nach der Legende mit dem Kopf unterm Arm noch bis zum Vorort St. Denis ging, wo er begraben werden wollte; Nationalheiliger Frankreichs. – *alten Sack:* Anspielung auf Barrères zweiten Namen *Vieuxsac.* – *Witwe:* Anspielung auf Joh. 4,5–42 (Gespräch mit Jesu mit der Samariterin am Brunnen, zu der er sagt: »Fünf Männer hast du gehabt, und der, den du jetzt hast, ist nicht dein Mann.«) Hier Hinweis auf Barrères Wankelmütigkeit. – *hippokratische Gesicht:* Gesicht mit den Merkmalen des Todes, wie es der griech. Arzt Hippokrates (um 460–377 v. Chr.) im ›Prognostikon‹ beschrieben hat; vgl. Brief an die Braut (Nr. 20). – *Fälscher:* Chabot, Delaunay, Basire, Fabre d'Eglantine, dazu der Spanier Gusman, die Österreicher I. und J. Frey sowie der Däne Diederichs hatten ein Dokument über die Auflösung der Indischen Kompanie gefälscht, um sich dadurch zu bereichern; sie sollten zusammen mit Danton und seinen Anhängern vor Gericht gestellt werden, damit auch auf diesen der Verdacht des Betruges fiel. – *Ei . . .:* Anspielung auf röm. Mahlzeiten, die mit Eiern begannen und mit Obst abgeschlossen wurden; danach gab es die franz. Redensart: Depuis les œufs jusqu'aux pommes.

90 *nach dem Einen . . . Menschensohn:* Christus. – *Gethsemanegarten:* Ölgarten, in dem Christus vor seiner Gefangennahme betete und Blut schwitzte. – *es ist Alles wüst und leer:* vgl. 1. Mose 1,2: »Die Erde war wüst und leer.« – *vom Tale . . . vom Berge:* unten im Nationalkonvent saßen die Gemäßigten, auf den oberen Bänken die Radikalen. – *Brutus:* Marcus Iunius (85–42 v. Chr.), der zu den Verschwörern gegen Caesar gehörte. – *Tribunen:* In Rom Vertreter des Volkes, die durch ihr Veto Beschlüsse des Senats gegen das Volk verhindern konnten; in Paris sind die Mitglieder des Konvents gemeint; hier im Sinn von Demagogen zu verstehen.

91 *Sektionen:* die 48 Verwaltungsbezirke in Paris zur Zeit der Revolution. – *Leichenbitter:* einer, der im Dorf zur Beerdigung einlud. – *Cordeliers:* s. zu S. 68 (*Camille Desmoulins*). – *31. Mai:* s. zu S. 76. – *Algebraisten:* Anspielung auf ›Zerbino oder die neuere Philosophie‹ von J. M. R. Lenz: »Er wollte diese steifen, abgezirkelten, ausgerechneten Schritte in den Stand der heiligen Ehe nicht tun, so sehr Algebraist er auch war.« Hier im Sinne von nüchterne Rechner, Naturwissenschaftler.

92 *wir stehen immer auf dem Theater:* Zu Büchners Anspielungen auf das Theater vgl. W. Hinderer: ›Über deutsche Literatur und Rede. Historische Interpretationen‹. München 1981, S. 191–199. – *Lucrecia:* s. zu S. 73. – *Corn . . .:* Im Zuge der Römer-Nachahmerei durch die Revolution wurden die franz. Vornamen vielfach gegen römische Vornamen getauscht.

93 *Was doch ist . . .:* Volkslied. – *Pike . . . Pflug:* Langspieß und Pflugschar galten ebenso wie die Namen Marat und Robespierre als Sinnbilder des neuen Revolutionsgeistes. – *Romulus:* sagenhafter

Gründer Roms, mit seinem Zwillingsbruder Remus von einer Wölfin gesäugt. – *Eine Handvoll Erde ...:* Volkslied.

94 *spitz ... stumpf ... wetzen:* ähnlich wie das Gespräch oben (»Herr, warum habt Ihr gearbeitet«) beeinflußt von Shakespeares ›Was ihr wollt‹ (I,5 und III,1) und ›Hamlet‹ (III,2). – *Christinlein ...:* hessisches Soldatenlied. – *à l'enfant:* wie ein Kind; hier: er hat ihr ein Kind gemacht.

95 *Turm:* vgl. 1. Mose 11 mit der Erzählung vom Turmbau zu Babylon. – *die Erde ist eine dünne Kruste:* vgl. dazu *Woyzeck.* – *in's Theater:* s. zu S. 92. – *Marionette:* vgl. *Leonce und Lena* S. 162 und 185.

96 *Pygmalions Statue:* In der griech. Sage schuf Pygmalion, Bildhauer und König von Kypras, die Statue einer Jungfrau. Als er sich in sie verliebte, wurde sie von Aphrodite zum Leben erweckt (s. auch S. 488, Quellenvergleich). – *David:* Jacques-Louis (1748–1825), franz. Revolutionsmaler (berühmt wurde sein Bild ›Der ermordete Marat‹, 1793), radikales Mitglied des Konvents; später Hofmaler Napoleons. – *Force:* Pariser Gefängnis. – *Deine Trägheit:* Charakterisierung Dantons nach B.s wichtigstem Gewährsmann Thiers.

97 *Ach Scheiden:* Schlußstrophe des hessischen Volkslieds ›Dort droben auf hohem Berge‹.

98 *Lorgnon:* Einglas mit Stielgriff. – *sie werden's nicht wagen:* in Verkennung der historischen Situation. – *September:* Anspielung auf die Septembermorde von 1792; s. zu S. 75. – *zerschellt:* zerbrochen.

99 *Die Könige:* gemeint sind die Armeen der von Königen regierten Staaten England (Georg III.), Österreich (Franz II.), Preußen (Friedrich Wilhelm II.), Spanien (Karl IV.), Neapel (Ferdinand IV.), Sardinien (Karl Emanuel II.). – *Mann am Kreuze:* Christus. – *es muß ja Ärgernis kommen:* nach Matth. 18,7 zitiert; vgl. dazu Brief an die Braut im März 1834 (Nr. 21).

100 *Puppen sind wir ...:* s. zu S. 95. – *Bürgersoldaten:* ähnlich in Shakespeares ›König Heinrich der Sechste‹, Zweiter Teil (IV,2). – *Perpendikel:* Pendel der Uhr; hier obszöne Anspielung. – *Der Freiheit eine Gasse:* Satz, der bei deutschen Freiheitsdichtern (Max von Schenkendorf, Theodor Körner, Georg Herwegh) nachweisbar ist. – *Eichenkrone:* Auszeichnung, die der römische Senat an verdiente Bürger gab; hier satirische Anspielung auf die Römertümelei der Revolution.

101 *Schranken des Konvents:* vor dem Gericht. – *Dekret:* gemeint ist eine Verfügung, nach der die Immunität der Deputierten aufgehoben war.

102 *Chabot ...:* s. zu S. 89 (*Fälscher*). – *Lafayette:* Marie Joseph, Marquis de (1757–1834), franz. Staatsmann, General und Schriftsteller; legte 1789 der Nationalversammlung einen Entwurf für die Erklärung der Menschenrechte vor; 1792 floh er ins Ausland, weil er wegen seines Eintretens für eine konstitutionelle Monarchie ver-

folgt wurde. – *Dumouriez:* Charles François (1739–1823), General der Revolutionstruppen, 1792 Außen- und Kriegsminister, Sieger von Valmy. Die Willkür und Unfähigkeit der Jakobiner in Paris führte die Niederlage seines Heeres bei Neerwinden (18. 3. 1793) herbei; er beschloß, in Frankreich mit Gewalt die konstitutionelle Monarchie wiederherzustellen. Da seine Truppen ihm nicht folgten, floh er am 4. 4. 1793 mit 1800 Mann zu den Österreichern und ließ sich schließlich in England nieder. Der Konvent setzte einen Preis von 300000 Livres auf seinen Kopf. – *Brissot:* Jacques Pierre (1754–93), ehemaliger Schreiber, wurde Führer der Girondisten, trat gegen Robespierre für den europäischen Revolutionskrieg ein. Er protestierte gegen die Absetzung des Königs und wurde immer mehr zum Gegner Robespierres, der ihn guillotinieren ließ. – *Fabre, Chabot:* s. zu S. 89 (*Fälscher*). – *Hébert:* s. Historischer Hintergrund, S. 479. – *Patrioten:* hier: freie Bürger.

103 *Verbrecher und gemeine Seelen:* als Gegensatz zu den nachfolgenden heroischen Seelen. – *tellurischen:* hier: ›im Inneren der Erde‹.

104 *14. Juli:* gemeint ist der Sturm auf die Bastille am 14. 7. 1789, der die Revolution auslöste. – *10. August:* Am 10. 8. 1792 wurde der revolutionäre Gemeinderat von Paris gegründet und der König gefangengenommen. – *31 Mai:* Entmachtung der Girondisten. – *Interpunktionszeichen:* hier: Zäsuren. – *interpunktiert:* hier: getrennt. – *Moses . . . :* vgl. 2. Mose 14. – *Pelias:* in der griech. Sage König von Jolkos, der von seinen Töchtern auf den heimtückischen Rat Medeas (s. zu S. 79) zerstückelt und gekocht wurde, weil sie ihn durch Zauber zu verjüngen hofften; Medea versagte aber dann die weitere Hilfe.

105 *Brutus:* s. zu S. 90. – *Das Luxemburg:* 1615–21 unter Maria von Medici erbaut; nach ihrem Tod gelangte es in den Besitz von Gaston d'Orléans, in der Revolutionszeit wurde es als Staatsgefängnis benützt. – *Anaxagoras:* s. zu S. 68 (*Chaumette*). – *katechisieren:* Religionsunterricht erteilen. – *quod erat demonstrandum:* was zu beweisen war; Schlußsatz zu einem mathematischen Beweis, der dem alexandrinischen Mathematiker Euklid (300 v. Chr.) zugeschrieben wird.

106 *Spinoza:* Baruch de (1632–77), holländischer Philosoph, der den Pantheismus lehrte: Seele und Körper (Geist und Natur) sind eins, da sie nur zwei Seiten der ewigen und unendlichen Substanz darstellen. Für die Menschen gibt es deshalb keine Willensfreiheit, folglich auch keinen Unterschied zwischen Gut und Böse. Büchner hat sich intensiv mit Spinoza beschäftigt; s. auch S. 694. – *Voltaire:* François-Marie Arouet (1694–1778), franz. Schriftsteller und Philosoph, wichtiger Vertreter der franz. Aufklärung. Oberste Autorität ist für ihn das Denken, deshalb bekämpft er alle Vorurteile, zu denen er auch Kirche, Religion und Aberglauben zählt. Aufgrund der kunstvollen Einrichtung der Natur erkennt

er die Existenz eines Gottes an, zweifelt aber an dessen Allmacht. – *gescheuter:* besser.

107 *man kann das Böse leugnen:* s. zu S. 106 (*Spinoza*). – *Riß in der Schöpfung:* vgl. *Lenz,* S. 155. – *Erst beweist Ihr Gott ...:* B. befaßte sich wiederholt mit dieser Frage; vgl. S. 694f. – *gegenseitig heben:* gegenseitig aufheben. – *Madame Momoro:* Schauspielerin, die wegen ihrer Schönheit berühmt war. Ihr Mann, ein Buchhändler, war mit Hébert hingerichtet worden. Sie hatte bei Chaumettes ›Fest der Vernunft‹ (s. zu S. 68: *Chaumette*) die Göttin der Vernunft dargestellt. – *Rosenkränze ... in den Leisten:* Er vergleicht die wegen Syphilis geschwollenen Lymphknoten in den Leisten mit den Perlen des Rosenkranzes. – *Ölung:* Sakrament für Sterbende im Katholizismus. – *Füße nach Mecca:* Vorschrift des Islam. – *sich beschneiden lassen:* rituelle Vorschrift bei den Juden.

108 *Dogge mit Taubenflügeln:* s. zu S. 82; hier Anspielung auf die heftige und zugleich melancholische Art Dantons. – *Schlagfluß:* veraltet für Schlaganfall; hier Anspielung auf den raschen Tod durch die Guillotine. – *Leichdörner:* Hühneraugen. – *Ihres Landes:* Nordamerika. – *Blut der zwei und zwanzig:* Am 30. 10. 1793 wurden 21 Girondisten guillotiniert. – *Straßenbeleuchtung:* Desmoulins hatte die städtische Beleuchtung entscheidend verbessert und sich deshalb als Generalprokurator (Hauptverwalter) bezeichnet.

109 *Handfesten:* die Kräftigen; hier: Skrupellosen. – *Heckefeuer:* wörtl. Schüsse aus dem Hinterhalt; hier: Schuldspruch für mehrere Gefangene auf einmal. – *Leroi:* schwerhöriges Mitglied des Revolutionstribunals. – *Vilatte:* Mitglied des Revolutionstribunals; s. auch Quellen, S. 485 ff.

110 *Conciergerie:* zur Zeit der Revolution Pariser Untersuchungsgefängnis, als ›Vorhalle der Guillotine‹ bezeichnet. Liegt am Quai de l'Horloge auf der Seine-Insel in unmittelbarer Nähe des höchsten franz. Gerichts. – *Guillotinenkarren:* Wagen, auf denen die Verurteilten zum Richtplatz gebracht wurden. – *Römer:* die Revolutionäre und das Volk in Paris bezeichneten sich gern als römische Republikaner; hier ironisch gemeint. – *Bajazet:* Bajasid I. (1347–1403), türkischer Sultan, der sich den Thron durch die Hinrichtung seines Bruders Jakub sicherte und in einer Reihe von Feldzügen den Balkan eroberte, bis er 1403 von dem Mongolen Timur geschlagen wurde. – *Septembermorden:* s. zu S. 75. – *Pantheon:* ursprünglich röm. Tempel, der allen Göttern geweiht war; hier im Sinn von Ehrentempel, Ruhmeshalle, vielleicht auch Anspielung auf die Kirche der hl. Genoveva in Paris, die zwischen 1764–90 nach dem Vorbild des röm. Pantheons erbaut worden war und als ›Panthéon français‹ die Grabstätte berühmter Franzosen wurde.

111 *Mirabeau:* Honoré Gabriel de Riqueti Graf von M. (1749–91), ursprünglich Führer (Theoretiker) des dritten Standes. 1790 Präsident der Jakobiner. 1791 versuchte er zwischen Revolution und

König auszugleichen und eine monarchistische Verfassung einzuführen. Er wurde im Pantheon beigesetzt. Als 1793 seine Verbindung zum König bekannt wurde, riß das Volk seine Gebeine aus der Grabstätte und verstreute sie. – *Orléans:* Louis-Philippe Herzog von (1747–93), Verwandter des Königs. Als Philippe Égalité war er Mitglied des Konvents und stimmte für den Tod Ludwigs XVI. 1793 wurde er wegen des Verdachts monarchistischer Bestrebungen hingerichtet. – *Fremden:* ausländische Feinde der Revolution. – *Ludwig des 17.:* (1785–95) wurde am 21. 1. 1793 von der royalistischen Partei zum König ausgerufen; er starb am 8. 6. 1795 in Gefangenschaft. – *elender St. Just:* Er hatte am 31. März im Konvent die Anklage erhoben. – *gedenken Sie Marats:* Marat war 1793 des Verrats beschuldigt, aber freigesprochen worden.

112 *auf dem Marsfelde:* Danton hatte Brissot geraten, am 17. 7. 1791 auf dem Marsfeld, einem Exerzierplatz in der Nähe der Militärakademie, eine Unterschriftenaktion für die Absetzung des Königs und für die Einführung der Republik zu veranstalten. Dabei kam es zu blutigen Zusammenstößen (s. Historischer Hintergrund, S. 478). – *10. August:* 1792; s. zu S. 75. – *21. Januar:* 1793; s. Historischer Hintergrund, S. 480. – *geätzt:* gefüttert. – *Satelliten des Despotismus:* der Adel.

113 *Brücken:* Der Justizpalast befand sich auf der Ile de la Cité in der Seine. – *Decemvirn:* s. zu S. 70. – *Oedipus:* der seinen Vater erschlug und die Mutter heiratete. – *Assignaten:* Papiergeld, das auf die Kirchengüter und den Adelsbesitz ausgegeben wurde (s. Historischer Hindergrund, S. 478); sie wurden 1796 aus dem Verkehr gezogen.

114 *Tertie:* 60. Teil einer Sekunde. – *das Eisen schmieden:* zu ergänzen: solange es heiß ist. – *Samson:* Henri Sanson (1767–1840), seit 1793 als Nachfolger seines Vaters Charles-Henri (1740–93) Scharfrichter von Paris. – *insolente:* unverschämte.

115 *hörnerne Siegfried:* der durch das Bad in Drachenblut bis auf eine kleine Stelle am Rücken unverwundbar geworden war. – *Septembrisierten:* der im September 1792 Hingerichteten. – *Wagt:* Anspielung auf Dantons Ausruf »Mut, nochmals Mut, immer Mut« in einer Rede am 2. 9. 1792 nach dem Fall der Festung Verdun. – *St. Pelagie:* ehemaliges Frauenkloster, das in der Revolutionszeit als Gefängnis benützt wurde. – *Lucrecia:* s. zu S. 73.

116 *konspiriert:* macht eine Verschwörung. – *spinne deine Perioden:* bilde deine Sätze. – *dekretieren:* eine Verfügung erlassen. – *der Konsul:* gemeint ist Marcus Tullius Cicero (106–43 v. Chr.), dem es gelungen war, Catilina aus Rom zu vertreiben und die Mitverschwörer durch schriftliche Dokumente ihres Verbrechens zu überführen. Er ließ sie nach ihrem Geständnis durch Senatsbeschluß zum Tod verurteilen und das Urteil sofort vollstrecken.

Später wurde er von Clodius deshalb angeklagt. – *Catilina:* s. zu
S. 79 *(Sallust).*

117 *Semele:* Geliebte des Iupiter; er erschien ihr in Gestalt von Blitz
und Donner; sie wurde vom Feuer verzehrt und gebar sterbend
den Dionysos. – *spezificum:* Medizin. – *Lustseuche:* Syphilis. –
Moderierten: die politisch Gemäßigten. – *Clichy:* Stadt im Nord-
westen von Paris, wo die Führer der Revolution Landhäuser besa-
ßen, in denen sie ihre Orgien feierten. – *Haarstern:* Komet. –
Rückenmark: Anspielung auf die Folgen der Syphilis. – *Demahy:*
Mätresse von Barrère. – *Mahomet:* hier in der Bedeutung von
Schwärmer, Fanatiker, Visionär. – *Septembriseurs:* die Vollstrek-
ker der Septembermorde des Jahres 1792.

118 *Pakten:* Verträge. – *Fibern:* Fasern des Muskel- und Nervengewe-
bes.

119 *der ewige Jude:* nach der Legende der Schuster Ahasverus von
Jerusalem, der Christus auf dem Weg nach Golgatha von seiner
Schwelle vertrieb, als er ausruhen wollte, worauf Christus zu ihm
sprach: »Ich werde ruhen, du aber sollst gehen!« Seitdem wandert
er, ohne sterben zu können, ruhelos durch die Welt. – *wie es im
Lied heißt:* In Christian Friedrich Daniel Schubarts (1739–91)
Gedicht ›Der ewige Jude‹ heißt es: »Ha! nicht sterben können!
nicht sterben können.« – *Amar:* Jean-Baptiste-André (1755–
1816), anfangs begeisterter Anhänger Robespierres; später betrieb
er als dessen Gegner seinen Sturz. – *Vouland:* Mitglied des Sicherheitsausschusses.

120 *Kommission:* Am zweiten Verhandlungtag, 3. 4. 1794, forderten
die Angeklagten die Einsetzung einer Untersuchungskommission.
– *Zitadelle:* Stadtfestung. – *Raben:* hier in der Bedeutung Un-
glücks- oder Galgenvogel.

121 *die Fremden:* die feindlichen Heere der europäischen Verbündeten. – *Köpfe statt Brod:* Anspielung auf die Eucharistie-Symbolik
(vgl. u. a. Adler, S. 153). – *Samson:* s. zu S. 114. – *10. August . . .
September:* s. zu S. 75. – *Lafayette:* s. zu S. 102. – *Veto:* s. zu S. 74.
– *Herzog von Orléans:* s. zu S. 111.

122 *Sie gibt ihm eine Locke:* »Die symbolische Handlung der Abtren-
nung einer Locke ist ein Antikenzitat. Sterbenden löst die Götter-
botin Iris eine Locke. Berühmtestes Beispiel ist Didos Sterben in
der Aeneis, ebenfalls ein Freitod aus Liebe« (Behrmann/Wohlle-
ben, S. 126). – *Brutus:* s. zu S. 84.

123 *Platon:* Anspielung auf die Geister- und Dämonenlehre der mittelalterlichen Neuplatoniker. – *Samson:* s. zu S. 114.

125 *Ich lag so zwischen Traum und Wachen:* vgl. Lenz S. 155 f. –
Nachtgedanken: gemeint ist: ›The Complaint, or Night Thoughts
on Life, Death, and Immortality‹, ein Lehrgedicht von Edward
Young (1683–1765) mit über 10000 Blankversen, erschienen 1742–
45, in dem Fragen um Tod und Unsterblichkeit behandelt werden.
– *Pucelle:* Voltaires (s. zu S. 106) iron.-satir. Versepos ›La pucelle

d'Orléans‹, das die Geschichte der Jungfrau von Orléans und den
Wunderglauben ironisiert; hier auch Anspielung auf die erotischen
Freizügigkeiten Voltaires. – *barmherzigen Schwester:* Dirne, s. zu
S. 82. – *zwei Fuhrleute:* vgl. dazu die Totengräberszene in Shake-
speares ›Hamlet‹ (V,1). – *Bestallung:* Auftrag. – *sous:* kleine franz.
Münze. – *métier:* Geschäft.

126 *Revolutionsplatz:* hier fanden die Hinrichtungen statt. – *Halt euren Platz vor:* obszöne Anspielung. – *Quarantän:* Quarantäne:
40tägige Beobachtungszeit, während der ein Kranker isoliert gehalten wird, um eine etwaige Ansteckung feststellen zu können.
Hier Anspielung auf die Ansteckung durch die Syphilis. – *Steinrock:* Gefängniswand. – *eisernen Maske:* die Gitterstäbe an den
Gefängnisfenstern; vielleicht auch als mehrdeutige Anspielung, die
sich auf Ludwig XIV. bezieht. Vgl. Marcel Pagnol: ›Die eiserne
Maske. Der Sonnenkönig und das Geheimnis des großen Unbekannten‹ sowie: ›Der Mann mit der eisernen Maske. Eine historische Vorlesung‹. Von K. G. Jacob. In: ›Literarischer Zodiakus
1835‹, S. 138ff.

127 *des vers:* Wortspiel durch die zwei Bedeutungen: Verse, Würmer
(franz.: ver: Wurm). – *Wir waschen unsere Hände:* in Unschuld,
wie Pilatus nach der Verurteilung Jesu; s. Matth. 27,24. – *Couthon:* s. zu S. 89, hier Anspielung auf seine Lähmung und Ge-
brechlichkeit. – *Advokaten von Arras:* Robespierre. – *Clytemnaestra:* zusammen mit ihrem Liebhaber Ägisth erschlug sie ihren
Gemahl Agamemnon nach dessen Rückkehr aus Troja. – *fossilen:*
ausgegrabenen, versteinerten.

128 *Simson:* Wortspiel zwischen Samson (s. zu S. 114) und dem Alten
Testament (Richter, 15,15) wo Simson mit dem Kinnbacken eines
Esels 1000 Feinde erschlug. – *Kainsbrüder:* Samson und Simson
töten Menschen, so wie Kain seinen Bruder Abel tötete. – *Nero:*
(37–68), blutrünstig-despotischer römischer Kaiser (ab 54). – *Antike:* Antiquität. – *Rot:* rote Schminke. – *mit einem guten Accent:*
gebildet. – *Masken:* vgl. *Leonce und Lena* S. 185. – *Schafskopf:*
evtl. Anspielung auf den griech. Gott Dionysos, der seinen Vereh-
rern in der Gestalt eines Schafs- oder Ziegenbocks erschien.

129 *Stoiker:* Anhänger der Stoa, die sich bemühten, alle Gemütserre-
gungen und Begierden zu beherrschen und ihr Schicksal gelassen
zu ertragen; hier auch Anspielung auf die Gelassenheit von Robespierre. – *Epikureer:* s. zu S. 71. – *Toga:* Obergewand der Römer;
hier Anspielung auf die Römernachahmung der Revolutionszeit. –
das häßliche Ding: Phallos. – *Zeter:* Wehgeschrei. – *Molochsarmen:* Dem Moloch, einem babylonischen Gott, wurden Menschenopfer (vielfach auch Kinder) dargebracht; Symbol für die
Unersättlichkeit. – *Äther mit seinen Goldaugen:* Firmament mit
den Sternen.

130 *Phiole:* bauchiges Glasgefäß mit langem Hals. – *Komm liebster
Priester:* Tod. – *Carmagnole:* Tanzlied der Revolutionszeit; s. zu

S. 85. – *Marseillaise:* berühmtestes Revolutionslied, von Leutnant Rouget de Lisle als Marschlied geschrieben und am 30. 7. 1792 von den Revolutionstruppen aus Marseille beim Einzug in Paris zuerst gesungen.

131 *Venusberg:* Schamhügel. – *Berge* ...: vgl. Luk. 23,30: »Dann werden sie anheben und zu den Bergen sagen: Fallt über uns! Und zu den Hügeln: Bedeckt uns!«; hier auch Anspielung auf die Bergpartei; s. zu S. 90. – *Charon:* in der griech. Sage der Fährmann, der die Seelen der Toten in der Unterwelt über den Styx ruderte. – *Libation:* Trankopfer, das in der Antike zu Beginn eines Gastmahls zu Ehren der Götter verschüttet wurde. – *schon einmal:* Der Girondist Lasource hatte seinen Richtern am 30. 10. 1793 zugerufen: »Ich sterbe an dem Tage, an welchem das Volk den Verstand verloren hat. Ihr werdet sterben müssen, wenn es ihn wieder bekommt.« – *Ich sterbe doppelt:* wegen seiner schweren Krankheit und durch die Guillotine.

132 *Konstitutionsfest:* Fest anläßlich der Annahme der neuen Verfassung am 10. 8. 1793. – *Und wann ich hame geh* ...: Volkslied von Mosel und Saar. – *Ellervaters:* Großvaters.

133 *Es ist ein Schnitter* ...: Volkslied aus der ersten Hälfte des 17. Jahrhunderts; wurde in viele Gesangbücher aufgenommen; Brentano übernahm es in seine Sammlung ›Des Knaben Wunderhorn‹.

LENZ

Jakob Michael Reinhold Lenz (23. 1. 1751–3./4. 6. 1792, nach russischem Kalender 12. 1. 1751–23./24. 5. 1792) wurde als Sohn des Pastors und späteren Generalsuperintendenten Christian David Lenz (1720–98) zu Seßwegen (150 km östlich von Riga) in Livland geboren. In Dorpat, wohin die Familie 1759 übersiedelt war, besuchte er die Lateinschule. 1768 nahm er in Königsberg das Theologie-Studium auf, das er 1771 jedoch abbrach. Erste literarische Veröffentlichungen, u. a. 1770 ein Widmungsgedicht an Kant. 1771 ging er als Gesellschafter der zwei kurländischen Edelleute von Kleist nach Straßburg, wo er Goethe, Jung-Stilling und Salzmann begegnete. Nach der Trennung von den Brüdern Kleist im Herbst 1774 lebte er von Privatunterricht. 1772 schrieb er das Lustspiel ›Der Hofmeister oder Vorteile der Privaterziehung‹ (veröffentlicht 1774). – Nach Goethes Abreise (1771) aus Sesenheim und Straßburg warb Lenz vergeblich um Friederike Brion (vgl. das Gedicht ›Die Liebe auf dem Lande‹); dann unerwiderte Neigung zu Cornelia Schlosser (1750–77), Goethes Schwester, und zu Henriette von Waldner, der späteren Baronin Oberkirch. Es entstanden: ›Der neue Menoza‹ (1774), ›Anmerkungen übers Theater‹ (1774), ›Die Freunde machen den Philosophen‹ (1776) und ›Die Soldaten‹ (1775 entstanden, 1776 erschienen).

Am 2. April 1776 kam Lenz nach Weimar, weil er hoffte, daß er mit Hilfe Goethes eine feste Stellung bekommen und den Herzog von seinen militärisch-sozialen Reformideen überzeugen könne. Doch die Entfremdung zwischen den ›Brüdern‹ der Sturm-und-Drang-Zeit wurde bald offenbar: am 24. Juli 1776 schrieb Goethe an den ihm befreundeten Literaturkritiker und Naturforscher Johann Heinrich Merck: »*Lenz* ward endlich gar lieb und gut in unserm Wesen, sitzt jetzt in Wäldern und Bergen allein, so glücklich als er sein kann.« Dennoch suchte Goethe nach einer Beschäftigung für Lenz und übertrug ihm den Englischunterricht bei Charlotte von Stein in Kochberg. Am 10. September berichtete er Frau von Stein: »Ich schick Ihnen Lenzen, endlich hab ich's über mich gewonnen. O Sie haben eine Art zu peinigen wie das Schicksal, man kann sich nicht drüber beklagen so weh es tut. Er soll Sie sehn, und die zerstörte Seele soll in ihrer Gegenwart die Balsamtropfen einschlürpfen um die ich alles beneide. Er soll mit Ihnen sein – Er war ganz betroffen da ich Ihm sein Glück ankündigte, in Kochberg mit Ihnen sein, mit Ihnen gehen, sie lehren, für Sie zeichnen, sie werden für ihn zeichnen, für ihn sein. Und ich – zwar von mir ist die Rede nicht, und warum sollte von mir die Rede sein – Er war ganz im Traum da ich's ihm sagte, bittet nur Geduld mit ihm zu haben, bittet nur ihn in seinem Wesen zu lassen. Und ich sagt ihm daß er es, eh er gebeten, habe.«

Über Lenzens Gesundheitszustand vgl. Goethes Brief an Merck vom 16. September: »Lenz ist unter uns wie ein krankes Kind, wir wiegen und tänzeln ihn, und geben und lassen ihm vom Spielzeug was er will.« – Am 1. Dezember 1776 mußte Lenz Weimar wegen einer ›Eselei‹ verlassen; vgl. zu den Hintergründen die Darstellung von Sigrid Damm (in: Damm, Lenz, S. 247–264). Lenz ging zunächst zu Goethes Schwager und Freund, dem Schriftsteller und Oberamtmann Johann Georg Schlosser (1739–99) in Emmendingen, dann in die Schweiz, wo er Gast Lavaters und Kaufmanns war, und von hier Anfang 1778 zu Pfarrer Oberlin nach Waldersbach. 1777 zeigten sich bei Lenz deutliche Spuren einer geistigen Erkrankung, die sich 1778 während seines Aufenthalts bei dem Pfarrer und Philanthropen Johann Friedrich Oberlin (1740–1826) erheblich verschlimmerte und wiederholt zu Selbstmordversuchen führte. Oberlin hatte in Straßburg Theologie studiert und war 1763 Magister der Philosophie geworden. 1767 erhielt er eine Anstellung als protestantischer Pfarrer in Waldersbach/Steintal und wurde bald zum großen Wohltäter dieses unwirtlichen und wilden Vogesentals. Er verbesserte den Obstanbau und die Landwirtschaft, legte Straßen und Brücken an, meist als Gemeinschaftsarbeit mit den Bauern, und suchte Industrie ins Steintal zu bringen. In Waldersbach gründete er die erste Kleinkinderschule. Als er ins Steintal kam, fanden dort nur etwa 90 Familien ihr Auskommen, zu Beginn des 19. Jh.s waren es an die 3000 Einwohner. – Um Lenz kümmerte er sich, unterstützt von seiner Frau, mit fürsorglicher, behutsamer Geduld und versuchte, ihm durch zahlreiche Gespräche zu helfen. Über den zwanzigtägigen Aufenthalt des kranken Dichters (20. 1. bis 8. 2. 1778) schrieb er einen Rechenschaftsbericht, den B. seiner Erzählung zugrunde legte (s. Quellen, S. 520).

Lenz wurde im Juni 1779 von seinem Bruder Karl auf Ansuchen Schlossers in die Heimat zurückgeholt; von dort ging er nach Riga, Petersburg und zuletzt nach Moskau, wo er zeitweise als Erzieher in einem Pensionat sowie weiter als Schriftsteller und Übersetzer arbeitete. Er wurde nachts tot auf der Straße gefunden.

Lenz gilt als typischer Vertreter der *Geniezeit* oder der *Sturm-und-Drang-Periode*, so benannt nach Friedrich Maximilian Klingers (1752–1831) Drama ›Sturm und Drang‹ (1776). Unter dem Einfluß von J.-J. Rousseau (1712–78) setzt sich im Zusammenhang mit der Aufklärung eine aus dem Bürgertum erwachsene revolutionäre Jugendbewegung durch, deren Gemeinsamkeit im Protest gegen die rationalistischen Tendenzen der Aufklärung bestand. Gegen die einseitige Vorherrschaft der Vernunft stellt man als Ergänzung gleichberechtigt Gefühl, Phantasie, Leidenschaft und Empfindsamkeit. Der Begriff ›Herz‹ entwickelt sich zum Gegenpol der ratio. Ein neues Persönlichkeits- und Ichbewußtsein entsteht, das den Menschen als Individuum anerkennt und in ihm nicht nur das Ergebnis einer genau geplanten Erziehung sehen will.

Ein neuer Freundschaftskult, die Betonung von Liebe und Sexualität kennzeichnen diese Epoche. Auch für die Natur wird ein neues, unmittelbares Gefühl entwickelt. Dazu kommt ein vielfach politisch motivierter, in seiner Zielsetzung freilich vager Freiheitsbegriff, der sich sowohl gegen die Herrschaft des abstrakten Verstandes als auch gegen soziale Unterdrückung richtet. Er äußert sich in der Forderung nach Toleranz und Verständnis für den anderen sowie in demokratischen Bestrebungen.

Zahlreiche Einflüsse bestimmten die Ideen der Geniezeit. Anthony Ashley Cooper, Earl of Shaftesbury (1671–1713), entwickelte in seinem ›Selbstgespräch‹ die Vorstellung vom wahren Dichter als dem ›Schöpfer‹. Unter dem Begriff des Genies, Anfang des 18. Jh.s nach franz. ›génie‹ übernommen, verstand man auch das Schöpferische, Phantasie- und Gefühlvolle. Kant definierte das 1790 in der ›Kritik der Urteilskraft‹ so: »Genie ist die angeborene Gemütsanlage (ingenium), durch welche die Natur der Kunst die Regel gibt.«

Bestimmende Wirkungen gingen von Johann Georg Hamann (1730–88) in Königsberg, dem ›Magus des Nordens‹, aus, der den strengen Rationalismus der Aufklärung bekämpfte (›Sokratische Denkwürdigkeiten‹, 1759) und die historische und anthropologische Rolle von Phantasie und Gemüt beschrieb. Er propagierte eine Dichtung, die sich vom rhetorischen Regelzwang befreien sollte (›Aesthetica in nuce‹); so wurde er rasch zum maßgebenden Förderer eines auch religiös bestimmten Geniekults. Sein Landsmann und Schüler Johann Gottfried Herder beeinflußte seinerseits Goethe. – Wichtig war daneben auch Edward Young (1683–1765), der in seinem Essay ›Conjectures on Original Composition‹ (1759) die genial-originale Dichtung gegenüber der Kunstgelehrsamkeit verteidigte. Bewundertes und nachgeahmtes Beispiel blieb neben den Darstellungen antiker Mythologie (Prometheus) Shakespeare, mit dem sich Herder (›Shakespeare‹), Goethe (›Zum Schäkespears-Tag‹) und Lenz (›Anmerkungen übers Theater, nebst angehängtem übersetzten Stück Shakespeares‹) auseinandersetzten. Shakespeare war für Lenz der bedeutendste Dichter, das dichterische Genie schlechthin. Die frühaufklärerische Lehre Gottscheds (1700–66) von den drei Einheiten, die für den Dramatiker absolute Gültigkeit haben sollte, hielt er für überholt: »Was heißen die drei Einheiten? hundert Einheiten will ich euch angeben, die alle immer noch die eine bleiben. Einheit der Nation, Einheit der Spache, Einheit der Religion, Einheit der Sitten – ja was wirds denn nun? Immer dasselbe, immer und ewig dasselbe. Der Dichter und das Publikum müssen die eine Einheit fühlen, aber nicht klassifizieren. Gott ist nur eins in allen seinen Werken, und der Dichter muß es auch sein, wie groß oder klein sein Wirkungskreis auch immer sein mag. Aber fort mit dem Schulmeister, der mit seinem Stäbchen einem Gott auf die Finger schlägt.« (›Anmerkungen übers Theater‹, 1774). Anders als Lessing kritisiert Lenz nicht nur die Autorität Gottscheds, sondern vor allem die Gültigkeit der aristotelischen Poetik.

Entstehung

Im Frühjahr 1835 beschäftigte sich B. intensiv mit der Biographie von J. M. R. Lenz und seinem vergeblichen Versuch, den ausbrechenden Wahnsinn zu überwinden. Bereits am 12. Mai 1835 weiß Gutzkow von einer geplanten Novelle über Lenz (Brief Nr. 12). Er erkundigt sich am 28. 9. 1835 nach dem Stand dieses Vorhabens (Brief Nr. 15) und nochmals am 6. 2. 1836 (Brief Nr. 18). Im Oktober 1835 berichtet B. auch seiner Familie von dem Plan (Brief Nr. 50): »Ich habe mir hier allerhand interessante Notizen über einen Freund Goethes, einen unglücklichen Poeten Namens *Lenz* verschafft, der sich gleichzeitig mit Goethe hier aufhielt und halb verrückt wurde.«

Als Termin für die Entstehung der Erzählung ist die Zeit vom Frühjahr 1835 bis zum 1. Januar 1836 anzusetzen. Wenn man annimmt, daß B. die Erzählung für die ›Deutsche Revue‹ geschrieben hat, dann könnte das Verbot dieser Zeitschrift im November oder Dezember 1835 ein Grund dafür gewesen sein, weshalb er sie nicht fertiggestellt hat. Es handelt sich bei diesem Text um ein Fragment »in einem fortgeschrittenen Entwurfstadium, doch unvollendet, teils skizzenhaft, teils ausformuliert, voller formaler Unregelmäßigkeiten, mit Arbeitslücken unterschiedlicher Art, mit stilistischen und darstellerischen Unfertigkeiten« (Gersch, Nachwort, S. 59).

Erstdruck und Überlieferung

Lenz. Eine Reliquie von Georg Büchner. Mit einem Vor- und Nachwort hg. von Karl Gutzkow. In: Telegraph für Deutschland. Januar 1839, Nrn. 5, 7–11, 13, 14; S. 34–40, 52–56, 59–62, 69–72, 77f., 84–87, 100–104, 108–111. Gutzkow lag eine von Minna Jaeglé angefertigte Abschrift des B.schen Manuskripts vor. B.s Bruder Ludwig veröffentlichte den Text 1850 in den *Nachgelassenen Schriften*. Erst jüngst gelang Hubert Gersch der überzeugende Nachweis, daß diese Edition nicht auf das handschriftliche Original oder auf eine weitere Abschrift Minna Jaeglés zurückgreift, sondern auf dem Gutzkowschen Erstdruck fußt (vgl. Gersch in: Georg Büchner Jahrbuch 3, S. 14–25).

Zur Textgestalt

Der Text dieser Ausgabe folgt dem Gutzkowschen Erstdruck von 1839. Die Erzählung erschien aufgeteilt auf acht Nummern; der Beginn jeder Fortsetzung ist durch eine Leerzeile gekennzeichnet. Die beiden Fußnoten des Herausgebers Gutzkow werden in den Anmerkungen wiedergegeben.

Quellen

Als Vorlage für B.s Erzählung diente u. a. eine verschollene und von August Stoeber bearbeitete Abschrift des Rechtfertigungsberichtes, den Johann Friedrich Oberlin vermutlich unmittelbar nach Lenzens Abreise aus dem Steintal verfaßt hatte (8. Febr. 1778).

Zwar konnte mittlerweile eine Diktat-Niederschrift mit eigenhändigen Korrekturen Oberlins aufgefunden und ediert werden (vgl. Dedert, Gersch u. a. in: ›Revue des Langues Vivantes‹ 42 (1976), S. 357–385). Der von August Stoeber redigierte Bericht, wie er B. vorlag, ist aber nach wie vor unbekannt. Gersch konnte jedoch überzeugend nachweisen, daß die Stoebersche Bearbeitung von 1839 (veröffentlicht in der Zeitschrift ›Erwinia‹, ein Blatt zur Unterhaltung und Belehrung, in Verbindung mit Schriftstellern Deutschlands, der Schweiz und des Elsasses herausgegeben von August Stöber‹, 1838/39, S. 6–8, 14–16 und 20–22 unter dem Titel ›Der Dichter Lenz, im Steintale‹) der späteren Fassung von 1842 (in August Stöber: ›Der Dichter Lenz und Friedericke von Sesenheim‹, Basel 1842, S. 11–31) vorzuziehen sei, obschon Gersch B.s Vorlage als »eine textliche Zwischenstufe« zwischen Oberlins Handschrift und Stoebers Druck von 1839 charakterisiert (vgl. Gersch in: Georg Büchner Jahrbuch 3, S. 14–25, bes. S. 15–20). Gersch (ebd., S. 22–24) hat ferner auf eine weitere, für B. wichtige Quelle hingewiesen: auf die einschlägigen Passagen aus Goethes Autobiographie ›Dichtung und Wahrheit‹ (III. Teil, 11. und 14. Buch).

A) ⟨AUGUST STOEBER (HG.):⟩
DER DICHTER LENZ, IM STEINTALE.*

Den 20. Januar 1778 kam er hieher. Ich kannte ihn nicht. Im ersten Blick sah ich ihn, den Haaren und hängenden Locken nach, für einen Schreinergesell an; seine freimütige Manier aber zeigte bald daß mich die Haare betrogen hatten. – »Seien Sie willkommen, ob Sie mir schon unbekannt.« – »Ich bin ein Freund K...'s und bringe ein Kompliment von ihm.« – »Der Name, wenn's beliebt?« – »Lenz.« – »Ha, ha, ist er nicht gedruckt?« (Ich erinnerte mich einige Dramen gelesen zu haben,

---

* Dieser rührende, schlicht und herzlich geschriebene Aufsatz, ist aus Pfarrer Oberlins Papieren gezogen, ein merkwürdiger Beitrag zur Lebensgeschichte eines unglücklichen, talentvollen Dichters. S. *Vie de J. F. Oberlin*, par *D. E. Stoeber*, p. 215. Der *Dichter Lenz*; Mitteilungen von *Aug. Stöber*, Morgenblatt 1831, Nro. 250 u. ff., wo sich auch die von *Lenz* an *Salzmann* gerichteten Briefe befinden. Mein seliger Freund, der am 19. Februar 1837 zu Zürich gestorben, G. *Büchner*, hat auf den Grund dieses Aufsatzes eine Novelle geschrieben, die aber leider nur Fragment geblieben ist und in der Ausgabe seiner Schriften, die D. Gutzkow besorgt, erscheinen soll. S. *Konversationslexikon der Gegenwart.* Art. *Büchner*.   *Der Einsend.*

die einem Herrn dieses Namens zugeschrieben wurden.) Er antwortete: »Ja; aber belieben Sie mich nicht darnach zu beurteilen.«

Wir waren vergnügt unter einander; er zeichnete uns verschiedene
Kleidungen der Russen und Livländer vor; wir sprachen von ihrer
Lebensart, u. s. w. Wir logierten ihn in das Besuchzimmer im Schulhau-
se.

Die darauf folgende Nacht hörte ich eine Weile im Schlaf laut reden,
ohne daß ich mich ermuntern konnte. Endlich fuhr ich plötzlich zusammen, horchte, sprang auf, ho⟨r⟩chte wieder. Da hörte ich mit
Schulmeisters Stimme laut sagen: Allez donc au lit – qu'est-ce que c'est
que ça – hé ! – dans l'eau par un temps si froid! – Allez, allez au lit!

Eine Menge Gedanken durchdrangen sich in meinem Kopf. Vielleicht, dachte ich, ist er ein Nachtwandler und hatte das Unglück in die
Brunnbütte zu stürzen; man muß ihm also Feuer, Tee, machen, um ihn
zu erwärmen und zu trocknen. Ich warf meine Kleider um mich und
hinunter an das Schulhaus. Schulmeister und seine Frau, noch vor
Schrecken blaß, sagten mir: Herr Lenz hätte die ganze Nacht nicht
geschlafen, wäre hin und her gegangen, auf's Feld hinter dem Hause,
wieder herein, endlich hinunter an den Brunnentrog, streckte die Hände ins Wasser, stieg auf den Trog, stürzte sich hinein und platscherte
drin wie eine Ente; sie, Schulmeister und seine Frau, hatten gefürchtet
er wolle sich ertränken, riefen ihm zu – er wieder aus dem Wasser,
sagte, er wäre gewohnt sich im kalten Wasser zu baden, und ging
wieder auf sein Zimmer. – Gottlob, sagte ich, daß es ⟨weiter⟩ nichts ist;
Herr K... liebt das kalte Bad auch, und Herr L... ist ein Freund von
Hn. K...

Das war für uns Alle der erste Schreck; ich eilte zurück um meine
Frau auch zu beruhigen.

Von dem an verrichtete er, auf mein Bitten, sein Baden mit mehrerer
Stille.

Den 21. ritt er mit mir nach Belmont, wo wir die allgemeine Großmutter, die 176 Abstämmlinge erlebet, begruben. Daheim kommuni-
zierte er mir mit einer edeln Freimütigkeit, was ihm an meinem Vortrag, u. s. w. mißfallen; wir waren vergnügt bei einander, es war mir
wohl bei ihm; er zeigte sich in allem als ein liebenswürdiger Jüngling.

Hr. K... hatte mir sagen lassen: er würde, seiner Braut das Steintal
zu zeigen, zu uns kommen und einen Theologen mitbringen, der gerne
hier predigen möchte.

Ich bin nun bald eilf Jahre hier; anfangs waren meine Predigten
vortrefflich, nach dem Geschmacke der Steintäler. Seitdem ich aber
dieser guten Leute Fehler kenne und ihre äußerste Unwissenheit in
Allem, und besonders in der Sprache selbst, in der man ihnen predigt,
und ich mich daher so tief mir immer möglich herunter lassen und dem
mir nun bekannten Bedürfnis meiner Zuhörer gemäß zu predigen mich
bemühe, seit dem hat man beständig daran auszusetzen. Bald heißt es:
ich wäre zu scharf; bald: so könne es Jeder; bald: meine Mägde hätten
mir meine Predigt gemacht, u. s. w. Überdies macht mir das Predigen

oft mehr Mühe als alle andre Teile meines Amtes zusammen genommen. Ich bin daher herzlich froh wann bisweilen jemand anders für mich predigen will.

Hr. L..., nachdem er die Schulen der Conductrices und Anderes in Augenschein genommen, und er mir seine Gedanken freimütig über Alles mitgeteilt, äußerte mir seinen Wunsch für mich zu predigen. Ich fragte ihn ob er der Theolog wäre, von dem mir Hr. K... hätte sagen lassen? »Ja«, sagte er, und ich ließ mirs, um obiger Ursachen willen, gefallen; es geschah den darauf folgenden Sonntag, den 25sten. Ich ging vor den Altar, sprach die Absolution, und Hr. L... hielt auf der Kanzel eine schöne Predigt, nur mit etwas zu vieler Erschrockenheit. Hr. K... war mit seiner Braut auch in der Kirche. Sobald er konnte bat er mich, mit ihm besonders zu gehn, und fragte mich mit bedeutender Miene, wie sich Hr. L. seitdem betragen und was wir mit einander gesprochen hätten. Ich sagte ihm was ich noch davon wußte; H. K. sagte: es wäre gut. Bald darauf war er auch mit Hrn. L. allein. Es kam mir dies alles etwas bedenklich vor, wollte da nicht fragen, wo ich sah daß man geheimnisvoll wäre, nahm mir aber vor meinen Unterricht weiter zu suchen.

Hr. K. lud mich freundschaftlich ein, mit ihm zu seiner Hochzeit in die Schweiz zu gehn. So gern ich längst die Schweiz gesehen, einen Lavater, einen Pfenninger und andre Männer gekannt und gesprochen hätte, so sehr meinem Leibe und Gemüte (ich hatte einige harte Monate gehabt), eine Aufmunterung und Stärkung durch eine Reise wünschbar war, so unübersteigliche Hindernisse fand ich auf allzuvielen Seiten. Hr. K. räumte einen großen Teil durch Mitteilung seines Reiseplanes aus dem Wege: ich überlegte den Rest und fand Möglichkeit.

Am Montag, den 26., nachdem ich meine⟨n⟩ letzten damaligen Patienten begraben hatte, ging ich den nächsten Weg über Rhein. Herr L. sollte die Kanzel und mein Hr. Amtsbruder die eigentlichen *Actus pastorales,* die den damaligen Umständen nach, sparsam oder gar nicht vorkommen sollten, versehen.

Ich kam nicht weiter als bis nach Köndringen und Emmendingen, wo ich Hrn. Sander und am zweiten Ort Hrn. Schlosser zum ersten Mal sah und besprach; sodann über Breisach nach Colmar, wo ich Hrn. Pfeffel und Lerse kennen lernte; und zurück ins Steintal.

Ich hatte nun hinlänglichen Unterricht in Ansehung Hrn. L. bekommen, und übrigens so viel Satisfaktion von meiner Reise, daß, so rar bei einem Steintäler Pfarrer das Geld ist, ich sie nicht um hundert Taler gebe.

Über meine unvermutete Rückkunft war Hr. L. betroffen und etwas bestürzt, meine Frau aber entzückt, und bald darauf, nach einiger Unterredung, auch Hr. L.

Ich hörte daß in meiner Abwesenheit Vieles, auf Hern. L...'s Umstände Passendes und für ihn Nützliches, gesprochen worden, ohngeachtet meine Frau die Umstände selbst, die ich erst auf meiner Reise erfuhr, nicht wußte.

Ich erfuhr ferner daß Hr. L., nach vorhergegangenen eintägigen Fasten, Bestreichung des Gesichtes mit Asche, Begehrung eines alten Sakkes, den 3. Hornung ein zu Fouday so eben verstorbenes Kind, das Friederike hieß, aufwecken wollte, welches ihm aber fehlgeschlagen.

Er hatte eine Wunde am Fuß hieher gebracht, die ihn hinken machte und ihn nötigte hier zu bleiben. Meine Frau verband sie ihm täglich und man konnte baldige Heilung hoffen. Durch das unruhige Hinundherlaufen aber, da er das Kind erwecken wollte, verschlimmerte sich die Wunde so sehr, daß man die Entzündung mit erweichenden Aufschlägen w⟨e⟩hren mußte. Auf unsre und Hrn. K…'s häufige Vorstellungen, hatte er sein Baden eingestellt, um die Heilung der Wunde zu befördern. In der Nacht aber, zwischen dem 4. und 5. Hornung, sprang er wieder in den Brunnentrog, mit heftiger Bewegung, um, wie er nachher gestand, die Wunde aufs Neue zu verschlimmern.

Seit Hrn. K…'s Besuch logierte Hr. L. nicht mehr im Schulhaus, sondern bei uns in dem Zimmer über der Kindsstube. Den Tag hindurch war er auf meiner Stube, wo er sich mit Zeichnen und Malen der Schweizergegenden, mit Durchblättern und Lesen der Bibel, mit Predigtschreiben, und Unterredung mit meiner Frau beschäftigte.

Den 5. Hornung kam ich von meiner Reise zurück; er war, wie ich oben gesagt, anfangs darüber bestürzt, und bedauerte sehr daß ich nicht in der Schweiz gewesen. Ich erzählte ihm daß Hr. Hofrat Pfeffel die Landgeistlichen so glücklich schätzt, und ihren Stand beneidenswert hält, weil er so unmittelbar zur Beglückung des Nächsten aufweckt. Es machte Eindruck auf ihn. Ich bediente mich dieses Augenblicks ihn zu ermahnen sich dem Wunsche seines Vaters zu unterwerfen, sich mit ihm auszusöhnen, u. s. w.

Da ich bei manchen Gelegenheiten wahrgenommen daß sein Herz von fürchterlicher Unruhe gemartert wurde, sagte ich ihm, er würde sodann wieder zur Ruhe kommen, und schwerlich eher, denn Gott w⟨ü⟩ßte seinem Worte: »Ehre Vater und Mutter,« Nachdruck zu geben, u. s. w.

Alles was ich sagte waren nur meistens Antworten auf abgebrochene, oft schwer zu verstehende Worte, die er in großer Beklemmung seines Herzens ausstieß. Ich merkte, daß er bei Erinnerung getaner, mir unbekannter Sünde, schauderte, an der Möglichkeit der Vergebung verzweifelte; ich antwortete ihm darauf; er hob seinen niederhängenden Kopf auf, blickte gen Himmel, rang die Hände, und sagte: »Ach! ach! göttlicher Trost – ach – göttlich – o – ich bete – ich bete an!« ⟨Er⟩ sagte mir sodann ohne Verwirrung, daß er nun Gottes Regierung erkenne und preise, die mich so bald, ihn zu trösten, wieder heimgeführt.

Ich ging im Zimmer hin und her, packte aus, legte in Ordnung, stellte mich zu ihm hin. Er sagte mit freundlicher Miene: »Bester Herr Pfarrer, können Sie mir doch nicht sagen was das Frauenzimmer macht, dessen Schicksal mir so zentnerschwer auf dem Herzen liegt?« Ich sagte ihm, w⟨ü⟩ßte von der ganzen Sache nichts, ich wolle ihm in Allem, was ihn wahrhaft beruhigen könne, aus allen Kräften dienen, er müßte mir aber Ort und Personen nennen. Er antwortete nicht, stand in der erbärmlichsten Stellung, redete gebrochene Worte: »Ach! ist sie tot? Lebt sie noch? – Der Engel, sie liebte mich – ich liebte sie, sie war's würdig – o, der Engel! – Verfluchte Eifersucht! ich habe sie aufgeopfert – sie liebte noch einen Andern – aber sie liebte mich – ja herzlich – aufgeopfert – die Ehe hatte ich ihr versprochen, hernach verlassen – o, verfluchte Eifersucht! – – O, gute Mutter! – auch die liebte mich – ich bin euer Mörder!«

Ich antwortete wie ich konnte; sagte ihm unter anderm, vielleicht lebten diese Personen alle noch, und vielleicht vergnügt; es mag sein wie es wolle, so könnte und würde Gott, wenn er sich zu ihm bekehrt haben würde, diesen Personen auf sein Gebet und Tränen, so viel Gutes erweisen, daß der Nutzen, den sie sodann von ihm hätten, den Schaden so er ihnen zugefügt, leicht und vielleicht weit überwiegen würde. – Er wurde jedoch nach und nach ruhiger, und ging an sein Malen.

Hr. ⟨E⟩. hatte mir zu Emmendingen einige in Papier gepackte Gerten, nebst einem Brief für ihn mitgegeben. Eines Males kam er zu mir; auf der linken Schulter hatte er ein Stück Pelz, so ich, wenn ich mich der Kälte lange aussetzen muß, auf den Leib zu legen gewohnt bin. In der Hand hielt er die noch eingepackten Gerten; er gab sie mir, mit Begehren, ich solle ihn damit herumschlagen. Ich nahm die Gerten aus seiner Hand, drückte ihm einige Küsse auf den Mund und sagte: Dies wären die Streiche, die ich ihm zu geben hätte, er möchte ruhig sein, seine Sachen mit Gott allein ausmachen; alle möglichen Schläge würden keine einzige seiner Sünden tilgen, dafür hätte Jesus gesorgt, zu dem möchte er sich wenden. Er ging.

Beim Nachtessen war er etwas tiefsinnig. Doch sprachen wir von allerlei. Wir gingen endlich vergnügt von einander und zu Bette. – Um Mitternacht erwachte ich plötzlich; er rannte durch den Hof, rief mit harter etwas hohler Stimme einige Sylben, die ich nicht verstand; seitdem ich aber weiß daß seine Geliebte *Friedericke** hieß, kommt es mir vor als ob es dieser Name gewesen wäre, mit äußerster Schnelle, Verwirrung und Verzweiflung ausgesprochen. Er stürzte sich, wie gewöhnlich, in den Brunnentrog, patschte drin, wieder heraus und hinauf in sein Zimmer, wieder hinunter in den Trog, und so einige Mal – endlich wurde er still. Meine Mägde, die in dem Kindsstübchen unter ihm schliefen, sagten, sie hätten oft, insonderheit aber in selbiger Nacht, ein Brummen gehört, das sie mit nichts als mit dem Ton einer Habergeise zu vergleichen wüßten. Vielleicht war es sein Winseln mit hohler, fürchterlicher, verzweifelnder Stimme.

Freitag den 6., den Tag nach meiner Zurückkunft, hatte ich beschlossen nach Rothau, zu Hrn. Pfr. Schweighäuser zu reiten. Meine Frau ging mit. Sie war schon fort, und ich im Begriff auch abzureisen. Aber

---

* Daß diese Friedericke die Pfarrerstochter aus Sesenheim war, geht aus dem Briefe von Lenz an Salzmann hervor.

welch ein Augenblick! Man klopft an meiner Türe, und Hr. L. tritt
herein mit vorwärts gebogenem Leibe, niederwärts hängendem Haupt,
das Gesicht über und über und das Kleid hier und da mit Asche ver-
schmiert, mit der rechten Hand an dem linken Arm haltend. Er bat
mich ihm den Arm zu ziehen, er hätte ihn verrenket, er hätte sich zum
Fenster herunter gestürzt; weil es aber Niemand gesehn, möcht' ich's
auch Niemand sagen.

Ich tat was er wollte und schrieb eilends an Sebastian Scheidecker,
Schullehrer von Bellefosse, er solle herunter kommen, Hrn. L. hüten.
Ich eilte fort. Sebastian kam und richtete seine Kommission unver-
gleichlich aus, stellte sich als ob er mit uns hätte reden wollen, sagte
ihm ⟨...⟩, wenn er wüßte daß er ihm nicht überlästig oder von etwas
abhielte, wünschte er sehr einige Stunden in seiner Gesellschaft zu sein.
Hr. L. nahm es mit besonderem Vergnügen an, und schlug einen Spaziergang nach Fouday vor, – gut. Er besuchte das Grab des Kindes das
er hatte erwecken wollen, kniete zu verschiedenen Malen nieder, küßte
die Erde des Grabes, schien betend, doch mit großer Verwirrung, riß
etwas von der auf dem Grab stehenden Krone ab, als ein Andenken,
ging wieder zurück gen Waldersbach, kehrte wieder um, und Sebastian
immer mit. Endlich mochte Hr. L. die Absicht seines Begleiters erraten; er suchte Mittel ihn zu entfernen. Sebastian schien ihm nachzugeben, fand aber heimlich Mittel seinen Bruder Martin von der Gefahr zu
benachrichtigen, und nun hatte Hr. L. zween Aufseher statt einen. Er
zog sie wacker herum, endlich ging er nach Waldersbach zurück; und
da sie nahe am Dorf waren, kehrte er wie ein Blitz um, und sprang,
ungeachtet seiner Wunde am Fuß, wie ein Hirsch gen Fouday zurück.
Sebastian kam zu uns um uns das Vorgegangene zu berichten, und sein
Bruder setzte dem Kranken nach. Indem er ihn zu Fouday suchte,
kamen zwei Krämer und erzählten ihm, man hätte in einem Hause
einen Fremden gebunden, der sich für einen Mörder ausgäbe, und der
Justiz ausgeliefert sein wollte, der aber gewiß kein Mörder sein könnte.
Martin lief in das Haus und fand es so; ein junger Mensch hatte ihn, auf
sein ungestümes Anhalten, in der Angst gebunden. Martin band ihn los
und brachte ihn glücklich nach Waldersbach. Er sah verwirrt aus; da er
aber sah daß ich ihn wie immer freundschaftlich und liebreich empfing
und behandelte, bekam er wieder Mut, sein Gesicht veränderte sich
vorteilhaftig, er dankte seinen beiden Begleitern freundlich und zärtlich, und wir brachten den Abend vergnügt zu.

Ich bat ihn inständig nicht mehr zu baden, die Nacht ruhig im Bette
zu bleiben, und wann er nicht schlafen könnte, sich mit Gott zu unterhalten, u. s. w. Er versprach's, und wirklich tat er's die folgende Nacht;
unsre Mägde hörten ihn fast die ganze Nacht hindurch beten.

Den folgenden Morgen, Samstag den 7., kam er mit vergnügter Miene auf mein Zimmer. Ich hoffte wir würden bald am Ende unsrer
gegenseitigen Qual sei⟨n⟩; aber leider der Erfolg zeigte was anders.

Nachdem wir Verschiedenes gesprochen hatten, sagte er mir mit
ausnehmender Freundlichkeit: »Liebster Herr Pfarrer, das Frauenzim-

mer von dem ich ihnen sagte, ist gestorben, ja gestorben – o, der Engel!« – Woher wissen Sie das? – »Hieroglyphen – Hieroglyphen!« – und dann gen Himmel geschaut und wieder: »Ja – gestorben – Hieroglyphen!« – Er schrieb einige Briefe, gab mir sie sodann zu, mit Bitte, ich möchte noch selbst einige Zeilen darunter setzen.

Ich hatte mit einer Predigt zu tun und steckte die Briefe indessen in meine Tasche. In dem einen an eine adelige Dame in W., schien er sich mit Abadonna zu vergleichen; er redete von Abschied. – Der Brief war mir unverständlich, auch hatte ich nur einen Augenblick Zeit ihn zu übersehen, eh ich ihn von mir gab. In dem andern an die Mutter seiner Geliebten, sagt er, er könne ihr diesmal nicht mehr sagen, als daß ihre Friederike nun ein Engel sei und sie würde Satisfaktion bekommen.

Der Tag ging vergnügt und gut hin. Gegen Abend wurde ich nach Bellefosse zu einem Patienten geholt. Da ich zurück kam, kam mir Hr. L... entgegen. Es war gelind Wetter und Mondschein. Ich bat ihn nicht weit zu gehn und seines Fußes zu schonen. Er versprach's.

Ich war nun auf meinem Zimmer und wollte ihm jemand nachschikken, als ich ihn die Stieg herauf in sein Zimmer gehn hörte. Einen Augenblick nachher platzte etwas im Hof mit so starkem Schall, daß es mir unmöglich vom dem Fall eines Menschen herkommen zu können schien. Die Kindsmagd kam todblaß und am ganzen Leib zitternd zu meiner Frau: Hr. L. hätte sich zum Fenster hinaus gestürzt. Meine Frau rief mir mit verwirrter Stimme – ich sprang heraus, und da war Hr. L. schon wieder in seinem Zimmer.

Ich hatte nur einen Augenblick Gelegenheit einer Magd zu sagen: »Vite, chez l'homme juré, qu'il me donne deux hommes«, und hierauf zu Hrn. Lenz.

Ich führte ihn mit freundlichen Worten auf mein Zimmer; er zitterte vor Frost am ganzen Leibe. Am Oberleib hatte er nichts an als das Hemd welches zerrissen und samt der Unterkleidung über und über kotig war. Wir wärmten ihm ein Hemd und Schlafrock und trockneten die seinigen. Wir fanden, daß er in der kurzen Zeit die er ausgegangen war, wieder mußte versucht haben sich zu ertränken, aber Gott hatte auch da wieder gesorgt. Seine ganze Kleidung war durch und durch naß.

Nun, dachte ich, hast du mich genug betrogen, nun mußt du betrogen, nun ist's aus, nun mußt du bewacht sein. Ich wartete mit großer Ungeduld auf die zwei begehrten Mann. Ich schrieb indessen an meiner Predigt fort und hatte Hrn. L... am Ofen, einen Schritt weit von mir sitzen. Keinen Augenblick traute ich von ihm, ich mußte harren. Meine Frau, die um mich besorgt war, blieb auch. Ich hätte so gerne wieder nach den begehrten Männern geschickt, konnte aber durchaus nicht mit meiner Frau oder sonst jemand davon reden; laut, hätte ers verstanden; heimlich, das wollten wir nicht, weil die geringste Gelegenheit zu Argwohn auf solche Personen allzu heftig Eindruck macht. Um halb neun gingen wir zum Essen; es wurde, wie natürlich, wenig geredet; meine Frau zitterte vor Schrecken und Hr⟨...⟩ L... vor Frost und Verwirrung.

Nach kaum viertelstündigem Beisammensitzen fragte er mich ob er nicht hinauf in mein Zimmer dürfte? – Was wollen sie machen, mein Lieber? – etwas lesen – gehn Sie in Gottes Namen; – er ging, und ich, mich stellend als ob ich genug gegessen, folgte ihm.

Wir saßen; ich schrieb, er durchblätterte meine französische Bibel mit furchtbarer Schnelle, und ward endlich stille. Ich ging einen Augenblick in die Stubkammer ohne im allergeringsten mich aufzuhalten, nur etwas zu nehmen das in dem Pult lag. Meine Frau stand inwendig in der Kammer an der Tür und beobachtete Hrn. L.; ich faßte den Schritt wieder heraus zu gehen, da schrie meine Frau mit gräßlicher, hohler, gebrochener Stimme: »Herr Jesus, er will sich erstechen!« In meinem Leben hab ich keinen solchen Ausdruck eines tödlichen, verzweifelten Schreckens gesehn als in dem Augenblick, in den verwilderten, gräßlich verzogenen Gesichtszügen meiner Frau.

Ich war haußen. – Was wollen Sie doch immer machen, mein Lieber? – Er legte die Schere hin. – Er hatte mit scheußlich starren Blicken umher geschaut, und da er Niemand in der Verwirrung erblickte, die Schere still an sich gezogen, mit fest zusammen gezogener Faust sie gegen das Herz gesetzt, alles dies so schnell daß nur Gott den Stoß so lange aufhalten konnte, bis das Geschrei meiner Frau ihn erschreckte und etwas zu sich selber brachte. Nach einigen Augenblicken nahm ich die Schere, gleichsam als in Gedanken und wie ohne Absicht auf ihn, hinweg; dann, da er mich feierlich versichern wollte daß er sich nicht damit umzubringen gedacht hätte, wollte ich nicht tun als wenn ich ihm gar nicht glaubte.

Weil alle vorigen Vorstellungen wider seine Entleibungssucht nichts bei ihm gefruchtet hatten, versuchte ich's auf eine andre Art. Ich sagte ihm: Sie waren bei uns durchaus ganz fremd, wir kannten sie ganz und gar nicht; ihren Namen haben wir ein einzigmal aussprechen hören, ehe wir sie gekannt; wir nahmen sie mit Liebe auf, meine Frau pflegte Ihren kranken Fuß mit so großer Geduld und sie erzeigen uns so viel Böses, stürzen uns aus einem Schrecken in den andern. – Er war gerührt, sprang auf, wollte meine Frau um Verzeihung bitten; sie aber fürchtete sich nun noch so viel vor ihm, sprang zur Türe hinaus; er wollte nach, sie aber hielt die Türe zu. – Nun jammerte er, er hätte meine Frau umgebracht, das Kind umgebracht so sie trage; Alles, Alles bring' er um, wo er hin käme. – Nein, mein Freund, meine Frau lebt noch und Gott kann die schädlichen Folgen des Schreckens wohl hemmen, auch würde ihr Kind nicht davon sterben noch Schaden leiden. – Er wurde wieder ruhiger. Es schlug bald zehn Uhr. Indessen hatte meine Frau in die Nachbarschaft um schleunige Hilfe geschickt. Man war in den Betten; doch kam der Schulmeister, tat als ob er mich etwas zu fragen hätte, erzählte mir etwas aus dem Kalender, und Hr. L., der indessen wieder munter wurde, nahm auch Teil am Diskurs, wie wenn durchaus nichts vorgefallen wäre.

Endlich winkte man mir, daß die zwei begehrten Männer angekommen – o wie war ich so froh! Es war Zeit, eben begehrte Hr. L. zu Bette

zu gehn. Ich sagte ihm: »Lieber Freund, wir lieben Sie, Sie sind davon
überzeugt, und Sie lieben uns, das wissen wir eben so gewiß. Durch
Ihre Entleibung würden Sie Ihren Zustand verschlimmern, nicht verbessern; es muß uns also an Ihrer Erhaltung gelegen sein. Nun aber
sind Sie, wenn Sie die Melancholie überfällt, Ihrer nicht Meister; ich
habe daher zwei Männer gebeten in Ihrem Zimmer zu schlafen (wachen
dachte ich), damit Sie Gesellschaft, und wo es nötig, Hilfe hätten. Er
ließ sich's gefallen.

Man wundere sich nicht, daß ich so sagte, und mit ihm umging; er
zeigte immer großen Verstand und ein ausnehmend teilnehmendes
Herz; wenn die Anfälle der Schwermut vorüber waren, schien alles so
sicher und er selbst war so liebenswürdig, daß man sich fast ein Gewissen daraus machte ihn zu argwohnen oder zu genieren. Man setze noch
das zärtlichste Mitleiden hinzu, daß seine unermeßliche Qual, deren
Zeuge wir nun so oft gewesen, uns einflößen mußte. Denn fürchterlich
und höllisch war es was er ausstand, und es durchbohrte und zerschnitt
mir das Herz, wenn ich an seiner Seite die Folge der Prinzipien die so
manche heutige Modebücher einflößen, die Folgen seines Ungehor-
sams gegen seinen Vater, seiner herumschweifenden Lebensart, seiner
unzweckmäßigen Beschäftigungen, seines häufigen Umgangs mit Frau-
enzimmern, durchempfinden mußte. Es war mir schrecklich und ich
empfand eigene, nie empfundene Marter, wenn er, auf den Knien lie-
gend, seine Hand in meiner, seinen Kopf auf meinem Knie gestützt,
sein blasses, mit kaltem Schweiß bedecktes Gesicht in meinem Schlafrock verhüllt, am ganzen Leibe bebend und zitternd, wenn er so, nicht
beichtete, aber die Ausflüsse seines gemarte⟨r⟩ten Gewissens und un-
befriedigten Sehnsucht nicht zurück halten konnte. – Er war mir um so
bedauerungswürdiger, je schwerer ihm zu seiner Beruhigung beizu-
kommen war, da unsere gegenseitigen Prinzipien einander gewaltig
zuwider, wenigstens von einander verschieden schienen.

Nun wieder zur Sache: Ich sagte, er ließ sich's gefallen zwei Männer
auf seinem Zimmer zu haben. Ich begleitete ihn hinein. Der eine seiner
Wächter durchschaute ihn mit starren, erschrockenen Augen. Um diesen etwas zu beruhigen sagte ich dem Hr⟨n⟩. L. nun vor den zwei
Wächtern auf französisch was ich ihm vorhin schon auf meinem Zimmer gesagt hatte, nämlich, daß ich ihn liebte, so wie er mich; daß ich
seine Erhaltung wünschte und wünschen müßte, da⟨ß⟩ er selbst sähe
daß ihm die Anfälle seiner Melancholie fast keine Macht mehr über ihn
ließen; ich hätte daher diese zwei Bürger gebeten bei ihm zu schlafen,
damit er Gesellschaft, und, im Fall der Not, Hilfe hätte. Ich beschloß
dies mit einigen Küssen die ich dem unglücklichen Jüngling von gan-
zem Herzen auf den Mund drückte, und ging mit zerschlagenen, zit-
ternden Gliedern zur Ruhe.

Da er im Bett war sagte er unter andern zu seinen Wächtern: »Ecou-
tez, nous ne voulons point faire de bruit, si vous avez un couteau,
donnez-le moi tranquillement et sans rien craindre.« Nachdem er oft
deswegen in sie gesetzt und nichts zu erhalten war, so fing er an sich

den Kopf an die Wand zu stoßen. Während dem Schlaf hörten wir ein öfteres Poltern das uns bald zu-, bald abzunehmen schien, und wovon wir endlich erwachten. Wir glaubten es wäre auf der Bühne, konnten aber keine Ursache davon erraten. – Es schlug drei, und das Poltern währte fort; wir schellten um ein Licht zu bekommen; unsre Leute waren alle in fürchterlichen Träumen versenkt und hatten Mühe sich zu ermuntern. Endlich erfuhren wir daß das Poltern von Hrn. L. käme und zum Teil von den Wächtern, die, weil sie ihn nicht aus den Händen lassen durften, durch Stampfen auf den Boden Hilfe begehrten. Ich eilte in sein Zimmer. So bald er mich sah, hörte er auf sich den Wächtern aus den Händen ringen zu wollen. Die Wächter ließen dann auch nach ihn festzuhalten. Ich winkte ihnen ihn frei zu lassen, saß auf sein Bette, redete mit ihm, und auf sein Begehren für ihn zu beten, betete ich mit ihm. Er bewegte sich ein wenig, und einsmals schmiß er seinen Kopf mit großer Gewalt an die Wand, die Wächter sprangen zu und hielten ihn wieder.

Ich ging und ließ einen dritten Wächter rufen. Da Hr. L. den dritten sah, spottete er ihrer, sie würden alle drei nicht stark genug für ihn sein.

Ich befahl in's geheime mein Wäglein einzurichten, zu decken, noch zwei Pferde zu suchen zu dem Meinigen, beschickte Seb. Scheidecker, Schullehrer von Bellefosse und Johann David Bohy, Schullehrer von Solb⟨ach⟩, zween verständige, entschlossene Männer und beide von Hrn. L. geliebt. Johann Georg Claude, Kirchenpfleger von Waldersbach, kam auch; es wurde lebendig im Haus, ob es schon noch nicht Tag war. Hr. L. merkte was, und so sehr er bald List, bald Gewalt angewendet hatte los zu kommen, den Kopf zu zerschmettern, ein Messer zu bekommen, so ruhig schien er auf ein Mal.

Nachdem ich alles bestellt hatte, ging ich zu Hrn. L., sagte ihm, damit er bessere Verpflegung nach seinen Umständen haben könnte, hatte ich einige Männer gebeten ihn nach Straßburg zu begleiten und mein Wäglein stünde ihm dabei zu Diensten.

Er lag ruhig, hatte nur einen einzigen Wächter bei sich sitzen. Auf meinen Vortrag jammerte er, bat mich nur noch acht Tage mit ihm Geduld zu haben (man mußte weinen wenn man ihn sah). – Doch sprach er, er wolle es überlegen. Eine Viertelstunde darauf ließ er mir sagen: Ja, er wolle verreisen, stund auf, kleidete sich an, war ganz vernünftig, packte zusammen, dankte jedem in's besondere auf das Zärtlichste, auch seinen Wächtern, suchte meine Frau und Mägde auf, die sich vor ihm versteckt und stille hielten, weil kurz vorher noch, sobald er nur eine Weiberstimme hörte, oder zu hören glaubte, er in größere Wut geriet. Nun fragte er nach allen, dankte allen, bat alle um Vergebung, kurz nahm von jedem so rührend Abschied, daß aller Augen in Tränen gebadet stunden.

Und so reiste dieser bedauerungswürdige Jüngling von uns ab, mit drei Begleitern und zwei Fuhrleuten. Auf der Reise wandte er nirgends keine Gewalt an, da er sich übermannt sahe; aber wohl List, besonders zu Ensisheim, wo sie über Nacht blieben. Aber die beiden Schulmeister erwiderten seine listige Höflichkeit mit der Ihrigen, und alles ging vortrefflich wohl aus.

So oft wir reden wird von uns geurteilt, will geschweigen, wenn wir handeln. Hier schon fällt man verschiedene Urteile von uns; die Einen sagten: wir hätten ihn gar nicht aufnehmen sollen, – die Andern: wir hätten ihn nicht so lange behalten, – und die Dritten: wir hätten ihn noch nicht fortschicken sollen.

So wird es, denke ich, zu Straßburg auch sein. Jeder urteilt nach seinem besondern Temperament (und anders kann er nicht) und nach der Vorstellung, die er sich von der ganzen Sache macht, die aber unmöglich getreu und richtig sein kann, wenigstens m⟨üss⟩en unendlich viele Kettengleiche darin fehlen, ohne die man kein richtig Urteil fällen kann, die aber außer uns nur Gott bekannt sein und werden können; weil es unmöglich wäre sie getreu zu beschreiben, und doch oft in einem Ton, in einem Blick, der nicht beschrieben werden kann, etwas steckt, das mehr bedeutet als vorhergegangene erzählbare Handlungen.

Alles was ich auf die nun, auch die zu erwartenden, einander zuwiderlaufenden, sich selbst bestreitenden Urteile, antworten werde, ist: Alles was wir hierin getan, haben wir vor Gott getan, und so wie wir jedesmal allen Umständen nach glaubten, daß es das Beste wäre.

Ich empfehle den bedauerungswürdigen Patienten der Fürbitte meiner Gemeinen und empfehle ihn ⟨in⟩ der nämlichen Absicht jedem der dies liest.

⟨in: Erwinia, ein Blatt zur Unterhaltung und Belehrung, in Verbindung mit Schriftstellern Deutschlands, der Schweiz und des Elsasses herausgegeben von August Stöber. Jg. 1838 und 1839, S. 6–8, 14–16, 20–22.⟩

B) JOHANN WOLFGANG GOETHE:
AUS MEINEM LEBEN. DICHTUNG UND WAHRHEIT

»Will Jemand unmittelbar erfahren, was damals in dieser lebendigen Gesellschaft gedacht, gesprochen und verhandelt worden, der lese den Aufsatz *Herders über Shakspeare*, in dem Hefte *von deutscher Art und Kunst*, ferner *Lenzens Anmerkungen über's Theater*, denen eine Übersetzung von Love's labours lost hinzugefügt war. Herder dringt in das Tiefere von Shakspeare's Wesen und stellt es herrlich dar; Lenz beträgt sich mehr bilderstürmerisch gegen die Herkömmlichkeit des Theaters, und will dann eben all und überall nach Shakspearescher Weise gehandelt haben. Da ich diesen so talentvollen als seltsamen Menschen hier zu erwähnen veranlaßt werde, so ist wohl der Ort, versuchsweise einiges über ihn zu sagen. Ich lernte ihn erst gegen das Ende meines Straßburger Aufenthalts kennen. Wir sahen uns selten; seine Gesellschaft war nicht die meine, aber wir suchten doch Gelegenheit uns zu treffen, und teilten uns einander gern mit, weil wir, als gleichzeitige Jünglinge,

ähnliche Gesinnungen hegten. Klein, aber nett von Gestalt, ein allerliebstes Köpfchen, dessen zierlicher Form niedliche etwas abgestumpfte Züge vollkommen entsprachen; blaue Augen, blonde Haare, kurz
ein Persönchen, wie mir unter nordischen Jünglingen von Zeit zu Zeit
eins begegnet ist; einen sanften, gleichsam vorsichtigen Schritt, eine
angenehme nicht ganz fließende Sprache, und ein Betragen, das zwischen Zurückhaltung und Schüchternheit sich bewegend, einem jungen
Manne gar wohl anstand. Kleinere Gedichte, besonders seine eignen,
las er sehr gut vor, und schrieb eine fließende Hand. Für seine Sinnesart
wüßte ich nur das englische Wort whimsical, welches, wie das Wörterbuch ausweist, gar manche Seltsamkeiten in einem Begriff zusammenfaßt. Niemand war vielleicht eben deswegen fähiger als er, die Ausschweifungen und Auswüchse des Shakspeareschen Genies zu empfinden und nachzubilden. Die obengedachte Übersetzung gibt ein Zeugnis hievon. Er behandelt seinen Autor mit großer Freiheit, ist nichts
weniger als knapp und treu, aber er weiß sich die Rüstung oder vielmehr die Possenjacke seines Vorgängers so gut anzupassen, sich seinen
Gebärden so humoristisch gleichzustellen, daß er demjenigen, den solche Dinge anmuteten, gewiß Beifall abgewann.

⟨...⟩

⟨...⟩ Das Äußerliche dieses merkwürdigen Menschen ist schon umrissen, seines humoristischen Talents mit Liebe gedacht; nun will ich
von seinem Charakter mehr in Resultaten als schildernd sprechen, weil
es unmöglich wäre, ihn durch die Umschweife seines Lebensganges zu
begleiten, und seine Eigenheiten darstellend zu überliefern.

Man kennt jene Selbstquälerei, welche, da man von außen und von
andern keine Not hatte, an der Tagesordnung war, und gerade die
vorzüglichsten Geister beunruhigte. Was gewöhnliche Menschen, die
sich nicht selbst beobachten, nur vorübergehend quält, was sie sich aus
dem Sinne zu schlagen suchen, das ward von den bessern scharf bemerkt, beachtet, in Schriften, Briefen und Tagebüchern aufbewahrt.
Nun aber gesellten sich die strengsten sittlichen Forderungen an sich
und andere zu der größten Fahrlässigkeit im Tun, und ein aus dieser
halben Selbstkenntnis entspringender Dünkel verführte zu den selt-
samsten Angewohnheiten und Unarten. Zu einem solchen Abarbeiten
in der Selbstbeobachtung berechtigte jedoch die aufwachende empirische Psychologie, die nicht gerade alles was uns innerlich beunruhigt,
für bös und verwerflich erklären wollte, aber doch auch nicht alles
billigen konnte; und so war ein ewiger nie beizulegender Streit erregt.
Diesen zu führen und zu unterhalten übertraf nun Lenz alle übrigen
Un- oder Halbbeschäftigten, welche ihr Inneres untergruben, und so
litt er im Allgemeinen von dem Zeitgesinnung, welche durch die Schilderung Werther's abgeschlossen sein sollte; aber ein individueller Zu-
schnitt unterschied ihn von allen übrigen, die man durchaus für offene
redliche Seelen anerkennen mußte. Er hatte nämlich einen entschiedenen Hang zur Intrige, und zwar zur Intrige an sich, ohne daß er
eigentliche Zwecke, verständige, selbstische, erreichbare Zwecke dabei

gehabt hätte; vielmehr pflegte er sich immer etwas Fratzenhaftes vor-
zusetzen, und eben deswegen diente es ihm zur beständigen Unterhaltung. Auf diese Weise war er Zeitlebens ein Schelm in der Einbildung,
seine Liebe wie sein Haß waren imaginär, mit seinen Vorstellungen und
Gefühlen verfuhr er willkürlich, damit er immer fort etwas zu tun
haben möchte. Durch die verkehrtesten Mittel suchte er seinen Neigungen und Abneigungen Realität zu geben, und vernichtete sein Werk
immer wieder selbst; und so hat er Niemanden den er liebte, jemals
genützt, Niemanden den er haßte, jemals geschadet, und im Ganzen
schien er nur zu sündigen, um sich strafen, nur zu intriguieren, um eine
neue Fabel auf eine alte pfropfen zu können.

Aus wahrhafter Tiefe, aus unerschöpflicher Produktivität ging sein
Talent hervor, in welchem Zartheit, Beweglichkeit und Spitzfindigkeit
mit einander wetteiferten, das aber, bei aller seiner Schönheit, durchaus
kränkelte, und gerade diese Talente sind am schwersten zu beurteilen.
Man konnte in seinen Arbeiten große Züge nicht verkennen; eine liebliche Zärtlichkeit schleicht sich durch zwischen den albernsten und
barockesten Fratzen, die man selbst einem so gründlichen und an-
spruchslosen Humor, einer wahrhaft komischen Gabe kaum verzeihen
kann. Seine Tage waren aus lauter Nichts zusammengesetzt, dem er
durch seine Rührigkeit eine Bedeutung zu geben wußte, und er konnte
um so mehr viele Stunden verschlendern, als die Zeit die er zum Lesen
anwendete, ihm, bei einem glücklichen Gedächtnis, immer viel Frucht
brachte, und seine originelle Denkweise mit mannigfaltigem Stoff be-
reicherte.

Man hatte ihn mit liefländischen Kavalieren nach Straßburg gesen-
det, und einen Mentor nicht leicht unglücklicher wählen können. Der
ältere Baron ging für einige Zeit ins Vaterland zurück, und hinterließ
eine Geliebte, an die er fest geknüpft war. Lenz, um den zweiten Bruder, der auch um dieses Frauenzimmer warb, und andere Liebhaber
zurückzudrängen, und das kostbare Herz seinem abwesenden Freunde
zu erhalten, beschloß nun selbst sich in die Schöne verliebt zu stellen,
oder, wenn man will, zu verlieben. Er setzte diese seine These mit der
hartnäckigsten Anhänglichkeit an das Ideal, das er sich von ihr gemacht
hatte, durch, ohne gewahr werden zu wollen, daß er so gut als die
übrigen ihr nur zum Scherz und zur Unterhaltung diene. Desto besser
für ihn! denn bei ihm war es auch nur Spiel, welches desto länger
dauern konnte als sie es ihm gleichfalls spielend erwiderte, ihn bald
anzog, bald abstieß, bald hervorrief, bald hintansetzte. Man sei überzeugt, daß wenn er zum Bewußtsein kam, wie ihm denn das zuweilen
zu geschehen pflegte, er sich zu einem solchen Fund recht behaglich
Glück gewünscht habe.

Übrigens lebte er, wie seine Zöglinge, meistens mit Offizieren der
Garnison, wobei ihm die wundersamen Anschauungen, die er später in
dem Lustspiel *die Soldaten* aufstellte, mögen geworden sein. Indessen
hatte diese frühe Bekanntschaft mit dem Militär die eigene Folge für
ihn, daß er sich für einen großen Kenner des Waffenwesens hielt; auch

hatte er wirklich dieses Fach nach und nach so im Detail studiert, daß er, einige Jahre später, ein großes Memoire an den französischen Kriegsminister aufsetzte, wovon er sich den besten Erfolg versprach. Die Gebrechen jenes Zustandes waren ziemlich gut gesehn, die Heilmittel dagegen lächerlich und unausführbar. Er aber hielt sich überzeugt, daß er dadurch bei Hofe großen Einfluß gewinnen könne, und wußte es den Freunden schlechten Dank, die ihn, teils durch Gründe, teils durch tätigen Widerstand, abhielten, dieses phantastische Werk, das schon sauber abgeschrieben, mit einem Briefe begleitet, couvertiert und förmlich adressiert war, zurückzuhalten, und in der Folge zu verbrennen.

Mündlich und nachher schriftlich hatte er mir die sämtlichen Irrgänge seiner Kreuz- und Querbewegungen, in Bezug auf jenes Frauenzimmer vertraut. Die Poesie die er in das Gemeinste zu legen wußte, setzte mich oft in Erstaunen, so daß ich ihn dringend bat, den Kern dieses weitschweifigen Abenteuers geistreich zu befruchten, und einen kleinen Roman daraus zu bilden; aber es war nicht seine Sache, ihm konnte nicht wohl werden, als wenn er sich grenzenlos im Einzelnen verfloß und sich an einem unendlichen Faden ohne Absicht hinspann. Vielleicht wird es dereinst möglich, nach diesen Prämissen, seinen Lebensgang, bis zu der Zeit da er sich in Wahnsinn verlor, auf irgend eine Weise anschaulich zu machen; gegenwärtig halte ich mich an das Nächste, was eigentlich hierher gehört.

Kaum war Goetz von Berlichingen erschienen, als mir Lenz einen weitläuftigen Aufsatz zusendete, auf geringes Konzeptpapier geschrieben, dessen er sich gewöhnlich bediente, ohne den mindesten Rand weder oben noch unten, noch an den Seiten zu lassen. Diese Blätter waren betitelt: *Über unsere Ehe,* und sie würden, wären sie noch vorhanden, uns gegenwärtig mehr aufklären als mich damals, da ich über ihn und sein Wesen noch sehr im Dunkeln schwebte. Das Hauptabsehen dieser weitläuftigen Schrift war, mein Talent und das seinige neben einander zu stellen; bald schien er sich mir zu subordinieren, bald sich mir gleich zu setzen; das alles aber geschah mit so humoristischen und zierlichen Wendungen, daß ich die Ansicht, die er mir dadurch geben wollte, um so lieber aufnahm, als ich seine Gaben wirklich sehr hoch schätzte und immer nur darauf drang, daß er aus dem formlosen Schweifen sich zusammenziehen, und die Bildungsgabe, die ihm angeboren war, mit kunstgemäßer Fassung benutzen möchte. Ich erwiderte sein Vertrauen freundlichst, und weil er in seinen Blättern auf die innigste Verbindung drang (wie denn auch schon der wunderliche Titel andeutete), so teilte ich ihm von nun an alles mit, sowohl das schon Gearbeitete als was ich vorhatte; er sendete mir dagegen nach und nach seine Manuskripte, den *Hofmeister,* den *neuen Menoza,* die *Soldaten,* Nachbildungen des *Plautus,* und jene Übersetzung des englischen Stücks als Zugabe zu den *Anmerkungen über das Theater.*

Bei diesen war es mir einigermaßen auffallend, daß er in einem lakonischen Vorberichte sich dahin äußerte, als sei der Inhalt dieses Aufsatzes, der mit Heftigkeit gegen das regelmäßige Theater gerichtet war, schon vor einigen Jahren, als Vorlesung, einer Gesellschaft von Literaturfreunden bekannt geworden, zu der Zeit also, wo Goetz noch nicht geschrieben gewesen. In Lenzens Straßburger Verhältnissen schien ein literarischer Zirkel den ich nicht kennen sollte, etwas problematisch; allein ich ließ es hingehen, und verschaffte ihm zu dieser wie zu seinen übrigen Schriften bald Verleger, ohne auch nur im mindesten zu ahnden, daß er mich zum vorzüglichsten Gegenstande seines imaginären Hasses, und zum Ziel einer abenteuerlichen und grillenhaften Verfolgung aussehn hatte.

⟨...⟩

Wenn Redner und Schriftsteller, in Betracht der großen Wirkung welche dadurch hervorzubringen ist, sich gern der Kontraste bedienen, und sollten sie auch erst aufgesucht und herbeigeholt werden; so muß es dem Verfasser um so angenehmer sein, daß ein entschiedener Gegensatz sich ihm anbietet, indem er nach Lenzen von *Klingern* zu sprechen hat. Beide waren gleichzeitig, bestrebten sich in ihrer Jugend mit und neben einander. Lenz jedoch, als ein vorübergehendes Meteor, zog nur augenblicklich über den Horizont der deutschen Literatur hin und verschwand plötzlich, ohne im Leben eine Spur zurückzulassen; Klinger hingegen, als einflußreicher Schriftsteller, als tätiger Geschäftsmann, erhält sich noch bis auf diese Zeit.«

(Johann Wolfgang Goethe: Sämtliche Werke nach Epochen seines Schaffens, Münchner Ausgabe, Bd. 16, München 1985, S. 527f., S. 632–639)

Anmerkungen

135　*Lenz:* Der Titel ist wahrscheinlich von Karl Gutzkow, dem ersten Herausgeber der Erzählung, hinzugefügt worden (vgl. Gersch 1984, S. 59), das hieße: er ist von B., der ihn wohl nur als eine Art Arbeitstitel benutzte (vgl. Gersch 1981a, S. 12f., 111), nicht autorisiert.

137　*Den 20.:* Nach Oberlins Bericht hielt sich der historische Lenz vom 20. Januar bis zum 8. Februar 1778 in Waldersbach im Steintal auf, insgesamt also zwanzig Tage. – *Gebirg:* B.s Erzählung spielt in den Vogesen, genauer: im später (144, 147, 148) namentlich erwähnten »Steintal« (Le Ban de la Roche), das seinen Namen von der mittelalterlichen Schloßruine Burg Stein (Château de la Roche) hat. Das elsässische Steintal liegt nahe der Grenze zu Lothringen und gehört heute zum Département Bas-Rhin (Niederrhein). – B. kannte die Südvogesen von einer etwa zehntägigen Wandertour, die er, zusammen mit seinem Straßburger Großonkel Edouard Reuss (1804–91) und vier weiteren Reiseteilnehmern, in der Zeit vom 25. Juni bis um den 4. Juli 1833 von Straßburg aus unternommen hat (vgl. B.s Brief vom 8. Juli 1833, Nr. 13); das

Steintal und Waldersbach aber, den Schauplatz seiner Erzählung, kannte er höchstwahrscheinlich nicht: denn die neuerdings genau rekonstruierte Vogesenreise Büchners (vgl. Hauschild, S. 322–330) führte nicht durch das Tal der Bruche (Breusch) und das Steintal in die Nord-, sondern über Sélestat durch das Lièpvrette-Tal in die Südvogesen zum Grand Ballon (Belchenkopf) und zu den Quellen der Mosel. Durch die Ermittlung der genauen Route der Vogesenreise von Ende Juni/Anfang Juli 1833 »werden sich jene Interpreten bestätigt finden, denen Büchners Landschaftsschilderung im *Lenz* immer schon merkwürdig, ›deplaziert‹ vorkam – weniger auf das enge Ban de la Roche, als vielmehr auf die gebirgigen Südvogesen passend. Es bedurfte also nicht des genius loci des Steintals, um den sonst so quellentreuen Autor zu der eindrucksvollen Landschaftsbeschreibung anzuregen. In diesem Fall hat er dem historischen Jakob Michael Reinhold Lenz nicht nur eigene Seelenstimmungen, sondern kurzerhand auch eigene ortsgebundene Naturerfahrungen untergeschoben.« (Hauschild, S. 323). – *dicht:* Das Adverb hat hier wahrscheinlich nicht die übliche Bedeutung des fest Zusammenhängenden bzw. Zusammengedrängten, sondern die seltener belegte Bedeutung ›nahe‹, ›nahe daran‹, ›nahebei‹ (vgl. Grimm). Vgl. Pascal, S. 75, Anm. 1: »clouds so close to the traveller on the hills that they cause him a gasp of panic as they sweep towards him«. – *nur war es ihm manchmal unangenehm, daß er nicht auf dem Kopf gehn konnte:* N. A. Furness (S. 314f.) vermutet, daß es sich bei diesem vielinterpretierten Satz um eine bewußte Anspielung auf Cervantes' Roman ›Don Quixote‹ handelt, dessen Titelheld im Gebirge plötzlich Purzelbäume schlägt und sich auf den Kopf stellt, was sein Diener Sancho als Indiz dafür ansieht, daß sein Herr »unsinnig« bzw. ein »Narr« geworden sei. Mit der Anspielung auf den kopfstehenden Don Quixote hat B. den zeitgenössischen, gebildeten Leser möglicherweise von vornherein auf den besonderen, ›verrückten‹ Geisteszustand seines ›wahnsinnigen‹ Titelhelden hinweisen wollen. – *wenn der Sturm das Gewölk in die Täler warf:* vgl. B.s Brief vom 8. Juli 1833 (Nr. 13) mit der knappen Schilderung seiner Reise in die Vogesen: »Plötzlich trieb der Sturm das Gewölke die Rheinebene herauf« (S. 280).

138 *die Erde wich unter ihm, sie wurde klein:* vgl. *Leonce und Lena* II, 2: »Die Erde hat sich ängstlich zusammengeschmiegt, wie ein Kind« (S. 177). – *wandelnder Stern:* Wandelstern: im 17. Jh. gebildete Verdeutschung von ›Planet‹, später auch für ›Komet‹ gebraucht. Von den »puristen um 1800 empfohlen, aber doch nur wenig über die poetische sprache ⟨...⟩ hinaus gedrungen« (vgl. Grimm). – *als jage der Wahnsinn auf Rossen hinter ihm:* Personifizierungen des Wahnsinns durch anthropomorphe Verbmetaphern finden sich auch in *Dantons Tod* (IV,3; IV,5): »Der Wahnsinn faßte mich bei den Haaren« (S. 125), »Der Wahnsinn saß hinter

ihren Augen« (S. 127). Gegen Ende der Erzählung heißt es von
Lenz: »der Wahnsinn packte ihn« (S. 156). – *Waldbach:* offizieller
Name heute: Waldersbach; 520 Meter hoch gelegener Ort im el-
sässischen Steintal. Das Steintal war zu Oberlins Zeiten in zwei
Pfarreien aufgeteilt: Waldersbach und Rothau. Zu der von Oberlin
betreuten Kirchengemeinde Waldersbach gehörten außer dem
Hauptdorf noch die vier Dörfer Fouday, Belmont, Bellefosse und
Solbach sowie die drei Weiler Trouchy, La Hutte und Pendbois
(vgl. Pszcolla, S. 12). – *die blonden Locken:* In ›Dichtung und
Wahrheit‹ (3. Teil, 11. Buch) beschreibt Goethe das Äußere von
Lenz wie folgt: »Klein, aber nett von Gestalt, ein allerliebstes
Köpfchen, dessen zierlicher Form niedliche etwas abgestumpfte
Züge vollkommen entsprachen; blaue Augen, blonde Haare«. –
seine Kleider waren zerrissen: Über den Zustand der Kleidung von
Lenz bei seiner Ankunft in Waldbach macht Oberlin in seinem
Bericht keine Angaben. In August Stoebers ›Morgenblatt‹-Aufsatz
›Der Dichter Lenz‹ (Oktober 1831), den B. mit Sicherheit kannte,
heißt es, Lenz sei – als er Anfang 1778 zu Oberlin nach Waldbach
kam – »in seinem Äußern auf's Höchste vernachläßigt« gewesen
(A. Stöber, 1831, S. 1002), ein Hinweis, den B. in seiner Erzählung
konkretisiert. – Christoph Kaufmann, der Lenz zu Oberlin
schickte, hat einem Brief vom 29. November 1777 ein detailliertes
Inventar der defekten Garderobe Lenzens beigelegt, um den
Adressaten, einen wohlhabenden Kaufherrn, zur Mildtätigkeit
und Freigebigkeit zu bewegen. Im Anschluß an das Inventar
schreibt Kaufmann: »Sowie fast alles hier verzeichnete mangelbar
ist: so mangelt alles übrige, was ein ehrlicher, poetischer Kerl sonst
noch bedarf. Auch ist nichts von einer Uhr, silbernen Schnallen,
Degen oder Hirschfänger etc. vorhanden. Wer Lenz kennt, muß
ihn lieben und wer das sieht, muß mit mir fühlen, daß es für ihn
beständige Folter, nagender und zerstörender Gram ist, den er
ohne stille Hülfe nicht heben kann. Zulezt kann's gänzliche Zer-
nichtung des edeln Jünglings werden. ⟨...⟩ Wer helfen will, der
helfe bald mit edler Stille« (Baechtold, S. 168 f.). – *Oberlin:* Johann
Friedrich O. (1740–1826). Seit 1767 bis zu seinem Lebensende 59
Jahre protestantischer Pfarrer der Pfarrei Waldersbach (Waldbach). Vielseitig und unermüdlich tätiger Seelsorger, Volkserzie-
her, Pädagoge, Philanthrop, Sozialreformer, ›Kolonisator‹, Bau-
meister, ›Entwicklungshelfer‹, Wohltäter des unwirtlichen Steintals, ›Vater‹ der Steintäler. Kurz bevor der historische Lenz aus
Waldersbach nach Straßburg abtransportiert wurde, schrieb der
Fabeldichter Pfeffel am 6. Februar 1778 über Oberlin: »Er hat das
Steintal, das elsässische Sibirien, schon zur Hälfte umgeschaffen,
den höchst armen und verwilderten Einwohnern Liebe zur Arbeit,
zum Lesen und zu aufheiternden Künsten und, was unendlich
mehr ist, zu Sitten und Tugenden eingeflößt« (zit. nach: Heinsius,
S. 351). Oberlin begründete 1770 Strickschulen in Waldersbach,

Belmont und Bellefosse, veranlaßte 1773 die Einführung der
Baumwollspinnerei und -weberei im Steintal, nahm 1777 Beziehungen zu Basedows ›Philanthropinum‹ in Dessau auf, gründete
1778 einen landwirtschaftlichen Verein, 1782 die ›Christliche Gesellschaft‹ und 1785 eine Leih- und Kreditkasse, sympathisierte
mit der Französischen Revolution (deren positive Beurteilung bei
Oberlin im Religiösen wurzelte), begründete 1791 das Diakonis-
senamt im Steintal, legte Ende 1793 vor dem Allgemeinen Sicherheitsausschuß in Straßburg sein »Glaubensbekenntnis« ab, gewährte trotz eigener Gefährdung in der Schreckenszeit der Revolution Flüchtlingen und Verfolgten Zuflucht in seinem Haus, wurde Ende Juli 1794 einige Tage in Schlettstadt inhaftiert, nach der
Hinrichtung Robespierres Anfang August aus der Haft entlassen,
am 2. September 1794 ehrenvoll im Konvent erwähnt, 1803 Mitglied des Konsistoriums in Barr und 1819 von Ludwig XVIII. zum
Ritter der Ehrenlegion ernannt (vgl. Pczolla, S. 172–175). Bei
Oberlins Beerdigung am 5. Juni 1826 hielt der Präsident des Kon-
sistoriums in Barr, der Straßburger Pfarrer Johann Jacob Jaeglé, die
Trauerrede in der Kirche von Fouday. Als B. im November 1831
sein Studium in Straßburg begann, mietete er sich als Kost- und
Logisgänger bei dem protestantischen Pfarrer Jaeglé ein, dessen
Tochter Wilhelmine (Minna) B.s Geliebte und Verlobte wurde. –
Ich bin ein Freund von ...: Gemeint ist hier Kaufmann, dessen
Name in Oberlins Bericht durch die Initiale ›K‹ abgekürzt wird.
Zu Kaufmann vgl. zu S. 144. – *wenn's beliebt:* Höflichkeitsformel,
etwa im Sinne von ›wenn ich Sie bitten darf‹ oder ›bitte‹. – *»Ha,
ha, ha«:* Ausruf (zumeist in reduplizierter Form), mit dem einem
plötzlich etwas einfällt, mit dem man sich plötzlich an etwas erinnert; vgl. Grimm (Wieland: »Ha, ha! nun besinn' ich mich, rief
Pedrillo.« – Gellert: »Ha, ha, nun fällt mirs ein, was ich vergessen
habe.«). – *heimliche:* hier zunächst im Sinne von ›vertraut‹, ›ge-
mütlich‹, ›anheimelnd‹ (vgl. Grimm). Wichtig ist hier und an anderen Stellen der Erzählung (vgl. S. 141, 146) vor allem auch die
Bedeutung des Heimatlichen: nicht zufällig fängt Lenz in dem
»heimliche⟨n⟩ Zimmer« des Pfarrhauses sogleich an, »von seiner
Heimat« (S. 138 f.) zu erzählen. »Das Wort ›heimlich‹ ist eines der
Schlüsselwörter der Erzählung, gerade weil sie die Geschichte eines Heimatlosen ist, eines sozial und gesellschaftlich Ortlosen.«
(Großklaus, S. 73). – *Mutter:* Magdalena Salome Oberlin geb.
Witter (1747–83). Von ihren neun Kindern haben sieben überlebt.
Als sich Lenz in Waldersbach aufhielt, war Frau Oberlin schwan-
ger; ihr Sohn Henri-Gottfried wurde am 11. Mai 1778 geboren
(vgl. D. E. Stoeber, S. 186).

139 *das Pfarrhaus war zu eng:* Als der historische Lenz in Waldersbach war, bewohnte Oberlin noch das alte Pfarrhaus, das erst 1787
durch ein neues ersetzt wurde (vgl. Kurtz, S. 133 und 180). Das
alte, baufällige, dunkle und enge Pfarrhaus war »nur um weniger

besser als eine Hütte« (Kurtz, S. 38 f.). Über den Zustand des
armseligen Pfarrhauses äußerte sich Oberlin 1769: »Ich wohne
weiter in diesem alten Haus, wo ich mich mit der ständigen Rat-
tenplage und mit dem Durchsickern des Regens durch das löchrige
Dach abfinden muß« (zit. nach: Kurtz, S. 61). – *Schulhause:* Gegenüber dem Pfarrhaus ließ Oberlin 1769–71 ein neues Schulhaus
errichten (vgl. Kurtz, S. 59 und 61); im Kontrast zum alten, ärmli-
chen Pfarrhaus ein ansehnlicher Bau, der sogar über ein ›Besuchzimmer‹ verfügte, in das Oberlin Anfang 1778 seinen Gast logierte
(vgl. S. 521). – »*Vater unser*«: vgl. Matth. 6, 9–13. – *Mit Oberlin zu
Pferde durch das Tal:* »In seiner weitläufigen Gemeinde verbrach-
te Oberlin jeden Tag viel Zeit unterwegs. Bei gutem Wetter nahm
er sein Pferd, den braven Gaul ›Content‹ (›Zufrieden‹) und genoß
die Schönheiten der Natur und das freundliche ›Bonjour, Papa‹,
mit dem ihn überall am Weg seine Gemeindeglieder grüßten.«
(Kurtz, S. 98).

140 *Gespenst:* So im Erstdruck. Die von Fellmann (S. 35 und 113)
vorgeschlagene Konjektur »Gespinst« statt »Gespenst« erscheint
nicht angebracht: Grimm führt für ›Gespenst‹ u. a. die Bedeutungen ›scheinbild‹, ›trugbild‹ und ›unheimliche lufterscheinung‹ an;
Gespenst wird außerdem als Nebenform zu Gespinst belegt. – *In
den Hütten war es lebendig ... tröstete:* B.s Quelle für diese Passage ist die 1831 erschienene Oberlin-Biographie von D. E. Stoeber,
in der es von Oberlin heißt: »Voulant connaître tous les gens eux-
mêmes, leurs actions et manières, il fit très-souvent des visites dans
leurs domiciles et s'assura de tout, il trouva partout à rémédier, à
soulager les souffrances, à abaisser l'orgueil, à éclairer les ignorans,
à donner de l'émulation aux négligens, à redresser et perfectionner
l'éducation de la jeunesse, à rétablir la paix dans les familles et en-
tre les voisins, à faire éviter ou finir les procès ruineux et les
dépenses inutiles, à encourager le zèle et la diligence« (S. 114). –
Wege angelegt, Kanäle gegraben: Über Oberlin als Wegebauer
war B. durch Stoebers Oberlin-Biographie unterrichtet (vgl. D. E.
Stoeber, S. 133 f.). – *Er war schüchtern:* Nach Goethe, ›Dichtung
und Wahrheit‹ (3. Teil, 11. Buch) bewegte sich Lenz in seinem
Betragen »zwischen Zurückhaltung und Schüchternheit«. – *Bemerkungen:* Beobachtungen, Wahrnehmungen (vgl. Grimm). – *er
hätte der Sonne nachlaufen mögen:* Vgl. Brentanos Lustspiel ›Ponce de Leon‹ (11, 4): »Doch laufe ich den Sonnenstrahlen nach, und
komme endlich auf den Hügel, so ist es meistens währenddem
Nacht geworden.« B. kannte Brentanos Lustspiel sehr genau: *Leonce und Lena* weist viele Anklänge an und einige wörtliche Zitate
aus ›Ponce de Leon‹ auf. – *zuwider:* widrig, widerwärtig, feind-
lich, feindselig (vgl. Grimm); hier, wie oft in der Literatur, in
prädikativer Bedeutung. – *Shakespeare:* William S. (1564–1616).
Der englische Dramatiker war für die Vertreter des Sturm und
Drang das wichtigste dramatische Vorbild, ja das dichterische Ge-

nie par excellence. Von allen Stürmern und Drängern scheint sich
Lenz am intensivsten und produktivsten mit Shakespeare ausein-
andergesetzt zu haben, sowohl als Kritiker und Übersetzer Shake-
speares wie auch als shakespearisierender Dichter (vor allem in den
Dramen ›Der Hofmeister‹, ›Der neue Menoza‹, ›Die Soldaten‹).
Shakespeare, von Lenz als der »größte aller neuern dramatischen
Dichter« bezeichnet, steht im Mittelpunkt folgender Abhandlun-
gen bzw. Aufsätze von Lenz: ›Anmerkungen übers Theater‹
(1774), ›Über die Veränderung des Theaters im Shakespear‹ (1776),
›Das Hochburger Schloß‹ (1777). Übersetzt hat Lenz Shakespeares
Komödie ›Love's Labour's Lost‹ unter dem Titel ›Amor vincit
omnia‹ (1774) sowie Auszüge aus Shakespeares Geschichtsdramen
›Coriolan‹ und ›Pericles‹ (als Teil des Aufsatzes ›Das Hochburger
Schloß‹).

141 *Wie Oberlin ihm erzählte ... Wie den Leuten:* »Die ›wie‹-Reihung
der Motive« ist nach Gersch »eine Gedächtnisstütze für den Autor
selbst, ein Notat zur späteren Ausführung. An dieser Stelle treten
der Entwurfcharakter und das Unfertige des Textes offen zutage«
(Gersch, 1981 a, S. 9). – *wie ihn eine unaufhaltsame Hand auf der
Brücke gehalten hätte:* vgl. hierzu die Oberlin-Biographie von
D. E. Stoeber (S. 116), der eine Notiz Oberlins über eine Wunder-
erfahrung zitiert: »15 Février 1782. Moi en danger de périr dans les
neiges avec deux pensionnaires en voulant revenir de Rothau et le
lendemain sur le pont de deux poutres par-dessus la Bruche, *où je
fus remis en équilibre par une main invisible*«. – *anredete⟨n⟩:* im
Erstdruck »anredete« (vermutlich Druckfehler). – *seine Mutter:*
Dorothea Lenz geb. Neoknapp (1721–78), Tochter des Pastors
Neoknapp zu Neuhausen; seit 1744 mit Lenzens Vater, Christian
David Lenz, verheiratet. – Über seine Eltern schreibt Lenz an
Sophie La Roche im September 1775: »Meiner Mutter hab' ich alle
mein Pflegma – mein ganzes Glück – meinem Vater alle mein
Feuer – mein ganzes Unglück – zu danken. Beide verehre ich als in
ihrer Sphäre die würdigsten Menschen, die je gelebt haben. Beide
hab' ich Armer beleidiget – muß sie beleidigen.« (Freye/Stammler,
Bd. 1, S. 129). – *predigen ... nächsten Sonntag:* »Der Sonntags-
Gottesdienst im Steintal wurde jeweils abwechselnd in einer der
drei Kirchen abgehalten, in der Reihenfolge Waldersbach – Belmont – Waldersbach – Fouday – Waldersbach. Auf diese Weise
war in der Muttergemeinde Waldersbach alle vierzehn Tage, in
Belmont und Fouday alle vier Wochen Gottesdienst. In Waldersbach und Fouday wurde der Gottesdienst in französischer Sprache
gehalten, in Belmont in deutscher, aus Rücksicht auf die deutschen
Handwerker und Pächter jener Gegend.« (Kurtz, S. 91). – Die
Predigt, die der historische Lenz am 25. Januar 1778 (vgl. S. 522) in
der Waldersbacher Kirche hielt, muß demnach in französischer
Sprache gewesen sein. – *Sind Sie Theologe?:* Lenz hat an der Universität Königsberg (1768–71) und kurze Zeit auch in Straßburg

(Immatrikulation im Herbst 1774) Theologie studiert, ohne ein Abschlußexamen abzulegen – zur großen Enttäuschung des Vaters, der aus seinem Sohn Jakob gern „einen wackeren Theologen« gezogen hätte (Rudolf, S. 27). – *er dachte auf einen Text zum Predigen:* auf etwas denken, ›sinnen, nachsinnen, überlegen‹ (Grimm). – *die Kirche:* Die 1747–51 erbaute Kirche von Waldersbach steht noch heute. – Abbildung der Waldersbacher Kirche in: Pszczolla, S. 95.

142 *unter den Tönen hatte sein Starrkrampf sich ganz gelegt:* vgl. B.s Brief an Minna Jaeglé (um den 7. März 1834, Nr. 20): »Ein einziger, forthallender Ton aus tausend Lerchenkehlen schlägt durch die brütende Sommerluft ⟨...⟩. Die Frühlingsluft löste mich aus meinem Starrkrampf.« (S. 287). Im Brief wie in der Erzählung steht das Gelöstsein aus dem Starrkrampf in Verbindung mit Gesang und Musik. – *Laß in mir die heil'gen Schmerzen ... Leiden sei mein Gottesdienst:* von B. weitgehend »selbstgedichtete Strophe«, deren Schlußverse (3 und 4) der dritten Strophe eines pietistischen Kirchenliedes (»Gott, den ich als Liebe kenne, Der du Krankheit auf mich legst«; später auch als »Lied eines Kranken« bezeichnet) von Christian Friedrich Richter (1676–1711) entlehnt sind (vgl. Anz, S. 162). Die dritte Strophe des Richterschen Kirchenliedes lautet: »Leiden ist jetzt mein Geschäfte ⟨...⟩, Leiden ist jetzt mein Gewinnst; Das ist jetzt des Vaters Wille, Den verehr ich sanft und stille; Leiden ist mein Gottesdienst.« Richters Lied »Eines Kranken« ist erschienen im ›Neuen geistreichen Gesangbuch‹, das J. A. Freylinghausen 1714 in Halle herausgab (S. 940), in den posthum herausgegebenen ›Erbaulichen Betrachtungen über den Ursprung und Adel der Seelen‹ von Chr. Fr. Richter (Halle 1718, 2. Anhang, Nr. 20), die es bis 1815 auf insgesamt sechs Auflagen brachten, sowie in zahlreichen pietistischen Kirchengesangbüchern und Sammlungen christlicher Lieder. B. dürfte das verbreitete Lied »in seiner nachweisbar stark pietistisch geprägten Straßburger Umwelt und vielleicht aus den bis ins 19. Jahrhundert immer wieder aufgelegten ›Erbaulichen Betrachtungen‹ Richters selbst kennengelernt haben« (Anz, S. 162). – *Das All war für ihn in Wunden:* vgl. *Leonce und Lena* I,4: »Ist es denn wahr, die Welt sei ein gekreuzigter Heiland, die Sonne seine Dornenkrone und die Sterne die Nägel und Speere in seinen Füßen und Lenden?« (S. 173) sowie *Dantons Tod* III,7: »Das Nichts hat sich ermordet, die Schöpfung ist seine ⟨Gottes⟩ Wunde, wir sind seine Blutstropfen« (S. 119). – *göttliche, zuckende Lippen bückten sich über ihm aus:* vgl. B.s Brief an die Braut (um den 9.–12. März 1834, Nr. 21): »und Hände und Lippen bückten sich nieder« (S. 289). – *Wollust:* Die kontradiktorischen Begriffe ›Wollust‹ und ›Schmerz‹ sind in dieser Passage eng miteinander verknüpft: der Schmerz gewährt Lenz das Gefühl der Wollust, er empfindet die ›Wollust des Schmerzes‹. Diese oxymorische, aus der Sprache der Empfindsam-

keit (vgl. Anz, S. 164) übernommene Wendung benutzt B. im ›Fatalismus‹-Brief an die Braut (um den 9.–12. März 1834, Nr. 21, S. 289) sowie in *Dantons Tod* I,6 (S. 90). – *dämmerte es in ihm: fing es an, klar in ihm zu werden* (vgl. Grimm). – *er empfand ... weinte über sich:* vgl. *Leonce und Lena* II,2: »Ich bekomme manchmal eine Angst um mich und könnte mich in eine Ecke setzen und heiße Tränen weinen aus Mitleid mit mir.« (S. 176). Weiter unten (S. 149) heißt es von Lenz: »er lag in den heißesten Tränen«. – *der Vollmond ... das Gesicht:* vgl. *Leonce und Lena* II,4: »Der Mond ist wie ein schlafendes Kind, die goldnen Locken sind ihm im Schlaf über das liebe Gesicht heruntergefallen.« (S. 179)

143 *weißen Kleide:* vgl. *Leonce und Lena* II,4: »Steh auf in Deinem weißen Kleide und wandle hinter der Leiche durch die Nacht« (S. 180). In beiden Textstellen symbolisiert das »weiße Kleid« den Tod. – *Tod seines Vaters:* Oberlins Vater, Johann Georg Oberlin (1701–70), der Lehrer am evangelischen Gymnasium zu Straßburg war, ist am 6. März 1770 gestorben (vgl. D. E. Stoeber, S. 189). – *Geiste:* Der Glaube bzw. Aberglaube an Geister und Geistererscheinungen war unter den Bewohnern des Steintals bis ins 19. Jahrhundert weit verbreitet (vgl. Kurtz, S. 144f.). – *Somnambulismus:* Hier ist nicht etwa Schlafwandeln oder Mondsüchtigkeit gemeint, sondern der Zustand einer durch Schauen in ein tiefes Bergwasser selbst hervorgerufenen Hypnose. Im Hypnose-Zustand kann der Hypnotisierte wie beim Schlafwandeln komplexe Handlungen ausführen, an die er sich nach dem Erwachen gewöhnlich nicht erinnert. Oberlin hat sich intensiv mit solch unbewußten Zuständen wie Trance und Hypnose sowie insbesondere mit parapsychischen Fähigkeiten und Phänomenen wie Vorahnungen, Weissagungen, Visionen und Telepathie beschäftigt (vgl. Kurtz, S. 144). – *Die einfachste, reinste Natur ... die Luft:* Lenz entwickelt hier in wenigen Zügen »eine natur-mystische Lehre, die man als Präambel zum Kunstgespräch betrachten muß« (Schings, S. 70). – *wie die Blumen ... die Luft:* vgl. *Leonce und Lena* II,3, wo Lena von sich sagt: »Ich brauche Tau und Nachtluft wie die Blumen.« (S. 179). – *wie in den niedrigen Formen ... größer sei:* vgl. hierzu B.s Probevorlesung *Über Schädelnerven* vom November 1836: »Es dürfte wohl immer verg⟨eblic⟩h ⟨bleiben gerade mit der⟩ verwickeltsten Form, nämlich bei dem M⟨enschen anzufangen.⟩ Die einfachsten Formen leiten immer am Sichersten, wei⟨l in⟩ ihnen sich nur das Ursprüngliche, absolut Notwendige zeigt.« (S. 263) – *Ein andermal zeigte ihm Oberlin Farbentäfelchen ... repräsentiert würde:* Über Oberlins Farbensymbolik und -mystik konnte sich B. in der Oberlin-Biographie Daniel Ehrenfried Stoebers informieren: Oberlin »attachait un sens mystique aux couleurs ⟨...⟩. Le *rouge* signifie la *foi;* le *jaune, l'amour,* le *bleu,* la *science* ⟨...⟩. Chacun des douze apôtres de notre Seigneur et Sau-

veur Jésus-Christ a sa couleur, qui le distingue particulièrement, et une pierre précieuse qui lui est quasi appropriée. Apocalypse XXI, 14.« (D. E. Stoeber, S. 532–534). – *Stilling:* Johann Heinrich Jung (1740–1817), genannt Jung-Stilling (nach den ›Stillen im Lande‹), war pietistischer Arzt und Schriftsteller, studierte 1770–72 Medizin in Straßburg, wo er Goethe, Herder und Lenz kennenlernte, praktizierte als Arzt in Elberfeld, seit 1787 Professor der Ökonomie-, Finanz- und Kameralwissenschaften an der Universität Marburg, 1803–06 Professor der Staatswissenschaften in Heidelberg, danach Geheimer Hofrat beim badischen Großherzog in Karlsruhe. – Oberlin und Jung-Stilling standen seit 1801 in brieflichem und seit 1809 auch in persönlichem Kontakt. – *wie Stilling die Apokalypse zu lesen:* Jung-Stilling hat sich intensiv mit der Apokalypse, d.h. mit der Offenbarung des Johannes, dem letzten Buch des Neuen Testaments, beschäftigt. Vgl. bes. Jung-Stillings Schriften: ›Die Siegsgeschichte der christlichen Religion in einer gemeinnützigen Erklärung der Offenbarung Johannis‹ (1799) und ›Erster Nachtrag zur Siegsgeschichte der christlichen Religion in einer gemeinnützigen Erklärung der Offenbarung Johannis‹ (1805). Auch Oberlin hat »mit Enthusiasmus« die Apokalypse gelesen (vgl. D. E. Stoeber, S. 556).

144 *Kaufmann:* Christoph K. (1753–95), der Schweizer Stürmer und Dränger, Philanthropist, Schwärmer, Arzt und Lebensreformer, vertrat als ›Apostel der Geniezeit‹ kraftgenialische, als Anhänger Basedows philanthropische und als Jünger Lavaters religiösschwärmerische Ideen. Kaufmann hat Friedrich Maximilian Klingers Drama ›Wirrwarr‹ (1776) den Titel ›Sturm und Drang‹ und damit der ersten literarischen Jugendbewegung ihren Namen gegeben. In den 80er Jahren schloß sich Kaufmann der Herrnhuter Brüdergemeine an und praktizierte seit 1782 als Arzt in Schlesien. – Kaufmann und Lenz kannten sich 1777/78 schon seit längerer Zeit, wohl seit 1774/75, als sich beide in Straßburg aufhielten. Bevor Lenz im Januar 1778 zu Oberlin ins Steintal reiste, hatte er im Herbst und Winter des Jahres 1777 längere Zeit Aufnahme bei Kaufmann in Winterthur und auf Schloß Hegi gefunden. Kaufmann hat sich in dieser Zeit tatkräftig um Lenz gekümmert (vgl. Milch, S. 113 ff.), der sich damals in einer äußerst kritischen materiellen (vgl. Baechtold, S. 168 f.) und vor allem psychischen Situation befand: Lenz erlitt im November 1777 wohl den ersten Schub seiner später als Schizophrenie diagnostizierten Krankheit (vgl. Waldmann, S. 76 f.). Aus einem Brief Kaufmanns an den Basler Freund Jakob Sarasin geht hervor, daß Kaufmann Anfang oder Mitte Januar 1778 eine Reise zu Goethes Schwager Johann Georg Schlosser (1739–99) nach Emmendingen (bei Freiburg i. Br.) unternahm, und zwar in Begleitung von Lenz, den er von dort zu Pfarrer Oberlin ins Steintal vorausschickte, wohl deshalb, weil er selbst noch »einige Tage allein bei Schlosser« (zit. nach: Düntzer,

S. 124) in Emmendingen verbringen wollte. Etwa fünf Tage später als Lenz, am 25. Januar 1778 (vgl. S. 522), ist dann auch Kaufmann zusammen mit seiner Braut bei Oberlin eingetroffen. Im oberrheinischen Freundeskreis der Schlosser, Kaufmann, Pfeffel, Sarasin u. a. vertrat man damals offenbar einhellig die Meinung, daß dem »armen Lenz« in seinem kritischen Krankheitszustand nur noch ein Mann helfen könne: der Waldersbacher Pfarrer Oberlin (vgl. zu S. 151: *Pfeffel*). – Nach Oberlins Bericht (vgl. S. 522) war Kaufmann spätestens am 25. Januar 1778, als Lenz in der Waldersbacher Kirche predigte, mit seiner Braut zu ihm gekommen, um ihr »das Steintal zu zeigen« (S. 521). – Kaufmanns Braut war Anna Elisabeth (Elise bzw. Lisette genannt) Ziegler (1750–1826), mit der er sich 1776 verlobte und die er am 2. Februar 1778 in einem Dorfe bei Baden (in der Schweiz) heiratete (vgl. Milch, S. 55 und 117). Die durch Lavater (vgl. zu S. 146: *Lavater*) vollzogene Trauung fand also nur eine Woche nach Kaufmanns Kurzaufenthalt im Steintal statt. – *Oberlin wußte von Allem nichts:* In einem Brief vom 25. Februar 1778 an Sarasin bemerkt Pfeffel (vgl. zu S. 151: *Pfeffel*) mit leicht vorwurfsvollem Unterton, daß Kaufmann dem Pfarrer Oberlin »nicht einmal von vorneher zu verstehen gegeben« habe, »daß es mit dem Kopfe des armen Menschen ⟨Lenz⟩ nicht recht stund« (Waldmann, S. 80). Pfeffel spricht hier die Anfang November 1777 bei Kaufmann in Winterthur deutlich zum Ausbruch gekommene Gemütskrankheit Lenzens an, von der Pfeffel schon Ende November 1777 wußte (vgl. Waldmann, S. 76) und über die Kaufmann den Waldersbacher Pfarrer offenbar nicht in Kenntnis gesetzt hat, weder vor Lenzens Ankunft im Pfarrhaus am 20. Januar noch bei seinem eigenen Kurzbesuch in Waldersbach um den 25. Januar 1778. Oberlin hat wahrscheinlich erst Ende Januar/Anfang Februar 1778 bei seinem Aufenthalt in Emmendingen von Schlosser Näheres über den kritischen Gemütszustand von Lenz erfahren (vgl. S. 522: »Ich hatte nun hinlänglichen Unterricht in Ansehung Hrn. L. bekommen«). – *Schickung:* göttliche Fügung (Grimm). – *Alles:* Im Unterschied zu Ludwig Büchner und den ihm hierin folgenden späteren Herausgebern, die »Alles« zu »Allen« korrigieren, wird hier analog zu Gersch am überlieferten Wortlaut des Erstdrucks festgehalten, weil so die »metaphysische Motivation«, der »ausdrückliche Reflex auf Oberlins Glauben« an »eine Schickung Gottes« zum Ausdruck kommt (Gersch 1981a, S. 40). – *Über Tisch:* beim Essen, während der Mahlzeit (Grimm). – *die idealistische Periode ... die Wirklichkeit verklären wollten:* vgl. das Kunstgespräch in *Dantons Tod* II,3 (S. 95 f.) und B.s Brief an die Familie vom 28. Juli 1835 (Nr. 45, S. 305 f.), wo gleichfalls realistische Wirklichkeitsabbildung gefordert wird und die idealistische Ästhetik der Weimarer Klassik verurteilt wird. Inwieweit Lenz' Position mit B.s ästhetischen Anschauungen harmoniert, ist umstritten (vgl. Jansen und Meier). – *Der liebe Gott ...*

Besseres klecksen: vgl. hierzu B.s Danton-Brief vom 28. Juli 1835, Nr. 45: »Wenn man mir übrigens noch sagen wollte, der Dichter müsse die Welt nicht zeigen wie sie ist, sondern wie sie sein solle, so antworte ich, daß ich es nicht besser machen will, als der liebe Gott, der die Welt gewiß gemacht hat, wie sie sein soll.« (S. 306). – Zu der Passage des Kunstgesprächs könnte B. durch folgende Parallelstellen in Lenzens Werk angeregt worden sein: ›Der neue Menoza‹ V,2: »Was die schöne Natur nicht nachahmt, Papa! das kann unmöglich gefallen.« ›(...)Kerl! was geht mich deine schöne Natur an? Ist dirs nicht gut genug wies da ist, Hannshasenfuß? willst unsern Herrngott lehren besser machen?« – ›Anmerkungen übers Theater‹: »Diese Herren ⟨die von Lenz bewunderten elisabethanischen Engländer einschließlich Shakespeare⟩ hatten sich nicht entblödet, die Natur mutterfadennackt auszuziehen und dem keusch- und züchtigen Publikum darzustellen wie sie Gott erschaffen hat.« »Gott ist nur Eins in allen seinen Werken, und der Dichter muß es auch sein, wie groß oder klein sein Wirkungskreis auch immer sein mag. Aber fort mit dem Schulmeister, der mit seinem Stäbchen einem Gott auf die Finger schlägt.« – *unser einziges Bestreben soll sein, ihm ein wenig nachzuschaffen:* Wie der fiktive, so versteht auch der historische Lenz den Künstler als Imitator Gottes; vgl. Lenzens ›Anmerkungen übers Theater‹, in denen von der »Begierde« des Menschen, des Künstlers die Rede ist, es dem »unendlich freihandelnden Wesen«, d.h. Gott, »nachzutun«, »ihm nachzuäffen, seine Schöpfung ins Kleine zu schaffen«. – *Ich verlange in allem Leben ... Kunstsachen:* Eine auffällige Parallele hierzu findet sich in Goethes mit Anmerkungen versehener Übersetzung von ›Diderots Versuch über die Malerei‹: »›Die Natur macht nichts Inkorrektes. Jede Gestalt, sie mag schön oder häßlich sein, hat ihre Ursache, und unter allen existierenden Wesen ist keines, das nicht wäre, wie es sein soll!‹ Die Natur macht nichts Inkonsequentes, jede Gestalt, sie sei schön oder häßlich, hat ihre Ursache, von der sie bestimmt wird, und unter allen organischen Naturen, die wir kennen, ist keine, die nicht wäre, wie sie sein kann. ⟨...⟩ Die Natur arbeitet auf Leben und Dasein, auf Erhaltung und Fortpflanzung ihres Geschöpfes, unbekümmert ob es schön oder häßlich erscheine.« (*Werke,* vollständige Ausgabe letzter Hand, Bd. 36, Stuttgart/Tübingen 1830, S. 214f.). – *Die Leute können auch keinen Hundsstall zeichnen:* Lenz plädiert hier und an weiteren Stellen für das ›Niedrige‹, ›Gemeine‹, ›Geringe‹, für die ›prosaischen‹ Menschen, für »das Leben des Geringsten« als die wahren Gegenstände von Kunst und Literatur. Die später (vgl. S. 145) expressis verbis ausgesprochene Verteidigung der niederländischen Malerei gegenüber der italienischen, des ›niederländischen‹ genus humile gegenüber dem ›italienischen‹ genus sublime der rhetorischen Stillehre kündigt sich bereits hier an: bei der Wertschätzung des »Hundsstalls« als eines gleichberechtigten Gegenstands

der Kunst. Eine auffallende Parallele zu Lenzens »Hundsstall«
findet sich in Goethes Abhandlung ›Nach Falconet und über Falconet‹ (in Goethes Anhang zu Heinrich Leopold Wagners Mer-
cier-Übersetzung ›Neuer Versuch über die Schauspielkunst‹), in
der Goethe »die Werkstätte eines Schusters«, »einen Stall« und
einen »Stiefel« gleichrangig und gleichbedeutend neben das Gesicht der Geliebten und neben die antike Statue setzt. – *Holzpup-*
pen: In abwertendem Sinne spricht auch der historische Lenz in
seinen ›Anmerkungen übers Theater‹ (1774) wiederholt von »Ma-
rionettenpuppen«, denen er als positive Figuren dramatische
»Charaktere« gegenüberstellt, »die sich ihre Begebenheiten erschaffen, die selbständig und unveränderlich die ganze große Maschine selbst drehen, ohne die Gottheiten in den Wolken anders
nötig zu haben, als wenn sie wollen zu Zuschauern«. – *Dieser*
Idealismus ist die schmählichste Verachtung der menschlichen Na-
tur: vgl. B.s Brief vom Februar 1834, Nr. 18, an seine Familie:
»Der Aristokratismus ist die schändlichste Verachtung des heiligen Geistes im Menschen« (S. 286). – *Man versuche es einmal...*
Mienenspiel: Der erste Teil dieser Aufforderung weist »eher auf
die Thematik des *Woyzeck* voraus«, während der zweite »bereits
die Darstellungsmethode« des *Lenz* trifft, »die man nicht von ungefähr als eine Art ›Telegrammstil‹ charakterisiert hat« (Hinderer,
1983, S. 279). – *das Leben des Geringsten:* vgl. *Leonce und Lena*
III,1: »Weißt Du auch, Valerio, daß selbst der Geringste unter den
Menschen so groß ist, daß das Leben noch viel zu kurz ist, um ihn
lieben zu können?« (S. 181). – *im »Hofmeister« und den »Solda-*
ten«: die beiden bedeutendsten und bekanntesten Dramen von
Lenz; beide sind anonym erschienen: ›Der Hofmeister oder Vorteile der Privaterziehung. Eine Komödie‹, Leipzig 1774; ›Die Soldaten. Eine Komödie‹, Leipzig 1776.

145 *Bilder der altdeutschen Schule:* Bilder von deutschen Malern des
15. und 16. Jh.s, wie etwa von Albrecht Dürer, Martin Schongauer,
Matthias Grünewald und Albrecht Altdorfer. – *Medusenhaupt:*
Die Medusa ist eine der drei Gorgonen. Ihr Blick läßt jeden, der
sie sieht, zu Stein werden. – *radotieren:* ungehemmt schwatzen,
faseln; Fremdwort nach dem französischen Verb radoter: dummes
Zeug reden. Goethes Werther benutzt das Fremdwort in seinem
Brief vom »29. Junius« (1. Buch). – *Man muß die Menschheit lie-*
ben ... verstehen: Lenz formuliert hier sein Gebot zur Menschenliebe, zur Mitmenschlichkeit, zum Mitleid. Daß gerade auch hier
aus der fiktiven Figur des Lenz der Autor B. spricht, dokumentieren andere Zeugnisse zur Genüge: B.s Brief an die Familie vom
Februar 1834 (vgl. Nr. 18, S. 285 f.), eine Äußerung August Bek-
kers über B. (vgl. S. 377: »Die Grundlage seines Patriotismus war
wirklich das reinste Mitleid und ein edler Sinn für alles Schöne und
Große.«) sowie die bereits zitierte Bemerkung Leonces gegenüber
Valerio in *Leonce und Lena* (III,1; S. 181). – *Menschheit:* hier

nicht, wie heute fast nur noch, im kollektiven Sinne von ›Gesamtheit der Menschen‹ gebraucht, sondern im charakterisierenden, auszeichnenden Sinne von ›menschliche Art‹, ›menschliches Wesen‹, in welcher Bedeutung das Wort im 18. Jh. häufig vorkommt (vgl. Grimm). – *Apoll von Belvedere:* Apollon darstellende Marmorstatue in den Vatikanischen Museen. Römische Kopie eines wohl aus Bronze bestehenden griechischen Originals (aus der Mitte des 4. Jh.s v. Chr.), das dem attischen Bildhauer Leochares zugeschrieben wird. Durch Johann Joachim Winckelmanns enthusiastische Beschreibung der Marmorstatue (in seiner *Geschichte der Kunst des Altertums,* Dresden 1764) wurde der Apollo von Belvedere in der zweiten Hälfte des 18. Jh.s zum Inbegriff der griechischen Kunst. Winckelmann in der ›Geschichte der Kunst des Altertums‹ (Weimar 1964, S. 309 f.): »Die Statue des Apollo ist das höchste Ideal der Kunst unter allen Werken des Altertums, welche der Zerstörung derselben entgangen sind. Der Künstler derselben hat dieses Werk gänzlich auf das Ideal gebaut, und er hat nur ebenso viel von der Materie dazu genommen, als nötig war, seine Absicht auszuführen und sichtbar zu machen. Dieser Apollo übertrifft alle anderen Bilder desselben so weit, als der Apollo des Homerus den, welchen die folgenden Dichter malen. ⟨...⟩ Ich vergesse alles andere über dem Anblicke dieses Wunderwerks der Kunst.« Das gegenüber Lenz verwendete Argument, daß man »in der Wirklichkeit doch keine Typen für einen Apoll von Belvedere« finden würde, hat Büchners Kaufmann von Winckelmann übernommen, der in seiner ›Geschichte der Kunst des Altertums‹ (Weimar 1964, S. 135) bemerkt, es sei »schwer, ja fast unmöglich, ein Gewächs zu finden, wie der Vatikanische Apollo ist«. – Büchner kannte den Apoll von Belvedere aus eigener Anschauung: im Antiken-Saal des Großherzoglichen Museums in Darmstadt befand sich zu Büchners Lebzeiten ein Gipsabguß des vatikanischen Apoll (vgl. P. A. Pauli: ›Das Großherzogliche Museum in Darmstadt‹, 2. Aufl. Mainz 1818, S. 17, 40 f.). – *Raphaelische Madonna:* Von dem italienischen Renaissance-Maler Raffael (eigentlich Raffaelo Santi, 1483–1520) existieren rund dreißig Madonnenbilder, darunter zum Beispiel: Sixtinische Madonna, Madonna Tempi, M. Colonna, M. di Foligno, M. della Sedia, M. del Pesce, M. Alba, M. della Tenda. – Lenz kritisiert hier möglicherweise neben der Weimarer Klassik (Verherrlichung der Apollo-Statue) auch die Frühromantiker (vgl. z. B. die Raffael-Verehrung durch Wilhelm Heinrich Wackenroder und Ludwig Tieck in den ›Herzensergießungen eines kunstliebenden Klosterbruders‹). – *Die Holländischen Maler sind mir lieber, als die Italiänischen:* »Die Verteidigung der niederländischen Malerei« ist ein – zum Beispiel bei Diderot, Goethe und Hegel vorkommender – »Rechtfertigungs-Topos, der die Ausbildung und theoretische Begründung einer realistischen Schreibweise zu begleiten pflegt.« »Man verteidigt die

Niederländer, weil man auf der eigenen Würde auch des Niedrigen und Vergessenen besteht.« (Schings, S. 77 f.). – *Christus und die Jünger von Emmaus.* Bei diesem Bild handelt es sich zweifelsfrei um das Ölgemälde »Christus in Emmaus« des niederländischen Malers Carel van Savoy (um 1621–65). Das Bild hing seit 1810 in der Gemäldesammlung des Großherzoglichen Museums in Darmstadt (heute befindet es sich im Hessischen Landesmuseum Darmstadt), wo es B. wahrscheinlich wiederholte Male intensiv betrachtet hat, einmal nachweislich im Sommer 1833 zusammen mit seinem französischen Freund Alexis Muston (1810–88), der in seinen Memoiren über den Museumsbesuch schreibt: »Un Christ à Emmaüs m'a également frappé, mais je ne souviens pas de l'auteur« (H. Fischer, S. 81.). – Zu Abbildungen des Gemäldes siehe: Georg Büchner, Katalog Marburg, S. 181 sowie Schaub, S. 33.

146 *Dann ein anderes . . . liest den Text nach:* Nach einem freundlichen Hinweis von Hubert Gersch handelt es sich bei dieser Passage nicht um die Beschreibung eines tatsächlich existierenden Bildes eines holländischen Malers, sondern um die Beschreibung des Interieurs der ersten Szene von Ludwig Tiecks Märchentragödie ›Leben und Tod des kleinen Rotkäppchens‹, die zuerst in Tiecks ›Romantischen Dichtungen‹ (Bd. 2, Jena 1800, S. 465–506), dann im ›Phantasus‹ (Bd. 1, Berlin 1812, S. 478–511) und ein weiteres Mal in ›Ludwig Tieck's Schriften‹ (Bd. 2, Berlin 1828, S. 327–362) erschienen ist. Die erste Szene der »Tragödie« spielt an einem »Sonntag« in der »Stube« der Großmutter, die am Fenster sitzt, von ferne das Glocken-»Geläute« der Kirche hört, im »Gesangbuch« liest und folgenden Eingangsmonolog hält: »Ist heute gar ein schöner Tag, / An dem man gern Gott dienen mag, / Das Wetter ist hell, scheint die Sonne herein, / Da muß das Herz andächtig sein. / Ich höre von ferne das Geläute, / Es ist ein lieblicher Sonntag heute, / Vor dem Fenster die Bäume sich rauschend neigen, / Als wollten sie sich gottsfürchtig bezeigen. / Ich wohn allhier vom Dorf abseitig, / Sonst ging ich gern zur Kirche zeitig, / Doch ich bin alt, dazu krank gewesen, / Da thu ich im lieben Gesangbuch lesen, / Der Herr muß damit zufrieden sich geben, / Eine arme Frau kann nicht mehr thun eben« (zit. nach: ›Schriften‹, Bd. 2, S. 329). In seiner vierten Replik bemerkt Rotkäppchen gegenüber der Großmutter: »Du hast ja schönen frischen Sand gestreut« (›Schriften‹, Bd. 2, S. 331). – *der Sand gestreut:* »Sand streuen in den Zimmern, Sälen und Gängen, damit der Unflat nicht so gleich an dem Fußboden haften kann« (›Compendieuses und nutzbares Haußhaltungslexikon‹, Chemnitz 1728, S. 811; zit. nach Grimm). – *Er hatte Briefe von Lenzens Vater erhalten:* Auf seiner Rußlandreise, die ihn im Frühjahr/Sommer 1777 u. a. nach Königsberg, Riga und Petersburg führte (vgl. Milch, S. 84), hatte Kaufmann den Vater von Lenz kennengelernt (vgl. Lenzens Brief an Lavater vom 24. Juni 1777; Freye/Stammler, Bd. 2, S. 86 f.). –

Lenzens Vater: Christian David Lenz (1720–98); studierte Theologie in Halle, ging 1740 als deutscher Einwanderer in das zum russischen Reich gehörende Livland, wurde 1742 Seelsorger in Serben (Lettland), dann in Seßwegen (Livland), wo am 12. Januar (des russischen Kalenders) 1751 sein zweiter Sohn Jakob Michael Reinhold geboren wurde, übersiedelte 1759 in die größere Stadt Dorpat, das heutige Tartu (Estland), war dort Pastor der deutschen Gemeinde und Beisitzer im Konsistorium, bekleidete seit 1779 in Riga das hohe Amt des Generalsuperintendenten von ganz Livland (vgl. Rudolf, S. 19–21). – Lenzens Vater, der von seinen Mitbürgern und Amtsbrüdern als einer der bedeutendsten Männer Livlands, als hervorragender Theologe und Kanzelredner sowie als höchst talentvoller theologischer Schriftsteller angesehen wurde (vgl. Rudolf, S. 22 ff.), erfreut sich in der Lenz-Sekundärliteratur zumeist keines besonders guten Leumunds. Wahrscheinlich zu Unrecht. Denn Pastor Lenz betrachtete seine Vaterrolle mit großem religiösen Ernst, kümmerte sich tatkräftig und verständnisvoll um die Erziehung und Bildung seiner Kinder (vgl. Rudolf, S. 25 f.), insbesondere um die seines »Lieblingssohns« Jakob, von dem er sehr viel hielt und erwartete. Er war nicht autoritärer als andere Väter seiner Zeit, und er wollte für seine Kinder subjektiv gewiß nur das Beste. »Den besten Weg, die Söhne zu fördern, sah er im Studium der Theologie.« Denn »auf diese Weise hatte er«, der Sohn eines armen Kupferschmieds, »es weit gebracht und sollte es noch weiter ⟨...⟩ bringen« (Hohoff, S. 17). »Das Schlimmste«, was man von Lenzens Vater sagen kann, »ist, daß er Jacob als Theologiestudent auf die Universität schickte und dies gegen den Willen des Sohnes« (Rudolf, S. 26 f.). Dieser konnte den väterlichen Wunsch nicht befolgen, brach sein Studium der Theologie nach zweieinhalb Jahren ab und verließ Königsberg, ohne ein Examen abgelegt zu haben, was der enttäuschte Vater dem Sohn nie verziehen hat. Für den Vater, wie vor allem vor sich selbst, war Lenz seitdem der verlorene Sohn (vgl. Freye/Stammler, Bd. 2, S. 127, sowie Albrecht Schöne, ›Säkularisation als sprachbildende Kraft‹, Göttingen 1958, S. 87–115). – *Hier weg, weg! nach Haus? Toll werden dort?:* Für den Inhalt dieses Gesprächs zwischen Lenz und Kaufmann bietet der Oberlin-Bericht, in dem lediglich eine Unterredung zwischen Kaufmann und Lenz unter vier Augen erwähnt wird (vgl. S. 522), keinerlei Anhaltspunkte, B. hat sowohl Kaufmanns Aufforderung, Lenz solle in die Heimat zum Vater zurückkehren, »ihn unterstützen« und sich nützlich machen, als auch Lenzens heftige Replik auf dieses Ansinnen frei erfunden. Wenn der fiktive Lenz sich vehement weigert, nach Hause zum Vater zurückzukehren, so stellt B. mit der Erfindung dieses Details sein großes psychologisches Einfühlungsvermögen, seine erstaunliche Intuition als Dichter-Biograph unter Beweis: Der historische Lenz hat sich 1778/79 lange Zeit offenbar mit Erfolg dagegen gewehrt, zum Vater nach Hause geschickt zu werden. Als er im März 1778 fest entschlossen zu sein scheint, zu ihm zurückzukehren, verschlechtert sich sein Krankheitszustand plötzlich so sehr, daß er die weite Reise in die Heimat nicht antreten kann (vgl. Freye/Stammler, Bd. 2, S. 126). Am 8. November 1778 schreibt Schlosser an Herder, daß Lenz, »ob er gleich besser ist«, »doch nicht heim« wolle (Waldmann, S. 89). – *wenn ich nicht manchmal auf einen Berg könnte und die Gegend sehen könnte:* vgl. B.s Gießener Brief an die Braut (um den 9.–12. März 1834, Nr. 21): »Hier ist kein Berg, wo die Aussicht frei sei. Hügel hinter Hügel und breite Täler, eine hohle Mittelmäßigkeit in Allem; ich kann mich nicht an diese Natur gewöhnen« (S. 288). – *ru⟨h⟩en:* Im Erstdruck durch Druckfehler entstellt: »rufen«. – *immer steigen, ringen ... springen:* Lenz – auf der Flucht vor den Ansprüchen der Vaterwelt, »auf der Flucht vor der bürgerlichen Gesellschaft des 18. Jahrhunderts in das menschenleere Gebirge und die einfachen vorbürgerlichen Dorfgemeinschaften der Vogesen« – artikuliert hier unmißverständlich seinen Abscheu vor »der ihm unerträglichen Normalität der entstehenden Arbeits- und Leistungsgesellschaft« (Schröder, S. 97) mit ihrer Forderung nach Lust- und Triebverzicht. – *helle Quellen:* reine, klare Quellen. Den Nebensinn ›rein‹ hat das Adjektiv hell »namentlich in bezug auf Wasser« (Grimm). – *in die Schweiz zu gehen:* Von Kaufmann eingeladen, »mit ihm zu seiner Hochzeit in die Schweiz zu gehn« (S. 522), und außerdem von dem Wunsch geleitet, die Schweiz kennenzulernen und in Zürich Lavater zu besuchen (vgl. ebd.), machte sich der historische Oberlin am 26. Januar 1778 zu Pferd auf die Reise, die ihn allerdings nicht – wie beabsichtigt – bis in die Schweiz, sondern nur bis in die benachbarte badische Markgrafschaft Hochberg führte. Dort besuchte Oberlin in Köndringen den Pfarrer und Dekan Nikolaus Christian Sander und in Emmendingen den Oberamtmann Johann Georg Schlosser, zwischen denen »es damals harte pädagogische Auseinandersetzungen« gab (Pscolla, S. 105). Daß Oberlin seine Reise in Emmendingen abbrach, daß er nicht in die Schweiz weiterreiste, ist wohl nur dadurch zu erklären, daß ihm Schlosser von Lenzens ersten schweren Wahnsinnsanfällen (bei Kaufmann in Winterthur) erzählte. Diese ihn offenbar sehr beunruhigende Neuigkeit wird Oberlin zur vorzeitigen Rückkehr nach Waldersbach veranlaßt haben (vgl. Heinsius, S. 351, Pscolla, S. 105, sowie zu S. 144: *Oberlin wußte von Allem nichts).* – *Lavater:* Johann Caspar L. (1741–1801), philosophisch-religiöser Schriftsteller, seit 1775 Pfarrer in seiner Geburts- und Sterbestadt Zürich. Lavaters Hauptwerk: ›Physiognomische Fragmente, zur Beförderung der Menschenkenntnis und Menschenliebe‹ (4 Bde., 1775–78). Durch dieses Werk ist die Physiognomik, die Lehre von der körperlichen Ausprägung der Seele in Merkmalen des Gesichts und des Schädels, zur Modewissenschaft und

Lieblingsbeschäftigung der Zeit geworden. Befürworter fand die
Physiognomik Lavaters insbesondere unter den Anhängern der
Sturm-und-Drang-Bewegung. Als Helfer, die ihm ›Physiognomi-
sches‹ in Wort und Bild beisteuerten, zählt Lavater am Schluß des
4. Bandes seiner ›Fragmente‹ unter anderen Herder, Merck, Lenz
und Kaufmann auf. – Oberlin stand zwischen 1774 und 1801 mit
Lavater im Briefwechsel. Persönlich kennengelernt haben sich die
beiden Männer nicht (vgl. Kurtz, S. 168f.). – *Zurüstungen:* Vorbereitungen (Grimm). – *er ging mit sich um wie mit einem kranken
Kinde:* Parallele in Goethes Roman ›Die Leiden des jungen Werthers‹ (1. Buch, Brief vom 13. Mai): »Auch halte ich mein Herz-
chen wie ein krankes Kind.«

147 *rauchende Ebne:* dampfende Ebene. »Von Bergen, Feldern, Ebenen u. s. w., denen Dampf entsteigt« (Grimm). – *Es war finster
Abend ... schlief endlich Lenz tief ein:* Die nächtliche Hüttenszene
mit dem kranken, wohl epileptischen Mädchen, dem »mit schnarrender Stimme« singenden »alten Weib« und dem »im Rufe eines
Heiligen« (S. 147 f.) stehenden, wundertätigen, großgewachsenen
Mann hat B. wahrscheinlich nach einer ähnlichen Szene in Ludwig
Tiecks Romanfragment ›Der Aufruhr in den Cevennen‹ (1826)
gestaltet: Gegen Ende des ersten Abschnitts erzählt Edmund
Beauvais, die Hauptfigur des Romans, von einer »einsamen Scheu-
ne« in einem abgelegenen Gebirgstal, in der eine kleine »bäurische
Versammlung« in religiöser Verzückung heimlich ihren Gottesdienst abhält. Zu den dort Versammelten gehören »einige alte
Weiber«, die in »unharmonischem Gewinsel« Psalmen singen, ein
prophezeiender, etwa achtjähriger Knabe, der »wie in Krämpfen«
zuckt, sowie »ein großer Mann«, der nach einiger Zeit in die
Scheune tritt und von allen »ehrfurchtsvoll« begrüßt wird (vgl. L.
Tieck, ›Der Aufruhr in den Cevennen. Eine Novelle in vier Ab-
schnitten‹, Berlin 1826, S. 152–155). – In der biographischen Ein-
leitung zur Ausgabe der ›Nachgelassenen Schriften von Georg
Büchner‹ (S. 18f.) berichtet dessen jüngerer Bruder Ludwig, im
September 1834, während der Anwesenheit seiner Verlobten in
Darmstadt, habe Georg mit Minna Jaeglé Tiecks Romanfragment
›Der Aufruhr in den Cevennen‹ gelesen. – *gerungen wie Jakob:*
vgl. 1. Mose 32, 25 ff. (Jakobs Kampf mit Gott, dem Herrn).

148 *die Uhr pickte:* »einen dem ›Picken‹ (des Spechtes, der Spitzhaue)
ähnlichen, spitz anschlagenden Ton von sich geben, wie der Holz-
wurm, die Uhr« (Grimm). Vgl. *Dantons Tod* IV, 3: »Will denn die
Uhr nicht ruhen? Mit jedem Picken schiebt sie die Wände enger
um mich« (S. 123 f.). – *Rauch:* Nebel, dem Rauche ähnlicher
Dunst (Grimm). – *funkelte〈n〉:* im Erstdruck »funkelte« (vermutlich Druckfehler). – *Indem:* Unterdessen, indessen; hier tempora-
les Adverb, »die Gleichzeitigkeit mit etwas vorher Erzähltem be-
tonend« (Grimm).

149 *seine Tränen waren ihm dann wie Eis:* Eine Parallele zum Bild der

gefrorenen Tränen findet sich in Friedrich Schlegels Roman ›Lucinde‹ (1799), in dem Julius von seiner Isolation mitten im »Gewühl des Lebens und der Menschen« erzählt: »Da befiel mich Entsetzen, wie wenn ein Sterblicher sich in der Mitte unabsehlicher Eisgebirge plötzlich allein fände. Alles war mir kalt und fremd und selbst die Träne gefror.« (Friedrich Schlegel, ›Lucinde‹, hg. von Karl Konrad Polheim, Stuttgart 1963, S. 93). – *Auf dieser Welt hab' ich kein' Freud', / Ich hab' mein Schatz und der ist weit:* Die ersten beiden Zeilen zweier ›Volkslieder‹, die 1808 unter den Titeln »Bildchen« bzw. »Liebeswünsche« im dritten Teil von ›Des Knaben Wunderhorn‹ (hg. von Achim von Arnim und Clemens Brentano) erschienen sind. Im zweiten Vers heißt es in den ›Wunderhorn‹-Liedern »einen Schatz« bzw. »ein Schatz«. – *das Frauenzimmer:* Im Erstdruck hierzu folgende Fußnote (vermutlich von Gutzkow): »Büchner wollte eine eigentümliche und authentische Beziehung Lenzens zu Göthes Friederike (von Sesenheim) darstellen.« – Dem fiktiven »Frauenzimmer«, auf das Lenz in der Erzählung noch mehrmals zu sprechen kommt (vgl. S. 147, 152, 154) und das er einmal mit dem Namen »Friederike« apostrophiert (vgl. S. 152), entspricht in der historischen Wirklichkeit Friederike Brion (1752–1813), die Tochter des Pfarrers Johann Jakob Brion in Sesenheim. Goethe lernte Friederike im Oktober 1770 kennen, verliebte sich in sie, besuchte sie häufig von Straßburg aus und verließ sie im August 1771, ohne sie zunächst wissen zu lassen, daß der Abschied endgültig sei. Lenz hat die Bekanntschaft Friederike Brions im Sommer 1772 gemacht, sich anscheinend heftig in sie verliebt (Friederike war wohl sein erstes und nachhaltigstes Liebeserlebnis) und vielleicht versucht, Goethes Stelle bei der Verlassenen einzunehmen. Ob seine Liebe von Friederike ernstgenommen oder gar erwidert wurde, entzieht sich unserer Kenntnis. Nach allem, was wir über Lenzens »Beziehungen zum weiblichen Geschlecht wissen, war seine Neigung einseitig und fand ihr Echo in seiner Einbildungskraft« (Hohoff, S. 66). Subjektiv scheint Lenz von Friederikes Gegenliebe überzeugt gewesen zu sein; darauf deuten sowohl seine Briefe an den Straßburger Aktuar Salzmann vom Sommer 1772 (vgl. Freye/Stammler, Bd. 1, S. 17ff.) als auch der Oberlin-Bericht hin, nach dem Lenz in Waldersbach wiederholt die Worte »sie liebte mich« (S. 524) ausgesprochen hat. B. hat den Friederiken-Komplex kaum verändert aus dem Bericht Oberlins in seine Erzählung übernommen: Das Eifersuchts-Motiv, Lenzens Schuldgefühle gegenüber Friederike und seine fixe Idee, ihr Mörder zu sein. Beim historischen wie beim fiktiven Lenz spielt das gescheiterte Liebesverhältnis zu Friederike offenbar eine wichtige Rolle unter den Ursachen und Anlässen von Lenzens Wahnsinn. August Stoeber, dem Büchner den weitaus größten Teil des Quellenmaterials für seine Erzählung verdankt, hat in dem Buch ›Der Dichter Lenz und Friedericke von Sesenheim‹

(1842) die Auffassung vertreten, daß die »wahre Quelle« des Lenz-
schen Wahnsinns die gescheiterte Liebesbeziehung zu Friederike
gewesen, daß Lenz wegen Friederike »wahnsinnig geworden« sei
(A. Stöber, 1842, S. IVf.). – Daß sich B. bei der Konzeption seiner
Erzählung auch für das Dreiecksverhältnis Goethe – Friederike –
Lenz interessierte, läßt sich einem verschollenen Brief B.s entnehmen, aus dem Gutzkow in seinem Brief an B. vom 6. Februar 1836
aus der Erinnerung zitiert: »Schrieben Sie mir nicht, daß Lenz
Göthes Stelle bei Friederiken vertrat.« (Nr. 18, S. 346).

150 *Jetzt ist es mir so eng ... als stieß' ich mit den Händen an den
Himmel:* vgl. die Replik Leonces auf die Bemerkung Valerios, die
Welt sei »doch ein ungeheur weitläuftiges Gebäude«: »Nicht
doch! Nicht doch! Ich wage kaum die Hände auszustrecken, wie
in einem engen Spiegelzimmer, aus Furcht, überall anzustoßen«
(*Leonce und Lena* II, 1; S. 174). – *Je leerer, je kälter ...:* Vgl. ›Die
Leiden des jungen Werthers‹ (2. Buch, 3. November): »Bin ich
nicht noch eben derselbe, der ehemals in aller Fülle der Empfindung herumschwebte, dem auf jedem Tritte ein Paradies folgte,
der ein Herz hatte, eine ganze Welt liebevoll zu umfassen? Und
dies Herz ist jetzt tot ⟨...⟩. Ich habe mich oft auf den Boden
geworfen und Gott um Tränen gebeten wie ein Ackersmann um
Regen ⟨...⟩. Aber ach! ich fühle es, Gott gibt Regen und Sonnenschein nicht unserm ungestümen Bitten ⟨...⟩«. – *Gott möge ein
Zeichen an ihm tun:* biblischer Sprachgebrauch; vgl. etwa Psalm
86, 17 (Gebet Davids zu Gott): »Tue ein Zeichen an mir, daß mir's
wohl gehe«. – *Am dritten Hornung hörte er ... die Leiche blieb
kalt:* Die Episode von der versuchten Wiedererweckung eines ge-
storbenen Kindes ist angeregt durch den Bericht Oberlins, der bei
der Rückkehr nach Waldersbach erfährt, daß Lenz in seiner Abwesenheit am 3. Februar »ein zu Fouday so eben verstorbenes
Kind, das Friederike hieß, aufwecken wollte, welches ihm aber
fehlgeschlagen« (S. 523). Angeregt ist die von B. selbständig ausge-
staltete Episode weiterhin durch diverse Berichte über Wiederbe-
lebungen und ›Wiedererweckungen‹, die Oberlin an erfrorenen
und ertrunkenen Mädchen mit Erfolg vorgenommen hat und die
ihn in den Ruf eines Wundertäters gebracht haben (vgl. Kurtz,
S. 100f.). – *Hornung:* Februar. – *Fouday:* Eines der fünf Dörfer,
die zur Gemeinde Waldersbach gehören. Der den Eingang zum
Steintal bildende Ort liegt an der Breusch (frz. Bruche), dem in der
Nähe von Straßburg in die Ill mündenden Fluß der Mittelvogesen.
Oberlin wurde 1826 auf dem Friedhof von Fouday begraben. –
fixe Idee: vgl. auch S. 157 (»wahnwitzigen Idee«). Camille
wünscht sich im Hinblick auf seine wahnsinnig gewordene Frau
Lucile: »Der Himmel verhelf' ihr zu einer behaglichen fixen Idee«
(*Dantons Tod* IV, 5; S. 127). – Fixe Ideen und die subjektive Über-
zeugung von deren Richtigkeit gehören nach der medizinischen
Fachliteratur zu Beginn des 19. Jahrhunderts wesentlich zur Cha-

rakteristik und Symptomatik der mit dem Sammelbegriff ›Melancholie‹ bezeichneten Geisteskrankheit (vgl. Franz Loquai, ›Künstler und Melancholie in der Romantik‹, Frankfurt a. M. ⟨u. a.⟩ 1984,
S. 5 ff. und 26 ff.). Oberlin benutzt in seinem Bericht den Terminus
›Melancholie‹ bzw. ›Schwermut‹ wiederholt für Lenzens Krankheit (vgl. S. 528). B. vermeidet den Begriff ›Melancholie‹ und verwendet statt dessen im Hinblick auf Lenz den Begriff »Wahnsinn«. Beide Begriffe liegen jedoch nach der damaligen medizi-
nisch-psychiatrischen Auffassung sehr eng beieinander; Melancholie wird als Vorstufe zum Wahnsinn, manchmal auch als Form
des Wahnsinns betrachtet (vgl. Loquai, S. 27 und 29 ff.). – *mit
Asche beschmiert ... wie ein Büßender:* vgl. Dan. 9, 3; Jona 3, 6 ff.;
Matth. 11, 21. – *die halbgeöffneten gläsernen Augen:* Das hippokratische Gesicht (die facies hippocratica), d. h. der erstmals von
dem griechischen Arzt Hippokrates beschriebene Gesichtsausdruck Sterbender und Toter, scheint für B. eine Art Obsession
gewesen zu sein. In seinem Brief an die Braut (um den 7. März
1834, Nr. 20) heißt es: »Das Gefühl des Gestorbenseins war immer über mir. Alle Menschen machten mir das hippokratische
Gesicht, die Augen verglast, die Wangen wie aus Wachs« (S. 287).
– *Das Kind kam ihm so verlassen vor, und er sich so allein und
einsam:* Den Horror vor dem Allein- und Verlassensein im Tod
kennt auch Camille in *Dantons Tod* III,7: »Da liegen allein, kalt,
steif« (S. 118).

151 *Stehe auf und wandle!:* Diese Worte spricht Christus im Zusammenhang mit der Heilung des Gichtbrüchigen (vgl. Matth. 9, 5;
Mark. 2, 9; Luk. 5, 23). Außerdem – und das gibt der Stelle erst
ihre blasphemische Brisanz – benutzt Lenz hier eine ähnliche Formulierung wie Jesus bei der Auferweckung der Tochter des Jairus
(Mark. 5, 41: »Mägdlein, ich sage dir, stehe auf!«) und des toten
Jünglings aus der Stadt Nain (Luk. 7, 14: »Jüngling, ich sage dir,
stehe auf!«). Auch die Auferweckung des Lazarus durch Jesus
(vgl. Joh. 11) ist für Lenzens Wiedererweckungsversuch von Bedeutung. – *In seiner Brust ... ruhig und fest:* Ein ähnliches Atheis-
mus-Erlebnis in der Natur hat in Ludwig Tiecks Romanfragment
›Der Aufruhr in den Cevennen‹ die Hauptfigur Edmund Beauvais:
»Bald ruhend, bald wandelnd kam ich mit der Dämmerung der
Frühe in die Gegend von Sauve hinüber, im innern Gebirge. Sie
kennen ⟨...⟩ die hohe Lage der dortigen traurigen Landschaft,
kein Baum, kein Strauch weit umher ⟨...⟩. Hier warf ich mich
wieder nieder und schaute in die wüste Zerstörung hinaus, und
über mir in den dunkelblauen Himmel hinein. Sonderbar, wie sich
hier mein Gemüt verwirrte ⟨...⟩, wie mir plötzlich hier jedes glau-
bende Gefühl, jeder edle Gedanke untersank, wie mir die Schöpfung, die Natur, und das seltsamste Rätsel, der Mensch ⟨...⟩, wie
toll, widersinnig und lächerlich mir alles dies erschien. Ich konnte
mich nicht zähmen, ich mußte unaufhaltsam dem Triebe folgen,

und mich durch lautes Lachen erleichtern. Da war kein Gott, kein
Geist mehr, da war nur Albernheit, Wahnwitz und Fratze in allem, das kreucht, schwimmt und fliegt, am meisten in dieser Kugel, die denkt, sinnt und weint, und unterhalb frißt und käut. ⟨...⟩
Vernichtung, totes kaltes Nichtsein, schienen mir einzig wün-
schenswert und edel. Ich war ganz zerstört, und schwer ward mir
der Rückweg zum Leben, aber ich fand ihn endlich mit Hülfe des
Erbarmenden« (S. 158f.). – *Einige Tage darauf kam Oberlin aus
der Schweiz zurück:* Nach Oberlins Bericht war dies der 5. Februar 1778 (vgl. S. 523). Aus dem Bericht geht weiter hervor, daß
Oberlin nicht bis in die Schweiz, sondern lediglich »bis nach Köndringen und Emmendingen« gekommen ist, von wo er über Breisach und Kolmar zurück ins Steintal reiste (vgl. S. 522). – *Pfeffel:*
Gottlieb Konrad P. (1736–1809), elsässischer Lyriker, Erzähler
und Fabeldichter; Gründer und Leiter der École Militaire in Kolmar. – Oberlin hat Pfeffel auf seiner Rückreise von Emmendingen
ins Steintal Anfang Februar 1778 in Kolmar kennengelernt (vgl.
S. 522). Kurz nach der ersten Begegnung schreibt Pfeffel am 6. Februar 1778 an Jakob Sarasin über Oberlin und Lenz: »Ein simpler,
redlicher, weiser, unermüdeter, menschenliebender, kurz ein
wahrhaft apostolischer Mann. Ohne Ansprüche auf Genie und
Berühmtheit wirkt er in seiner Sphäre langsam wie die Vorsehung,
die ihn unterstützt. ⟨...⟩. Was Lenz tun wird, wollen wir sehen.
Oberlin ist der Mann, und vielleicht der einzige Mann, der ihm,
wenn sein Kopf es erlaubt, Geschmack an einer anhaltenden und
nützlichen Arbeit beibringen kann« (Zit. nach: Heinsius, S. 351.) –
Pfeffel und Lenz kannten sich persönlich und haben Briefe miteinander gewechselt. Über deutliche Krankheitssymptome bei Lenz
war Pfeffel schon Ende November 1777 informiert. Am 24. November schreibt er darüber an Sarasin: »Lenzens Unfall weiß ich
seit Freitag ⟨...⟩. Ich gestehe Dir, daß diese Begebenheit weder
mich noch meinen Lerse sonderlich überraschte. Ich hoffe aber
doch, der gute Lenz werde wieder zurecht kommen und dann
sollte man ihn nach Hause jagen oder ihm einen bleibenden Posten
ausmachen« (Waldmann, S. 76f.) – B. kannte Pfeffels sozialkriti-
sches Gedicht ›Jost‹ aus dem Revolutionsjahr 1789, aus dem er
seinen Woyzeck (in der Rasierszene »Hauptmann. Woyzeck« der
vorläufigen Reinschrift) frei zitieren läßt: »ich glaub' wenn wir in
Himmel kämen, so müßten wir donnern helfen.« (S. 224).

152 *Ich bin abgefallen:* biblischer Sprachgebrauch; vgl. etwa Psalm 53,
4 und Psalm 73, 27. – *der ewige Jude:* vgl. *Dantons Tod* III, 7:
»Die Welt ist der ewige Jude« (S. 119). Sagengestalt, Hauptfigur
des 1602 erschienenen Volksbuches ›Kurze Beschreibung und Erzählung von einem Juden mit Namen Ahasverus‹. Hiernach hat
der Jerusalemer Schuster Ahasver den kreuztragenden Christus,
als dieser auf dem Weg nach Golgatha sich an seinem Haus anleh-
nen wollte, mit barschen Worten fortgewiesen, worauf Jesus erwi-

derte: »Ich will stehen und ruhen, du aber sollst gehen bis an den Jüngsten Tag.« Seitdem wandert Ahasver, die Inkarnation der ewigen Verdammnis und Ruhelosigkeit, ohne ruhen oder sterben zu können, in der Welt umher. – *brünstig:* innig, inbrünstig (vgl. Grimm). – *Oberlin sagte ... angeben:* Der historische Oberlin kannte 1778, als Lenz bei ihm war, Friederike Brion noch nicht. Sie lernten sich erst später, Ende der achtziger / Anfang der neunziger Jahre, kennen, als Friederike im nahegelegenen Dorf Rothau bei ihrem Bruder Christian und ihrer Schwester Sophie wohnte. Friederike verkaufte damals für Oberlin die in seiner Familie hergestellten Strickarbeiten (vgl. Psczolla, S. 138), sie »freundete sich mit der Jugend in Oberlins Haus an und wurde Hilfslehrerin im Waldersbacher Pensionat, wo sie bis 1801 unterrichtete« (Kurtz, S. 198). – *Verfluchte Eifersucht:* B.s Lenz ist eifersüchtig, und er verflucht seine Eifersucht, weil er seine Geliebte aus Eifersucht verlassen bzw. »aufgeopfert«, weil er das Verhältnis zu ihr durch Eifersucht zerstört hat. Aus einem tiefen Schuldgefühl heraus bildet er sich ein, ihr Mörder zu sein (vgl. unten S. 154). B. verwendet hier das Eifersuchts-Motiv, »das er in seinem Drama *Woyzeck* klarer und dem Genre entsprechend dramatischer gestaltet hat. Was Lenz sich nur in der krankenden Phantasie ausmalt, wird bei Woyzeck zu tragischer Wirklichkeit: Woyzeck ermordet aus Eifersucht das einzige Wesen, das ihm bedeutungsvoll und sinngebend ist, das Mädchen, das er liebt. Bei Lenz kommt es zu keinem wirklichen Mord, aber doch wohl im übertragenen Sinn. Auch er opfert seine Liebe der Eifersucht und zerstört somit das Verhältnis zu dem einen menschlichen Wesen, das ihm einen Lebenssinn hätte geben können« (Sevin, S. 21). – *einen andern:* Gemeint ist hier Johann Wolfgang Goethe (1749–1832). Lenz und Goethe lernten sich im Juni 1771 in Straßburg kennen; Ende Mai / Anfang Juni 1775 verbrachten sie zehn Tage gemeinsam in Emmendingen bei Goethes Schwester Cornelia Schlosser; vom 4. April bis zum 1. Dezember 1776 hielt sich Lenz zumeist in Weimar in Goethes Nähe auf, bis er am 26. November zum großen Verdruß Goethes eine bis heute nicht aufgeklärte »Eselei« beging, die am 1. Dezember zu seiner Ausweisung durch den Herzog Karl August von Sachsen-Weimar führte. Die Freundschaft mit Goethe – Lenz nennt ihn in Briefen »Bruder Goethe« (Freye/Stammler, Bd. 1, S. 217) – endete für den labileren Lenz in einem Desaster. Nach seiner Ausweisung aus Weimar führte Lenz ein unstetes, zielloses Wanderleben: Frankfurt a. M., Emmendingen, Basel, Zürich, Schaffhausen, die inneren Kantone der Schweiz, Emmendingen, Lausanne, Zürich, Winterthur waren die Stationen seines Lebens im Jahre 1777, ehe er Anfang 1778 aus der Schweiz über Emmendingen ins Elsaß zu Oberlin reiste. – Goethes Verhältnis zu Lenz ist zwiespältig und äußerst problematisch. Wie Lenz so scheint auch Goethe das Zerwürfnis nicht verwunden und verkraftet zu haben. Als ein Jahr nach Lenzens Ausweisung dessen »Wahnsinn offen ausbrach und man in Weimar davon erfuhr, wagte niemand, es Goethe zu sagen« (Hohoff, S. 108). Und noch lange nach Lenzens Tod, nämlich 1816, wagten »Zeitgenossen nicht, für den Druck eines Teils des Nachlasses« von Lenz Goethes »Vermittlung in Anspruch zu nehmen« (Stephan/Winter, S. 49). Literarischen Niederschlag hat das prekäre Verhältnis Goethes zu Lenz in dessen Autobiographie gefunden. Im 11. und 14. Buch von ›Dichtung und Wahrheit‹ (erschienen 1814) entwirft Goethe ein Lenz-Porträt, das »von unverarbeiteten Spannungen« bebt. Dieses Porträt ist, »neben dem der Schwester, das einzige, zu dem Goethe in seiner Autobiographie später ein weiteres Mal ansetzt, wobei das Bildnis dann zwar reicher und gerechter, keineswegs aber ›fertiger‹ wird. Der erste Versuch liefert ein Porträt im engeren Sinn, die Schilderung von Gesicht und Gestalt«, ein Porträt, das sehr »tendenziös« ist: »Lenz wird unentwegt verkleinert und effeminiert. Er verringert sich förmlich vor den Augen des Lesers« (vgl. die Diminutive »Köpfchen« und »Persönchen«). »Die Tatsache, daß Goethe im 14. Buch erneut auf Lenz zu reden kommt, und zwar über Seiten hinweg, spricht deutlich genug für ein nicht bereinigtes, auch von Goethe aus nie ganz abgeschlossenes Verhältnis zwischen den einstigen ›gleichzeitigen Jünglingen‹. ⟨...⟩ Lenz hat Goethe, wie in einer Phantasmagorie, eine gefürchtete und in wiederkehrender Angst verabscheute Möglichkeit der eigenen Existenz vorgespielt. Diese Möglichkeit wird beschrieben in dem Satz: ›... ihm konnte nicht wohl werden, als wenn er sich grenzenlos im einzelnen verfloß und sich an einem unendlichen Faden ohne Absicht hinspann‹. So betrachtet, darf das Lenz-Porträt zuletzt als magischer Bannspruch Goethes gegen sich selbst gelesen werden.« Peter von Matt, ›... fertig ist das Angesicht. Zur Literaturgeschichte des menschlichen Gesichts‹, München/Wien 1983, S. 77–81. – *o gute Mutter, auch die liebe mich:* Lenz bildet sich hier ein, seine Mutter sei tot, ja, er sei ihr Mörder. Anfang 1778, als Lenz bei Oberlin war, lebte seine Mutter noch; sie starb im Juli des Jahres 1778 nach langer Krankheit (vgl. Rudolf, S. 22 und 36). – *tiefsinnig:* trübsinnig, schwermütig (vgl. Grimm). – *in sein Zimmer:* Aus dem Kontext geht hervor, daß Lenz nicht mehr – wie zu Anfang seines Aufenthalts in Waldbach – im Schulhaus, sondern im Pfarrhaus bei Oberlin untergebracht ist. Vgl. Oberlins Bericht: »Seit Hrn. K...s Besuch logierte Hr. L. nicht mehr im Schulhaus, sondern bei uns in dem Zimmer über der Kindsstube« (S. 523).

153 *Haberpfeife:* Das durch Gutzkows Erstdruck des *Lenz* überlieferte Wort scheint ein Neologismus zu sein, der freilich an ›Haberrohr‹, eine Schalmei bzw. Hirtenpfeife anklingt (vgl. Grimm) und von B. »vielleicht in Erinnerung an die hessische ›Happe‹, die bekannte Kinderpfeife aus Weidenrinde« (Gersch, 1981 b, S. 246), geprägt worden ist. In B.s Hauptquelle, dem Bericht Oberlins,

findet sich an der entsprechenden Stelle das Wort ›Habergeise‹ (vgl. S. 524). Damit wird im Elsässischen der Brummkreisel, das bekannte Kinderspielzeug, bezeichnet (vgl. Gersch, 1981 b, S. 244). Für die Authentizität des vom Oberlin-Bericht abweichenden Wortlauts ›Haberpfeife‹ spricht der textkritische Grundsatz der lectio difficilior, d. h. der im Zweifelsfalle der einfacheren Variante vorzuziehenden schwierigeren Lesart. Da auszuschließen ist, daß B.s Braut Minna Jaeglé, die Straßburger Abschreiberin des *Lenz*-Originalmanuskripts, beim Abschreiben die einfache, ihr geläufige, elsässische Lesart ›Habergeise‹ in die schwierige, neologistische Lesart ›Haberpfeife‹ abgeändert hat, und da sie auch nicht umgekehrt – was schreiberpsychologisch naheliegend gewesen wäre – die schwierige (›Haberpfeife‹) in die geläufige Lesart (›Habergeise‹) transponierte, ist davon auszugehen, daß die Abschreiberin den schwierigen Wortlaut (›Haberpfeife‹) buchstabengetreu aus B.s Manuskript übernommen hat. – *die Meisten beten aus Langeweile ... es ist zu langweilig:* zum Thema der Langeweile in B.s Werk vgl. *Dantons Tod* II,1, sowie vor allem die Parallelstelle in *Leonce und Lena* I,1: »Was die Leute nicht Alles aus Langeweile treiben! Sie studieren aus Langeweile, sie beten aus Langeweile, sie verlieben, verheiraten und vermehren sich aus Langeweile und sterben endlich aus Langeweile (S. 162). – *ich mag mich nicht einmal umbringen: es ist zu langweilig:* Lenz wandelt hier einen beliebten Topos aus dem Umkreis der Melancholie- und Langeweile-Thematik ab: den des Selbstmords aus Langeweile. Der Topos findet sich etwa bei Goethe (›Dichtung und Wahrheit‹, 13. Buch: »Von einem Engländer wird erzählt, er habe sich aufgehangen, um nicht mehr täglich sich aus- und anzuziehn.«), in Lenzens Komödie ›Der neue Menoza‹ (Schlußszene: »Langeweile! Langeweile! ⟨...⟩. Wenn ich nur mein Buch zu Ende hätte ⟨...⟩, ich macht's wie der Engelländer und schöß mich vorn Kopf.«) sowie in Lenzens Brief vom April 1776 an Lindau: »Euch ermorden aus langer Weile wie der Engländer der sich vor den Kopf schoß weil er nichts neues in der Zeitung fand.« (Freye/Stammler, Bd. 1, S. 225). Zum Topos vom Selbstmord aus Langeweile und Melancholie vgl. auch B.s Brief vom 2. September 1836 an seinen Bruder Wilhelm, Nr. 61 (S. 321). – *O Gott ... niemals wieder Nacht?:* Die Quelle dieser Verse in pietistisch-mystischer Tradition ist nach Hinderer (1977, S. 169) noch unbekannt. Nach Fink (in: Martens, Georg Büchner, S. 451, Anm. 26) hat B. selbst dieses kleine ›Nachtgedicht‹ verfaßt. Ähnliche Gedanken und Formulierungen wie Lenz in diesen Versen verwendet der von Schuldgefühlen geplagte Danton, »am Fenster« stehend, in einer Nachtszene (*Dantons Tod* II,5; S. 98). – *Mittags Zelle:* Metapher in Korrespondenz zu Lenz' Obsession von Beengtheit (Gersch, 1981 a, S. 42). – *jetzt kommt mir doch was ein:* jetzt fällt mir doch was ein, kommt mir doch etwas in den Sinn (vgl. Grimm). – *zum Fenster herunterge-*

stürzt: Nach Oberlins Bericht hat sich Lenz in Waldersbach wie-
derholt aus dem Fenster gestürzt (vgl. S. 525 f.). Der historische
Lenz ›realisierte‹ während seines Aufenthalts bei Oberlin offenbar
ein Moment seines literarischen Werks: In Lenzens Drama ›Der
Engländer‹ (1776 entstanden, 1777 veröffentlicht) versucht die au-
tobiographische Titelfigur (Robert Hot) in selbstmörderischer
Absicht, »sich zum Fenster naus« zu »stürzen« (V,1, vgl. auch
III,1). Die Literatur antizipiert beim historischen Lenz das Leben.
– *Schulmeister in Bellefosse:* Der Schullehrer von Bellefosse hieß
Sebastian Scheidecker (vgl. S. 525). Der 1747 geborene Lehrer (vgl.
D. E. Stoeber, S. 479 f.) war »nach Oberlin der bestgeschulte
Mann« in der Steintaler Gemeinde. »Immer, wenn Oberlin verrei-
sen mußte, setzte er ihn zum Stellvertreter ein, zum ›ersten Bürger‹
der Gemeinde.« (Kurtz, S. 63). – *Bellefosse:* eines der fünf zur
Waldersbacher Gemeinde gehörenden Dörfer (vgl. Kurtz, S. 35). –
attachiert: angeschlossen.

154 *siehe die Briefe:* Hierbei handelt es sich zweifellos um »eine ar-
beitstechnische Notiz des Dichters«, die besagt, daß B. an dieser
Stelle noch Lenz-Briefe »verarbeiten wollte« (Gersch, 1981 a,
S. 90), die ihm die Stoebers zur Verfügung gestellt haben. Darauf
bezieht sich folgende Fußnote von Gutzkow: »Büchner scheint
hier ächte, nicht gedichtete, zu verstehen.«

155 *die Welt ... hatte einen ungeheuern Riß:* vgl. *Dantons Tod* III,1:
»warum leide ich? Das ist der Fels des Atheismus. Das leiseste
Zucken des Schmerzes und rege es sich nur in einem Atom, macht
einen Riß in der Schöpfung von oben bis unten.« (S. 107). Die
»metaphysische Metapher« vom ›Weltriß‹ wurde in der Bieder-
meier- bzw. Vormärzzeit wenn nicht erfunden, so doch gern benützt (Sengle, ›Biedermeierzeit‹, Bd. 1, S. 8), u.a. auch von Heinrich Heine im 3. Teil seiner ›Reisebilder‹: »Wer von seinem Herzen rühmt, es sei ganz geblieben, der gesteht nur, daß er ein pro-
saisches weitabgelegenes Winkelherz hat. Durch das meinige ging
aber der große Weltriß« (›Die Bäder von Lucca‹, Kap. IV). – *Wenn
er allein war ... mit ihm gesprochen:* vgl. *Leonce und Lena* I,2:
»Wenn ich so laut rede, so weiß ich nicht wer es eigentlich ist, ich
oder ein anderer, das ängstigt mich.« (S. 165). – *Im Gespräch
stockte er oft:* In Goethes Lenz-Charakteristik (in ›Dichtung und
Wahrheit‹) heißt es: »eine angenehme nicht ganz fließende Sprache« (S. 531). – *krampfhaft:* wie im Krampf (Grimm). – *mit Allem
um ihn im Geist willkürlich umzugehen:* Goethe bezeichnet Lenz
in ›Dichtung und Wahrheit‹ als einen »Schelm in der Einbildung«:
»seine Liebe wie sein Haß waren imaginär, mit seinen Vorstellungen und Gefühlen verfuhr er willkürlich« (S. 532). – *Zufälle:*
Krankheitsanfälle.

156 *eines Wahnsinns durch die Ewigkeit:* Anklang an den Gedanken
Dantons und Camilles, daß der Tod nicht »Vernichtung« bedeute
und daß er daher auch keine Ruhe bringen könne; vgl. *Dantons*

Tod (III,7). Da später auch von Lenz gesagt wird, daß für ihn »keine Ruhe und Hoffnung im Tod« sei (s. u.), könnte mit dem schrecklichen Gedanken »eines Wahnsinns durch die Ewigkeit« gemeint sein, daß Lenzens Wahnsinn ›ewig‹ andauert. – *Oberlins Worte denn:* »denn« im Sinne von ›dann‹. In der Bedeutung von ›tunc‹ herrschte die temporale Konjunktion ›dann‹ gegenüber dem älteren ›denn‹ im 19. Jahrhundert »entschieden« vor, wenn auch damals zuweilen noch ›denn‹ gebraucht wurde, »das in der neusten Zeit ⟨Mitte des 19. Jahrhunderts⟩ ganz verschwunden ist« (Grimm). – *ich könnte das Leiden nicht ertragen:* vgl. hierzu Paynes Hauptargument gegen die Existenz eines Gottes: »Man kann das Böse leugnen, aber nicht den Schmerz; nur der Verstand kann Gott beweisen, das Gefühl empört sich dagegen. Merke dir es ⟨...⟩, warum leide ich? Das ist der Fels des Atheismus.« (*Dantons Tod* III,1; S. 107); vgl. auch B.s Vorlesung *Spinoza* (in Lehmann, Bd. II, S. 227–290, bes. S. 236f.) – *Profanation:* Entweihung, Lästerung. – *für ihn war ja keine Ruhe und Hoffnung im Tod:* vgl. die Parallele in *Dantons Tod* III,7: »Ja wer an Vernichtung glauben könnte! dem wäre geholfen. Da ist keine Hoffnung im Tod« (S. 119).

157 *sich zu sich selbst zu bringen durch physischen Schmerz:* vgl. Lenzens Brief an Lavater vom Ende Mai 1776: »Gib mir mehr wirkliche Schmerzen damit mich die imaginairen nicht unterkriegen. O Schmerzen Schmerzen Mann Gottes, nicht Trost ist mein Bedürfnis« (Freye/Stammler, Bd. 1, S. 262). – *Oft schlug er sich den Kopf an die Wand:* Oberlin berichtet von Lenz (S. 529): »einsmals schmiß er seinen Kopf mit großer Gewalt an die Wand«. Der historische Lenz »lebte« offenbar auch hier – wie schon mit seinen selbstmörderischen Fensterstürzen (vgl. zu S. 153: *zum Fenster heruntergestürzt*) – ein Element seines literarischen Werks, heißt es doch von der Hauptfigur seines Dramas ›Der Engländer‹ in einer Regieanweisung: »rennt mit dem Kopf gegen die Wand und sinkt auf den Boden« (V, 1). – *nicht ⟨zu weit⟩ zu gehen:* In Gutzkows Erstdruck steht: »nicht zurück zu gehen«. »Nach der Logik des Erzählzusammenhangs kann dies ⟨...⟩ unmöglich die Bitte des besorgten Pfarrers gewesen sein; gerade das Gegenteil mußte in seinem Interesse gelegen haben« (Gersch, 1981a, S. 10). Gersch hält daher die Lesart des Erstdrucks für defekt und vermutet, daß hier ein Schreibversehen zugrunde liegt, das vielleicht nur durch das zwei Zeilen darüber stehende Wort »Rückweg« ausgelöst wurde (Gersch, 1981a, S. 10). Die Konjektur nach Gersch wird durch den Wortlaut des Oberlin-Berichts (vgl. S. 526: »Ich bat ihn nicht weit zu gehn«) erhärtet. – *zitternd.* – *Er saß:* so im Erstdruck als Hinweis auf Textlücke oder Textverlust. – *wie sie das Tal hervor nach Westen fuhren:* Die Reise des historischen Lenz nach Straßburg hatte wahrscheinlich folgende Route: von Waldersbach durchs Steintal in nordwestlicher Richtung nach Fouday, von dort

durchs Breuschtal über Schirmeck, Molsheim und Entzheim bzw.
›Ensisheim‹ (von der südwestlich von Straßburg gelegenen Ort-
schaft Entzheim ist die im Oberlin-Bericht benutzte Namensva-
riante ›Ensisheim‹ belegt), wo die Reisegruppe übernachtete (vgl.
S. 529), nach Straßburg. – B.s Angabe »nach Westen« bezieht sich
demnach auf den ersten Reiseabschnitt von Waldersbach nach
Fouday. – *wo der Wagen:* »wo« wird hier als Konjunktion der
Zeit anstelle von »als« gebraucht. Die temporale Konjunktion ›wo‹
wird schriftsprachlich selten, mundartlich dagegen häufig verwendet (vgl. Grimm).

158 *der Berg neben:* »Neben« steht hier im Sinne von »daneben«
(Grimm). – *die Erde war wie ein goldner Pokal, über den schäumend die Goldwellen des Monds liefen:* vgl. *Leonce und Lena* II,
4: »Die Erde ist eine Schale von dunkelm Gold, wie schäumt das
Licht in ihr und flutet über ihren Rand und hellauf perlen daraus
die Sterne.« (S. 180). – *Straßburg:* Der historische Lenz wurde von
drei Wächtern und »zwei Fuhrleuten« (S. 529) am 8. und 9. Februar 1778 nach Straßburg gebracht, und zwar zu seinem (neben
Schlosser und Lavater) wohl besten Freund Johann Gottfried Röderer (1749–1815), der damals »Pädagog« am St. Wilhelmstift in
Straßburg war. Bei seinem Straßburger Freund blieb Lenz »einige
Wochen« (A. Stöber, 1842, S. 31), bis ihn Röderer Ende Februar
1778 nach Emmendingen zu Johann Georg Schlosser (1739–99)
schickte, bei dem sich Lenz schon in den vergangenen Jahren öfter
längere Zeit aufgehalten hatte. Schlosser am 2. März 1778 an
Oberlin: »Lenz ist bei mir und drückt mich erstaunlich. Ich habe
gefunden, daß seine Krankheit eine wahre Hypochondrie ist. ⟨...⟩
er ist wie ein Kind, keines Entschlusses fähig; ungläubig gegen
Gott und Menschen. Zweimal hat er mir große Angst eingejagt;
sonst ist er zwischen der Zeit ruhig« (A. Stöber, 1842, S. 31 f.).
Schlosser am 28. März an Röderer: »Der arme *Lenz* ist pitoyable
übel. Er wird fürcht ich kindisch und nichts als seine Heimreise
kan ihn wieder zurecht bringen, wir leiden viel durch ihn.«
(A. Stöber, 1874, S. 69). In einem Brief vom März 1778 forderte
Schlosser Lenzens Vater ebenso höflich wie dringend auf, seinem
kranken Sohn endlich zu schreiben und Sorge für ihn zu tragen.
Dem Brief Schlossers fügte Lenz folgende Worte des verlorenen
Sohnes aus der Bibel bei: »Vater! ich habe gesündigt im Himmel u.
vor Dir u. bin fort nicht wert, daß ich Dein Kind heiße« (Freye/
Stammler, Bd. 2, S. 127). Am 8. April 1778 schrieb Schlosser er-
neut an Röderer: »*Lenz* hat ein Rezidiv bekommen. Er muß an
Ketten liegen und wird täglich und nachts von 2 Mann bewacht.
Da sein Puls dabei ganz natürlich geht, so müssen wir und der
Arzt seine Manie für unheilbar halten. Wir sind nun entschlossen
ihn in's Frankfurter Tollhaus zu bringen das mehr ein Spital als ein
Tollhaus ist. ⟨...⟩ Ich hab in der Zeit als er bei mir war, erstaunlich
gelitten. Sein Tod würde mir der größte Trost sein.« (A. Stöber,

1874, S. 69f.). Die geplante Einlieferung in das Frankfurter Tollhaus blieb Lenz wohl nur deshalb erspart, weil Schlosser durch
Subskriptionen nicht genügend Geld für die Unterbringung auftreiben konnte. Schlosser brachte Lenz im Sommer und Herbst
1778 zunächst bei einem Schuster in Emmendingen, dann bei einem Förster in Wiswyl und schließlich (Anfang 1779?) bei einem
Chirurgen (vgl. Waldmann, S. 93) in Hertingen bei Basel unter,
von wo ihn der Bruder Karl – finanziell unterstützt durch die
Herzogin von Sachsen-Weimar (vgl. Rudolf, S. 35) – im Juni 1779
abholte und zurück in die Heimat nach Livland brachte: noch
Ende 1778 hatte Lenz erklärt, er wolle »nicht heim« (Waldmann,
S. 89). Am 23. Juli 1779 trafen Lenz und sein Bruder in Riga ein,
wo der Vater seit kurzem das hohe Amt des Generalsuperintendenten von Livland bekleidete. Lenzens Bemühungen um feste
Anstellungen zunächst im livländischen Riga und dann in mehreren russischen Städten (St. Petersburg, Kronstadt, Moskau) waren
zum Scheitern verurteilt. Im Sommer 1781 zog Lenz nach Moskau, wo er eine Zeitlang als Lehrer an einer Erziehungsanstalt
wirkte, gelegentlich auf literarischem Gebiet arbeitete, aus dem
Russischen übersetzte, sich mit ökonomischen und pädagogischen
Fragen beschäftigte und die meiste Zeit auf die Unterstützung von
Freunden und adligen Gönnern angewiesen war. Einer dieser
Freunde und Gönner, der russische Schriftsteller und Historiker
Nikolaj M. Karamsin (1766–1826), schrieb in einem Brief vom
31. Mai 1789 über Lenz: »Eine tiefe Melancholie, die Folge vielen
Unglücks, hatte seinen Geist zerrüttet, aber selbst in diesem Zu-
stande setzte er uns alle in Erstaunen durch seine poetischen Ideen
und rührte uns häufig durch seine Gutherzigkeit und Geduld«
(Waldmann, S. 109). Seit dem Ausbruch (November 1777) seiner
im 20. Jahrhundert als Katatonie bzw. Schizophrenie diagnostizierten Krankheit hatte Lenz immer wieder unter katatonischen
Schüben und schweren Anfällen zu leiden, die besonders heftig in
den Jahren 1778/79 waren, danach etwas abklangen, um in den
späten achtziger Jahren wieder zuzunehmen und schließlich in
einem Zustand schwerer geistiger Verwirrung und Zerrüttung ihre
Endphase zu erreichen. Am Morgen des 4. Juni 1792 wurde Lenz
tot auf einer Moskauer Straße aufgefunden. »Er starb von wenigen
betrauert, von keinem vermißt.« (Nachruf auf Lenz im Intelli-
genzblatt der ›Allgemeinen Literaturzeitung‹, Nr. 99, 1792; zit.
nach: Waldmann, S. 110f.). – *sein Dasein war ihm eine notwendige
Last:* vgl. Goethes ›Faust‹ (1. Teil, V. 1570f.): »Und so ist mir das
Dasein eine Last, / Der Tod erwünscht, das Leben mir verhaßt.« –
So lebte er hin: Das Verb hinleben im Sinne von ›weiter leben,
verleben‹ ist bei Grimm belegt: »Hin« gibt bei diesem Verb und in
ähnlichen Verbindungen »nur ein weiter, fort an, wobei der Begriff des festen Ziels ⟨...⟩ sich verwischt hat«. »Hin« tritt in Verbindungen auf, »die eine flüchtige, der Überlegung oder auch der

Vollkommenheit mangelnde Tätigkeit zeichnen«, »die mehr den
Mangel eines scharf hervortretenden Zweckes betonen«. Als Beleg
führt das ›Deutsche Wörterbuch‹ eine Stelle aus dem letzten Kapi-
tel von Goethes ›Wahlverwandtschaften‹ an, wo es nach Ottiliens
Tod von Eduard heißt: »Er lebte nur vor sich hin, er schien keine
Träne mehr zu haben, keines Schmerzes weiter fähig zu sein.«
(*Werke*, vollständige Ausgabe letzter Hand, Bd. 17, Stuttgart/Tü-
bingen 1828, S. 411 f.).

LEONCE UND LENA

Entstehung

Am 16. Januar 1836 schrieb der Cotta Verlag in der Augsburger ›Allgemeinen Zeitung‹ einen Preis »für das beste ein- oder zweiaktige Lustspiel in Prosa oder Versen« aus:

Preisaufgabe.

Die Unterzeichnete hat einen Preis für das beste ein- oder zweiaktige Lustspiel in Prosa oder Versen ausgesetzt.

Die Bewerber belieben ihre Manuskripte, in der üblichen Art mit Devisen versehen, durch Buchhändlergelegenheit oder postfrei hieher gelangen zu lassen.

Drei Männer von anerkannter Urteilsfähigkeit werden Schiedsrichter sein; nach erfolgtem Ausspruche wird ihr Name genannt werden.

Das Lustspiel wird in der Allgemeinen Theater-Revue für 1836 abgedruckt, und dem Dichter desselben der Preis von

Dreihundert Gulden R. W.

gleich nach erfolgtem Drucke durch die Unterzeichnete ausbezahlt.

Man darf jedoch annehmen, daß die besseren Bühnen, welche das Stück zur Aufführung bringen, nach der in Frankreich üblichen Art, trotz des vorausgegangenen Druckes, dem Dichter das Honorar nicht vorenthalten werden. Nach drei Jahren steht das Stück dem Dichter wieder als freies Eigentum zu.

Die Einsendung muß spätestens bis zum 15 Mai erfolgen; die Revue erscheint bis zum Oktober im Drucke.

Stuttgart, den 1. Januar 1836.   J. G. Cotta'sche Buchhandlung.

(Zitiert: Büchner, Katalog Marburg, S. 228).

Im ›Intelligenz-Blatt‹ Nr. 3 zum ›Morgenblatt‹ vom 3. Februar 1836 wurde der Einsendetermin vom 15. Mai auf den 1. Juli verlängert: »Die Einsendung muß spätestens bis zum 1. Juli erfolgen.«

B. beschloß, sich an dem Wettbewerb zu beteiligen, vermutlich auch, weil er dadurch aus seinen finanziellen Schwierigkeiten zu kommen hoffte. Erste Notizen zu dem geplanten Lustspiel dürften bereits im Frühjahr 1836 entstanden sein. B. war zu dieser Zeit jedoch vor allem mit drei Vorträgen beschäftigt, die er zwischen dem 13. April und dem 4. Mai 1836 vor der Straßburger ›Société du Muséum d'histoire naturelle‹ über das Nervensystem hielt und anschließend für den Druck bearbeitete. Im Brief an Eugen Boeckel (Brief Nr. 58) vom 1. Juni 1836 berichtete er vom Abschluß dieser Arbeit am 31. Mai und von seinem Plan, daß »ich mir in den nächsten 6–8 Wochen Rock und Hosen aus meinen großen weißen Papierbogen, die ich vollschmieren soll, schneiden werde«.

Offensichtlich überschritt B. jedoch den auf den 1. Juli 1836 festgelegten Einsendetermin, und der Verlag ließ die Sendung ungeöffnet
zurückgehen. In den folgenden Monaten schrieb B. dann die vom
Preisgericht verlangte »ein- oder zweiaktige« Fassung zur dreiaktigen
um und arbeitete zur gleichen Zeit auch am *Woyzeck.* Hinweise dafür
geben die Briefe an den Bruder Wilhelm vom 2. September 1836 (Brief
Nr. 61) und an die Familie im September 1836 (Brief Nr. 62). Auch in
Zürich arbeitete er an diesen beiden Stücken und plante wohl, sie zusammen mit dem verschollenen Drama über Pietro Aretino erscheinen
zu lassen, wie er im Brief an seine Braut schrieb (Brief Nr. 71).

Erstdruck und Überlieferung

Leonce und Lena. Ein Lustspiel von Georg Büchner. In: ›Telegraph für
Deutschland‹, Hoffmann und Campe, Hamburg. Erster Band, Nrn.
76–80 (Mai 1838), S. 601–605, 609–613, 621–624, 629–631, 635–640.
Der Druck beruht auf einer Abschrift von Minna Jaeglé, der Gutzkow
mitteilte: »Das Lustspiel las ich noch den selben Abend, und fand darin
Büchners feinen Geist wieder, wenn ich auch voraussehe, daß es Dinge
enthält, die im Druck entweder gemildert oder besser ganz übergangen
werden.« Er strich Szenen und referierte den Inhalt mit eigenen Worten, änderte Wortwahl, Zeichensetzung, Szenen- und Regieanweisun-
gen (vgl. Lesartenverzeichnis; zu den redaktionellen Eingriffen Gutzkows s. Thomas Michael Mayer in Dedner, Leonce, S. 106 f. u. S. 142).

Leonce und Lena. Ein Lustspiel. – In: *Nachgelassene Schriften* von
Georg Büchner ⟨Hg. von Ludwig Büchner⟩ J. D. Sauerländer's Verlag,
Frankfurt am Main, 1850, S. 151–198.

Ludwig Büchner betont in der biographischen Einleitung: »Das
Lustspiel *Leonce und Lena* ⟨...⟩ ist ⟨...⟩ zum ersten Mal hier *vollständig* abgedruckt.« Die Satzvorlage stammte vermutlich von einer Abschrift, welche die damals 29jährige Schwester Luise Büchner entweder
nach B.s eigenhändigem Manuskript oder nach der Abschrift von Minna Jaeglé angefertigt hat. Ludwig Büchner richtete diese Abschrift für
den Druck ein, modernisierte sprachliche Eigenheiten und ließ ihm
anstößig erscheinende Stellen, vor allem politische Anspielungen, weg
(vgl. Lehmann: Noten, S. 34, und Mayer in Dedner, Leonce, S. 107).

Weder B.s Originalmanuskript noch die Abschriften von Minna
Jaeglé und Luise Büchner haben sich erhalten. Vorhanden sind nur drei
Handschriftenfragmente; H 1 und H 2 (Genfer Bruchstücke) befinden
sich in der Bibliotheca Bodmeriana; H 3 (Weimarer Bruchstück) liegt
im Büchnernachlaß im Goethe- und Schiller-Archiv Weimar.

H 1 besteht aus zwei Bogen zu je vier Seiten und enthält die erste Szene
   des 1. Aktes, erweitert um den Auftritt von zwei Polizeidienern.
   Vermutlich handelt es sich um den Beginn einer vorläufigen Reinschrift, die dann aufgegeben wurde.
H 2 besteht aus zwei Seiten und enthält auf der Vorderseite das Ende

der letzten Szene des 1. Aktes und den Anfang des 2. Aktes, auf der
Rückseite Skizzen zur 1. Szene des 3. Aktes.
H 3 besteht aus fünf von B. wieder gestrichenen Zeilen zur 3. Szene des
1. Aktes (s. S. 169: Was deine Empfänglichkeit betrifft …)

Zur Textgestalt

Bei dem vorliegenden Text von *Leonce und Lena* handelt es sich um
eine erstellte Mischfassung aus j (gekürzter Erstdruck durch Karl
Gutzkow im ›Telegraph für Deutschland‹, Mai 1838) und N (Druck
durch Ludwig Büchner in: ›Nachgelassene Schriften von Georg Büchner‹. Frankfurt a. Main 1850).

Szene I,1 folgt N (j enthält an dieser Stelle nur wenige Zeilen, ansonsten Zusammenfassungen Gutzkows), im weiteren liegt dem Druck j
zugrunde, Ergänzungen und einzelne Emendationen erfolgten nach N
und sind im Text mit eckigen Klammern […] gekennzeichnet. Das
folgende Variantenverzeichnis enthält alle gravierenden Abweichungen
zwischen j und N (bloße Varianten der Orthographie, der Interpunktion oder typographischer Art sind nicht berücksichtigt worden).
Übernahmen aus N sind im folgenden Apparat zusätzlich durch Un-
terstreichungen markiert (zur Problematik des insgesamt ungesicherten
Textes vgl. die Darstellung von Thomas Michael Mayer: ›Vorläufige
Bemerkungen zur Textkritik von Leonce und Lena‹, in: Dedner,
Leonce, S. 89–153).

	j: Druck durch Karl Gutzkow	N: Druck durch Ludwig Büchner
160	–	vom Reiche Pipi
	Bauern, etc. etc.	Bauern u. s. w.
164	Er läuft fast nackt im Zimmer	Er läuft im Zimmer
	ist mein Hemd, meine Hose?	sind meine Schuhe, meine Hosen?
	Halt, pfui! der freie	Halt, der freie
	steht davorn ganz	steht ganz
	Ha,	He,
	PETER. Nun?	KÖNIG. Nun?
	Ei! Nun an	Ei! Nun, und
	Ihr Taschentuch zu knüpfen	ihr Schnupftuch zu knüpfen
	das ist's. – Ich wollte mich an	das ist's, das ist's
	mein Volk erinnern!	
165	KÖNIG PETER. (Mit Rührung.)	PETER (Mit Rührung)
	–	Dritte Szene…. Dienern. LE- ONCE
	–	(Die Diener gehen ab…. (Sie tanzt und singt.)
166f.	tief, tief	tief
	glühen	glühn
	wilden	milden
	blühen	blühn
	lieber schlieft ihr aus im Dunkeln	schlieft im Dunkel lieber aus

	j: Druck durch Karl Gutzkow	N: Druck durch Ludwig Büchner
	–	LEONCE (indes ... weinen zu können
	daß die köstlichen	damit die köstlichen
	Halsband daraus machen	Halsband machen
		ROSETTA. Wohl ... problematische Schenkel
	–	⟨W⟩einst: vermutlich Druckfehler: Meinst.
170	einmal erhalten	einst erhalten
	Niemand	Niemanden
	ein, als	ein – außer
	–	PRÄSIDENT (verlegen ... Rede zurücktritt.
	–	P......
	Prinzessin Lena	Prinzessin Lena von Pipi
	läßt Ihro	läßt Ihre
	Augenbrauen	Augenbrauen
	war kein Grübchen zu sehen	waren keine Grübchen
	Abzugsgruben	Abzugsgräben
	Braten an der königlichen Tafel verbrennt	Braten verbrennt
	–	ein Kapaun ... A propos,
171	ja mit den Beinen doch nicht	mit den Beinen kaum
	–	(Er spreizt ... daran erinnern.
	–	Soll ich ... Vieren gingen?
	–	Du hast ... erzeugt.
	(Staatsrat ab.)	(Staatsrat und Valerio ab.)
	–	(allein). Wie gemein ... zurück.) Ach
	lästige	lustige
	Zwirnfaden	Zwirnsfäden
172	–	LEONCE. Valerio! ... jetzt hab' ich's!
	schluft	schläft
	Zaubrer	Zauberer
	vom Tarantella	von Tarantella
172 f.	–	Vierte Szene. ... altes Lied: GOUVERNANTE. Armes ... von mir gestreift.
	die Quelle	die arme, hilflose Quelle
	in ihr spiegelt, zurückstrahlen	über sie bückt ... abspiegeln
	–	Die Blumen ... Prinzessin weg).
174	–	Zweiter Akt
	–	Adalbert von Chamisso
	–	Erste Szene ... treten auf.
	weitläuftiges	weitläufiges
	stünde	stände
	wenigstens	nächstens
	verflügtigst	verflüchtigst
	gröbere materielle	gröberen materiellen
	Kopf	Kopfe

j: Druck durch Karl Gutzkow	N: Druck durch Ludwig Büchner
man Ihnen denselben scheren	man sie ihnen
und sie	
ließ	ließe. – Ein köstlicher Einfall.
Tage	Tag
schön, aber dumm	schön und unendlich geistlos
hülflos	hilflos
Gränze	Grenze
Stirn	Stirne
–	Hätte ich … inwendig anziehen.
Gott	Pack
lieben verkauften Hosen,	lieben Hosen, wie
(denn verkaufen will ich sie) wie	
ins Maul	in den Mund
–	(kommen)
GOUVERNANTE	DIE GOUVERNANTE
keine Eremiten	keinen Eremiten
keine Schäfer	keinen Schäfer
unsern Büchern	unseren Büchern,
unsers Gartens	unseres Gartens
unsern Myrthen	unseren Myrthen
Was ein roter Schein über den Wiesen spielt von den Kuckucksblumen	Ein roter Blumenschein spielt über die Wiesen,
Odilia	Otilia
liefern Ihnen die zur Bezahlung gegebenen	liefern Ihre
greisen freundlichen	großen freundlichen
Haustür	Haustüre
alt	so alt
über dich schlägt	über dir schlägt
dem Kelch	den Kelch
Weinblumen	Weinblume
Stuhl	Stuhl nur
zwei, daß man sich die Nase mit Hülfe der Hände putzt und nicht wie die Fliegen mit den Füßen	zweien
zu irgend einer fürstlichen Liebhaberei	zu einer Liebhaberei
–	,die mir erst … zupfe.
–	sie macht keine Geburtsschmerzen,
–	geht und
magern	mageren
goldnen	goldenen
Langerweile	Langeweile
der Kartenkönig	ein Kartenkönig
Füße	weiland Waden
–	respektabeln
das Maul	den Mund
Ihre	Solch' eine
Damaskus	Damascum

Line numbers in left margin: 175 (at "schön, aber dumm"), 176 (at "unsern Büchern"), 177 (at "Stuhl"), 178 (at "Füße")

j: Druck durch Karl Gutzkow	N: Druck durch Ludwig Büchner
für müde Augen	müden Augen
müde Lippen	müden Lippen
müde Ohren	müden Ohren
ins Haus	in das Haus
andern Dingen	anderen Dingen
hab' sie	habe sie
Chausseen dorthin	Chausseen
Wintertag	Wintertage

179	Wangen, den	Wangen, und den
	ein Schlafkissen	sein Schlafkissen
	Harmonien	Harmonie
	sie ist aber doch nicht so schön, als	sie wäre aber doch noch schöner
	in den Wänden	an den Wänden
	draußen	da außen
	draußen	da außen
	Entschluß. (Er legt sich auf den Rasen nieder.)	Entschluß.
	LEONCE. (Tritt auf.) O Nacht, balsamisch wie die erste, die auf das Paradies herabsank. (Er bemerkt ... leise.)	LEONCE tritt auf, bemerkt die Prinzessin und nähert sich ihr leise!
180	Armes Kind, kommen die schwarzen Männer bald Dich holen? Wo ist Deine Mutter? Will sie Dich nicht noch einmal küssen? Ach es	Armes Kind! Es
	Kleide	Kleid
	Totenlied	Sterbelied
	Bahrtuch	Bahrtuche
	Chaos entgegen	Chaos mir entgegen
	dunkelm	dunklem
	Sterne. Meine Lippen saugen sich daran: dieser	Sterne. Dieser
	heut	heute
	zu gehn	gehen zu wollen
	von den Flöhen	von dem Ungeziefer
181	so vortrefflich	vortrefflich
	heut	heute
	halten.	halten. Wohl
	LEONCE. Wohl	
	Und dann kann ich	Und dann kann ich doch: Dummkopf!
	–	
	gehn	gehen
182	Sr. Exzellenz	Seiner Exzellenz
	Spiritus an sich	Spiritus an sich: so in beiden Drucken überliefert; die übliche Konjektur »Spiritus ⟨i⟩n sich« ist auch von Th. M. Mayer in Frage gestellt worden (in Dedner, Leonce, S. 72 und S. 138f.) und wird

j: Druck durch Karl Gutzkow	N: Druck durch Ludwig Büchner
	nicht übernommen, weil wahrscheinlich die konservierende Funktion des Angießens mit Spiritus (Einlegen in Alkohol) gemeint ist
Steckt	Streckt
grad	gerade
daß man meint	damit man meint
Ihr wärt	ihr wäret
daß es aussieht	damit es aussieht
Ihr stehet	Ihr steht
kaum mehr stehen	kaum noch stehen
Nasen nicht mit den Fingern	Nasen nicht
so lang das	so lange das
grade so gestellt	gerade so gestellt
Vi!	He! Vi!
BAUERN	DIE BAUERN
BAUERN	DIE BAUERN
183 BAUERN	DIE BAUERN
–	Wir geben ... die Köpfe.
Zweite Szene	Dritte Szene
Vordergrund	Vordergrunde
gehn	gehen
Die zwölf Unschuldigen	Von den zwölf Unschuldigen ...
	Sie
Herrn	Herren
Haltung ... ZEREMONIEN-MEISTER.	Haltung, und die
Die	
Gradierbäume	Gradierbäue
machens	machen es
tragen	trügen
Wenn sie nicht	Wenn sie auch nicht
Reich	Reiche
–	die Dardanellen und
kömmt	kommt
184 PETER. Also auch	PETER. Auch
Gränzen	Grenzen
Saal	Saale
ERSTER BEDIENTE	ERSTER BEDIENTER
ZWEITER BEDIENTE	ZWEITER BEDIENTER
Nordgränze	Nordgrenze
DRITTER DIENER	DRITTER BEDIENTER
noch weniger	eben so wenig
an diesem Tag	an diesem Tage
KÖNIG. Und würde	PETER. Und würde
KÖNIG PETER. Habe ich	PETER. Habe ich
Kammerherrn	Kammerherren
185 allerdings nicht heiraten	eben nicht heiraten
KÖNIG. Halt	PETER. Halt
sich Eure Majestät	Eure Majestät sich

	j: Druck durch Karl Gutzkow	N: Druck durch Ludwig Büchner
	andern	anderen
	ein Ding das nichts –	– ein Ding, – ein Ding, – das nichts ist.
	DIENER	DIE DIENER
	Glockenschlag zwölf	Glockenschlag
	melancholisch	ganz melancholisch
	Anstands	Anstandes
	ERSTER BEDIENTE	ERSTER BEDIENTER
	was	etwas
	Gränze	Grenze
	dann noch zwei	dann zwei
	Geschlechts	Geschlechtes
	ERSTER BEDIENTE	ERSTER BEDIENTER
	gehn	gehen
	denn doch	dann doch
	dann	alsdann
186	wer ich	was ich
	Der Mann	Der Mensch
	hiemit	hiermit
	einen Herr und	einen Herrn und
	funfzig	fünfzig
	andern Menschen	anderen Menschen
	bloße Pappdeckel	bloßer Pappdeckel
	stehen auf	stehn auf
	gehen auf	gehn auf
	gute	eine gute
	–	Sie haben … hinunterzugehen.
	Studium	Stadium
187	einzige	winzige
	Nase legend.	Nase
	Leonce und Lena	Lena und Leonce
	Das ist der Prinz, das ist	Das ist die Prinzessin, das
	die Prinzessin	ist der Prinz
	fatalen	vermaledeiten
	–	vom Reiche Popo
	–	vom Reiche Pipi
	zu wollen	haben zu wollen
	sagen	sprechen
	wäre denn	wären dann
	das Fräulein	Fräulein
	des Paradieses	im Paradies
188	ungültig	ungiltig
	Paradies. Ich bin betrogen.	Paradies
	LENA. Ich bin betrogen.	LENA. Ich bin betrogen.
	LEONCE. O Zufall!	LEONCE. Ich bin betrogen
		LENA. O Zufall!
	LENA. O Vorsehung!	LEONCE. O Vorsehung
	lachen	lachen, ich muß lachen
	das	endlich das
	mich vor Rührung kaum zu lassen	mir vor Rührung kaum zu helfen
	ungestört jetzt bloß nur noch zu	ungestört zu

j: Druck durch Karl Gutzkow	N: Druck durch Ludwig Büchner
–	<u>Der Mensch ... heraushelfen.</u>
Gehn Sie	Gehen Sie
von vorn an	von vorne an
Auf Wiedersehn!	Auf Wiedersehen!

189 milchweiße ästhetische Spitzmäuse   die milchweißen ästhetischen Spitzmäuse

gibt und die uns	gibt, <u>und wir</u> uns
wir das ganze Jahr	das ganze Jahr
Lorbeern	Lorbeer
Gestalten	<u>Leiber</u>
eine, wo möglich, bequeme	eine komm⟨o⟩de
	komm ⟨o⟩de: vermutlich Druck-
	fehler; eigentlich: kommende

191 *traurig, Euer Hoheit:* alternative Lesart: »traurig, Eure Hoheit« (vgl. Thomas Michael Mayer in Dedner, Leonce, S. 18). – *Sich verbeugen:* vermutlich Druckfehler für »sich verbeugen«. – *jemand Anders:* alternative Lesart: »jemand Anderes« (vgl. Thomas Michael Mayer in Dedner, Leonce, S. 20).

192 *Ich werde mich indessen ... anzutreffen.:* Randeinschub nach »etwas Anderm reden«.

193 *davon laüft* und *laüft Keiner:* so in der Handschrift. – *Da leugne:* in der Handschrift »laügne«.

195 *Nachtendes:* alternative Lesart: »Nachtwindes« (vgl. Thomas Michael Mayer in Dedner, Leonce, S. 70).

Uraufführung

Freilichtaufführung des Intimen Theaters in München am 31. Mai 1895 unter der Regie von Ernst von Wolzogen. (Vgl. Axel Bornkessel, ›Georg Büchners Leonce und Lena auf der deutschsprachigen Bühne. Studien zur Rezeption des Lustspiels durch das Theater‹. Diss. Köln 1970, S. 40–43).

Programm und Einladung (Theaterzettel) zur Uraufführung von Leonce und Lena sind als Faksimile wiedergegeben in: Büchner, Katalog Darmstadt, S. 312. Dort auch (S. 312f.) bisher unbekannte Photographien von der Uraufführung aus dem Nachlaß Max Halbes.

Quellen

Ähnlich wie in *Dantons Tod* hat B. eine Fülle von Anregungen, Zitaten und Anspielungen aus seiner Lektüre verwendet. »Das literarische Zitat ist in *Leonce und Lena* das entscheidende ästhetische Bauprinzip und Teil der Kommunikationsstrategie.« (Hinderer S. 133). Neben der Bibel und der Tradition der Commedia dell' arte lassen sich viele Parallelen und wörtliche Zitate nachweisen. Wichtige Beispiele sind jeweils in den Anmerkungen genannt, und zwar von folgenden Autoren:

Brentano (›Ponce de Leon‹, ›Godwi‹); Chamisso (›Die Blinde‹); Eichendorff (›Dichter und ihre Gesellen‹); Gautier (›Mademoiselle de Maupin‹); Goethe (›Dichtung und Wahrheit‹, ›Faust‹, ›Italienische Reise‹, ›Prometheus‹-Fragment, ›Werther‹); Heine (›Reise von München nach Genua‹); E. T. A. Hoffmann (›Kater Murr‹); Homer (›Odyssee‹); Jean Paul (›Titan‹); Kant; Musset (›Fantasio‹, ›On ne badine pas avec l'amour‹, ›Les Caprices de Marianne‹); ›Die Nachtwachen des Bonaventura‹; Pascal (›Pensées‹); Platen (›Die verhängnisvolle Gabel‹; Gedichte); Rabelais (›Gargantua und Pantagruel‹); Schiller (›Don Carlos‹); F. Schlegel (›Lucinde‹); Tieck (›Der gestiefelte Kater‹; ›Dichterleben‹, ›Zerbino‹); Shakespeare (›Romeo und Julia‹, ›Hamlet‹, ›Sommernachtstraum‹, ›Wie es Euch gefällt‹, ›Heinrich IV.‹, ›Heinrich V.‹); Sterne (›Tristram Shandy‹). (Vgl. dazu: Armin Renker: ›Georg Büchner und das Lustspiel der Romantik. Eine Studie über Leonce und Lena.‹ Ebering, Berlin 1924, S. 24–43, 80–127; Hinderer S. 129–158).

Jörg Jochen Berns (in: Dedner, Leonce, S. 219–274) hat gezeigt, wie die Art des Zitierens jeweils für die Personen bezeichnend ist: »Über den größten poetischen Anspielungsreichtum (der von volkstümlichen Genera des Sprichworts, Liedes und Volksbuchs über die Bibel und Shakespeare bis hin zu Sternes *Shandy* und Goethes *Werther* reicht) verfügen fraglos Prinz Leonce und dessen Gefährte Valerio. König Peter hingegen ist nicht Herr seiner Sprache und auch nicht Herr des Anspielungswitzes der von ihm geäußerten Sätze, sondern hilfloses Medium und albernes Opfer eines modephilosophischen Jargons, der zeremoniellrhetorisch verschnitten ist. Die Gouvernante gibt sich als Opfer von Roman- und Theatersuggestionen zu erkennen, wenn sie von Schäfern, Eremiten, irrenden Prinzen und Don Carlos faselt. Lena spricht in biblizistischen Bildern und naturmystischer Feierlichkeit. Und die Bauern schließlich sprechen überhaupt nicht, weil sie durch das anbefohlene Vivat-Rufen um ihre eigne Sprache gebracht werden. Bei genauerem Hinsehen ist also zu erkennen, daß Büchner jeder Figur ein eigentümliches literarisches Kolorit gegeben hat, in dem Zitate und Anspielungen sehr unterschiedlicher Herkunft mitwirken. Entscheidend ist, daß die Literarizität der Dramenfiguren sich nicht verselbständigt und die Figuren nicht entwirklicht, sondern ganz im Gegenteil deren Wirklichkeit perspektivisch vertieft, – sofern freilich der Rezipient des Stücks diese Anspielungen und Zitate selbst realisieren kann« (S. 250).

Thomas Michael Mayer (vgl. Büchner, Katalog Marburg, S. 234f.) und Berns (S. 252f.) verweisen für die Quellen auch auf eine ›Chronik der Feierlichkeiten‹, die anläßlich der Hochzeit zwischen Erbgroßherzog Ludwig von Hessen und der Prinzessin Mathilde von Bayern 1834 in Darmstadt erschienen ist.

Anmerkungen

160 Alfieri: Vittorio (1749–1803), ital. Tragödienautor. – *E la fama:*
Und der Ruhm. – *Gozzi:* Carlo (1720–1806), ital. Komödienautor.
– *E la fame:* Und der Hunger. Die Bedeutung der beiden Zitate ist
nicht geklärt. Vielleicht handelt es sich um die ›Devise‹ (d. h. das
Deckwort), die B., den Ausschreibungsbedingungen entsprechend, für sein Lustspiel gewählt hat. Zu berücksichtigen wäre
auch der von B. überlieferte Ausspruch: »Ruhm will ich davon
haben, nicht Brot« oder, für das zweite Zitat, auch B.s Anspielung
auf die Not unterer Bevölkerungsschichten (Brief Nr. 54 an die
Familie): »Ich komme vom Christkindelsmarkt, überall Haufen
zerlumpter, frierender Kinder, die mit aufgerissenen Augen und
traurigen Gesichtern vor den Herrlichkeiten aus Wasser und
Mehl, Dreck und Goldpapier standen. Der Gedanke, daß für
die meisten Menschen auch die armseligsten Genüsse und
Freuden unerreichbare Kostbarkeiten sind, machte mich sehr
bitter.«

161 Wie es Euch gefällt: wörtliches Zitat aus Shakespeares gleichnamigem Lustspiel (II, 7). – *Ich habe alle Hände voll zu tun. Ich weiß
mir vor Arbeit nicht zu helfen. ⟨...⟩ Bin ich ein Müßiggänger?:*
Deutliche Anklänge an Brentano, ›Ponce de Leon‹ (II, 4): »Ihr
könntet eher sagen, ich arbeite zu viel Nichts. Ihr solltet mich
kennenlernen, wenn mir nicht alle Geschäfte, die ich nicht tue, die
Zeit nähmen ⟨...⟩. – Seht, es gibt keine höllischere Arbeit, als die,
welche man nicht tut ⟨...⟩. Wahrlich, ich habe alle Hände voll
Arbeit für den Müßiggang.« – *zu spu⟨c⟩ken:* In E. T. A. Hoffmanns ›Kater Murr‹ gibt es einen Baron, der »mit großem Geschick auf einen Stein zu spucken weiß«. – *wetten:* vielleicht Anspielung auf Blaise Pascals ›Pensées‹ Nr. 233 mit dem Zwiege-
spräch über eine Wette im Zusammenhang mit Gottesbeweisen. –
Müßiggänger: Vgl. Friedrich Schlegels ›Lucinde‹: »In der Tat man
sollte das Studium des Müßiggangs nicht so sträflich vernachlässi-
gen, sondern es zur Kunst und Wissenschaft, ja zur Religion bilden!« Hier spielt B. auch auf den Adelsstand an, dessen Angehörige nichts zu tun haben. Zum Problem des Müßiggangs vgl. A. We-
ber-Möckl: ›Langeweile als Adelsprivileg. Melancholie in der höfischen Gesellschaft‹, in: ›Journal für Geschichte‹ 1/87, S. 31–37:
Der Hochadel war ohne eigentliche Aufgabe und sah seinen Da-
seinszweck nur in der Erfüllung von Etikette und Hofzeremoniell.
Vgl. Goethe zu Eckermann am 16. August 1824: »Das Hofleben
gleicht einer Musik, wo jeder seine Takte und Pausen halten muß.
Die Hofleute müßten vor Langerweile umkommen, wenn sie ihre
Zeit nicht durch Zeremonie auszufüllen wüßten.« Müßiggang
wird dementsprechend bald zum Kennzeichen des Adelsstandes.
In Friedrich Hebbels Tragödie ›Maria Magdalena‹ kann Meister

Anton deshalb auch feststellen: »Vornehme Herren müssen einen Zeitvertreib haben. Ohne den Karten-König hätte der wahre König gewiß oft Langeweile, und wenn die Kegel nicht erfunden wären, wer weiß, ob Fürsten und Barone nicht mit unsern Köpfen bosseln würden!« Das Bürgertum macht aus der Notwendigkeit der täglichen Beschäftigung eine Tugend. Dem Adel diente andererseits der demonstrative Müßiggang zur Abgrenzung gegenüber Bürgern und Handwerkern. – *Wolken:* Vgl. dazu Goethe in ›Dichtung und Wahrheit‹: »Ich kannte einen wackeren Gärtner ⟨...⟩, der einmal mit Verdruß ausrief: Soll ich denn immer diese Regenwolken von Abend gen Morgen ziehen sehn!« – *melancholisch:* Anklang an Brentanos ›Ponce de Leon‹ (II,4): »Ihr seid meistens melancholisch, und zwar weil Ihr müßig seid.« – L. Völker (Georg Büchner Jahrbuch 3, 1983, S. 118–137) verweist auf die Bedeutung des Melancholie-Begriffs, die keine eindeutige Negativ-Interpretation zuläßt. Das belegt Kants Aussage, nach der ein Melancholiker »ein hohes Gefühl von der Würde der menschlichen Natur« hat, das beweisen auch die gesellschaftliche und politische Motivation von Shakespeares ›Hamlet‹ und Jacques (in ›Wie es Euch gefällt‹), die B. wörtlich zitiert, sowie B.s Äußerungen, in denen Melancholie ein Zeichen persönlicher Betroffenheit ist; vgl. seinen Brief an Eugen Boeckel vom 1. Juni 1836 (Brief Nr. 58): »Ich meine eine Tour durch die Spitäler von halb Europa müßte einem sehr melancholisch und die Tour durch die Hörsäle unserer Professor⟨en⟩ müßte einem halb verrückt und die Tour durch unsere teutschen Staaten müßte einem ganz wütend machen.« An Wilhelm Büchner schrieb er am 2. September 1836 (Brief Nr. 61): »Ich bin ganz vergnügt in mir selbst, ausgenommen, wenn wir Landregen oder Nordwestwind haben, wo ich freilich einer von denjenigen werde, die Abends vor dem Bettgehn, wenn sie den einen Strumpf vom Fuß haben, im Stande sind, sich an ihre Stubentür zu hängen, weil es ihnen der Mühe zuviel ist, den andern ebenfalls auszuziehen.« – *Parenthese:* wörtl. Einschaltung eines Redeteils in Klammern; vgl. auch Alfred de Musset: ›Les Caprices de Marianne‹ (II,1): »Eure Perücke ist voller Beredsamkeit, und Eure Beine sind zwei bezaubernde Parenthesen.«

162 *Müßiggang ...:* wörtl. Verwendung eines Sprichworts; so auch in L. Tiecks ›Der gestiefelte Kater‹ (III, 4). B. hat das Motiv der Langeweile auch in *Dantons Tod* (II, 1) und in *Lenz* (S. 153) verwendet; es läßt sich deuten als Privileg der unterbeschäftigten Adelsschicht, als ontologisches Problem und als gesamtgesellschaftliche Erscheinung. – *Humor:* Zitat aus Shakespeares ›Heinrich V.‹ (II, 1): »Fechten mag ich nicht, aber ich kann die Augen zutun und meinen Spieß vorhalten. Es ist nur ganz einfach; aber was tuts? Man kann Käse daran rösten, und er hält die Kälte aus, so gut wie andrer Menschen Degen auch, und das ist der Humor davon.« Der Begriff wird hier im ursprünglichen Sinn von Stim-

mung und Laune verwendet. – *Puppe:* B. verwendet Puppen bzw.
Marionetten als seelenlose Wesen zur Charakterisierung gesell-
schaftlicher Rollen; vgl. auch zu S. 185. – *rechtlich ... nützlich ...
moralisch:* Anspielung auf philosophische Zentralbegriffe der Aufklärung und ironischer Hinweis auf verklärend-idealisierte Natur-
begriffe. – *Der Mann, der eben von mir ging ⟨...⟩. O wer einmal
jemand Anderes sein könnte! Nur 'ne Minute lang:* Vgl. Mussets
›Fantasio‹ (I, 2): »Wenn ich doch nur für eine oder zwei Stunden
aus meiner Haut könnte! Wenn ich dieser Herr sein könnte, der
dort vorbeigeht!« – *Valerio:* Die Figur des Landstreichers Valerio
steht in der Tradition des Harlekin in der Commedia dell' arte, der
Narren in Shakespeares Komödien und Sancho Pansas in Cervantes' ›Don Quixote‹. Der Name erscheint auch in Brentanos ›Ponce
de Leon‹. – *Ich werde mich indessen in das Gras legen ⟨...⟩:*
parodistische Anspielung auf Goethes ›Leiden des jungen Werthers‹ (als Reaktion auf die Bewegung des ›Sturm und Drang‹, vgl.
Literarhistorischer Hintergrund zu *Lenz,* S. 516ff.) und Werthers
›romantisches‹ Naturempfinden. Vgl. dort (1. Buch, Brief vom
10. Mai): »Wenn ⟨...⟩ ich dann im hohen Grase am fallenden Bach
liege und näher an der Erde tausend mannigfaltige Gräschen mir
merkwürdig werden; wenn ich das Wimmeln der kleinen Welt
zwischen Halmen ⟨...⟩ fühle ⟨...⟩.« Möglicherweise auch Anspielung auf die Tatsache, daß Bienen, Schmetterlinge und Rosen Attribute für die Schöpferkraft Amors sind; wie Amor führt auch
Valerio die Liebenden zusammen.

163 *Man kann keinen Kirchturm herunterspringen, ohne den Hals zu
brechen:* Vgl. Mussets ›Fantasio‹ (I, 2): »Was für ein armseliges
Ding ist der Mensch! kann nicht einmal aus dem Fenster springen,
ohne sich die Beine zu brechen!« – *Hei, da sitzt ...:* nassauisches
Kinderlied nach der Melodie: O du lieber Augustin. E. Th. Voss
(Dedner, Leonce, S. 339ff.) verweist darauf, daß dieses Lied mit
seinem nichtssagenden Text von Opposionellen beim plötzlichen
Auftauchen der Polizei gesungen wurde. – Am Schluß dieser Szene singt Valerio das Lied nochmals; B. hatte zeitweise daran ge-
dacht, hier zwei Polizeidiener auftreten zu lassen; vgl. den Abdruck von H 1, S. 193. – *verhandeln:* verkaufen. – *Kreuzspinne ...
Libelle ... Bohnenstange:* In Shakespeares ›Sommernachtstraum‹
(III, 1) redet Zettel die Elfen als Spinnweb, Bohnenblüte, Senfsa-
men an. – *Cantharide:* Käfergattung aus der Familie der Blasenkä-
fer, die das Kantharidin enthalten, welches in Form von Pflastern,
Salben und Tinkturen als blasenziehendes Mittel, vielfach auch als
Aphrodisiakum benützt wurde. Gutzkow schreibt in seiner Edi-
tion zu dieser Formulierung: »Ein Witz, den zu verstehen, man
Arzt sein muß, was Büchner war.« – *Profession:* Beruf.

164 *Der Mensch muß denken:* Anregung durch den König in Tiecks
›Der gestiefelte Kater‹ (II, 3): »Ich muß an alles denken, sonst
wird's doch immer schief ausgerichtet.« B. parodiert die Form des

absolutistischen Levers mit den morgendlichen Ankleidezeremo-
nien. – *das an sich:* Montage zentraler Begriffe der idealistischen
Philosophie, vertreten u.a. von Descartes (»cogito ergo sum«),
Spinoza und Kant (»das Ding an sich«). – *Attribute: ...:* dieser
und der folgende Begriff sind Anspielungen auf die philosophische
Kategorienlehre. – *Modifikationen:* Begriffsbestimmungen. – *Affektionen:* Kritizismen; gemeint ist vor allem die Erkenntnistheorie Kants. – *Akzidenzien:* das, was zu einem Subjekt bestimmend
hinzukommt; Descartes und Spinoza erheben die Akzidenzien
zum substantiellen Sein. – *Kategorien:* verschiedene Möglichkeiten der Aussage und des Seins. – *Dose:* Schnupftabaksdose.

165 *Ein drittes gibt es nicht:* Der Satz vom ausgeschlossenen Dritten
(exclusi tertii principium) ist eines der logischen Axiome; er besagt, daß A entweder gleich B oder nicht gleich B ist und daß es
eine dritte Möglichkeit nicht gibt (lat. tertium non datur). – *so laut
rede ... ängstigt mich:* vgl. *Lenz* S. 155. – *Ich will Nacht:* Vgl. dazu
Shakespeares ›Romeo und Julia‹ (III, 5). – *ambrosische:* himmlisch
süße.

166 *O dolce far niente:* O süßes Nichtstun. – *Hiatus:* Gähnlaut beim
Zusammentreffen zweier Vokale.

167 *O, eine sterbende Liebe:* Anklang an Bonaventuras 10. Nachtwache: »Die Liebe ist nicht schön – es ist nur der Traum der Liebe
der entzückt.« – *ein Römer...:* vgl. Parallelen in *Dantons Tod*
(IV,5, S. 129) sowie ›Dichterleben‹ von L. Tieck: »Bei den schwel-
genden Römern war es Sitte, Goldfische neben sich zu stellen und
an der Tafel sich am Wechselspiel der Farben, wie sich diese im
Absterben wunderlich veränderten, zu ergötzen.« – *Epikureismus:*
vergröbernd für Genußstreben gebraucht. – *Ich habe unsere Liebe...:* Vgl. dazu Brentano, ›Ponce de Leon‹ (V, 11): »In meinem
Herzen ist ein wunderbares Leben, meine Liebe wird zu Grabe
getragen und alle guten Wünsche meiner Seele wandeln mit. Sei
ruhig, Aquilar, o störe nicht den feierlichen Zug.«

168 *Wieviel Weiber hat man nötig, um die Skala der Liebe auf und ab
zu singen?:* vgl. *Dantons Tod* (I, 4), Lacroix über Danton: »Er
sucht eben die mediceische Venus stückweise bei allen Grisetten
des palais royal zusammen, er macht Mosaik, wie er sagt« (S. 80). –
Luftpumpe: Apparat zur Herstellung eines luftleeren oder luftver-
dünnten Raumes. – *Nankinhosen:* Hosen aus chinesischem, glat-
tem, festem Baumwollgewebe. – *Caligula und Nero:* despotische
römische Kaiser, berüchtigt wegen ihrer Grausamkeit; Caligula
regierte von 37–41 n.Chr., Nero von 54–68 n.Chr. – *Mein Kopf ist
ein leerer Tanzsaal:* vgl. Brentanos Roman ›Godwi‹: »In meinem
Kopf war ein großer Redoutensaal« und Mussets ›Fantasio‹ (I, 2).

169 *Adonis:* s. zu S. 83; Adonis war ursprünglich ein Fruchtbarkeits-
gott; deshalb hier der Hinweis Valerios, daß er, wie der Eber, die
Potenz des Leonce zerstören könne. – *Vorgebirg der guten Hoffnung:* Anspielung auf die Schwangerschaft. Vgl. dazu Platens

Lustspiel ›Die verhängnisvolle Gabel‹ (I); »Er machte just / Die Reise nach der guten Hoffnung Vorgebirg.« – *Cap Horn:* Südspitze Amerikas; Anspielung darauf, daß Valerios Mutter ihrem Mann die ›Hörner‹ aufgesetzt hat. – *Nachtwächter:* hier in der Bedeutung: dummer Mensch, der nichts sieht oder merkt. – *Passion:* Leidenschaft, Lust.

170 *Rede zurücktritt:* ›zurücktreten‹ ist in diesem Kontext ein physiologisch-medizinischer Terminus, der ›zurückweichen‹, ›sich zurückbilden‹, ›nachlassen‹, ›versiegen‹ bedeutet (vgl. Grimm); dort Belege für das Zurücktreten des Ausschlags, des Schnupfens und der Muttermilch. – *Kapaun:* Hahn, der durch die Kastration besser gemästet werden konnte.

171 *fünf Vokale:* in Valerios Namen; das V wird als U gelesen. – *zum Ritter an den armen Teufeln gemacht habe:* ›Sich an jemandem zum Ritter machen‹, ›an jemandem zum ritter werden‹ (Grimm) bedeutet soviel wie: an jemandem seinen Mut kühlen, gleich mit der Waffe bei der Hand sein. – *Shandy:* Anspielung auf das 4. Kapitel im I. Buch von Laurence Sternes (1713–68) Roman ›Tristram Shandy‹, wo der Vater des Helden seine ehelichen Pflichten nach der regelmäßig einmal im Monat aufzuziehenden Uhr richtet.

172 *a priori:* von vornherein, aus reinen Vernunftgründen abgeleitet, nicht aus der Erfahrung. – *a posteriori:* jene Erkenntnis, deren Gültigkeit von der Erfahrung (der Wahrnehmung) abhängt. – *Lazarettfieber:* Flecktyphus; »eine akute, äußerst ansteckende Infektionskrankheit, die sich durch hohes Fieber mit schweren nervösen Symptomen und einem eigentümlichen maserähnlichen Hautausschlag zu erkennen giebt, vorzugsweise in dumpfen, überfüllten Wohnungen, in schlecht ventilierten Hospitälern, Gefängnissen und Auswandererschiffen, nach Mißernten und Teuerungen epidemisch auftritt« (Brockhaus' Konversations-Lexikon. 14. Aufl. Neue revidierte Jubiläums-Ausgabe. 6. Bd. Leipzig 1920, S. 778); daher auch Lazarett-, Hunger-, Kerker-, Schiffs- oder Kriegstyphus bzw. -fieber genannt. – *Alexanders- und Napoleonsromantik:* Leonce wendet sich gegen jedes »Kriegsspiel«. B. glossiert hier die unkritische, sentimentale Bewunderung für die beiden Eroberer Alexander der Große (356–323 v. Chr.) und Napoleon I. (1769–1821). – *Genies:* vgl. Literarhistorischer Hintergrund zu *Lenz,* S. 517 f. – *Die Nachtigall der Poesie:* Diese Genitivmetapher geht auf die poetologische Metaphorik der Antike zurück: In der antiken Literatur bezeichnen sich Dichter nicht selten als Schüler der Nachtigall oder selbst als Nachtigall, und in hellenistischer Zeit wird die Nachtigall wegen ihres schönen Gesangs als Metapher für ›Lied‹ und ›Poesie‹ verwendet. – *Demission:* Rücktritt. – *Fühlst du nicht das Wehen aus Süden . . .:* Ein Aufenthalt in Italien war durch Jahrhunderte das wichtigste Ziel der Kavaliersreisen junger Adeliger. Für Leonce aber stehen nicht Bildungsgüter im Mittelpunkt, sondern Landschaft und Volksleben in der

Gegend von Neapel, dem hier (wie später in III, 3, S. 189) Züge eines Schlaraffenlandes zugesprochen werden. E. Theodor Voss hat erstmals (Dedner, Leonce, S. 275–436) detailliert nachgewiesen, welche Texte B. bei dieser Utopie eines Italienaufenthalts beeinflußt haben könnten. Andeutend sei hier darauf verwiesen: In Jean Pauls Roman ›Titan‹ gibt es eine Reihe von Beschreibungen Italiens, die den tiefblauen Himmel beschwören. – Heinrich Heine äußert in der ›Reise von München nach Genua‹ seine Italiensehnsucht: »Ich fühle mich auch oft angeweht von Zitronen- und Orangendüften, die von den Bergen herüberwogten, schmeichelnd und verheißend, um mich hinzulocken nach Italien.« – In Platens Gedichten ›Bilder Neapels‹, ›Die Fischer auf Capri‹, ›Amalfi‹ erscheinen Formulierungen wie »Laß reinere Luft umwehn dich; Orangengerüche; Rosen; Reben; balsamische Nächte Neapels; Fackeln; Tarantella; Tamburin; Lazzarone; Salzflut«. – Johann H. Voß verwendet in seiner Odyssee-Übersetzung wiederholt den Ausdruck »heilige Salzflut«. – Voss behauptet, daß B. die zwölf Aufsätze über Italien gelesen hat, die Goethe zwischen Oktober 1788 und Dezember 1789 im ›Teutschen Merkur‹ veröffentlichte. Da konnte er eine Erklärung des Begriffs ›Tarantella‹ (hier ein Tanz, der Gemütskranke zu heilen vermag) finden, eine Beschreibung über das ›Stundenmaß der Italiener‹, eine Darstellung über den ›Lebensgenuß des Volkes in und um Neapel‹ mit Hinweisen auf den Lazzarone, den sprichwörtlich gewordenen Faulenzer und Bettler in Neapel, bei dem man, wie Goethe schreibt, bemerken würde, daß er »nicht um ein Haar untätiger ist als alle übrige Klassen. Man würde auch bemerken, daß alle in ihrer Art nicht arbeiten, um bloß zu leben, sondern um zu genießen, und daß sie sogar bei der Arbeit des Lebens froh werden wollen.« Goethe zeichnet eine Art Arkadien, das Publius Vergilius Maro (70–19 v. Chr.) in der Gegend von Neapel ansiedelte. Pan war der arkadische Hirtengott, der während der großen Mittagshitze schläft. Wird er geweckt, so erschreckt er die Störer durch unerwartetes Geschrei. Außerdem schildert Goethe auch ein neapolitanisches Schmausfest mit »Makkaroni, Melonen und Feigen«. – Schließlich gibt es auch die Möglichkeit, daß B. das Italienhandbuch ›Historisch-kritische Nachrichten von Italien‹ von Johann Jacob Volkmann gekannt hat. Darin wird der »alte Zaubrer Virgil« genannt, die außerordentliche Musikalität der Neapolitaner gerühmt, sind die Maccaroni als wichtiges Nahrungsmittel erwähnt, gibt es den Hinweis auf die Schnaken.

173 *jetzt bin ich eingekleidet:* »die Braut wird ins hochzeitliche Gewand, die Leiche ins Todtenhemd, der Priester ins feierliche Amtkleid, der Rekrut in die Uniform, die Nonne in den Schleier eingekleidet« (Grimm). – *Rosmarin:* Rosmarinzweige wurden als Schmuck bei Hochzeiten und Begräbnissen verwendet. – *Auf dem Kirchhof ...:* Schluß des Volkslieds ›So viel Stern am Himmel ste-

hen‹ (›Des Knaben Wunderhorn‹ II, 199). – *ein wahrer Don Carlos:* (1545–68), Sohn König Philipps II. von Spanien; in Schillers gleichnamiger Tragödie das Beispiel eines idealistischen Jünglings; vgl. auch Musset, Fantasio (II,1). – *ein wahres Opferlamm:* vgl. Mussets ›Fantasio‹ (II,1), wo die Gouvernante Elsbeth bedauert: »Sie sind ein wahres Osterlamm.« – *Mein Gott...:* vgl. Matth. 26, 39 und *Dantons Tod* (I, 6), S. 90.

174 *Wie ist mir...:* freies Zitat aus Adelbert von Chamissos (1781–1838) Gedicht ›Die Blinde‹:

> Wie hat mir *einer* Stimme Klang geklungen
> Im tiefsten Innern,
> Und zaubermächtig alsobald verschlungen
> All mein Erinnern! –

Resignation: Verzicht. – *Arsenik:* arsenige Säure (As_2O_3), ein starkes Giftmittel.

175 *Ideal:* vgl. L. Tiecks ›Zerbino‹ (IV), wo der Alte König sagt: »Ich habe jetzt ein Ideal im Kopf, das mich weder bei Tage noch in der Nacht ruhig schlafen läßt ‹...› so, wie jeder Mensch sein Ideal im Kopf hat, der eine um zu heiraten, der andre um ein Buch zu schreiben ‹...›.« Vgl. auch Brentanos ›Ponce de Leon‹ (II, 4): »Der Gedanke, der Ruf, das Bild eines Weibes, diese ferne Strahlen ihrer Sonne können mich allein erwärmen und stärken.« Auch Ponce de Leon trägt das ›Ideal‹ einer Frau im Herzen; am Hals einer Dame hat er das Brustbild eines Mädchens (Isidorens) gesehen, in das er sich sogleich verliebt. »Ich sehe sie wohl Tag und Nacht, die ich liebe, und das Bild von heute abend hätte beinahe meinem Ideale geglichen.« (I, 22) – *Schönheit:* Satire auf das klassizistische Schönheitsideal. – *Leichdörner:* Hühneraugen. – *bezauberter:* verzauberter. – *Kloster ... Eremiten ... Schäfer:* Hier und in der folgenden Äußerung eine Parodie auf das Arkadienidyll, das sich die Gouvernante angelesen hat. In Mussets ›Fantasio‹ (II, 7) wirft Elsbeth ihrer Gouvernante vor: »Warum hast du mir soviel Romane und Märchen zu lesen gegeben? Warum hast du in meinen armen Kopf soviel fremde und seltsame Blumen gepflanzt?«

176 *Kuckucksblumen:* Kuckucks-Lichtnelken (wissenschaftl. Name: lychnis flos cuculi) mit ihren fleischroten, vierzipfligen Blütenblättern. – *Odilia:* elsässische Heilige (Ottilie); ihr Vater wollte sie töten lassen, weil sie blind geboren war, der Mutter gelang es jedoch, sie durch eine Amme in einem Kloster in Sicherheit zu bringen. Später versöhnte sich Ottilie mit ihrem Vater und erhielt von ihm einen Platz auf der Hohenburg, wo sie ein Kloster erbauen konnte. – Nach einer anderen Legende mußte sie vor ihrem Vater fliehen, weil sie den ihr bestimmten Bräutigam nicht heiraten, sondern ihr Leben Christus weihen wollte. – *Fiederblättchen:* federförmiges Blatt. – *Mitleid mit mir:* vgl. *Lenz,* S. 142. – *Taucherglocke:* vgl. Mussets ›Fantasio‹ (I, 2): »Hat nicht Jean Paul gesagt, daß ein Mensch, der in einen großen Gedanken vertieft ist,

einem Taucher unter seiner Glocke gleicht inmitten des unermeßlichen Ozeans?« – *Cymbeln:* Hackbretter.

177 *Flocken lese und an der Decke zupfe:* im Sterben liege; Tätigkeiten,
die nach dem ›Prognosticon‹ im ›Corpus Hippocraticum‹ zu den
Kennzeichen des Sterbenden gehören; s. auch zu S. 89. – *steht es
ab:* wird es schal. – *Ergo bibamus:* wörtl.: Deshalb laßt uns trinken; Refrain vieler Studentenlieder. – *Strohhalm:* Anspielung auf
den ital. Freidenker Lucilio Vanini (1584–1619), der auf dem
Scheiterhaufen gesagt haben soll: »Wäre ich so unglücklich, am
Dasein Gottes zu zweifeln, so würde dieser Strohhalm mich überzeugen.« – *auf dem Stroh liege:* sterbe. – *eine Partie machen:*
Vorstellung vom Leben als Schauspiel vor Gott und dem Teufel;
Anregung könnte das ›Vorspiel im Himmel‹ in Goethes ›Faust I‹
gegeben haben.

178 *Ihre [weiland Waden] bis zu Ihren [respektabeln] Strumpfbändern:* Vgl. Mussets Komödie ›On ne badine pas avec l'amour‹
(Man spielt nicht mit der Liebe; I, 1), in welcher der Chor gegenüber der Dame Pluche folgende anzügliche Bemerkung macht:
»Euer züchtiges Kleid ist bis zu Euren verehrungswürdigen
Strumpfbändern zurückgeschlagen.« – *Turm auf Libanon:* Zitat
aus ›Das Hohelied‹ 7, 5: »Deine Nase ⟨ist⟩ wie der Libanonturm,
der gegen Damaskus schaut.« Hier wegen des Zusammenhangs
eindeutig eine sexuelle Metaphorik. – *sollte nicht dies . . .:* Zitat aus
Shakespeares ›Hamlet‹ (III, 2): »Sollte nicht dies und ein Wald von
Federbüschen ⟨wenn meine sonstige Anwartschaft in die Pilze
geht⟩ nebst ein paar gepufften Rosen auf meinen geschlitzten
Schuhen mir zu einem Platz in einer Schauspielergesellschaft verhelfen?« – *Geist, da er über den Wassern schwebte:* Anspielung auf
Genesis 1, 2 f.: »Der Geist Gottes schwebte über den Wassern. Da
sprach Gott: Es werde Licht! Und es ward Licht.« – *Vicinalwege:*
Land- oder Nebenstraßen.

179 *Den Frühling auf den Wangen, den Winter im Herzen:* Vgl. Mussets ›Fantasio‹ (I, 2): »Du hast den Mai auf den Wangen«, sagt
Hartman zu Fantasio, der entgegnet: »Wohl wahr; und im Herzen
habe ich den Januar.« – *Scherbe:* Blumentopf. – *Tau und Nachtluft:* vgl. Lenz S. 143. – *Nachtviolen:* Hesperis, Gattung aus der
Familie der Kruziferen, die besonders abends und nachts stark
duften. In L. Tiecks ›Zerbino‹ (V) steht folgende Stelle:

Die Blumen. Der Abend sinkt hernieder,
    Die Nachtviolen wachen auf

    . . . .
    Und strömen süße Düfte
    Durch die Lüfte. –

Totenuhren: Klopf- oder Bohrkäfer. Um sich gegenseitig anzulok-
ken, erzeugen die Käfer dadurch, daß sie Vorderbeine und Fühler
anziehen und, hauptsächlich auf die mittleren Füße gestützt, mit
Stirn und Vorderrand des Halsschildes gegen das Holz schlagen,

ein rhythmisches, mit geringen Unterbrechungen anhaltendes
Klopfen, das dem Ticken der Uhr ähnlich ist. Vgl. auch *Danton*
(IV,3), S. 123 f., und in Brentanos Roman ›Godwi‹, I. Teil: »Wer
do Senne an Lady Hodefield«; hier lauten die letzten drei Zeilen
eines Gedichts:

> Horchend heb ich nun die Hand,
> Und es pochen, Trost im Leiden,
> Totenuhren in der Wand. –

[d]rin pfeifen die Hausgrillen und draußen die Feldgrillen: Vgl.
Brentanos ›Ponce de Leon‹ (III, 10): »Ja, es scheint eine gute, stille
Haushaltung, alles an seiner Stelle, im Hause pfeifen die Haus-
mäuse, und hier die Feldmäuse.« – *Der Mond ist wie ein schlafendes Kind:* Vgl. *Lenz* S. 142.

180 *es ist traurig, tot und so allein:* Zum Gedanken des Alleinseins im
Tod vgl. *Dantons Tod* (III, 7); »Da liegen allein, kalt, steif«
(S. 118) sowie *Lenz:* »das ⟨tote⟩ Kind kam ihm so verlassen vor,
und er sich so allein und einsam« (S. 150). – *Steh auf...:* Wen-
dung, die Christus im Neuen Testament häufig gebraucht; z. B.
Matth. 2, 13 und 9, 5; Luk. 17, 19; Joh. 5, 8. – *weißen Kleide:* vgl.
Lenz S. 143. – *Todesengel:* vgl. *Dantons Tod* (I, 1), S. 69. – *Mein
ganzes Sein...:* Vgl. dazu Goethes ›Prometheus‹-Fragment II:

> Da ist ein Augenblick, der alles erfüllt,
> Alles, was wir gesehnt, geträumt, gehofft,
> Gefürchtet, meine Beste, – das ist der Tod!...
> Wenn aus dem innerst tiefsten Grunde
> Du ganz erschüttert alles fühlst...
> ... und du, in inner eigenem Gefühle,
> Umfassest eine Welt:
> Dann stirbt der Mensch. –

Erde... Schale: vgl. *Lenz* S. 158. – *Hinab heiliger Becher:* Anklang auf Goethes Ballade ›Es war ein König in Thule‹. – *Serenissime:* Serenissimus; Hoheit.

181 *mit seiner gelben Weste...:* Die Kleidung, die Werther trägt. Der
Gedanke an die Werthermode nimmt dem Prinzen die ›Lust‹ zum
Selbstmord. Anspielung auf das ›Wertherfieber‹ und die vielen
Selbstmorde durch die Werther-Lektüre. – *zum ewigen Kalender:*
vielleicht Hinweis auf die Dauer der ehelichen Bindung. – *selbst
der Geringste...:* Wendung, die häufig im Neuen Testament verwendet wird, z. B. Matth. 25, 40: »Was ihr einem der geringsten
meiner Brüder getan habt...« Vgl. auch *Lenz*, S. 145. – *Arroganz...:* Gemeint sind hier die Idealisten. Vgl. *Lenz*, S. 144: »Dieser Idealismus ist die schmählichste Verachtung der menschlichen
Natur.« – *philobestialisch:* wörtlich: tierlieb; hier ist der Mensch
gemeint. – *Signalement:* Beschreibung einer Person in Pässen und
Steckbriefen; vgl. dazu auch die ›Polizeidiener-Szene‹ S. 193.

182 *Valeriental:* Valerio sucht seine Herkunft zu verbergen. – *Was will
der Kerl?:* möglicherweise Reminiszenz an Shakespeares ›König

Heinrich IV.‹, 2. Teil (V, 5) mit der Rede des Königs:
    Ich kenn dich, Alter, nicht . . .
    Denk nicht, ich sei das Ding noch, das ich war;
    Der Himmel weiß, und merken solls die Welt,
    Daß ich mein vor'ges Selbst hinweggetan . . . –

Bauern im Sonntagsputz: die einzige Szene, in der das ›Volk‹ auf-
tritt, allerdings nur als schweigende Kulisse. B. parodiert hier das
Zeremoniell des Absolutismus für die Einholung der Braut (vgl.
Jörg Jochen Berns in: Dedner, Leonce, S. 231f.). – *Tannenzweige
. . . Tannenwald:* deutliche Anspielung auf Shakespeares ›Macbeth‹, wo das Heranrücken des Birnamswaldes (getarnte Krieger)
Macbeths Ende bedeutet (vgl. IV, 1). – *Dreimaster:* Dreispitz,
dreieckiger Filzhut. – *hirschledernen Hosen:* vgl. Eichendorffs
›Dichter und ihre Gesellen‹, 2. Buch, 16. Kapitel: » . . . wobei uns
noch der eigensinnige Lord gefährlich wurde, der niemals seine
prallen hirschledernen Hosen ablegen mochte, die nun in dem
Mondschein von weitem leuchteten«. – *Und Schulmeister, Ihr stehet vor die Nüchternheit:* vgl. Brentanos ›Ponce de Leon‹ (V,2),
wo Valerio zum Schulmeister Alonso sagt: »und Ihr, Herr Alonso,
stehet vor der Nüchternheit.« – *stehet vor:* seid verantwortlich. –
freien Stücken: Landrat und Lehrer als Vertreter der Staatsautori-
tät folgen den Vorschriften des Zeremoniells; die einzelnen Adjek-
tiva nennen genau das Gegenteil der realen Zustände. – *schneuzt
Euch die Nasen nicht mit den Fingern:* Vgl. *Dantons Tod* (I, 2,
S. 74): »Was? er schneuzt sich die Nase nicht mit den Fingern? An
die Laterne!«. – *daß der Wind von der Küche über Euch geht und
ihr auch einmal in Eurem Leben einen Braten riecht:* Vgl. B.s und
Weidigs Flugschrift *Der Hessische Landbote*, in der die Bauern
aufgefordert werden, in die Residenz Darmstadt zu gehen, damit
sie auch einmal »durch die geöffneten Glastüren das Tischtuch
sehen, wovon die Herren speisen«, »und die Lampen riechen«
können, »aus denen man mit dem Fett der Bauern illuminiert«.
(S. 50).

183 *transparenten Ball:* s. *Dantons Tod* (I,2, S. 73): »ihr habt Löcher in
den Jacken . . .«. – *Kokarden an die Köpfe:* Kokarden stehen hier
als Metapher für Beulen, die sich die Bauern mit ihren Fäusten an
die Köpfe schlagen. Das tertium comparationis von Kokarden und
Beulen sind die Farben blau und rot. Die dreifarbige, blau-weiß-
rote Kokarde (Hutschleife) wurde durch Gesetz vom 5. 7. 1792
allen Franzosen vorgeschrieben. Zutritt zu öffentlichen Gebäuden
und zum Theater war nur mit Kokarden erlaubt. – *schnurren ein:*
schrumpfen ein, schrumpfen zusammen. – *Vatermörder:* steifer
Halskragen, dessen Benennung um 1830 aus der mißverständli-
chen Übersetzung eines in Frankreich ›parasite‹ (weil er beinahe
ins Essen stach) genannten Halskragens entstanden sein soll, wobei man an ›parricide‹ dachte. – *Den Bauern wachsen die Nägel
und der Bart wieder:* Die Bauern sind ohne Arbeit, sie brauchen

sich nicht abzurackern. – *Unschuldigen:* Ehrenjungfrauen. – *Kammerstühle:* Nachtstühle, auch Leibstühle genannt (vgl. Grimm); ein beweglicher Abtritt in Gestalt eines Stuhles; eine Bequemlichkeit, die Notdurft auf dem Zimmer, besonders zur Nachtzeit, zu verrichten. – *Gradierbäue:* aus Dornzweigen errichtete Wand, über die eine schwache Sole geleitet wird, um sie durch Herabtröpfeln bei Luftzutritt zu konzentrieren (Salzgewinnung). – *auf den Schultern tragen:* Das Tragen einer Last auf den Schultern »steht als Bild für die Übernahme einer schweren Arbeit« (Grimm). Vgl. auch *Der Hessische Landbote:* »sie ⟨die Herren⟩ legen die Hände an seine ⟨des Volkes⟩ Lenden und Schultern und rechnen aus, wie viel es ⟨das Volk⟩ noch tragen kann« (S. 46). – *Dardanellen:* Meerenge zwischen der Ägäis und dem Marmarameer; hier erotische Anspielung – der Ausdruck ›Marmormeer‹ steht für Brüste.

184 *Die Aussicht . . . :* Parodie auf die deutschen Duodezfürstentümer; vgl. auch II, 1, S. 174. – *Beschluß:* Musset läßt in seiner Salonkomödie ›On ne badine pas avec l'amour‹ (I, 3) den Baron sagen: »Ich hatte schon lang damit gerechnet, hatte es sogar niedergeschrieben in mein Notizbuch, daß dieser Tag der schönste meines Lebens werden sollte, – ja, meine gute Dame, der schönste – Sie wissen es wohl gar nicht, daß es meine Absicht ist, meinen Sohn mit meiner Nichte zu verheiraten.« – *kompromittieren:* bloßstellen. – *Wenn es anders:* Wenn es überhaupt.

185 *KÖNIG. ⟨. . .⟩ mein Wort, mein königliches Wort! PRÄSIDENT. Tröste sich Eure Majestät mit andern Majestäten:* Anspielung auf den Wortbruch des preußischen Königs und des österreichischen Kaisers, die sich an das in Artikel 13 der Wiener Bundesakte (vom Juni 1815) gegebene Versprechen (»In allen Bundesstaaten wird eine landständische Verfassung stattfinden«) nicht gehalten und in der Vormärzzeit keine konstitutionellen Verfassungen in ihren Staaten erlassen haben. – Der fiktive König Peter, der fürchtet, sein Wort hinsichtlich der geplanten Hochzeit seines Sohnes nicht halten zu können, möge sich – so der Präsident – mit den realen, wortbrüchigen Monarchen der Metternichschen Restaurationszeit trösten. – *Ein königliches Wort ist ein Ding . . . :* Anspielung auf Shakespeares ›Hamlet‹ (IV, 2):

Hamlet: Der König ist ein Ding –
Güldenstern: Ein Ding, gnädiger Herr?
Hamlet: Das nichts ist. –

nimmt . . . mehrere Masken ab: vgl. *Dantons Tod* (IV, 5), S. 128: »Wir sollten einmal alle die Masken abnehmen«; 9. Nachtwache des Bonaventura: »Denn je mehr Masken übereinander, um desto mehr Spaß, sie eine nach der andern abzuziehen.«

186 *Konfusion:* Verwirrung, Verlegenheit. – *Desperation:* Verzeiflung. – *die zwei weltberühmten Automaten:* vgl. Brentanos ›Ponce de Leon‹ (I, 18): »Ich mache hiermit bekannt, daß Herr Pantalon von

Venedig hier mit seinem berühmten Automaten angekommen ist,
der allen Leuten die Wahrheit sagen kann, und mit ihm sein vor-
trefflicher Harlekin, der allen Leuten was vorlügen kann, und
wenn seinen Lügen zu trauen wäre, so wollte ich euch sagen, daß
ich dieser Harlekin bin, und eine große Lust habe, euch beiden die
Wahrheit zu sagen.« – Seit dem 18. Jh. wurden Automaten (künstliche Menschen) zur großen Attraktion, zum Beispiel der Automat
mit einem Türken, der Schach spielen konnte, den der Wiener
Kammerrat Wolfgang von Kempelen vorführte; im Innern saß ein
zwergenhafter Mensch. E.T.A. Hoffmann hat in den ›Serapions-
brüdern‹ dem Raritätenkabinett des Herrn von Kempelen ein literarisches Denkmal gesetzt. – *Walzen und Windschläuche:* Teile
der Automaten; vgl. L. Tieck, ›Der gestiefelte Kater‹ (II,4). – *Mit
schnarrendem Ton:* um die künstliche Stimme des Automaten und
die Geräusche des Räderwerks zu imitieren. – *Nichts als Kunst ...:*
vgl. dazu Mussets ›Fantasio‹ (II,5): »Es ist ein hoffähiger Kana-
rienvogel; es gibt sehr viele wohlerzogene junge Mädchen, die sich
nicht anders benehmen. Sie haben eine kleine Feder unter dem
linken Arm, eine hübsche kleine Diamantfeder, wie die Uhr eines
Stutzers. Der Hofmeister oder die Gouvernante dreht das Uhr-
werk auf und alsbald sehen Sie ...« – *Glaube, Liebe, Hoffnung:*
die drei göttlichen Tugenden, im 18. Jh. vielfach durch die Symbo-
le Kreuz, brennendes Herz (oder Mutter mit Kind) und Anker
dargestellt, häufig auch auf Devotionalien (z.B. Rosenkränze und
Gebetbücher). Vgl. auch 1. Kor. 13, 13: »Jetzt bleiben Glaube,
Hoffnung, Liebe: diese drei; das Größte aber unter ihnen ist die
Liebe. Trachtet nach der Liebe«.

187 *akkordiert:* einig, übereinstimmend. – *in effigie:* s. zu S. 76. –
Fang an: Zitat aus Shakespeares ›Hamlet‹ (III, 2): Hamlet ⟨zu
einem der Schauspieler⟩: »Fang an, Mörder! Laß deine vermale-
deiten Gesichter, und fang an!« – *Sintemal ...:* Parodie auf die
sinnentleerte Amtssprache. – *so sagen Sie ...:* Parodie auf die
Trauungsformel. – *so wäre denn das Männlein und das Fräulein
erschaffen:* Vgl. Brentanos ›Ponce de Leon‹ (II, 19): »Nun ist
Adam erschaffen, aber er ist so allein, – o steige aus meiner Seite
Eva – o Valeria, wie hab ich dich im Herzen, wenn ich dich so in
den Armen hätte, dann wäre das Männlein und Fräulein erschaffen.«

188 *das war die Flucht in das Paradies:* Vgl. Brentanos ›Ponce de Leon‹
(II, 19): »Ich habe alles ausgeschwatzt, und will fort – aber versüße
mir doch die Sünde.« (Valeria reicht ihm die Wange) »Das war der
Sündenfall – und dies ist die Flucht aus dem Paradiese« (Nimmt
seine Sachen und geht ab). – *Daß meine alten Augen ...:* Parodie
auf Luk. 2, 29 ff.

189 *infusorische Politik:* engstirnige, kleinliche Politik; wörtl.: Politik
in so kleinem Bereich (Anspielung auf die Winzigkeit des Territo-
riums) wie dem von Infusionstierchen, die mit dem bloßen Auge

nicht sichtbar sind. – *Uhren zerschlagen:* vgl. Rabelais, ›Gargantua und Pantagruel‹: »ward verordnet, daß dort ⟨Abtei Thélème⟩ keinerlei Uhr oder Zifferblatt vorhanden sein dürfe«. – Vgl. Shakespeares ›Wie es Euch gefällt‹ (III, 2):

> Rosalinde: Sagt mir doch, was ist die Glocke?
>
> Orlando: Ihr solltet mich fragen, was ist's an der Zeit; es gibt keine Glocke im Walde. –

Blumenuhr: Von einer solchen Uhr ist bei Jean Paul wiederholt die Rede. In einer Anmerkung zum letzten Kapitel seiner Idylle ›Leben des Quintus Fixlein‹ (1796) kommentiert Jean Paul: »Linné legte in Upsal eine Blumenuhr an, deren Blumen durch ihre verschiedenen Zeiten, einzuschlafen, die Stunden sagen.« – *hinauf d[e]stillieren:* auf die gleiche Wärme bringen. – *Kuratel:* Vormundschaft. – *Makkaroni ... [komm⟨o⟩ de] Religion:* s. zu S. 172.

191 *pressiert:* in Eile.

192 *Frau Wirtin hat 'ne brave Magd ... Und paßt auf die Solda-a-ten:* Vgl. *Woyzeck* (Szenengruppe I, 4 und 17, S. 200, 206). – *wer arbeitet ist ein subtiler Selbstmörder:* Vgl. B.s Brief an Gutzkow vom März 1835: »Zu dem subtilen Selbstmord durch *Arbeit* kann ich mich nicht leicht entschließen« (Nr. 35, S. 299).

193 *Zwei Polizeidiener:* Vgl. dazu Shakespeares ›Viel Lärm um Nichts‹ mit den ›einfältigen Gerichtsdienern‹ Holzapfel und Schlehwein. – *inquirieren:* gerichtlich befragen, untersuchen. – *Subjekt, ein Individuum:* Einzelperson im verächtlichen Nebensinn. – *Delinquenten:* verhafteter Verbrecher, Angeklagter. – *Inquisiten:* Angeklagter, Beschuldigter. – *Signalement:* s. zu S. 181. – *Zertifikat:* Beglaubigungsschein.

195 *Das heißt Leben u. Liebe eins sein lassen, daß die Liebe das Leben ist, und das Leben die Liebe:* Die Anregung zu dieser Liebes- und Lebensutopie hat B. vielleicht durch Ponce de Leons Lehre von den drei Himmeln bekommen: »Der erste Himmel ist über Liebchens Bette, wo Leben, Liebe und Tod sich lösen, wo alles eins nur wird, das ist der höchste, beste Himmel« (›Ponce de Leon‹ III, 16).

WOYZECK

Vorbemerkung

Johann Christian Woyzeck, geboren am 3. Januar 1780 in Leipzig als Sohn eines Perückenmachers, wurde in der zeitgenössischen Öffentlichkeit, in Jurisprudenz und Gerichtsmedizin berühmt durch seinen ›Fall‹.

Nach mehreren fehlgeschlagenen Versuchen, eine Handwerkerlehre erfolgreich zu beenden, und nach Jahren vergeblicher Arbeitssuche ließ sich Woyzeck in den unruhigen Zeiten der nachrevolutionären Kriegswirren zunächst von holländischen, dann von schwedischen und mecklenburgischen Truppen anwerben. Er desertierte dann wiederum zu den Schweden – offenbar weil er, nach dem Gutachten des Hofrats Clarus, zu einem Mädchen in Stralsund, das ein Kind von ihm hatte, zurückkehren wollte (S. 632). Schließlich kam Woyzeck, als verabschiedeter preußischer Soldat, im Winter 1818 nach Leipzig zurück und traf dort mit der Witwe Woost, der Stieftochter seiner Vermieterin, zusammen. Johanna Christiane Woost wurde Woyzecks Geliebte. Es kam jedoch bald zu heftigen Eifersuchtsszenen, als sie sich weigerte, den Umgang mit anderen Männern, insbesondere mit Leipziger Stadtsoldaten, aufzugeben. Woyzeck wurde, nach verschiedenen kleineren Diebstählen, wegen Mißhandlung der Frau Woost zu Beginn des Jahres 1821 zu acht Tagen Arrest verurteilt. Er sank sozial ab und fand nicht einmal mehr Hilfsarbeiten, übernachtete im Freien, lebte von der Bettelei. Am 2. Juni 1821 erstach Woyzeck seine Geliebte. »Die Tat selbst ergab sich aus dieser Konstellation von Arbeitslosigkeit, Hunger, Erniedrigung aller Art, Haß und Eifersucht.« (Mayer, Woyzeck, S. 55).

Woyzeck wurde verhaftet und zum Tod durch das Schwert verurteilt. Mehrere Gutachten, Gegengutachten und Verteidigungsschriften befaßten sich mit dem ›Fall‹. Ihre Beurteilungen basieren auf den verschiedensten Kriterien: der Physiologie (des Blutkreislaufs), der Pathologie und der Psychologie. Fragen nach der Veranlagung, nach den individuellen und gesellschaftlichen Bedingungen, nach der Zurechnungsfähigkeit während der Tat wurden eingehend diskutiert. Der Prozeß erstreckte sich über mehrere Jahre – und auch nach der Hinrichtung Woyzecks am 27. August 1824 war der Fall Woyzeck ein Thema für die Wissenschaft. Woyzecks Schicksal und seine unterschiedlichen Beurteilungen erregten das Interesse auch der medizinisch nicht gebildeten Zeitgenossen. »Aus solchem Übergang zwischen der Flucht in das Undeutbare und dessen plumper Deutung aus Körperlichem, zwischen der idealistischen, romantischen, okkultistischen Deutung des Seelischen und seiner Zurückführung auf Stoffwechsel und Blutkreislauf ist auch die Wirkung des Kriminalfalles Woyzeck auf die

Zeitgenossen zu begreifen.« (Meier, Woyzeck, S. 57) Zum Fall Woyzeck vgl. auch Hinderer, S. 187f.; Krause, S. 184–198; Bornscheuer, Erläuterungen, S. 58–65.

B., der die Berichte des Hofrats Clarus und anderer (s. Quellen, S. 627ff.) vermutlich aus der väterlichen Bibliothek – sie waren in ›Henkes Zeitschrift für die Staatsarzneikunde‹ abgedruckt (vgl. auch Meier, Woyzeck) – kannte, hat diesen Stoff samt weiterem Material zur Parabel des zerstörten Individuums gestaltet. Das »eherne Gesetz«, das schon in *Dantons Tod* als »gräßlicher Fatalismus der Geschichte« (s. auch Brief Nr. 21) den Protagonisten scheitern ließ, erscheint auch hier wieder, nur auf einer anderen sozialen Ebene, und das naturphilosophische Problem der Teleologie (s. zu S. 259) wird zur individuellen Tragik verdichtet. Meier, Woyzeck, bezieht die Teleologie-Kritik auf den Begriff der gesellschaftlichen Totalität und auf Büchners Darstellung: »Zugleich bildet die Darstellungsweise des ›Woyzeck‹, in der jede Szene unmittelbar nur auf sich selbst beruht und die Handlung erst eine sekundäre Funktion der Szene ist, die ästhetische Parallele zu Büchners naturwissenschaftlicher Teleologiekritik; negiert wird ein Ordnungsbegriff, nach dem alles Existierende seinen Zweck in einem Anderen hätte, somit tendenziell seiner selbst entfremdet wäre« (S. 68). Vgl. auch Proß, Kategorie Natur, S. 178f. Die gesellschaftliche, historische und metaphysische Determiniertheit und die so bedingte Selbstentfremdung des Menschen sind das Generalthema dieses letzten und wirkungsgeschichtlich erfolgreichsten B.-Dramas. Sozialgeschichtlich deutet auch Karl Eibl das *Woyzeck*-Drama: »Woyzeck ist der erste deutsche Tragödienheld, der aus dem niedersten Volk stammt, dem für Kommunikation und Weltdeutung nur ein ›restringierter Code‹ zur Verfügung steht. Er kann nicht *vornehm reden*, er ist unfähig, seine Welt so zu standardisieren, daß sie kompakt wird. So ist er ständig auf der Suche nach einer verborgenen Wahrheit, beim Stöckeschneiden, bei den Schwämmen, bei Marie. Die Wahrheiten, die er findet, bleiben so parataktisch wie seine Sprache. Freilich ist dieses Problem auch den eloquenten Helden des *Danton* nicht fremd. Wenn ihnen die Versatzstücke des Selbstbetrugs entgleiten, stehen sie ähnlich nackt vor der Wirklichkeit wie Woyzeck. Dantons Objektivitätsverlust kehrt wieder auf einer niederen sozialen Stufe: *Etwas, was wir nicht fassen ... was uns von Sinnen bringt.* Woyzeck ist ein Nachfahre der totschlagenden Bürger des *Danton,* das in anomischer Situation zur Mündigkeit verurteilte Individuum, das weder sozial noch intellektuell für solche Mündigkeit ausgerüstet ist« (Eibl, Erkenntnisgrenzen, S. 426f.).

Heinz Wetzel versucht eine Verbindung herzustellen zwischen sozialhistorischer und anthropologisch orientierter Deutung: »Je stärker man die soziale Problematik im Mittelpunkt sieht, um so mehr wird man die metaphysische Dimension des Dramas als die subjektive Erfahrung des gehetzten Woyzeck und damit als Folge der sozialen Verhältnisse begreifen, die das Stück darstellt« (Wetzel, Entwicklung Woyzecks, S. 375; vgl. auch hier S. 609f.).

Reinhold Grimm sieht *Woyzeck* im Zusammenhang der Darstellung von Liebe und Sexualität in B.s Werk. Bei B. gebe es »keinen grundsätzlichen *Gegensatz* zwischen geistig-seelischer und sinnlicher Neigung« (Grimm, Cœur, S. 351). »Büchner war Erotiker *und* Revolutionär, war erotischer Revolutionär und revolutionärer Erotiker« (ebd. S. 318).

Auf die gesellschaftlichen Ursachen der Entwicklung Woyzecks weisen auch Gnüg, Büchner, bes. S. 297–300, sowie Proß, Kategorie Natur, S. 185, hin. Vgl. auch Schwedt, Marginalien.

Unter einem strukturalistischen und kommunikationstheoretischen Deutungsansatz untersucht Hans-Georg Werner die verschiedenen Entwurfsstufen des *Woyzeck* und ihren Zusammenhang; dazu entwirft er ein Schema zur semantischen Analyse (S. 90ff.), das auf der ermittelten Textstruktur aufgebaut ist.

Zwischen diesen Polen bewegen sich die *Woyzeck*-Deutungen. Es ist an dieser Stelle weder möglich, die zahlreichen unterschiedlichen Interpretationen, die das Stück im Laufe seiner Wirkungsgeschichte erfahren hat, vollständig zu referieren, noch sinnvoll, eine ausführliche Deutung des Dramas zu versuchen. Zur weiteren Information sei auf die in den Anmerkungen herangezogenen und im Literaturverzeichnis (S. 747ff.) bibliographisch erfaßten Arbeiten verwiesen. Editionen verwiesen. Der Materialienband von Dietmar Goltschnigg stellt eine nützliche Sammlung zur Wirkungsgeschichte auch dieses Büchner-Dramas dar.

Einige Deutungsansätze sollen explizit zu Wort kommen (vgl. auch hier zur Entstehung, S. 607ff.).

Kittsteiner/Lethen ziehen eine kritische Summe der *Woyzeck*-Deutungen (vgl. auch Oesterle, Meier, ›Wer denkt abstrakt?‹): »Die Möglichkeit, daß Büchner in seinem Fragment *Woyzeck* den Blick für die ›*unideale Natur*‹ des Menschen schärft – und dies ohne weitere Erklärung –, ist der Interpretation ein Ärgernis. Büchner traut weder den ethischen Therapien des 18. Jahrhunderts, noch glaubt er an die Evolutionsschemata des 19. Ebensowenig neigt er dazu, den Fall zu mythisieren. Dieser Sachverhalt hat eine Kette von Auslegungen auf den Plan gerufen, die bestrebt sind, jene Dimensionen zu supplementieren, von denen den Fall zu reinigen die Leistung Büchners war« (S. 240). Man sollte daher »lakonisch feststellen, daß das *Woyzeck*-Fragment in der Lage ist, eine Serie sich kritisch ablösender Sinngebungen anzuziehen« (ebd. S. 242). Dies nun ist Kittsteiner/Lethens Ansatz zur eigenen Interpretation: »Büchners Leistung, Sinn-Zentren, um die das Denken seiner Zeit kreist, sprachlich zu destruieren, ist selbst Produkt einer Zeit, in der sich die gängigen Sinnentwürfe, die das ausgehende 18. für das beginnende 19. Jahrhundert bereit hielt, schon blamiert hatten. Es ist der von der Aufklärung des 18. wie von der Fortschrittsperspektive des 19. Jahrhunderts verlassene Zustand des *Woyzeck*, der sich der endgültigen Vereinnahmung durch Interpretation gesperrt hat« (ebd. S. 243).

Der anthropologische Materialismus B.s und seine Fähigkeit, gesellschaftliche Kollektiva in plastischen Figuren darzustellen, »verpflichten zu einer historischen Untersuchung, aus welchem sozialgeschichtlichen Wahrnehmungsmaterial Büchner seine Figuren konstruiert hat« (ebd.). Es geht den Autoren um die Analyse der Entbürgerlichung Woyzecks durch B. – gegenüber der historischen Gestalt in den Gutachten. B. habe die Figur des Woyzeck abstrahiert:

»Büchner läßt eine Reihe von Zügen des historischen Woyzeck weg. Das hat, wie die Wirkungsgeschichte zeigt, eine Verklärung des vorbürgerlichen Status der Figur erleichtert. Büchner schwächt die Elemente der Reflexion, betont die haltlose Motorik und alle Momente, die Woyzecks Leben in sinnlich zerstückter Kontingenz zeigen. Es fehlen seine Tücke, seine Brutalität, seine Gefühlskälte. Büchners Woyzeck mißhandelt seine Geliebte nicht. Kurz: es fehlt die ganze, unattraktive, durch den Überlebenskampf geprägte *naturalistische* Erbärmlichkeit dieser Figur. Büchners Woyzeck ist, wie Wittkowski richtig bemerkt, erst nach dieser Prozedur menschlich genug, um unsere Anteilnahme zu erregen. Sie wird paradoxerweise erweckt, *weil* Büchner die ›Ich-Losigkeit‹ des Helden gesteigert hat« (ebd. S. 250). »Mit der Entbürgerlichung nimmt Büchner den vermeintlichen ›Wahnsinn‹ Woyzecks aus dem Bereich des Medizinisch-Pathologischen heraus und macht ihn zu einer Form der Welterklärung. Allerdings – die revolutionären Bezüge sind aus diesem magisch-apokalyptischen Weltbild ebenfalls verschwunden« (ebd. S. 252).

Kittsteiner/Lethen deuten diesen Sachverhalt auf dem Hintergrund der zeitgenössischen geschichtsphilosophischen Diskussion um zirkuläre oder lineare historische Verlaufsformen: B. spiele mit diesen Modellen, die er in H2, 7 (S. 215ff.) »als ein groteskes Zusammenprallen von Körpern in Szene gesetzt« (Kittsteiner/Lethen, S. 257) habe.

Oesterle, Woyzeck, deutet *Woyzeck* ebenfalls als philosophisches Drama, allerdings in anderen philosophiehistorischen Kontexten: »Büchners *Woyzeck* ist ein philosophisches Drama. Zentrale Denkansätze und einzelne Motive Descartes', La Mettries, Spinozas (einschließlich Jacobis Spinozakritik), Mandevilles, Helvétius' und Holbachs sind auszumachen. Gemeinsame Bezugspunkte, Determination des menschlichen Verhaltens durch die Affekte, Selbsterhaltung und Existenzbedrohung bezeichnen die Kernfragen des Stücks; die Kontroversen untereinander, insbesondere die Opposition zu Descartes' Dualismus von Mensch und Tier, bestimmen die Struktur des Dramas« (S. 200).

Oesterle sieht B.s Drama als besondere Erscheinungsform der im ersten Drittel des 19. Jahrhunderts entstehenden literarischen Physiologien. Dieser Deutungsaspekt greift Ansätze von Martens, Karikatur, ebenso auf wie die Darstellung von Kittsteiner/Lethen zum *Woyzeck:* »Wolfgang Martens' Hinweis auf die produktionsästhetische Eigenart Büchners, daß er seine Nebenfiguren ›in motivischen Elementen, nicht in individuellen Personen‹ denke, muß m.E. werkästhetisch weitergeführt werden als Problem einer sich abzeichnenden Transformation von Karikaturen in ›reflektorische Charaktere‹ (Martens, Der Barbier, S. 371).« Zur Differenz von Karikatur und ›reflektorischem Charakter‹ vgl. auch zu ›Über Schädelnerven‹ S. 685 ff. und Oesterle, Woyzeck, S. 225 ff., bes. S. 227: »Praktisch strittig und zur Entscheidung zugespitzt werden die Oppositionen zwischen Ethik, Geschichtsphilosophie, physiologischer Naturphilosophie einerseits und positivistisch verfahrender Physiologie andererseits in der medizinisch und juristisch gleichermaßen bedeutsamen Frage nach der Zurechnungsfähigkeit von Mördern. Die einschlägige Diskussion um moralische Freiheit oder ›partiellen Wahnsinn‹ der Täter, die zwischen Clarus, Heinroth, Marc und Hoffmann geführt wurde, ist hinlänglich bekannt, ihre ästhetischen Implikationen hingegen, das Problem einer sich verselbständigenden Einbildungskraft etwa oder der ›Interesselosigkeit‹ eines anatomisch sezierenden Blicks, sind kaum bedacht worden, geschweige denn ihre Konsequenzen für die poetische Produktion, für Stil- und Gattungswandel. Im Drama *Woyzeck* treten die Gegensätze zwischen Geschichtsphilosophie, Naturphilosophie und positivistisch verfahrender Naturwissenschaft nicht nur als Problemkonstellation auf, sondern zugleich auch als formbestimmende Momente. Der physiologische Einspruch gegen die Sollenstheorien der Metaphysik, Geschichtsphilosophie und Ethik nährt die Affinität zu ästhetischen Formen des Despektierlichen und Entlarvenden, z. B. des Komischen, Burlesken, Grotesken, der Karikatur, Satire, Polemik und des Zynismus. Die Nähe der Physiologie zu solchen Grenzphänomenen des Ästhetischen läßt sich in der deutschen ebenso wie in der französischen Literatur nachweisen.« Ferner S. 229: »Auch Büchners *Woyzeck* ist im Horizont dieser ›voie physiologique‹ zu beschreiben. Ein Medizinhistoriker, Walter L. von Brunn, hat 1964 beiläufig auf die Bedeutung der französischen Medizinhandbücher über Physiologie von Cabanis und Magendie für Büchner hingewiesen. Das ist zwar ein-, zweimal zur Kenntnis genommen worden, aber kein Literaturwissenschaftler hat je diese französischen Physiologiebücher gelesen. Ansonsten hätte sich für die Literaturwissenschaft längst ein verblüffender Befund ergeben: es geht dort nicht allein um medizinische Fragen, sondern gleichermaßen um Literatur und Sprache, um Sprachreform und Gesellschaftsveränderung.«

Siehe auch Oesterle, Momente, S. 166 f.: Komik und Schauer »haben bei aller Gegensätzlichkeit der Wirkung manches miteinander gemein, etwa die Entgrenzung des Verstandes zugunsten der Einbildungskraft. Komik und Schauer konvergieren in einer physiologischen Wahrnehmungsästhetik. Sie lösen beide auf unterschiedliche Weise das in der Kunstperiode dominante Verhältnis von Ästhetik und Geschichtsphilosophie ab zugunsten des Verhältnisses von Ästhetik und Physiologie: Im *Woyzeck* treffen sich und arbeiten sich aneinander ab die vorzüglich in England entstandene ästhetische Physiologie des Schauers und die gesellschaftsbezogene, am Beispiel der französischen Medizin auch in der französischen Literatur entwickelte, analytische Physiologie sociale.

Komik und Schauer differieren im Blick auf Reflexion und Philosophie. Im Schauer als präreflexiver, körperlich nervlicher Sensation der Empfindungen werden die ungelösten Fragen und abstrakten Antworten der Philosophie mit unmittelbarer, konkreter Daseinsangst beantwortet.

Im Komischen hingegen, dessen Dimension vom Vorreflexiven zum Reflexiven reicht und aus der Plötzlichkeit und Unvermitteltheit ihres Zusammentreffens lebt, wird das Philosophieren zentral.«

Ingrid Oesterle stellt in ihrer Deutung des *Woyzeck* explizite und implizite Bezüge her zur literarischen Gattung der Schicksalstragödie und der Tendenz der Schauerliteratur zur ästhetischen Sensibilisierung und Wahrnehmungsschärfung poetisch problematischer Sinne und Sinneswahrnehmungen. Ingrid Oesterles zentrale These lautet: »Büchners Stück *Woyzeck* partizipiert an einer immanenten Gesetzlichkeit des literarischen Schauers: es verringert dessen Literarität und sprachliche Affektsteigerung; die Beredtheit und Beredsamkeit gegenüber dem schauererregenden Unaussprechlichen, den rhetorischen Gestus der persuasio nimmt es auf der Figurenebene und in der Publikumsrelation gänzlich zurück. Es unterläuft und hintergeht die Sprache im Rekurs auf teilweise in der Schauerliteratur ausgebildete Zeichen, die freilich vernommen und gedeutet, ja in Analogie zur Schriftsprache ›gelesen‹ werden müssen. Es entwirft mit der Figur Woyzeck ein Bewußtsein, dem die Natur noch spricht, obwohl schon eine Hermeneutik der Natur notwendig wäre, um sie nicht wie die ›Kontrollnatur‹ der Naturwissenschaft zum Schweigen zu bringen und zu erklären, sondern auch ihr Verstummen noch zu verstehen. Durch seine poetische Reduktion der Sprache hat *Woyzeck* teil an einem Verhältnis von Sprache und Kunst, das der europäischen Schauerliteratur im Abbau der Rhetorik inhärent ist« (Oesterle, Schauer, S. 172).

Auf das System der Ausbeutung bezieht Glück, Armut, das Drama *Woyzeck:* »Büchners *Woyzeck* liegt, wie dem *Hessischen Landboten,* ein *System* zugrunde: das System der Ausbeutung, Unterdrückung und Entfremdung. Ausbeutung ist der Zweck, Unterdrückung das Mittel, Entfremdung die Folge.

1. Ausbeutung: Woyzecks Arbeitskraft, seine Lebenskraft wird ausgepumpt. Die Existenz dieses Soldaten und Gelegenheitsarbeiters gleicht der eines Zugtiers. Seine Herren haben ihn restlos für ihre Zwecke nutzbar gemacht. In dem Menschenversuch, der an ihm durchgeführt wird, erblicken wir ein Extrem: Woyzeck wird zusätzlich als Versuchstier verwendet. Es ist seine *Armut,* was ihn rettungslos ausliefert; und es ist die bis zum Extrem gesteigerte entfremdete *Arbeit,* was ihn erdrückt. *Das* ist der Grund und das Fundament seiner Tragödie.

2. Unterdrückung: das Aggregat der Mittel, die für den Systemzweck Ausbeutung eingesetzt werden, die Herrschaft auf allen Ebenen, vom Militärregiment bis zu den subtilen Techniken der Indoktrination, der Lenkung und Desorientierung des Bewußtseins durch die Normen der herrschenden Moral usf.«. (S. 170; zu dieser Deutung des Dramas vgl.

auch Glück, Pauper, S. 325). ›Herrschaft‹ komme im *Woyzeck* auf vierfache Weise zum Vorschein: »1. Ideologie, die ›herrschenden Ideen‹, die lebenslang auf Woyzecks Bewußtsein einwirken, niedergehen, dürfte man sagen. 2. Das Militärregiment, dem er seit vielen Jahren unterworfen ist. 3. Die Wissenschaft, eine Wissenschaft im Dienst des Systems; für sie ist Woyzeck ein Versuchstier, ein Objekt, eine res extensa. Und 4. die Justiz, in deren Hände er als ›Mörder‹ fallen wird, die Strafverfolgung (in H 1, 21 wird gezeigt, wie die Ermittlungen anlaufen: Richter und Gerichtsdiener, Arzt und Barbier an der Leiche Maries) und die Hinrichtung, die ihm bevorsteht« (Glück, Armut, S. 170). Folge der Ausbeutung und Unterdrückung sei die Entfremdung Woyzecks, nicht jedoch im gängigen abstrakten Sinn, wie ihn die Literaturwissenschaft häufig konstatiert habe, sondern direkt, unmittelbar, existentiell.

Nach einer ideengeschichtlichen Übersicht über das Problem ›Armut‹ kommt Glück auf B.s gesellschaftstheoretische Position, die er – nach dem Vorgang von Thomas Michael Mayer – zwischen Babeuf und Marx ansiedelt. Dabei sei der ›Fall‹ Woyzeck exemplarisch: »Der Fall Woyzeck ist eine Variante, hinter dem sensationellen Kriminalfall verbirgt sich ein *Massenschicksal*. Dieses Leben ist eine Welle inmitten eines ozeanischen Geschehens, ein Szenenfetzen des Massendramas ›Verelendung der Volksmassen in der Restaurationsperiode‹. 〈...〉 Im Vergleich mit der Analyse, der es gelänge, die historische Wirklichkeit im Text aufzudecken, erscheint mir eine Deutung der Tragödie als christliche Allegorie ›des Armen‹ als regressive Lesart« (ebd. S. 185 f.).

Aber auch gegen abstrakte soziologische Deutungen (insbesondere gegen Lukács) richtet sich Glück: »Die meisten Autoren, die den Woyzeck als soziale Tragödie verstehen, bleiben noch weitgehend im Bereich von Abstraktionen und formulieren eher ein Programm, als daß sie den gegenständlichen Nachweis lieferten. Auf den kommt es aber an« (ebd. S. 224). Alfons Glück ergänzt seine Deutung um die Aspekte ›Militär und Justiz‹: »Militär und Justiz sind, wie die Wissenschaft, die Woyzeck zu einem Versuchstier erniedrigt, Bestandteile eines Systems der Ausbeutung, Unterdrückung und Entfremdung« (Glück, Militär, S. 227; vgl. zu S. 213 dieser Ausgabe; s. auch Glück, Pauper, S. 326). Auch strukturell lasse sich Justitielles erkennen: »Das ganze Stück läßt sich als ein *Gerichtsspiel* auffassen: als Revision, die Büchner gegen das Urteil im historischen Prozeß Woyzeck einlegt. Der Dichter stellt die Bedrücker, Ankläger und Richter, den Psychiater Clarus und die militärischen Vorgesetzten des Füsiliers (letztere in Person), die Täter (ausführende Organe des Systems) und ihre Handlanger vor das Tribunal der Tragödie. Glück untersucht – im Rahmen einer Aufsatzreihe – sozialpsychologische Motivkomplexe in B.s Drama – auch die Rolle der Wissenschaft in *Woyzeck* (vgl. auch zu S. 213). Insbesondere kritisiert er die zu oberflächliche Einschätzung der Funktion der Wissenschaft im *Woyzeck* durch die germanistischen Interpretationen: »In der

Literatur über den *Woyzeck* wird unterstellt, diese ›Wissenschaft‹ sei zwecklos, absurd, der Spleen eines ›dottore‹, eines Dilettanten, wenn nicht eines Narren. Das ganze sei als ›Groteske‹ zu veranschlagen (die Behandlung Woyzecks durch den Doktor wird selbstverständlich moralisch verurteilt). Dem kann ich nicht zustimmen, hauptsächlich deshalb nicht, weil in dieser Sicht *die tragische Wirklichkeit verdrängt ist: daß Woyzeck infolge dieses ›grotesken‹ Experiments umkommt.* Mag diese Wissenschaft auch auf die meisten Zuschauer, Leser und Interpreten komödiantisch wirken (so lange sie vergessen können, daß sie einer Tragödie beiwohnen), für Woyzeck ist sie es nicht. Für ihn ist sie tödlich. Und selbst wenn der Doktor ein Spinner wäre (was falsch ist), so wäre eine ganz andere Frage die, welche Folgen sein Spleen für den Versuchsmenschen habe. Und diese Folgen sind Thema der Tragödie« (Glück, Wissenschaft, S. 181).

In einem weiteren umfassenden Aufsatz beschreibt Alfons Glück die Rolle der Ideologie, der Indoktrination und Desorientierung im *Woyzeck*. Eine Figur wie Woyzeck, gejagt und seelisch krank, ist in der gesamten Literaturgeschichte bis 1837 nicht in einer Tragödie aufgetreten: »Unter den massiven Faktoren, die wie in einem konzentrischen Angriff auf das Subjekt Woyzeck einwirken –, Not, Arbeitsüberlastung, Militärdisziplin, Demütigung, medizinische Experimente, die an ihm durchgeführt werden, Strafverfolgung, die ihm bevorsteht – ist ein schwer faßbarer, subtiler Faktor: geistige Unterdrückung, Knechtung auf der Ebene des Bewußtseins, die Desorientierung durch die herrschende Ideologie und Indoktrination. Diese Fesseln sind nicht so sichtbar wie die an Händen und Füßen, aber nicht weniger einschneidend« (Glück, Ideologie, S. 54).

Der *Woyzeck* ist auch hinsichtlich der impliziten und expliziten Kritik an der herrschenden Ideologie der Höhepunkt von B.s Werk, sein ›letztes Wort‹: »Nirgends hat Büchner die Einwirkung der herrschenden Ideen auf das Bewußtsein der Beherrschten auf einer solchen Stufe der Konkretion dargestellt. Mit besonderer Schärfe wendet er sich gegen den herrschenden Idealismus, den Idealismus der Herrschaft, gegen dessen Arroganz und Massenverachtung. Den ›Aristokratismus‹ der ›Gebildeten‹ hat er verabscheut; jedesmal, wenn er darauf zu sprechen kommt, hat man den Eindruck, er verliere die Fassung (was ihm sonst kaum je anzumerken ist)« (Glück, Ideologie, S. 55).

Um die Wirklichkeit und Wirkung der Ideologie im *Woyzeck* in ihrem ganzen Umfang zu ermessen, kommt es sehr darauf an, den Systemcharakter der ›herrschenden Ideen‹ zu erkennen: daß sie keine zufälligen Brocken sind, die Woyzeck aufschnappt (wie, scheinbar, die Begriffe ›Struktur‹ und ›Charakter‹, H 4, 8) und die – zufällig, ungerichtet – diesen ›geistig Armen‹ verwirren und verstören. Die ›herrschenden Ideen‹ sind von B. konzipiert als Elemente eines umfassenden Systems der Ausbeutung, Unterdrückung und Entfremdung, dessen Opfer Woyzeck wird.

Konsequent wendet sich Glück gegen diejenigen Deutungen, vor allem von H 4, die Büchners *Woyzeck* in die Nähe des christlichen Trauerspiels rücken (Glück, Ideologie, S. 83 f.).

Albert Meier stellt B.s Ästhetik umfassend auch anhand des *Woyzeck*-Dramas dar; vgl. S. 613 ff. zu den verschiedenen Entwurfsstufen. Sein Resümee: »Obwohl keine expliziten Utopien entworfen werden läßt sich doch in den negativ bleibenden Darstellungen aller vier Texte ⟨*Danton, Lenz, Leonce und Lena, Woyzeck*⟩ übereinstimmend ein positives Element feststellen, das allerdings bezeichnenderweise im Kontext immer gebrochen wird: Camilles Staatsutopie von der organischen Einheit, in der sich jedes Element seiner individuellen und natürlichen Bedingtheit gemäß äußern kann, ohne durch übergeordnete Gesetze eingeschränkt zu werden (vgl. S. 71); Lenz' Naturgespräch, das dem ›eigentümlichen Leben jeder Form‹ (vgl. S. 145) höchsten Wert zuspricht; Lenas Sehnsucht nach der Willensfreiheit der Blumen (vgl. S. 179); Woyzecks Insistieren auf der ›Natur‹, die sich durch soziale Normen nicht domestizieren läßt usw. Übereinstimmend wird hier die Freiheit zur Selbstbestimmung und zur Befriedigung der individuellen natürlichen Bedürfnisse gefordert, d. h. die auf Gewalt beruhende Sozialordnung soll überwunden werden, um eine Gesellschaftsform zu schaffen, die den Individuen ihr Recht beläßt – ihre natürliche Konstitution nicht in soziale Rollen zwängt und dadurch deformiert, sondern eine gewaltfreie Bedürfnisbefriedigung zuläßt« (Meier, Büchners Ästhetik, S. 148).

Zur weiteren Deutung des Sozialzusammenhangs und der dramatischen Form vgl. Meier, Woyzeck, S. 33–76: Die Entfremdung gehe aus der Grundstruktur der Gesellschaft hervor und lasse sich keiner Person und auch keinem Stand als spezielle Schuld anlasten. Die Gewalt werde nicht von einer Herrscherpersönlichkeit ausgeübt, sondern sei die notwendige Resultante aus den sozialen Widersprüchen. Weil sich kein Verantwortlicher feststellen lasse, sei das soziale System im *Woyzeck* trotz seiner fundamentalen Widersprüche stabil (ebd. S. 57 f.).

Kritisch dazu die Rezension durch Günter Oesterle: »Büchners philosophische und naturwissenschaftliche Abwehr einer Teleologie der Funktionen des Naturkörpers, die Ablehnung von Endzwecken der Natur, wird im Handumdrehen auf die Dramenstruktur des Woyzeck übertragen: ›das gesamte Dramengeschehen ist von der Reflexion auf Teleologie beziehungsweise deren Kritik bestimmt‹. Die bekannte Strukturbeschreibung des Woyzeck als offener Form (V. Klotz) scheint damit philosophisch ableitbar geworden zu sein. Doch schon ein Seitenblick auf Goethes Protest gegen die Teleologie hätte vor einem vorschnellen Kopplungsmanöver zwischen Teleologiekritik und literarischem Formtypus bewahren können. Vor allem aber hätten die Einwände von W. R. Lehmann und K. Kanzog gegen die Verabsolutierung der Gattungsbestimmung der ›offenen Form‹ für Woyzeck zu denken geben sollen. Wissenschaftsgeschichtlich aufschlußreich ist in der Tat die Affinität zwischen dem idealtypischen, von Max Weber ausgehenden Interpretationsrahmen der offenen Form, die das Fragmentarische als Folge einer Tendenz zu empirischer Totalität erklärt, und den von Comtescher Soziologie unterlaufenen Gedankengängen dieses Buches. Der ästhetisch unvermittelte Zusammenschluß von Teleologiekritik und Gattungszuordnung verhindert, jene sich von Spinoza herleitende Relation von Gut und Böse, Schön und Häßlich zu überdenken, d. h. jene spezifische Konsequenz der Teleologiekritik für das Verhältnis von Ethik und Ästhetik zu entwickeln, das besonders den Woyzeck charakterisiert. Bemüht sozialkritischer Anspruch an die Kunst und interpretative Realisation fallen in dieser Studie extrem auseinander.«

Meier vereindeutigt historisch, soziologisch und klassenspezifisch eine behutsame Hypothese von W. Proß. Sie erlaubt in einer komplexen Argumentation, die von der »sozialen Legitimierung« der naturwissenschaftlich nicht unproblematischen Teleologiekritik bis zu Fragen der wechselseitigen Abhängigkeit und verschieden raschen Entwicklung der Kulturelemente reicht, Comtes Drei-Stadien-Gesetz, besonders die theologisch-feudale und metaphysisch-kritische Kulturstufe mit ihrer Desorganisation der Gesellschaft, für eine Interpretation der Figuren Hauptmann und Doktor heranzuziehen.

»Die Frage, auf welch einmalige Weise Naturwissenschaft, Sozialgeschichte und Kunst eine ästhetische Vermittlung im ›Woyzeck‹ eingehen, ist mit der vorliegenden Studie ⟨von Meier⟩ noch dringlicher geworden.« (Oesterle, Meier, S. 302)

Zur dramaturgischen Deutung der ›offenen Form‹ s. auch Thorn-Prikker (bes. S. 111 f.), der im übrigen insbesondere die Außenseiterrolle der Figur *Woyzeck* herausarbeitet (S. 113 f.) und die sich auch in der Sprache artikulierende reale Ohnmacht *Woyzecks* im Normenkonflikt betont: »Die Begrifflosigkeit Woyzecks, sein magisches, ohnmächtiges Verhaftetsein in der Natur, sein Gefühl, fremdbestimmt zu werden, drückt genau den gesellschaftlichen Tatbestand aus, wenn auch unbegriffen. Begriffliche Ohnmacht ist Ausdruck der realen Ohnmacht. Ihm erscheint Herrschaft falsch als Natur, und die Dauer seiner Herrschaft als Ewigkeit: ›Unseins ist doch einmal unselig in der und der anderen Welt‹ (S. 240). Genau am Faktum der Herrschaft, bzw. am Faktum der Herrschaft über Natur, wie des Beherrschtwerdens von Natur, läßt sich Geschichtlichkeit rekonstruieren. Im Drama stehen Menschen zweier Welten, Vorbürger und Bürger, nebeneinander, und da sie sich in einer bürgerlichen Welt treffen, gelten deren Regeln: die der Konkurrenz« (S. 114). Thorn-Prikker deutet Woyzecks Mord als Paradoxon der »unbürgerlich-bürgerlichen Tat« (ebd. S. 120 f.): In dem Augenblick, wo er sich als radikaler Bürger beweist – indem er sich als Individuum zu einer Tat entschlossen hat –, löscht er sich als Mitglied der bürgerlichen Gesellschaft aus. B.s Stück zeige die Dialektik der Aufklärung, die hier darin bestehe, daß die Befreiung aus der Herrschaft der Natur zu einer neuen Herrschaft, der des Menschen (über sich selber) führe. Dazu die Rezension von Peter Horn mit dem Hinweis auf die bei Thorn-Prikker nur angedeutete Prozeßhaftigkeit des Dramas (Horn, S. 298) mit der Unmöglichkeit des endgültigen Schlusses. Dazu auch Poschmann, Büchner (S. 264), sowie S. 613 ff. in dieser Ausgabe.

Schings ordnet Büchner in die gegen-klassische Tradition der Mitleidspoetik ein, in der dieser eine besondere Stellung einnehme: »Die aufklärerische, vorrevolutionäre Sympathielehre und die mit ihr alliierte Wirkungsästhetik vertrauten auf den Progreß der Menschennatur durch die Sensibilisierung der Kommunikationsfähigkeit, durch sympathetische Erziehung, waren tugend- und deshalb zukunftsgewiß, mit der Geschichte im Bunde, trugen nicht selten alle Zeichen eines kritischen und kämpferischen Triumphs, der das zugrundeliegende Leiden transitorisch werden ließ, auslöschte oder einfach übersprang. Jenes Mitleid hingegen, das Büchner und Schopenhauer aufbieten, hat es mit Leiden und Schmerz als ›Los der gesamten Menschheit‹ zu tun, stellt die *ultima ratio* kreatürlicher Solidarität dar. Der kreatürliche Woyzeck rückt an die Stelle der bürgerlichen Miss Sara Sampson.

Es versteht sich, daß unter diesen Bedingungen auch das aus der Aristoteles-Exegese gewonnene wirkungsästhetische Paradigma einer tiefgreifenden Veränderung unterliegt. Die realistische Tendenz gewinnt die Oberhand über den psychologisch vermittelten moralischen Appell, Wirkungsästhetik wird von der Leidensphilosophie aufgesogen. Nicht mehr der Mitleidige und seine Affekte, sondern der Leidende und sein Schmerz rücken in den Brennpunkt. So weicht der optimistische, gezielte, von der Illusion beförderte Appell an die entwicklungsfähige Emotionalität einem Gestus der Kontemplation, der Versenkung in die Leiden der Individuen, der indes immer wieder aufbricht zugunsten einer kühlen, nicht zuletzt am Modell der Naturwissenschaften orientierten Analyse, zugunsten einer neuen Koalition von Emotion und kritischer Diagnose. Sie bewahrt Büchner mit großer Selbstverständlichkeit vor dem auch von Schopenhauer angeprangerten *joy of grief*, vor der ›Klippe der Empfindsamkeit‹ und einer ›wässerichten Sentimentalität‹, der über sich selbst jeder Gegenstand aus dem Auge schwindet. Sie trennt Büchner aber auch mit Sicherheit, wie angedeutet worden ist, von Schopenhauers Konzept des Quietivs. Es macht Stachel und Größe von Büchners Werk aus, daß es Lösungen und Trost vorenthält und doch nicht resigniert. Und daß es, zumindest im ›Lenz‹ und im ›Woyzeck‹, solche Spannung in Form umgesetzt hat« (S. 83 f.).

Reuchlein (S. 67 ff.) stellt ausführlich die Auseinandersetzung mit dem Zurechnungsproblem im *Woyzeck* dar; ihm ist das Stück eine dezidierte Kritik an den juristischen und rechtsmedizinischen Praxen zu Beginn des 19. Jahrhunderts: B. entmoralisiere die Perspektive auf Woyzeck – im Gegensatz zur tatsächlichen restaurativen Begutachtung und Beurteilung von Verbrechern –, um die Figur moralisch aufwerten zu können; vgl. auch S. 607 ff. dieser Ausgabe. Poschmann, Büchner, erscheint die ›Umwälzung des literarischen Weltbilds‹ im *Woyzeck* »am weitesten vorangetrieben« (S. 234). Für ihn ist die christlich-moralische Deutung eine Fehlinterpretation (S. 255): »Es ist für Marie ebensowenig wie für Woyzeck ein Moralkonflikt, der sie bedrängt. Das Stück so

zu lesen hieße, seine materialistisch konstituierte Dramaturgie zu verkennen oder zu entstellen. Nicht um den Widerspruch von Individuen
gegen ein ehernes Moralgesetz handelt es sich hier, sondern um die
Kollision ihres naturgegebenen Rechtsanspruchs zu leben, und zwar als
sie selbst und für sich selbst, mit den entfremdenden und zerstöreri-
schen gesellschaftlichen Zwängen, die die Menschen gegeneinander
und damit jeden auch gegen sich selbst treiben – um den Zusammen-
stoß mit einer Macht, der vom Dichter fatale Realität, aber keine höhere Notwendigkeit zugeschrieben wird.« Dem Stück angemessen ist
nach Poschmann, Büchner, S. 257f., eine entschieden gesellschaftliche
Deutung: »Die Gruppierung Woyzeck, Marie, Kind (›Christianche‹),
Großmutter, Andres, Karl, Käthe – Tambourmajor, Hauptmann,
Doktor, Richter, Gerichtsdiener kennzeichnet scharf den übergreifen-
den objektiven antagonistischen Klassengegensatz, in dem der dramatisch zentrale persönliche Konflikt zwischen Woyzeck und Marie ver-
wurzelt ist. ⟨...⟩ Der Konflikt ist vielmehr verknüpft mit einem größeren Feld realer Widersprüche, die auf der Bühne darstellbar sind und
die – nicht nur als Hintergrund oder Milieu wie im Drama des Naturalismus – eine neue gesellschaftliche Dimension ins Drama bringen.«

Poschmann deutet den *Woyzeck* v. a. auch auf dem Hintergrund der
Sprachproblematik: »Die Sprache ist so keine selbstverständliche Kon-
stante mehr, sie zeigt sich in Büchners Stück als problematisch geworden, was mit tief einschneidenden Konsequenzen für die Dialogstruk-
tur verbunden ist. Weitaus mehr als gewohnt ist man auf den ›Zwi-
schentext‹ verwiesen. Eine deutliche Verschiebung und Spannung im
Verhältnis von Figurenrede und Handlungsvorgang, von verbalem und
körperlichem Ausdruck treten auf« (ebd. S. 263). Reflektierte Präsenta-
tion, Demonstration als künstlerische Methode, in direktem Zusammenhang der wissenschaftlichen Arbeit, sieht Poschmann als das entscheidende Strukturmerkmal des Stückes an (ebd. S. 267). Unter diesem Aspekt ist auch B.s Ästhetik zu beschreiben: »In ›Woyzeck‹ nahm
Büchner Fragestellungen und Intentionen seines politischen Wirkens
und seiner ersten literarischen Arbeiten, aber auch Gesichtspunkte, auf
die ihn seine naturwissenschaftlichen Untersuchungen (in Verbindung
mit seinen gleichzeitigen philosophischen Studien) hinlenkten, auf einer Stufe fortgeschrittener kritischer Verarbeitung neu auf und verfolgte sie weiter« (Poschmann, Büchner, S. 268). B. hob das idealistische
Kunstprogramm mit seinem *Woyzeck* radikal auf: »Für Büchner war
dagegen schon in ›Dantons Tod‹ die ästhetische Funktionalisierung
und harmonisierende Auflösung von wirklichem Schmerz und wirklicher physischer Vernichtung ein herausfordernder Anlaß zur Aufkün-
digung der herrschenden Kunstideologie« (ebd. S. 277f.).

Gerhard Schaub regt an, den *Woyzeck* (ebenso wie weitere Werke
B.s und seine Briefe) auch unter rhetorischem Aspekt zu sehen: »Aufschlußreich dürfte die Interpretation des *Woyzeck* mit Hilfe der stilistischen und menschlichen Haltung des *sermo humilis* vor allem deshalb
sein, weil dieses Stilphänomen nach Auerbach ›das Ethische, das Sozia-

le, das Geistige und das Ästhetisch-Stilistische zugleich umfaßt‹, alle
Aspekte des literarischen Werks und zumal des *Woyzeck,* die für da
Verständnis der Büchnerschen Welt-, Lebens- und Kunstanschauun,
von großer Bedeutung sind.

Im Zusammenhang mit dem *sermo humilis* wäre weiterhin zu unter
suchen, ob es sinnvoll und erhellend ist, in bezug auf den *Woyzeck*
dessen Titelheld nur über einen ›restringierten‹ sprachlichen Code ver
fügt, von einer ›Beredsamkeit am Rande des Schweigens‹, von eine
Rhetorik des Gestisch-Demonstrativen, des Mimisch-Körperlichen z
sprechen, von einer unberedt-beredten, zum guten Teil außersprachli
chen ›Rhetorik‹, welche die alte, noch in *Dantons Tod* dominierend
Beredsamkeit der vornehmen, in der Hochsprache der Gebildeten rä
sonierenden Gesellschaft endgültig hinter sich gelassen hat. Bei de
Analyse dieser neuen Art von Rhetorik empfiehlt es sich, den ›Neben
text‹ des *Woyzeck,* d.h. die Inszenierungsanweisungen zur Aktion un
Gestik des jeweiligen Sprechers zu untersuchen und zwar vor allen
deshalb, weil sich Woyzeck im non-verbalen Zeichensystem der Kör
persprache oft besser auszudrücken und mitzuteilen versteht als in
sprachlichen Code. Bei der Analyse des ›Haupttextes‹, der im *Woyzec*
gegenüber dem ›Nebentext‹ keineswegs mehr so eindeutig dominier
wie in *Dantons Tod,* wäre auf die Konstituierung eines neuen Patho
des Volkstümlich-Schlichten, des Sozial-Niedrigen, des Menschlich
Einfachen zu achten. Als Fazit könnte sich ergeben, daß die neue Be
redsamkeit des *Woyzeck* als Etappe auf dem Weg zu der von Büchne
postulierten Bildung eines neuen geistigen Lebens im *Volk* zu begreife
und zu deuten ist« (Schaub, Poeta rhetor, S. 190).

Zur Sprache und zur sogenannten ›offenen‹ Form des Dramas steuer
Glück, Pauper, S. 331 f. aufschlußreiche Überlegungen bei, die von de
neueren Textlesungen bestätigt werden: »In dieser Sprache spiegelt sic
die Bewußtseinsverfassung der Ausgebeuteten und Unterdrückten, vo
allem in der Sprache Woyzecks. Seine schwere Zunge ist nicht ›Natur‹
so wenig wie die seines Kameraden Andres. Ihnen hat es die Sprach
verschlagen. Dieses ›es‹ ist die Unterdrückung. Ihre Sprache ist wie di
Maries Ausdruck eines armen, enteigneten Denkens. Für sie, die Glie
dermänner, ist das ›Jawohl‹ vorgesehen und nichts darüber. Woyzeck
Stammeln und Stottern, wie die ›Bruchlandung‹ H 4, 8, als er es unter
nimmt, ›Natur‹ zu definieren:

›⟨...⟩ sehn Sie mit der Natur ⟨*er kracht mit den Fingern*⟩ das ist s
was, wie soll ich doch sagen, zum Beispiel ⟨...⟩

DOKTOR. Woyzeck, Er philosophiert wieder.‹

Sein plötzliches Abbrechen, das Versanden und Versickern, und vo
allem die psychotischen Wiederholungszwänge, wie das »stich, stich
der ›Stimmen‹, diese sprachlichen ›Zuckungen‹ sind die verzerrte
Echos der Stöße und Schläge, die ihn treffen; wir hören daraus, wie e
sie verarbeitet und nicht mehr verarbeitet. Man könnte eine lückenlos
Reihe von Übergängen aufzeigen von kaum bemerkbaren Sprachhem
mungen bis zur ver-rückten Sprache psychotischer Schübe. Die *Struk*

tur des *Woyzeck*-Fragments ist kein Kontinuum (wie, im Idealfall, die Struktur ›aristotelischer‹ Dramen). Die Szenen aller Entstehungsstufen gleichen Momentaufnahmen; sie sind (scheinbar) zufällige Ausrisse (Fetzenszenen) eines Geschehens, das auf weite Strecken im Dunklen bleibt. Die Szenen sind aneinandergereiht, aneinandergehängt (sie folgen nicht auseinander); ihr Gefüge ist parataktisch. Doch ist das Geschehen nicht ›offen‹, wie immer wieder behauptet wird (›offen‹ im Sinn von offener Ausgang, ein Ende, aber kein Schluß). Die Handlung ist *final*, wenn auch nicht in einem logisch-deduktiven Sinn (wie in ›aristotelischen‹ Tragödien, Muster der *König Ödipus*). Woyzeck gleitet von Anfang an (psychotische Attacke gleich in der ersten Szene) eine schiefe Ebene hinab (worüber man sich durch scheinbar gemütliche Auftritte wie die Rasierszene nicht täuschen lassen sollte). Und diese Abwärtsbewegung geht mit H 4, 11 (»immer zu«) in den freien Fall über. Auch wenn der Zuschauer sich den katastrophalen Zug dieser abschüssigen Bewegung nicht begrifflich klarmacht, so fühlt er doch, schmerzhaft-bestimmt, daß da ein verlorener Mann vor ihm steht. Die ersten Worte, die wir aus Woyzecks Mund hören, sind die von einem ›rollenden Kopf‹ – wer zweifelt denn, *wessen* Kopf rollen wird? Die Differenz der finalen Struktur des *Woyzeck* zu finalen Strukturen ›aristotelischer‹ Tragödien hat ihren Grund in der Differenz der dramatisierten *Lebenswirklichkeiten:* dort die Aktionen selbstmächtiger Individuen von höchster Bewußtheit – hier das Elend eines herumgestoßenen Paupers, eines Getriebenen. Ein solcher Grad der Selbstentfremdung ist eben nicht als logisches Kontinuum dramatisierbar ⟨...⟩. Das *Woyzeck*-Fragment, wie weit es auch den Bezirk der Vormärz-Literatur überschreitet, ist dennoch kein ›absurdes Theater‹ avant la lettre; seine Struktur ist keineswegs die vorweggenommene Verwirklichung eines modernen Kunstprogramms, sondern etwas ganz anderes: die Erscheinung der ›Ware Arbeitskraft‹ = die Darstellung des Menschen als Objekt und Mittel im Medium einer ›dramatischen Handlung‹. *So* dramatisiert sich proletarische Existenz, und *so* dramatisiert sich ein psychotischer Prozeß.«

Historischer Hintergrund

Neben dem ›Fall Woyzeck‹ hat B. zwei weitere historische Vorfälle als Stoff- und Motivmaterial für seine Dichtung benutzt (vgl. auch Quellen, S. 627 ff.):

1. Am 25. September 1817 erstach der 38 Jahre alte Tabakspinnergeselle *Daniel Schmolling* seine Geliebte Henriette Lehne in der Hasenheide bei Berlin.

Der Prozeß nahm folgenden Verlauf:
– der Stadtphysikus Dr. Merzdorff stellt in seinem Gutachten fest: Unzurechnungsfähigkeit zum Zeitpunkt der Tat.
– Justiz-Kommissar Bode stellt in seiner Ersten Verteidigungsschrift den Antrag auf polizeiliche Sicherungsverwahrung statt Haftstrafe.

– Das Stadtgericht Berlin und der Kriminal-Senat des Kammergerichts mit Bestätigung durch das Justizministerium verkünden das Todesurteil.

– Schmolling stimmt dem Urteil zu und lehnt einen Revisionsantrag ab (Anfang März 1819).

– Der Geheime Rat Dr. Horn bestätigt in einem eigenen das Merzdorff-Gutachten (Annahme eines »wahnsinnigen Gemützustandes« während der Tat); veröffentlicht 1820.

– Bode verfaßt gegen Schmollings Willen eine Zweite Verteidigungsschrift und wiederholt seinen Antrag auf Sicherungsverwahrung; veröffentlicht 1825.

– Der Ober-Appellations-Senat des Kammergerichts bestätigt das frühere Todesurteil; Aktenauszüge veröffentlicht 1825.

– Der König wandelt, auf Empfehlung des Justizministeriums, die Todesstrafe in »lebenswierige Einsperrung« (Zuchthaus) um.

– Schmolling ermordet am 19. Februar 1825 in Glatz einen Mithäftling.

– Der Kriminal-Rat J. E. Hitzig untersucht in seiner ›Zeitschrift für die Kriminal-Rechts-Pflege in den Preußischen Staaten‹ die Möglichkeiten, eine Meinungsdifferenz zwischen ärztlichen Gutachten und gerichtlichen Urteilen beizulegen.

(Vgl. auch Hinderer, S. 186 f., Krause, S. 172–184, insbesondere Bornscheuer, Erläuterungen, S. 52–56, dem diese und die weiteren Prozeßdarstellungen verpflichtet sind).

2. Am 15. August 1830 erstach der 37 Jahre alte Leinewebergeselle *Johann Dieß* seine Geliebte Elisabeth Reuter in der Nähe von Darmstadt.

Der Prozeß nahm folgenden Verlauf:

– Untersuchungsverfahren vor dem Großherzoglichen Hofgericht in Darmstadt; Einholung einer Verteidigungsschrift, die auf Unzurechnungsfähigkeit plädiert und ein ärztliches Gutachten beantragt.

– Am 10. Oktober 1831 erstellt das Großherzogliche Medizinal-Kolleg ein Gutachten, das Zurechnungsfähigkeit bescheinigt.

– Am 7. Dezember 1831 wird Dieß zu 18jähriger Zuchthausstrafe verurteilt.

– Am 11. Januar 1833 (richtig 1832?) bestätigt das Großherzogliche Oberappellations- und Kassationsgericht in Darmstadt das Urteil.

– Am 23. Mai 1834 stirbt Dieß im Zuchthaus Marienschloß.

– Am 24. Mai wird der Leichnam in das ›anatomische Theater‹ in Gießen überführt.

– Im Frühjahr 1836 erscheint Bopps Bericht über die Verteidigungsschriften und das medizinische Gutachten in Henkes Zeitschrift. Bopp verweist auf den Fall Woyzeck und das zweite Clarus-Gutachten sowie auf die Schrift von Marc. Er zitiert in der Frage der Zurechnungsfähigkeit die Akte Schmolling. (Vgl. auch Hinderer, S. 188 f., Krause, S. 198–203, Bornscheuer, Erläuterungen, S. 65–67).

3. »Am ⟨2.⟩ Juni 1821, ½ 10 Uhr abends, sticht der arbeitslose Fri-

seur Johann Christian Woyzeck, 41 Jahre alt, in einem Hausflur der Sandgasse in Leipzig die 46jährige Witwe Johanna Christiane Woost nieder. Er bringt ihr mit einer abgebrochenen Degenklinge, an der er einen Griff hatte befestigen lassen, sieben Wunden bei. Das Opfer verschied nach wenigen Minuten. Die gerichtliche Sektion der Leiche ergab, daß einer der Stiche tief in die Brust eingedrungen war und die Aorta durchtrennt hatte. Der Mörder wurde, als er sich vom Tatort entfernen wollte, gefaßt. Er versuchte noch, die Tatwaffe wegzuwerfen, gestand dann aber sofort und fragte, ob die Woostin tot sei? Als ihm niemand eine Antwort gab, fügte er hinzu: ›Gott gebe nur, daß sie tot ist, sie hat es um mich verdient!‹« (Glück, Woyzeck, S. 314; dort auch weitere Darlegungen zum historischen Hintergrund des Stücks).

Der Prozeß nimmt – in seinen wichtigsten Stationen – folgenden Verlauf:
– Am folgenden Tage berichtet ein früherer Zimmerwirt Woyzecks einem Dr. Bergk von dessen Wahnvorstellungen; Dr. Bergk veranlaßt eine »Nachricht über den Gemütszustand des Inquisiten im Allgemeinen« im ›Nürnberger Korrespondenten‹.
– Am 16. August wird die erste Verteidigungsschrift vorgelegt.
– Am 23. August beantragt der Verteidiger Hänsel eine gerichtsärztliche Untersuchung.
– Hofrat Dr. Johann Christian August Clarus (vgl. Dorsch/Hauschild, S. 317ff. mit ersten Ansätzen einer Clarus-Biographie) wird am 24. August vom Gericht beauftragt, ein Gutachten über den »Gemütszustand des Inquisiten« herzustellen.
– Am 26., 28., 29. August, 3. und 4. September Unterredungen zwischen Clarus und Woyzeck.
– Am 16. September Erstes Clarus-Gutachten; Einreichung am 20. September, Clarus bescheinigt Woyzeck volle Zurechnungsfähigkeit und Verantwortlichkeit für die Tat (s. S. 651f.).
– Am 11. Oktober verkündet das erste Urteil »Strafe durchs Schwert«.
– Am 3. Dezember nochmalige Verteidigung Woyzecks durch Hänsel.
– Am 29. Februar 1822 wird die Todesstrafe durch ein zweites Urteil bestätigt.
– Am 29. April reicht Woyzeck ein Begnadigungsgesuch ein mit der Bitte, »die Todesstrafe in Zuchthausstrafe zu verwandeln«.
– Am 26. August wird die Begnadigung abgelehnt.
– Am 3. September zweites Gnadengesuch.
– Am 19. September wird auch dieses Gnadengesuch abschlägig beschieden.
– Am 27. September beantragt der Verteidiger Hänsel nochmalige Untersuchung des Gemütszustands durch Professor Heinroth; Woyzeck hatte dem Gefängnisgeistlichen mitgeteilt, er habe schon mehrere Jahre vor dem Mord Stimmen gehört und eine Geistererscheinung gehabt.

– Am 10. Oktober wird Clarus mit einem erneuten Gutachten beauftragt.

– Am 28. Oktober beschließt die sächsische Landesregierung, daß auf ein neues Gutachten verzichtet werden könne und »den gesprochenen Urteilen und dem Reskripte vom 26. August nachgegangen werden solle«.

– Die Hinrichtung wird auf den 13. November festgesetzt.

– Am 5. November wird von privater Seite Anzeige erstattet, mit Hinweis auf glaubwürdige Zeugen, denen zufolge »der Delinquent wirklich von Zeit zu Zeit Handlungen vorgenommen habe, welche Verstandesverwirrung zu verraten schienen«.

– Am 10. November wird die Urteilsvollstreckung aufgeschoben und Clarus beauftragt, eine nochmalige Untersuchung vorzunehmen und daraufhin ein zweites Gutachten zu erstellen.

– Am 12., 26., 29., 31. Januar und 21. Februar 1823 weitere Unterredungen zwischen Clarus und Woyzeck.

– Am 7. Januar dritte Verteidigungsschrift.

– Am 28. Februar legt Clarus sein Zweites Gutachten vor, in dem er um ein »Responsum der medizinischen Fakultät« der Universität Leipzig bittet (s. S. 650).

– Am 4. Oktober entscheidet der Leipziger »Schöppenstuhl«, daß »die Zurechnungsfähigkeit des Inquisiten als vollständig erwiesen dargestellt, und die Einholung eines Gutachtens der medizinischen Fakultät unter diesen Umständen unnötig« sei.

– Der Verteidiger bittet um die Befragung einer Medizinalbehörde.

– Am 23. Januar 1824 wird, vor allem auf Clarus' eigene Bitte hin, die medizinische Fakultät mit einem Gutachten beauftragt.

– Die Antwort der medizinischen Fakultät vom 17. April bestätigt das zweite Clarus-Gutachten.

– Am 12. Juli wird die Urteilsvollstreckung angeordnet, am 30. Juli wird das Urteil Woyzeck bekannt gemacht.

– Am 3. August beantragt Hänsel eine nochmalige Verteidigungsmöglichkeit für Woyzeck.

– Am 10. August wird dieser Antrag abgewiesen und die Hinrichtung auf den 27. August festgesetzt.

– Am 27. August 1824 wird Woyzeck auf dem Marktplatz von Leipzig öffentlich mit dem Schwert hingerichtet.

Vgl. die Leipziger Magistratsverordnung vom 23. August 1824, abgedruckt in: Büchner, Katalog Marburg, S. 243:

»Nächst bevorstehenden Freitag den Sieben und Zwangzigsten des Monats August, wird auf hiesigem Markte, der zum Tode verurteilte Delinquent, Johann Christian Woyzeck hingerichtet werden. Wir dürfen nun zwar voraussetzen, daß sämtliche Bürger und Einwohner der Stadt Leipzig, von selbst geneigt sein werden, ihrer Seits sich so zu benehmen, daß die gewohnte Ruhe und Ordnung, auch bei der Eingangs erwähnten Exekution, in irgend einer Art nicht gestört werde, und ist es daher nur eine Erinnerung an die Mittel zur Erhaltung der

Ruhe und Ordnung, wenn wir die gesamte hiesige Einwohnerschaft auffordern, sich selbst still zu bezeigen, und alle Ungelegenheit zu vermeiden, auch die Ihrigen, insbesondere Lehrpursche und Gesinde, möglichst zu Hause zu halten, ferner daß diejenigen, welche auf den Markt, wo die Exekution erfolgen soll, sich begeben und Letztere mit ansehen wollen, sich allen ungestümen Drängens schlechterdings enthalten.

Sollte aber wider Erwarten, irgend Jemand dem entgegen handeln, so würde er die daraus entstehenden Unannehmlichkeiten und unausbleibliche Strafe, sich selbst beimessen müssen.

Zur Sicherung des Publikums ist die Anordnung getroffen worden, daß am 27. August, von früh *sieben* Uhr an bis nach beendigter Exekution, die sämtlichen innern Stadt-Tore *für Wagen* gesperrt werden, auch Wagen den Marktplatz und die dahin führenden Straßen und Gassen schlechterdings nicht befahren dürfen, so wie, wegen der Lebensgefahr, die für die Untenstehenden aus dem Herabfallen der Ziegel und sonst erwachsen könnte, hiermit auf das gemessenste, und bei Vermeidung von Zehen Talern Strafe untersagt wird, in den Häusern um den Marktplatz herum und in dessen Nähe, die Dächer aufzudecken, oder gar Gerüste anzubringen, auch dürfen, während der Hinrichtung, auf dem ganzen Marktplatze und in den Straßen und Gassen in dessen Nähe, Wagen, Fässer und dergleichen für Zuschauer, schlechterdings nicht aufgestellt werden.

Leipzig am 23. August 1824.   Der Stadtmagistrat zu Leipzig.«

Dorsch/Hauschild zitieren S. 319 aus dem Tagebuch von Ernst Anschütz (1780–1861), dem Leipziger Bürgerschullehrer, Musiker und Gelegenheitsdichter (der folgende Text nach der Ausgabe Leipzig 1924: Die Leipziger Schlacht. Tagebuchaufzeichnungen. Dem Leipziger Bibliophilen-Abend zum Jahresessen 1924 überreicht von E⟨rich⟩ S⟨eemann⟩ und M⟨ax⟩ Chr⟨istian⟩ W⟨egner⟩):

»*Freitag, den 27. August (1824).* Heiter und sehr warm. Hinrichtung des Delinquenten Woyzeck. Das Schaffott war mitten auf dem Markt gebaut. 54 Kürassiere von Borna hielten Ordnung um das Schafott; das Halsgericht wurde auf dem Rathause gehalten. Kurz vor halb 11 Uhr war der Stab gebrochen, dann kam gleich der Delinquent aus dem Rathause, Goldhorn und Hänsel gingen zur Seite und die Ratsdiener in Harnisch, Sturmhaube und Piken voran, rechts und links; die Geistlichen blieben unten am Schaffott; der Delinquent ging mit viel Ruhe allein auf das Schaffott, kniete nieder und betete laut mit viel Umstand, band sich das Halstuch selbst ab, setzte sich auf den Stuhl und rückte ihn zurecht, und schnell mit großer Geschicklichkeit hieb ihm der Scharfrichter den Kopf ab, sodaß er noch auf dem breiten Schwerte saß, bis der Scharfrichter das Schwert wendete und er herabfiel. Das Blut strömte nicht hoch empor; sogleich öffnete sich eine Falltür, wo der Körper, der noch ohne eine Bewegung gemacht zu haben auf dem Stuhl saß, hinabgestürzt wurde; sogleich war er unten in einen Sarg gelegt und mit Wache auf die Anatomie getragen. Alsbald wurde auch schnell das Schaffot abgebrochen, und als dies geschehen war, ritten die Kürassiere fort. Die Gewölbe, die vorher alle geschlossen waren, wurden geöffnet und alles ging an seine Arbeit. Daß Vormittags keine Schule war, versteht sich.«

Dorsch/Hauschild drucken S. 323 mutmaßliche Woyzeck-Texte vom 27. August 1824 ab, die Christian Wegner zusammen mit dem genannten Tagebuch von Ernst Anschütz 1924 veröffentlicht hatte:

In den Gefilden seliger Geister, wo ein unzertrennlich Band uns fester ⟨gestrichen: knub⟩ knüpfet, und der Allerbarmer, liebevoll unser wartet sehen wir uns wieder,

In den letzten Stunden meines
irdischen Daseins, Leipzig. d 27. august 1824.

Johann, Christian, Woycecky

Mein ⟨gestrichen: letztes⟩ letzter gedanke

Ich bitte Dich durch Christi Blut,
Machs nur mit meinen Ende gut
Leipzig den 26. august, 1824.   Johann, Christian Woycecky

(letztes Gebet)

Vater! ich komme. Ja. mein himmlischer Vater, Du rufst mich, dein gnädiger Wille geschehe! danke! Herzlichen Dank, Preis und Ehre sei dir, Allerbarmer, daß du bei aller meiner großen Schuld, dennoch liebreich auf mich blickst, und mich würdigst, Dein zu sein! Dank sei dir, daß du nach so vielen ausgestandenen Leiden, die Tränen trocknest, die ich dir so manche weihte, Vater, ich befehle meinen Geist in deine Hände! dir lebe ich, dir sterbe ich, dein bin ich tot, und lebendig, amen,
Herr Hilf! Herr, Laß wohl gelingen! amen Johann, Christ: Woycecky

(Morgengebet)

Sic dresdner Gesangbuch No: 823. v. 4.
Vergib mir, Vater, meine Sünden,
Vergib, was ich nicht recht getan,
Nimm mich zu deinen gnaden händen,
Um meines Mittlers Willen an,
In Seinen Namen fleh! ich dich,
Er litt und starb ja auch für mich

Sein Morgenlied, daß er laut sang.

Meine Lebenszeit verstreicht, Hf⟨?⟩: No: 237. Leipziger Gesangbuch

Thomas Michael Mayer teilt ein weiteres, bisher unbekanntes Dokument zur Hinrichtung Woyzecks mit. Es findet sich in den im Museum für die Geschichte der Stadt Leipzig verwahrten ›Nachrichten, / Die Hegung des hochnotpeinlichen / Halsgerichts / und / darauf erfolgende / Executiones / betrf.<; darin ein Eintrag über einen Delinquenten namens »Woydoeck«:

>»Den 27. August. 1824.

wurde *Johann Christian Woydoeck*, mit dem Schwerte vom Leben zum Tode gebrach⟨t⟩ und auf erfolgte *Requisition* E. Wohllöbl. Kriminal-Amts hat der Gerichtsfron Nachstehendes dabei zu verrichten gehabt. Des Morgens gegen 8 ½ Uhr begaben sich der Herr KriminalRichter aus dem KriminalAmt über den Naschmarkt aufs Rathaus in die Rats-stube, wobei der Gerichtsfron mit entblößten Schwerte in der rechten und dem weißen Stäbchen in der linken Hand, dem Zuge voranging. Um 9 Uhr verfügten sich der Herr KriminalRichter, die Herrn Schöp-pen und sämtliche Herrn *Assessores*, zu Hegung des peinlichen Halsge-richts aus der Ratsstube auf die auf dem großen Rathaussaale errichtete Erhöhung, wobei der Gerichtsfron ebenfalls mit dem entblößten Schwerte und dem weißen Stäbchen den Zug eröffnete, beides auf den Tisch des Herrn KriminalRichters legte, und sich alsdann auf die zwote Stufe der Erhöhung, mit dem Gesicht nach der großen Rathaustüre gewendet, stellte. Auf die Worte des Herrn KriminalRichters: >Ge-richtsfron, rufet aus, daß das peinliche Halsgericht geheget werden soll nach peinlicher Art, wie es sich eignet und gebühret< ging der Gerichts-fron an den Tisch des Herrn KriminalRichters, ergriff das Schwert, begab sich wieder an die Stufen und rufte nach der großen Rathaustrep-pe gewendet aus: >Auf Befehl des Herrn KriminalRichters der Stadt Leipzig, *Dr:* Christian Adolph Deutrich. Es soll das peinliche Halsge-richt gehegt werden wie Recht ist und Gebrauch nach peinlicher Art, wie es sich eignet und gebühret. Der ist verfallen harter Strafe, wer es wagt das Gericht zu stören<. Hierauf legte er das Schwert an seinen vorigen Ort und nahm seinen Platz wieder ein. Nach den Worten des Herrn KriminalRichters: >Gerichtsfron, lasset den *Inquisiten* vorfüh-ren< wurde derselbe von dem Gerichtsfron abgeholt. Desgleichen nach den Worten: >Gerichtsfron, rufet den Scharfrichter< wurde letzterer, welcher sich an der kleinen Rathaus Treppe befand, herbeigerufen. Endlich nach den Worten des Herrn KriminalRichters: >Gerichtsfron, rufet aus ein sicheres Geleit für den Scharfrichter< rufte selbiger: >Jo-hann Christian Woydoeck soll dem Urteil und Höchsten Befehl zu Folge mit dem Schwerte vom Leben zum Tode gebracht werden. Auf Befehl des Herrn KriminalRichters der Stadt Leipzig, *D.* Christian Adolph Deutrich rufe ich dem Scharfrichter ein sicheres Geleit aus. Der ist verfallen des Gerichts Strafe, wer es wagt an ihn sich zu vergrei-fen<. Als der Inquisit zur Hinrichtung abgeführt wurde, begaben sich der Herr KriminalRichter auf den am Rathause befindlichen Altan, wo denn der Gerichtsfron ebenfalls, jedoch ohne Schwert voranging.«

Mit Datum vom 18. August 1824 wird das Zweite Clarus-Gutachten als Buch veröffentlicht, 1825 noch einmal in Henkes >Zeitschrift für Staatsarzneikunde<. Der Bamberger Landgerichtsphysikus Dr. Carl Moritz Marc veröffentlicht 1825 in Bamberg eine Gegenschrift >War der am 27. August 1824 hingerichtete Mörder Johann Christian Woyzeck zurechnungsfähig?<. Professor Dr. J. C. A. Heinroth läßt bald darauf in Leipzig 1825 eine Rechtfertigungsschrift für Clarus erscheinen. Im Frühjahrsband 1825 von Hitzigs >Zeitschrift für die Kriminal-Rechts-Pflege . . .<, in dem auch die Bode-Verteidigungsschrift zum Fall Schmolling erschien, bespricht der Herausgeber das Clarus-Gutachten und die Marc-Replik. In einer neuen Schrift (1826) antwortet Marc auf Heinroth. Im selben Jahr veröffentlicht Clarus sein Erstes Gutachten (vom 16. September 1821) in Henkes Zeitschrift. 1827 erscheint im Eröffnungsband einer neuen juristischen Zeitschrift (Hg. S. P. Gans) ein Rückblick auf die Stellungnahmen von Clarus, Marc und Heinroth mit Hinweis übrigens auf den Fall Schmolling (Verfasser ist Anonymus B. H. G.). Noch in den dreißiger Jahren diskutiert man die Fälle Woyzeck und Schmolling. Unter anderen behandeln Heinroth (1832) und Bopp (1836) die Fälle weiter, dieser im Zusammenhang mit dem Fall Dieß. 1838 wird der Rückblick aus dem Jahr 1827 in einem gerichtsmedizinischen Sammelwerk nachgedruckt. »Wenn man Fakten und charakteristische Züge aus dem dürftigen und lückenhaften Lebenslauf, den man aus Clarus extrahieren kann, zu einer Art Rebus zusammensetzt, und dieses disparate Bild wie eine Folie über eine Skizze der Situation der Deklassierten um 1820 legt, ⟨. . .⟩ dann kann man sich *gegenständlich* klarmachen, wie dieses Leben des Mörders Woyzeck die Variante eines *Menschenschicksals* ist.« (Glück, Woyzeck, S. 316 dort im folgenden eine ausführliche Darlegung der gesellschaftlichen Hintergründe; vgl. auch Hinderer, S. 187f., Krause, S. 184–198, Bornscheuer, Erläuterungen, S. 58–65. Zur rechtspsychologischen Einschätzung der >Fälle< vgl. Reuchlein, bes. S. 45–49).

Angesichts der Bedeutung, die die juristisch und medizinisch erörterte Frage der Zurechnungsfähigkeit Woyzecks für B. besaß, zieht Meier, Woyzeck, eine weitere historische Anregung in Betracht:

»Möglicherweise kommt ⟨. . .⟩ ein weiterer Kriminalfall als Anregung für die Gestaltung des *Woyzeck* in Betracht, der bislang von der Büchner-Forschung noch nicht berücksichtigt worden ist:

Am 3. Juni 1835 ermordet der 20jährige Bauernsohn Pierre Rivière in Aunay (Normandie) seine Mutter, seine Schwester und seinen Bruder mit einem Beil. Auch an diese Tat schloß sich eine umfangreiche Untersuchung zur Klärung der Zurechnungsfähigkeit ⟨an⟩. Die dazugehörigen Texte sind 1836 in den >Annales d'hygiène publique et de médicine légale< veröffentlicht worden, so daß sie Büchner durchaus zugänglich waren.« Meier bezieht sich auf die Sammlung von Michel Foucault (Hg.): >Der Fall Rivière. Materialien zum Verhältnis von Psychiatrie und Strafjustiz<. Frankfurt a. M. 1975. Vgl. auch Proß, Kategorie Natur, S. 178 ff., der auf diesen wie auf einen weiteren von Foucault in >Wahnsinn und Gesellschaft< berichteten Fall hinweist.

Entstehung

Mit der Niederschrift des *Woyzeck* wird B. vermutlich zwischen Juni und September 1836 begonnen haben. Für die Annahme, daß die verschiedenen Entwurfshandschriften bereits im Sommer/Herbst in Straßburg entstanden sind, spricht vor allem die Erwähnung zweier noch nicht fertiggestellter Dramen im Brief an die Familie vom September 1836 (Nr. 62), wozu die Forschung heute neben *Leonce und Lena* das Stück vom Mörder *Woyzeck* rechnet, sowie eine Äußerung an Minna Jaeglé 1837 (Brief Nr. 71), die bezeugt, daß B. an eine baldige Fertigstellung des Stückes geglaubt hat (daher erscheint es Lehmann berechtigt, H 4 als Vorläufige Reinschrift zu definieren; vgl. Überlieferung S. 613 f. sowie zur Datierung die ausführliche Darlegung von Th. M. Mayer in G. B., Gesammelte Werke, Nachwort zu Bd. 10).

Im folgenden sei auf einige offenkundige Tendenzen innerhalb der verschiedenen Entwurfsstufen (vgl. Lehmann, Noten, S. 51–57; von Lehmann u. a. »Entstehungsstufen« genannt) hingewiesen (s. auch Überlieferung, S. 613 f.): B. beschränkt die wechselnde Namengebung der Sprechernamen bei den Hauptfiguren ein und konzentriert sie – typisierend – auf den Fall Woyzeck (H 1: Woyzeck-Louis, Margreth; H 2: Woyzeck-Franz, Louise; H 4: Woyzeck-Franz, Marie). Doch auch H 4 verfährt noch nicht völlig konsequent: »Im Unterschied zu Bergemann und Winkler neigen wir dazu, das Zusammengehörige im Verhältnis von H 1 und H 2 ungleich stärker zu betonen als das Trennende, das lediglich durch die sich ändernden Namen hinreichend zu begründen wäre. Angesichts der auch sonst häufiger zu beobachtenden Tatsache, daß im Entwurfsstadium die Absicht eines Dichters wechseln kann, sei es nun in der Gestaltungsweise, sei es in bezug auf die Wahl der Gattung, fällt der Wechsel der Namen in ein und derselben Fassung nicht so schwer ins Gewicht, wie bisher angenommen wurde. Selbst in H 4, dem Ansatz zu einer Vorläufigen Reinschrift, verfährt Büchner nicht immer konsequent. Die männliche Hauptfigur wird im Rahmen der dramatis personae wiederholt *Franz* genannt, sonst jedoch in der Regel mit dem Familiennamen *Woyzeck* bezeichnet.« (Lehmann, Noten, S. 52).

Im Zusammenhang mit der veränderten Namengebung werden die Motiv-Übernahmen aus dem historischen Fall Woyzeck deutlicher. Während sich die Mordhandlung des ersten Entwurfs (H 1) mit den Hauptpersonen Louis/Margreth eher an dem Gutachten über den Fall Schmolling orientiert, ist der Einfluß des historischen Falles Woyzeck in der letzten Entwurfsstufe (H 4) am größten. Krause, S. 164/166, gibt eine Tabelle der Motivübernahmen aus den historischen Mordfällen in die verschiedenen handschriftlichen Entwürfe.

Gleichzeitig verstärken sich während der Ausarbeitung die biblischen Anspielungen (vgl. Krause, S. 204–226) und die Volkslied-Einlagen (vgl. Fink, Volkslied und Verseinlage, S. 443–487). Meier, Woyzeck, verweist auf den Zusammenhang der Fassungen »in der planvollen Verwendung von Volksliedern«, die »gewöhnlich am Anfang der Szenen« stehen und »in verklausulierter Form deren Thematik voraus ⟨nehmen⟩«.

Lehmann, Noten, S. 52ff., schreibt zur entstehungsgeschichtlichen Abgrenzung der einzelnen Entwurfsstufen:

»Wollte man schematisieren – was bei einem so komplexen Text immer problematisch ist –, so ließe sich sagen, daß Büchner in H 1 damit beginnt, den größeren Rahmen der dramatischen Konfliktsituationen zu skizzieren. Hierzu gehören äußere Ereignisse ebenso wie innere Motivationen.«

»Büchner scheint sich in H 1 über ⟨...⟩ Motivkorrespondenzen früher klar geworden zu sein als über die Zeichnung der auftretenden Figuren, die weithin noch gesichts- und namenlos bleiben. Das gilt für die Gestalt des Unteroffiziers ebenso wie für die Gestalt des Barbiers.«

»H 2 mit seinen neun Szenen ist gewissermaßen auf Lücke gearbeitet. Diese Szenengruppe zeigt gleichsam die allmähliche Verfertigung der Gedanken, der Gestalten und der Atmosphärilien beim Schreiben. Es handelt sich, wenn wir es richtig beurteilen, um künstlerisch präzisierende Ergänzungen, Nachträge, Zusätze und variante Erwägungen.«

Am offensichtlichsten aber ist innerhalb der verschiedenen Stufen der Ausarbeitung die Präzisierung und zunehmende Betonung der sozialen Thematik (vgl. Ullman, Sozialkritische Thematik, S. 34ff., und Benn, S. 238ff., 252; dazu Überlieferung, S. 614).

»Das Neue, das mit Hilfe der Zusätze in das Dramengefüge hineingebracht wird, ist die Thematik des sozialen Dramas, die in H 1 nur punktuell, beiläufig angedeutet ist. Damit erhält Woyzecks Verlust der Wirklichkeit eine zusätzliche Motivation, die weit über das hinausgeht, was H 1 mit seiner Eifersuchtshandlung erreichen konnte. Dieser sozial- und bewußtseinskritische Zug wird durch die erste Szene des Quartblatts H 3 *(Der Hof des Professors)* noch weiter vorangetrieben und radikalisiert. Woyzecks Paranoia, seine Halluzinationen und Phantasmagorien, seine Selbst- und Weltentfremdung, all das ist nicht *nur*, aber auch das Ergebnis einer planmäßigen, wissenschaftlich kalkulierten Verstümmelung seiner Existenz, die im Gesellschaftlichen ihre Ursache hat ⟨...⟩. Es kommt Büchner ersichtlich darauf an, die physischen, psychischen und bewußtseinsgeschichtlichen Wirkungen solcher gesellschaftlichen Bedingungen nachzuweisen und mit der Eifersuchts- und Liebestragödie aufs engste zu verbinden.« (Lehmann, Noten, S. 54).

Proß, Kategorie Natur, S. 185, sieht die Struktur des *Woyzeck*-Manuskripts im Zusammenhang mit der Darstellung der selbstentfremdeten Natur: »Büchner gruppiert Szenen, die den historischen Bericht des Clarus-Gutachtens seiner scheinbaren Stringenz entkleiden. Sollte dort die Geltung der etablierten Rechts- und Moralvorstellungen außer Frage stehen und nur die Kompetenzfrage entschieden werden, ob der der Gesellschaft entfremdete Woyzeck einen Fall für ein Kriminalgericht oder für den Psychiater darstelle, versucht Büchner diese Entfremdung (›alienation‹) als etwas Authentisches, in seiner Naturwidrigkeit ›Naturgemäßes‹ darzustellen.« Proß versucht, über die zeitgenössische Vergleichbarkeit von ›Moral‹ und ›Natur‹ eine Parallele zu B.s Probevorlesung (s. bes. S. 263 ff.) zu ziehen: »Ist es zu gewagt, die Theorie der ›einfachen Formen‹ der Zürcher Probevorlesung und des *Lenz* mit der Darstellung des gesetzmäßig anarchischen Gesellschaftszustandes in den ›einfachen Szenen‹ des *Woyzeck* in Verbindung zu setzen? Die Parallele der Formulierung ist auch hier nicht oberflächlich, sondern beruht auf der generellen Vergleichbarkeit von ›natürlichen‹ und ›moralischen‹ Erscheinungen in der Zeit Büchners. Die wissenschaftsgeschichtliche Ableitung bestimmter Hypothesen für die Interpretation von Büchners Werk bedarf deshalb keiner ausdrücklichen Legitimation« (S. 185 f.).

Wetzel, *Entwicklung Woyzecks*, baut seine Interpretation auf der Analyse der verschiedenen Entwurfsstufen auf (wie bereits Benn und Buch vor ihm, der davon ausgeht, daß es keine einheitliche *Woyzeck*-Figur gibt; S. 3): »Der *erste* Entwurf unterscheidet sich in Thema, Form und Stil von den früheren Werken Büchners. Er dokumentiert seinen Willen, die *Bildung eines neuen geistigen Lebens im Volk* zu suchen: Die Szenenfolge H 1 enthält markante Elemente der Volkskultur und kommt einer Mordballade nahe. Statt der Einteilung in Akte und Szenen besteht sie aus aneinander gereihten Bildern, von denen jedes eine bedeutsame Einzelheit in schlagartiger Beleuchtung darstellt. Die Jahrmarktsszenen am Anfang schaffen die volkstümliche Atmosphäre, die man mit der Ballade verbindet. Die Visionen des Protagonisten intensivieren diese in Richtung auf die Schauerballade; die hessische Mundart nähert den Entwurf der Dialektdichtung an. Der Text enthält Zitate aus Volksliedern, Gassenhauern und der Bibel; ihm enthält auch ein ›Märchen‹ mit dem Anfang *es war einmal ... und dem Schluß und da sitzt es noch*. Im Mittelpunkt steht, zum ersten Mal im neueren deutschen Drama, ein Mann des vierten Standes. Die Handlung dieses Entwurfes folgt noch eng dem historischen Mordfall.« (S. 377). Der Protest bleibt unausgesprochen, da den Protagonisten noch das Bewußtsein ihrer Lage fehlt. Lediglich im Märchen der Großmutter deutet sich ein – ohnmächtiger – Protest gegen den Schöpfer einer Welt der Absurdität, Trostlosigkeit und Einsamkeit an.

»Die Szenen des *zweiten* Entwurfs bilden eine Folge, in die Büchner die des ersten vermutlich einfügen wollte. Er hätte sie dazu gründlich überarbeiten müssen, denn die neuen Szenen zeigen gleich zu Anfang einen veränderten Protagonisten, wobei der Wandel in der Auffassung durch die Änderung der Namen signalisiert wird. Aus dem dumpfen Opfer *Louis* ist ein um Aufklärung bemühter und schon gezielt protestierender *Woyzeck* geworden ⟨...⟩ In H 2 wird nur erst dem Leser die soziale Abhängigkeit Woyzecks vorgeführt, denn hier treten der Doktor und der Hauptmann zum ersten Mal auf.« (ebd.)

Im Verlauf von H 2 wird Woyzecks sozialer Status immer deutlicher dargestellt. In H 4, dem letzten Entwurf, wird die Tendenz zur Resignation, und damit auch zum Selbstmord, verstärkt (vgl. Wetzel, Entwicklung Woyzecks, S. 379): »Das blinde Getriebensein von H 1 und das bohrende Fragen und der Protest von H 2 und H 3 treten zurück.« Wetzel, S. 380: »Büchner fügt nun mit der Rasierszene das Gespräch mit dem Hauptmann ein, in dem Woyzeck seine Lage mit ihren sozialen Ursachen *erkennt* und *akzeptiert:* sogar den Verlust der etwaigen Seligkeit nimmt er ergeben hin, weil er weiß, daß seine Armut ihm die Möglichkeit nimmt, tugendhaft zu sein. Er ist nun nicht mehr vielem ›*auf der Spur*‹, denn er weiß schon mehr als er erträgt. Wo er im zweiten Entwurf der Geliebten seine geheimnisvolle Vermutung mitgeteilt hatte, bezieht er jetzt die apokalyptischen Erscheinungen auf das Buch der Offenbarung, indem er die rhetorische Frage stellt ›*steht nicht geschrieben*‹. An die Stelle der psychologisch qualifizierbaren Halluzinationen sind biblische Bilder getreten, die vorgeprägt und allgemein als verbindlich akzeptiert waren. So wird aus dem kriminalistischen und pathologischen Sonderfall Woyzeck der Fall des Menschen, der sich als Spielball nicht nur der Mächtigen dieser Welt, sondern auch einer überirdischen Gewalt erkennt, gegen die er sich nicht wehren kann«.

Der Grund für die Entwicklung der *Woyzeck*-Figur liegt, nach Wetzel (ebd. S. 385), in B.s eigener biographischer Entwicklung. Wetzel nimmt Übereinstimmungen zwischen Zügen in B.s Haltung gegenüber Welt und Gesellschaft und der Darstellung des Hauptmanns und des Doktors an. Das Innehalten von H 4 beinahe mit den Versen »Leiden sei all mein Gewinst ⟨...⟩« zeige, um was es B. gegangen sei: um den Aufweis einer existentiellen Problematik: »Dem entspricht sein Innehalten nach dieser Szene. Man verkennt die existentielle Problematik, die darin liegt, wenn man in dem Glauben, es gehe vor allem um ungelöste Fragen der Darstellung, den Schluß aus früheren Szenen auffüllt. Daß Büchner selbst dies getan hätte, sollte man so wenig voraussetzen wie man annehmen sollte, er habe das Drama für abgeschlossen gehalten oder ihm bewußt die Gestalt eines Fragments gegeben« (ebd. S. 390). Gegenüber der Woyzeck-Figur gewinnt, nach Wetzel (ebd. S. 393 ff.), Marie von einem Entwurf zum andern an Vitalität. Durch die jeweiligen Neuansätze der einzelnen Entwürfe teile sich eine fortschreitende gesellschaftspolitische Resignation mit.

Einen strukturalistischen Ansatz zur Analyse der Entwurfsstufen und ihres Zusammenhangs bietet Hans-Georg Werner (vgl. auch Wetzel, Entwicklung Woyzecks, S. 375).

Auch Meier baut seine Darstellung der Ästhetik Büchners (anhand des *Woyzeck*) auf einer Charakteristik der verschiedenen Entwurfsstufen auf (S. 71 ff., hier S. 73–77):

»Dominierendes Thema der Szenenfolge H 1 ist nicht die Abfolge der Ereignisse, sondern die Darstellung der Handlungs- bzw. Verhaltensweise eines Individuums unter bestimmten äußeren Umständen, deren es nicht mächtig ist. Getragen wird das von Büchners spezifischer Schlaglichttechnik, die immer an die zentrale Figur gebunden bleibt: Gezeigt wird überwiegend das, was für Woyzecks Reaktionen von Bedeutung ist – den Handlungsbedingungen der anderen Personen wird erheblich weniger Aufmerksamkeit geschenkt. ⟨...⟩

Im Vergleich zu H 1 stellt sich die Szenengruppe 2 (= H 2) unmittelbar als fragmentarisch dar. Die Szenenreihe bricht vor dem Mord ab, zeigt aber vorher in weit größerer Ausführlichkeit die Entwicklung Woyzecks bis hin zum Mord. Dabei besteht die wohl wichtigste Veränderung in einer Erweiterung des schon in H 1 umfangreichen und differenzierten Personals: Büchner führt jetzt Hauptmann und Doctor als eigenständige Figuren ein, für die es in H 1 zwar schon motivische Ansätze gibt, denen dort aber eine weit weniger kohärente und folgenreiche Bedeutung zukommt. Durch diese beiden Figuren konkretisiert sich die soziale Umwelt Woyzecks, was eine erheblich differenziertere Darstellung seiner Lebensumstände und damit auch eine höhere Komplexität in der Begründung von Woyzecks Verhalten ermöglicht.

Das Dramenpersonal wird in H 2 aber bezeichnenderweise noch weiter vergrößert: durch die Handwerksburschen, mit denen ein zusätzliches wichtiges Element der zeitgenössischen sozialen Realität ins Drama kommt. Über die Aufgabe der soziologischen Komplettierung hinaus kommt ihnen die Funktion zu, das gesellschaftliche Ordnungssystem zu ironisieren ⟨...⟩.

Insgesamt hat sich also bei der Überarbeitung von H 1 zu H 2 der Handlungsraum kompliziert: es liegt jetzt eine differenzierte Gesellschaftsstruktur vor, die aber weiterhin strikt auf den Koordinationspunkt Woyzeck bezogen bleibt. Auch in Hinsicht auf Woyzeck ist eine wichtige Modifikation vorgenommen worden, da seine geistig/seelischen Störungen den Rahmen der übersteigerten Eifersucht überschreiten und sich in Halluzinationen äußern, die von einem konkreten Anlaß (wie der Untreue Maries) abgelöst sind. Der relativ deutliche Erklärungszusammenhang von H 1 zwischen Woyzecks psychischem Zustand und seinen Handlungen einerseits und den äußeren Bedingungen andererseits reduziert sich in H 2: Ohne manifeste Beziehung aufeinander werden individuelle seelische Vorgänge in einen äußeren Rahmen eingeordnet – der vorher evidente kausale Zusammenhang wird zu einem impliziten, nirgends konkret benannten. Der entscheidende Wandel von H 1 und H 2 liegt daher vor allem darin, daß nun nicht mehr bloß ein Geschehen gezeigt wird, sondern auch noch die äußeren, objektiven Umstände, in denen sich die Handlung abspielt. ⟨...⟩

H 3 mit seinen zwei voneinander unabhängigen Einzelszenen besteht aus Skizzen, die keine neuen Gesichtspunkte von Relevanz einbringen. Einzig die Szene im Hof des Professors fügt (neben dem Hinweis auf die Einheit von Forschung und Lehre) der Doktorszene H 2, 6 ein wichtiges Motiv hinzu, wenn der Doctor selbst auf die schädigenden Einflüsse von Woyzecks Erbsendiät hinweist (›... ja die Erbse, meine Herren‹, S. 219).

H 4 nun, das von Lehmann sehr vorsichtig als ›Vorläufige Reinschrift‹ deklariert worden ist, bietet (so weit die ebenfalls fragmentarische Fassung reicht) eine Synthese von H 1 und H 2. Wie im ersten Entwurf, aber erheblich differenzierter, wird Woyzecks Eifersucht in relevanten Entwicklungsetappen gezeigt, wobei die psychischen Störungen analog zu H 2 mit Maries Untreue nur korreliert sind. Durch die Einführung der Rasierszene (H 4, 5), die die Abhängigkeit Woyzecks vom Doctor durch die vom Hauptmann ergänzt, wird die gesellschaftliche Struktur, innerhalb derer die Figuren agieren, sowohl differenziert wie präzisiert. Daß es in H 4, 14 zu einer Konfrontation zwischen Woyzeck und Tambourmajor kommt, bei der Woyzeck als körperlich Unterlegener den kürzeren zieht, leistet eine weitere Konkretisierung des persönlichen und sozialen Handlungsrahmens. Die damit verbundene Ausgestaltung der Figur des Tambourmajors bereichert die Beziehung zu Marie mit sozial problematisierten Konturen, die dieses Verhältnis über eine reine Privatangelegenheit hinausheben ⟨...⟩.«

Zur Veränderung der Sprache in den Entwurfsstufen des Stückes schreibt Meier, Ästhetik, S. 78:

»Eine folgenreiche Veränderung gegenüber den früheren Fassungen findet sich allerdings im Sprechgestus der Personen, speziell bei Woyzeck. Bei diesem werden die grotesken Elemente der Halluzinationen zurückgedrängt (vgl. H 4, 8 mit der entsprechenden Szene H 2, 6) – Woyzeck neigt hier überhaupt zum Verstummen. Woyzecks Sprache wird dadurch stimmiger seinem sozialen Stand angepaßt, während der Doctor durch den Verzicht auf satirische Übertreibungen an Realitätsgehalt gewinnt. Daraus resultiert auf semantischer und syntaktischer Ebene eine höhere und korrektere Differenzierung der Personen nach soziologischen Gesichtspunkten. Zwar weist auch die Sprache von Hauptmann und Doctor einen ähnlichen Zerstörungsgrad auf wie die Woyzecks und seinesgleichen, doch bietet sich aufgrund des umfangreicheren Wortschatzes ihren Trägern die Möglichkeit, ihre sprachlichen Mittel aggressiv gegen Woyzeck einzusetzen (vgl. den Wind aus Nord-Süd in H 4, 5). Damit weist die Fassung H 4 ein höheres Maß an Konkretisierung und Präzisierung der bereits in H 2 hergestellten Beziehung zwischen den beiden Themenbereichen ›neurotischer Konflikt‹ und ›sozialer Handlungsraum‹ auf, d. h. die Stimmigkeit der Vermittlung wird gesteigert«.

Zur (technischen) Form des Dramas notiert Meier, Ästhetik, S. 79: »Ob Büchner also bei einer Fertigstellung des ›Woyzeck‹ wirklich eine den vorliegenden Fassungen entsprechende Form gewählt hätte, tut wenig zur Sache – dem Textmaterial ist die freie, nichtklassische Form angemessen. In ›Woyzeck‹ geschieht diese Ordnung der Szenen zu einem schlüssigen Ganzen durch zwei komplementäre Techniken: zum einen durch die zentrale Figur Woyzeck, um die herum sich alle Szenen gruppieren, weil jede auf unterschiedliche Weise auf ihn Bezug nimmt; zum andern (und das dürfte vor allem für die Rezeption einer Bühnenaufführung entscheidend sein) werden die Szenen durch übergreifende Motivketten verknüpft. V. Klotz hat hierfür den Begriff der ›metaphorischen Verklammerung‹ geprägt: Leitmotive (›Blut‹ / ›rot‹ / ›Messer‹) verbinden die Szenen nicht materiell wie im traditionellen Drama, sondern unbegrifflich-sinnlich. Die Wahrnehmung des Rezipienten wird dadurch nicht diskursiv, sondern primär physiologisch (richtig: psychologisch) gesteuert, d. h. die Einheit des Stücks wird dem Leser oder Zuschauer nicht real vorgegeben, sondern muß erst in seiner Reaktion auf die an sich disparaten Teile verwirklicht werden. Erst in der mehr oder weniger bewußten Apperzeption findet der ›Woyzeck‹ seinen Abschluß, kann der Text als Funktionseinheit erfaßt werden. Diese antiklassizistische Fragmentstruktur stellt jedoch keinen Selbstzweck dar – ihr Sinn erschließt sich unter Berücksichtigung der von Büchner benutzten Quellen«.

Die Quellen dienen B. lediglich als ›Stofflieferanten‹, mit denen er sich freilich kritisch auseinandersetzt. Anstelle der Handlungen rücken die Handlungsbedingungen in den Vordergrund. Dies wertet Meier (ebd. S. 80) als Beleg für die Abkehr von der klassischen Dramenform. Die Figur des Woyzeck sei ›tendenziell‹ ganzheitlich angelegt, »während die anderen mehr oder weniger auf ihre Beziehung zu Woyzeck spezialisiert sind, also in persönlicher, sozialer oder ideologischer Hinsicht einen dominanten Charakterzug aufweisen« (ebd. S. 81).

Meier zieht aus seiner Analyse der immanenten Ästhetik B.s den Schluß: »Büchner ist bei seiner ästhetischen Arbeit einen dritten Weg gegangen zwischen der (im strengen Sinn) ›autonomen‹ Kunst, die sich von der empirischen Wirklichkeit distanziert und einen autarken Bereich ausbildet, also eine Gegenwelt zur soziohistorischen anstrebt, und einer ›operativ‹ intendierten Literatur, die im Rezipienten bestimmte praktische Effekte bewirken will« (Ästhetik, S. 147). – Vgl. auch zur Entwicklung Meier, Woyzeck, S. 17 f.

Erstdruck

In: Sämtliche Werke und handschriftlicher Nachlaß. Erste kritische Gesamtausgabe. Eingel. und hg. von Karl Emil Franzos. Frankfurt/Main: J. D. Sauerländer, 1879 (= Erste Buchausgabe; vgl. zu den verschiedenen Editionen die folgenden Hinweise zur Überlieferung sowie das Literaturverzeichnis S. 747 ff.).

Überlieferung

Von Büchners *Woyzeck* sind drei Handschriften bzw. handschriftliche Überlieferungsträger erhalten, die im folgenden »Entwurfsstufen« genannt werden (vgl. Lehmann, Noten, S. 38 f.; Krause, S. 80 f.; Ullman, Textkritische Probleme, S. 258 ff.; Kanzog, Faksimilieren, S. 422 ff.; Schmid, Woyzeck, Beiheft ›Kommentare‹, S. 20 ff.; Poschmann, Woyzeck, S. 122ff.; Poschmann, Büchner, S. 234; Poschmann, Handschriften, bes. S. 334):

1. Eine Handschrift im *Folioformat* (fünf Bogen im Folioseitenformat mit zusammen dreißig Szenen). Nach Lehmann, Noten, S. 38f., gliedert sich dieser handschriftliche Überlieferungsträger in eine Erste Szenengruppe von 21 Szenen (Erste Entwurfsstufe: H 1) und in eine Zweite Szenengruppe von 9 Szenen (Zweite Entwurfsstufe: H 2). Vgl. die synoptische Tabelle S. 616ff. (Im Prinzip gehen die meisten Editionen auf diese Gliederung zurück. Erheblich unterscheiden sich davon lediglich die Interpretationen von Buch und Bornscheuer. Vgl. die Übersicht über die verschiedenen Gliederungsversuche bei Hinderer, S. 177, sowie seine Szenensynopse der handschriftlichen Entwürfe, S. 184f.).

2. Ein *Einzelblatt* im Quartformat (mit zwei Szenen); nach Lehmann, Noten: Verstreute Bruchstücke (Einzelne Szenenentwürfe: H 3).

3. Eine Handschrift im *Quartformat* (drei Doppelbogen im Quartseitenformat mit siebzehn Szenen). Nach Lehmann, Noten: Vorläufige Reinschrift (Letzte Entwurfsstufe: H 4) und notwendige Grundlage für jede Rekonstruktion der Zusammenhänge zwischen den Überlieferungsträgern und Lese- und Bühnenfassungen (gegen Bergemann).

Vgl. zusammenfassend zu den Schwierigkeiten der *Woyzeck*-Editionsphilologie Poschmann, Handschriften, S. 335:

»Der Gesamtkomplex der handschriftlichen Überlieferungsträger enthält 47 ⟨!⟩ Niederschriften bzw. Entwürfe von Szenen oder Ansätzen dazu. Zieht man die durch Streichung als verworfen gekennzeichneten und durch Neufassungen überholten ab, verbleiben als grundlegend für die Textkonstitution 31 Szenen. Diese gehören vier unterschiedlichen, in ihrem Verhältnis zueinander umstrittenen Entstehungsstufen an, und es ist nicht ohne weiteres erkennbar, in welcher Reihenfolge Büchner sie angeordnet wissen wollte. Denn dies ist die eine große Kalamität, mit der die Textkritik es zu tun hat: keine der als Einheiten in sich auszumachenden Handschriften ist paginiert, weder Seitenzahlen noch Kennzeichnungen der Bogenlagen sind von Büchner angebracht. Die strukturelle Eigenart des Dramas ohne Akteinteilung, die ungewöhnliche Kürze der Szenen und ihre relative Eigenständigkeit erhöhen die Schwierigkeit. Allein für den ersten der beiden Teilentwürfe, in die sich die Foliohandschrift unterteilt, bieten sich sechs Varianten möglicher Bogenordnungen an. Alle denkbaren Argumente der Einteilung und Zuordnung zu prüfen, um der Intention des Autors so nahe wie möglich zu kommen, heißt ein Labyrinth zu durchschreiten. Interpretatorische Vorentscheidungen können in die Irre führen. Mitunter sind es nur unscheinbare Auffälligkeiten am Papier, an der Tintenfärbung, dem Federstrich, die mit der notwendigen Eindeutigkeit den richtigen Weg weisen, der Abdruck eines Tintenkleckses oder der Kantenverlauf von Schnittstellen, die einen Zusammenhang belegen können.«

Die zweite große Kalamität der *Woyzeck*-Philologie, die Schwierigkeit, Büchners Schrift zu entziffern, läßt an Woyzecks Worte ›Wer das lesen könnt‹ denken. Ein Vergleich der oftmals extrem abweichenden Lesungen der gleichen Textstellen durch die verschiedenen Herausgeber, die horrende Liste der Verlesungen, die die Editionsgeschichte aufweist, und die noch immer unentzifferten Textstellen können einen Einblick darin vermitteln. Verschärfend in dieser Hinsicht hat sich die originäre Diktion Büchners ausgewirkt, die Tatsache, daß seine Wortwahl und seine Satzbildungen schroff aus dem Rahmen literarischer und schriftsprachlicher Konvention herausfallen. Die zwischen hochdeutschem und mundartlich gefärbtem Umgangsdeutsch sich fließend hin und her bewegende Sprache der Figuren ist an festen Normen kaum zu messen«.

Von den drei Entwurfsstufen (vgl. zum folgenden die Darstellung der Entstehungsgeschichte und die Aspekte der Deutung der verschiedenen Entwurfsstufen, S. 607 ff.) enthält die erste (H 1, 1–21) einen relativ stringenten Handlungsverlauf (die Geschichte übersteigerter Eifersucht). Die zweite Szenengruppe (H 2, 1–9) ergänzt die erste und liefert ›die Ausgestaltung der Grundsituation‹. Entscheidend ist, daß eine Veränderung der Dramenkonzeption stattgefunden hat: gegenüber H 1 wird nun in H 2 eine differenziertere Gesellschaftsstruktur ausgeformt. Gehörten in H 1 noch alle Personen zu einer mehr oder weniger diffusen niederen Volksschicht, so tauchen in H 2 auch präzis gezeichnete Vertreter anderer sozialer Schichten auf. Von besonderer Bedeutung sind hierbei die Figuren Hauptmann und Doktor, die in zwei (für B. recht umfangreichen) Szenen auftreten: Sie werden als soziale Typen dargestellt, indem sie Büchner auf ihren Bezug zu Woyzeck reduziert. Vgl. Meier, Woyzeck, S. 24–26, sowie zu allen Entwurfsstufen Meier, Ästhetik, S. 13 ff. und S. 381 dieser Ausgabe.

In diesem Zusammenhang wird *Woyzeck* nicht mehr in seinem individuellen Einzelschicksal dargestellt, als der nun einmal an krankhaft übersteigerter Eifersucht Leidende, sondern in H 2 wird sein abnormes Verhalten vielmehr als Resultat seiner Lebensumstände gezeigt (vgl. Meier, Woyzeck, S. 26–28).

Die Einzelnen Szenenentwürfe (H 3) konkretisieren die soziale Thematik (Wissenschaftsparodie und Isolation). Auch sprachlich wird dies deutlich: »Auffallend ist auch die Formung von Woyzecks Sprache in dieser Szene (H 3, 1): im Gegensatz zu H 2, 6 beschränkt sich Woyzeck hier auf ganz wenige, karge Worte. Hieran zeigt sich bereits die bewußte Anpassung der Sprache einer Figur an ihre gesellschaftliche Rolle.« (Meier, Woyzeck, S. 29).

Dies wird in der letzten Entwurfsphase (H 4, 1–17) fortgeführt. Sie »verwertet kritisch das Material der Fassungen H 1 und H 2, um neue Szenen bereichert« (Ullman, Textkritische Probleme, S. 258; s. auch in dieser Ausgabe S. 607 f. zur Entstehung).

Die entstehungs- und überlieferungsgeschichtlich interessierte *Woyzeck*-Forschung, deren zahllose Auseinandersetzungen hier nur angedeutet werden können, ist noch längst nicht abgeschlossen, wenngleich die Faksimile-Edition von Gerhard Schmid eine verläßliche Text- und somit Interpretationsbasis geschaffen hat. Weitgehende Einigkeit besteht allerdings in der Forschung darüber, daß H 4 die letzte Entwurfsstufe oder Vorläufige Reinschrift (Lehmann, Noten, S. 40f.; Kanzog Faksimilieren, S. 423) darstellt, die stilistisch und kompositorisch auf diesen Entwürfen H 1 und H 2 aufbaut. »Die Szenenfolge der Foliofassung (H 1 und H 2) läßt sich weitgehend mit Hilfe der letzten und damit jüngsten Entstehungsstufe, die in der Quartfassung (H 4) vorliegt, verifizieren. Denn Büchner greift für die Quartfassung immer wieder auf die Entwürfe der Foliohandschrift zurück und durchstreicht dort in der Regel alle Szenen, die er für die Quartfassung verwertet hat. Wo die Foliofassung über die Quarthandschrift hinausgeht, läßt sich die Szenenfolge durch paläographische und poetische Indizien sicherstellen.« (Lehmann, Noten, S. 39); vgl. Meier, Woyzeck, S. 30–32 sowie S. 613 dieser Ausgabe. Zur rechtspsychologischen Deutung der Entwurfsstufen vgl. Reuchlein, S. 49–54, der die sich verstärkenden strukturellen und motivischen Signale für eine Rezeption des Dramas als Auseinandersetzung mit juristisch-medizinischen Problemen untersucht. Die Ausgabe Lehmanns bietet in Band 1, S. 337–406, eine Synopse der handschriftlichen Entwürfe.

Nachstehende Tabelle soll eine Übersicht über die handschriftlichen Entwurfsstufen ermöglichen und gleichzeitig deren Beziehung zueinander verdeutlichen. Ein Sternchen (*) hinter dem Szenentitel signalisiert, daß die betreffende Szene von B. gestrichen wurde, wohl »um sich zu vergegenwärtigen, daß er sie für die spätere Quartfassung verwertet hat« (Lehmann, Noten, S. 45). »Wo der handschriftliche Befund Durchstreichung zeigt, die Deutung des Befundes es aber wahrscheinlich macht, daß diese Streichung versehentlich erfolgt ist, wird statt des Sternchens ein kleiner Kreis (°) hinter den Szenentitel gesetzt« (ebd.). Die Anordnung der Szenen in der vorliegenden Lesefassung (S. 233 ff.) wird durch Ziffern in runden Klammern gekennzeichnet. – Die sich wandelnde Namengebung, der Hauptfiguren in den einzelnen Szenenfolgen ist durch Kursivierung bzw. kursiven Klammerzusatz kenntlich gemacht.

H 1 Erste Entwurfs- stufe	H 2 Zweite Entwurfs- stufe	H 3 Einzelne Sze- nenentwürfe	H 4 Letzte Ent- wurfsstufe
	1. Freies Feld. Die Stadt in der Ferne* (Woyzeck) 2. Die Stadt* (Louise)		1. Freies Feld. Die Stadt in der Ferne (Woyzeck) (1) 2. Marie mit ihrem Kind am Fenster. (Margreth (2)

H 1 Erste Entwurfs- stufe	H 2 Zweite Entwurfs- stufe	H 3 Einzelne Sze- nenentwürfe	H 4 Letzte Ent- wurfsstufe
1. Buden. Volk *(Woyzeck)*	3. Öffentlicher Platz. Buden. Lich- ter 4. Handwerksbur- schen* (vgl. H 4, 11) 5. Unteroffizier. Tambourmajor *(Franz)*		3. Buden. Lichter. Volk (1½ Seiten unbeschrieben) (3)
2. Das Innere der Bude (¼ der Seite unbeschrieben) 3. *Magreth* allein°			
			4. Marie sitzt, ihr Kind auf dem Schoß, ein Stück- chen Spiegel in der Hand (4) 5. Der Hauptmann. Woyzeck (⅓ der Seite unbeschrie- ben) (5) 6. Marie. Tambour- major (⅓ der Seite unbeschrieben) (6) 7. Marie. Woyzeck (⅓ der Seite unbe- schrieben) *(Franz)* (vgl. H 2, 8) (7)
	6. *Woyzeck.* Doktor*		8. *Woyzeck.* Dok- tor (⅓ der Seite un- beschrieben) (8)
	7. Straße		9. Hauptmann. Doktor (¼ der Sei- te unbeschrieben) (9)
4. Der Kasernen- hof* *(Louis)* 5. Wirtshaus* 6. Freies Feld* 7. Ein Zimmer* 8. Kasernenhof 9. Der Offizier. Louis° 10. Ein Wirtshaus* 11. Das Wirtshaus	8. Woyzeck. Loui- sel* *(Franz)*		10. Die Wachstube (10) 11. Wirtshaus (11) 12. Freies Feld (12) 13. Nacht (13) 14. Wirtshaus (14)

H 1 Erste Entwurfs- stufe	H 2 Zweite Entwurfs- stufe	H 3 Einzelne Sze- nenentwürfe	H 4 Letzte Ent- wurfsstufe
			15. Woyzeck. Der Jude (⅓ der Seite unbeschrieben) (15)
12. Freies Feld 13. Nacht. Mond- schein			
	9. Louisel allein. Gebet (⅔ der Seite unbeschrieben)		16. Marie (16)
			17. Kaserne (17)
		1. Der Hof des Professors (18) *(Woyzeck)*	
14. Magreth mit Mädchen vor der Haustür (19) 15. Magreth und Louis (20) 16. Es kommen Leute (21) 17. Das Wirtshaus (22) 18. Kinder (25) 19. Louis allein (23) 20. Louis an einem Teich (24) 21. Gerichtsdiener. Barbier. Arzt. Richter (26)		2. Der Idiot. Das Kind. Woyzeck (27)	

Editionsgeschichte

Ludwig Büchner nahm in die erste Ausgabe (1850) der Werke seines Bruders den *Woyzeck* nicht auf, mit der Begründung, daß die Handschrift mit blasser Tinte geschrieben und kaum zu entziffern sei. Das wenige Lesbare ergebe keinen Zusammenhang. Er verzichte daher auf den Abdruck.

»Wie der ideologische Sperrmechanismus ›ästhetisch‹ reinigender Zensur auf den radikalen kritischen Realismus und sozialrevolutionären Gehalt des Stücks reagierte, dafür lieferte Ludwig Büchner noch weitere anschauliche Beispiele, als 1875 Karl Emil Franzos, unterstützt von Sauerländer, das verunglückte Projekt einer Gesamtausgabe von neuem aufgriff. Ludwig Büchner war inzwischen durch sein außerordentlich erfolgreiches Buch ›Kraft und Stoff‹ (1855) einer der bekanntesten naturwissenschaftlich-philosophischen Schriftsteller des 19. Jahrhunderts, sein Bruder Georg indessen bis zu diesem Zeitpunkt noch immer der ›unbekannteste deutsche Dichter‹, wie der schleppende Absatz der noch vorrätigen ›Nachgelassenen Schriften‹ von 1850 mit maximal 2–3 Exemplaren pro Jahr bewies.

Franzos hatte 1875 die ›Woyzeck‹-Handschriften entziffert und Ludwig Büchner, der über den Nachlaß verfügte, ein für den Druck vorbereitetes Manuskript des Stücks vorgelegt. Er war nicht wenig erstaunt, als er es zurückerhielt und, mit Textänderungen durchsetzt, die beanstandeten ›Zynismen im bösartigsten Sinne des Worts veranständigt oder ganz unterdrückt‹ fand. Im Begleitbrief Ludwig Büchners las er dazu die verblüffende Erklärung: ›Ich habe mir erlaubt, einige kleine *Buchstaben-* und *Ausdrucksfehler* zu korrigieren.‹ Georg Büchner schreibt den ›Wozzeck‹ mit Zynismen und Ludwig Büchner korrigiert die Zynismen als ›Ausdrucksfehler‹!! kommentierte Franzos« (Poschmann, Büchner, S. 236f.).

Karl Emil Franzos machte für seine Edition 1879 die Tinte durch Chemotherapie wieder lesbar. Er druckte den Text jedoch nicht, wie es seine Aussage glauben machen will, originalgetreu ab, sondern ließ nach Gutdünken weg oder dichtete hinzu. Die ›Anreihung der Szenen‹ erfolgte unter ästhetischen, und das heißt hier, unter ganz persönlichen Aspekten, mit dem Ziel, eine les- und spielbare Fassung zu erreichen. Dazu Gerhard Schmid:

»Als Karl Emil Franzos die von Büchner hinterlassenen Fragmente 1879 erstmals zusammenhängend in seiner Gesamtausgabe veröffentlichte, geschah dies, wie häufig bei Editionen dieser Zeit, in sehr fehlerhafter Gestalt. Der von ihm – mangels einer Angabe Büchners – gewählte Titel ›Wozzeck‹, der auf einem Lesefehler beruhte, darf insoweit als symptomatisch gelten. Betrachtet man aber die komplizierte Überlieferung der schlecht erhaltenen und größtenteils sehr flüchtig geschriebenen Manuskripte, die auf 5 Foliobogen, 3 Quart-Doppelbogen und einem isolierten Einzel-Quartblatt drei zeitlich aufeinanderfolgende, inhaltlich in komplizierter Weise miteinander verknüpfte Entwurfsstufen enthalten, und berücksichtigt man, daß die ›Woyzeck‹-Philologie bis heute nicht zu völlig übereinstimmenden, allseits gesicherten Ergebnissen zu gelangen vermochte, so ist weniger Anlaß zu Vorwürfen gegeben als vor allem das Verdienst hervorzuheben, das sich Franzos durch die erstmalige Veröffentlichung erworben hat. Ein Vorwurf wäre eher berechtigt wegen der chemischen Mittel, die er zur besseren Lesbarmachung der Schrift anwandte, deren negative Nachwirkungen er allerdings nicht kennen konnte.

Mehr als 40 Jahre lang blieb die Ausgabe von Franzos maßgebend. Sie war es, die die bedeutende Wirkung des ›Woyzeck‹ in der ersten Phase seiner Rezeption bestimmte. Eine bessere Textgrundlage wurde erst durch Witkowski geschaffen, auf deren Basis dann Bergemann weiter voranschritt. Ihm gelang es vor allem, die überlieferten Handschriften genetisch zu ordnen und die von Büchner geplante Szenenfolge weitgehend richtig zu bestimmen. Seine wissenschaftlich-kritische Ausgabe stand lange Zeit in unbestrittenem Ansehen, obwohl sie, was den ›Woyzeck‹-Text betrifft, keineswegs zuverlässig war und überdies von Auflage zu Auflage mehr den Charakter einer Leseausgabe erhielt, indem die Szenenfolge verändert und ein Mischtext aus den verschiedenen Entwurfsstufen zugrunde gelegt wurde« (Schmid, Zur Faksimileausgabe, S. 282 f.).

»In der Büchner-Literatur hat es sich eingebürgert und ist es noch üblich, daß als Erstdruck des ›Woyzeck‹ die Frankfurter Ausgabe von 1879 angegeben wird. Diese Angabe bedarf jedoch der Berichtigung, um so mehr, als dies nicht ohne Belang für die Wirkungsgeschichte Büchners ist. Es gehörte nämlich zur Strategie von Franzos bei der Durchsetzung seines Vorhabens, daß er Büchners Drama bereits einige Jahre vor der Buchausgabe zweimal als Vorabdruck veröffentlichte, zuerst (20 der insgesamt 32 überlieferten Szenen bzw. Szenenentwürfe) am 5. und 23. November 1875 in der Wiener Tageszeitung ›Neue Freie Presse‹, was durch deren sozialdemokratisch orientierten Chefredakteur Michael Etienne ermöglicht wurde. Der zweite (vollständige und mit der Buchfassung identische) Druck erschien im Oktober 1878 in der Berliner Wochenschrift ›Mehr Licht!‹. Hinter diesen nun gedruckt vorliegenden Text konnte keine Büchner-Ausgabe mehr zurückgehen« (Poschmann, Büchner, S. 238). Ein Nachdruck der ersten vollständigen Ausgabe (in: ›Mehr Licht! Eine deutsche Wochenschrift für Literatur und Kunst‹. Berlin 5. 10. 1878 ⟨Nr. 1⟩, S. 5–7; 12. 10. 1878 ⟨Nr. 2⟩, S. 20–24; 19. 10. 1878 ⟨Nr. 3⟩, S. 39–42) durch Franzos samt seiner Einführung erschien 1987.

Georg Witkowskis Ausgabe von 1920 stellt – trotz ihrer Mängel – die erste wissenschaftliche Auseinandersetzung mit dem Text dar. Spiel- und Lesbarkeit waren für ihn keine Kriterien, sein Ziel war, das Material zu entziffern und eine Szenenfolge für die letzte Entstehungsstufe festzulegen, die er »Ausführung« nennt (dagegen die ersten Stufen »Entwürfe«). Die Entstehungsvarianten werden nicht vollständig kenntlich gemacht, Orthographie und Interpunktion sind willkürlich wiedergegeben.

Fritz Bergemann modernisierte in seiner Ausgabe von 1922 den Text durchgehend; er erstellte eine spielbare Textfassung und ein »Lesartenverzeichnis«.

Nach dieser Ausgabe beginnt das »Fiasko der Woyzeck-Forschung« (Lehmann), der Text wird in seiner authentischen Szenenfolge verändert nach Argumenten normativer Gattungspoetik, entlehnt dem Typus des klassischen Dramas, und nach subjektiven Geschmacksurteilen. In den neueren Ausgaben Bergemanns (ab 1926) setzt der Text – in Abweichung zu seiner Ausgabe von 1922 – mit der Szene »Beim Hauptmann« (H 4, 5) ein. Diese Entscheidung hatte übrigens bereits Franzos getroffen (im Sinne einer ›klassischen‹ Expositionsszene). Darüber hinaus aber wurde auch der Wortlaut der einzelnen Entstehungsstufen ›durcheinandergewürfelt‹; z. B. Vermengung von H 2,1 und 4,1. Zu den verschiedenen Editionen vgl. die Arbeiten von Paulus, Richards, Lehmann, Bornscheuer, Erläuterungen, Ullman, Kanzog, Faksimilieren, Schmid und Poschmann.

Auf die Druckgeschichte des Woyzeck geht ausführlich Hauschild, Büchner, ein, S. 51 ff. (Gutzkow); S. 84 ff. (Ludwig und Alexander Büchner); S. 132 ff. (Franzos).

Die diversen Woyzeck-Editionen teilen sich auch heute noch sozusagen in zwei Lager: Die meisten Ausgaben beruhen »entweder vollständig auf der in vielem überholten Fassung Bergemanns« (Hinderer, S. 181) oder stützen sich teilweise darauf, wie die von Meinerts und Müller-Seidel, oder aber sie gehen eigene Wege, wie die von Lehmann, Krause, Bornscheuer, Erläuterungen, und Henri Poschmann, der in seiner Woyzeck-Ausgabe von 1984/85 die Editionsprobleme ausführlich darlegt (S. 109 ff.).

Die Ausgabe Lehmanns bietet den Text in drei Stationen:

1. als Darbietung des Textes (in der chronologischen Folge der Entstehungsstufen), 2. als Befund (als diakritische Synopse, in der die Textmaterialien simultan angeordnet sind) und 3. als Konstruktion, die, an der ›Vorläufigen Reinschrift‹ ausgerichtet, den Autorintentionen möglichst nahe kommen soll, jedoch an der »Kardinalsünde der Editionstechnik« (Lehmann), an der Kontamination, nicht vorbeikomme; das heißt, es handelt sich hierbei um eine im Sinne der Textkritik nichtauthentische Lesefassung. Im Rahmen dieser Ausgabe werden die Entwurfsstufen in ihrer chronologischen Folge und dazu die Lesefassung abgedruckt.

Zur Anordnung der Handschriften-Überlieferung durch Poschmann schreibt Inge Diersen, S. 73:

»Die Entstehungs- oder Entwurfsstufen druckt Poschmann in der in der Forschung unumstrittenen Abfolge: Teilentwurf 1 (H 1), das eindeutig älteste Fragment, die Mordgeschichte, in der Woyzeck noch Louis und Marie noch Magreth heißt; Teilentwurf 2 (H 2), das anschließende Fragment, in dem Woyzecks Umweltbeziehungen ausgebaut, Doktor und Hauptmann eingeführt werden; und das eindeutig zuletzt entstandene zusammenhängende Fragment, das Poschmann als ›Hauptfassung‹ bezeichnet, in dem Szenen aus H 2 und H 1 überarbeitet und zusammengefügt werden und neue Szenen hinzukommen und das mit der Szene Kaserne, der sogenannten Testamentsszene, abbricht. Innerhalb der Entwurfsstufen, deren Szenenabfolge nur in H 2 unumstritten ist, entscheidet sich Poschmann für die Szenenabfolge, für die sich auch Schmid und vor ihm Lehmann und die Mehrzahl der Editoren entschieden hatte. Für diese Entscheidung gibt es gute Argumente, die Poschmann in seinem Kommentar-Essay darlegt, ohne sich dabei auf das Für und Wider im einzelnen einzulassen, was dem Charakter der Ausgabe entspricht. Gute, wenn auch nicht so eindeutig überzeugende Gründe, wie er selber meint, hat Poschmann anzuführen, wenn er die beiden auf einem Einzelblatt (Quartblatt) stehenden Szenen (*Der Hof des Professors* und *Der Idiot. Das Kind. Woyzeck*), die er als ›Ergänzungsentwurf‹ bezeichnet, und deren Datierung im Entstehungsprozeß stark umstritten ist, als zuletzt niedergeschrieben annimmt. Poschmann erweist jedoch der Verständigung in der *Woyzeck*-Philologie einen Bärendienst, wenn er deshalb eine neue Handschriftenzählung einführt, die ›Hauptfassung‹ als H 3 und den ›Ergänzungsentwurf‹ als H 4 bezeichnet, nachdem sich gerade durchgesetzt hat, das Einzelblatt als H 3 und die letzte zusammenhängende Szenengruppe als H 4 zu zählen.«

Für die vorliegende Ausgabe wird die sich einbürgernde Bezeichnung ›Entwurfsstufe‹ übernommen; Zur Problematik des Begriffes ›Fassung‹ vgl. Kanzog, Wozzeck, S. 429f.

Eine Zusammenfassung der speziellen *Woyzeck*-Editionsphilologie und ihrer Wirkungsgeschichte gibt Poschmann in seiner Büchner-Monographie, S. 138ff. Trotz der unterschiedlichen Rezeptionshaltungen, Interpretationen und Versuche der Textkonstitution habe doch »die Grundsubstanz des Stückes ⟨sich⟩ immer wieder behauptet und durchgesetzt. ⟨...⟩ Und es verdient in Erinnerung gerufen zu werden, daß die Entdeckung und die enorme Wirkung Büchners, insbesondere seines ›Woyzeck‹, im 20. Jahrhundert von der editorischen Grundlegung durch Karl Emil Franzos ihren Ausgang nahm. Die gesamte Rezeption während der entscheidenden Phase der Durchsetzung Büchners fußt bis in die zwanziger Jahre hinein auf der Textfassung von Franzos. Das gilt für die ersten das Werk verbreitenden Leseausgaben anderer Herausgeber, die Aufführungen und Einwirkungen auf das moderne Theater sowie auf die Dramatik der Zeit, einschließlich Alban Bergs Oper ›Wozzeck‹, deren Titel auf die falsche Lesung des Namens durch Franzos zurückgeht. Die seit Georg Witkowskis Vergleich mit der Handschrift (1920) gehäuften Klagen über die Unzulänglichkeit der textkritischen Grundlegung durch Franzos und besonders die Geringschätzung seiner Arbeit durch die spätere zünftige ›Woyzeck‹-Philologie, die ihm seinen Dilettantismus nicht verzeiht und dazu neigt, ihn zum Sündenbock aller philologischen Sorgen mit dem ›verstümmelten Woyzeck‹ zu stempeln, machen bei aller sachlichen Berechtigung dieser Kritik zu Unrecht mitunter vergessen, daß alle bisher erreichten Fortschritte in der Verbesserung der Textbeschaffenheit die Leistung des ersten Herausgebers zur Voraussetzung haben, ohne den das Stück vermutlich überhaupt nicht überliefert worden wäre« (S. 242).

Für die Neuausgabe der vorliegenden Edition 1988 wurden die *Woyzeck*-Texte nach der Faksimileausgabe von Gerhard Schmid gründlich revidiert. Für zahlreiche textkritische Hinweise sei Thomas Michael Mayer gedankt. Die Anordnung der Lesefassung folgt Werner R. Lehmann.

Zur Lesefassung

Szenensynopse der fünf wichtigsten Lesefassungen

Bergemann (1958 ff.) S. 150–175	Meinerts (1963) S. 176–204	Müller-Seidel (1964) S. 270–315	Lehmann (1968) I, S. 408–431*	Poschmann (1984/85) S. 7–30
1 H 4, 5	1 H 4, 1	1 H 4, 1	1 H 4, 1	1 H 4, 1
2 H 4, 1	2 H 4, 2	2 H 4, 2	2 H 4, 2	2 H 4, 2
3 H 4, 2 (u. Verwendung von H 2, 2)	3 { H 2, 3 / H 1, 1 (2 Schlußrepliken) / H 2, 5 }	3 H 2, 3	3 { H 2, 3 (die vier ersten Repliken) / H 1, 1 / H 2, 5 / H 1, 2 }	3 { H 2, (Ergänzung d. Teile aus H 1, 1) }
4 H 2, 3 / H 1, 1 / H 2, 5	4 H 1, 2	4 H 2, 5	4 H 4, 4	4 H 2, 5
5 H 1, 2	5 H 1, 3 / H 4, 4	5 H 4, 4	5 H 4, 5	5 H 1, 2
6 H 1, 3 / H 4, 4	6 H 4, 5	6 H 4, 5	6 H 4, 6	6 H 1, 3
7 H 4, 8	7 H 4, 6	7 H 4, 6	7 H 4, 7	7 H 3, 1
8 H 4, 6	8 H 4, 8	8 H 4, 7	8 H 4, 8	8 H 4, 4
9 Kombination aus H 2, 7 + H 4, 9	9 H 4, 7	9 H 4, 8	9 { H 4, 9 / H 2, 7 (ein großer Teil) }	9 H 4, 5
10 H 4, 7 (u. Verwendung eines Teils von H 2, 8)	10 H 4, 9	10 H 4, 9	10 H 4, 10	10 H 4, 6
11 H 4, 10	11 H 4, 11	11 H 2, 7 (die letzten 3 Repliken)	11 H 4, 11	11 H 4, 8
12 H 4, 11 (unter Verwendung eines Replikteils aus H 1, 5)	12 H 4, 11 (unter Verwendung eines Replikteils aus H 1, 5)	12 H 4, 10	12 H 4, 12	12 H 4, 9 (Ergänzung durch Schlußteil von H 2, 7)
13 H 4, 12 (unter Verwen-	13 H 4, 12	13 H 4, 11 (unter Verwendung ei-	13 H 4, 13	13 H 4, 7

* im vorliegenden Band S. 233 ff.

Bergemann (1958 ff.) S. 150–175	Meinerts (1963) S. 176–204	Müller-Seidel (1964) S. 270–315	Lehmann (1968) I, S. 408–431*	Poschmann (1984/85) S. 7–30
dung von H 1, 6)		nes Replik- teils aus H 1, 5)		
14 H 4, 13 (unter Verwen- dung von H 1, 7)	14 H 4, 13	14 H 4, 12	14 H 4, 14	14 H 4, 10
15 H 3, 1	15 H 3, 1	15 H 4, 13	15 H 4, 15	15 H 4, 11
16 H 1, 8	16 H 1, 8	16 H 4, 14	16 H 4, 16	16 H 4, 12
17 H 4, 14	17 H 4, 14	17 H 4, 15	17 H 4, 17	17 H 4, 13
18 H 4, 15	18 H 4, 15	18 H 4, 16	18 H 3, 1	18 H 1, 8
19 H 4, 16	19 H 4, 16	19 H 4, 17	19 H 1, 14	19 H 4, 14
20 H 4, 17	20 H 4, 17	20 H 1, 14	20 H 1, 15	20 H 4, 15
21 H 1, 14	21 H 1, 14	21 { H 1, 15 / H 1, 16	21 H 1, 16	21 H 4, 16
22 H 1, 15	22 { H 1, 15 / H 1, 16	22 H 1, 17	22 H 1, 17	22 H 4, 17
23 H 1, 17 (1. Lied- einlage aus H 1, 10)	23 H 1, 17	23 H 1, 18	23 H 1, 19	23 H 1, 14
24 { H 1, 19 / H 1, 20 / H 1, 16	24 H 3, 2	24 H 1, 19	24 H 1, 20	24 H 1, 15
	25 H 1, 18	25 H 1, 20	25 H 1, 18	25 H 1, 16
	26 H 1, 19	26 H 3, 2	26 H 1, 21 (die erste Replik)	26 H 1, 17
	27 H 1, 20	27 H 1, 21 (die erste Replik)	27 H 3, 2	27 H 1, 19
				28 H 1, 20
				29 H 1, 18
				30 H 3, 2
				31 H 1, 21

* im vorliegenden Band S. 233 ff.

Für eine philologisch und auch ästhetisch vertretbare, dem Autorwillen möglichst nahekommende Lesefassung diente die letzte Entwurfsstufe (H 4) als Vorlage. In deren Anordnung wurde nichts verändert (vgl. auch Poschmann, Büchner, S. 246–249).

Die Konstruktion der Lesefassung orientiert sich an der »Koordination der Wort- und Handlungsmotive« (Lehmann, Noten, S. 60; vgl. auch Volker Klotz und Poschmann, Büchner, S. 240). Diese Ausrichtung ermöglicht ein begründetes Auffüllen freigelassener Stellen in H 4, wozu die vorhergehenden Entwürfe herangezogen werden müssen (vgl. auch Proß, Kategorie Natur, S. 185 sowie in dieser Ausgabe

S. 621 f.). »Lehmanns Arrangement folgt, von seiner Herstellung der in
H 4 nicht ausgeführten Szene 3 und seiner Kontamination der Szene 9
abgesehen, in punkto Szenenfolge und Wortlaut genau dem Verlauf
von Hs. H 4 bis zu deren Ende. Dort schiebt er H 3, 1 ein und folgt
dann, ausgenommen seine Umstellung der Szene H 1, 18, dem unkon-
taminierten Wortlaut von H 1 bis zum Abbruch dieses Textzeugen, wo
er dann abermals die isolierte Szene H 3, 2 anschließt. Über die Szenen-
folge bis zu 17 einschließlich läßt sich nicht streiten. Die mit dem Blick
auf Kategorien des Dramas der geschlossenen Form angelegten Umstellungen, die Bergemann vorgenommen hatte, erweisen sich hier
abermals als überflüssig, von ihrer Legitimität ganz zu schweigen. Die
nach Büchners eigener Anordnung hier den Beginn der Lesefassung
bildende Szene H 4, 1 ist nicht nur die einzig autorisierte, sondern sie
legt auch vom dramentheoretischen Standpunkt aus den Grundton
fest: Neben der Einführung des ›Helden‹ wird bereits im Ansatz ein
Teil der inneren Motivation sichtbar: der zwanghafte Zustand Woyzecks. Absolut folgerichtig wird dann in der zweiten Szene Marie eingeführt und die Anziehung, die der Tambourmajor auf sie ausübt,
angedeutet. Ein notwendiger Kausalnexus, wenn auch nicht in der von
Bergemann intendierten Stringenz, entwickelt sich in den folgenden
Szenen bis hin zum Abbrechen von H 4.« (Knapp, Forschungsbericht,
S. 71 f.; vgl. auch Lehmann, Noten, S. 55).

Gegen eine Aufnahme der Szene H 3, 1 (Der Hof des Professors) aus
den Einzelnen Szenenentwürfen im Anschluß an H 4, 17 sprachen sich
Elema, S. 78 und Paulus, S. 172, aus. Nach Ursula Paulus ist die Figur
des Doktors mit der Szene H 4, 9 beendet. Richards, S. 57, greift dieses
Argument auf und führt es fort: Die Szene gehöre in die Exposition des
Dramas, hier an dieser Stelle verlangsame sie unnötig den Handlungs-
ablauf und beeinträchtige die »Wirksamkeit des Schlußteils«. Zudem
entspreche eine Doppelaufnahme der Doktorfigur nicht der sonstigen
Arbeitsökonomie B.s. Auch diese Argumentation scheint an Kategorien des geschlossenen Dramas entwickelt zu sein, dessen Gesetze nicht
für B.s. Drama gelten (vgl. Knapp, Forschungsbericht, S. 72). Lehmann
begründet die Plazierung der Szene an dieser Stelle u. a. mit dem über-
zeugenden Argument, daß sie der schärferen sozialkritischen Akzentu-
ierung des Dramas Rechnung trägt, die sich im Verlauf der Entstehungsgeschichte auch an zahlreichen anderen Indizien ablesen lasse
(vgl. Entstehung, S. 607 ff.).

Die Plazierung der Szene H 3, 2 (Der Idiot. Das Kind. Woyzeck) am
Schluß der Lesefassung ist auf heftige Kritik gestoßen; vgl. Richards,
S. 55 ff. – H 1 bietet keinerlei Hinweis auf einen von B. geplanten
Fortgang der Handlung, H 4, 17 (Woyzecks Testament) jedoch läßt auf
eine Fortsetzung schließen, die Woyzecks Ende in irgendeiner Weise
darstellen sollte. Neben anderen Möglichkeiten, diese Szene zu plazie-
ren oder fortzulassen, die hier nicht referiert zu werden brauchen,
wählt Lehmann die wahrscheinlichste: H 3, 2 fügt sich in die Linie der
Teich-Szene (H 1, 20) und der Gerichtsdiener-Szene (1, 21) und kann

daher als Schlußszene beibehalten werden. Der Abzählvers »Der is ins Wasser gefallen« nimmt H 1, 20 wieder auf, darüber hinaus führt sie zu einer gewissen Auflösung der ›Kind-Handlung‹ des Dramas (vgl. Paulus, S. 243) und bringt das Motiv der Isolation, »das im ganzen dramatischen Konzept sich zusehends verdichtet« (Knapp, Forschungsbericht, S. 74), hier zum einzig konsequenten Abschluß. »Vom Standpunkt einer von außen an das Fragment herangetragenen Ordnung, die die darin vorgegebene Substanz nachvollziehend erfassen möchte, stellt die Szene H 3, 2 nicht nur einen notwendigen Bestandteil des Werks dar, sondern auch die gegebene Schlußszene. Nicht nur erlaubt die Schlußposition ein Beibehalten der Szenenfolge von H 1, sondern sie spitzt die innere Konsequenz der Figur Woyzeck auf eine einzigartige Weise zu, die dann einen dramaturgisch ›offenen‹, vom Gesichtspunkt der inneren, persönlichen Tragik Woyzecks aber endgültig ›geschlossenen‹ Schluß zuläßt.« (Knapp, ebd.; vgl. auch Elema, S. 173)

In der hier vorgelegten Lesefassung ist ferner die Reihenfolge der Szenen H 1, 17, 18, 19, 20 verändert in H 1, 17, 19, 20, 18. Lehmann, Repliken, S. 83, betont, daß dadurch die Evidenz des Geschehens plastischer werde. Die Szenen 17, 19, 20 spielen abends bzw. um Mitternacht. »Durch die Umstellung glaubt Lehmann, und sicherlich zu Recht, die Kinder-Szene dem Temporalnexus der Gerichtsdiener-Szene anzunähern, so daß beides etwa ›irgendwann zur Morgenzeit‹ anzusetzen ist.« (Knapp, Forschungsbericht, S. 74). Richards, S. 57, hält diese Umstellung für problematisch, und Knapp, Forschungsbericht, S. 75, gibt zu bedenken, ob nicht, da eine Schwächung der Schlußgruppierung durch diese Umstellung einträte, die Szenenanordnung wieder gemäß dem Textzeugen hergestellt werden sollte. Doch scheint hier die Anordnung nach der Handlungszeit angemessen, zumal Lehmann, Repliken, S. 83, textkritische Befunde für die Unsicherheit der Szenenfolge H 1, 18–20 bereits durch B. selbst beibringt.

Die Herstellung einer Lesefassung und ihr Abdruck im Textteil einer B.-Ausgabe ist immer wieder auf Kritik gestoßen – (dazu s. auch S. 625). Lehmann hatte sich schon 1971 gegen die »philologischen Rigoristen«, die Puristen einer reinen Entwurfsdokumentation, gewandt: »Im objektiven Kulturbewußtsein existiert er ⟨der Woyzeck⟩ als ein spielbares, aufführbares Textstück, dem eine bemerkenswerte Wirkungsgeschichte zukommt. Dieser Sachverhalt ist irreversibel. Und es hieße die philologische Entmythologisierung des Textes zu weit treiben, wollte man die aufeinander zustrebenden Textstücke nun auf alle Zeiten auseinanderreißen und geviertelt in den goldenen Särgen des philologischen Mausoleums beisetzen« (Lehmann, Repliken, S. 70). Gerhard P. Knapp stellt fest, »daß der Text in erster Linie seinem Leser gehört, und nicht dem Philologen« (Knapp, Georg Büchner, S. 128).

Zu den Voraussetzungen und besonderen philologischen Problemen einer Lesefassung vgl. auch Inge Diersen, S. 73–76.

Die vorliegende Ausgabe folgt (weiterhin) Werner R. Lehmann in der Herstellung einer Lesefassung (nicht einer Bühnenfassung!, da sie dem Theater im Umgang mit B. keine Vorschriften machen will).

Gerhard Schmid, Zur Faksimileausgabe, referiert die Grundsätze seiner verdienstvollen Edition von 1981. Kanzog, Faksimilieren, bestätigt Schmids terminologische Festlegung, der sich auch die vorliegende Ausgabe anschließt: »Die *Woyzeck*-Forschung wird in Zukunft nur von dieser Basis aus operieren können. H 1 = Erste Entwurfsstufe (Foliohandschrift I 1 bis III 1 oben); H 2 = Zweite Entwurfsstufe (Foliohandschrift III 1 oben bis V 1); H 3, 1 und H 3, 2 = Einzelne Szenenentwürfe; H 4 = Letzte Entwurfsstufe. Hier wird der Siglenwirrwarr beseitigt, der jeden Leser schon in der Anfangsphase der Beschäftigung mit dem Werk entmutigen konnte« (S. 286f.). Auch Kanzog macht noch einmal deutlich, daß *Woyzeck* in viel stärkerem Maße noch als *Lenz* kein ›Werk‹, sondern ein ›Projekt‹ ist: »Es gibt keinen ›Woyzeck‹-Text, sondern nur eine Text-›Partitur‹« (Faksimilieren, S. 289 und Wozzek, S. 430).

Quellen

Folgendes Quellenmaterial (vgl. auch Historischer Hintergrund, S. 599ff.) ist zu den drei Fällen erhalten:

1. *Fall Schmolling*

Horn-Gutachten: Gutachten über den Gemütszustand des Tobacksspinnergesellen Daniel Schmolling, welcher den 25. September 1817 seine Geliebte tötete. In: Archiv für medizinische Erfahrung im Gebiete der praktischen Medizin und Staatsarzneikunde. Hg. von Dr. *Horn* in Berlin, Dr. *Nasse* in Bonn und Dr. *Henke* in Erlangen. Jg. 1820 (März/April) Berlin 1820, S. 292–367.

Bode-Verteidigungsschrift, in: Verteidigungsschrift zweiter Instanz für den Tabacksspinnergesellen Daniel Schmolling welcher seine Geliebte ohne eine erkennbare Causa facinoris ermordete. Ein Beitrag zur Lehre von der Zurechnungsfähigkeit. In: Zeitschrift für die Kriminal-Rechts-Pflege in den Preußischen Staaten mit Ausschluß der Rheinprovinzen... Hg. von Julius Eduard Hitzig. Bd. 1, Heft 2. Berlin 1825, S. 319–349.

Gerichtsakte Schmolling: Auszüge aus: Ausführung der Kriminaldeputation des Stadt-Gerichts; Ausführung des Kriminal-Senats des Kammer-Gerichts; Ausführung des Ober-Appellations-Senats des Kammergerichts, gedruckt in: Zeitschrift für die Kriminal-Rechts-Pflege (s.o.), S. 263–319, 349–367 (darin: Schmolling über sich selbst; Gutachten von Merzdorff und E. T. A. Hoffmann).

Hitzig-Untersuchung: Bemerkungen zu dem vorstehenden Fall, gedruckt in: Zeitschrift für die Kriminal-Rechts-Pflege (s.o.), S. 261–263, 367–376.

2. *Fall Dieß*

Bopp-Bericht: Zurechenbarkeit oder nicht? Aktenstücke und Verhandlungen. Mitgeteilt von Advokat *Bopp* in Darmstadt. In: Zeitschrift für die Staatsarzneikunde. Hg. von Adolph Henke, 16.Jg., 1836, 2. Vierteljahrheft. Erlangen 1836, S. 378–398 (Nachwort des Herausgebers Henke S. 398f.).

3. *Fall Woyzeck*

Früheres Gutachten des Herrn Hofrat Dr. Clarus über den Gemütszustand des Mörders Joh. Christ. Woyzeck, erstattet am 16. Sept. 1821. Nebst einem Vorworte des Herausgebers. In: Zeitschrift für die Staatsarzneikunde. Hg. von Adolph Henke, 5. Ergänzungsheft. Erlangen 1826, S. 129–149 (*Erstes Clarus-Gutachten;* s. S. 651–653).

Die Zurechnungsfähigkeit des Mörders Johann Christian Woyzeck, nach Grundsätzen der Staatsarzneikunde aktenmäßig erwiesen von Dr. Johann Christian August Clarus... In: Zeitschrift für die Staatsarzneikunde. Hg. von Adolph Henke..., 4. Ergänzungsheft. Erlangen 1825, S. 1–97 (*Zweites Clarus-Gutachten;* s. S. 392–412).

Dr. C. M. Marc, War der am 27ten August 1824 in Leipzig hingerichtete Mörder Johann Christian Woyzeck zurechnungsfähig? Enthaltend eine Beleuchtung der Schrift des Herrn Hofrat Dr. Clarus »Die Zurechnungsfähigkeit des Mörders Johann Christian Woyzeck...« Bamberg 1825.

D. Johann Christian August Heinroth, Über die gegen das Gutachten des Herrn Hofrat D. Clarus von Herrn Dr. C. M. Marc in Bamberg abgefaßte Schrift: War der am 27. August 1824 zu Leipzig hingerichtete Mörder J. C. Woyzeck zurechnungsfähig?, Leipzig 1825.

Dr. C⟨arl⟩ M⟨oritz⟩ Marc, K. B. Physikus zu Bamberg, an Herrn Dr. und Professor J. C. A. Heinroth in Leipzig, als Sachwalter des Herrn Hofrathes Dr. Clarus. Die Zurechnungsfähigkeit des Mörders J. C. Woyzeck betreffend. Bamberg 1826.

Johann Christian August Grohmann: Über die zweifelhaften Zustände des Gemüths; besonders in Beziehung auf ein von dem Herrn Hofrath Dr. Clarus gefälltes gerichtsärztliches Gutachten, in: Zeitschrift für die Anthropologie, 1. Hg. von Nasse, Leipzig 1825, S. 291–337.

B. H. (G): Über die Zurechnungsfähigkeit des Mörders Johann Christian Woyzeck. Zusammenstellung und Beleuchtung der hierwegen von drei angesehenen Ärzten erschienenen Schriften. In: Zeitschrift für die Zivil- und Kriminal-Rechtspflege im Königreiche Hannover. Hg. von (S.) P. Gans, 1. Bd., Hannover 1827, S. 126ff.; abgedruckt in: C. H. Richter (Hg.), Ausgewählte Abhandlungen und Gutachten aus dem Gebiete der gerichtlichen Medizin, Stuttgart 1838, S. 408–432.

Zum Unterschied des historischen Woyzeck, wie ihn die Gutachten deuten, und der Kunstfigur bei B. vgl. auch Kittsteiner/Lethen, bes. S. 244ff. sowie Oesterle, Woyzeck, S. 227ff. und in dieser Ausgabe S. 599ff.

Poschmann, Büchner, S. 249ff. faßt die Quellensituation zusammen und untersucht das Verhältnis der Quellen zur Ausführung des Stücks. Er deutet die Verarbeitung der Quellen durch B. im Sinne der ›Annäherung an das Proletariat‹, wie sie die Literatur vor allem des späteren 19. Jahrhunderts vorgenommen habe.

»Der Vergleich der Dramengestalt mit dem historischen Vorbild zeigt, daß Büchner diejenigen Züge des realen Woyzeck nicht übernahm, die ihn noch als kleinbürgerlich orientierten depravierten Handwerker auswiesen, und daß er stattdessen die proletarischen Züge soweit herausarbeitete, wie die Verhältnisse dies zuließen. Aus Sachsen versetzte er seine Gestalt in die Umwelt der vertrauten hessischen Kleinstadt. Als einfacher Soldat gehört Woyzeck zur untersten Schicht der Recht- und Besitzlosen. Außerhalb des Dienstes rasiert er, von Beruf Barbier, den Hauptmann und schneidet für ihn die (wohl zur ›Erziehung‹ der Rekruten gebrauchten) Stöcke. Da das Geld für ihn, Marie – die Frau, die er als Soldat nicht heiraten darf – und das Kind trotzdem nicht reicht, stellt er sich noch dem Doktor für Experimente zur Verfügung (wie sie übrigens Justus Liebig um 1834 in Gießen an Soldaten durchführte), die zur physischen und psychischen Zerrüttung seiner Persönlichkeit führen« (Poschmann, Büchner, S. 252 f.).

B. arbeitete (nicht nur im Woyzeck, sondern grundsätzlich) mit einer Fülle von teils direkten, teils kryptischen Zitaten. Diese werden, soweit nötig, in den Anmerkungen nachgewiesen. Hier seien, als indirekte Quellen, die wichtigsten literarischen Bezugsorte genannt:

Die Bibel oder die ganze Heilige Schrift des Alten und Neuen Testaments nach der deutschen Übersetzung D. Martin Luthers.

Gottlieb Conrad Pfeffel, Poetische Versuche, Dritter Teil. 4. Auflage, Tübingen 1803.

Des Knaben Wunderhorn. Alte deutsche Lieder, gesammelt von L. Achim von Arnim und Clemens Brentano, Heidelberg 1806–1808.

Kinder- und Hausmärchen, gesammelt durch die Brüder Grimm, Berlin 1812–1815.

Elsässisches Volksbüchlein. Kinder- und Volksliedchen, Spielreime, Sprüche und Märchen, herausgegeben von August Stöber, Straßburg 1842 (zweite, stark vermehrte Auflage unter leicht verändertem Titel, Mühlhausen 1859).

Deutscher Liederhort. Auswahl der vorzüglicheren Deutschen Volkslieder, nach Wort und Weise aus der Vorzeit und Gegenwart gesammelt und erläutert von Ludwig Erk ..., neubearbeitet und fortgesetzt von Franz M. Böhme. 3 Bde., Leipzig 1893 f.

Die Clarus-Gutachten zum Fall Woyzeck (in Auszügen) als Hauptquelle Büchners

(Zitiert nach Lehmann, Bd. 1, S. 485 ff.; vgl. Glück, Woyzeck, S. 319 f. Zur Darstellung der Symptome einer schweren Psychose – erstellt nach folgendem Gutachten –: Depressionen, Herzjagen, Zittern, Gedankenstillstand, Stimmen, Gefühlshalluzinationen, Bewußtseinsspaltung,

Depersonalisation, Visionen, Wahnsystem, Verfolgungswahn; s. auch S. 598f.)

Die Zurechnungsfähigkeit des Mörders Johann Christian Woyzeck, nach Grundsätzen der Staatsarzneikunde aktenmäßig erwiesen
von Dr. Johann Christian August Clarus

Am 21. (richtig: 2.) Juni des Jahres 1821, Abends um halbzehn Uhr, brachte der Friseur *Johann Christian Woyzeck*, ein und vierzig Jahr alt, der sechs und vierzig jährigen Witwe des verstorbenen Chirurgus *Woost, Johannen, Christianen*, gebornen *Otto'in* in dem Hausgange ihrer Wohnung auf der Sandgasse, mit einer abgebrochnen Degenklinge, an welche er desselben Nachmittags einen Griff hatte befestigen lassen, sieben Wunden bei, an denen sie nach wenigen Minuten ihren Geist aufgab, und unter denen eine penetrierende Brustwunde, welche die erste Zwischenrippenschlagader zerschnitten, beide Säcke des Brustfelles durchdrungen, und den niedersteigenden Teil der Aorta, an einem der Kunsthülfe völlig unzugänglichen Orte, durchbohrt hatte, bei der am folgenden Tage unternommenen gerichtlichen Sektion, so wie in dem darüber ausgefertigten Physikatsgutachten (den 2. Juli 1821), für *unbedingt* und *absolut tödlich* erachtet wurde.

Der Mörder wurde gleich nach vollbrachter Tat ergriffen, bekannte selbige sofort unumwunden, rekognoszierte vor dem Anfange der gerichtlichen Sektion, sowohl das bei ihm gefundene Mordinstrument, als den Leichnam der Ermordeten, und bestätigte die Aussagen der abgehörten Zeugen, so wie seine eigenen, nach allen Umständen bei den summarischen Vernehmungen und im artikulierten Verhöre.

Nachdem bereits die erste Verteidigungsschrift eingereicht worden war (den 16. August 1821), fand sich der Verteidiger, durch eine in auswärtigen öffentlichen Blättern verbreitete Nachricht, daß *Woyzeck* früher mit periodischem Wahnsinn behaftet gewesen, bewogen, auf eine gerichtsärztliche Untersuchung seines Gemütszustandes anzutragen (am 23. August 1821).

In den dieserhalb mit dem Inquisiten gepflogenen fünf Unterredungen (am 26., 28. und 29. August; und am 3. und 14. September), führte derselbe zwar an, daß er sich schon seit seinem dreißigsten Jahre zuweilen in einem Zustande von Gedankenlosigkeit befunden, und daß ihm, bei einer solchen Gelegenheit einmal Jemand gesagt habe: *du bist verrückt und weißt es nicht*, zeigte aber in seinen Reden und Antworten, ohne alle Ausnahme, Aufmerksamkeit, Besonnenheit, Überlegung, schnelles Auffassen, richtiges Urteil und ein sehr treues Gedächtnis, dabei aber weder Tücke und Bosheit, noch leidenschaftliche Reizbarkeit oder Vorherrschen irgend einer Leidenschaft oder Einbildung, desto mehr aber moralische Verwilderung, Abstumpfung gegen natürliche Gefühle, und rohe Gleichgültigkeit, in Rücksicht auf Gegenwart und Zukunft. – Mangel an äußerer und innerer Haltung, kalter Mißmut, Verdruß über sich selbst, Scheu vor dem Blick in sein Inneres, Mangel an Kraft und Willen sich zu erheben, Bewußtsein der Schuld, ohne die Regung, sie durch Darstellung seiner Bewegungsgründe, oder durch irgend einen Vorwand zu vermindern und zu beschönigen, aber auch ohne sonderliche Reue, ohne Unruhe und Gewissensangst, und gefühlloses Erwarten des Ausganges seines Schicksals waren die Züge, welche seinen *damaligen* Ge-

---

* Das zweite Gutachten wurde zuerst veröffentlicht, es ist daher hier vorangestellt.

mütszustand bezeichneten. – Unter diesen Umständen fiel das von mir abgefaßte gerichtsärztliche Gutachten (den 16. Sept. 1821) dahin aus, daß:

1) der von dem Inquisiten (rücksichtlich seiner Gedankenlosigkeit u.s.w.) angeführte Umstand, obgleich zur gesetzmäßigen Vollständigkeit der Untersuchung gehörend, dennoch, weil er vor der Hand noch bloß auf der eigenen Aussage des Inquisiten beruhe, bei der *gegenwärtigen* Begutachtung nicht zu berücksichtigen, und *dieserhalb weitere Bestätigung abzuwarten sei;*

2) die über die gegenwärtige körperliche und geistige Verfassung des Inquisiten angestellten Beobachtungen kein Merkmal an die Hand gäben, welches auf das Dasein eines kranken, die freie Selbstbestimmung und die Zurechnungsfähigkeit aufhebenden Seelenzustandes zu schließen berechtige.

⟨...⟩

Nachdem zufolge allerhöchsten Reskripts vom 9. November vorigen Jahres von Einem Hochlöblichen Königlich Sächsischen Kriminalgerichte allhier mir Endesunterschriebenen am 8. Januar dieses Jahres die Woyzeck'schen Akten anderweit zur Begutachtung vorgelegt worden sind, habe ich nicht nur der Durchsicht derselben mich sofort mit aller, der Wichtigkeit des Gegenstandes schuldigen Sorgfalt und Aufmerksamkeit unterzogen, sondern auch, in Rücksicht auf mehrere, neuerdings aktenkundig gewordene Umstände, die mir, aus ärztlich-psychologischem Gesichtspunkte betrachtet, noch eine genauere Erörterung zu erfordern schienen, den Inquisiten *Woyzeck,* nach mündlich eingeholter Genehmigung des Gerichtes, nochmals zu fünf verschiedenen Malen, nämlich am 12., 26., 29. und 31. Januar und am 21. Februar 1823, und zwar das letztemal vorzüglich in der Absicht, um die wichtigsten Resultate der frühern Unterredungen einer nochmaligen Prüfung zu unterwerfen, jedesmal anderthalb bis 2 Stunden lang, aufs genaueste exploriert, und dabei nachstehendes ersehen und beobachtet.

I. Bei Durchsicht der Akten

Der Inquisit *Woyzeck* stammt von durchaus rechtschaffenen Eltern, die ihren gesunden Verstand bis an ihr Ende behalten, und nie eine Spur von Tiefsinn oder Verstandeszerrüttung gezeigt haben ⟨...⟩. Nachdem er in seinem achten Jahre seiner Mutter, und im dreizehnten Jahre seines Vaters, der sich zwar um seine Erziehung wenig bekümmert, ihn aber nicht hart behandelt, und für seinen Unterricht in der Freischule auf eine, seinem Stande und seinem Vermögen angemessene Weise gesorgt hatte, durch den Tod beraubt worden, hat er die Perückenmacherprofession erlernt, und hierbei zwar seinen ersten Lehrherrn aus eigenem Antriebe verlassen, sich aber nach dem Zeugnisse von Personen, welche ihn damals gekannt haben, bis zu seinem achtzehnten Jahre, wo er sich auf die Wanderschaft begeben, jederzeit sehr gut, ruhig und verständig betragen, und niemals eine Spur von Verstandesverwirrung oder Tiefsinn an sich blicken lassen. Nach sechsjährigen Reisen, auf denen er in Wurzen, Berlin, Breslau, Teplitz und Wittenberg bald als Friseur, bald als Bedienter, konditioniert hat, von welchem Zeitraume aber über seine Aufführung und Gemütsverfassung keine Nachrichten bei den Akten befindlich sind, ist er nach Leipzig zurückgekehrt und hat hier, in Ermanglung anderer Beschäftigung, eine Zeitlang Kupferstiche illuminiert, hierauf im Magazine gearbeitet, und zuletzt wieder eine Bedientenstelle bei dem Kammerrat *Honig* in Barneck angenommen. Während dieser Zeit hat er sich, nach dem Zeugnisse des damaligen Kutschers *Heuß,* der mit ihm täglich zusammen gewesen ist, sehr gut, gesetzt und fleißig betragen, keine Veranlassung zu Klagen gegeben, und keine Spur von Tiefsinn oder Verstandesverrückung an sich bemerken lassen. Ebenso bezeugt die Traugottin, damals Schindelin, mit der er bei dem Wattenmacher Richter zusammengewohnt und Umgang gehabt hat, daß er heitern Gemüts, nicht zänkisch und streitsüchtig, sondern vielmehr recht ruhig, bescheiden und verständig gewesen sei. Da aber diese Person späterhin, als sie bei dem M. Buschendorf in Diensten gewesen, seine Bewerbungen, um derentwillen er fast täglich von Barneck hereingekommen ist, und ihr teils in der Allee, teils im Hause aufgelauert hat, nicht mehr annehmen wollen, hat er ihr nicht nur (nach der von ihr beschwornen Aussage) einstmals in der Feuerkugel mit den Worten: Höre, Kanaille, du willst mir untreu werden, mehrere Schläge an den Kopf gegeben, weshalb sie ihn auf dem Rathause denunziert hat, sondern auch bald darauf Abends zwischen zehn und eilf Uhr an die Tür ihrer Wohnung in Englers Hause geklopft, und als sie geöffnet, ihr, da sie bloß mit einem Mantel bekleidet gewesen, an die Brust gegriffen, sie auf den Hof zu ziehen gesucht, und ihr dabei (nach ihrer Aussage) mit einem großen Mauersteine, nach seinem Eingeständnisse aber mit der Faust, in der er einen Schlüssel gehabt und in der Absicht ihr eins zu versetzen, oder ihr ein Andenken zu hinterlassen und mit den Worten: Luder, du mußt sterben, zwei Schläge auf den Kopf gegeben und ihr eine Wunde von der Größe eines Kupferdreiers beigebracht, hierauf aber sich entfernt und am folgenden Tage in Gesellschaft seines Stiefbruders Richter, jedoch ohne diesem zu sagen, daß es der Schindelin wegen geschehe, auch ohne daß dieser die geringste Spur von Verstandesverrückung an ihm wahrgenommen hat, Leipzig verlassen. Nach einer mit Richtern über Berlin bis Posen gemachten zehnwöchentlichen Reise, ist er im Jahr 1806 nach der Schlacht bei Jena zu Grabow im Mecklenburgischen in Holländische, sodann, nachdem er am 7. April 1807 vor Stralsund von den Schweden gefangen und nach Stockholm transportiert worden, in Schwedische, hierauf als nach dem Feldzuge in Finnland und der Entthronung Gustavs IV. sein Regiment nach Stralsund versetzt und allda von den Franzosen entwaffnet worden, in Mecklenburgische, nach dem Feldzuge in Rußland durch Desertion wieder in Schwedische und zuletzt nach der Abtretung von Schwedisch-Pommern, in Preußische Kriegsdienste getreten, aus denen er im Jahr 1818 seinen Abschied erhalten hat. Über seine Aufführung und seinen Gemütszustand während dieses Zeitraums von 12 Jahren sind keine Zeugnisse bei den Akten vorhanden, er selbst aber versicherte bei den Unterredungen, welche ich im Monat August 1821 mit ihm gehabt und in denen ich ihn aufs genaueste nach allen seinen Lebensumständen gefragt habe, daß er es überall sehr gut gehabt, sich zur Zufriedenheit seiner Obern aufgeführt, sich nicht in Duelle und Schlägereien eingelassen, noch weniger aber heimlichen Groll genährt, Vergnügungen und Zerstreuungen nicht sonderlich geliebt, sich am liebsten in seinen Nebenstunden mit Versuchen in allerlei mechanischen Arbeiten, z. B. mit Erlernung der Papp- und Schneiderarbeit beschäftiget, und den Umgang mit dem weiblichen Geschlecht zwar nicht gesucht, aber auch die Gelegenheit dazu nicht verschmäht, sich aber immer mehr zu einer Person gehalten habe, wobei es ihm ziemlich gleichgültig gewesen sei, ob diese mit mehreren zu tun gehabt, oder nicht. Ausführlicher, und diesen früheren Aussagen zum Teil widersprechend, gibt er bei seinen neuen Vernehmungen an, daß er im Jahre 1810 Umgang mit einer ledigen Weibsperson, der *Wienbergin*, gehabt, mit dieser ein Kind gezeugt, während der Zeit, als er bei den Mecklenburgischen Truppen gestanden, auf die Nachricht, daß sich diese Person unterdessen mit andern abgebe, zuerst eine Veränderung in seinem Gemützustande bemerkt, dieserhalb sich wieder zu den Schweden begeben, und den frühern Umgang mit ihr fortgesetzt habe. Diese Veränderung habe sich dadurch geäußert, daß er ganz still geworden und von seinen Kameraden deshalb oft vexiert worden sei, ohne sich ändern zu können, so daß er, ob er gleich seine Gedanken möglichst auf das zu richten gesucht, was er gerade vorgehabt, es nichts destoweniger verkehrt gemacht habe, weil ihm zuweilen auf halbe Stunden lang, oft auch nur kürzere Zeit, *die Gedanken vergangen seien.* Mit dieser Gedankenlosigkeit habe sich späterhin, in Stettin, ein Groll gegen einzelne Personen verbunden, so daß er, gegen alle Menschen überhaupt erbittert, sich von ihnen zurückgezogen habe und deswegen oft ins Freie gelaufen sei. Überdies habe er beunruhigende Träume von Freimaurern gehabt und sie mit seinen Begegnissen in Beziehung gebracht. Als er eines Nachmittags mit seinen Kameraden in einer Stube gewesen, habe er Fußtritte vor derselben gehört, ohne diesfalls etwas entdecken zu können, und es für einen Geist gehalten, weil ihm einige Tage vorher von einem solchen geträumt habe. Seine Unruhe habe fortgedauert, als er von Stettin nach Schweidnitz und Graudenz in Garnison gekommen sei, und er habe, als ihm ein Traum die Erkennungszeichen der Freimaurer offenbart, geglaubt, daß ihm diese Wissenschaft gefährlich werden könne, und daß er von den Freimaurern verfolgt werde. Auch habe er am letztern Orte einmal des Abends am Schloßberge eine Erscheinung gehabt und Glockengeläute gehört, ein andermal aber habe ihm des Nachts auf dem Kirchhofe jemand, den er nicht gewahren können, mit barscher Stimme einen guten Morgen geboten.

Nach seiner Zurückkunft hieher im Dezember 1818 hat er bis zur Ausführung der Mordtat, nach und nach folgende Wohnungen und Beschäftigungen gehabt und dabei, seinem Anführen nach, folgende Begegnisse erlebt:

1) *bei Steinbrücken,* wohin ihn die *Woostin* gebracht, ihn dort für ihren Liebsten ausgegeben und den Mietzins für ihn bezahlt, und wo er, weil er kein Verdienst und Beschäftigung gehabt, von Unterstützungen gelebt hat. Er selbst sagt im Allgemeinen, daß sein Zustand und seine Idee von Verfolgung durch Freimaurer hier fortgedauert und daß ihm das *Herz manchmal sehr stark geschlagen habe.* Aus dem Zeugnisse der Steinbrückin ist zu ersehen, daß er sich damals gut betragen und zuweilen in Büchern gelesen, jedoch (mit Unwahrheit) behauptet habe, daß er Papparbeit verfertige und seinem Stiefvater *Richter* helfe.

Nach einem Aufenthalt von 6 Wochen ist er

2) zu dem Juden *Samson Schwabe* in Dessau gekommen, den er in einer Krankheit gewartet hat und bei dem er wiederum 6–7 Wochen geblieben ist. Dieser versichert, daß er, wenn er nicht betrunken gewesen, sich gut und sehr vernünftig betragen und nie Ursache gegeben habe, an seinen gesunden Verstandeskräften zu zweifeln, daß er aber den Trunk in hohem Grade geliebt habe, und daß die gegen ihn, als er ihm in einer solchen Periode hoher Trunkenheit alles verkehrt gemacht habe, gebrauchte Äußerung: Kerl, du bist verrückt und weißt es nicht; sich bloß auf seinen trunkenen Zustand, keineswegs auf eigentliche Verstandeszerrüttung beziehe.

3) Vom Februar 1819 bis zu Johannis 1820 bei der Stiefmutter der *Woostin,* der Witwe *Knoblochin* in dem Hause des Gelbgießers *Warnecke,* in welchem dessen Pachter *Jordan* eine Schenkwirtschaft treibt; wo er bald auf den Wollboden des Herrn Knobloch gearbeitet, bald auf Empfehlung der Knoblochin bei dem Buchbinder *Wehner* in Volkmarsdorf Papparbeit gemacht, bald für den Buchhändler *Klein* illuminiert, auch während dieser Zeit dem Buchhalter Herrn *Lang* und dem Hrn. M. *Gebhard,* ingleichen während der Messe den Fremden *Benedix* bedient hat. Nach dem Zeugnisse dieser Person und namentlich *Warneckes, Jordans, Wehners,* Hrn. *Langs* und Hrn. M. *Gebhards* hat er sich auch in dieser Zeit sehr verständig, still und bescheiden betragen, die ihm erteilten Aufträge zu ihrer Zufriedenheit besorgt, auch keine Merkmale von Tiefsinn oder Verstandesverrückung, und überhaupt nichts auffallendes in seinem Benehmen blicken lassen. Mehrere derselben, nämlich Warnecke und Wehner, haben bemerkt, daß er den Branntwein geliebt und manchmal zu viel getrunken habe, auch hat die Knoblochin darüber gegen Jordan geklagt.

Letztere sagt übrigens, daß *Woyzeck* mit ihrer Tochter Umgang gehabt, aber wegen ihres häufigen Umganges mit Soldaten Eifersucht gefaßt, die *Woostin* mehreremale gemißhandelt und so viel Lärm und Unruhe gemacht habe, daß sie ihm auf Warneckes Verlangen das Logis aufsagen müssen. Den Vorfall, der hierzu Veranlassung gegeben hat, erzählt Warnecke folgendermaßen: Er, Warnecke, habe einstmals zu Woyzecken in der Jordanschen Schenkwirtschaft gesagt: Hier, *Woyzeck,* Mordhahn, willst du ein Glas Schnaps trinken? Woyzeck aber ihm hierauf eine pöbelhafte Antwort gegeben, und als er selbst sich hierauf bestürzt gegen Jordan gewendet, mit den Worten: der Kerl pfeift dunkelblau, sich entfernt. Als nun hierauf Warnecke der Knoblochin habe sagen lassen, sie müsse ausziehen, wenn sie Woyzeck nicht fortschaffe, habe ihm dieser, ehe noch solches geschehen, mehrere Briefe und in einem derselben die (gereimten) Worte geschrieben: Der Sachse bietet Frieden dem türkischen Sultan an, er ist doch nicht zufrieden, wenn er nicht prügeln kann. – Als nun Warnecke, bei Lesung dieses Briefes, gesagt: Nun kriegt der Kerl Prügel, wenn er wieder kommt, habe Woyzeck, der den Brief selbst gebracht und, in der Küche stehend, diese Worte gehört habe, erwidert: da lauert er eben drauf, worauf Warnecke ihm einige Hiebe gegeben, und jener mit deren Empfang gesagt habe: das ist rechtschaffen gedacht, nun sind wir quitt, Wurst wider Wurst! Über diesen Auftritt, bei dem nach Warneckes Vermutung Woyzeck etwas betrunken gewesen sein soll, was jedoch Jordan unwahrscheinlich findet, äußert sich Woyzeck, er habe geglaubt, Warnecke wolle ihn für den Narren halten. Da nun dessenungeachtet Woyzeck von der Knoblochin ausziehen müssen, hat er sich abermals

4) *bei der Steinbrückin* 14 Tage lang aufgehalten, und dabei verwogen und, weil er keine Arbeit gehabt, tiefsinnig und betrübt ausgesehen, die Mütze tief ins Gesicht gerückt, als ob er sich schäme, und als er, auf Erinnern den Mietzins nicht bezahlen können, sogleich seine Effekten zusammen gepackt und sich,

5) *zu dem Zeitungsträger Haase* begeben, wo er von Johannis bis einige Wochen vor Michaelis 1820 in einer Dachkammer am Tage bei einer Lampe gearbeitet und des Nachts geschlafen, sich mit Papparbeiten beschäftiget und nebenbei den Hrn. Lang und Herrn M. Gebhard zu bedienen gehabt hat, welches jedoch, wenigstens was den letztern betrifft, schwerlich richtig sein kann, da dieser angibt, daß er ihn schon zu Pfingsten dieses Jahres verabschiedet habe. In dieser Kammer, behauptet er, bei Tage und in der Nacht, vielfältig gestört worden zu sein. Er habe es hören sprechen, obgleich niemand in der Nähe geschlafen. Manchmal habe es auf dem Deckbette getappt, und wenn er darnach gegriffen, weil er es für Ratten oder Mäuse gehalten, habe er nichts gefunden. Einmal als er Abends nach 10 Uhr nach seiner Kammer habe gehen wollen, habe er es in seiner Nähe stark knistern und deutlich eine Stimme sprechen hören: *O, komm doch!* Er sei darüber sehr heftig erschrocken und deswegen herunter zum Wirt, dieser aber mit einer Laterne in die Kammer gegangen, ohne etwas zu bemerken. Weil er sich sehr gefürchtet daselbst zu schlafen, habe er auf seinen Betten drei Nächte in des Wirtes Stube zugebracht, und als er nachher wieder bis zu seinem Wegzuge in derselben Kammer geschlafen, es zwar nicht wieder laut, aber wohl leise immer allerhand sprechen hören. Zu derselben Zeit sei es ihm gewesen, als ob sein Herz mit einer Nadel berührt würde und er habe die dabei empfundenen Beunruhigungen dem Teufel zugeschrieben, und von ihm geglaubt, daß er ihm, als er gebetet, die Worte zugerufen habe: Da hast du den lieben Gott. Von diesen Ereignissen durch den Zeitungsträger Haase *am Tage nach der Mordtat* unterrichtet, hat Herr Dr. Bergk Veranlassung genommen, eine Nachricht über den Gemützstand des Inquisiten im Allgemeinen, in den Nürnberger Korrespondenten einrücken zu lassen (welche den Verteidiger zuerst veranlaßt zu haben scheint, auf Exploration des Gemützstandes des Inquisiten anzutragen), späterhin aber, nachdem schon der Tag der Hinrichtung bestimmt gewesen, den

Verteidiger in nähere Kenntnis von Haasens Erzählungen zu setzen, namentlich, daß sich Woyzeck in der Stube herumgewälzt, sich für verloren erklärt und Handlungen, welche Verstandesverwirrung verraten, vorgenommen habe. Haase und seine Frau modifizieren diese Erzählung dahin, daß sie, außer den bereits erwähnten Vorfällen, in seinen Reden und Handlungen nichts Ungereimtes bemerkt haben, und auch davon, daß er sich auf den Dielen herum gewälzt und gerufen habe: ich bin verloren, nichts wissen wollen, jedoch angeben, daß er in den heißen Monaten Juni und Juli 1820 mehrmals des Nachts von seiner Kammer herunter in ihre Stube gekommen sei, unter dem Vorgeben, es leide ihn nicht oben, es spuke in seiner Kammer, es zupfe am Deckbette und rufe ihn, weshalb er mehrere Nächte hintereinander in ihrer Stube zugebracht, nachher aber unausgesetzt, bis zu seinem Wegziehen, wieder in der Kammer geschlafen habe, aber in diesem Zeitraume von ohngefähr drei Wochen auch am Tage, unter dem Vorgeben, daß es ihm keine Ruhe lasse, nicht zu Hause geblieben sei. An einem der oben gedachten Abende hat er, nach der Haasin Aussage, mit stieren Augen vor sich hingesehen, aber keine besondere Gemütsunruhe verraten. Ein andermal aber hat sie ihn des Abends um 11 Uhr die Treppe sehen herunter kommen und wieder hinaufsteigen und dieses mehrmals wiederholen, wobei er das erstemal: Da kommt's, da kommt's! gerufen haben und noch einige Stunden auf dem Gange herumgelaufen sein soll. Übrigens stimmen beide Eheleute darin überein, daß Woyzeck gesagt habe, es bedeute seinen Tod, jedoch mit dem Beifügen, daß er gewöhnlich alle Jahre im Sommer dergleichen Zufälle gehabt habe, und daß es ihm schon beim Militär öfters gewesen sei, als ob er bei seinem Namen gerufen werde; beide aber weichen darin von einander ab, daß Haase versichert, Woyzeck habe, wenn er des Nachts und auch einmal, als er am Tage heruntergekommen sei zu ihm und seiner Frau die Worte gesagt: Aufs Deckbette, aufs Deckbette! während die Haasin behauptet, er habe ihr bloß erzählt, daß in seiner Kammer zwei Personen miteinander sprächen, von denen die eine immer diese Worte rufe, ingleichen, daß er einmal des Mittags mit dem Essen, das ihm die Woostin gebracht, herunter in ihre Stube gekommen sei und gesagt habe: Es leide ihn nicht oben, es habe immer gesprochen: Auf dem Teller, auf dem Teller! Als Ursache seines Wegziehens gibt Woyzeck selbst nicht die Spukgeschichte an, sondern daß er in seiner Kammer am Tage bei einer Lampe gearbeit, und der Wirt dieses nicht gelitten habe, dieser aber, daß seine Frau ängstlich geworden sei, und daß er ihn nicht länger habe leiden wollen, weil die Woostin so oft zu ihm gekommen. Nach seinem Wegziehen von Haasen ist er, seiner eigenen Aussage nach, vierzehn Tage herberglos gewesen und hat nachher

6) bei dem Buchbinder *Wehner* in Volkmarsdorf vor der Michaelismesse 1820 drei bis vier Wochen, und späterhin noch zu zwei verschiedenen Malen, in der Neujahr- und Ostermesse 1821, jedesmal ungefähr eben so lange gearbeitet, auch mit Wehnern und den Seinigen im Ganzen ohngefähr vier Wochen in einer Stube geschlafen. Auch hier hat es ihm, wie er behauptet, keine Ruhe gelassen; Wehner aber bemerkt, daß er manchmal in Gedanken gesessen und dann zusammengefahren sei, weshalb jener ihn ermahnt Gott vor Augen zu haben, dieser aber versprochen habe, in der nächsten Nacht recht fleißig beten zu wollen. Übrigens will Wehner nichts Auffallendes an ihm bemerkt haben, sondern gibt ihm das Zeugnis, daß er fleißig und gelassen, und sein Schlaf gut gewesen sei, daß er sich Mühe gegeben, etwas zu lernen, aber zuweilen (wie schon oben sub 2 bemerkt worden) ein Glas Schnaps zu viel getrunken und dann weniger gearbeitet habe. Sein Ganzes sei gewesen, daß er sich nicht habe in ein ordentliches Brot finden können.

Aus Mangel an hinreichender Beschäftigung scheint Woyzeck zu Anfang des Winters 1820 den Entschluß gefaßt zu haben, Stadtsoldat zu werden, daher ihn der Feldwebel von gedachter Garnison

7) bei dem Unteroffizier *Pfeiffer* untergebracht hat, wo er bis Weihnachten dieses Jahres geblieben, aber, weil sein Abschied nicht richtig gewesen, bei der Garnison nicht angenommen worden ist. Hier hat er mit dem Tambour *Vitzthum* einige Wochen lang in einem Bette geschlafen und sich mit Illuminieren für Herrn Klein beschäftigt, aber auch Vitzthumen mehrere Kleinigkeiten, und darunter einen Degen mit Scheide, entwendet, solche aber, sobald sie dieser wieder verlangt, zurückerstattet. Beide versichern, daß sein Betragen gut und verständig und nicht zänkisch gewesen sei; auch hat sein Schlafgeselle Vitzthum nie eine Unruhe, oder sonst etwas Auffallendes an ihm wahrgenommen, obgleich Woyzeck behauptet, daß er auch hier Stimmen gehört, und sonderbare Träume gehabt habe, ohne sich etwas merken zu lassen.

Nachdem Woyzeck Vitzthumen obgedachte Sachen entwendet, ist er, seiner Angabe nach, abermals einige Nächte herberglos und einige Tage im Arrest gewesen, sodann aber

8) *Zu der Naumannin* gezogen, wo er in der Neujahrsmesse 1821 drei Wochen lang gewohnt und vorgegeben hat, Friseur, Schneider, Papparbeiter und Illuminierer zu sein, ohne Kamm, Schere, Fingerhut, Papier und Pinsel zu haben, auch zu Hause nichts gearbeitet, sich aber übrigens verständig betragen und alle Morgen aus einem, der Tochter der Naumannin gehörigen Buche gebetet hat. Er selbst sagt bloß, daß es ihn auch hier verfolgt habe.

Um diese Zeit ist er auch noch in Warneckes Hause aus- und eingegangen, hat der dort wohnenden Woostin hinter der Türe aufgelauert, und dabei öfters, meinend, es sei diese, eine andere Weibsperson, unter andern eines Abends die Frau des Lohnbedienten Marschall an der Haustüre angehalten, als er aber seinen Irrtum bemerkt, gesagt: Ach verzeihen Sie, ich habe Sie verkannt, und sie nachher ruhig gehen lassen. An demselben Abend hat er der Woostin auf der Treppe aufgelauert, und auf ihre Weigerung, mit ihm spazieren zu gehen, sie mit der Hand, in der er die Scherben eines zerbrochnen Topfes gehabt, blutrünstig geschlagen, ist aber deshalb von den dazu gekommenen Personen festgenommen und hierauf mit 8tägigem Arrest bestraft worden, bei welcher Gelegenheit an ihm keine Spur einer besonderen Unruhe, Zerstreuung oder Gedankenlosigkeit wahrgenommen worden ist. Nach seiner Entlassung hat er sich bis vor Ostern 1821

9) bei dem Bierschenken *Haase* aufgehalten. *Woyzeck* sagt, sein Zustand habe hier fortgedauert, die Haasin aber: sein Betragen sei durchaus untadelhaft und still vor sich hin gewesen, er habe mit den übrigen Bettburschen in Frieden gelebt, und sogar einstmals, ob er gleich nur 16 Pf. gehabt, dennoch einen Armen wollen zu essen geben lassen. Zwar habe er ihr von seinen Träumen erzählt, namentlich, daß ihm von schwarzen Pferden geträumt habe, und daraus den Schluß gezogen, daß es ihm noch sehr unglücklich gehen werde; doch habe dieses auf seine Handlungen keinen Einfluß gehabt, und er sei so vernünftig gewesen, als ein anderer Mensch.

Ebenso versichert der Handarbeiter *Schröder,* welcher mit ihm bei Haasen im Quartier gelegen, und mit ihm in einer Kammer geschlafen hat, er habe sich jederzeit ruhig und ganz verständig betragen, nicht gezankt und gelästert; auch sei er des Nachts nicht unruhig gewesen und habe nie geklagt, daß er unruhig sei, oder daß ihm sonst etwas fehle.

Endlich hat er bis ungefähr zum 20. Mai 1821

10) bei der um diese Zeit verstorbenen *Wittigin* im schwarzen Brette eine Bettstelle gehabt. Er selbst versichert, daß er auch hier Stimmen vernommen habe. Dahin gehört seine Erzählung, daß es ihm, als er einen zerbrochenen Degen gekauft, zugerufen habe:

Stich die Frau Woostin tot!

wobei er gedacht: Das tust du nicht, die Stimme aber erwidert habe:
Du tust es doch.

Um dieselbe Zeit hat er die Woostin in der Allee von Bosens Garten, auf ihre Weigerung, mit ihm zu gehen, mit der Faust ins Gesicht geschlagen, wovon ihr dasselbe aufgeschwollen und mit Blut unterlaufen ist, und kurz nachher, als er sie mit seinem Nebenbuhler auf dem Tanzboden getroffen, sie die Treppe hinunter geworfen, und auf der Straße einen Stein aufgehoben, um damit nach ihr zu werfen, diesen aber wieder fallen lassen. Die *Benadtin*, Enkelin der Wittigin, welche mit ihm zugleich bei der Wittigin gewohnt hat, bezeugt, er habe sich für einen dienstlosen Markthelfer ausgegeben, nur sehr wenig, und in der letzten Zeit, wo er tiefsinnig gewesen, gar nicht gesprochen, sei aber in seinem Betragen höflich, bescheiden und ganz verständig, auch nur ein einziges Mal betrunken gewesen, wo er sehr viel gesprochen und erzählt habe, er habe selbigen Tages seine Geliebte geprügelt.

Von derselben Zeit sagt *Warnecke*, daß er damals Meßfremde in seinem Hause bedient, sich ganz still und vernünftig betragen, auch ihm und andern keine Vermutung, daß er geisteskrank sei, gegeben habe, außerdem aber gutes Mutes gewesen sei.

Von dem Tode der Wittigin an, hat er sich bis zur Ausführung seiner Tat, acht bis vierzehn Tage lang im Freien herumgetrieben und von Unterstützungen guter Menschen gelebt, die er aber schriftlich gebeten zu haben vorgibt, weil er seine Bitten mündlich vorzutragen unvermögend gewesen und dabei zuweilen in Verlegenheit gekommen sei. Übrigens erhellet aus den Akten, daß die Woostin, ungeachtet ihres offenen Umgangs mit einem Andern, dennoch auch den Umgang mit Woyzeck keineswegs gänzlich abgebrochen, ihm sogar noch in der Ostermesse d. J. den vertrautesten Umgang gestattet; ein andermal, als er ihr in Begleitung der Böttnerin begegnet, ihn etwas zurückweisend behandelt, dennoch ihm auf den Tag, wo die Mordtat vorgefallen, auf der Funkenburg eine Zusammenkunft versprochen, ihm aber nicht Wort gehalten, sondern mit dem Soldaten Böttcher einen Spaziergang gemacht hat: daß Woyzecks Gedanken indessen immer mit der Woostin und ihrer Untreue beschäftigt gewesen, daß er, nachdem er sie am Morgen desselben Tags unter einem erdichteten Vorwande zu sprechen gesucht, den übrigen Teil des Tages unbeschäftigt herumgelaufen, auch auf der Funkenburg gewesen, aber, weil er geglaubt, sie komme doch nicht, nur ein paarmal hin und her gegangen (über welches er alles in einem seiner ersten Verhöre, am 4. Juli, sich umständlich verbreitet und sogar Personen namhaft macht, die er auf seinen Gängen gelegentlich habe sprechen wollen, späterhin aber, und besonders beim artikulierten Verhöre, sich an alle diese Umstände nicht mehr erinnern will, sondern gegen seine frühern Aussagen, bemerkt, daß er dieselben bloß um deswillen abgelegt habe, weil man wissen wollen, wo er die Woostin getroffen und er sich nicht darauf besinnen können), daß er ferner gegen Abend, *in der Absicht, die Woostin damit zu erstechen*, die Degenklinge in ein Heft stoßen lassen, und als er hierauf der Woostin zufällig begegnet und von ihr erfahren, daß sie nicht auf der Funkenburg gewesen, sie nach Hause begleitet, auf diesem Wege an seinen Vorsatz nicht wieder gedacht, in der Hausflur des Hauses aber, wo die Woostin gewohnt, und als ihm diese etwas gesagt, wodurch er in Zorn geraten, die Tat vollzogen, nach vollbrachter Tat sich im Geschwindschritt entfernt, bei seiner Verhaftung den Dolch wegzuwerfen gesucht, und gleich nachher, als ihm auf seine Frage, ob die Woostin tot sei, niemand geantwortet, gesagt hat: Gott gebe nur, daß sie tot ist, sie hat es um mich verdient!

II. Bei der Untersuchung des Inquisiten

⟨...⟩

1) Was sein Äußeres und seine körperliche Gesundheit betrifft:

Blick, Miene, Haltung, Gang und Sprache völlig unverändert, die Gesichtsfarbe, wegen Entbehrung der freien Luft und Bewegung, etwas blässer, Atemholen, Hautwärme und Zunge völlig natürlich. Übrigens versicherte der Inquisit, daß sein Schlaf ruhig und ohne beunruhigende Träume, sein Appetit gut, und seine natürlichen Ausleerungen in vollkommner Ordnung seien. Beide zuletzt erwähnten Umstände bestätigte auch auf Befragen der Stockmeister *Richter*, und fügte hinzu, daß Woyzeck während der ganzen Zeit seiner Gefangenschaft, noch nie über das geringste Übelbefinden geklagt habe.

Dagegen bemerkte ich, daß das schon früher während der ersten Minuten der Unterredung an ihm wahrgenommene Zittern des ganzen Körpers, besonders wenn mein Besuch ihm sehr unerwartet kam, etwas länger anhielt, und daß der Puls- und Herzschlag zwar regelmäßig und gleichförmig, aber nicht nur voller und beschleunigter war, sondern daß auch der Puls, so oft ich ihn im Laufe der Unterredung untersuchte, immer etwas unruhig, der Herzschlag aber stärker und fühlbarer blieb und einen größern Umfang einnahm, als im natürlichen Zustande. Wenn er dagegen, wie es einigemal geschah, eine halbe Stunde vorher von meiner Ankunft unterrichtet war, bemerkte ich alles dieses in weit geringerem Grade.

2) Was den dermaligen geistigen Zustand des Inquisiten und zwar

a) *den Verstand* desselben anlangt, so fand ich an ihm weder Unstetigkeit und Zerstreuung, noch Überspannung, Abspannung, Vertiefung oder Verworrenheit der Gedanken und Vorstellungen sondern ungeteilte und anhaltend mehrere Stunden ausdauernde Aufmerksamkeit auf den Gegenstand der Unterredung, so daß er mit demselben, auch während ich von Zeit zu Zeit meine Bemerkungen niederschrieb, ununterbrochen beschäftigt schien, und nachher öfters den Faden da wieder aufnahm, wo ich ihn hatte fallen lassen, in seinen Erzählungen es meistens selbst erinnerte, wenn er sich von der Zeitfolge entfernte, oder bei Nebenumständen verweilte, auch nachher jedesmal von selbst, in einer natürlichen und zusammenhängenden Gedankenfolge, zur Hauptsache zurückkehrte. Den Sinn der an ihn gerichteten Fragen faßte er augenblicklich, so daß ich nie genötigt war, eine Frage zu wiederholen, und beantwortete sie nicht nur schnell und treffend, sondern war auch, so oft ich es verlangte, im Stande, den Sinn derselben mit andern Worten zu wiederholen, was mir besonders bei den Fragen nötig schien, die seinen Gemütszustand unmittelbar vor, bei und nach der Tat betrafen. Sein Gedächtnis war ihm völlig treu geblieben, so daß er Begebenheiten, die er mir vor anderthalb Jahren erzählt hatte, mit denselben Nebenumständen wiederholte. Seine Begriffe sind, soweit sie sich auf Gegenstände und Verhältnisse der Sinnenwelt beziehen, richtig und dem Grade seiner geistigen Bildung angemessen, und ob er gleich in Beziehung auf Begriffe von religiösen und übersinnlichen Gegenständen nicht frei von gewissen, in seinem Stande und bei seiner Erziehung nicht ungewöhnlichen Irrtümern und Vorurteilen ist, die ihn zu falschen Ansichten und Meinungen verleiten, wie ich dieses weiter unten ausführlich entwickeln werde, so ist doch bei ihm keine Spur von *krankhafter* Exaltation, Abstumpfung oder Verworrenheit der Begriffe zu bemerken, und ich habe mich durch fortgesetzte Unterredungen über den Gegenstand dieser Irrtümer, überzeugt, daß sein Verstand in Rücksicht auf selbige der Belehrung fähig und für bessere Überzeugung zugänglich ist.

b) In Rücksicht auf das *Gemüt* des Inquisiten fand ich zwar ebenfalls, so wie bei meinen frühern Unterredungen mit ihm, keine Spur einer ungestümen Aufregung, Reizbarkeit, Spannung, Unruhe und Leidenschaftlichkeit, oder von Abstumpfung, Erstarrung, Vertiefung und Niedergeschlagenheit, und mithin nichts, was auf die Gegenwart irgend eines krankhaften Zustandes des Gemüts, auf Wahnsinn, Tollheit oder Melancholie und deren verschiedene Formen, Grade und Komplikationen zu schließen berechtigen könnte. Dagegen aber bemerkte ich sehr bald, daß seit meiner frühern Untersuchung in Rücksicht auf die *Stimmung* seines Gemüts, unter dem Einflusse der einfachen und regelmäßigen Lebensart im Gefängnisse, einer humanen Behandlung, des Zuspruchs des Geistlichen, der Lesung der Bibel und andrer religiösen Schriften, der langen Einsamkeit und Zurückgezogenheit auf sich selbst, und der Aussicht auf den Tod, dessen Pforten er so nahe gestanden hat, eine sehr *wesentliche* und *günstige* Veränderung mit ihm vorgegangen sei. Er ist um vieles zugänglicher, offner, zutraulicher und gesprächiger geworden, und scheint das Bedürfnis zu fühlen, sich mitzuteilen.

Das gleichgültige, kalte, rauhe und verwilderte Wesen, das ich früher an ihm beobachtete, hat sich verloren. Er hat Zeit und Aufforderung gefunden, einen ernsthaften Blick in sein Inneres, auf Vergangenheit und Zukunft zu werfen; die Reue ist in ihm erwacht und mit ihr die Liebe zum Leben. Er scheut sich nicht mehr, zu gestehen, daß er den Tod durch Henkers Hand fürchte, und daß er einen mildern Urteilsspruch wünsche, so wie sein ganzes Benehmen zeigt, daß er einige Hoffnung dazu nährt. Daher scheinen die psychologischen Erscheinungen, über die er bereits vor Gericht ausführlich befragt worden ist, und deren Beziehung auf den Ausgang seines Schicksals er ahndet, jetzt den Hauptgegenstand seines Sinnes und Denkens auszumachen. Ganz unaufgefordert fing er, schon während ich die vorläufigen nötigen Fragen über den gegenwärtigen Zustand seiner körperlichen Gesundheit an ihn richtete, davon zu sprechen an, und suchte angelegentlich immer von Neuem darauf zurückzukommen. Als ich nun, dem mir entworfenen Plane gemäß, wirklich auf diesen Hauptgegenstand der Untersuchung näher einging, war er unerschöpflich in seinen Erzählungen und Erläuterungen, und es drängte ihn sichtbar, sich ausführlich darüber mitzuteilen, um nichts zu übergehen, was ihm zur Sache zu gehören schien.

Auf Befragen, warum er mir von allen diesen Dingen nicht schon bei der ersten Untersuchung erzählt und auf eine Menge dahin führender Fragen geschwiegen habe, erwiderte er: Er sei damals noch desperat gewesen, weil er kein Zutrauen zu den Menschen gehabt und geglaubt habe, daß er von ihnen verfolgt werde. – Es sei ihm gleichgültig gewesen, wie es ginge. – Er wisse nicht, ob er sich vielleicht geschämt habe. – Er habe gedacht: wozu solle das viele Schreiben. – Er habe mir auch die Mühe noch nicht gedankt, die ich mir damals mit ihm gegeben und wolle es nunmehr tun etc. Ob ich nun gleich in seinen Äußerungen durchaus kein Bestreben wahrnahm, mich durch offenbare und geflissentliche Unwahrheiten zu täuschen, gegen welche ich ihn wiederholt dringend warnte, so bemerkte ich doch sehr deutlich, daß er sich von Zeit zu Zeit durch seine Einbildungskraft fortreißen ließ, die Begebenheiten auszumalen, oder ihnen willkürliche Beziehungen unterzulegen, und daß er sich bei fortgesetztem Nachgrübeln über diese Vorfälle, aufgeregt durch den schwachen Schimmer der auf sie gebauten Hoffnung, und verleitet durch die ihm ohnehin anhängenden Vorurteile über die Bedeutung der Träume, über Geistererscheinungen u. s. w. (s. u.) von *Selbsttäuschung* nicht völlig frei erhalten hatte.

Nach diesen vorläufigen Erörterungen über den gegenwärtigen körperlichen und geistigen Zustand des Inquisiten, die als das Resultat meiner sämtlichen Unterredungen mit ihm zu betrachten sind, und die ich um deswillen zusammen fassen und vorausschicken zu müssen geglaubt habe, weil sie wesentlich dazu beitragen, den Gesichtspunkt festzusetzen, von dem die Beurteilung der ganzen

Sache ausgehen muß: wende ich mich zu dem Teile meiner Untersuchung, der sich zunächst auf den besondern Gemütszustand, in dem sich der Inquisit zu verschiedenen Zeiten seines Lebens befunden hat, und auf die Erscheinungen und andern Begegnisse, die er gehabt zu haben vorgibt, beziehet.

Es ist hierbei zu bemerken, daß der Inquisit schon bei seinen frühern Unterredungen mit mir angegeben hat, wie er schon seit seinem 30sten Jahre manchmal sehr ärgerlich und desperat gewesen, und öfters, wenn er über irgend einer Arbeit lange nachgedacht, in einen Zustand geraten sei, in dem er gar nichts mehr gedacht habe. Da die, auf meinen Antrag, hierüber abgehörten Zeugen, auf die sich Woyzeck berufen hatte, diese Angaben nicht bestätigten, so ist von mir ausdrücklich erinnert worden, »daß diese Umstände bei der *gegenwärtigen* Begutachtung dieses Falles *um deswillen* nicht zu berücksichtigen seien, weil sie bloß auf dem Zeugnisse des Inquisiten beruheten, und daß dieserhalb die *weitere Bestätigung* abzuwarten sei«. Zu gleicher Zeit ist bei gedachter Untersuchung bemerkt worden, daß der Inquisit gemeiniglich während der ersten Minuten der Unterredung am ganzen Körper gezittert habe, daß er den Kopf stille zu halten nicht vermögend und sein Puls und Herzschlag in diesem Zustande sehr beschleunigt und verstärkt, ingleichen daß er seiner eignen Angabe nach etwas vollblütig und mit Nasenbluten behaftet gewesen sei. Da nun alle diese Zufälle sehr oft von Unordnungen und Störungen des Blutlaufs herrühren, da sich einige derselben, dem obigen zufolge, jetzt in etwas verstärktem Grade zeigen, und da es bekannt ist, daß Visionen, wie sie der Inquisit gehabt zu haben vorgibt, sehr oft mit dergleichen Störungen des Blutlaufs zusammen hängen, so schien es mir notwendig an jene schon früher beobachteten Tatsachen die gegenwärtige Untersuchung anzuknüpfen. Aus den hierüber an ihn gerichteten Fragen ergab sich Folgendes:

Er sei allerdings in seinen früheren Jahren, besonders unmittelbar vor und nach dem 30sten, etwas vollblütig gewesen und habe dabei zuweilen eine Spannung und Auftretung der Adern und ein Stechen im Kopfe gefühlt. Dieser Zustand sei öfters durch Nasenbluten erleichtert worden. Unter andern habe er einmal in Stockholm eine ganze Stunde lang aus der Nase geblutet, worauf ihm so leicht geworden, daß es ihm, als er auf der Straße gegangen, gewesen sei, als ob er kaum die Erde berühre. Vor ungefähr sechs Jahren habe sich manchmal dazu ein Gefühl von schmerzhafter Zusammenziehung in der Gegend des Herzens, oder als ob das Herz mit einer Nadel berührt werde, und ein krampfhafter Schmerz in den Gliedern nach der Richtung der Blutgefäße gesellt, auf welchen Herzklopfen, Angst, Schlagen in den Adern und Hitze im Kopfe gefolgt sei. Während dieses Zustandes sei es ihm einmal vom Herzen ins Genicke und von da in den Kopf gefahren, wobei es ihm gedeucht, als ob es in der Gegend des Hinterkopfes sitzen bliebe, und wobei er in demselben Augenblicke ein *Prasseln, Schnurren* oder *Brummen* im Genicke verspürt habe. Dergleichen Anfälle habe er seitdem öfters und auch jetzt noch, zuweilen alle Tage, wobei ihn anfänglich, ohne alle äußere Veranlassung, ein allgemeines Zittern anwandle. Durch Bewegung des Körpers und durch Richtung der Gedanken auf einen andern Gegenstand verliere sich dieser Zufall, und es sei ihm nachher ordentlich wohl. Um sich seinen Zustand nicht merken zu lassen, habe er meistens wenig gesprochen, auch zuweilen, das, was andere mit ihm gesprochen hätten, nicht recht gehört, weil es ihm immer vor dem rechten Ohre gesaust und gebraust habe. Zuweilen sei ihm auch dunkel vor Augen geworden und ihm gewesen, als ob er seinen Kopf nicht fühle. Zuweilen habe ihm dabei das Herz, unter einem Gefühl von krampfhafter Zusammenziehung, wie still gestanden, sich nachher gleichsam aufgeblasen und dabei sei ihm wohler geworden. Bei dergleichen Zufällen sei er manchmal sehr ärgerlich gewesen; auch könne er nicht leugnen, daß er überhaupt und besonders während seiner Dienstzeit oft zu viel Branntwein getrunken habe. Der Anfang dieser Zufälle habe sich gerade zu der Zeit ereignet, wo er zu Stralsund mit der Wienbergin Umgang gehabt, und seine Gedanken immer auf die Vollziehung seiner Verbindung mit ihr gerichtet habe. Da er nun deshalb häufig zerstreut gewesen, so habe ihm dieses allerhand Neckereien von seinen Kameraden zugezogen, weshalb er sich von ihnen entfernt habe, und gleichgültig gegen alles und menschenscheu geworden sei. Bei dieser Verstimmung hätten sich die vorhin gedachten Beängstigungen am Herzen und die Benommenheit des Kopfes vermehrt, so daß er zuweilen, wenn er lange die Gedanken auf etwas gerichtet, zuletzt gar nichts mehr gedacht habe.

Da er nun immer mehr vexiert worden sei, da er auch von den Offiziers mancherlei unverdiente Kränkungen habe erfahren müssen, und sich zugleich seiner beabsichtigten Heirat immer mehr Schwierigkeiten in den Weg gestellt hätten, so habe sich Groll, Bitterkeit und Mißtrauen gegen die Menschen überhaupt eingefunden. Er habe sich immer zwingen müssen, freundlich gegen die Menschen zu sein, und es sei ihm gewesen, als ob ihn alle für den Narren halten wollten. Daher sei er sehr empfindlich geworden, so daß ihn das Geringste habe aufbringen können. Bei geringeren Veranlassungen zum Unwillen habe er am ganzen Körper gezittert, aber dabei noch immer an sich halten können; bei stärkern Anreizungen aber sei ihm der Zorn in den Kopf und vor die Stirne gefahren, und habe ihn dergestalt überwältigt, daß er seiner nicht mehr mächtig gewesen. Namentlich habe er diese Abstufungen des Zornes bei seinen Zänkereien mit der Woostin wahrgenommen, und sich bei Verübung der Mordtat in einem solchen Zustande von Überwältigung befunden, daß er darauf losgestochen habe, ohne zu wissen, was er tue. – Zuweilen sei es ihm gewesen, als ob er eine Force habe, um alles zerreißen zu können, und als ob er die Leute auf der Gasse mit dem Kopfe zusammenstoßen müsse, ob sie ihm gleich nichts zu Leide getan. Übrigens habe er einen Gedanken, den er einmal gefaßt habe, nicht leicht wieder los werden können, besonders unangenehme Vorstellungen, und dabei öfters lange hinter einander immer auf einen einzigen Gegenstand hingedacht, bis ihm zuletzt ganz die Gedanken vergangen seien und er gar nicht mehr habe denken können. Dieses sei der Zustand der Gedankenlosigkeit gewesen, den er einigemal erwähnt habe, und der von ihm gewichen sei, wenn er die Gedanken auf einen andern Gegenstand gerichtet habe. Inzwischen habe ihn alles dieses nicht gehindert, alle seine Geschäfte ordentlich zu verrichten, und so habe er z.B. in diesem Zustand beim Regiment den Dienst eines Gefreiten, der ihm eigentlich nicht zugekommen, und wobei öfters zu schreiben gewesen, ohne Anstoß versehen. Sein ganzes Unglück aber sei eigentlich gewesen, daß er die *Wienbergin* habe sitzen lassen, da ihm doch seine Offiziers späterhin zu dem Trauschein hätten behülflich sein wollen. Bloß dadurch, daß er hierzu keine Anstalten gemacht, sei sein vorher guter Charakter verbittert worden, weil es nun einmal vorbei gewesen sei, und er es nicht wieder habe gut machen können. Der Gedanke an sein Kind und an diese von ihm verlassene Person sei ganz allein die Ursache seiner beständigen Unruhe geworden, und daß er nie habe einig mit sich selbst werden können. Späterhin habe er sich auch Vorwürfe wegen seines Umgangs mit der Woostin gemacht, da er doch eigentlich die Wienbergin habe heiraten sollen. Er habe sich daher auch geärgert, wenn die Leute von ihm gesagt hätten, daß er ein guter Mensch sei, weil er gefühlt habe, daß er es nicht sei. –

Über seine Erscheinungen und die übrigen dahin einschlagenden Begebenheiten eröffnete er mir Folgendes:

I. Im Allgemeinen:

Er habe von jeher an die Bedeutung der Träume geglaubt und sie nach seiner Art auszulegen versucht, wobei vieles zugetroffen habe. Vor Gespenstern habe er sich zwar eigentlich nie gefürchtet; allein da es doch Geister gäbe, so glaube er, daß diese durch Gottes Schickung auf die Menschen wirken und in ihnen allerhand Veränderungen hervor bringen könnten. Da ihm nun verschiedene Male in seinem Leben Dinge begegnet seien, die er sich aus dem gewöhnlichen Laufe der Natur nicht habe erklären können, so sei er auf den Gedanken gekommen, daß Gott sich auch ihm auf diese Weise habe offenbaren wollen, und sollte dies auch nicht der Fall gewesen sein, so könne er sich doch nicht überzeugen, daß diese Dinge bloß in seiner Einbildung beruht haben sollten. – Zugleich gestand er auf Befragen, er habe die Gewohnheit gehabt, bald *heimlich*, bald, wenn er allein gewesen, *laut* mit sich selbst zu sprechen und dazu Gestikulationen zu machen, oder wie er sich ausdrückte, allerhand bei sich *auszufechten*.

II. Im Besonderen:

Schon auf seinen Wanderungen habe er von reisenden Handwerksburschen allerhand nachteilige Gerüchte über die *Freimaurer* gehört, unter anderm, daß sie durch heimliche Künste, zu denen sie nichts als eine Nadel brauchten, einen Menschen ums Leben bringen könnten. Er habe dieses damals nicht geglaubt, glaube es auch jetzt nicht mehr, allein er habe sich doch immer mit diesem Gedanken beschäftigt und sich allerhand Vorstellungen gemacht, woran sich wohl die Freimaurer unter einander erkennen möchten. Da habe ihm einmal geträumt: er sehe drei feurige Gesichter am Himmel, von denen das mittlere das größte gewesen. Er habe diese drei Gesichter auf die Dreieinigkeit bezogen und das mittlere auf Christus, weil diese die größte Person in der Gottheit sei. Zugleich habe er gedacht, daß in dieser Zahl auch das Geheimnis der Freimaurer liegen könne, das ihm auf diese Art offenbart werden solle, und habe sich eingebildet, daß das Aufheben dreier Finger das Freimaurerzeichen sei. Als ich ihn aufforderte, mir dieses Zeichen zu machen, verweigerte er solches anfänglich und versicherte, das habe er noch Niemanden gesagt. Als ich ihm aber zuredete, ergriff er mit dem Daumen, dem Zeige- und Mittelfinger seiner rechten Hand meine Fingerspitzen und brachte nachher die genannten drei Finger seiner Hand in aufgehobener Stellung ungefähr so, wie es bei der militärischen Begrüßung gewöhnlich ist, an seine Stirne. Einst habe er in Stralsund einen Baugefangenen zum Verhör führen müssen, und als er während desselben an der Tür Wache gestanden, sei ihm eingefallen, dieses Zeichen zu machen, um zu sehen, ob wohl der Platzkommandant ein Freimaurer sei, jedoch ohne diesem die Hand zu geben. Dieser habe ihn scharf angesehen, ihm nachher ein Glas Wein einschenken lassen und zu ihm gesagt: Wenn man was wisse, müsse man's hübsch sagen! Da er nun weiter nichts gewußt, habe er sich in den Kopf gesetzt, nun werde er schön ankommen. Nach einigen Tagen habe der Platzkommandant nach dem Exerzieren zum Feldwebel gesagt: Wenn der Kerl Blutspeien kriegt, so melden Sie mirs gleich, und es sei ihm gewesen, als ob er ihn dabei angesehen habe. Es könne aber auch ein anderer gemeint gewesen sein. Dennoch habe er sich darüber gewaltig beunruhigt, sei gleich nach dem Exerzieren bei großer Hitze ins Freie gelaufen und habe hier dreimal ein Zittern am Herzen verspürt, als ob eine Flüssigkeit in einem Fläschchen auf und nieder geschüttelt werde, gleich nachher aber einen Schlag im Nacken empfunden und dabei ein Zischen gehört. Dieses habe er nun mit seiner Meinung, daß die Freimaurer durch heimliche Künste schaden könnten, in Verbindung gebracht und geglaubt, der Augenblick ihrer

Rache sei nun gekommen. Er habe aber immer fortgebetet und gedacht: sie sollen dir doch nichts anhaben. Jetzt glaube er von allem diesen nichts mehr, und bedaure es, daß er sich so viele Unruhe darüber gemacht habe.

Was nun seine einzelnen Visionen, besonders diejenigen, von denen in den Akten Erwähnung geschieht, anlangt, so erzählte er mir mit vieler Umständlichkeit folgendes:

1) Über den Vorfall in Stettin

Es habe ihm einst von einem Geiste geträumt, den er in der Kleidung eines Mönchs gesehen. Sechs Tage nachher als er an einem Sonntag Nachmittags mit seinem Kameraden allein zu Hause und die Haustür verschlossen gewesen sei, hätten sie beide Fußtritte vor dem Zimmer gehört. Es sei dann auf den Boden gegangen, und nicht wieder herunter gekommen, und er habe deshalb geglaubt, es sei ein Geist, sich auch bis Abends nicht getraut aus dem Zimmer zu gehen, um nachzusehen, was es wäre! –

2) Über den Vorfall am Schloßberge in Graudenz

Er sei einst im Oktober Abends, ungefähr um sieben Uhr, aus der Festung Graudenz nach der eine halbe Stunde davon entlegenen Stadt gegangen, und habe da am Himmel drei feurige Streifen gesehen, die nachher wieder verschwunden seien. Als er sich umgesehen, habe er an der entgegengesetzten Seite des Himmels einen einzelnen ähnlichen Streifen gesehen, und dabei Glockengeläute gehört, was ihm unterirdisch geschienen hätte. Weil er sich nun damals immer noch mit dem Gedanken an die Freimaurer beschäftiget und geglaubt habe, daß ihm schon einmal durch die drei feurigen Gesichter hierüber eine Offenbarung zu Teil geworden sei, so habe er sich eingebildet, daß dieses wohl ähnliche Beziehung haben könne, und daß wohl die Freimaurer ihr Zeichen verändert, und ein anderes gewählt haben möchten, worauf das Verschwinden der drei Streifen und das Erscheinen des Einzelnen hindeute. Er habe nachher eine alte Frau darüber gefragt, und diese ihm gesagt: von dem Streifen am Himmel habe sie nichts gesehen, das Glockengeläute hätten aber schon viele gehört, es gehe die Sage, daß ehedem an dieser Stelle ein Schloß versunken sei. Er selbst habe diese Sage für ein Volksmärchen gehalten.

3) Über das Ereignis auf dem Kirchhofe

In der Festung Graudenz sei unter der Garnison das Gerede gewesen, daß der verstorbene Kommandant umgehe. Da er sich nun eines Abends nach dem Zapfenstreich, ohne Wissen seiner Vorgesetzten, aus der Festung geschlichen, bis des Nachts um 2 Uhr in einer Schenke zugebracht und daselbst getanzt und schlechten Branntwein getrunken, sich jedoch nicht *betrunken* habe, sei er bei seiner Zurückkunft in große Verlegenheit geraten, wie er unentdeckt wieder hineinkommen solle. Er sei daher mit Gefahr den Hals zu brechen an einer Stelle der Festungswerke herab und an einer andern wieder hinauf geklettert, und habe sich, um die Patrouille vorüber zu lassen, an dem Glacis auf die Erde gelegt, an welches der Kirchhof gestoßen habe. Hier sei eine große Figur in einem blauen Überrock und mit einem kleinen dreieckigen Hut nicht weit von ihm in der Nähe des Kirchhofs vorüber gegangen und habe ihm mit barscher Stimme zugerufen: *Guten Morgen.* Er selbst habe nunmehr den Augenblick wahrgenommen, wo die Wache abgelöst worden und sei in das nahe befindliche Tor hineingeschlüpft. Der Unteroffizier habe ihn auch bemerkt, aber weil das Tor finster gewesen, sei er dennoch unentdeckt in seine Kaserne gekommen.

4) Zu Erläuterung des Auftritts mit Warnecke

Er sei grob gegen Warnecke gewesen, weil er geglaubt habe, daß ihn dieser für den Narren haben wolle. – Den Ausdruck: *der Kerl pfeift dunkelblau**, habe er mehrmals gehört, könne aber nicht mehr sagen, was er damals eigentlich damit gemeint habe. Die Reime an Warnecke hätten sich darauf bezogen, daß dieser einmal auf der Redoute den türkischen Kaiser vorgestellt habe. Seine Absicht sei gewesen, daß er ihm seine Grobheit nicht nachtragen solle.

5) Über die Vorfälle beim Zeitungsträger Haase

In der von ihm bewohnten Kammer sei ungefähr in der Mitte ihrer Höhe eine Art von Verschlag oder Bucht gewesen, in der während der Messe jemand geschlafen, damals aber Stroh gelegen habe. Von Mäusen und Ratten habe er gerade nichts bemerkt, denn es habe manchmal Fleisch oder Brot an der Erde gestanden, welches von ihnen nicht berührt worden sei. Allein in der Tür sei eine Öffnung gewesen, durch die eine Katze habe hineinkriechen können, auch habe er manchmal des Nachts eine darinnen bemerkt. Zu dieser Zeit sei das Brausen in seinen Ohren sehr heftig gewesen, es habe ihm gedeucht, als ob ihm von oben her Hitze auf den Kopf ginge, und als ob ihm der Kopf zerspringen solle. Dabei habe er Schmerz in den Schläfen, Herzklopfen, allgemeine Hitze im ganzen Körper und Schweiß vor der Stirne gehabt. Auf dem gedachten Verschlage habe er es in der Nacht und nachher auch bei Tage öfters knistern und rumoren hören und sich dabei des Gedankens nicht erwehren können, daß es Geister wären. Um diese Zeit habe ihm einmal von einem Geiste geträumt, der zu ihm gesagt hätte: *ich werde dir einen andern schicken!* worauf er selbst im Traume geantwortet habe: *ich fürchte mich nicht!* –

Sechs Tage nachher, also gerade so lange, als nach einem ähnlichen Traume in Stettin, sei er Abends nach zehn Uhr in seine Kammer gekommen und habe die Türe schon zugemacht gehabt. Da habe auf dem Verschlage eine ganz feine Stimme, wie die eines jungen Frauenzimmers, die Worte gesagt: *o komm doch!* Es hätten sich ihm die Haare in die Höhe gesträubt und er sei sogleich herunter zu Haasens gelaufen, wo er drei Nächte zugebracht habe. – Ein andermal, als er am Tage in dieser Kammer gesessen, und eben eine Arbeit beendiget, habe er in der Nebenkammer eine Stimme gehört, welche gesagt: *was macht er nun?* Als er nachgesehen, sei niemand in der Kammer gewesen. – Darauf habe es ihm einmal die Worte: *aufs Deckbette, aufs Deckbette,* und ein anderes Mal: *auf dem Teller, auf dem Teller,* zugeflüstert, wovon er auch der Haasin erzählt habe. Weil er aber von Haasens darüber ausgelacht worden, habe er ihnen nachher nicht mehr alles gesagt. – Einmal sei ihm gewesen, als ob eine Stimme mit ihm spräche und eine dritte dazwischen sage: *die erzählen sich einander etwas.* Meistens habe es ihm geschienen, als ob sich zwei miteinander stritten, gleichsam eine warnende Stimme, und eine andere, die ihn wolle auf Abwege führen. Er habe sich wohl zuweilen die Vorstellung gemacht, dies sei die Stimme des Gewissens, aber das könne doch nicht laut sprechen. Mehrmals bediente er sich bei diesen Erzählungen des Ausdrucks: *Es habe um ihn geschrien.* Als ich ihn aber deshalb genauer befragte, nahm er diesen Ausdruck zurück und sagte: er habe diese Stimme immer nur *leise* vernommen, aber doch so, daß er sie wirklich habe hören können. Übrigens versicherte er zu wiederholten Malen, er habe diese Stimme immer nur mit dem *rechten* Ohre gehört. Gewöhnlich sei es ihm gewesen, als ob Je-

---

* Hierbei ist zu bemerken, daß der Ausdruck: *der Kerl pfeift dunkelblau,* unter dem niedrigen Pöbel in hiesiger Stadt ein sehr gewöhnlicher Provinzialismus ist, und ungefähr soviel bedeutet, als: *er macht sich gewaltig breit.*

mand auf der rechten Seite neben ihm gehe und ihm zuflüstere. Zuweilen habe es ihm aber auch geschienen, als ob die Stimme in einer Entfernung von sechs Schritten, jedoch immer mehr auf der rechten Seite, sich vernehmen lasse. Bloß wenn mehrere Stimmen untereinander gesprochen hätten, habe er nicht genau unterscheiden können, ob er sie bloß mit dem rechten Ohre, oder mit beiden zugleich höre. Nach dem Vorfalle, der ihn veranlaßt habe, einige Nächte in Haasens Stube zuzubringen, sei ihm eine Zeitlang recht wohl gewesen. Doch erinnere er sich, daß ihn einmal, als ihn die Woostin bestellt, und er gesehen habe, daß sie ihn für den Narren halten wollen, worüber er sich geärgert, das Herz den ganzen Tag dermaßen geschlagen habe, daß es nichts mehr habe arbeiten können. Schon früher, als er mit den Mecklenburgern vor Lübeck gestanden, sei er einmal in einem Anfall von Unmut ganz nahe daran gewesen, sich zu erschießen, und habe schon sein Gewehr geladen, und einen Bindfaden an dem Halm befestigt gehabt, um mit dem Fuße loszudrücken, als im selbigen Augenblicke, wegen eines Ausfalls, den die Franzosen gemacht, Generalmarsch geschlagen und er hierdurch verhindert worden sei. In dem Sommer, wo er bei Haasens gewohnt, habe ihn der Gedanke an Selbstmord auch immer verfolgt, und er habe, als er einmal Baden gegangen sei, die Stimme gehört: *Spring ins Wasser, spring ins Wasser!*

Die hier beschriebenen Beängstigungen und Beunruhigungen durch Stimmen hätten übrigens zur Zeit seines Aufenthaltes bei Haasen ihren höchsten Grad erreicht, und sich nachher allmählich beruhigt und vermindert.

Seine Eifersucht gegen die Woostin schreibe sich von der Zeit her, wo er bei dem Stadtsoldaten *Pfeiffer* gewohnt habe. Als in Gohlis die Kirmse gewesen, habe er abends im Bette gelegen und an die Woostin gedacht, daß diese wohl dort mit einem anderen zu Tanze sein könne. Da sei es ihm ganz eigen gewesen, als ob er die Tanzmusik, Violinen und Bässe durcheinander, höre, und dazu im Takte die Worte: *Immer drauf, immer drauf!* Kurz vorher habe ihm von Musikanten geträumt, und das habe ihm immer was übles bedeutet. Am andern Tage habe er gehört, daß die Woostin wirklich mit einem andern in Gohlis gewesen sei und sich lustig gemacht habe!

6) In Ansehung der Ereignisse von der Neujahrs- bis zur Ostermesse des Jahres 1821, ingleichen der Vergehungen, die er sich während dieser Zeit zu verschiedenen Malen gegen die Woostin erlaubt hat, blieb er ganz bei seinen in den Verhören erstatteten Aussagen stehen, und versicherte, daß er zu denselben bloß durch Eifersucht, wozu ihm diese Person häufig Gelegenheit gegeben, keineswegs aber durch die Stimmen, die sich um ihn vernehmen lassen, veranlaßt und gereizt worden sei. Überhaupt habe sie ihn schon lange vorher für den Narren gehabt, ihm manchmal schnöde begegnet, ihm einmal, als er beleidigt von ihr gegangen, zum Fenster heraus nachgerufen: *Du kannst abkommen*, und ihn überhaupt wegen seiner Armut verachtet, dennoch aber sich manchmal wieder mit ihm abgegeben. Während er bei der Wittigin gewohnt habe, sei es ihm einmal, als die Woostin vor dem grimmaischen Tore von ihm Abschied genommen, und ihm noch aus der Entfernung dreimal: *Leb' wohl!* zugerufen habe, gewesen, als ob eine Stimme zu ihm sage: *Sie will nichts von dir wissen.* – Die Stimme: *Stich die Frau Woostin tot!* habe er auf der Treppe nach seinem Logis gehört, als er eben die Degenklinge gekauft gehabt, und sie mit dem Gedanken besehen habe, daß sich daraus müßten hübsche Messer machen lassen. Übrigens habe er, wie er *wiederholt*, und in *mehreren Unterredungen* versicherte, diese Stimme nur dieses einzige Mal und nachher *nie* wieder gehört, auch seien in den acht Tagen vor der Mordtat, wo er herberglos herumgelaufen, und weil er kein Geld gehabt, weniger Schnaps getrunken habe, die Beängstigungen geringer und die Stimmen seltner gewesen. Am Tage der Mordtat selbst aber habe er *gar keine*

Beängstigungen gehabt und *gar keine* Stimmen gehört, auch an die Stimme, die ihn aufgefordert, die Woostin zu erstechen, gar nicht gedacht, wohl aber der Gedanke, die Woostin zu erstechen, ihn von jenem Augenblick an unablässig verfolgt, sei jedoch immer nur ein Übergang und gleich wieder vorbei gewesen, auch habe er, um ihn los zu werden, den Degen in den Teich vor dem grimmaischen Tore werfen wollen. Was die Ereignisse des Tages betrifft, an dem die Mordtat geschehen ist, so versichert er zwar fortwährend, daß ihm davon nur ein dunkles Andenken geblieben sei. Dennoch erinnerte er sich nicht nur vollkommen deutlich an die Hauptumstände: nämlich daß er schon am Morgen dieses Tages die Woostin unter einem falschen Vorwand aufgesucht, den ganzen Tag herumgelaufen, die Degenklinge, in der Absicht zu morden, abgeholt, und den Griff daran befestigt, die Woostin, der er vor dem Peterstore zufällig begegnet sei, nach Hause begleitet und ihr in der Hausflur mehrere Stiche beigebracht habe; sondern fügte auch noch *ungefragt* mehrere, bei den Akten noch nicht erwähnte Umstände hinzu, nämlich daß er am Mittage dieses Tages bei Herrn *Lacarriere* gewesen sei, ihm das nachher gefundene Bittschreiben überreicht, von ihm acht Groschen Almosen unter Zurückgabe des Briefes erhalten, und dafür sich zu essen habe geben lassen; ferner, daß er, als ihm die Woostin begegnet, sich zwar anfänglich gefreut habe, daß aber diese Freude bald vorbei gewesen sei, als er gemerkt, daß sie seine Begleitung nicht gerne sehe, aus Furcht, sein Nebenbuhler möchte sie mit ihm gehen sehen; weshalb er auch mehr ihr zum Tort noch mitgegangen sei; endlich: daß ihm die Woostin, als sie miteinander ins Haus getreten, die Worte gesagt habe: *Ich weiß gar nicht, was du willst! so geh doch nur nach Hause! Wenn nun mein Wirt raus kommt.* Diese Worte hätten ihn geärgert, und da habe ihn der Gedanke an das Messer und an seinen Vorsatz plötzlich wieder mit aller Macht ergriffen, und ihn mit einem Male dergestalt überwältigt, daß er darauf zugestoßen habe, ohne zu wissen, was er tue. Als er nach der Tat über den Roßplatz gegangen, sei ihm der Gedanke in den Kopf gekommen, sich zu erstechen, und er habe es bloß deshalb unterlassen, weil zu viel Leute dagewesen seien, würde sich aber, wenn er nicht arretiert worden wäre, sicherlich noch in derselben Nacht und mit dem nämlichen Instrumente das Leben genommen haben.

Von neuerdings während seiner Gefangenschaft gehörten Stimmen will er nichts wissen. Wohl aber beschäftigt er sich viel mit Ahnungen und Träumen. So behauptete er bei einer seiner Unterredungen mit mir, es habe ihm den Augenblick zuvor geahnet, daß ich nun kommen würde. Auf seine Träume, die er sehr gerne erzählt, und auf seine Weise deutet, baut er auch seine Hoffnungen. So erzählte er mir einst mit großer Freude, daß ihm geträumt habe, er läge in einer Grube, um welche mehrere Menschen beschäftigt wären, ihn heraus zu ziehen. Selbst wenn dergleichen Traumgestalten gar keine Beziehung auf ihn selbst haben, sucht er dennoch in ihnen sein Schicksal zu lesen und hält z. B. Träume von Feuer oder klarem Wasser für günstige Vorbedeutungen.

Nach der sorgfältigsten und gewissenhaftesten Erwägung der im Vorhergehenden dargestellten Umstände verfehlte ich nicht, in Gemäßheit des allerhöchsten Reskripts vom 9. November vorigen Jahres, und mit Berücksichtigung der gemachten Anträge des Verteidigers, Nachstehendes gutachtlich zu eröffnen, wobei ich, wegen der Vielseitigkeit des Gegenstandes und zur Erleichterung der Übersicht, es für zweckmäßig halte, das Ganze in zwei Abschnitte einzuteilen, von denen der erste die medizinisch-psychologische Entwicklung der Tatsachen, der zweite aber die aus ihnen für die Zurechnungsfähigkeit des Inquisiten zu ziehenden Folgerungen enthalten wird.

*I. Medizinisch-psychologische Entwickelung der teils aus den Akten geschöpften,
teils selbst beobachteten Tatsachen*

⟨ . . . ⟩

2) Der im vorhergehenden geschilderte Zustand des Gefäßsystems ist sehr oft, besonders während seiner periodischen Exazerbationen, mit Benommenheit des Kopfes, mit Aufdringen beunruhigender Gedanken, mit unwillkürlichem Festhalten derselben, mit Unfähigkeit etwas anderes zu denken und überhaupt mit einer finstern, hypochondrischen Stimmung und mit einer erhöhten Reizbarkeit des Gemütes verbunden, bei der die damit behafteten Personen durch geringfügige Ursachen leichter, als gewöhnlich zum Unwillen gereizt werden, und sich stärker aufgefordert fühlen, demselben durch Wort und Tat Luft zu machen. Daß auch *Woyzecks* Benommenheit und seine finstere menschenscheue und reizbare Gemütsstimmung von der körperlichen Anlage abhängig gewesen sei, kann nicht bezweifelt werden, besonders wenn man erwägt, daß seinen Erzählungen zu Folge beide gleichen Schritt gehalten haben. Er selbst sagt nämlich: es sei ihm bei den obgedachten Zufällen der Kopf oft sehr eingenommen gewesen; er habe einen Gedanken, den er einmal gefaßt, und besonders unangenehme Vorstellungen, nicht leicht wieder los werden können, es seien ihm, wenn er lange über etwas nachgedacht, zuletzt ganz die Gedanken vergangen; er sei dabei manchmal sehr ärgerlich gewesen und nach und nach menschenscheu, mißtrauisch und bitter geworden; bei Zunahme dieser Verstimmung habe sich auch seine Beängstigung am Herzen und seine Benommenheit des Kopfes vermehrt; er sei dabei sehr leicht von Zorn, dessen Abstufungen u. Wirkungen er ganz so beschreibt, wie sie die Beobachtung an jedem zum Zorn gereizten Menschen kennen lehrt, überwältigt worden u. es sei ihm dabei gewesen, als ob er eine Kraft habe, alles zu zerreißen, oder als ob er die Leute sollte mit den Köpfen aneinander stoßen. So wie übrigens die tägliche Erfahrung lehrt, daß Personen, welche sich in dieser Anlage befinden, im Stande sind, allein ihren bürgerlichen und moralischen Pflichten zu genügen, so sagt auch *Woyzeck,* daß ihn alles dieses nicht gehindert habe, seine Geschäfte ordentlich zu besorgen, und mehrere Äußerungen von ihm, z.B. daß er *absichtlich* wenig gesprochen habe, um seinen Zustand nicht merken zu lassen, und daß durch Richtung der Gedanken auf einen andern Gegenstand die Benommenheit des Kopfes sich verliere, geben zu erkennen, daß bei ihm die Freiheit des Willens in diesem Zustande keineswegs aufgehoben gewesen sei.

3) Der Inquisit hegt allerhand irrige, phantastische und abergläubische Einbildungen von verborgenen und übersinnlichen Dingen, denen bei ihm teils Mangel an Kenntnis und Erziehung, teils Leichtgläubigkeit zum Grunde liegt, und die durch Neugier, durch einen natürlichen Hang, über dergleichen Dinge nachzugrübeln, und durch die, in seiner hypochondrischen Stimmung begründete Scheu, sich mitzuteilen, genährt und unterhalten worden ist. Dahin gehört zuerst die ihm angeheftete Lüge von den geheimen Künsten der Freimaurer, die ihn sehr angelegentlich beschäftigt und zu allerhand phantastischen Kombinationen und Versuchen verleitet hat. Daß er einen solchen mißglückten Versuch, den er sich gegen einen seiner Obern erlaubt hatte, in seinen Verhältnissen und bei seiner, auch bei andern Gelegenheiten vielfach bewiesenen Furchtsamkeit, als ein großes Ungebührnis betrachtete, daß er deshalb, wie er sich gegen mich ausdrückte, übel anzukommen fürchtete, daß er einige Tage nachher die sehr leicht denkbare Besorgnis desselben Offiziers, daß einer der Soldaten, nach dem Exerzieren bei großer Hitze Blutspeien bekommen könne, auf sich bezog, und die bei ihm selbst, durch dieselbe starke Bewegung und durch den nachherigen Gang ins Freie rege gewordenen Wallungen und Empfindungen am Herzen für Strafe seiner Vorwitzes und für Wirkungen geheimer Künste hielt, daß er endlich, bei

der ihm und andern ähnlich konstituierten Personen eigenen Tenazität unangenehmer Vorstellungen der Gedanken nicht los werden konnte, daß eine geheime Gesellschaft, der er nichts Gutes zutraute und die er beleidigt zu haben glaubte, ihn verfolge: – dieses alles hängt mit den Einbildungen und der Furchtsamkeit dieses Menschen, mit seinen damaligen Verhältnissen und seiner körperlichen Anlage so natürlich zusammen, daß es sich daraus vollständig und ungezwungen erklären läßt. – – Eben dahin gehört ferner seine Vorstellung von der Wichtigkeit der *Träume,* von denen er glaubt, daß sie teils buchstäblich in Erfüllung gehen, teils eine allegorische Bedeutung haben, vermöge deren durch sie bald verborgene Dinge, z. B. die von ihm als sehr wichtig betrachteten Zeichen der Freimaurer, angezeigt, bald die Zukunft enthüllt werde. — Aus derselben Quelle entspringt endlich auch sein Glaube an die Möglichkeit materieller Wirkungen der Geisterwelt und selbst an Verkörperung der Geister oder Geistererscheinungen. Die von ihm dafür gehaltenen Ereignisse sind offenbar von doppelter Art, nämlich teils solche, wo er aus Furcht und phantastischer Einbildung irgend eine äußere, natürliche Erscheinung, ohne sie näher zu untersuchen, für eine Wirkung übersinnlicher Wesen gehalten hat, teils solche, bei denen durch seinen unruhigen Blutumlauf eine Sinnestäuschung veranlaßt, diese aber durch die bei ihm vorwaltenden abergläubischen Vorstellungen zu einer übernatürlichen Erscheinung gestempelt worden ist.

Zu der ersten Art gehören die Fußtritte, die er selbst und sein Kamerad in einem verschlossenen Hause, in welchem er sich mit diesem allein zu befinden glaubte, gehört zu haben vorgibt, und die er, ohne die Veranlassung des Geräusches zu untersuchen, bloß aus dem Grunde einem umgehenden Geiste zuschrieb, weil ihm sechs Tage vorher von dergleichen geträumet hatte! – Von gleicher Beschaffenheit ist die Erscheinung, die er, als er nach einer durchschwärmten Nacht von Tanz und geistigen Getränken erhitzt und von der Furcht, entdeckt zu werden, geängstigt, in der Nähe des Festungskirchhofes gesehen haben will, und bei der es um so wahrscheinlicher ist, daß in seiner Phantasie die Erinnerung an die unter der Garnison verbreiteten Spukgeschichte die Gestalt des verstorbenen Kommandanten irgend einer dort befindlichen und die Wache grüßenden Person geliehen habe, da er selbst sagt, daß er kurz zuvor, um die Patrouille vorüber zu lassen, sich auf das Glacis niedergelegt habe, und mithin mehrere Personen in der Nähe gewesen sind. – Daß er bei solchen abergläubischen Vorstellungen *entferntes* Glockengeläute für *unterirdisches* und einen Schimmer des Mondes oder der Abenddämmerung, oder ein Meteor, oder ein Signal für Zeichen am Himmel gehalten und ihnen eine Beziehung auf das Freimaurerwesen, mit dem sich seine Einbildungskraft so angelegentlich beschäftigte, gegeben haben könne, bedarf keiner Erinnerung. – Übrigens ist der Umstand, daß er sich darüber bei einer alten Frau hat belehren wollen, für die Art und Weise, wie er überhaupt seine Visionen berichtigt haben mag, sehr bezeichnend. –

Zu der zweiten Art gehören die von dem Inquisiten angeblich öfters gehörten Töne und artikulierten Stimmen, und es kommt bei Beurteilung derselben vor allen Dingen der Umstand in Betrachtung, daß derselbe schon früher zu verschiedenen Malen, bei seinen Anfällen von Beängstigungen und Herzklopfen, ein Schlagen der Adern und Hitze im Kopfe, eine Empfindung, als ob es ihm aus dem Herzen in den Kopf fahre, und *zu gleicher Zeit* ein Zischen, Prasseln, Schnurren und Brummen im Genicke, oder vor den Ohren bemerkt hat.

Daß diese und ähnliche Täuschungen des Gehörsinnes als Folgen von Kongestionen des Blutes nach dem Kopfe häufig vorkommen, lehrt die tägliche Erfahrung, und daß sie auch bei Woyzeck diese Ursachen gehabt haben, läßt sich bei seiner Anlage und unter den vorhergehenden und gleichzeitigen Umständen nicht bezweifeln. Wie sehr bei dergleichen Zufällen zugleich seine Einbildungskraft beschäftigt, und wie sehr er geneigt gewesen ist, die natürlichen Veranlassungen zu übersehen und sich irgend etwas Ungewöhnliches und Übernatürliches dabei zu denken, beweist der bereits weiter oben erwähnte Vorfall, wo er das nach dem Exerzieren und Laufen bei starker Hitze entstandene Herzklopfen vor den Ohren für Wirkung geheimer Künste hielt. – Ein höherer Grad dieser Täuschungen des Gehörsinnes besteht darin, daß die mit dergleichen Zufällen behafteten Personen die Ursache des im Ohre vernommenen Geräusches für eine *äußere* halten und dabei bald nähere, bald entferntere Töne, z. B. Pochen, Glockengeläute, Musik etc. zu hören glauben. Es läßt sich daher mit aller, bei Entwicklung pathologischer Tatsachen möglicher Gewißheit und nach Grundsätzen der rationellen Heilkunde annehmen, daß das Knistern und Rumoren, das Woyzeck in der Nacht und hernach auch bei Tage auf dem Verschlage in seiner Kammer gehört haben will (wenn es nicht irgend eine von ihm ununtersucht gelassene äußere Ursache gehabt hat), nichts anderes, als eine solche Täuschung des Gehörsinnes gewesen ist, die mit dem *gleichzeitigen* Brausen vor den Ohren und mit dem Gefühl, als ob ihm von oben Hitze auf den Kopf gehe, zusammen gehangen hat, und durch seine schon früher gehegte Geisterfurcht zu der Vorstellung von einer *objektiven* Veranlassung gesteigert worden ist. – Allein auch hiebei ist er nicht stehen geblieben, sondern es hat diese Sinnentäuschung bei ihm einen noch höhern Grad erreicht, indem er nicht bloß Lärm und Getöse, sondern sogar artikulierte Worte und Wortverbindungen zu hören geglaubt hat. Bei Erklärung dieser Erscheinung muß der Umstand in Erwägung gezogen werden, daß Woyzeck gewohnt gewesen ist, *mit sich selbst zu sprechen,* der es sehr denkbar macht, wie er, bei dem erhitzten Zustande seines Blutes und seiner Einbildungskraft, seine ebengedachten, oder laut ausgesprochenen Worte mit dem Lärm in seinem Kopfe verwechseln und selbigen bei seinem immer lebendigen Glauben an übernatürliche Einwirkungen für eine an ihn gerichtete fremde Stimme halten konnte. Diese Erklärung erhält dadurch noch größere Wahrscheinlichkeit, daß der Sinn dieser angeblich von einer *fremden* Stimme gehörten Worte sich fast immer auf das bezieht, was seine jedesmalige Gemütsstimmung, oder eine natürliche Ideenassoziation, ihm bei einem Selbstgespräche in den Mund legen konnte. So ist es höchst natürlich, daß er, als er mit einer Arbeit fertig gewesen, daran *gedacht* hat, was *er nun machen solle,* und zugleich bei den bereits vorausgegangenen Täuschungen seines Gehörs höchst wahrscheinlich, daß er, bei diesen gedachten, oder laut ausgesprochenen Worten, das *Subjektive* mit etwas *Objektivem* verwechselt habe. – Die Worte: aufs *Deckbette, aufs Deckbette,* scheinen auf die vorhergegangene Einbildung, daß er aufs Deckbette getappt habe, und die Worte: *auf dem Teller, auf dem Teller,* auf den Teller, den er gerade vor sich gehabt, eine Beziehung zu haben. – Wenn bei dem Vorfall in des Zeitungsträgers Haasen Behausung, wo er, als er des Abends nach 10 Uhr in seine Kammer gekommen, auf dem ihm bereits verdächtigen Verschlage die Worte gehört haben will: *o komm doch,* eine solche natürliche Ideenverbindung weniger ungezwungen nachgewiesen werden kann, so liegt die Ursache darin, daß er selbst sich seiner vorher gehabten Ideen nicht mehr erinnert, und es ist dafür desto augenscheinlicher, daß ihm dabei seine Geisterfurcht einen Streich gespielt hat, da er selbst gar nicht in Abrede stellt, daß er es für die Stimme eines Geistes gehalten, weil ihm sechs Tage vorher (also gerade so lange als er, nach einem ähnlichen Traum in Stettin, einen Geist gehört haben will), von einem Geiste geträumt habe. – Dagegen ist es desto mehr anzunehmen, daß, bei seinem schon einmal bis zur Ausführung gekommenen Vorsatz zum Selbstmord, die auf dem Wege nach dem Bade angeblich gehörte Stimme: *Spring ins Wasser,* sein eigner Gedanke gewesen ist. – Von gleicher Beschaffenheit ist der Vorfall, wo er,

als er im Bette an der Kirmse und an seine dort anwesende Geliebte voller
Eifersucht dachte, Violinen und Bässe durcheinander zu hören glaubte, und,
nach dem Rhythmus der gewöhnlichen Tanzmusik, ihr die Worte unterlegte:
immer drauf, immer drauf. Am deutlichsten erscheint diese Verwechslung des
Objektiven mit dem Subjektiven in den, bei Untersuchung des Degens, der
nachher zum Mordinstrumente gedient hat, angeblich gehörten Worten: *Stich
die Frau Woostin tot,* die nach allem vorhergegangenen nichts anderes gewesen
sein können, als der lebhaft erwachende Vorsatz zu der nachher vollführten Tat,
dem er, bei seiner Gewohnheit, mit sich selbst zu sprechen, Worte gegeben, und
den die Stimme des Gewissens mit den Worten: *du tust es nicht,* beantwortet, der
damit kämpfende Vorsatz aber mit den Worten: *du tust es doch,* bestätiget hat.
Sehr klar wird diese Ansicht durch den von ihm angeführten Umstand, daß es
ihm öfters gewesen sei, als ob zwei Stimmen, eine warnende und eine andere, die
ihn zum Bösen verleiten wollen, miteinander sprächen, von denen er selbst die
erstere für die Stimme des Gewissens gehalten hat. Endlich ist auch der Umstand, daß es ihm immer nur vor dem *rechten* Ohre gesaust und gebraust hat,
und daß er mit *demselben* Ohre auch die fremden Stimmen gehört haben will,
ein, meines Erachtens, ganz unumstößlicher Beweis für den unmittelbaren Zusammenhang seiner Blutwallungen mit dem Lärm vor seinen Ohren und dieses
Lärms mit den eingebildeten Stimmen, und zugleich einer der stärksten Beweise
für die von mir aufgestellte Ansicht. – Daß übrigens die Einbildung, fremde
Stimmen zu hören, bei Personen, die an Wallungen des Blutes, oder an Unter-
leibskrankheiten leiden, eine nicht ungewöhnliche Erscheinung und keineswegs
notwendig und in allen Fällen mit einer Hemmung, oder mit einem Verlust des
freien Verstandesgebrauches verbunden sei, werde ich weiter unten durch mehrere Fälle aus meiner eigenen Beobachtung beweisen.
⟨…⟩
Aus den im Vorhergehenden dargestellten Tatsachen und erörterten Gründen
schließe ich: daß *Woyzecks* angebliche Erscheinungen und übrigen ungewöhnlichen Begegnisse als *Sinnestäuschungen,* welche durch Unordnungen des Blutum-
laufes erregt und durch seinen Aberglauben und Vorurteile zu Vorstellungen von
einer objektiven und übersinnlichen Veranlassung gesteigert worden sind, betrachtet werden müssen, und daß ein Grund, um anzunehmen, daß derselbe zu
irgend einer Zeit seinem Leben und namentlich unmittelbar *vor, bei* und *nach*
der von ihm verübten Mordtat sich im Zustande einer Seelenstörung befunden,
oder dabei nach einem notwendigen, blinden und instinktartigen Antriebe und
überhaupt anders, als nach gewöhnlichen leidenschaftlichen Anreizungen gehandelt habe, *nicht* vorhanden sei.
Indem ich diesen Bericht und dieses Gutachten als der Wahrheit und den
Grundsätzen meiner Wissenschaft gemäß, durch meines Namens Unterschrift
und Siegel bestätige, füge ich wegen der ungewöhnlichen Schwierigkeit, Vielseitigkeit und Wichtigkeit des von mir beurteilten Gegenstandes den Antrag hinzu,
daß über die von mir aufgestellte Ansicht, selbst wenn gegen dieselbe erhebliche
Zweifel nicht beigebracht werden sollten, annoch ein *Responsum* der medizinischen Fakultät eingeholt werden möge.
Leipzig, den 28. Februar 1823

ERSTES CLARUS-GUTACHTEN

Früheres Gutachten des Herrn Hofrat Dr. Clarus über den Gemütszustand des Mörders Joh. Christ. Woyzeck, erstattet am 16. Sept. 1821

⟨ ... ⟩

Über religiöse Gegenstände äußert er sich kurz und ziemlich kalt, versichert aber dennoch, daß er an Gott und Zukunft glaube, sein Morgen- und Abend-Gebet nie unterlassen und in seinem letzten hülflosen Zustande manchmal Gott auf den Knien angerufen habe, auch noch am Himmelfahrtstage, zwei Tage vor der Tat, in der Kirche gewesen sei. *»Aber«* setzte er mit rauher Stimme hinzu, *»was hat mirs denn geholfen?«* – Mit gleicher Roheit antwortete er auf die Frage, welche Vorstellung er sich wohl von dem Ausgange seines Prozesses mache? *»Es kann mir den Kopf kosten! Aber da mache ich mir nichts draus; – Sterben muß ich einmal!«* –

⟨ ... ⟩

II. Beobachtungen, welche sich unmittelbar aus der Untersuchung des körperlichen und geistigen Zustandes des Inquisiten, und unabhängig von dessen eigenen Äußerungen, ergeben haben.

Der Inquisit hat das Ansehen eines Mannes von 40 Jahren und ist von mittler Statur, kräftigem, gedrungenem und völlig regelmäßigen Körperbau, mittelmäßig genährt und von ziemlich starkem Bart und Haarwuchs. Der Kopf steht in richtigem Verhältnis zu dem übrigen Körper und ist von keiner ungewöhnlichen Form auch ohne Narben und andere Spuren erlittener Gewalttätigkeiten. Während der ersten Minuten, nachdem er vorgeführt worden war, zitterte er gemeiniglich am ganzen Körper, so daß er selbst den Kopf nicht still zu halten vermögend war, und sein Puls- und Herzschlag war in diesem Zustande sehr beschleunigt und verstärkt, sobald er sich aber etwas beruhigt hatte, ließ das Zittern nach, und ich fand Puls- und Herzschlag natürlich, ingleichen das Atemholen frei und gleichförmig. Man bemerkt keinen üblen Geruch aus dem Munde, die Zunge ist ohne Beleg, obgleich von Tobak, den er zu kauen pflegt, etwas braun gefärbt, der Leib nicht aufgetrieben oder gespannt, und die Eingeweide desselben, so viel sich durch äußere Untersuchung erkennen läßt, von natürlicher Lage und Größe und ohne Spuren von Verhärtungen und andern organischen Fehlern. Die Haut ist von natürlicher und gleichförmiger Wärme, ohne Spur von Krätze, Flechten und andern Ausschlägen, auch bemerkt man bei Untersuchung derselben keine Krampfadern, Drüsenanschwellungen, Narben, oder venerische Merkmale, ausgenommen, daß der Kopf des rechten Nebenhoden sich etwas dicker und härter anfühlt, als gewöhnlich. Sein Auge ist nicht sonderlich belebt, aber von natürlichem Glanz und sein Blick fest, ernst, ruhig, und besonnen, keineswegs wild, frech, verstört, unstet oder zerstreut, aber auch eben so wenig traurig, niedergeschlagen, verlegen, gedankenlos oder erloschen. Das Gesicht ist blaß aber nicht eingefallen, die Lippen rot, die Züge ziemlich tief gefurcht, aber weder ungewöhnlich gespannt, noch erschlafft. Seine Miene hat nichts Tückisches, Lauerndes, Abstoßendes oder Zurückschreckendes und kündigt weder Furcht und Kummer, noch Unwillen und verhaltenen Zorn, überhaupt nichts Leidenschaftliches an, auch bleibt sich dieselbe fast immer gleich, und nur einigemale bemerkte ich, bei Erzählungen aus seinen Jugendjahren, wie sich ein schnellvorübergehendes Lächeln über dieselbe verbreitete, welches aber nichts Unangenehmes, Bitteres, Höhnisches oder Grinsendes hatte. Die Haltung und Stellung des Körpers ist zwar etwas nachlässig, aber nicht schlaff, der Gang und die übrigen Bewegungen sind rasch und lebhaft. Seine Sprache ist stark und vernehmlich, auch gehörig artikuliert und betont, nicht affektuiert, nicht polternd oder schleppend, seine Art sich auszudrücken kurz, bestimmt, treffend, ohne Abschweifungen und Wiederholungen. In seinen Reden und Antworten zeigt er ohne alle

Ausnahme Aufmerksamkeit, Besonnenheit, Überlegung, schnelles Auffassen, richtiges Urteil und treues Gedächtnis. Der Verstand, dessen Anlagen zwar nicht ausgezeichnet, aber doch mehr als mittelmäßig zu nennen sind, erscheint weniger durch Erziehung und Unterricht ausgebildet, als durch mannigfaltige Schicksale, Aufenthalt in verschiedenen Ländern, Kriegsdienste, Gefahren und Mühseligkeiten geübt, gereift und zu einer praktischen Sicherheit gediehen. Seine Begriffe von den Gegenständen und Begebenheiten, die er gesehen und erfahren hat, sind seinem Stande und seiner Erziehung vollkommen angemessen, zeugen von ruhiger, mit freiem, unbefangenem Sinne angestellter Beobachtung, und sind eben so weit entfernt von exaltierter Verkehrtheit als von stumpfer Verworrenheit. Daher findet sich auch in seinen Erzählungen und Urteilen nicht die geringste Spur, daß irgend eine unrichtige oder überspannte Vorstellung von den Gegenständen der sinnlichen oder übersinnlichen Welt, oder von den Verhältnissen seiner eigenen physischen und moralischen Persönlichkeit sich seines Verstandes ausschließend bemeistert, den freien Gesichtspunkt für andere Verhältnisse verrückt und die richtige Beurteilung derselben getrübt habe, oder, mit andern Worten, zur fixen Idee geworden sei. Eben so wenig läßt sich aus seinem Benehmen bei den Untersuchungen, aus den Empfindungen, die er äußert, und aus seiner Gedankenfolge nachweisen, daß irgend eine Leidenschaft, Gefühl oder Phantasie sein *Gemüt* beherrsche, und ihm die wirkliche Welt unter falschen Formen, Verhältnissen und Beziehungen vorspiegele. Endlich gibt sich auch in den Äußerungen des Inquisiten und in seinem ganzen Wesen auf keinerlei Art ein hoher Grad von Reizbarkeit des Temperaments, von Ungestüm und körperlicher Aufregung, oder von Störrigkeit, Tücke und Bosheit zu erkennen, um daraus mit nur einiger Wahrscheinlichkeit den Schluß ziehen zu können, daß er zu denjenigen gehöre, welche, ohne in ihrem *Bewußtsein*, oder in ihren *Begriffen* gestört zu sein, dennoch in ihren *Handlungen* einem unwillkürlichen, blinden und wütenden *Antriebe* folgen, welcher alle Selbstbestimmung aufhebt. Dagegen finden sich bei ihm desto deutlicher die Kennzeichen von moralischer Verwilderung, von Abstumpfung gegen natürliche Gefühle und von Gleichgültigkeit in Rücksicht der Gegenwart und Zukunft. Die Spuren religiöser Empfindung, die er zuweilen äußert, wenn er dazu angeregt wird, sind viel zu schwach, frostig und vorübergehend, um ihnen einen Einfluß auf Gesinnungen und Handlungen zugestehen zu können, besonders in Ermangelung der äußern Rücksichten und Antriebe, durch welche oft rohe und ungebildete Menschen, auch bei schlaffen, oder fehlenden, moralischen und religiösen Grundsätzen in den Schranken der bürgerlichen Ordnung bewahrt werden.

So fehlt es dem Leben dieses Menschen an innerer und äußerer Haltung, und kalter Mißmut, Verdruß über sich selbst, Scheu vor dem Blick in sein Inneres, Mangel an Kraft und Willen sich zu erheben, Bewußtsein der Schuld, ohne die Regung, sie durch Darstellung seiner Bewegungsgründe, oder durch irgend einen Vorwand zu vermindern und zu beschönigen, aber auch ohne sonderliche Reue, ohne Unruhe und Gewissensangst und gefühlloses Erwarten des Ausganges seines Schicksals, dies sind die Züge, welche den *gegenwärtigen* Gemütszustand desselben bezeichnen.

Hieraus erhellet:

1. daß die sub. I. angeführten Umstände, ob sie gleich zur gesetzmäßigen Vollständigkeit der mir übertragenen Untersuchung gehören, dennoch, in sofern sie auf keinem andern Zeugnisse, als auf den Aussagen des Inquisiten, beruhen, bei der *gegenwärtigen Begutachtung* seines Gemütszustandes nicht berücksichtigt werden können, und daß mithin, was insonderheit dessen Vorgeben, als habe er sich von Zeit zu Zeit in einem gedankenlosen Zustande befunden, anlangt, die weitere Bestätigung abzuwarten sei;

2. daß die sub. II. dargestellten Beobachtungen über die gegenwärtige körperliche und geistige Verfassung des Inquisiten kein Merkmal an die Hand geben, welches auf das Dasein eines kranken, die freie Selbstbestimmung und die Zurechnungsfähigkeit aufhebenden Seelenzustandes zu schließen berechtige.

Vorstehenden Bericht und Gutachten bestätige ich, als der Wahrheit und den Grundsätzen meiner Wissenschaft gemäß, durch meines Namens Unterschrift und Siegel.

Leipzig, den 16. September 1821

Uraufführung und weitere Aufführungen (Auswahl)

8. November 1913, Uraufführung Residenztheater München (Eugen Kilian; Kilians Bemerkungen zur Uraufführung sowie eine Rezension von Edgar Steiger druckt Meier, Woyzeck, S. 105–108)

1. Dezember 1913, Lessing-Theater Berlin (Victor Barnowsky).
26. März 1914, Schauspielhaus Frankfurt a. M.
5. Mai 1914, Kammerspiele Wien.
20. November 1918, Nationaltheater München.
16. September 1919, Neues Theater Frankfurt a. M.
24. September 1919, Landestheater Darmstadt.
13. Dezember 1920, Lessing-Theater Berlin (Victor Barnowsky).
6. April 1921, Deutsches Theater Berlin (Max Reinhardt).
23. September 1922, Nationaltheater Mannheim (Eugen Felber).
12. Mai 1923, Schauspielhaus Köln (Dr. Liebscher).
15. Dezember 1927, Schillertheater Berlin (Jürgen Fehling).
14. November 1947, Kammerspiele des Deutschen Theaters Berlin
1952, Kammerspiele München (Hans Schweikart).
1953, Theater am Kurfürstendamm Berlin (Oscar Fritz Schuh).
18. September 1955, Deutsches Theater Göttingen (Heinz Hilpert).
1959, Deutsches Schauspielhaus Hamburg (Ulrich Erfurth).
18. August 1963, Kammerspiele Leipzig.
16. Januar 1964, Hessisches Landestheater Darmstadt.
28. August 1976, Schauspiel Frankfurt (Peter Palitzsch).
15. November 1980, Schauspielhaus Bochum (Manfred Karge/Matthias Langhoff; vgl. dazu zu S. 197).
12. März 1983, Schauspiel Köln (Jürgen Gosch).
21. April 1984, Kammerspiele München (Benjamin Korn).
14. Dezember 1925, Uraufführung der Oper ›Wozzeck‹ von Alban Berg, Staatsoper Berlin.

(Vgl. Ingeborg Strudthoff, Die Rezeption Georg Büchners durch das deutsche Theater, Berlin-Dahlem 1957. – Wolfram Viehweg, Georg Büchners ›Dantons Tod‹ auf dem deutschen Theater, München 1964, S. 386f. – Günther Penzoldt, Georg Büchner, Friedrichs Dramatiker des Welttheaters, Velber bei Hannover 1968, S. 86–93. – Werner Schlick, Das Georg Büchner-Schrifttum bis 1965, Hildesheim 1968, S. 161–194. – Dietmar Goltschnigg ⟨Hg.⟩, Materialien zur Rezeptions- und Wirkungsgeschichte Georg Büchners, Kronberg 1974. – Marion

Poppenborg, Georg Büchner auf dem Theater 1981–1984/85. Verzeichnis der Aufführungen und Kritiken, in: Georg Büchner Jahrbuch 5 (1985), S. 372–399. – Th. M. Mayer: Georg Büchner-Literatur 1977–1980, in: Georg Büchner Jahrbuch 1 (1981), bes. S. 336–338.

Unter dem Titel ›Wozzeck‹ wurde der Stoff von Alban Berg vertont (Uraufführung am 14. 12. 1925 in der Berliner Staatsoper, Ltg. Erich Kleiber). Die Oper trug entscheidend zur Verbreitung des B.-Textes bei.

Auf die explizite Darstellung der *Wirkungsgeschichte* – sie wäre Gegenstand einer eigenen Monographie – wird in der vorliegenden Ausgabe aus Umfangsgründen verzichtet. Vgl. die Arbeiten von Dietmar Goltschnigg und Jan-Christoph Hauschild, Büchner, sowie den Abschnitt S. 270–329 im Georg Büchner Jahrbuch 3 und Thomas Michael Mayer, Georg Büchner-Literatur 1977–1980, in: Georg Büchner Jahrbuch 1, bes. S. 345 f.

Anmerkungen

Die Anmerkungen verzichten auf eine detaillierte Wiedergabe textkritischer Probleme; lediglich inhaltlich unmittelbar aussagekräftige Lesarten werden verzeichnet. In den Fällen, in denen B. einzelne Sätze/Szenen nicht ausgeführt hat, werden zum Teil auch variante Ergänzungsversuche durch die verschiedenen Editionen abgedruckt. Zur Textkritik sei generell verwiesen auf Walter Hinderer, Büchner-Kommentar sowie auf Schmid, Woyzeck und Poschmann, Woyzeck. Die Anmerkungen beschränken sich im wesentlichen auf Wort- und Sacherläuterungen, die zum unmittelbaren Textverständnis nötig bzw. nützlich sind, und auf Querverweise zwischen den einzelnen Entwurfsstufen (insbesondere von H 1, H 2, H 3 auf H 4) sowie auf weitere Verweisungen innerhalb des Gesamtwerks. Sie geben nur gelegentlich Hinweise auf dramaturgische Elemente des Stückes und auf Interpretationsansätze (dazu s. S. 599 ff. und 613).

197 *Woyzeck:* Der Titel des Fragments stammt von K. E. Franzos (vgl. S. 613 f.), dazu Thomas Michael Mayer, Zum Titel S. 211: »Ohne daß Büchner – und gerade mit diesem Stück! – auf Zeitkonventionen festgelegt wäre, sollte immerhin die Wahrscheinlichkeit geprüft werden, mit der ein Lapidartitel wie *Woyzeck* 1836/37 überhaupt denkbar war – oder ob er nicht vielmehr der Zeit um 1879 gemäß ist, als sich Franzos z.B. von Wilhelm Raabes Roman *Horacker* (1876) konnte inspirieren lassen. *Faust* und *Merlin* (Immermann, 1832) z.B. wären dagegen noch historisch und mythologisch bekanntere Namen, allerdings gibt es etwa (1830) Balzacs *Gobseck*.« Der Regiseur Manfred Karge hat in seiner Bochumer Inszenierung 1980/81, aus einem Deutungsansatz heraus, der die Rolle Maries wichtiger nahm, das Stück ›Marie. Woyzeck‹ betitelt (nach der Szenenüberschrift von H 4, 7). Mayer führt (S. 212), als Indiz für die Sinnfälligkeit dieser Überlegung, den Titel von

Leonce und Lena an. Wäre es nicht denkbar – unter Bezug auf den
Brief vom 2. September 1836, Nr. 61 –, daß B. im Herbst 1836
einen »Plan faßte, der beide vorbereiteten Stücke ⟨*Leonce und
Lena* und *Woyzeck*⟩ in eine ernsthaftere Bezogenheit setzte? Gewissermaßen als die im Schweizer Exil beschönigungslos mögliche
Sicht auf zwei gegensätzliche ›Liebes‹paare an den beiden äußersten Polen der deutschen Sozietät; etwa in der Form:

Leonce und Lena   Woyzeck (Franz) und Marie
Ein Lustspiel   Ein Trauerspiel

Da beide Stücke zusammen in der Tat wie keine anderen in der
Epoche das Ganze der staatlichen, ideologischen, sozialen und
emotionalen Verhältnisse von ganz unten bis ganz oben in der
zugleich revolutionierten Kunstform des Dramas erfaßten, warum
soll ihr poetologisch hochinformierter Autor dem nicht auch in
den Titeln seiner Werke Ausdruck geben, zu geben gedacht haben?« (ebd. S. 212f.; vgl. auch die Marburger Denkschrift,
S. 240f.)

Erste Entwurfsstufe (H 1)

199 *Buden. Volk:* Vgl. das zweite Clarus-Gutachten, in dem ebenfalls
von einer Kirmes die Rede ist (S. 650). Die Jahrmarktszene gilt als
beliebtes Motiv der Sturm- und Drang-Zeit (vgl. Landau, S. 79f.),
so z.B. in Goethes ›Jahrmarktsfest zu Plundersweilern‹. Welt als
Jahrmarkt, als Theater gilt als alter Topos, der insbesondere seit
dem Barock häufig verwendet wurde. Auf die Anregung B.s durch
die hessische Wirklichkeit verweist Landau, S. 79, gestützt auf einen Abschnitt in Carl Vogts ›Aus meinem Leben‹, Stuttgart 1896.
Zur Bedeutung dieser Szene als Exposition (›metaphorische Vor-
wegnahme‹) des offenen Dramas vgl. Meier, Woyzeck, S. 58–61
sowie diese Ausgabe, S. 613. S. ferner die ausführliche philosophiegeschichtliche Interpretation dieser Szene und von H 2, 3
bei Oesterle, Woyzeck, S. 208ff., bes. S. 211: »Dieser Prozeß der
Komik erlaubt philosophiegeschichtliche Rückschlüsse auf den
Fundus, aus dem – oder zunächst genauer *gegen* den – hier gesprochen wird. Die Stoßrichtung des Tier-Mensch-Vergleichs in den
beiden Marktszenen ist gerichtet gegen Descartes' Dualismus von
Tier und Mensch, Leib und Seele. Büchner notiert sich in seinen
Skripten über Descartes' Ansichten: ›Die Tiere sind nichts als seelenlose Maschinen, Automaten; der Hauptgrund warum sich ihnen eine Seele absprechen läßt, liegt in dem Mangel der Sprache.
Die Tiere würden Zeichen für ihre Gedanken finden und sie verbinden, wenn sie eine Seele hätten.‹ So wird verständlich, daß die
Beweisführung des Marktschreiers im Sprachproblem endet.« –
Kreatur, wie sie Gott gemacht ... jetzt die Kunst: Der Gegensatz
von Natur und Kunst ist ebenfalls in der ›Genieperiode‹ wichtig
geworden: für die Einschätzung sozialer Rollen. Satirischer Hin-

weis auf die Äußerlichkeit sozialer Unterschiede, die durch bestimmte Statussymbole (Rock, Hosen, Säbel) signalisiert werden. Vgl. auch B.s Vorbild Jakob Michael Reinhold Lenz ›Über Götz von Berlichingen‹. Martens, Menschenbild, S. 377f., erklärt die Szene: »Der brutalen Vertiertheit des Menschen entspricht in ironischer Verkehrung die gauklerische Vermenschlichung des Tiers durch Marktschreier und Dressurkünstler.« – *Kompliment ... brav ... Kuß:* Vgl. B.s Brief an die Familie, Nr. 18. Verhaltensweisen des ›höfischen Komplimentierstils‹ (Hinderer, S. 222). Statt »brav« wurde bisher »Baron« gelesen. – *astronomische Pferd:* vermutlich Anspielung auf das in Szene 2 verlangte Uhrzeit-Sagen; oder allgemein: mit besonderen Fähigkeiten begabtes Pferd. – *kleine Kanaillevögele:* Kanarienvögel; möglicherweise auch bezogen auf frz. Canaille (Schurke). Zum Ausländerdeutsch dieser Szene vgl. Jacobs, S. 141. – *favori:* lat./ital. Günstling. – *rapräsentation:* Repräsentation, Vorstellung. – *commencement von commencement:* Anfang von Anfang; frz. Wiederholung des vorausgehenden Satzes: »Man mackt Anfang von Anfang.« – *Magreth:* hier noch Magreth, in H 4 Marie. – *Was der Mensch Quasten hat u. die Frau hat Hosen:* Bergemann leitet aus dieser Replik die Regiebemerkung ab: »Marktschreier vor einer Bude mit seiner Frau in Hosen und einem kostümierten Affen« (S. 155). Unabhängig von dem konkreten Bezug dieser Äußerung Magreths wird hier das Thema der Szene, die Äußerlichkeit sozialer Rollen, zusammengefaßt (vgl. Hinderer, S. 223). – *viehische Vernünftigkeit:* Ironie auf den Vernunftbesitzstand des Bürgertums, der bürgerlichen Gesellschaft (vgl. Brief an die Familie, Nr. 15). – *menschlich Sozietät:* Gesellschaft, ironisiert durch die »viehische Vernünftigkeit«, verstärkt im folgenden durch den Angriff auf den Akademikerstand. – *gelehrte Sozietät:* gelehrte Gesellschaft, Akademie. B. gehörte selbst seit 1836 der ›Societété d'histoire naturelle de Strasbourg‹ an (Vgl. zu *Über Schädelnerven).* – *schlage lernen:* Ironie auf die schlagende Verbindung, korrespondierend der Anspielung: »Ist unter der gelehrte Société da ein Esel?« – *Viehsionomik;* Anspielung auf Physiognomik, menschliche Ausdruckslehre, nach J. K. Lavater ›Physiognomische Fragmente ...‹, 1775–78 (s. zu S. 146), und auf die ›Lehre vom Vieh‹. – *viehdummes Individuum ... Person:* Verkehrung der natürlichen und gesellschaftlichen Rollen: Tier als Person; dagegen wird der Mensch Woyzeck im Verlauf der Ausarbeitung des Dramas mehr und mehr zum Individuum, hier verstanden als besonderes Exemplar des Gattungswesens, degradiert. Vgl. Anton, 66f. – *bête:* frz. Tier. – *unverdorbe Natur:* vgl. auch *Über Schädelnerven* (S. 257ff.) sowie zu S. 225 (»Den Harn«). – *Mensch sei natürlich:* Anspielung auf den Rousseauschen Naturbegriff und seine kulturkritische Forderung nach der ›Rückkehr zur Natur‹. Vgl. dagegen Oesterle, Woyzeck, S. 212, nach dem diese philosophische Konzeption nicht von Rousseau, sondern von La Mettrie stammt. – *du bist geschaffe Staub, Sand, Dreck:* Vgl. Hiob 10, 9: »Bedenke doch, daß du mich aus der Erde gemacht hast, und läßt mich wieder zu Staub zurückkehren.« *expliziern:* ausdrücken. Zur Sprachohnmächtigkeit im *Woyzeck* vgl. Oesterle, Schauer, bes. S. 187: »Woyzecks Unverfügbarkeit über die Sprache hat auf der Figurenebene soziale Gründe. Die unbeherrschte Sprache ermächtigt die Triebnatur, sie wird zwanghaft fatal, wenn sie sich mit einer sozial verstörten Triebnatur verbündet. Die dramatische Zuspitzung des Stücks aber auf den Sprachfatalismus hat ästhetisch literarische Gründe. Sie geht aus Gesetzlichkeiten der Schauerliteratur und ihrer vollkommenen Aus- und Überschreitung hervor. Büchner verdankt der Schauerliteratur die Verdichtung zur Sprachproblematik, aber er gibt ihr ästhetisch eine Wende gegen die Schauerliteratur und Schicksalstragödie. Er überbietet sie in der Sprachunmittelbarkeit der Tat, und er unterbietet sie in der Sprachlosigkeit des Leids; er betont das Willentliche und entdeckt das Pathologische.«

200 *ein Uhr:* Die Uhr als Statussymbol spielt auch im Gespräch Woyzeck/Hauptmann in H 4, 5, S. 223, eine Rolle. – *guckt siehe Paar lederne Hose durch:* Vgl. zu H 4, 2, S. 220. – *Frau Wirtin hat n'e brave Magd:* Vgl. zu H 4, 10, S. 228. – *Louis:* hier noch Louis, in H 4 Woyzeck. – *ich hab kei Ruh!:* Vgl. zu H 4, 1, S. 220. – *wegen des Menschs:* hier im Sinne von Hure, Dirne. – *Ja wälzt Euch übernander... immer zu:* Vgl. zu H 4, 11, S. 228.

201 *Ich riech Blut:* nicht nur Hinweis auf den Mord, sondern auch auf die Märchenmotive, die der Märchenkontrafaktur der Großmutter zugrunde liegen (Lehmann, Repliken, S. 73). Vgl. auch H 1, 17, S. 206: »Ich riech, ich rieche Menschefleisch« (Grimms Märchen von den Sieben Raben). – *rotes Meer:* Metaphernreihe von »rote, rote Backe« über »ich riech Blut« und »rot vor den Augen« und »Meer von Blut« bis zum Stichwort. Vgl. Lehmann, Noten, S. 61. – *Was spricht da... aus dem Boden hervor:* Vgl. das zweite Clarus-Gutachten über die Geschichte Woyzecks, S. 645 f. – *Stich... die Woyzecke tot:* Vgl. ebd. S. 645 u. ö.; vgl. H 4, 12 und zu S. 229. – *großes breit Messer:* Vgl. wiederum das zweite Clarus-Gutachten, S. 637. Auch im Fall Schmolling gilt ein Messer als Tatwaffe; s. auch Glück, Armut, S. 168.

202 *Barbier:* Nach Martens, Der Barbier, S. 361 ff., wird in der Forschung der Barbier nicht mehr mit Woyzeck identifiziert, sondern als eigene Figur betrachtet. Vgl. zur Deutung Oesterle, Woyzeck, S. 204 f. – *Ach Tochter, liebe Tochter:* ein hessisches Lied, vermutlich Fuhrmannsverse, die eine Strophe des Volksliedes ›Es waren zwei Königskinder‹ variieren. Vgl. Bornscheuer, Erläuterungen, S. 39. – *Branntewei das ist mei Leben:* Vgl. H 4, 14, S. 230. – *ein ordentlicher Mensch... Hundsfott:* Persiflage auf die militärischen Tugenden. Vgl. Lenz, Der Hofmeister IV, 6. Vgl. auch H 2, 7 und H 4, 5 sowie zu S. 223.

203 *spinosa pericyclyda:* Die Deutungen dieses Ausdrucks divergieren in der Forschung von ›Anspielung auf Spinoza‹ bis zu ›Verballhornung eines medizinischen Terminus‹. Letzteres ist wahrscheinlich: spina nodosa pericyclica: der sich herumwindende Rückenmarksknoten. – *lebendges Skelett, die ganze Menschheit studiert an mir:* Vgl. H 2, 7 (S. 215) und H 4, 9 (S. 227). – *Wir müssen Freunde sein:* Kobel, S. 312, sieht hier eine Anspielung auf Lessings ›Nathan‹, II, 5: »Wir müssen, müssen Freunde sein!«. – *Natur ... amputation, exartikulation:* wiederum Polarisierung von natürlichem Verhalten und Wissenschaft, die das Leben amputiert. Die Lesung »exartikulation« (medizin. Fachterminus für operative Gelenkausschälung, besonders in der Militärmedizin) stammt von Jan-Christoph Hauschild, der darüber 1987 im Rahmen des 2. Internationalen Georg-Büchner-Symposiums berichtete. – *Der Mensch ist egoistisch ... sticht hinei, so, jetzt:* Vgl. Danton II, 5 (S. 100). Hier wird das Problem der Freiheit oder Determiniertheit menschlichen Handelns angesprochen, das Zentralproblem des B.schen Denkens. Vgl. auch den Brief an die Braut, Nr. 21. Bisherige Lesung: » ... sticht, hurt. *Er schluchzt*«. – *unsre Nase wäre zwei Bouteille:* Vgl. H 4, 11 und zu S. 229. – *Freunde! ein Freund!:* nach Hinderer, S. 231 Ironisierung des sentimentalen Freundschaftskultes. – *seht wie die Sonne ... potchambre ausgeschütt:* nach Hinderer, ebd. ähnliche Desillusionierung der Naturschwärmerei. Vgl. *Leonce und Lena* II, 2 (S. 177). – *potchambre:* frz. Nachttopf. – *Das Wirtshaus:* Zu dieser Szene vgl. Oesterle, Schauer, S. 184f.: »Büchner hat die ⟨...⟩ ›Wirtshaus‹-Szene nicht in dieser Fassung in die vorläufige Reinschrift übernommen. Er tilgt die ohnehin von ihm ins Vage, Lakonische aufgelösten Rudimente der Schicksalstragödie, die die Gefahr bergen, die vermiedene ästhetische Schicksalstragödie momenthaft wiederaufleben zu lassen. Mit dem Ausfall der ästhetischen Schicksalsidee ›übergesellschaftlicher Art‹ erübrigen sich auch dies fatalis und die Fatalität des Requisits, des Messers.« – *Wieviel Uhr ist's?:* hier wieder das Uhrmotiv, in einem existentiellen Sinne verwendet, korrespondierend dem Türmotiv und dem Sargmotiv (Hobelspäne): alles Hinweise auf das Sterben. – *Was liegt denn daübe:* Ähnlich im Horn-Gutachten zum Fall Schmolling.

204 *Du sollst nicht töten:* Vgl. 2. Mose 20, 13; Matth. 5, 21; Luk. 18, 20; Jak. 2, 11. Ähnlich auch im Horn-Gutachten zum Fall Schmolling. – *Drückt dich der Alp?:* Vgl. das zweite Clarus-Gutachten (z. B. S. 644 u. ö.). – *Immer zu:* Vgl. zu H 4, 12, S. 229. – *Du mußt Schnaps trinke:* Vgl. H 4, 13. – *Wie scheint d. Sonn:* Die Quelle dieses Liedes ist unbekannt. Bergemann (S. 678) vermutet ein Kinderlied. – *Warum? ... Aber warum darum?:* Vgl. den Kinderspruch aus ›Des Knaben Wunderhorn‹: »Wenn das Kind allzu wißbegierig ist ...« – *Ringle, ringel Rosenkranz:* Vgl. Bornscheuer, Erläuterungen, S. 26, und seinen Hinweis auf die bei H. M. Enzensberger, ›Allerleirauh‹, Frankfurt/Main 1968, enthal-

tenen Abzählverse mit der entsprechenden Eingangszeile. – *König Herodes:* nach Lehmann, Noten, S. 61 zum Motivkomplex rot, Blut, rotes Meer gehörig. Vgl. H 1, 5 und zu S. 200. – *Es war einmal ein arm Kind:* Märchenkontrafaktur, nach Hinderer, S. 234, ›Integrationspunkt‹ des Dramas: bezogen auf die Grimmschen Märchen ›Die Sterntaler‹ und ›Die sieben Raben‹. Vgl. auch Lehmann, Repliken, S. 80f. Das Märchen ›Die Sterntaler‹ beginnt: »Es war einmal ein kleines Mädchen, dem war Vater und Mutter gestorben, und es war so arm, daß es kein Kämmerchen mehr hatte darin zu wohnen und kein Bettchen mehr darin zu schlafen und endlich gar nichts mehr als die Kleider auf dem Leib und ein Stückchen Brot in der Hand, das ihm ein mitleidiges Herz geschenkt hatte.« In ›Die sieben Raben‹ macht sich das Mädchen auf, seine Brüder zu erlösen: »Nun ging es immer zu, weit, weit, bis an der Welt Ende. Da kam es zur Sonne, aber die war zu heiß und fürchterlich, und fraß kleine Kinder. Eilig lief es weg und lief hin zu dem Mond, aber der war gar zu kalt und auch grausig und bös, und als er das Kind merkte, sprach er ›ich rieche, rieche Menschenfleisch‹. Da machte es sich geschwind fort und kam zu den Sternen, die waren ihm freundlich und gut, und jeder saß auf seinem besonderen Stühlchen. Der Morgenstern aber stand auf, gab ihm ein Hinkelbeinchen und sprach ›wenn du das Beinchen nicht hast, kannst du den Glasberg nicht aufschließen, und in dem Glasberg da sind deine Brüder‹.« In dem Grimmschen Märchen ›Das singende springende Löweneckerchen‹ (Hinweis von Klotz, S. 207) zieht eine Königstochter in die Welt, um ihren Geliebten zu erlösen. Sie steigt zur Sonne hinauf, befragt den Mond, den Nachtwind und die drei anderen Winde: den Ost-, West- und Südwind, bis sie von letzterem erfährt, daß die weiße Taube (ihr verwandelter Geliebter) zum Roten Meer geflogen und dort ein Löwe geworden sei. Aber die Erlösung verzögert sich, und es heißt: »Da stand die arme Weitgewanderte und war wieder verlassen und setzte sich nieder und weinte.« Nach Hinderer, S. 234f., ist von dieser Märchenquelle her auch das Wortmotiv »rotes Meer« in H 1, 5 ergänzend zu erklären. »Szene 5 bereitet Szene 14 vor: das Märchen oder Antimärchen (vgl. dazu Benno von Wiese, S. 332; Benn, S. 232f.; Bergemann nennt es ein ›parodistisches Märchen‹; Höllerer, S. 142, ein ›modernes Predigtmärlein‹; Klotz, S. 207, ein ›Unmärchen‹; Lehmann eine ›Kontrafaktur‹) setzt eindeutig einen ›tiefsinnigen Vorgangskommentar‹ (Lehmann, Repliken, S. 80) zu Woyzecks Situation und Handeln ins Bild, wobei spezifische Wortmotive (wie die Metaphern vom ›roten Meer‹, ›König Herodes‹, ›Blut‹) die verschiedenen Teile miteinander verbinden.« – In der Kontrafaktur B.s gibt es keine Erlösung. »Zentrale Wortmotive wie ›Alles tot‹ erhalten vom Märchen her wieder Hinweischarakter auf H 4, 1, H 2, 1 und H 4, 16: ›Still, alles still, als wäre die Welt tot‹; ›Still, ganz still, wie der Tod‹, ›Alles tot‹.« Viëtor, Büch-

ner, S. 208: »Kein Ausweg, kein Licht am Ende, keine Erlösung,
nur hoffnungslose Einsamkeit.« Parabolisch verdichtet sich hier
das Kernthema der Dichtung B.s: menschliches Leiden und Einsamkeit. Zahlreiche Wortmotive stellen die Beziehung zu Woyzecks Situation her. Die Umkehrung der Märchenintention liegt in
der Unmöglichkeit der Erlösung, in der Stagnation, Enttäuschung
und Desillusionierung. Jancke, Georg Büchner, S. 274, spricht von
»universeller Entwertung«; vgl. auch Meier, Woyzeck, S. 62, und
Proß, Kategorie Natur sowie Grimm, Cœur, S. 319. Oesterle,
Schauer verweist auf Ludwig Tieck als B.s mögliche Quelle: »⟨...⟩
ein Schauermärchen, das ein Indianerkönig Sohn und Frau im
Gefängnis erzählt. Das Drama hat den Titel: *Alla-Moddin*, wurde
verfaßt von Ludwig Tieck 1790–91, wurde wiederveröffentlicht –
und war damit Georg Büchner leicht zugänglich – im 11. Band der
Schriften (Berlin 1829), S. 324f.:
›LINI. Ein Märchen, Vater? – O erzähle, ich will es nachher meinem Vogel wieder erzählen, damit ich etwas zu tun habe.
ALLA-MODDIN. Fern von seinem Vaterlande war Runal in einem
schwarzen Walde verirrt, die Winde bliesen mit heiserer Stimme
durch die klappernden Zweige, Kälte übergoß mit Zittern seinen
Körper. Räuber (es waren Europäer) nahmen ihm seine Kleider,
der Regen trieb ihm schneidend entgegen, er zitterte vor Frost. –
Der Wald öffnet sich – er tritt heraus. – Der Himmel mit dicht
über einander gewälzten Wolken verhüllt, kein Stern, kein Mon-
denstrahl, vor ihm eine große unendliche Wüste. – Kein Mensch in
der Nähe? seufzt Runal, und blickt umher; kein Licht? kein
Mensch? – Sein Blick kehrt unbefriedigt, tränenvoll zurück. Noch
einmal blickt er rückwärts nach dem Wald, die Vergangenheit
düster hinter ihm, die Zukunft öde vor ihm. – Ha! dort zwischen
schwarzen herabhängenden Wolken, an der fernen Gränze des
Horizonts, ein blaues, flimmerndes Licht, dicht an den Boden
gedrängt. – Neu gestärkt geht er nach diesem Lichte zu, es erhebt
sich, und war – ein *Stern!* – Schaudernd wirft sich Runal nieder,
und weint, itzt noch trostloser als zuvor.
AMELNI *(seufzend)*. Ich verstehe Dich.
LINI. Und weinte denn der Stern nicht mit ihm?
AMELNI *(greift nach der Laute)*. Soll ich singen?‹
Büchners Märcheneinlage im Drama, seine Kontrafaktur von
Volksmärchen ist vorgebildet in einem Tieckschen Kunstmärchen
im Schauerton. Das sogenannte ›Antimärchen‹ ist doppelte Kontrafaktur: eine des Volksmärchens und – mithilfe dessen – auch
eine Kontrafaktur des romantischen Kunstmärchens, dessen Literarität zurückgenommen wird. Es endet mit dem Kennwort des
Genres: Schauder. Die Frage nach der Gefühls- und Mitleidsfähig-
keit der Schöpfung schließt an. Büchner wird entschieden die negative Antwort in die Märchenerzählung einbeziehen« (S. 196).
Vgl. auch Wittkowski, Woyzeck, S. 158: »Das Märchen bezieht

sich weniger auf Woyzeck als auf sein Kind, das Christianchen,
das er selber dazu bringt, daß es sich ostentativ und für Büchner
allzudeutlich, jedenfalls wieder deiktisch an Stelle Christi abwen-
det von dem Mörder, der sein Kind zur Waise macht«; s. auch zur
Deutung des Märchens als Ausdruck einer Religion der Desorientierung S. 599 ff. sowie zu S. 209 *(Freimaurer)* und Glück, Ideologie, S. 77f.: »Eine Szenerie wie nach dem Weltuntergang, eine
atheistische Kosmologie. In diesem Symbol ist zusammengerafft,
was, vor allem in Hinsicht auf ›Religion‹, in der Handlung ausein-
andergelegt und entwickelt ist. Ein Kind flieht aus der menschen-
leeren Welt und irrt durch einen leergefegten, gottverlassenen
Himmel. Kein ›lieber Vater‹ ist dort oben anzutreffen, nur Tod
und Verwesung. Von der absoluten Verlassenheit dieses Kindes
kann gesagt werden, was Payne in *Dantons Tod* (III/1) vom
Schmerz sagt: ›Das ist der Fels des Atheismus‹. Dieses ›Märchen‹
überbietet jedoch nicht nur den allzu beredten Atheismus in *Dantons Tod,* es überbietet auch noch Woyzecks Wort von den Armen, die ›Drüben‹ donnern müßten (H 4, 5). In der deutschen
Dichtung des 18. und frühen 19. Jahrhunderts wird man wenig
finden, was sich damit vergleichen ließe, vielleicht Jean Pauls *Rede
des toten Christus vom Weltgebäude herab, daß kein Gott sei*
(1796)« (ebd., S. 78). Zur ästhetischen und funktionalen Bewertung des Märchens vgl. auch Thorn-Prikker, S. 129–131. Zum
›Antimärchen‹ s. auch Poschmann, Büchner, S. 265.

205 *gerrt:* für ›gegerrt‹, Partizip Perfekt von ›gerren‹ (oberhess., nas-
sauisch und in der Wetterau für ›laut weinen‹ – vgl. Grimm); neue
Lesung von Henri Poschmann, erstveröffentlicht in Poschmann,
Woyzeck, ²1987. – *Neuntöter:* Dorndreher oder Rotrücken-Wür-
ger; ein Vogel, der seine Beute, die er nicht sofort verzehrt, zum
Vorrat auf Dornen spießt. – *Hafen:* Topf, Nachtgeschirr; s. auch
H 1, 10, zu S. 203. – *Magreth und Louis:* diese Szene ähnlich im
Horn-Gutachten zum Fall Schmolling. – *Was der Mond rot auf
geht … Wie ein blutig Eisen:* Vgl. Offenb. 6, 12 und Apostelgesch.
2, 20 – *Was hast du vor?:* Vgl. das zweite Clarus-Gutachten,
S. 646. – *Nimm das und das !:* Bei den Mordfällen Woyzeck und
Dieß sind jeweils mehrere Messerstiche bezeugt. Eibl, Erkenntnisgrenzen, S. 428, deutet den Mord an Marie als »eine Art Selbstmord« Woyzecks, als »die sinnliche Ratifizierung des Identitäts-
verlustes«. – *es kommen Leute:* Vgl. dazu das Horn-Gutachten;
ebenso im Fall Dieß den Bericht des Advokaten Bopp und im Fall
Woyzeck das zweite Clarus-Gutachten, S. 646.

206 *Es ist das Wasser, es ruft:* Vgl. das zweite Clarus-Gutachten,
S. 645. – *duftig:* dunstig, mit Duft erfüllt (Grimm). – *Tanzt alle,
immer zu:* Vgl. H 1, 5. – *Ins Schwabenland:* aus dem Volkslied
»Auf dieser Welt«. – *O pfui mein Schatz:* Variante der vierten
Strophe des Volksliedes ›Auf dieser Welt‹. – *Rot! Blut:* Vgl.
H 1, 5.

207 *da hat de Ries gesagt:* Vgl. H 1, 14 und vorhergehende Szene. –
Menschefleisch: Oesterle, Schauer, S. 178 sieht darin einen Anklang an die Schicksalstragödie, wo man Leichen zu ›wittern‹
pflegt. – *Guckt Euch selbst an:* Nach Wetzel, Entwicklung Woyzecks, S. 378, impliziert diese Aufforderung eine Mitschuld der
Umwelt an Woyzecks Verbrechen: »Louis' Frage nach der Schuld
und nach den Mördern, mit der er den Vorwurf abwehrt, setzt
einen Prozeß der Bewußtwerdung in Gang, in dessen Verlauf, in
den folgenden Entwürfen, aus dem unreflektiert reagierenden Täter zunächst ein unsicherer, dann resignierter Erkennender wird.«
– *Das Messer:* Vgl. das Horn-Gutachten im Fall Schmolling. – *rote
Schnur:* das Mal der Verurteilten. – *mit dei Sünde:* vgl. S. 599ff.
sowie Glück, Ideologie, bes. S. 71f. – *Leute:* Vgl. das Horn-Gutachten im Fall Schmolling. – *So da hinunter:* Im zweiten Clarus-
Gutachten wird von Woyzecks Absicht berichtet, das Messer in
den Teich zu werfen, S. 646 – *Der Mond ist wie ein blutig Eisen:*
Vgl. H 1, 15 und zu S. 205.

208 *Ein guter Mord . . . ein schöner Mord:* Ästhetisierung des Mordes
als Zeichen der Indifferenz der Gesellschaft (vgl. Hinderer,
S. 242). Zur letzten Szene von H 1 vgl. auch Wittkowski, Woyzeck, S. 164: »Die vier Personen, die am Schluß der ersten Fassung
die Vollkommenheit der Mordtat an Marie bewundern, haben
nicht begriffen, was sie sehen. Gleiches gilt vom Hauptmann und
Doktor, von Andres. Woyzeck und Marie begreifen besser, besonders wiederum die Frau. Der Mann dagegen vernimmt am Ende nichts mehr von der religiösen Botschaft, deren Signale er selbst
ausspricht. Grundsätzlich vermag niemand Konsequenzen zu ziehen aus den anthropologischen Weisheiten, die der Marktschreier
(in H 1, 1; S. 199) verkündet und selber nicht versteht. Das Spiel
im Spiel im Stil des Welttheaters, die Zitate und die Raumvorstel-
lungen Woyzecks schaffen die Stufenstruktur der Wert- und
Seinsbereiche; eine Skala, die sich mit zunehmender Ferne dem
Verständnis auf und vor der Bühne entzieht – vermutlich aber
gerade damit den Zuschauer miteinbeziehen und einer Prüfung,
einem Lernprozeß unterziehen soll.«

Zweite Entwurfsstufe (H 2)

209 *Freies Feld:* Anhand dieser Szene beschreiben Kittsteiner/Lethen
(bes. S. 248f.) die ›Entbürgerlichung‹ der ›Kunstfigur‹ Woyzeck
gegenüber der historischen Gestalt; s. auch Oesterle, Schauer,
S. 189f.: »Die Eingangsszene ›Freies Feld. Die Stadt in der Ferne‹
ist vergleichbar mit dem typisierten Anfang jeder Schauerliteratur,
sei es der ›gothic novel‹, des Bundesromans oder der Schicksalstragödie: ›Handlungsabschnitte setzen mit schauererregenden Situationen ein, die plötzlich ohne Vorbereitung auftreten . . .‹.« Vgl.

auch Meier, Woyzeck, S. 34 f. – *schneiden Stöcke:* möglicherweise
für die Herstellung von geflochtenen Körben; vgl. Glück, Militär,
S. 234, der sich auf E. Kobel, S. 281 bezieht: »Näherliegend als den
Korbhandel finde ich einen direkten militärischen Zweck. Gegen
die Stöcke hege ich einen schwarzen Verdacht: Stockprügel!« –
geistreich: bisherige Lesung: »schlecht«. – *Da ist die schöne Jäge-*
rei: Variante eines hessischen Volksliedes; vgl. Erk/Böhme, Bd. 3,
Nr. 1461. Text dort: »Drüben im Odenwald, da wächst ein schönes Holz, / Da ist die Jägerei, / Da ist das Schießen frei, / Da
möcht ich Jäger sein, / Das wäre meine Freud! // Zwischen Bergen
durch da saßen zwei Füchs, / Kam auch ein Has daher, / Fragt ob
ich ein Jäger wär? / Ja, Jäger bin ich g'wiß, / Aber schießen kann
ich nix.« – *leichten Streif:* Vgl. das zweite Clarus-Gutachten,
S. 643. – *da rollt Abends der Kopf ... 3 Tage und 2 Nächte ⟨unles-*
bar⟩, Zeichen: Vgl. das zweite Clarus-Gutachten, S. 642. – *Frei-*
maurer: Vgl. das zweite Clarus-Gutachten, S. 642. Mitglieder der
weltbürgerlichen und supranationalen Bewegung mit dem Ziel,
auf der Grundlage einer natürlichen Ethik das Ideal ›edlen
Menschentums‹ zu verwirklichen. Der Name leitet sich von den
geheimgehaltenen symbolischen Riten ab, die auf Bräuche mittel-
alterlicher Bauhütten zurückgehen. 1717 wurde in London die
erste Groß-Loge gegründet; die erste Loge in Deutschland entstand 1737 in Hamburg. Kittsteiner/Lethen deuten die Freimau-
rer-Szene im Zusammenhang ihrer These der Entbürgerlichung
der Woyzeck-Figur bei B.: »Woyzeck verfügt über keinerlei
Macht, darum träumt er davon, eingeweiht zu werden. Hinter
oder unter der erscheinenden Welt sucht er eine zweite, an der er
teilhaben kann. Büchner hat diesen Zug idealtypisch gesteigert.
Die Freimaurer aus dem Clarus-Gutachten sind jetzt Anstifter
eines geheimen Weltzusammenhangs. In volkstümlich-trivialer
Fassung bilden sie den Zusammenhang einer nicht einsehbaren
Weltordnung« (S. 251). Vgl. auch die Szenen H 4, 1 und H 4, 8.
Vgl. ebenso Oesterle, Schauer, S. 193 sowie bes. S. 197. Eine so-
zialpsychologische Deutung entwirft Glück, Ideologie, S. 77, die
beherrschende Religion sei die Desorientierung der Beherrschten:
»Der Gott des Strafgerichts als *psychotische Projektion,* mit den
›Freimaurern‹ Zentrum eines Verfolgungswahns – das ist eine
Texttatsache ersten Ranges! Sie zeigt an, wie die Rolle der herr-
schenden Religion im *Woyzeck* zu bestimmen ist (Erlösung, wie E.
Krause und andere meinen, oder Desorientierung, wie ich behaupte). Diese Grundtatsache, sobald sie wahrgenommen und ihre
Konsequenz durchdacht ist, erschüttert alle Deutungen, die einen
christlichen Sinn des *Woyzeck* (der letzten ›Fassung‹ H 4) in Aus-
sicht stellen« (vgl. auch S. 599 ff.). Einen besonders deutlichen
Hinweis auf diese Art der Religion gebe B. im ›Märchen‹ der
Großmutter (S. 204 f.). Vgl. Glück, Pauper, S. 328 zu Ideologie
und Indoktrination, insbesondere durch die Rolle der herrschen-

den Religion: »Das Gottesbild, das Woyzeck (von Kindheit an
eingetrichtert ist, ist der ›Herr‹, der ›Richter‹. Wie ein solcher Got
im Interesse der Herrschaft ist, bedarf keiner weiteren Ausfüh
rung. Die herrschende Religion ist im *Woyzeck* eine Hauptquell
der Desorientierung, was am schärfsten hervorgehoben ist durc
eine Tatsache ersten Ranges: diese Religion ist der Hauptinhalt de
Wahnbildungen Woyzecks (›Weltgericht‹), verknüpft mit der pa
ranoiden Furcht vor ›Freimaurern‹ (H 4, 1). Diese ›Freimaurer‹
sind ihrerseits ein Ausfluß konterrevolutionärer Propaganda (Ver
schwörer, Demagogen = Demokraten). Diese Propaganda war in
System Metternich darauf berechnet, den Niedergehaltenen wahn
hafte Furcht einzuimpfen gegen eine der wenigen Geheimorgani
sationen, die sich für ihr Schicksal interessierten. Woyzeck bau
diese ›Freimaurer‹ in sein Wahnsystem ein, was man einen durch
schlagenden Erfolg der Indoktrination nennen könnte.« – *es geht
neben uns:* vgl. das zweite Clarus-Gutachten, S. 644 f. Das Erschreckende, Abgründige ist in H 4, 1 erheblich verstärkt. – *Hörs.
du das fürchterliche Getös... Sieh nicht hinter dich:* Vgl. Offenb
1, 10; 1, 12; 8, 5; 16, 18 f.; 17, 3; 2. Petr. 3, 10; 2, 6 f.; 1. Mose 19
26. Vgl. zu H 4, 1, S. 220. Nach Hinderer, S. 194, Anspielung au
Sodom und Gomorrha.

210 *Die Stadt:* Zur sozialgeschichtlichen Deutung und dramatischer
Form der Szene vgl. Meier, Woyzeck, S. 58–61 sowie diese Ausgabe S. 613. – *Tambourmajor:* Führer einer Militärmusik im Unter-
offiziersrang. Vgl. H 4, 6 und auch das zweite Clarus-Gutachten
S. 636. – *Sa! ra!:* bisherige Lesung: »Se kommen«. – *Soldaten, das
sind...:* Vgl. zu S. 221. – *honette Person:* anständige, ehrliche
Person; im 18./19. Jh. gebräuchlicher Ausdruck, nach der Tugend-
ideologie der deutschen Aufklärung. – *Sie guckt siebe Paar lederne
Hose durch:* Vgl. H 1, 1 und zu H 4, 2, zu S. 221. – *Hansel spann
deine sechs Schimmel an:* Vgl. zu H 4, 2, zu S. 221. – *Mädel, was
fangst du jetzt an:* Schlußstrophe des Volksliedes ›Sitzt e schöns
Vogerl‹. – *Verles:* Appell, Zapfenstreich. – *Es war ein fürchterlich
Getös am Himmel und Alles in Glut:* Vgl. zu H 2, 1 zu S. 209 und
das zweite Clarus-Gutachten, S. 643.

211 *Meß:* hier Kirchweih, Kirmes, Jahrmarkt. *Ach wir armen Leute.*
H 2 als allmähliche Verstärkung der sozialen Thematik. Vgl. H 4,
4 und S. 610 ff. – *und macht die Wiege knickknack:* Variante des
bei Karl Wehrhan, ›Frankfurter Kinderleben in Sitte und Brauch.
Kinderlied und Kinderspiel‹, Wiesbaden 1929, Nr. 265, S. 20, abgedruckten Kinderliedes: ›Wenn die Kinder schlafengehn / schläft
mein kleiner Dicksack‹. – *Öffentlicher Platz:* Zur sozialgeschichtlichen dramaturgischen Deutung der Szene vgl. Meier, Woyzeck,
S. 58–61. – *Auf der Welt ist kein Bestand:* nach Bergemann, S. 630,
ein »alter Leierkastensang«; nach Lehmann, Repliken, S. 72, thematische Korrespondenz des »Vanitas- und memento-mori-Mo-
tivs« mit den »blasphemischen Rodomontaden des predigenden

Handwerksburschen«. Vgl. zu H 4, 11, S. 228. – ⟨hier sind⟩ zu sehn: in der Handschrift »hier sind« wohl irrtümlich gestrichen. – astronomische Pferd und kleine Kanaillevogel: Zu diesen u. a. Stellen vgl. zu H 1, 1, S. 199. – Potentate: Machthaber, regierende Fürsten. – Alles Erziehung: Vgl. die Hinweise auf den Gegensatz von Natur und Kunst/Gesellschaft zu H 1, 1 und 2, zu S. 199; dazu Jancke, S. 281. – Fortschritte der Zivilisation: satirische Anspielung auf den aufklärerischen Fortschrittsglauben. – Der Aff ist schon ei Soldat ... unterst Stuf von menschliche Geschlecht: Hinderer, S. 245, verweist auf E. T. A. Hoffmanns ›Fantasiestücke in Callots Manier‹, Erzählung ›Nachricht von einem gebildeten jungen Mann‹. Gleichzeitig Satire auf den Soldatenstand. Vgl. auch zu H 1, 1, S. 199.

212 NARR ... Sind sie auch ...: Lehmann las hier, mit anderen: »HERR. Grotesk! Sehr grotesk! STUDENT. Sind Sie auch ...« Daran knüpfte sich z. B. der sicher weiterhin berechtigte (da das Wort »grotesk« zum Schluß der Szene eindeutig lesbar ist) Hinweis auf Wolfgang Kayser, ›Das Groteske in Malerei und Dichtung‹, Hamburg 1960, S. 74 über Woyzeck: stilistische Darstellung der »schlechthinnigen Verfremdung der Welt«. Vgl. auch Brief Nr. 20. Das Groteske ist Grundstilfigur bei B. Vgl. auch Ullman, Sozialkritische Thematik, S. 55 ff. – Am Anschluß an diese Passage hat B. folgenden Text nach der Niederschrift gestrichen: »FRANZ. Das will ich dir sagen, ich hatt ein Hundele und das schnuffelte an eim großen Hut und konnt nicht darauf und da hab ichs ihm aus Gutmütigkeit erleichtert und hab ihn daraufgesetzt. Und da stande die Bube herum und die Maderl.« Grimm, Cœur, S. 322 schlägt statt »Hut« die Konjektur »Hund« vor. Vgl. dazu Wetzel, Textstelle, und die Erwiderung bei Grimm, Woyzecks Hundele, sowie Schmid, Zur Faksimileausgabe, S. 290. – Es stockt mir, es reißt mir: bisherige Lesart: »Es stinkt mir, es riecht mir.« In der Handschrift ist »reist« zu erkennen. – wann ⟨unlesbar⟩ Kreuz ...: Krause, S. 47, liest wie Bornscheuer: »wann er im Kreuz über sei Nas guckt«. Lehmann liest: »Wann ihm's Kreuz ...« – Es is kei Ordnung: Zur Rede des Handwerksburschen vgl. Meier, Woyzeck, S. 61 f. – Wo is mei Schatten hingekomm: vermutlich Anspielung auf Adelbert von Chamissos ›Schlemihls wundersame Geschichte‹. – Fraßen ab das grüne, grüne Gras: Vgl. zu H 4, 1, zu S. 220. – Sternschnuppe ... Kindern: Lehmann liest die Passage: »Sternschnuppe, ich muß den Stern' die Nas schneuzen. Das ist mir ein Geselle, die Hantierung, ist dir recht, Schaum, ei Torheit, Tierisches Vergnügen meines seligen Mannes ⟨unlesbar⟩ und empfiehlt sich mit mehr ungezeugten Kindern.« – Warum hat Gott die Mensche gschaffe?: Theodizee-Gedanke (Rechtfertigung Gottes). Vgl. zu H 4, 11, zu S. 228. – daß er die Menschen ...: bisherige Lesung des Satzes: »daß auch die viehische Schöpfung das menschliche Ansehen hätte ⟨ ... ⟩«. ⟨Pflanze ... erschaffe⟩: in der Handschrift

wohl irrtümlich gestrichen. – *über das Kreuz piß, damit ei Jud stirbt:* Vgl. zu S. 229.

213 *Brandwei das ist mei Leben:* Vgl. H 4, 11 und 14. – *Kürassierregimenter:* gab es in den größeren deutschen und europäischen Armeen von etwa 1700 an bis zum 1. Weltkrieg. *Küraß:* Lederkoller, später Brustharnisch der schweren Reiter, aus Eisen oder Stahl; ab Anfang des 20. Jahrhunderts nur noch zu Paradezwecken getragen. – *Woyzeck. Doktor:* Zu dieser wie der folgenden Szene vgl. auch zu S. 202, zu S. 218 sowie zu B.s naturwissenschaftlichen Schriften S. 481 und Oesterle, Woyzeck, S. 206: »Woyzecks Naturvorstellung im Diskurs mit dem Doktor setzt sich aus Aberglauben (Hexenringe), zeitgenössischer Naturphilosophie und literarischer Reminiszenz zusammen. Sie ist authentisch, philosophisch und literarisch, schauderhaft und komisch zugleich. Sie ist im spinozistischen Sinn Ergebnis ›der Affektionen der Körper‹, d. h. ›abhängig von der spezifischen Struktur dieses Körpers, seiner Aufnahmefähigkeit, dabei so, daß in die Welt der äußeren Körper die eigene Beschränktheit projiziert wird (II, Prop. 16, Corol. 2)‹. Entsprechend der psychischen und physiologischen Verstümmelung dieses Körpers wird diese Projektion tödlich«; s. ferner zur ›voie physiologique‹ S. 261ff. und S. 375; vgl. auch Glück, Militär, S. 228: »Der Hauptmann und der Doktor, beide Staatsdiener, treten Woyzeck als Repräsentanten des Systems entgegen. Sie verkörpern die Institutionen ›Militär‹ und ›Wissenschaft‹, wie dann der Richter und der Gerichtsdiener sowie der vom Gericht bestellte Arzt und sein Gehilfe die Institution ›Justiz und Strafverfolgung‹. Vor allem durch ihre Position im Herrschaftsapparat sind der Hauptmann und der Doktor für Woyzeck unangreifbare Autoritäten. Hinter diesen Figuren steht die Staatsmacht. Von ihrer machtgeschützten Position aus drangsalieren sie das Arbeits- und Versuchstier Woyzeck und lassen nicht *ein* Wort verlauten, das nicht diese Macht zur Voraussetzung hätte.« Zur Figur des Doktors s. Glück, Wissenschaft, S. 165ff., insbes. S. 169ff. zur medizinischen Anwendung der mechanistischen Methode. Am Manuskriptrand der Szene H 2, 7 findet sich eine Zeichnung Büchners, die Glück, Wissenschaft, S. 175 beschreibt: »Büchner zeichnet den Doktor als einen noch jungen Mann (kaum viel älter als dreißig), drahtig, agil, leicht nach vorne geneigt, in Bewegung (zur körperlichen Erscheinung des Doktors siehe vor allem den Schluß der Szene H 2, 7; daß der ›Kurze‹ ›zuckelt‹, könnte man aller-

dings der Zeichnung nicht leicht entnehmen). Das Gesicht wirkt
ausgesprochen unintelligent, borniert – die Partie Nase/Mund ist
eindeutig karikaturistisch –, die Miene eingebildet, wichtigtue-
risch; wie in der Haltung des ›pressiert‹ (H 2, 7) Ausschreitenden
scheint sich leere Geschäftigkeit darin auszudrücken. Was ich aus
dem Text zu den intellektuellen Defekten des Doktors herausgear-
beitet habe, läßt sich mit dieser Zeichnung vereinbaren, scheint
mir. Dagegen liefert sie wohl nichts zugunsten der These von
einem ernstzunehmenden Grundlagenforscher. Natürlich bleibt
ungewiß, wie genau und sicher Büchners Hand das Vorstellungs-
bild nachzuzeichnen vermochte, das ihm vorschwebte, d.h. welcher Grad von Kongruenz erreicht ist. Wenn die Zeichnung auch
bloß eine Randerscheinung ist, ein simples und noch dazu schwan-
kendes Schattenbild, das nicht entfernt an die Autorität des geschriebenen Worts heranreicht, so ist sie uns doch als ein flüchti-
ger Wink des Dichters sehr willkommen.« Zur soziologischen
Einschätzung des Doktors vgl. zu S. 223 und Meier, Ästhetik,
S. 74 f. Zur sozialgeschichtlichen Einschätzung der Szene vgl.
Meier, Woyzeck, S. 47–51 sowie diese Ausgabe, S. 613. – *Die Welt
wird schlecht:* Ausdruck des nachidealistischen Epigonenbewußt-
seins, das B. hier in die Form pseudo-moralischer Entrüstung kleidet: Entrüstung gegenüber der Nichtbeherrschung anal-urethraler
Funktionen. – *wenn man nit anders kann?:* Ausdruck des zwanghaften Verhaltens, gleichzeitig Ausdruck des Rückzugs auf das
Kreatürliche gegenüber einer ›entmenschten‹ Wissenschaftsauffas-
sung. – *Aberglaube:* Bezeichnung der gegenläufigen Haltung zu
der in der Figur des Doktors ironisierten Rationalismus-Doktrin.
– *musculus constrictor vesicae:* Blasenschließmuskel. – *der Mensch
ist frei . . . verklärt sich die Individualität zur Freiheit:* s. zu S. 226.
– *Es ist Betrug:* Vgl. dazu Jancke, S. 278 ff.: Widerspruch von Natur und Freiheit in der Beziehung zum Doktor. – *cruciferae:* Kruziferen, Kreuzblütler. – *secret:* Toilette. – *Revolution in der Wissenschaft:* Vgl. Benn, S. 241 ff. zum Thema ›Enthumanisierung
durch Wissenschaft‹ und Wissenschaftsproblematik bei Büchner.
Vgl. auch S. 695 ff. zu *Über Schädelnerven.* – *salzsaures Ammonium:* Ammonium: frei nicht auftretende Atomgruppe NH_4, die
in Verbindungen (Ammoniumsalzen) die Stelle eines einwertigen
Metalls vertritt. Vgl. zu S. 226. – *zwischen Valnessia u. ⟨unlesbar⟩:*
Lehmann liest hier: »Myan« Vanessa: Wissenschaftlicher Gat-
tungsname einiger Schmetterlingsarten, z.B. Admiral, Distelfalter;
Myan möglicherweise Mya: Klaffmuschel.

214 *Süßwasserpolypen . . . Hydra, Vestillen, Cristatellen?:* Hydra ist eine Gattung der Süßwasserpolypen. Vestillen vermutlich Vixillen:
Schneckenart; Cristatellen gehören zur Klasse der Weichtiere. –
Infusionstier: mikroskopisch kleines Tier, Geißel- oder Wimper-
tierchen. Nach Winkler, S. 231, scheint Wilbrand, das reale Vorbild für den Doktor im *Woyzeck* (s. zu S. 218), eine besondere

Vorliebe für Polypen gehabt zu haben. – *Proteus:* Vgl. zu S. 226. –
wenn die Natur aus ist: apokalyptische Vision, verbunden mit der
folgenden Bemerkung. Zum Naturbegriff bei B. vgl. v. a. Proß,
Kategorie Natur; auch Völker, Woyzeck und Oesterle, Woyzeck,
S. 238: »Ludwig Völker hat zu Recht auf die Bedeutung der ›Natur‹ in Büchners Drama *Woyzeck* verwiesen. Sie läßt sich jetzt im
Widerspiel von modernem Naturbegriff und sinnlicher, mythosnaher Natur ausmachen. Die mythische Natur hat der Doktor mit
Wissenschaft, die sinnliche Natur der Hauptmann mit Moral verdrängt. Doktor und Hauptmann verkörpern auf je verschiedene
Weise Herrschaft über die Natur. Woyzeck mißlingt der Versuch
einer Alternative. Die Sicherheit der eigenen sinnlichen Natur läßt
ihn hoffen und versuchen, die Herrschaft des Mythos gewaltlos
aufzuklären (›ich hab's aus‹, S. 210). Die physiologisch und gesellschaftlich bedingte Verstümmelung seiner sinnlichen Natur aber
läßt die unkontrollierte Triebnatur über ihn Herr werden.« –
wenn etwas ist und doch nicht ist: das philosophische Grundproblem von Sein und Nicht-Sein. – *Esse:* offene Feuerstelle mit
Rauchabzug. – *Ringe von den Schwämm . . . Kreise:* Die am Boden
wachsenden Schwämme werden Woyzeck zu Hieroglyphen. Zur
Deutung dieser Passage vgl. Krimmel, S. 145: »Das ist ⟨nicht ratlos, es ist⟩ eine Aufforderung an den Leser, die verrätselten Mitteilungen zu dechiffrieren, ein Appell an den ›wahren Leser‹, der
nach Novalis ›der erweiterte Autor‹ sein muß. Die Worte des
Dichters fügen sich zu jenen ›krummen Linien‹, von denen Friedrich Schlegel spricht, ›die mit sichtbarer Tätigkeit und Gesetzmäßigkeit forteilen, immer nur im Bruchstück erscheinen können,
weil ihr eines Zentrum in der Unendlichkeit liegt‹. Dieses Gravitationsfeld muß der Leser anvisieren, um die eigentümlichen Konfigurationen der Worte als entsprechende Bilder im Vexierrätsel
der Sprache zu entdecken.« – *fixe Idee:* Vgl. auch H 4, 8. Der
Begriff taucht bei B. häufig in pathologischer Bedeutung auf und
war in seiner Zeit weit verbreitet. Vgl. auch E. T. A. Hoffmanns
Gutachten im Fall Schmolling, in dem vom »partiellen Wahnsinn,
der eine fixe Idee erzeugt«, die Rede ist. – *alienatio mentis:* Geisteskrankheit; vgl. zu H 4, 8, zu S. 226; wörtlich: Entfremdung
des Geistes. – *meine Theorie:* Kobel, S. 245, vermutet hier einen
Angriff B.s in der Nachfolge Pascals auf »fausse perpétuité de
nom«, auf den Ruhm als Pseudo-Ewigkeit.

215 *Sargnagel . . . Exerziernagel:* vgl. zu H 4, 9, zu S. 227. – ⟨Gute
Frau,⟩: in der Handschrift wohl irrtümlich gestrichen. – ⟨unlesbar⟩, im siebenten Monat: Lehmann liest hier: »via coronar congestionis« als Zusammenbruch durch Überfülle der Kranzgefäße. –
was hetzt er sich so an mir vorbei: Vgl. das erste Clarus-Gutachten, S. 651. – *Regiment Kosack:* Zur Figur des Hauptmanns vgl.
auch Meier, Woyzeck, S. 51–54 und Glück, Pauper, S. 327.

216 *Plinius:* Nach Jacobs, S. 141, nicht C. Plinius Secundus, sondern

Plutarch (ca. 45–125 n.Chr.), der überliefert, daß Alexander der Große seinen Soldaten vor der Schlacht befohlen habe, sich die im Nahkampf hinderlichen Bärte abnehmen zu lassen. – *ein Haar aus ein Bart in seiner Schüssel:* Anspielung auf die Untreue Maries. – *Sapeur:* Pionier. – *Kerl er ist ja kreideweiß:* vgl. das zweite Clarus-Gutachten, S. 638. – *Den Puls Woyzeck:* vgl. das zweite Clarus-Gutachten, S. 638. – *nur wege des Gedankestrichels zwische Ja ...:* Vgl. Matth. 5, 37; Jak. 5, 12 und 2; 2. Kor. 1, 17 (Krause S. 230); eine dem Sprecher nicht adäquate Äußerung über den Grundkonflikt menschlicher Existenz. Vgl. auch Hinderer, S. 273; s. Danton I, 1 (S. 71). Lehmann liest: »zwischen Ja, und wieder ja – und nein«.

217 *Schlegel:* Lehmann: »Schlingel«. – *courage ... Hundsfott:* vgl. zu H 1, 10, zu S. 202. – *wie man zu so Gedanken kommt:* Lehmann liest: »wie man zu so Was kommt«. – *Leichdörn:* Hühneraugen. – *Wiesp:* mundartl. Wespe. – *Ich hätt lieber ei Messer in den Leib:* vgl. das zweite Clarus-Gutachten, S. 645. – *Jeder Mensch ist ein Abgrund:* Martens, Menschenbild, S. 385, Anm. 24, verweist auf Augustinus; Kobel, S. 60, Anm. 42, nennt Pascals Pensées; Hinderer, S. 254, verweist auf Bonaventuras Nachtwachen, 4. Nachtwache, zum Thema der Widersprüchlichkeit des Menschen. – *Und ist kein Betrug ...:* Zitat 1. Petr. 2, 22: »... welcher keine Sünde getan hat, ist auch kein Betrug in seinem Munde erfunden ...« (Krause, S. 230 verweist noch auf Jes. 53, 9 und Offenb. 14, 4f.). Das Zitat bezieht sich auf Christus. Es steht hier im Sinne einer Parteinahme B.s 2 für den leidenden und unterdrückten Menschen; s. auch H 4, 15 sowie Kanzog, Faksimilieren mit Hinweis auf Schmid, Woyzeck: »Ich erinnere in diesem Zusammenhang noch einmal an die gestrichenen französischen Worte zu Beginn der Szene H 2, 9: ›La corruption du siècle est parvenue à ce point, que pour maintenir la morale‹ (Transkriptionsseite 17), die sicher nicht als Teil des Textes gedacht waren, sondern Stichwortcharakter für die Konzeption der Szene haben. Das *Dictionnaire de la langue française* von Litré (Ausgabe 1956) belegt lediglich ein Satzmuster im Zusammenhang mit dem Begriff ›corruption‹: ›La corruption des mœurs, qui peut se maintenir jusqu'à un certain point malgré l'instruction, était infiniment favorisée et accrue par l'ignorance‹ (Bernard le Booyer de Fontenelle, 1657–1757: *Le czar Pierre*). Es bleibt zu klären, ob es sich in der *Woyzeck*-Handschrift um den Anfang eines Zitats handelt; erst im Falle der Ermittlung des vollständigen Zitats wäre auch seine Funktion zu bestimmen« (S. 292f.).

Einzelne Szenenentwürfe (H 3)

218 *Der Hof des Professors:* Bei Professor und Doktor dürfte es sich, obgleich dies in der Forschung (Poschmann) umstritten ist, um

dieselbe Person handeln. Vermutlich Persiflage auf den Gießener Universitätsprofessor Wilbrand, der gleichzeitig praktizierender Arzt war und dessen Vorlesungen B. hörte. B.s. Kommilitone Carl Vogt, Aus meinem Leben, Stuttgart 1896, führt aus: »Wie der Doktor Wozzeck ⟨!⟩ vor den Studenten mit den Ohren wackeln läßt, so bildete auch hier bei dem klapperdürren, hageren Wilbrand, der sich zudem in eine tiefsinnig abstruse Naturphilosophie verrannt hatte, die Demonstration der Ohrmuskeln den Glanzpunkt seiner anatomischen Vorlesung.« Sein eigener Sohn mußte dabei mit den Ohren wedeln. Vgl. Maaß, S. 154. Andere Eigenschaften scheinen »von dem nur zum Ruhm der Wissenschaft rastlos tätigen, genial rücksichtslosen Justus Liebig entlehnt zu sein, der damals als junger Professor in Gießen höchst anregend, aber auch sehr originell wirkte« (Landau, S. 80). Ebenso wahrscheinlich ist der Verweis auf den Universitätsprofessor und Leipziger Stadtphysikus Dr. Johann Christian August Clarus. Gernot Rath, ›Georg Büchners Woyzeck als medizinisches Zeitdokument‹, in: ›Grenzgebiete der Medizin‹ (1949), S. 469 f.: »Büchner verwendet ⟨...⟩ die neuesten Erfahrungen der Medizin, wenn auch in ironisierter Form.« Vgl. auch Proß, Kategorie Natur sowie Glück, Wissenschaft, S. 148 ff. und diese Ausgabe, S. 599 ff. Zur Einordnung in die Lesefassung und zur Entstehung S. 613, 623 f., ebenso Oesterle, Woyzeck, S. 208: »Eine ästhetisch relativ simple Form wird in der Professorszene (H 3, 1) gewählt, um die katastrophale Wirkung einer einst human gemeinten Philosophie in der Praxis, den unmerklichen Übergang vom Komisch-Nichtigen zum Komisch-Makabren vorzuführen. Isoliert betrachtet, ist der Vortrag des Professors bloß die Karikatur eines philosophischen Diskurses: ›höherer Blödsinn‹ im wahrsten Sinne des Wortes, weil mimetisch ›auf einem so hohen Standpunkte‹ (dem Dach nämlich) vorgeführt. Erst die Wirkung dieser vorgetragenen Philosophie, durch Situationskomik kraß beleuchtet, macht die erschreckende Konsequenz sichtbar, läßt das Lachen gefrieren. Am Fenstersturz der Katze, in der Parallelisierung ihres Verhaltens ›zum centrum gravitationis und dem eigenen Instinkt‹ wird Holbachs und später Cabanis' Versuch der Korrespondenz von physischen und moralischen Gesetzen demonstriert und deren These, daß Selbstliebe, Selbsterhaltung und ›die Liebe zum Wohlbefinden und zur Freude‹ genauso unwiderstehlich notwendig und universal sind wie das Naturgesetz, die ›Gravitation auf sich selbst‹. Die ›organische Selbstaffirmation des Göttlichen‹ – Holbachs These, daß die ›Natur existiert und wird aus innerer Notwendigkeit‹ – dient zur Legitimation von Experimenten mit Menschen.« – *ich bin auf dem Dach, wie David, als er die Bathseba sah:* Vgl. 2. Sam. 11, 2. – *culs de Paris:* Gesäßpolster, im 18. und 19. Jahrhundert unter dem Frauenrock getragen. – *Verhältnis des Subjektes zum Objekt ... organische Selbstaffirmation des Göttlichen ... sich zum centrum gravitationis u.d. eignen Instikt verhalten:* Quelle nach Winkler, S. 119ff., der Gießener Anatom Wilbrand. – *Selbstaffirmation:* Selbstbestätigung. – *centrum gravitationis:* Zentrum der Schwerkraft, Erdmittelpunkt. – *Herr Doktor ich hab's Zittern:* Nach Bornscheuer, Erläuterungen, S. 34f. sind in der Demonstration des Doktor-Professors sowohl die Beobachtungen des ersten und zweiten Clarus-Gutachtens, S. 651, 640, als auch die Ernährungsexperimente Liebigs an Gießener Soldaten enthalten. S. Glück, Pauper, S. 327f.: »Seit langem hat die Büchner-Forschung von Experimenten Liebigs Kenntnis genommen, die denen des Doktors im *Woyzeck* gleichen. Liebig hat in Gießen ernährungsphysiologische Versuche an Soldaten durchgeführt, in denen das Gewicht der Nahrungsmittel in Relation gesetzt wurde zum Gewicht der Exkremente; ferner analysierte er die chemische Zusammensetzung des Urins von Fleisch- und von Pflanzenfressern. Büchner hat 1833/34 in Gießen, in unmittelbarer Nähe Liebigs, studiert. Die Kongruenz des Menschenversuchs im *Woyzeck* und der Liebigschen Versuche ist so frappant, daß kaum ein Zweifel bleiben kann, was dem Dichter hier vor Augen stand. Handelt es sich also doch um Grundlagenforschung, wie Buddecke und Bornscheuer annehmen?

Der Mediziner Büchner brachte vermutlich für Liebigs Experimente ein gewisses medizinisch-fachliches Interesse auf, im Rahmen seiner begrenzten Kenntnisse in organischer Chemie. Ein ganz anderes Interesse aber, behaupte ich, mußte der Revolutionär Büchner daran nehmen. Ihn mußte die Tatsache Menschenversuch elektrisieren. Er mußte sich die Frage stellen: Was bedeuten solche Versuche für die ›unterst Stuf von menschliche Geschlecht‹ (H 2, 3), für die Soldaten? Und was erbringen sie für die herrschende Klasse, die über Woyzeck und seinesgleichen kommandiert?

Mein Lösungsvorschlag: Es handelt sich weder um den sadistischen Spleen eines ›Wissenschaftlers‹, der nicht ganz richtig im Kopf ist, noch um die Forschung eines ›ehrgeizigen und erfolgbesessenen Experimentalphysiologen‹ (Buddecke). Es handelt sich nicht um eine chemische Verbindung (Derivat der Hippursäure), sondern um einen gesellschaftlichen Zusammenhang. Der Zweck ist: *das Fleisch, den kostenintensiven Bestandteil der Armeeverpflegung, durch das billige Surrogat Hülsenfrüchte zu ersetzen.* Der Menschenversuch des Doktors ist demnach rational im höchsten Grad, wenn auch in einem unerwarteten Sinn: nicht als ›reine‹ Wissenschaft, sondern ökonomisch: rationell. Der Zweck ist Rationalisierung, verhängt vor denen, die wirtschaften und herrschen, über diejenigen, die niedergehalten und bewirtschaftet werden. Die Ausbeutungsrate zu steigern, *das* ist das würdige Ziel dieser Wissenschaft. *Daher* das kalte satirische Licht, in dem Büchner den Repräsentanten einer solchen Wissenschaft auftreten läßt.« Vgl. auch H 4, 8 und Meier, Woyzeck, zur Figur des Dok-

tor. – *Spezies Hasenlaus:* Pelztierfresser, lat. Ricinus. – *enfoncé:*
frz. eingegraben (im Pelz). – *Instinkt.* ⟨PROFESSOR⟩ *Rizinus...*
Pelzkragen: Lehmann ordnet den Sprechtext komplett dem »Doktor« zu. – *Erbsen... ungleicher Puls... Augen... es wird mir*
dunkel: Vgl. zu Liebigs Ernährungsexperimenten. Symptome dieses Experiments: ungleicher Puls, Seh- und Herzstörungen, Zittern, Schwindel, Haarausfall. – *Courage:* Vgl. auch zu H 2, 7 und
H 1, 10, zu S. 202. – *betasten ihm Schläfe:* nach Oehler-Klein,
S. 24, Anm. 14 möglicherweise Anspielung auf die Schädellehre
Franz Joseph Galls. Vgl. auch zu *Über Schädelnerven,* S. 477 ff. –
doch einmal die Ohre: Vgl. Maaß, S. 154: »Als ›ohrenwedelnder
Jolios‹ bekam Wilbrand jr. durch Carl Vogt zweifelhafte Unsterblichkeit verliehen (noch heute können seine Nachkommen in besonderem Maße die Ohren bewegen!). Büchner dürfte in der Ana-
tomievorlesung Wilbrands die Demonstration miterlebt haben:
auf Wilbrand gemünzt ist im *Woyzeck* das Bewegen der Ohren,
wozu der Doktor Woyzeck zwingt. Woyzeck wird dadurch zum
dressierten Tier herabgewürdigt. Weitere Einzelheiten im *Woy-*
zeck weisen auf die physiologischen Vorlesungen Wilbrands hin,
die er nach seinem grundlegenden Werk ›Physiologie des Menschen‹ 1815 hielt, so z. B. die Ausführungen des Doktors über die
freie Willensentscheidung hinsichtlich des Urinierens. Domini-
rende Züge des experimentierenden Doktors weisen allerdings auf
Wöhler, Tiedemann, F. F. Runge und – Liebig hin, die in jenen
Jahren ernährungsphysiologische Experimente durchführen.«

219 *Allons:* frz. Auf geht's! – *Übergänge zum Esel:* Vgl. H 1, 2 und
H 2, 3. – *Der Idiot:* Zur Stellung dieser Szene vgl. S. 626. – *Der ist*
ins Wasser gefallen: Abzählvers, bei Stoeber, Elsässisches Volksbüchlein, Nr. 43, und bei Wehrhan, Frankfurter Kinderleben,
S. 14 f. (s. zu S. 211), in verschiedenen Fassungen überliefert. Im
Frankfurter Raum war diese Fassung bekannt: »Der ist ins Wasser
gefallen, / der hat ihn herausgezogen, / der hat ihn heimgetragen, /
der hat ihn ins Bett gelegt und schön zugedeckt, / und der kleine
Schlingel hat ihn wieder aufgeweckt.« Vgl. Wittkowski, Woyzeck,
S. 158 f.: »Signal aus mehrfach gestufter Höhe ist auch im Munde
des Narren der Abzählvers ›Der ist in's Wasser gefalln‹. Es ist
dasselbe Verdikt, das Hebbels Meister Anton trifft, der sein Kind
zugrunderichtet und sich brüstet, zuweilen einen Mühlstein als
Halskrause zu tragen. Am 20. Juli ist zu lesen *Matthäus* 18,6: ›Wer
aber Ärgernis gibt einem dieser Kleinen, ⟨...⟩ dem wäre besser,
daß ein Mühlstein an seinen Hals gehängt und er ersäuft würde im
Meer, wo es am tiefsten ist‹. Das ›Wasser ⟨...⟩ ruft‹ denn auch den
Mörder Woyzeck und ersäuft ihn, als er versucht, die Blutflecke
von sich abzuwaschen. Vergeblich. ›Will denn die ganze Welt es
ausplaudern?‹ ruft er verzweifelt. Denn wie bei der Mordtat sieht
der rote Mond ›wie ein blutig Eisen‹ auf ihn herab. Es ist, über das
Bild aus der *Offenbarung* hinaus, das zornige Blutauge, das Rich-

terauge Gottes, wie es der rote Mond in Jean Pauls *Titan*, 128.
Zykel, symbolisiert.« – *Christian:* einer der beiden Vornamen des
historischen Woyzeck. Vgl. auch das zweite Clarus-Gutachten,
S. 641, ebenso das Bopp-Gutachten zum Fall Dieß. In beiden historischen Fällen spielte die ›Liebe zu seinem Kinde‹ eine Rolle. –
Reuter: Reiter.

Letzte Entwurfsstufe (H 4)

220 *Freies Feld:* »Schon gleich die erste Szene von H 4 ist gegenüber
H 2 stark verkürzt. Die gespenstische Unsicherheit, die Büchner
dort zu durchdringen suchte, ist einer Trostlosigkeit gewichen, die
er lakonisch formuliert. Hieß es in H 2 noch ängstlich: ›Fort, die
Erde schwankt unter unsern Sohln‹, so heißt es nun: ›⟨...⟩ hohl,
hörst du? Alles hohl da unten‹. Und während die Stille in H 2 noch
als etwas unbestimmt Numinoses erfahren wurde – ›Still, ganz
still, wie der Tod‹ (S. 209) –, ist diese Erfahrung in H 4 ins Universale und Objektive gewendet: ›Still. Alles still, als wär die Welt
tot‹.« (Wetzel, Entwicklung Woyzecks, S. 379f., vgl. auch zu
S. 209, *Freimaurer*); zur Deutung auch Meier, Woyzeck, S. 34f. –
schneiden Stöcke: Vgl. zu S. 209. – *den Streif da über das Gras hin:*
Vgl. das zweite Clarus-Gutachten, S. 643. – *Hobelspäne:* Metapher für Sarg, Sterben. Vgl. H 1, 11. – *Freimaurer:* Vgl. zu H 2, 1,
zu S. 209. – *Saßen dort zwei Hasen:* Teil eines Volksliedes. Seit
1820 war folgende Strophe bekannt: »Zwischen Berg und tiefem,
tiefem Tal / Saßen einst zwei Hasen / Fraßen ab das grüne, grüne
Gras, / Fraßen ab das grüne, grüne Gras, / Bis auf den Rasen«. – *Es
geht hinter mir:* Vgl. das zweite Clarus-Gutachten, S. 644. Nach
Benn, S. 246f., wird an dieser Stelle die Vision des Abgründigen
gestisch wirksamer gestaltet als in H 2, 1. Vgl. auch Gnüg, Büchner, S. 297f. – *Red was:* Vgl. das zweite Clarus-Gutachten, S. 642
sowie das Horn-Gutachten zum Fall Schmolling. – *Ein Feuer fährt
um den Himmel...:* Vgl. Offenb. 1, 10; 1, 12; 8, 5–7; 8, 8; 8, 10;
16, 18 (nach Krause, S. 230f.). Das Bild verweist auf die Vorstellung vom Weltuntergang, von Sodom und Gomorrha. Vgl. 1. Mose 19, 24–26. Vgl. auch das zweite Clarus-Gutachten, S. 643. Vgl.
auch zu H 2, 1 zu S. 210. – *Sieh nicht hinter dich:* Vgl. 1. Mose 19,
26. – *Sie trommeln drin:* Zapfenstreich. – *Marie:* Die Namensänderung gegenüber den früheren Fassungen (Magreth, Louise)
rückt nach Benn, S. 249, die weibliche Hauptfigur deutlich in die
Nähe der biblischen Sünderin Maria Magdalena.

221 *Soldaten das sind schöne Bursch:* nach Bergemann ein Volkslied
»Soldaten das sein lust'ge Brüder«. Vgl. auch H 2, 2. – *honette
Person:* Vgl. zu H 2, 2, zu S. 210. – *Sie guckt 7 Paar lederne Hose
durch:* Winkler, S. 222, zitiert die mundartliche Redensart »Der
koh durch neu Pöer Ladern Hosen geggloatz«. – *Schlägt das Fenster*

⟨zu⟩: in der Handschrift irrtümlich »... durch«. – *Bist doch nur en arm Hurenkind:* Beleg für die verstärkte soziale Thematik in H 4. Vgl. auch Glück, Pauper sowie Glück, Armut. – *Mädel, was fangst du jetzt an:* Vgl. zu S. 210. – *Hansel spann deine sechs Schimmel an:* leicht variierte Schlußstrophe des hessischen Fuhrmannsliedes »Hat mir mein Vater vierzig Gulden geb'n«. – *Verles:* Zapfenstreich, Appell. – *und sieh da ging ein Rauch vom Land:* Zitat aus 1. Mose 19, 28. – *vergeistert:* verstört, erschreckt. – *Er schnappt noch über:* Vgl. das zweite Clarus-Gutachten S. 630, 633, 640. – *Es schauert mich:* Oesterle, Schauer, S. 188 verweist auf Tiecks ›Der Abschied‹ als mögliche Quelle und darauf, daß B. hier gegenüber H 2, 2 das Motiv des Schauers aufgenommen hat.

222 *Marie:* Zur sozialgeschichtlichen Deutung dieser Szene vgl. Meier, Woyzeck, S. 35–39. – *die Steine:* bezieht sich auf die Steine der später erwähnten Ohrringe, in denen sich Maries Traum vom Glück als ein Stückchen Luxus materialisiert; vgl. Gnüg, Büchner, S. 298. Deutlicher Bezug auf die Szene in Goethes ›Faust‹, in der Gretchen das Schmuckkästchen in ihrem Zimmer entdeckt. – *Mädel mach's Ladel zu:* Vorbild für diese Strophe in August Stoeber, ›Elsässisches Volksbüchlein. Kinderwelt und Volksleben in Liedern, Sprüchen, Rätseln, Spielen‹ etc., Straßburg 1842, Nr. 185, S. 70: »Maidel, mach's Fenster zue, / s'kummt e Dragunersbue! / Hebt di am Ehrel /Fiehrt di an's Dehrel / Hebt di am Händel / Fiehrt di in's Schwitzerländel«. – *Unsereins hat nur ein Eckchen in der Welt:* Beleg für die verstärkte soziale Thematik in H 4. Ullman, Sozialkritische Thematik, S. 169, verweist auf eine Parallele in B.s Victor-Hugo-Übersetzung der ›Maria Tudor‹ I 3. Nach Hinderer, S. 197, auch dies wieder im Bezug zur oben angeführten Szene in Goethes ›Faust‹. – *Schlafengelchen:* eine ähnliche Figur wie der ›Sandmann‹. – *Bin ich ein Mensch:* hier im Sinne von ›Dirne‹. – *Alles Arbeit unter d. Sonn:* auch hier wieder verstärkte soziale Thematik. Vgl. Glück, Pauper. – *Geht doch Alles zum Teufel:* Vgl. das erste Clarus-Gutachten, S. 651.

223 *Der Hauptmann. Woyzeck:* Zur Interpretation der ›Rasierszene‹ vgl. Oesterle, Woyzeck, S. 219ff., bes. S. 224f.: »Der Hauptmann ist als Karikatur gestaltet; seine Identität sichernd, repräsentiert er bürgerliche Wertvorstellungen. Da die Karikatur aber in der Form der Übersteigerung das Besondere und Charakteristische der Person festhält, ist die in ihren Reaktionen eigenschaftslose Hauptmannsfigur zugleich eine Demontage der Karikatur. Zur sozialgeschichtlichen Deutung dieser Szene vgl. Meier, Woyzeck, S. 41–47 sowie zur soziologischen Einordnung der Figur des Hauptmanns (und des Doktors) Meier, Ästhetik, S. 74f. (mit Bezug auf Proß, Naturgeschichtliches Gesetz): Hauptmann und Doktor »lassen sich keineswegs umstandslos, wie es einem großen Teil der ›Woyzeck‹-Forschung unterlaufen ist, als derselben Klasse zugehörig verstehen. Schon allein die Straßenszene H 2, 7 ⟨diese Ausgabe

S. 215), in der sich Hauptmann und Doktor so lange gegenseitig anfeinden, bis sie gemeinsam über Woyzeck herfallen können, weist auf die Existenz einer nicht nur persönlich bedingten Konkurrenzsituation hin. Die detaillierte Untersuchung ergibt dann, daß der Hauptmann als relativ hohe militärische Charge dem Adel zuzurechnen ist, während der Doktor tatsächlich im Bürgertum eingeordnet werden kann. Meier wendet sich entschieden gegen Oesterles Deutung des Hauptmanns als ›sentimentalen Melancholikers‹: »Wenn auch nach Oesterle die Identität des Stoikers in der Moderne zerbricht und der Hauptmann ›diese Zerstörung und ihre Folge, die Depersonalisierung ... vor ⟨trägt⟩‹, ⟨...⟩ so zeigt dies nur die Leistungsfähigkeit einer sozial- und literaturgeschichtlichen Präzisierung der Figur des Hauptmanns, widerlegt aber die Zuordnung des Hauptmanns zum Feudalismus nicht. Dies gelingt Oesterle umso weniger, als seine Rezensions-These, die kompensatorische Moral des Hauptmanns sei spezifisch bürgerlich, nicht zutrifft. Zum einen wäre es sozialpsychologisch plausibel, beim Hauptmann eine Identifikation mit dem Angreifer zu diagnostizieren, zum anderen übersieht Oesterle eine sozialgeschichtliche wichtige Distinktion: Des Hauptmanns Moral- und Tugendbegriff ist rein negativ (Unterdrückung sinnlicher Bedürfnisse, denen ein Woyzeck nachgibt), d.h. es fehlt der spezifisch bürgerliche Akzent, der die Askese von ihrem ökonomischen Nutzen, ihrer Rentabilität, herleitet« (ebd. S. 74, Anm. 2); s. auch Meier, Woyzeck, S. 42–58 sowie Glück, Pauper, S. 327. – *seine schöne dreißig Jahr ...:* Vgl. Gnüg, Büchner, S. 299: »Büchners Zorn über die Langeweile der ›abgelegten modernen Gesellschaft‹ hat hier seinen dramatisch pointierten Ausdruck gefunden.« Vgl. auch Oesterle, Schauer, S. 179. – *Es wird mir ganz angst um die Welt:* indirekte Frage nach dem Sinn des Daseins, ähnlich im *Danton,* in *Leonce und Lena* gestellt. – *verhetzt:* Oesterle, Schauer, S. 178 weist auf einen Anklang an die Schicksaltragödie hin. Dagegen s. Glück, Armut, S. 205: »Solche fieberhaften Bewegungsabläufe sind in der hohen Tragödie nicht denkbar. Selbst reitende Boten treten dort nicht so auf, geschweige denn die Protagonisten. Woyzeck rennt durch die Welt ›wie ein offenes Rasiermesser‹ – Iphigenie ›schreitet‹, sie tritt in Erscheinung, ein menschgewordenes Götterbild.« – *ein guter Mensch:* vgl. das zweite Clarus-Gutachten, S. 641. – *Lasset die Kindlein zu mir kommen:* Bibel-Zitat aus Mark. 10, 14 oder Luk. 18, 16 oder Matth. 19, 14. Vgl. Wittkowski, Woyzeck, S. 159: »Die Motive des Ärgernis-Evangeliums durchziehen den *Woyzeck*-Text. ›Der Herr sprach: Lasset die Kindlein zu mir kommen‹ (*Matthäus* 19, 14). So zitiert Woyzeck und hat damit Recht gegen den Hauptmann. Zugleich aber zitiert er damit das Gesetz, in dessen Zeichen er gerichtet und hingerichtet wird. Neben den schon zitierten Geboten erhält ein weiteres Gewicht. ›Wenn dir dein Auge Ärgernis schafft, reiß es aus und

wirf's von dir‹ (*Matthäus* 18, 9). Überall im *Woyzeck* stiftet das
Auge Ärgernis. Es transportiert den Reiz zur Lust und zu dem,
was Woyzeck ›Sünde‹ nennt. So geht es dem Hauptmann angesichts der Mädchen, Marie vorm Spiegel, Marie und dem Tambourmajor, wenn eines das andere sieht. Hieran nimmt Woyzeck
Ärgernis. ›Mit diesen Augen‹ hat ers gesehen. Und ›mit diesen
Augen‹ hat der Doktor – nächste Szene – gesehen, wie Woyzeck
seinen Erbsenurin nicht halten konnte. Viermal gebraucht er die
Worte ›Ärger‹, ›ärgern‹.«

224 *Wir arme Leut:* Intensivierung der Armuts-Thematik. Vgl. *Der
Hessische Landbote* und ›Maria Tudor‹ I, 7. B. läßt ›Armut‹ von
den dramatischen Personen bereden: Glück, Armut bietet S. 189
eine Fülle von Belegen, so in H 4, 4; H 2, 7; H1, 4; H1, 17; H4, 11.
Daneben wird ›Armut‹ dramatisch umgesetzt, wie in H 2, 3; H4,
4; H1, 15; H 4, 13. Vgl. auch S. 599 sowie Glück, Armut, S. 194:
»Die Armut steht im *Woyzeck* logisch an dem Ort, an dem in der
attischen Tragödie das ›Schicksal‹ steht: sie ist die *Prämisse des
tragischen Syllogismus.*« Gegen Kittsteiner/Lethen (und Wolfgang
Kayser) führt Glück, Armut, S. 203 aus: »Wenn Woyzecks Ar-
beitshetze lediglich als Theaterphänomen, als ›exzentrischer Bewe-
gungsstil‹ ähnlich dem der commedia dell'arte, als ›grotesk‹, gewürdigt wird, wie von W. Kayser, dann wird durch eine solche
ästhetische Auffassung die gesellschaftliche Wirklichkeit dieser
Tragödie abgeblendet und verdrängt. Das kommt mir beinahe so
vor, als wollte man Fließbandarbeit unter choreographischen Gesichtspunkten würdigen.« – *Unseins ist doch einmal unselig ...:*
nach Krolopp, S. 3, Zitatadaptation aus Gottlieb Konrad Pfeffels
Gedicht: »Wir armen Bauern werden wohl / Im Himmel fronwei-
se donnern müssen«. Nach Bornscheuer, Erläuterungen, S. 10,
und Ullman, Sozialkritische Thematik, S. 165, Anm. 73, war dies
ein damals weit verbreitetes politisches Schlagwort. – *er hat keine
Tugend:* vgl. *Danton* 1, 6 (S. 86). – *Hut u. eine Uhr:* als Statussymbole der gehobenen Gesellschaftsschichten. Vgl. H1, 2. – *anglaise:*
eine Art Gehrock, vor allem von kleineren Beamten getragen. – *du
denkst zuviel:* vgl. das zweite Clarus-Gutachten, S. 641; evtl. Echo
auf Shakespeares ›Julius Caesar‹ (II, 2): »He thinks too much«
(Caesar über Cassius). – *Diskurs:* Gespräch, Unterhaltung. – *Tambourmajor:* Vgl. zu H 2, 2, zu S. 210. – *Ich bin stolz vor allen
Weibern:* Nach Bornscheuer, Erläuterungen, S. 10, blasphemische
Zitatadaptation aus der Preisung Jud. 13, 23.

225 *Marie. Woyzeck:* Das Eifersuchtsmotiv und die Darstellung des
veränderten Gefühlszustands Woyzecks lassen sich auf das zweite
Clarus-Gutachten zurückführen. Vgl. S. 632, 641, aber auch
S. 599ff. sowie Glück, Ideologie, bes. S. 71. – *hirnwütig:* wahnsinnig, verrückt. – *daß man die Engelchen zum Himmel hinaus räuchern könnt:* Lehmann liest: »... hinaus rauche«. – *rote Mund:*
Vgl. H 4, 4 und zahlreiche andere Belege für dieses Motiv. –

Todsünde: Nach der katholischen Lehre hat die Todsünde drei
Merkmale: 1. Versündigung in einer wichtigen Angelegenheit, 2.
volle Erkenntnis der Sündhaftigkeit, 3. völlige Einwilligung in die
Sündhaftigkeit. – *Wirst ⟨unlesbar⟩:* Exemplarisch für die unterschiedliche Entzifferung schwer oder kaum lesbarer Textstellen.
Schmid referiert in seiner Begründung der Faksimileausgabe 1981,
S. 291 die verschiedenen Entzifferungsversuche, denen Erfolg am
ehesten beschieden sei, wenn sie der Textlogik folgten: »Vielleicht
läßt sich durch Überlegungen dieser Art schließlich auch die offenbar mit Absicht – mitten in einem einwandfrei zu lesenden Text
– unlesbar geschriebene Erwiderung Woyzecks in Szene H 4, 7
enträtseln, die schon so verschiedenartige Interpretationen gefunden hat:

(WOYZECK:) Ich hab ihn geseh/*n/e/*.

(MARIE:) Man kann viel seh/*n/e/*, wenn man 2 Aug/*e/en/* hat
u. man nicht blind ist u. die Sonn scheint.

(WOYZECK:) Be: (nach Witkowski): Mußt sterben
L: Mit *diesen* Augen
K: *Mußt sterben Luder*
Müller-Seidel (nach Hahn), Mori: Wirst sehen lernen
Sch: *M++ s++ A++*

(MARIE ⟨*keck*⟩:) Und wenn auch.

Eine mögliche Deutung (die als solche in der Transkription natürlich keinen Platz finden konnte und wegen ihres spekulativen
Charakters auch im Lesartenverzeichnis nicht erwähnt wurde) sei
immerhin vorgeschlagen: ›Mit seinem Arsch‹. Sie kann und soll
hier nicht genauer erörtert werden; zumindest läßt sich aber sagen,
daß sie mit der ›kecken‹ Antwort Maries durchaus zusammenpas-
sen würde.« (/*n/e/* bezeichnen alternative Lesungen; + bezeichnet
unlesbare Stelle mit der Anzahl der Buchstaben. Be: Bergemann,
L: Lehmann, K: Krause, Sch: Schmid, Faksimileausgabe.) – *Doktor:* Vgl. zu H 3, 1, zu S. 218. Zur sozialgeschichtlichen Einordnung der Szene s. Meier, Woyzeck, S. 47–51 sowie diese Ausgabe
S. 613 und Meier, Ästhetik. – *musculus constrictor vesicae:* Blasenschließmuskel. – *der Mensch ist frei ...:* Viëtor (Büchner, S. 197,
Woyzeck, S. 159f.) bezieht diese Stelle auf idealistische Salbaderei-
en Johann Bernhard Wilbrands. Mayer, Woyzeck, S. 67, verweist
auf die Philosophie Kants. Vgl. Poschmann, Büchner, S. 261f.:
»Darin bewährt sich gerade der Realismus Büchners, daß die Frei-
heitsphrase des Doktors von Woyzeck verbal gar nicht widerlegt
werden muß und auch nicht widerlegt werden darf, weil ein solcher Versuch bedeuten würde, das bürgerliche ideologische Argumentationsmuster als allgemeingültig anzuerkennen. Auch da, wo
Woyzeck auf die Vorhaltungen der bürgerlichen Gegenfiguren
antwortet, z.B. dem Hauptmann, kann er nichts mit dessen Argumentation anfangen, sondern gibt ein seiner sozialen Lage entspre-

chendes, ganz anderes Wertbewußtsein zu erkennen und stürzt
den Hauptmann gerade dadurch in Verwirrung.

Die Widerlegung des Doktors wie des Hauptmanns erfolgt nicht
in der ideologisierten Sprachsphäre der bürgerlichen Figuren, sondern auf einer Ebene, auf der sogar die ›Sprachunfähigkeit‹ Woyzecks zu einem sprechenden Argument gegen den Doktor wird.
Das ist die Ebene der im Stück insgesamt zum Sprechen gebrach-
ten Tatsachen. Gegen die verbale Behauptung der Freiheit des
menschlichen Willens schlechthin wird – im konkreten Fall – die
in der Szene vorgeführte soziale Beziehung der Dialogpartner gesetzt, d. h. die in ihr vergegenständlichte Unfreiheit Woyzecks,
genauer seine ökonomische Abhängigkeit, die auf einem unglei-
chen Kaufverhältnis basiert, dessen Bedingungen der sozial Stärkere bestimmt. Zu dieser Szene insgesamt vgl. auch zu H 3, 1, zu
S. 218 und zur Probevorlesung *Über Schädelnerven*, S. 695 ff.; s.
auch zu S. 226 (*Charakter*). – *Den Harn . . .:* Vgl. Krimmel, S. 146:
»Im *Woyzeck* kommt Büchner elementar zur Sache. Zweimal wird
Notdurft verrichtet, unmittelbare Anlässe zu existenziellen Betrachtungen. Das Pferd in der Jahrmarktsbude, ›Ei Mensch, ei
tierisch Mensch und doch ei Vieh‹, führt sich ungebührlich auf,
Grund genug für den Marktschreier zu abgründtiefem Philo-
sophieren: ›Sehn Sie das Vieh ist noch Natur, *unideale* ⟨recte:
»unverdorbe«⟩ Natur! Lern Sie bei ihm ⟨. . .⟩. Das hat geheiße:
Mensch sei natürlich. Du bist geschaffe Staub, Sand, Dreck. Willst
du mehr sein ⟨. . .⟩?‹. Das ist nicht belangloses Jahrmarktsgeschrei,
es ist die Essenz Büchnerschen Denkens. Die letzten überlieferten
Worte sprach Büchner mit ruhiger, erhobener, feierlicher Stimme:
›Wir sind Tod, Staub, Asche, wie dürften wir klagen!‹ Nach dem
Pferd, einem ›verwandelten Menschen‹, ist es Woyzeck, der auf
die Straße pißt ›wie ein Hund‹. Und der Arzt, der Woyzeck seit
einem Vierteljahr nur Erbsen essen läßt, um mit seinem Harnstoff
die Wissenschaft in die Luft zu sprengen, beklagt die Schlechtig-
keit der Welt. ›Aber Herr Doctor‹, verteidigt sich Woyzeck,
›wenn einem die Natur kommt.‹ In der wissenschaftlich schwa-
felnden Antwort des Mediziners stellt Büchner eine idealistische
Sentenz bloß: ›Die Natur! Woyzeck, der Mensch ist frei, in dem
Menschen verklärt sich die Individualität zur Freiheit. Den Harn
nicht halten können!‹« (vgl. zu S. 199).

226 *salzsaures Ammonium, Hyperoxydul:* Nach Eckhard Buddeckes
Ausführungen (bei Bornscheuer, Erläuterungen, S. 10–15) ist Hip-
puroxydul zu lesen oder Hydrooxydul. Die genannten chemischen Verbindungen stellen »eine exakte Bilanz der chemischen
Zusammensetzung der aufgenommenen Nahrungsmittel und der
ausgeschiedenen Stoffwechselprodukte« dar (ebd. S. 13). Erbsen-
experimente führte Liebig an hessischen Soldaten durch. – *Akkord:* Abmachung, Vertrag. – *proteus:* hier Olm (Schwanzlurch). –
Charakter, so ne Struktur . . . Natur: hier Gegensatz von persönli-

cher Eigenschaft und überindividuellen Triebmächten. Vgl. auch
Proß, Kategorie Natur. – *doppelten Natur:* Übernatürliches. Vgl.
das zweite Clarus-Gutachten, S. 642 ff. Vgl. aber auch Proß, Kategorie Natur: »Verzerrung und gesellschaftliche Deformierung«
der individuellen Natur. Vgl. auch zu S. 209 *(Freimaurer).* – *Wenn
die Sonn in Mittag steht ...:* Vgl. Offenb. 16, 8 und weitere Stellen
aus der Offenbarung. Vgl. auch das zweite Clarus-Gutachten an
verschiedenen Stellen. – *die Schwämme ...:* Die Formationen der
am Boden wachsenden Pilze werden Woyzeck zu Hieroglyphen;
vgl. S. 599 ff. und Glück, Ideologie, bes. S. 58 ff. – *aberratio mentalis partialis:* teilweise Geistesgestörtheit mit fixen Ideen bei »allgemein vernünftigem Zustand«. Davon spricht auch E. T. A. Hoffmanns Gutachten im Fall Daniel Schmolling. – *Geld für die menage:* Essensgeld; Menage, hier das wissenschaftlich verordnete
Erbsenessen.

27 *casus:* Fall, Studienobjekt. – *Hauptmann:* Zur sozialgeschichtlichen Einordnung der Szene s. Meier, Woyzeck, S. 51–54; Meier,
Ästhetik sowie bes. S. 613 dieser Ausgabe. – *schwermütig ...:* Parodie auf die Schwermut, den Weltschmerz, der unter den Zeitgenossen B.s weitverbreitet und beliebtes Literaturmotiv war. Vgl.
Brief Nr. 59. – *apoplektische Konstitution:* apoplexia cerebralis:
Gehirnschlag. Die Diagnose erinnert an die Beschreibung in den
beiden Clarus-Gutachten, S. 638, 640. – *Zitronen in d. Händen:*
Beerdigungsbrauch. – *Exerzierzagel:* Exerzierzopf.

28 *Frau Wirtin ...:* Variante der vierten Strophe des Volksliedes: Es
steht ein Wirtshaus an der Lahn. Bei Erk/Böhme, Bd. 2, Nr. 858,
S. 653 folgender Text: »Die Wirtin hat auch eine Magd, / Die sitzt
im Garten und pflückt Salat; / Sie kann es kaum erwarten, / Bis
daß das Glöcklein zwölfe schlägt, / Da kommen die Soldaten« /.
Vgl. H 1, 4 und 17. – *dämpfen:* südhess. dampfen. – *Im Rössel und
in Sternen:* Wirtshäuser. – *Ich muß hinaus:* Vgl. das zweite Clarus-
Gutachten, S. 645, 650; vgl. H 4, 12. – *Ich hab ein Hemdlein
an ...:* nicht identifizierbar. Nach Lehmann, Repliken, S. 72, leiten diese Verse das »Vanitas- und memento-mori-Motiv« ein. –
Verdammt: Lehmann hier: »Vorwärts«. – *greinen:* weinen.

29 *Bouteille:* Weinflasche. – *Ein Jäger aus der Pfalz:* Variante der
ersten Strophe des in Hessen-Darmstadt verbreiteten Volksliedes.
Bei Erk/Böhme, Bd. 3, Nr. 1454, S. 315. – *Immer zu ...:* Diese
Formel deutet die verstärkte psychische Einstimmung auf eine
zwanghafte Tat an; s. auch an anderen Stellen und vgl. dazu das
zweite Clarus-Gutachten, S. 645. – *Warum blast Gott nicht ⟨die⟩
Sonn aus:* Vgl. Offenb. 8, 12. – *daß Alles in Unzucht ...:* Grimm,
Cœur, S. 320 verweist auf Parallelen in *Dantons Tod.* Die Passagen
und ihre pansexuellen Bilder stehen für die »dunklen und nächti-
gen, ⟨die⟩ zwanghaften und mechanischen Seiten« (ebd.) des Eros.
Vgl. *Der Hessische Landbote* (S. 50) und Danton I, 5 (S. 82). – *1.
Handwerksbursch (predigt ...):* Predigt-Travestie; mit zahlreichen

biblischen Formeln und Anspielungen, die im einzelnen hier nich
angeführt werden können. Dazu vgl. Hinderer, S. 211; Born
scheuer, Erläuterungen, S. 20 und Meier, Ästhetik, S. 152: »In sei
ner Predigttravestie argumentiert der Handwerksbursch teleolo
gisch und erklärt die Existenz der Menschen durch ihre Funktio
als Konsumenten – in seiner Darstellung ist die menschliche Ar
beit nicht deshalb da, um das Leben zu ermöglichen, sondern e
gibt die Menschen, um die Arbeit sinnvoll und rentabel zu ma
chen.« Vgl. auch S. 599 ff. und 613. Meier u.a. stellen eine weitge
hende Übereinstimmung zwischen B.s politischen und naturwis
senschaftlichen Anschauungen und seiner ästhetischen Praxis fest
Thema dieser Predigt ist die Frage ›Warum ist der Mensch?‹. Zu
Unsinnigkeit der Fragestellung vgl. *Über Schädelnerven*, S. 257 ff
und Meier, Woyzeck H1, 1; s. S. 199 und Anm. – *laßt uns noch
über's Kreuz pissen, damit ein Jud stirbt:* nach Hanns Bächold
Stäubli, ›Handwörterbuch des deutschen Aberglaubens‹, Berlin
1917 ff., antisemitische Zote. – *Zickwolfin:* In H 1, 6 steht »Woy
zecke«. Die Erklärung des Wortes als Zusammensetzung aus Zick
= Ziege und Wölfin nach Bornscheuer, Erläuterungen, S. 21, is
einleuchtend. Das Wort faßt die in H 4, 11 aufgetauchte Wahnvor
stellung Woyzecks zusammen, nach der Marie als animalische
Geschöpf erscheint. Vgl. das zweite Clarus-Gutachten, S. 637
645. – *Soll ich? Muß ich?:* Vgl. das zweite Clarus-Gutachten
S. 637, 644 ff. Oesterle, Schauer, S. 181 f. weist auf Anklänge an di
Schicksalstragödie hin, so an Zacharias Werners ›Der vierund
zwanzigste Februar‹ und Tiecks ›Der Abschied‹ (vgl. aber zu S. 203)

230 *Andres und Woyzeck in einem Bett:* Vgl. das zweite Clarus-Gut
achten, S. 635. – *spricht's aus der Wand:* Vgl. das zweite Clarus
Gutachten, S. 644. – *Wirtshaus:* Zur sozialgeschichtlichen Deu
tung dieser Szene vgl. Meier, Woyzeck, S. 39–41. – *der laß sich vor
mir:* der bleibe mir vom Hals. – *da Kerl, sauf ... Der Kerl sol
dunkelblau pfeifen:* Dazu vgl. das zweite Clarus-Gutachten
S. 644. Sowohl von Schmolling wie von Dieß wird berichtet, daß
sie vor dem Mord Branntwein getrunken hatten. – *Brandewein da
ist mein Leben:* Vgl. H 4, 11 und H 1, 10. – *Der Jude:* Vgl. da
zweite Clarus-Gutachten, S. 633.

231 *ökonomischen Tod:* wohlfeiler Tod. Vgl. Glück, Armut. – *Marie
Die Szene verweist nach Oesterle, Schauer, S. 177 f. auf analog
Schauerszenen in der Schicksalstragödie. Oesterle nennt Zacharia
Werners ›Der vierundzwanzigste Februar‹ als Anklang. Vgl. auch
Wittkowski, Woyzeck, S. 155: »Wie sie ⟨Marie⟩ in der Bibel blät
tert, geschieht es als Gestus des Zeigens ad spectatores. Sie unter
bricht sich, nennt Woyzecks Vornamen Franz; und an ihn denkt
man, denkt wohl auch sie, wenn sie in der Rolle der Maria Magda
lena einem Du, das erst später als ›Heiland‹ identifiziert wird, die
Füße mit Tränen waschen will. Der Spiegel der Eitelkeit, der sie
einst ganz in seinen Bann schlug (S. 222), interessiert sie jetzt sc

wenig wie der Weltspiegel die Fleischersfrau in der eben genannten Szene. Im ersten Bibelzitat ⟨s. unten⟩ läßt sie den Kernsatz weg, *Joh. 8, 7:* ›Wer unter euch ohne Sünde ist, der werfe den ersten Stein auf sie.‹ Diese Schwundstufe des Zitats bildet gewiß in Wahrheit seine höchste Stufe, hier den Appell an uns, Marie nicht zu verurteilen, und damit den Appell an Woyzeck, sie nicht zu richten, hinzurichten.« – *Und ist kein Betrug …:* Zitat aus 1. Petr. 2, 22; vgl. H 2, 9 zu S. 217. – *aber die Pharisäer brachten ein Weib zu ihm …:* Zitate aus Joh. 8, 3–11. – *brüht:* gesprochen bried: südhess. wärmen. – *Der hat d. golden Kron, d. Herr König:* vermutlich Anspielung auf das später von Ludwig Bechstein mitgeteilte Märchen ›Goldener‹. – *Morgen hol' ich der Frau Königin ihr Kind:* Zitat aus dem Märchen ›Rumpelstilzchen‹ der Grimmschen Sammlung. – *Blutwurst sagt: komm Leberwurst:* vermutlich Zitat aus dem elsässischen Märchen ›Gevatter Mysel und Gevatter Läwwerwirstel‹ in August Stoebers Sammlung ›Elsäßisches Volksbüchlein‹. Evtl. auch aus dem zweiten Clarus-Gutachten angeregt; S. 634. – *Und trat hinein zu seinen Füßen …:* Zitat aus Luk. 7, 38 f., bezogen auf Maria Magdalena. Zur Namensgebung der weiblichen Hauptfigur s. zu S. 220. – *Kaserne:* Vgl. S. 599. An der Schlußszene scheiden sich die religiösen Deutungen, wie sie Krause und Mautner entwerfen, von der sozialpsychologischen Interpretation durch Glück, Ideologie; vgl. dort bes. S. 84 ff. Zur ästhetischen Deutung des Schlusses vgl. auch Thorn-Prikker, S. 131–134. – *Kamisolche:* Kamisölchen, Hemd, kurzes Wams. – *Montur:* Uniform. – *Leiden sei all mein Gewinst:* Vgl. Lenz, S. 142 und Anz, Leiden, S. 161. Anz macht deutlich, daß es sich bei diesen Versen nicht um ein Zitat aus dem ›Kreuz- und Trostbüchlein‹ (1735) des niederrheinischen Pietisten Wilhelm Hoffmann handelt, was A. Langens Untersuchung zum ›Wortschatz des deutschen Pietismus‹ (1934) nahegelegt hatte: »W. Hoffmann selbst zitiert ein Lied des weit bekannteren und, wie es in den biographischen Notizen der evangelischen Kirchengesangbücher nahezu stereotyp heißt, ›gedankenreichsten Dichters des Halleschen Pietismus‹ und berühmten Arztes und Apothekers am Francke'schen Waisenhaus, Christian Friedrich Richter. Die von A. Langen, einem Zitationsfehler der älteren Pietismusforschung folgend, W. Hoffmann zugeschriebene Strophe ist die dritte des Richterschen Liedes ›Gott, den ich als Liebe kenne, Der du Krankheit auf mich legst ⟨…⟩‹, das nach Richters Tod im zweiten Teil des ›ersten klassischen deutschen pietistischen Gesangbuchs‹ erschien, das J. A. Freylinghausen 1714 herausgab; es wurde erneut im zweiten Anhang der 1718 posthum herausgegebenen *Erbaulichen Betrachtungen* Chr. Fr. Richters abgedruckt. Richters Lied ist in die pietistisch tingierten Kirchengesangbücher und Sammlungen christlicher Lieder immer wieder aufgenommen worden und findet sich auch heute noch in einigen evangelischen Kirchengesangbüchern.

Der dichtende Medizinstudent G. Büchner dürfte das verbreitete und bekannte Lied des Arzt-Dichters Chr. Fr. Richter in seiner nachweisbar stark pietistisch geprägten Straßburger Umwelt und vielleicht aus den bis ins 19. Jahrhundert immer wieder aufgelegten *Erbaulichen Betrachtungen* Richters selbst kennengelernt haben. Er entlehnt dem Lied die beiden letzten Verse seiner, wie man bis zum Erweis des Gegenteils wohl sagen muß, selbstgedichteten Strophe« (Anz, Leiden, S. 172). B.s Strophe negiert die heilstheologische Deutung des Leidens, indem er den Wortlaut der Quelle geringfügig verändert (»Leiden ist jetzt mein Gewinst« zu »Leiden sei all mein Gewinst«) und die Bestandteile der pietistischen Sprache zweideutig werden läßt.

232 *Füsilier:* Infanterist. – geb⟨oren⟩: Der historische Woyzeck beging den Mord im Alter von 41 Jahren. Es ist allerdings im zweiten Clarus-Gutachten davon die Rede, daß Woyzeck den Beginn seines »Zustandes der Gedankenlosigkeit« (S. 630) auf das 30. Lebensjahr ansetzt und daß er »unmittelbar vor und nach dem 30sten etwas vollblütig gewesen und habe dabei zuweilen ⟨...⟩ ein Stechen im Kopf gefühlt« (S. 640). Dieser Bezug zur Krise Woyzecks wird B. beeinflußt haben, die Altersangabe einzusetzen. Vgl. dazu Wittkowski, Woyzeck, S. 158: »⟨...⟩ dieses Datum Büchners ⟨signalisiert das⟩ Zentralproblem, das biblische Ärgernis, das kommen muß; ›doch wehe dem, durch den es kommt!‹. Die Stelle ist in der Liturgie an eben jenem 20. Juli zu lesen, dem Gedenktag des hl. Hieronymus Ämilianus, des Schutzheiligen verwaister und verwahrloster Kinder.« – *Hobelspän:* Anschluß an H 4, 1. Vgl. auch H 1, 14. Indiz für die kompositorische Kreisstruktur.

ÜBER SCHÄDELNERVEN

Naturwissenschaftliche und philosophische Schriften Büchners

B. beschäftigte sich in seinen letzten zwei Lebensjahren verstärkt und gleichzeitig mit naturwissenschaftlichen und explizit philosophischen Fragen. Angedeutet hat sich diese Verbindung jedoch schon sehr früh; bereits die Gymnasialschriften (S. 15 ff.) weisen naturhistorische, psychologische und physiologische Themen auf. Das Interesse an den Naturwissenschaften, speziell an der Pathologie (vgl. Döhner, Erkenntnisse, S. 131), ist sicher auch durch die Familientradition mitbedingt: Vater und Großvater waren Ärzte, die es immerhin bis zum Amtschirurgen, der Vater später sogar bis zum Obermedizinalrat, gebracht hatten.

»Georg Büchner studierte Medizin in Gießen an der Ludoviciana, der hessischen Landesuniversität, im Wintersemester 1833/34 und Sommersemester 1834. Das Datum der Inskription ist bekannt; er schrieb sich am 31. Oktober ein, ebenso wie Carl Vogt (1817–1895, später Professor für Zoologie und Geologie in Genf). Mit dem Ende des Sommersemesters bricht das Studium der Medizin für Georg Büchner in Gießen ab: der Vater verbietet die Rückkehr angesichts der revolutionären Umtriebe an der Universität. Somit sind es nur acht Monate in dem exemplarischen Leben Georg Büchners – allerdings eine wesentliche Station.

Georg Büchner mußte als hessisches Landeskind nach vier frei gestalteten Semestern an der Hochschule in Straßburg das vorgeschriebene Pflichtstudium an der Landesuniversität Gießen absolvieren (diese Pflichtregelung galt auch an anderen Landesuniversitäten und war meistens in der 2. Hälfte des 18. Jahrhunderts eingeführt worden). In Straßburg hatte Büchner keine Pflichtvorlesungen zu absolvieren. Er hat dort die beiden dominierenden Richtungen der biologischen Wissenschaften kennengelernt, beide vertreten durch hervorragende Lehrer. Die vergleichende Anatomie und Zoologie lehrte Georges Louis Duvernoy (1777–1855). Er galt als bester Schüler Georges Cuviers (1769–1832, Begründer und größter Kenner der vergleichenden Anatomie) und übernahm nach dessen Tod seinen Lehrstuhl für Naturgeschichte am Pariser Collège de France. Naturphilosophischen Spekulationen stand Duvernoy ablehnend gegenüber, auch darin Cuvier folgend. Die naturphilosophische Richtung wurde durch den jungen Physiologen Ernest-Alexandre Lauth (1803–1837) vertreten. Sein Vater Thomas Lauth (gestorben 1826) war in Straßburg ein bekannter Professor der Anatomie gewesen. Durch E.-A. Lauth dürfte Büchner erstmals intensiven Kontakt mit naturphilosophischem Gedankengut bekommen haben, wurde er an die Schriften Schellings und Okens herangeführt. So lernte Büchner bereits in seinen ersten Studiensemestern die beiden entgegengesetzten Strömungen der damaligen Naturwissenschaft kennen. In Straßburg wie an anderen Universitäten existierten beide Richtungen noch oft bis in die zweite Hälfte des 19. Jahrhunderts in friedlicher Koexistenz nebeneinander« (Maaß, S. 148).

Von Einfluß auf B. war auch J. B. Wilbrand (vgl. *Woyzeck*, zu S. 218), 1779–1846, seit 1809 ordentlicher Professor der Anatomie, Physiologie und Naturgeschichte an der Universität Gießen.

»Mit Johann Bernhard Wilbrand wirkte also in Gießen einer der wesentlichen Vertreter der naturphilosophischen Richtung. Georg Büchner könnte ihn schon vorher im Elternhaus durch die 1831 erschienene umfangreiche Autobiographie kennengelernt haben – mit Sicherheit aber durch seinen Straßburger Lehrer Lauth, einen Teilnehmer der großen und bedeutenden wandernden ›Akademie‹ der Versammlung deutscher Naturforscher und Ärzte, die durch Oken in Verbindung mit Wilbrand und zwölf anderen Mitstreitern 1822 ins Leben gerufen worden war und bis 1835 bestand.

Auf mehreren Tagungen, die jeweils an einem anderen Ort stattfanden, ist Wilbrand als Redner aufgetreten, als Vertreter naturphilosophischer Vorstellungen für das ihn besonders beschäftigende Gebiet der Physiologie. In seiner Autobiographie schrieb er, daß die Physiologie während seiner Studienzeit nur eine Sammlung von allerlei Materialien gewesen sei, verschiedene Meinungen darüber bestanden hätten, was Physiologie sei und was zu ihrem Gebiete gehöre. Nach intensiven Studien und anhand Schellings Naturphilosophie sei es seine Aufgabe, eine Physiologie wissenschaftlich zu begründen. Durch Lauth wird Büchner bereits einiges von dem erfahren haben, worin Wilbrand von den bisher gängigen Lehren der Physiologie abwich. ⟨...⟩ Wilbrands Ausführungen über die unvergleichliche Stellung des Menschen in den Vorlesungen der Physiologie des Menschen im Sommersemester 1834 werden den Studenten Georg Büchner innerlich nicht erreicht haben, wahrscheinlich aber manch Entwicklungsgeschichtliches. Von Interesse könnte für ihn die in jenen Jahren stattgehabte Zusammenarbeit zwischen Liebig und Wilbrand gewesen sein: Wilbrand propagierte mit Liebig statt des Zuckerrübenanbaus die Gewinnung von Zucker aus Ahornsirup, die ökonomisch allen Einwohnern des Landes, auch den Armen, zugute kommen würde« (Maaß, S. 152f.).

»Eine Einschätzung der Medizin in Gießen um 1833/34 ist ohne die Beurteilung Carl Vogts und Justus Liebigs nicht möglich. Es sind aber aus einseitiger Sicht gefällte Urteile, bei beiden Rückschau. Carl Vogt schrieb seine Erinnerungen *Aus meinem Leben* 1891 nieder, nach einem erfolgreichen Forscherleben im Sinne der kausal-analytischen Naturforschung. In Liebig und Vogt traten zwei der gewaltigsten Streiter für die neue aufstrebende Naturwissenschaft der Naturphilosophie und einem ihrer wesentlichen Vertreter in Gießen, J. B. Wilbrand, entgegen. Bei beiden ist ein tiefer Haß gegen die Naturphilosophie belegt – bei Liebig bis hin zu der Feststellung: ›Naturphilosophen ins Zuchthaus!‹

Carl Vogt gibt Wilbrand der Lächerlichkeit preis, nach ihm bestand die Universität aus einer Reihe bizarrer Sonderlinge, trauriger Ignoranten, kleinkrämerischer Querköpfe« (Maaß, S. 154).

Wilhelm Doerr faßt zusammen: »Büchners Arbeiten als Naturforscher werden heute gerne in zwei Richtungen geschieden, in eine solche der *Psychopathologie* und eine der *vergleichenden Anatomie*. Man hat in Georg Büchner den ›großen Psychopathologen‹ gesehen: Lenz und Woyzeck gelten als ›Gestörte‹. Büchner habe im *Woyzeck* 50 Jahre vor Kraepelin ein vollständiges Bild der Schizophrenie gezeichnet. Die Krankheit des Lenz stünde für die Leidenserfahrung der damaligen Epoche. Büchners *Lenz* sei ein Stück ›Konfliktverarbeitung‹. Es werden Ähnlichkeiten mit *Werthers Leiden* erörtert und Vergleiche zwischen den Krankheitsbegriffen bei Goethe und Büchner angestellt. Krankheiten hätten bei beiden einen lebensgeschichtlichen Hintergrund. Krankheit sei bei Goethe ein ›Aus dem Gleichgewicht geraten‹ der natürlichen Kräfte. Bei Büchner bedeute Krankheit eine umfassende Zerstörung; sie bringe Hoffnungslosigkeit, sie erzeuge einen Riß in der Natur des Kranken sozusagen ›von oben bis unten‹. Büchner hatte – dem Goethe von *Werthers Leiden* gleich – das Leben mit der Dichtung überwunden. Seelenarzt, also ausübender Psychiater, ist Büchner nie gewesen. Er beweist aber durch seine Sensibilität für psychopathologische Verhaltensstörungen eine ungewöhnliche Fähigkeit für differenzierendes, begriffliches Denken. Gerade diese Kunst Georg Büchners wird auf dem Felde seiner eigentlichen Forschungen, nämlich dem der vergleichenden Morphologie, erneut unter Beweis gestellt« (S. 287). Doerr gibt anschließend eine knappe Darstellung von B.s anatomisch-physiologischer Arbeitsweise.

Bei B. verband sich das Interesse an naturwissenschaftlichen und philosophischen Fragestellungen, wie es in erster Linie natürlich in seinem Medizinstudium und in den einschlägigen Spezialpublikationen zum Ausdruck kommt, aufgrund der allgemeinpolitischen Situation und aufgrund seines individuellen Engagements rasch mit einer gesellschaftskritischen Haltung. Diese Kombination durchzieht sein gesamtes Werk und läßt sich bis in methodisch-stilistische Eigenheiten hinein feststellen: »Die unbeirrbare Sicherheit, mit der er ⟨Büchner⟩ die negativen Effekte der allgemeinen gesellschaftlichen Bewertung einer aufgrund von Klassenprivilegien erworbenen Bildung kennzeichnete, und die verallgemeinernden Betrachtungen, die sich bei ihm damit verbanden, erinnern in ihrer Sachlichkeit nicht zufällig an den Tenor ärztlicher Diagnostik und Prognostik. Er verdankte die Blickschärfe und Nüchternheit, mit der er hier das Dickicht von Vorurteilen, Irrtümern und Entstellungen durchdrang, unter anderem auch der Übung, die er sich bei der Anwendung der unerläßlichen präzisen Optik an Modellen seines Wissenschaftszweiges erworben hatte.« (Mette, Medizin, S. 749f.). Gutzkow schreibt im Brief an B. vom Juni 1836 (Nr. 20) von dessen Autopsie-Bedürfnis, das »aus allem spricht, was Sie schreiben«, und mahnt ihn, das Studium der Medizin nicht vollends gegen das der

Philosophie einzutauschen. So ist z.B. der Zitat-Charakter vieler Passagen bei B. sicher Ausdruck auch solchen naturwissenschaftlichen Bemühens um Autopsie. Ebenso sind die Darstellung von Personen (Arzt im *Woyzeck,* die Beschreibung Lenz') und die Wahl der Vorlagen bzw. Materialien für seine Dichtungen (ärztliche Gutachten für den *Woyzeck,* s. bes. S. 627ff.) gewiß von medizinisch-gesellschaftskritischem Interesse, von pathographischen Intentionen mitangeregt, die sich z.T. sogar ausdrücklich mit ästhetischen Fragestellungen verbinden (vgl. *Lenz:* Kunsttheorie, Gesellschaftskritik und medizinische Diagnose, dazu Brief Nr. 50; vgl. auch *Über Schädelnerven,* S. 257). Einen wesentlich neuen Aspekt beleuchtet Oesterle, Woyzeck, indem er B.s *Woyzeck* mit der literarischen Gattung der ›Physiologien‹ in Beziehung setzt (vgl. S. 255): »Die Philosophie hatte im 18. Jahrhundert erprobt, sich durch Analogieverfahren (›analogon rationis‹) das bislang unerschlossene Gebiet der Künste zu erobern. Der Literatur im ersten Drittel des 19. Jahrhunderts gelingt Vergleichbares. Analog zu Verfahren der Naturwissenschaft entsteht außerhalb der überkommenen Gattungen im Grenzgebiet zwischen Publizistik und Poesie eine neue Schreibweise, die der literarischen Physiologien« (S. 201). Oesterle hat dargelegt, in welchem philosophisch-wissenschaftsgeschichtlichen Kontext B.s Naturauffassung und Ästhetik stehen: »Gutzkow hat in seinem Brief vom 10. Juni 1836 das Innovatorische an Büchners Schreibweise in dessen naturwissenschaftlich geschulter Sehweise zu finden geglaubt (S. 350). Die treffende Diagnose konnte Gutzkow stellen, weil dies für ihn keine Büchnersche Eigenheit bleiben sollte. In der der Naturwissenschaft abgesehenen Unbefangenheit gegenüber Geschichte und Kunst sah er ein neues literarisches Prinzip, in der Fähigkeit zur ›Autopsie‹ ein jungdeutsches Programm. Zu Recht ist der Stilwandel der Literatur seit 1830 auf die Öffnung der Literatur für Politik *und* Naturwissenschaft zurückgeführt worden. Nun wäre es literarhistorisch kurzsichtig, allein in der Dreiheit von Naturwissenschaft, Politik und Literatur eine Neuerung zu sehen. Große Teile der Literatur des 18. Jahrhunderts, in Deutschland u.a. die Werke Wielands, Forsters und Lichtenbergs, sind ohne diese Bezugnahme schwer verständlich. Niklas Luhmanns Vorsicht gegenüber ›klaren Zäsuren‹ und Fixierungen von Epochenschwellen haben auch im Bereich der Literaturgeschichte ihre Berechtigung: ›Das was eine Epoche charakterisiert, braucht also nicht unbedingt neu zu sein im Sinne eines erstmaligen Auftretens; epochale Sinngebung mag durchaus mit bekannten Figuren gearbeitet sein, die erst jetzt ins Zentrum der historischen Bestimmung treten.‹ Die epochale Veränderung ist daher nicht global erkennbar am Eintritt der naturwissenschaftlichen Blickweise in die Dichtung, sie läßt sich feststellen an der verschiedenartigen Funktion, die ihr in der Geschichte der Literatur zugeschrieben wurde. Während die empirische Naturwissenschaft im 18. Jahrhundert Einspruchsinstanz gegenüber der bisherigen Herrschaft der Moralphilosophie und ontologisch geprägten Vorstellungen von Schönheit und Häßlichkeit ist, wird sie

Ende des 18. und Anfang des 19. Jahrhunderts zum Widerpart der Geschichtsphilosophie.

Der folgenreichen Trennung von Ästhetik und Ethik unter Berufung auf die Physiologie ist der ehemalige Mediziner Friedrich Schiller in seiner ästhetischen Theorie verpflichtet; gleichwohl wird bei ihm wie schon bei Kant diese Innovation der Physiologie abgeschwächt, verdrängt und transformiert durch die geschichtsphilosophische und idealistische Ästhetik. Bezeichnenderweise hatte Kant die Anthropologie, eine Lehre von der Kenntnis des Menschen, systematisch abgefaßt, in physiologische und pragmatische Menschenkenntnis aufgeteilt. Die erstere richtet sich auf die Erforschung dessen, ›was die Natur aus dem Menschen macht‹, während die pragmatische Anthropologie darlegt, ›was er als freihandelndes Wesen aus sich selber macht, oder machen kann und soll‹. Was Kant noch auf prekäre Weise zusammenzudenken versucht, tritt, wie Odo Marquard entwickelt, in der Folgezeit opponierend auseinander: die romantische Naturphilosophie übernimmt den Part einer der Geschichtsphilosophie entgegenstehenden, erfahrungsorientierten ›physiologischen Anthropologie‹. Doch der ›alternativen Definition‹ zur Geschichtsphilosophie zum Trotz ist die romantische Naturphilosophie nicht frei von einer Tendenz zur Spiritualisierung.« (ebd. S. 225 f.)

Oesterle sieht in der »voie physiologique« eine breite kulturgeschichtliche Tendenz, die sich in zahlreichen literarischen Gattungen zeigt und der auch B. verpflichtet ist (Oesterle, Woyzeck, bes. S. 237).

Während des letzten Straßburger Winters 1835/36 verfaßte B. seine Dissertation über das Nervensystem der Barben (einer Karpfenart), *Mémoire sur le système nerveux du barbeau (Cyprinus Barbus L.).* B. trug die Studie in den April- und Mai-Sitzungen der ›Société d'histoire naturelle de Strasbourg‹ vor. Kurz darauf wurde sie zur Veröffentlichung in den ›Mémoires‹ der Gesellschaft angenommen und im April 1837 im zweiten Band veröffentlicht (vgl. Hauschild, Büchner, S. 372 f.; nachgedruckt 1987 in G. B.: Gesammelte Werke. Erstdrucke und Erstausgaben in Faksimiles). B. wurde als korrespondierendes Mitglied in die ›Société‹ aufgenommen (vgl. Brief vom 1. Juni 1836, Nr. 58). Er reichte eine handschriftliche Fassung der Dissertation in Zürich ein. Gutachter war u. a. Lorenz Oken (1779–1851; vgl. zu S. 261), eine der überragenden Gestalten der zeitgenössischen Medizin, dessen Theorien – in der Nähe der Anatomie-Lehre Goethes und seiner wie Carus' (vgl. zu S. 261) Naturauffassung – auch B.s Ansichten nahestanden. In seiner Dissertation bekennt sich B. zur genetischen, organologischen Methode, die sich von der teleologischen Schule scharf abgrenzt (vgl. S. 695 f.).

»Die umfangreiche Arbeit Büchners wird durch zwei tabellarische Zusammenstellungen gekrönt. Die eine Tabelle möchte zeigen, welche Hirnnervengruppen welchen Hauptabschnitten des Gehirnes zugeordnet werden sollten, die andere will übergreifende Beziehungen verständlich machen, nämlich: Welche ›Schädelwirbel‹ bilden welche

Schädelknochen; welche Hirnnerven korrespondieren mit welchen Gehirnabschnitten; wie sind die Beziehungen zwischen Spinal- und Hirnnerven zu denken? Diese letzte Frage ist bis heute nicht gelöst.

Büchner gewann alle Ergebnisse durch manuelle Präparation. Die Anfertigung von Gewebeschnitten war damals noch nicht ›erfunden‹. Mikrotome gibt es erst seit 1854. Büchners Abhandlung verdient aus heutiger Sicht – was Mühe, Sorgfalt, literarische Ausrüstung, was Selbstkritik und geistige Leistung betrifft – höchstes Lob. Sie wurde von Johannes Müller (1836) kritisch, von Stannius (1849) zustimmend besprochen und noch 1934 im *Handbuch der vergleichenden Anatomie der Wirbeltiere* zitiert.

Am 1. April 1833 war die Universität Zürich eröffnet worden. Sie sollte eine ›freie Burg der Wissenschaft für die ganze deutsche Nation‹ sein. Ihr erster gewählter Rektor war Lorenz Oken. Er ist der Begründer der ›Gesellschaft deutscher Naturforscher und Ärzte‹. Er hatte wegen seiner freiheitlichen Gesinnung die Professuren in Jena und in München verloren. Oken war ein Mann von größter Arbeitskraft und vielen originellen Einfällen. Da sich Büchner mit der Homologisierung eingelassen hatte – der Schädel sei eine verlängerte und adaptierte Wirbelsäule, das Gehirn ein Spezialfall des Rückenmarks, die Hirnnerven seien Äquivalente der Spinalnerven –, war es selbstverständlich, daß Büchner mit Oken Kontakt fand. Goethe und Oken hatten die Wirbeltheorie des Schädels, jeder auf seine Weise, jeder ganz zufällig, gefunden. Büchner wurde mit seiner Arbeit über das Nervensystem der Barben in der Sitzung der Philosophischen Fakultät Zürich vom 3. September 1836, und zwar aufgrund der Gutachten der Herren Duvernoy und Lauth (Straßburg) sowie der Herren Oken, Schinz, Löwig und Heer (Zürich) *in absentia* zum *Dr. philosophiae* promoviert. Die Promotion ist protokollarisch festgehalten. Eine Urkunde (Doktordiplom) findet sich nicht bei den Akten« (Doerr, S. 289).

»Der Forschungsbeitrag Georg Büchners, dessen wissenschaftshistorische Bedeutung vor allem Jean Strohl, Hermann Helmig, Jochen Walther Bierbach, zuletzt und besonders gründlich Otto Döhner untersucht haben, beruht auf zwei Schriften: dem *Mémoire sur le système nerveux du barbeau (Cyprinus barbus L.)*, der in Straßburg im März 1836 abgeschlossenen Dissertation, und dem Text der Anfang November 1836 in Zürich gehaltenen Probevorlesung über Schädelnerven. Der plötzliche Tod des Dichters, der am 19. Februar 1837 einer Typhusinfektion erlag, beendete Georg Büchners Laufbahn als Naturforscher und akademischer Lehrer, ehe sie richtig begonnen hatte.

Nachdem Georg Büchner in drei aufeinanderfolgenden Sitzungen der Straßburger ›Société du Muséum d'Histoire Naturelle‹ am 13. und 20. April und am 4. Mai 1836 erstmals öffentlich ›sur les nerfs des poissons‹, d.h. von den Ergebnissen seiner Untersuchungen über das Nervensystem der Fische, berichtet hatte, erschien in der französischen Wochenschrift *L'Institut* vom 7. September 1836 ein wörtlicher Abdruck des Vortragsprotokolls, das vermutlich Dominique-Auguste Lereboullet (1804–65), damals Sekretär dieser Gesellschaft, aufgezeichnet hat. Diktion und Umfang der Niederschrift sprechen sogar dafür, daß dem Verfasser das Originalmanuskript Büchners vorgelegen haben muß.

Eine deutsche Übersetzung dieses Artikels wurde bereits wenige Wochen später in den *Notizen aus dem Gebiet der Natur- und Heilkunde* veröffentlicht« (Geus, S. 292).

B.s Dissertation ist französisch geschrieben; nur ein Bruchteil wurde bisher (bereits von Ludwig Büchner) ins Deutsche übersetzt. Ihre Hauptthese, die auch in der Probevorlesung vorgetragen wird, lautet: Kopf und Hirn sind das Erzeugnis einer Metamorphose der Wirbel und des Rückenmarks (vgl. S. 696). Im Detail fanden die Ergebnisse der Untersuchung keine Bestätigung, so insbesondere die Annahme von den sechs Gehirnnervenpaaren und den sechs Gehirnwirbeln. Bereits 1836 wurde die Arbeit von dem Mediziner Johannes Müller heftig kritisiert (verständlicherweise, denn er ist der ungenannte Adressat der von B. vorgetragenen methodologischen Kritik an der bisherigen Medizin. Johannes Peter Müller, 1801–58, Physiologe und Anatom, stand an der Wende von naturphilosophischer Anschauung innerhalb der Medizin zu moderner naturwissenschaftlicher Heilkunde. B. identifizierte ihn jedoch mit der teleologischen Schule). Vgl. Geus, S. 293: »Die erste kritische und zugleich ausführlichste Würdigung des *Mémoire* erfolgte erst nach Büchners Tod durch Johannes Müller, einen der bedeutendsten Anatomen und Physiologen in der ersten Hälfte des 19. Jahrhunderts, der seine vierseitige Rezension im Rahmen des *Jahresberichtes über die Fortschritte der anatomisch-physiologischen Wissenschaften im Jahre 1836* veröffentlicht hat. ›Die Erkenntnis des Typus, welcher der Anordnung des Nervensystems insbesondere der Hirnnerven bei den Wirbeltieren zu Grunde liegt‹, so beginnt der Rezensionstext, ›gewinnt durch die Anatomie dieser Nerven bei jedem einzelnen Tiere, wenn diese ebenso genau als die Ideen zugänglich ist‹. Müller betonte, daß Georg Büchner ›in diesem Sinne‹ und mit viel Erfolg ›die Anatomie des Nervensystems bei Cyprinus barbus bearbeitet‹ hat.« Und ebd., S. 294: »Müller bezog sich darüberhinaus auch später noch auf die Befunde Georg Büchners. So berücksichtigte er sie in der letzten Lieferung des ersten Bandes seines in dritter verbesserter Auflage erschienenen *Handbuches der Physiologie* und in einem Aufsatz zur *Vergleichenden Neurologie der Myxinoiden*. Das positive Urteil eines kompetenten Gelehrten vom Range Johannes Müllers und die Aufnahme des *Mémoire* in die *Quellenkunde der vergleichenden Anatomie* von Friedrich Wilhelm Aßmann aus dem Jahre 1847 sind Voraussetzungen dafür gewesen, daß sich Friedrich Hermann Stannius (1808–83) in der 1849 veröffentlichten Monographie über *Das peripherische Nervensystem der Fische* noch einmal sehr ausführlich mit den Forschungsergebnissen Büchners auseinandergesetzt und sie im Vergleich mit allen anderen literarischen Quellen zu diesem Thema überprüft hat.«

Dagegen wurde die Arbeit von dem Anatomen Hermann Stanni 1849 in dessen Lehrbuch ›Peripherisches Nervensystem der Fisch außerordentlich gelobt. Ferner Geus, S. 294 f.: »Die Abkehr von d Wirbeltheorie des Schädels, die sich nach dem Erscheinen von Thom Henry Huxleys (1825–95) ›On the Theory of the Vertebrate Skull‹ i Jahre 1859 vollzog, drängte die theoretisch-philosophischen Aussag Georg Büchners notwendigerweise an den Rand der Debatte; sie kon ten nur noch ein ›historisches Interesse beanspruchen‹. Für einzel morphologische Befunde hingegen blieb die Autorenschaft Büchne nach wie vor lebendig. In den *Vergleichenden anatomischen Studi über das Gehirn der Knochenfische mit besonderer Berücksichtigu der Cyprinoiden* hat sich P. Mayser auf die Erstbeschreibung des unt ren und des oberen Recurrensastes bezogen ⟨P. Mayser: Vergleichen anatomische Studien über das Gehirn der Knochenfische mit besond rer Berücksichtigung der Cyprinoiden, in: Zeitschrift für Wisse schaftliche Zoologie 36 (1882), S. 259–364⟩, und zuletzt wurde Geo Büchner von A. Hirt im Rahmen seines Beitrages zur *vergleichend Anatomie des sympathischen Nervensystems* erwähnt, im Handbu der vergleichenden Anatomie der Wirbeltiere, hg. von L. Bol E. Göppert, E. Kallius, W. Lubosch, Berlin, Wien 1934, S. 685–776.«

»Büchner starb am 19. Februar 1837 an einem Typhus abdominal und zwar in der 3. Krankheitswoche. Ich vermute, daß sich Büchn bei seinen Präparationen frischer Fische infiziert hatte. Man wird a nehmen dürfen, daß Büchner durch das Übermaß an Arbeit zwisch März 1835 und dem Jahreswechsel 1836/37 erschöpft war; seine G sundheit war unterhöhlt.

Büchner war ein *eigenständiger Denker:* Er war Schüler von Duve noy, jener war ausgebildet bei Cuvier in Paris. Cuvier war ein Gegn des Homologiegedankens. Er geriet darüber in einen öffentlichen Str mit Geoffroy de St. Hilaire. Letzterer war aber wie Goethe und Ok davon überzeugt, daß die ›typologische Betrachtungsart‹ allein imsta de sei, *durchgreifende* Zusammenhänge bei Tier und Pflanze zu offe baren. Büchner, der sich also wie Duvernoy nach Cuvier zu orientier gehabt hätte, ging nicht diesen Weg der ›Sicherheit‹, sondern hielt mit der Konzeption von Geoffroy de St. Hilaire, dem großen Gegn der Schule seines eigenen Meisters und damit auch mit der Typusleh von Goethe.

Die *Wirbeltheorie des Schädels* ist durch die ›Segmenttheorie‹ abg löst. Sie ist nicht – jedenfalls nicht ganz erledigt. Denn bei den meist Wirbeltieren kommt am hinteren Ende des Schädels ein Zuwachs a Material hinzu. Hier entsteht *wirklich* ein Stück des Schädels ›aus Wi beln‹. Die Hinterhauptgrenze ist, erdgeschichtlich gesehen, in stete Vorrücken gegen den Rumpf begriffen. Durch Aufnahme von segme talem Rumpfmaterial entsteht also die Occipitalregion! Im übrigen i es bis zur Stunde problematisch, occipito-spinale und spino-occipita Nerven selbst mit modernster Methodik voneinander zu untersche den.

Wann hat je ein Doktorand eine Aussage getroffen, deren heuristischer Wert über 150 Jahre gültig geblieben ist?« (Doerr, S. 290).

Zur Darstellung der Entstehungsgeschichte der Dissertation trägt Hauschild, Büchner, Material bei: »Für seine zoologisch-morphologische Untersuchung über die Nerven der Barbe, einer Karpfenart, kamen Büchner die gründlichen Kenntnisse zugute, die er sich als Straßburger Student, möglicherweise bei Duvernoy (Naturgeschichte), Flamant (Gynäkologie), Ehrmann (Anatomie), Masuyer (med. Chemie) und Ernest-Alexandre Lauth (Physiologie) erworben und 1833/34 in Gießen bereits unter Beweis gestellt hatte. Dort war ihm neben dem philosophisch-mathematischen Pflichtstudium nur wenig Zeit für die vergleichende Anatomie geblieben. Carl Vogt erinnerte sich später nur an ein Kolleg bei Friedrich Christian Gregor Wernekink, das er zusammen mit Büchner (und Carl Cratz, später ebenfalls politischer Flüchtling in Zürich) im Wintersemester 1833/34 besucht hatte. Wernekink las u.a. über Anatomie des Gehirns, der Sinnesorgane und ihre Entwicklungsgeschichte sowie über vergleichende Anatomie im allgemeinen und war auch der Leiter der praktischen Sezierübungen. Vogt bezeichnete ihn als ›trefflichen Präparator‹, der den Studenten ›die damals landläufigen Wirbeltheorien‹ demonstriert habe – vermutlich eine der entscheidenden Anregungen für Büchners experimentelle ›Beschäftigung mit der Anatomie des Zentralnervensystems‹. Nach Vogts Urteil soll Büchner damals ›sehr eifrig‹ bei der Sache gewesen sein: ›seine Diskussionen mit dem Professor zeigten uns beiden andern bald, daß er gründliche Kenntnisse besitze, welche uns Respekt einflößten‹.

Daß Büchner zum Gegenstand seiner Dissertation gerade eine Fischart wählte, hatte einerseits sicher örtliche Gründe im Fischreichtum von Rhein, Ill und Breusch. Zum andern entspricht dies Büchners Überzeugung, wonach ›die einfachsten Formen 〈...〉 immer am Sichersten 〈leiten〉‹: ›en partant des organisations les plus simples et en s'élevant peu à peu aux plus développées‹ müsse der Weg der Betrachtung gehen« (S. 361 f.).

Ludwig Büchner berichtet in seiner Biographie (in den *Nachgelassenen Schriften*, S. 29 ff.) über Georg B.s Beziehung zur Straßburger Gesellschaft für Naturgeschichte: »Der berühmte *Lauth* und *Düvernoy*, Professor der Zoologie, leisteten ihm für diese Studien allen Vorschub, und machten ihm den Gebrauch der Stadtbibliothek sowohl, als einiger bedeutenden Privatbibliotheken möglich. 〈...〉 Seine vergleichend anatomischen Studien führten ihn zur Entdeckung einer früher nicht gekannten Verbindung unter den Kopfnerven des Fisches, welches die Idee gab, eine Abhandlung über diesen Gegenstand zu schreiben. 〈...〉 Da nun Büchner die Absicht hatte, schon im Frühjahre des Jahres 1836 nach Zürich als Privatdozent zu gehen, so beeilte er sich mit seiner Abhandlung sehr. Im März 1836 war sie fertig, und nachdem er in der *Straßburger gelehrten Gesellschaft für Naturwissenschaften* mit sehr großem Beifall drei Vorträge über den Gegenstand gehalten hatte, beschloß die Gesellschaft auf Antrag der Professoren Lauth und Düvernoy, die Abhandlung in ihre Annalen aufzunehmen und dieselbe zum Druck auf ihre Kosten zuzulassen. Zugleich ernannte sie Büchner zum korrespondierenden Mitglied.« Hauschild, Büchner, S. 363 ff. bringt neue Dokumente, die B.s Referat seiner Dissertation und seine Verbindung zur Straßburger Gesellschaft genauer beleuchten.

Im Frühjahr 1836 (Brief Nr. 59) berichtet B. von seiner Absicht, demnächst in Zürich »einen Kurs über die Entwickelung der deutschen Philosophie seit Cartesius zu lesen«, und von der Aussicht, dort promoviert zu werden.

Auch hierzu hat B., wie bei seinen weiteren philosophischen Arbeiten, Wilhelm Gottlieb Tennemanns ›Geschichte der Philosophie‹ (1798, 1799, 1801) stark herangezogen, insbesondere Band X, S. 228–263. Für den Anfang seiner Vorlesungsniederschrift benutzte er das Werk von Johannes Kuhn, ›Jacobi und die Philosophie seiner Zeit‹, Mainz 1834. B.s Arbeit stellt einen Auszug und eine knappe Beschreibung der Prinzipien der Philosophie Descartes' dar, seiner Metaphysik und Erkenntnislehre. Besonderes Gewicht liegt auf der Darstellung der cartesischen Lehre von der Funktion der Nerven. Handelt es sich im ganzen im Exzerpte, um das Bereitstellen von Materialien für ein Descartes-Kolleg, so sind doch »die Art der Verarbeitung und die persönliche Note des Vortrages ⟨...⟩ Büchners Eigentum« (Bergemann, S. 743). Auch Mayer, Georg Büchner, S. 358, betont die relative Selbständigkeit: »Auch hier hat, neben den Descartes-Texten natürlich, das Werk von Tennemann und andere philosophische Literatur der Büchner-Zeit die Grundlage abgegeben; allein die ganze Art der Darstellung ist schon recht aufgelockert und persönlich, geht aber nirgends eigentlich über die ›Selbstverständigung‹ oder lehrhafte Wiedergabe von Descartes' Gedanken hinaus. Prachtvoll knappe Prägungen, wie stets bei Büchner, finden sich natürlich auch hier.« Dafür und für die spürbare Ironie, mit der B. Descartes behandelt, sei ein Beispiel gegeben: »Got ist es, der den Abgrund zwischen Denken und Erkennen, zwischen Subjekt und Objekt ausfüllt, er ist die Brücke zwischen dem *cogito ergo sum*, zwischen dem einsamen, irren, nur einem, dem Selbstbewußtsein gewissen, Denken und der Außenwelt. Der Versuch ist etwas naiv ausgefallen, aber man sieht doch, wie instinktartig scharf schon Cartesius das Grab der Philosophie abmaß; sonderbar ist es freilich, wie er den lieben Gott als Leiter gebrauchte, um herauszukriechen.« (Hist. krit. Ausgabe, Bd. 2, S. 153).

Die *Spinoza*-Arbeit erwähnt B. erst im Brief vom 2. September 183 (Nr. 61). Da sie auch inhaltlich eingehende Descartes-Beschäftigung voraussetzt, wird sie wahrscheinlich später als die Untersuchung übe den französischen Philosophen entstanden sein. Der erste Abschni der Arbeit enthält Definitionen, Axiome und Vorsätze des ersten Teil von Spinozas ›Ethik‹ (1677), übersetzt und mit kritischen Glossen B. versehen. Der zweite Teil widmet sich der Erkenntnistheorie und Me taphysik Spinozas. Tennemanns Philosophiegeschichte liegt auch hie zugrunde (Bd. X, S. 398–419).

»Weitaus bedeutsamer dagegen – allein bedeutsam unter den philosophischen Fragmenten – sind jene Hefte, in denen Büchner, auf dem Wege von Cartesius über Malebranche und andere ›Zwischenglieder‹ der Philosophiegeschichte, zur Welt Spinozas findet. Sofort scheint die Temperatur gleichsam verändert. War die Bereitwilligkeit, für den Augenblick Descartes gleichsam nachzudenken, bei Büchner recht groß, so regt sich, bei Spinozas geometrischen Schlüssen, sofort reger Protest. Büchner hat zwar nicht sein ›Klima‹, aber unter fremdem Himmel seine Grundfragen wiedergefunden.« (Mayer, Georg Büchner, S. 358 f.).

Spinoza ist für B. ein wirklicher Gegner, dessen Welt- und insbesondere Gottesbild ihn beeindruckt: »So liegt also schon über den ersten Rissen des Spinozismus eine unendliche Ruhe. Alle Glückseeligkeit ist allein im Anschauen des Ewigen, Unveränderlichen; nicht von dem Endlichen soll zum Unendlichen, nicht von den Dingen soll zu Gott fortgeschritten, sondern aus Gott heraus alles erkannt werden« (Hist.-krit. Ausgabe, Bd. 2, S. 268 f.). B. wendet sich später jedoch gegen diese Harmonisierungstendenzen: »Die Ruhe, welche die pantheistische Sehweise gewährt, gründet sich nicht zuletzt in einer unhaltbaren Harmonisierung.« (Weiß, Pantheismus, S. 250). Zum wissenschaftlichen Stellenwert der Spinoza-Arbeit in B.s Entwicklung vgl. Proß, Kategorie Natur. Zur impliziten Hegelkritik bei B. vgl. Kuhnigk, S. 276: »Daß Büchner bestimmt kein Hegelanhänger war, sondern in der langen Reihe der Gegner einen wenn auch weniger profilierten Platz hält, ist in der Forschung weithin eine ausgemachte Sache. Zwar fehlt in seinem schmalen Werk und dem erhaltenen Bündel Briefe jeder Hinweis auf eine nachdrücklichere Beschäftigung mit Hegels Denken, ja überhaupt jede namentliche Erwähnung des Philosophen, doch die verschiedenen allgemeinen Äußerungen über das Geschäft der Philosophie, besonders die kritische Stellungnahme zur spekulativen Naturphilosophie wie überhaupt der antiidealistische Zug seines Denkens insgesamt, lassen solch eine Gegnerschaft als ganz selbstverständlich annehmen.

Das unvermitteltste Zeugnis für die Richtigkeit dieser Einschätzung findet sich in den durch Karl Emil Franzos veranlaßten Erinnerungen Ludwig Wilhelm Lucks, der fünfzig Jahre nach dem gemeinsamen Besuch des Darmstädter ›Pädagogs‹ den ehemaligen Schulkameraden noch immer als überlegenen Kritiker Hegelscher Anmaßungen zu beschreiben wußte. Der darin überlieferte ›übermütige ⟨...⟩ Hohn über Taschenspielerkünste Hegelischer Dialektik und Begriffsformulationen‹ beweist allerdings nur, daß Büchner, aus welchen Quellen auch immer, Hegel gekannt haben muß; wie weit diese Bekanntschaft aber tatsächlich ging, und ob sie wirklich so etwas wie ein produktives Verhältnis zu Hegel indiziert, bleibt ungewiß. Welchen Grad an Authentizität man auch Lucks Angaben zubilligen mag, den Schluß auf extensive Hegelkenntnisse bei Büchner lassen sie ganz bestimmt nicht zu. Dagegen steht schon das andere bedeutende Dokument zu Büchners Schul- und Geistesbildung, der Erinnerungsbericht Friedrich Zim-

mermanns, der trotz seiner Ausführlichkeit in der Aufzählung der
ste über die von Büchner gelesene Literatur kein einziges phi
sophisches Werk registriert.« Zur Rekonstruktion eines Verhältnis
von B. zu Hegel dient allein das dichterische Werk als Grundlage. »I
Attitüde spöttischer Kritik, die Büchner unmißverständlich gegenü
der Philosophie an den Tag legt, im *Danton* genauso wie in *Leonce u
Lena* und im *Woyzeck*, findet so am natürlichsten vor dem Hint
grund der zeitgenössischen Hegelrezeption eine einleuchtende Erk
rung. Weil Hegels Anspruch so hoch und das Gebaren seiner Nacha
mer und Adepten mitunter so lächerlich war, der Hegelschen Sch
aber alle zugerechnet wurden, die sich mit den Verkündigungen ih
Stifters im Besitz eines dunklen arcanums wähnten, mußte für Büch
der Spott eine naheliegende Reaktionsform der Kritik sein und gnade
los auch den Schöpfer einer Philosophie treffen, die eine solche U
menge zwielichtiger Geister unter sich vereinigte.

In diesem Sinne hat Büchner gewissermaßen teil an der seit 18
ausufernden kritischen Diskussion um die Hegelsche Philosophie, ι
sich zunehmend nicht nur auf einen internen wissenschaftlichen D
kurs beschränkte, sondern neben den insgesamt durch Hegels Syst
betroffenen Wissenschaften auch mehr und mehr den Bereich der Li
ratur erfaßte.

Im Bewußtsein dieser Aporie, was den philosophischen Neuanfa
nach Hegel betraf, unterzog vor allem die nachwachsende Generatic
also Büchner und seine Altersgenossen, die Philosophie einer kompr
mißlosen wissenschaftstheoretischen Überprüfung, deren fast einzi
wichtiges Kriterium – im polemischen Anschluß an Hegel – sich auf ι
Übereinstimmung von Denken und Sein, konkretem Leben und a
straktem Begriff gründete. Vornehmlich den Vertretern des Jung
Deutschlands lag daran, die Hegelsche Philosophie und den univers
len Zugriff des Systems zu diskreditieren und die Unmittelbarkeit c
Lebendigen vor den ›enzyklopädischen Katakomben‹ und der abstra
ten Begrifflichkeit Hegels zu bewahren. Büchners Ansicht von d
mangelnden Lebensnähe der Philosophie, wie er sie in *Leonce u
Lena* so trefflich vorgeführt und in seiner Probevorlesung ausgespr
chen hat, findet daher bei den Jungdeutschen eine vielfache Entspr
chung. Als der angehende Dozent Büchner 1836 in Zürich sein
Zweifel daran äußert, daß es der ›Philosophie a priori‹ jemals geling
könnte, aus ihrer trostlosen Wüste herauszukommen und den ›weit
Weg zwischen sich und dem frischen grünen Leben‹ zurückzulege
spricht in auffallender Übereinstimmung auch Gutzkow dieser L
bensfeindlichkeit sein Urteil: ›Der Gedanke, welcher aus dem Syste
kömmt, ist tot und welk wie die Blume des Herbariums.‹ Und eben
hatte schon Mundt einige Jahre zuvor den leblosen Charakter des H
gelschen Systems herausgestellt und in nahezu identischer Metapho
auf ein ›seinem philosophischen Begriff selbst innewohnendes Gi
zurückgeführt, ›das die Lebensblüten, auf die es gespritzt wird, ve
zehrt und nicht länger mehr leben läßt‹.« (ebd. S. 277 f.).

Kuhnigk, S. 279f., verweist darauf, daß als geistesgeschichtliche Antizipation der gattungstheoretischen Bestimmung der Komödie durch Friedrich Theodor Vischer seit 1830 in der Betrachtungsweise der Hegelrezeption das Erhabene ins Komische umschlug. Die unnahbare Ehrwürdigkeit einer Philosophie, die sich bis dahin »als der zum Bewußtsein gekommene Weltgeist verstanden hat, wurde allmählich zu einem Gegenstand der Komik degradiert und die von Hegel eingesetzte ›wissenschaftliche Ständeklausel‹ über eine Überlegenheit der Philosophie gegenüber den anderen Wissenschaften aufgehoben. Auf diese Weise war nicht erst mit Büchners Dramen, sondern spätestens seitdem die Philosophie mit dem Tod Hegels gleichsam ›ihre Tragödie hinter sich‹ hatte, ›die Zeit ihres Satyrdramas gekommen‹.« Die Exzerpte zur ›Geschichte der griechischen Philosophie‹ stellen die am wenigsten originäre Leistung B.s dar. Das Ganze ist ein kurzer Abriß der ersten drei Bände von Tennemanns Philosophiegeschichte.

Alle erwähnten philosophiegeschichtlichen und naturwissenschaftlichen Arbeiten sind in der Hist.-krit. Ausgabe Werner R. Lehmanns, Bd. 2, S. 65 ff., abgedruckt.

Die Probevorlesung

Die Verbindung von Naturwissenschaft und Philosophie im Werk B.s läßt sich gerade an der engen Beziehung seiner medizinischen Arbeiten zu dem Spinoza-Entwurf zeigen: »Als Naturforscher steht Büchner im Übergang von der Naturphilosophie der Goethezeit zur Naturwissenschaft des 19. Jahrhunderts ⟨...⟩. Sie tritt besonders augenfällig im philosophischen Teil seiner Dissertation über das Nervensystem der Barben und in der Einleitung zu seiner Probevorlesung ›Über Schädelnerven‹ hervor. Büchner lehnt, mit Goethe, die teleologische ⟨d.h. die ausschließlich zweckorientierte⟩ Betrachtung des organischen Lebens ab und setzt damit eine Auseinandersetzung fort, die schon Spinoza begonnen hatte« (Weiß, Pantheismus, S. 251). Vgl. zur Teleologie-Kritik auch S. 587 sowie *Woyzeck,* S. 228 (H4, 11). »Diese Haltung Büchners ist die gleiche wie die, über welche der hochbetagte Goethe an Friedrich Zelter schrieb: ›Natur und Kunst sind zu groß, um auf Zwecke auszugehen und haben es auch nicht nötig, denn Beziehungen gibt es überall und Bezüge sind das Leben‹« (Doerr, S. 289). Die Verbindung von Naturwissenschaft und Philosophie/Dichtung geht ins Detail: »In der Zürcher Probevorlesung hat Büchner eine so exakte Analyse jener Maschinen- und Apparate-Welt gegeben, die seit dem Mittelalter als die eigentliche Heimat der Melancholiker ⟨s. auch zu S. 37, Rezension *Über den Selbstmord* sowie zu *Leonce und Lena,* S. 161⟩ gilt, daß man die Beschreibung des teleologischen Philosophierens, Chiffre für Chiffre, mit den Manierismus-Formeln vergleichen könnte, die man am Hofe Rudolfs II. zu entwickeln versuchte« (Jens, Gedenkrede, S. 91 f.). Vgl. Krimmel, S. 147: »Der harmonikale Ein-

klang von Mensch und Natur, der beseelte Dialog des Ich des Künstler
mit dem Du der Welt sind nicht nur poetische Gemütsbewegungen, s
sind Ergebnisse von Büchners wissenschaftlicher Arbeit. In seiner Zü
cher Probevorlesung ›Über Schädelnerven‹ führt er aus, daß ›für d
philosophische Methode ⟨die er der teleologischen entgegenstellt⟩ d
ganze körperliche Dasein des Individuums nicht zu seiner eigenen E
haltung aufgebracht ⟨wird⟩, sondern es wird die Manifestation ein
Urgesetzes, eines Gesetzes der Schönheit, das nach den einfachste
Rissen und Linien die höchsten und reinsten Formen hervorbringt
Die Probevorlesung fand das lebendigste Interesse bei den etwa
Hörern durch seine ungewohnte Methode, nachdrücklich auf die B
deutung der einzelnen Organteile hinzuweisen, sowie die anschaul
chen Demonstrationen an frischen Präparaten.«

Nachdem B. seine Dissertation der medizinischen Fakultät der Un
versität Zürich eingereicht hatte, reist er am 18. Oktober 1836 in d
Schweiz ein. Vgl. Büchner, Katalog Marburg, S. 250: »Als Büchner u
den 20. Oktober 1836 in Zürich eintrifft, ist die Situation gerade d
politischen Flüchtlinge aus Deutschland in der Schweiz besonders pr
kär. Ende Mai 1836 waren fast alle Mitglieder zunächst der Zürch
Arbeiter- und Handwerkervereine des ›Jungen Deutschland‹ verhaft
und ihre Papiere beschlagnahmt worden. Unter dem Druck Fran
reichs, das am 27. September sogar die diplomatischen Beziehunge
mit der Schweiz abbrach, sowie der europäischen Großmächte kam
im Sommer und Herbst zu einer regelrechten ›Flüchtlingshatz‹ in de
meisten Kantonen; zahlreiche Emigranten wurden deportiert, nur we
nige durften unter der Auflage absoluter politischer Abstinenz un
regelmäßiger Meldepflicht bleiben. So wird auch Büchner, obgleich
nach einer erfolgreichen ›Probevorlesung‹ Privatdozent an der er
1833 gegründeten Zürcher Hochschule geworden ist, Ende Novembe
1836 nur ein zunächst sechsmonatiger ›Asyl-Aufenthalt‹ bewilligt. I
bewegt sich dennoch unbeirrt im Kreis der Emigranten, denen es ge
lungen war, sich am Ort zu halten; er zieht sogar in ein von ihne
frequentiertes Haus.«

Am 5. November hält er seine Probevorlesung *Über Schädelnerve*
Er behandelt hier die Schädelnerven niederer Vertebraten (Wirbeltier
gruppen), unter dem gleichen Aspekt wie in seiner Dissertation. Sei
Leitsatz: die einfachsten Formen untersuchen, um auf dieser Basis d
bestimmtesten Typen studieren zu können; sein Ausgangspunkt: ei
heftiger Angriff gegen die teleologische Wissenschaft, die ihren U
sprung in England und Frankreich habe und der er die deutsche philo
sophische Methode gegenüberstellt. (Von einem chauvinistischen Miß
brauch dieser Nationalitäten-Polarisierung, wie es später geschah, kan
bei B. die Rede nicht sein; vgl. Proß, Naturgeschichtliches Geset
S. 236). Das einzige und höchste Gesetz der teleologischen Methode s
die größtmögliche Zweckmäßigkeit eines Organismus. Die organolog
sche-philosophische Methode dagegen soll nicht Zwecke, sonder
Wirkungen erforschen. Ihre höchste Aufgabe also sei es, »das Geset

dieses Seins ⟨d. h. der Selbstgenügsamkeit der Natur⟩ zu suchen ⟨...⟩. Wo die teleologische Schule mit ihrer Antwort fertig ist, fängt die Frage für die philosophische an« (Proß, Naturgeschichtliches Gesetz, S. 236).

»Was hier zum Ausdruck kommt, sind nicht nur die Lehren von Lauth ⟨Physiologe⟩ und Lorenz Oken, es ist nicht nur die Goethesche Naturphilosophie in nuce. Es ist darüber hinaus die mystische Tradition der romantischen Naturphilosophie vom Geiste Schellings. Ein seltsamer Gegensatz zwischen Büchners theoretischen Anschauungen, die eindeutig der naturphilosophischen Richtung angehören, und seinem Wirken als Dozent kurze Zeit später deutet sich hier an. ⟨...⟩ Dieser offensichtliche Widerspruch läßt sich nicht auflösen aus den vorhandenen Zeugnissen.« (Knapp, Georg Büchner, S. 35).

Proß, Naturgeschichtliches Gesetz, S. 229, hat versucht, diesen Widerspruch historisch abzuleiten und zu erklären. Man habe »bisher nicht beachtet, daß es neben der ›Naturgeschichte des Menschen‹ (deren Übertragung aus der Physiologie man in den literarischen Werken Büchners bemerkte) auch eine ›Naturgeschichte der Gesellschaft‹ gibt, daß Natur und Gesellschaft einem gleichartigen Entwicklungsprozeß unterliegen und daß sich aus diesem Baconschen Begriff der ›Naturgeschichte‹, mit mehr Recht als aus der Naturphilosophie, die Einstellung Büchners zu ›Natur‹ und ›Geschichte‹ begründen lasse.« Proß verweist auf die Beziehung B.s zur Schule Johann Lucas Schönleins, des Zürcher Ordinarius für spezielle Pathologie und Direktors der medizinischen Klinik, der B. übrigens während dessen tödlicher Erkrankung betreute, (vgl. dazu S. 260 »Anschauung des Mystikers«) und auf die Soziologie Auguste Comtes – beides ›Quellen‹ im weiteren Sinn bzw. methodisch-inhaltliche Parallelen für B.s Verfahren in der Probevorlesung. B. verwendete zwar notwendigerweise noch Methodiken der von ihm kritisierten Teleologen, ihr Prinzip aber lehnte er entschieden ab, und dies vor allem aus sozialen Gründen. Wenn der Zweckaspekt auf die Gesellschaftsformation übergreift, wird das Individuum durch die normative Kraft des Interpreten, die z. T. in der Naturwissenschaft noch ihre Berechtigung hatte, zerstört. Die Gesellschaftsanalyse bedarf, um aus dieser Aufhebung der Individualität und der resultierenden Anarchie herauszuführen, eines »absoluten *Rechts*grundsatzes« (Brief Nr. 59). Die Teleologie entwürdigt den Menschen zu einem Zweckgegenstand. (Gleichzeitig mit der Vorlesung entstand das ›soziale‹ Drama *Woyzeck;* vgl. auch *Lenz*, S. 144f.).

Auf eine weitere ›Quelle‹ hat Sigrid Oehler-Klein aufmerksam gemacht: Büchner habe in seinem literarischen Werk (im *Danton* und im *Woyzeck;* vgl. S. 218) kritisch die Schädel- und Hirnlehre des Anatomen Franz Joseph Gall verarbeitet. Gall nahm an, daß die menschliche Schädeldecke 27 Erhebungen aufweisen könne, an deren Größe die Ausgeprägtheit der 27 Grundeigenschaften abzulesen sei. Erste Bemerkungen zu dieser Schädel- und Organlehre veröffentlichte Gall 1798 in Form eines Briefes an den Wiener Dichter und Schriftsteller Joseph Friedrich Freiherr von Retzer: ›Des Herrn Dr. F. J. Gall Schreiben über seinen bereits geendigten Prodromus über die Verrichtungen des Gehirns der Menschen und Thiere an Herrn Jos. Fr. von Retzer‹, in: ›Der neue Teutsche Merkur‹ 12. St. 1798, S. 311–332. B. kannte vermutlich die Lehre Galls, stand ihr aber ablehnend gegenüber. Mit ihren psychologischen Grundlagen jedoch stimmte er überein (Oehler-Klein, S. 21, 33).

»Anhand seiner Dissertation über das Nervensystem der Fische und seiner Probevorlesung *Über Schädelnerven* wollte Büchner nachweisen, daß das Hirn ›ein metamorphosiertes Rückenmark und die Hirnnerven ⟨...⟩ Spinalnerven‹ (S. 688) seien. Büchner wollte damit die neuroanatomische Entsprechung für die u. a. von Lorenz Oken, Johann Wolfgang von Goethe und Carl Gustav Carus vertretene Wirbeltheorie des Schädels erweisen. Diese schon 1858 von Thomas H. Huxley widerlegte Theorie ging davon aus, daß der Schädel segmental gegliedert sei, wobei die einzelnen Segmente als Metamorphosen der Rückenwirbel zu betrachten und in ihrer Gestalt mit der Form der Rückenwirbel zu vergleichen seien. Die Fragestellung Büchners: ›Wie können die Massen des Gehirns auf die einfache Form des Rückenmarks zurückgeführt werden?‹, die sich aus der Suche nach einem anatomischen Beleg für diese Theorie ergibt, verweist direkt auf die vergleichend anatomischen Arbeiten Galls.

Gegen die traditionelle Lehrmeinung hatte Gall behauptet, daß das Gehirn eine Weiterentwicklung des Rückenmarks sei und daß die aus grauer und weißer Substanz bestehenden Strukturen des Gehirns mit denjenigen des Rückenmarks – allerdings nicht nur in ihrer Gestalt sondern auch in ihrer Wirkungsweise – analogisierbar seien« (ebd. S. 31 f.).

Sigrid Oehler-Klein weist auch auf B.s Bezugnahme (in der Dissertation) auf Friedrich Tiedemanns Arbeit ›Von dem Hirn und den finger förmigen Fortsätzen der Triglen‹ hin (in: ›Deutsches Archiv fü Physiologie‹ Hg. von J. F. Meckel. Bd. II, Halle und Berlin 1816 S. 103–110), der sich seinerseits auf Gall beruft.

Der mögliche Zusammenhang von B.s biologischer Annahme (un seiner Darstellung in den Dramen) mit bestimmten Erkenntnissen de Lehre Galls – bei allen Unterschieden in der materialen Begründung rückt B.s Theorie noch weiter ab von einer moralisierend-teleologi schen Perspektive auf Natur und Gesellschaft: Auch die Darstellun Woyzecks als sozial determiniert (und daher unzurechnungsfähig entgegen dem Votum der Clarus-Gutachten) mag hierin mitbegründe sein. Vgl. Oehler-Klein, S. 41: »Durch die Aufsplittung des Seelen bzw. Geistesvermögens in einzelne Grundkräfte lieferte Gall eine Er klärung für die seit Pinel (Ph. Pinel: Philosophisch-Medizinische Ab handlung über Geistesverwirrungen oder Manie, Wien 1801) auch i der forensischen Psychiatrie erörterte Anschauung von der partielle Geisteskrankheit, die laut Esquirol (Jean-Etienne-Dominique Esqu rol: Die Geisteskrankheiten in Beziehung zur Medizin und Staatsar neikunde, deutsch Berlin 1838) besagt, ›daß ein Mensch, der wie jed andere empfindet, urteilt und handelt, als die übrigen Menschen‹. Die Geisteskrankheit, die Gall im Unterschied zu Pinel ausschließlich als Gehirnkrankheit faßte, sollte – gemäß seiner Lehre – in einer Störung des üblichen Zusammenspiels der verschiedenen Organe des Gehirns bestehen. Damit konnte Gall nicht nur eine mögliche Unzurechnungsfähigkeit von Gewalttätern, sondern auch den oft diskutierten Mord ohne Motiv begründen; wenn – nach Galls Lehre – zum Beispiel die den Mordtrieb hemmenden Organe des Gehirns Funktionsstörungen erleiden oder wenn das Mordorgan selbst aus irgendwelchen Gründen überreizt ist, muß seine Tätigkeit als unwillkürlich, dem Willen und Urteilsvermögen entzogen, angesehen werden. Schon lange vor Esquirol prägte Gall den Ausdruck ›Monomanie‹ – der allerdings besonders Esquirol berühmt gemacht hat – für den blinden, unwiderstehbaren Drang zu morden, zu stehlen und Brandstiftung zu begehen.«

Methodischer Angelpunkt der B.schen Vorlesung ist die Frage, welche Funktion die naturgeschichtliche Betrachtungsweise selbst bei der mikroskopischen Analyse eines präparierten Objekts habe (vgl. Proß, Naturgeschichtliches Gesetz, S. 235). B.s eigenes Verfahren schwankt, entsprechend der beschriebenen Mittelstellung, zwischen der von ihm selbst programmatisch an den Anfang gestellten ›philosophischen‹ Sehweise, zwischen systematischem Denken und der pragmatisch-empirischen Untersuchung zahlloser, durch verfeinerte Beobachtungstechniken mittlerweile atomisierter und kaum noch systematisierbarer Realitätsteilchen. B. steht damit bereits an der Schwelle zur modernen mechanistischen Theorie und Praxis (s. zu S. 259).

In B.s Naturauffassung und Naturforschung, aber auch in seinen Bezugnahmen auf die ›Natur‹ des Menschen in den dichterischen Werken wird der Wandel des Naturverständnisses in der ersten Hälfte des 19. Jahrhunderts sichtbar, der in B.s Schriften sich nur als Widersprüchlichkeit und Mehrdeutigkeit manifestieren kann (vgl. Döhner, Erkenntnisse, S. 126). Zu B.s Naturbegriff vgl. auch Schwedt, Marginalien, S. 169: »Natur wurde von Büchner, lange schon vor seiner Lektüre des Spinoza und nicht more geometrico, pantheistisch als Verkörperung des Absoluten begriffen. Daß der Selbstmörder gegen sie verstößt, machte schon für den Gymnasiasten den *einzigen, fast allgemein gültigen Vorwurf* gegen sein Tun aus, weil der Selbstmord *unserem Zwecke und somit der Natur widerspricht, indem er die von der Natur uns gegebene, unserm Zweck angemeßne Form des Lebens vor der Zeit zerstört.* In einer anderen Schülerarbeit Büchners ist die Rede von der Freiheit als des großartigen Lebenszwecks des Cato Uticensis, dessen *Erscheinung lange vorher durch jene Vorsehung angeordnet war, deren Gesetze ebenso unerforschlich als unabänderlich sind.* Weil der Tod Catos dem gleichen Zweck folgte wie sein Leben, rechtfertige Büchner seinen Selbstmord. Beide Äußerungen stimmen mit der ›Ethik‹ des Spinoza überein, in der frei genannt wird, was *nur aus der Notwendigkeit seiner Natur existiert und nur durch sich selbst zum Handeln bestimmt wird«* (vgl. zu den Schülerschriften, S. 426). Die Probevorle-

sung folgt in einigen Passagen fast wörtlich der ›Urfassung‹ der Disse
tation, die in einer französischen Vortragsmitschrift überliefert ist. D
Sprache der Probevorlesung ist, nach Döhners Analyse, rhetoris
noch lebendiger, durchsetzt mit Superlativen, Enthusiasmen, sugges
ven Simplifizierungen und pejorativ-abwertenden Vokabeln. Dab
übernimmt B. »gezielt – dabei jedoch unaufdringlich« Okens Termin
logie (vgl. Hauschild, Büchner, S. 376). Die entscheidende Arbeit sei
so Hauschild – bereits zwischen dem Referat vor der ›Société‹ und d
Dissertation geleistet worden, so daß die Probevorlesung ganze Pass
gen aus dem ›Mémoire‹ übernehmen konnte. Döhner zeigt, daß B
Rezeption der zeitgenössischen Naturphilosophie und Naturforschu
durchaus auf der Höhe der Zeit war: »Sein Ziel ist es, überflüssig
oder gar schädlichen weltanschaulichen Ballast aus der Naturphilos
phie auszuscheiden, um so größere Klarheit über die wahren phil
sophischen Grundpositionen der biologischen Wissenschaften zu g
winnen. ⟨...⟩

Es läßt sich ⟨...⟩ wahrscheinlich machen, daß Büchner mit der ›t
leologischen‹ Richtung in Frankreich einerseits die Biologen Lamar
und Geoffroy Saint-Hilaire, andererseits Cuvier meinte. Das Proble
der Zweckmäßigkeit und Angepaßtheit der Organismen in Beziehu
zu ihrer Umwelt konnte nämlich vor Darwins Selektionslehre i
Grunde nur mit teleologischen Hypothesen gelöst werden, auch wer
die genannten Biologen selbst einen anderen Erklärungsanspruch erh
ben. Der ›philosophische Standpunkt‹, den Büchner als für Deutsc
land kennzeichnend ansieht, wird von ihm ebenfalls differenziert beu
teilt, wenn er sich auch mit Vorbehalten deutlich zu ihm bekennt. D
Zweckmäßigkeit der Organismen wird von ihm ganz unter de
Aspekt der Harmonie in der Natur gesehen und damit der ästhetische
Sphäre zugewiesen. Denn wenn Büchner sagt: ›Alles was für jer
Zweck ist, wird für *diese* Wirkung‹, so ist damit das Problem d
Zweckmäßigkeit in der Natur nicht etwa gelöst oder als Scheinproble
entlarvt. Denn ›Zweck‹ und ›Wirkung‹ sind keineswegs, wie Büchne
Worte suggerieren, ein Paar gegensätzlicher Begriffe. Die ›Wirkung
das heißt die organische Natur, wie sie sich unseren Sinnen und d
Erfahrung darbietet, wird nun nicht mehr unter dem Gesichtspunl
des ihr zugrundeliegenden Mechanismus (Kant: ›Erzeugungsprinzip
gesehen, denn auf dieser Ebene war die Naturforschung auf das Pro
blem der Zweckmäßigkeit gestoßen. Durch die Frage nach der ›Wir
kung‹ wird nun die Zweckmäßigkeit auf die transzendente Ebene de
absolut Schönen und harmonisch Geordneten (Kant: ›Beurteilungs
prinzip‹) gehoben. Entsprechend muß die konkrete Fragestellung un
Verfahrensweise der Naturforschung selber eine andere werde
Schönheit, Harmonie und Ordnung oder, dynamisch ausgedrück
Vervollkommnung und Aufstieg sind nicht kausalanalytisch zu unte
suchen, sondern im Reich transzendenter Ideen und Werte ist ihr sinr
voller Zusammenhang aufzuzeigen. Die Naturteleologie wird auf di
ästhetische Ebene transzendiert« (Döhner, Erkenntnisse, S. 128f.)

»Die Grundlage von Büchners vergleichend anatomischen Forschungen war die sog. Wirbeltheorie des Schädels in ihrer Konzeption
durch Lorenz Oken 1807 und ihrer späteren Ausarbeitung durch
Oken, Carus, Bojanus u. a. Diese Theorie entsprach so sehr dem mor-
phologischen Denken der Zeit, hatte wohl auch Vorläufer, daß sie sich
schnell durchsetzte. Goethe hatte diese Auffassung schon 1790 gewonnen, aber erst 1823 publiziert und 1824 den Anspruch auf Priorität
öffentlich angemeldet. Gerade 1836 war der Streit öffentlich neu ange-
facht worden. Am 3. April dieses Jahres hatte ein Ungenannter in der
Augsburger *Allgemeinen Zeitung* Goethes Darstellung von 1824 referiert, sich aber eindeutig von dem Plagiats-Vorwurf gegen Oken distanziert. Daraufhin replizierte Oken (überflüssigerweise) in außerordentlich scharfer Form in der Ausgabe vom 20. Juni. Im selben Jahr ließ
Oken D. G. Kieser auf der Versammlung der Naturforscher und Ärzte
in Jena am 23. September für seine eigene Priorität öffentlich eintreten.
Büchners Probevorlesung war am 5. November 1836. Büchner stellt
sich in diesem akademischen Ritual demonstrativ und nicht ohne Em-
phase ganz in die Tradition der Naturforschung des anwesenden Oken.
Er will zur Klärung eines Problems beitragen, das Oken formuliert
hatte« (ebd. S. 131).

»Proß zeigt in einer Arbeit, die der Analyse des Natur-Begriffs bei
Büchner gewidmet ist, daß zwischen der gesellschaftlichen und krea-
türlichen ›Natur des Menschen‹, wie sie in den Dichtungen Büchners
erkennbar wird, und der ›Natur‹ der wissenschaftlichen Schriften ein
Bruch besteht. In den Dichtungen manifestiere sich ›die Anschauung
vom Determinismus des Naturablaufs, die den Menschen zum bewußten, aber fatalistisch zusehenden Zeugen dieses Ablaufs macht‹. Hier
scheint Büchner unter anderem unter dem Einfluß des französischen
Aufklärungsmaterialismus zu stehen, der sich in den Lehren der ›Idéo-
logues‹ Condillac, Cabanis, Destutt de Tracy und Magendie, dessen
unmittelbarer Einfluß bei Büchner nachweisbar ist, fortsetzte. In seinen naturwissenschaftlichen Arbeiten ging Büchner hingegen von der
Naturauffassung der idealistischen Morphologie aus. Man muß also
von unvereinbaren ›Natur‹-Begriffen in Büchners dichterischen und
naturwissenschaftlichen Schriften ausgehen und sollte weder versuchen, den einen Begriff gegen den anderen auszuspielen, noch beide
zwangsweise zu harmonisieren. Hans Mayers Feststellung, das ›Weltbild‹ des Naturwissenschaftlers sei aus den gleichen Elementen aufgebaut wie dasjenige des Künstlers, des Politikers, des Gesellschaftsfor-
schers und des Philosophen, trifft also nicht zu« (ebd. S. 131 f.).

Den wissenschafts*geschichtlichen* Widerspruch, in dem B. sich selbst
befindet, sieht Vietta auch unter dem Aspekt der Sprachkritik. Der
Widerspruch zwischen aufklärerischem Mechanismusdenken und ro-
mantischer Naturauffassung »durchzieht ja die ganze Biographie Büchners, jedenfalls von dem Zeitpunkt an, da er sich auf das Studium der
Philosophie und der Naturwissenschaften verlegte. Es ist im weiteren
der Widerspruch zwischen dem ›*philosophischen*‹ Standpunkt, den er,

aller Kritik an der Philosophie zum Trotz, in der Probevorlesung *Üb*
Schädelnerven gegen die rein mechanistisch-naturwissenschaftlic
Methode ins Feld führt, ein Ansatz, in dem nicht zuletzt auch Spino:
stisches Gedankengut aufgehoben ist ⟨...⟩ und jener von allen Geistb
griffen losgesagten mechanistisch-naturwissenschaftlichen Denkfor:
die der *Naturwissenschaftler* Büchner ja doch über weite Strecken
seiner eigenen Dissertation praktiziert, die er freilich auch eine ›eck‹
hafte Geschichte‹ nennt« (Vietta, Sprachkritik, S. 152f.). Vgl. *Woyzec*
H 2, 6 (S. 213 f.) sowie S. 599 ff.; s. auch Maaß, S. 154: »Die Gestalt d
Doktors im *Woyzeck* zeigt, daß Georg Büchner den wissenschaftlich
Richtungen, wie er sie in Liebig und Wilbrand verkörpert in Gieß
vorfand, skeptisch gegenüberstand. Der Idealismus mit einer rein sp
kulativen Naturphilosophie stieß ihn ab, die experimentierende Natu
wissenschaft zog ihn nicht an.

Wohin wäre sein Weg gegangen? Es kann nur festgestellt werde
unter dem Naturphilosophen Lorenz Oken (1779–1851) habilitierte
sich mit einer Arbeit aus der vergleichenden Anatomie – im Geis
eines naturphilosophisch geprägten Entwicklungsgedankens. Dar
bricht sein Leben ab.«

Direkt im Anschluß an die Probevorlesung, unter deren Zuhöre
auch Lorenz Oken (s. zu S. 261) saß, wurde dem ›Hohen Erziehung
rate‹ die Aufnahme B.s in die Reihen der Zürcher Universitätslehr
empfohlen (zur Adressatenbezogenheit der Probevorlesung vgl. Dö
ner, S. 87 ff. sowie diese Ausgabe S. 696). B. nahm dann seine Vorlesu
gen sofort auf. »An der Universität, die sich für eine ganze Reihe v
Flüchtlingen wie auch Büchners Freund Wilhelm Schulz als Refugiu
anbot, erwirbt er sich rasch die Anerkennung und Unterstützung d
Professoren seines Faches, Oken, F. Arnold und J. L. Schönlein. D
erste, im bereits laufenden Semester begonnene Kolleg ›Zootomisc
Demonstrationen‹ muß Büchner zwar vor nur wenigen eingeschrieb
nen Hörern und (nach jüngsten Forschungsergebnissen von Jan-Chr
stoph Hauschild) auf seinem privaten Zimmer abhalten, doch schon f
das Sommersemester 1837 kündigt er eine Veranstaltung über ›Vergl
chende Anatomie der Wirbeltiere‹ an, die ungleich größere Aufmer
samkeit beansprucht« (Büchner, Katalog Marburg, S. 250). Unter d
wenigen Hörern (ganze fünf; vgl. dazu Hauschild, Büchner, S. 401 f
die er hatte, befand sich auch August Lüning, der wegen seiner bu
schenschaftlichen Gesinnung das Schweizer Asyl aufsuchte und spät
Kantonalstabsarzt im Dienste der Schweiz wurde. Er teilte vierzig Ja
re später Karl Emil Franzos seine Erinnerungen über B.s Vorlesunge
mit: »Der Vortrag Büchners war nicht geradezu glänzend, aber fli
ßend, klar und bündig, rhetorischen Schmuck schien er fast ängstlic
als nicht zur Sache gehörig, zu vermeiden; was aber diesen Vorlesunge
vor allem ihren Wert verlieh und was dieselben für die Zuhörer :
fesselnd machte, das waren die fortwährenden Beziehungen auf d
Bedeutung der einzelnen Teile der Organe und auf die Vergleichur
derselben mit denen der höheren Tierklassen, wobei sich Büchner ab

von den damaligen Übertreibungen der sogenannten naturphilosophischen Schule (Oken, Carus usw.) weislich fernzuhalten wußte; das waren ferner die ungemein sachlichen, anschaulichen Demonstrationen an frischen Präparaten, die Büchner, bei dem völligen Mangel daran an der noch so jungen Universität, sich größtenteils selbst beschaffen mußte. So präparierte er z. B. das gesamte Kopfnervensystem der Fische und der Batrachier auf das sorgfältigste an frischen Exemplaren, um diese Präparate jedesmal zu den Vorlesungen verwenden zu können. Diese beiden Momente, die beständige Hinweisung auf die Bedeutung der Teile und die anschaulichen Demonstrationen an den frischen Präparaten, hatten denn auch wirklich das lebendigste Interesse bei den Zuhörern zur Folge. Ich habe während meines achtjährigen (juristischen und medizinischen) Studiums manches Kollegium gehört, aber ich wüßte keines, von dem mir eine so lebendige Erinnerung geblieben wäre als von diesem Torso von Büchners Vorlesungen über die vergleichende Anatomie der Fische und Amphibien.«

Über B. als Dozenten recherchiert und dokumentiert ausführlich Hauschild, Büchner, S. 379–403. Die Handschrift der Probevorlesung ist unvollständig erhalten: 4 Bogen durchgehend mit größeren Textverlusten durch Beschädigung; erster Bogen verschollen. Der fehlende Anfang kann jedoch nach der Ausgabe von Ludwig Büchner ergänzt werden (S. 291–294: gekürzter Abdruck des verschollenen ersten Bogens und des Beginns des zweiten d. h. des ersten überlieferten Bogens bis: »Namentlich etc. etc.«, ⟨S. 261⟩ unter dem zugesetzten Titel »Aus der Probevorlesung in Zürich. October 1836.«). Nach dieser Ausgabe druckte K. E. Franzos in seiner Edition 1879 und ergänzte den Text durch ein geringfügiges neues Stück aus der Handschrift (S. 291–295: zusätzlich Auszug aus Bogen III, S. 1, unter dem zugesetzten Titel »Aus der Vorlesung: Über Schädelnerven«; Skizzierung der Überlieferung nach der Marburger Denkschrift, S. 148; ausführlich bei Hauschild, Büchner). Der erste zusammenhängende Druck erfolgte bei Bergemann 1922, S. 352–367, unter Benützung der Ausgaben von Ludwig Büchner und K. E. Franzos bis zur Anschlußstelle; mit Rekonstruktionsversuch der Textverluste in H durch Hans Fischer in Kastenklammern.

Anmerkungen

259 *physiologischen und anatomischen Wissenschaften:* Physiologie = Lehre von den normalen Lebensvorgängen; Anatomie = Lehre vom Bau der Körperteile, Kunst des Zergliederns. – *nationelles Gepräge:* s. Vorbemerkung. – *teleologischen Standpunkt:* Teleologie = Lehre vom Zweck und der Zweckmäßigkeit, von der Ausrichtung auf einen obersten Zweck in der Natur und im Menschenleben; geht auf Aristoteles zurück, der in seiner Lehre von der Entelechie (alles Seiende sei von dem in ihm vorhandenen

Wesen schon immer bestimmt) den von B. kritisierten Zirkel-
schluß der T. begründete: die T. will beweisen, was sie allererst
voraussetzt; Wirkung wird zur Ursache. Vgl. auch Meier, Woyzeck. – *verwickelte Maschine:* mechanistische Organismustheorie
(nach Lamettrie ›L'homme machine‹, 1748); im 19. Jahrhundert
stellte sich die mechanistische Theorie (Erklärung durch wirkende
Ursachen) sowohl gegen die Naturphilosophie als auch gegen die
Teleologie; B. verbindet hier noch mechanistische Theorie und
Teleologie (s. Vorbemerkung). – *Respirationsapparat:* Atmungs-
apparat. – *Lavater:* s. zu S. 146 – *ewigen Zirkel:* s.o.

260 *progressus in infinitum:* Fortschritt ins Unendliche, Zirkel. – *philosophische (Methode):* naturphilosophische Methode Schellings und
Hegels, nach der die Natur aus einem idealen Grundgesetz abgeleitet wird und Natur sich als System von Wirkungen darstellt, das
vor aller Erfahrung gedacht wird. B. verbindet damit aber auch die
genetische (entwicklungsgeschichtlich erklärende) Methode Herders sowie die morphologische (Gestalttheorie) Goethes und die
naturgeschichtliche Methode Bacons (s. Vorbemerkung). – *Zwek-
ke ... Wirkung:* Wirkung steht hier für das Kausalitätsdenken im
Gegensatz zur Teleologie der Zwecke. – *Manifestation eines Urgesetzes, eines Gesetzes der Schönheit:* von Goethes Begriff des Ur-
phänomens geprägt, der apriorischen (aller Erfahrung vorausgehenden Grundform, aus der sich alle empirischen Erscheinungen
ableiten lassen; s. auch zu S. 261, *Oken;* B.s Betonung der ästhetischen Qualität verweist auf den Zusammenhang seiner naturwissenschaftlichen Betrachtung und seiner ästhetischen Anschauungen. – *Form und Stoff:* In der Naturphilosophie ist die Form das
innere Wesen, Stoff das Material, das von der inneren Form ›ge-
formt‹ wird. – *notwendige Harmonie:* spinozistisch-leibniziani-
sche Vorstellung der Harmonie von Geist und Materie (Form und
Stoff), zielt (nach Leibniz' historischem Vorgang) auch wissenschaftsgeschichtlich auf eine Harmonie von Teleologie, Naturphilosophie, Naturgeschichte und Mechanismustheorie. – *Frage nach
einem solchen Gesetze:* Döhner, Erkenntnisse weist auf eine Übereinstimmung mit Karl Ernst von Baer hin, einem der bedeutendsten Vertreter der frühen vergleichenden Entwicklungsgeschichte
nach ihm bot die höchste wissenschaftliche Leistung derjenige
»dem es vorbehalten ist, die bildenden Kräfte des tierischen Körpers auf die allgemeinen Kräfte oder Lebenseinrichtungen de
Weltganzen zurückzuführen« (Karl Ernst von Baer: ›Über Ent-
wickelungsgeschichte der Tiere. Beobachtung und Reflexion 1828
1837‹; zit. nach Döhner, Erkenntnisse, S. 129). – *Anschauung de
Mystikers ... Dogmatismus der Vernunftphilosophen:* hier: un-
sympathisches, irrationales Aufnehmen der Welt, ›Erleuchtung‹
ohne Begriffe aufgrund einer Übereinstimmung erzeugenden All
beseelung; nach Döhner, Erkenntnisse, S. 130 konkret auf Schel
lings Identitätsphilosophie und auf die romantische Naturphiloso

phie zu beziehen – strenge Lehre des rationalistischen Denkers, einer prinzipienabhängigen philosophischen Theorie begrifflichen Denkens; auch hiermit meint B. Schellings, vor allem aber Hegels Naturphilosophie. »Die Linie des französischen Aufklärungsmaterialismus und die deutsche idealistische Morphologie und Physiologie konvergieren beispielhaft in der Naturauffassung Georg Büchners, ohne daß ihr Spannungsverhältnis etwa schon gelöst wäre. Der Auffassung von Proß, Büchner unterscheide ›unangenehm kategorisch‹ zwischen den nationalen Schulen und gebe ›damit einen Vorgeschmack des wissenschaftlichen Chauvinismus‹ des späteren 19. Jahrhunderts, kann ich mich deshalb nicht anschließen. Die wissenschaftshistorische Analyse der programmatischen Äußerungen Büchners am Anfang der Probevorlesung, die sich freilich nicht einfach erschließen, zeigt, daß er die konkurrierenden naturphilosophischen Schulen und Traditionen durchaus kannte und kritisch abwog.« (Döhner, Erkenntnisse, S. 130; vgl. S. 480 und 481). – *Philosophie a priori:* von Kant in die neuzeitliche Philosophie eingeführter Begriff, »vor aller Erfahrung« gegenüber »a posteriori«, nach der Erfahrung.

261 *facta:* Tatsachen. – *Metamorphose der Pflanzen:* Gestaltveränderung, Verwandlung der Pflanzen; Goethes epochemachende Abhandlung, ›Versuch, die Metamorphose der Pflanzen zu erklären‹, erschien 1790. – *Metempsychose des Fötus:* Seelenwanderung der Frucht im Mutterleib. – *Repräsentationsidee Okens:* s. auch zu S. 261 und Vorbemerkung; Lorenz Oken (1779–1851), Begründer der ›Gesellschaft Deutscher Naturforscher und Ärzte‹ (1822), bedeutender Zoologe und Naturphilosoph. Der radikale Demokrat verlor wegen Teilnahme am Wartburgfest 1819 seinen Lehrstuhl in Jena und emigrierte in die Schweiz. Er war als erster Rektor der Universität Zürich »sehr daran interessiert, deutsche Wissenschaftler, die ⟨...⟩ wegen ihrer politischen Gesinnung flüchten mußten, als Dozenten an die neugegründete Hochschule zu berufen, weil er den Sinn seiner Wissenschaft in einer demokratisch gedachten Erziehung des Volkes zu allseitiger Bildung und zur Humanität erblickte« (Walter Grab; zit. nach Büchner, Katalog Marburg, S. 258). Seine Repräsentationsidee besagt, daß alles, was existiert, eine Konsequenz des sich repräsentierenden Selbstbewußtseins Gottes ist; der menschliche Organismus ist – analog – entfaltet im Tierreich repräsentiert. – *vegetativen ⟨Nervensystems⟩:* autonomes Nervensystem, Innenwelt- oder Lebensnervensystem, die Gesamtheit der dem Einfluß des Willens und dem Bewußtsein entzogenen Nerven und Ganglienzellen, die der Regelung der Lebensfunktionen (Atmung, Verdauung, Stoffwechsel etc.) dienen. – *der Schädel ist eine Wirbelsäule:* vgl. Döhner, Erkenntnisse, S. 131 und in dieser Ausgabe S. 688. – *Spinalnerven:* zur Wirbelsäule, zum Rückenmark gehörende Nerven. – *Carus:* Carl Gustav C. (1789–1869), Philosoph, Arzt, Maler; nach seiner

von Goethe, Schelling und Hegel beeinflußten Naturphilosophie ist der Kosmos eine vom Göttlichen durchwaltete Totalität.

262 *Hemisphären:* Halbkugeln (hier: des Gehirns). – *Vierhügel:* Corpora quadrigemina; vier kleine Erhebungen auf der Dorsalfläche (der rückseitigen Fläche) des Mittelhirns. – *kleine Gehirn:* Kleinhirn, cerebellum; der in der Hinterhauptgrube unterhalb der Hinterhauptlappen des Großhirns liegende Teil des Gehirns. – ⟨.. *infundibulum*⟩: Trichter. – *rudimentär:* verkümmert, unterentwickelt. – *opticus:* zu ergänzen: Nervus; Sehnerv. B. beschreibt in seiner Dissertation die verschiedenen Nerven ausführlich. – ⟨*patheticus*⟩: einer der für die Augenbewegung zuständigen Nerven. – *facialis:* Gesichtsnerv. – *oculomotorius* ⟨*abducens*...⟩: abwärts führender augenbewegender Nerv. – *trigeminus:* aus drei Ästen bestehender Hirnnerv. – *glossopharyngeus:* zu Zunge und Schlund gehörender Nerv. – *hypoglossus:* der für die Motorik der Zungenmuskulatur zuständige Nerv. – *accessorius Willis:* eigentlich: der hinzutretende Nerv; versorgt den das Brustbein und das Schlüsselbein mit dem Warzenfortsatz (hinter der Ohrmuschel) verbindenden Muskel; Thomas Willis (1621–75), engl. Mediziner, beschrieb als erster den Akzessorius-Nerv. – *vagus:* eigentlich: der herumschweifende Nerv; Lungen-Magen-Nerv. – *motorischen Wurzeln* Bewegungswurzeln. – *Arnold:* Friedrich A. (1803–90), Anatom und Physiologe. – *Intervertebrallöcher:* Zwischenwirbellöcher. *Spinalknoten:* Rückenmarksknoten.

263 *Modifikationen:* Veränderungen, Abwandlungen. – *stufenweise Betrachtung der Organismen:* Verbindung des Prinzips, von der einfachsten Formen auszugehen, mit der genetischen, entwicklungsgeschichtlichen Betrachtungsweise. Vgl. Proß, Kategorie Natur, S. 185 f. und diese Ausgabe, S. 613. – *Cyprinen:* Karpfen. *oberen Pyramiden:* Pyramidenbahn ist die Gesamtheit derjenigen absteigenden Leitungsbahnen, die in der Großhirnrinde entsprin gen und ohne Unterbrechung bis zu den motorischen Vorde hornzellen des Rückenmarks ziehen. Die Pyramidenbahn ist ein der wichtigsten Leitungsbahnen, sie leitet die willkürlichen Bewe gungsimpulse für die Körpermuskulatur, s. auch zu S. 268.

264 *olfactivus:* oder olfactorius; Riechnerv. – *acusticus:* Hörnerv. *Batrachiern:* Frösche. – *Ophidiern:* Schlangen (Kopffüßler). – *ramus lingualis:* Zungenast (Nerv). – *Cheloniern:* Schildkröten.

265 *Insertion:* Ansatz. – *avortiert:* wendet sich ab, verkümmert. – *ansa:* Schleife.

266 *portio major und minor:* größerer und kleinerer Anteil. – *Analogie:* Vergleich. – ⟨*ramus opercularis*...⟩: zum Deckel gehörend Zweig.

267 ⟨... *ophthalmicus*⟩: Sehnerv. – *Labyrinth:* Innenohr.

268 *vorderen Pyramidenstränge:* Pyramidenvorderstrangbahn, d (ungekreuzt bleibenden) Fasern aller absteigenden Leitungsbah nen des Zentralnervensystems, s. auch zu S. 263.

BRIEFE

Vorbemerkung

Büchners Briefe sind nur lückenhaft oder fragmentarisch überliefert. Das Erhaltene macht wahrscheinlich nur den geringeren Teil der gesamten Korrespondenz aus. Viele Briefe verbrannten im Sommer 1851 im Darmstädter Büchner-Haus (vgl. Hauschild, Büchner, S. 54–57); andere, die an die Verlobte Wilhelmine Jaeglé gerichtet waren, sind verschollen. Was überliefert ist, liegt zum großen Teil nicht mehr im Original und nur bruchstückhaft vor. Die B.-Editorik sieht sich in diesen Fällen auf die Textfassungen der früheren Editionen, v. a. auf die von Ludwig Büchner 1850 herausgegebenen *Nachgelassenen Schriften* angewiesen. Diese aber beschränken sich, nach Angaben des Herausgebers, auf die Mitteilung dessen, »was zur Kenntnis der politischen Bewegungen jener Zeit und des Anteils, den Büchner daran hatte, wichtig schien« (S. 49 f.). Präzise Überlegungen zu den Überlieferungswegen der Briefe hat Hauschild angestellt, der u. a. auf signifikante Unterschiede hinsichtlich der Datierung hinweist (Hauschild, Büchner, S. 101–106).

Zwei thematische Komplexe der B.schen Korrespondenz sind demnach durch die Kontrolle des ersten Herausgebers unterrepräsentiert: der private und der literarische. Und auch für den politischen Bereich wird man infolge der selektiven Vorentscheidung mit einer Manipulation der Aussagen zu rechnen haben. Daß die Briefe an B., entsprechend der weit geringeren literaturhistorischen Bedeutung der meisten Korrespondenzpartner, noch weit fragmentarischer überliefert sind, liegt auf der Hand.

Die in dieser Ausgabe enthaltenen Briefe sind, soweit nicht anders angegeben, zuerst veröffentlicht bei Ludwig Büchner (s. o.).

Die erhaltenen Briefe werden herkömmlich in vier Gruppen eingeteilt, die den Phasen der B.schen Biographie entsprechen: der glückliche erste Straßburger Studienaufenthalt vom Herbst 1831 bis zum Sommer 1833; die von Depression und politischer Aktivität geprägte Zeit in Gießen und Darmstadt bis zum Februar 1835, die mit B.s Flucht aus politischen Gründen endete; das Straßburger Exil bis zum Oktober 1836; schließlich die letzten Lebensmonate als Universitätsdozent in Zürich mit intensiver literarischer und wissenschaftlicher Arbeit.

Die Briefpartner wechseln nach Lebensumständen und Thematik. Die Familie in Darmstadt, v. a. Vater, Mutter und die beiden jüngeren Brüder Wilhelm und Ludwig, sind Adressaten für Mitteilungen über die Außenwelt: aktuelle politische Ereignisse, berufliche, aber auch private Lebensumstände. Unverkennbar in den Elternbriefen ist die

Tendenz zum geschickten Spiel mit den Erwartungen der Adressate
die manches anders verstehen müssen, als es gemeint ist, obwohl d
Wortlaut den eigentlichen Gedanken durchaus präzis formuliert (v
Mayer, Argumentationslist).

Intime Briefpartner sind die Straßburger Freunde Eugen Boeck
August und Adolph Stoeber, v.a. aber die Verlobte Wilhelmine Jaeg
Die Briefe an sie aus der Gießener, aber auch der Zürcher Zeit,
Ludwig Büchner 1850 ohne Genehmigung der Adressatin veröffe
licht hat (Hauschild, Büchner, S. 80–82), sind erschütternde Dokume
te der lebensbedrohenden Depression eines jungen Menschen, der
seiner Einsamkeit und an den politischen Verhältnissen seines Vat
landes leidet.

Die Korrespondenz mit Karl Gutzkow schließlich ist repräsenta
für die Briefaussagen zur literarischen Produktion und Situation. Nic
zufällig wies bereits Walter Benjamin auf ihre Bedeutung für die u
1835 entfachte Literaturdebatte hin. Gutzkow war seinerzeit einer d
führenden Literaturkritiker und Protagonisten des ›Jungen Deutsc
land‹, einer liberalen literarischen Oppositionsrichtung der Ära Mette
nich, die gerade in den Jahren von Gutzkows Verbindung zu B. mas
ver staatlicher Verfolgung ausgesetzt war. Daß B. ihn als Adressat
und potentiellen Multiplikator für seinen dramatischen Erstling *Da
tons Tod* wählte, kann jedoch nicht nur als »programmatisch überle
gelten« (Mayer III, S. 393), sondern beruht zum Teil auch auf Zufäll
(Hauschild, Büchner, S. 33–35). Gutzkow reagierte begeistert, verö
fentlichte das Werk in stark zensierter Form und begriff sich seither
Entdecker und literarischer Mentor von B.s Genius. Die Notwendi
keit, sich gegen Gutzkows Postulat der Veränderung politischen B
wußtseins mittels Literatur abzugrenzen, veranlaßte B. wiederholt z
Formulierung seines eigenen sozialkritischen Standpunkts und mac
die Korrespondenz zwischen beiden aussagekräftig für B.s literatu
theoretische und d.h. in diesem Falle auch gesellschaftskritische Pos
tion.

Die Bedeutung der Briefe B.s reicht über die dokumentarische Funl
tion, Quelle zu sein zur Klärung biographischer und werkgeschichtl
cher Zusammenhänge, weit hinaus. Was sie v.a. auszeichnet, ist ih
enge thematische und formale Korrelation zum literarischen Werk. S
wird im Bereich politischer Thematik deutlich etwa an der Art, wie
aus der scharfsichtigen Analyse der politischen Realität Frankreic
und Hessens heraus seine Revolutionstheorie entwickelt, die dann z
revolutionären Aktion um die Veröffentlichung des *Hessischen Lan
boten* hinführt; des weiteren an der Intensität, mit der er sich in sein
Briefen mit den individuellen und politischen Folgen dieser Aktio
auseinandersetzt, und schließlich an der Bedeutung, die die Kontinuit
der politischen Aussagen der Briefe für die Interpretation des literar
schen Werks gewinnt.

In thematischer und stilistischer Hinsicht besonders evident sind d
Entsprechungen zwischen den Briefen und der Erzählung *Lenz.*

stimmen z.B. überein Art und Funktion der Naturschilderung, die hier
wie dort Spiegel der Innenwelt ist; Artikulationsform und Aussage des
»Kunstgesprächs« in der Erzählung entsprechen dem ästhetischen
Selbstverständnis in den Briefen.

Noch unerforscht allerdings ist die Dimension stilistischer Interde-
pendenzen zwischen Brief und literarischem Werk, wie etwa der für die
B.sche Dichtung konstituierenden Formprinzipien der Satire, der Zi-
tatmontage, Syntax und spezifischen Bildlichkeit.

Doch heute schon läßt sich behaupten, daß B.s Briefe auch als Ur-
sprungsdokument seiner literarischen Werke zu lesen sind; daß sie,
wie Adam Kuckhoff formulierte, »gewissermaßen seine ersten Werke«
sind (G. Büchners Werke, hg. v. A. Kuckhoff, Berlin 1927, S. 223; vgl.
hierzu Fischer, S. 89–102).

Der folgende Briefkommentar wird vorgelegt in dem Bewußtsein,
das auch Walter Hinderer in seinem ›Büchner-Kommentar zum dichterischen Werk‹ äußert: dem Eingeständnis der Vorläufigkeit aller Kom-
mentierungsbemühungen, solange eine kommentierte historisch-kritische Büchner-Ausgabe fehlt. Dies gilt in besonderem Maß für die Briefe, die bisher (sieht man ab von biographischen Einzelhinweisen bei
Bergemann, von dem von Mayer/Lehmann entdeckten und kommentierten Brief Adolph Stoebers an Büchner vom 3. 11. 1831 sowie von
den beiden Briefen an Büchners Großonkel Edouard Reuss, die der
Entdecker Hauschild umfangreich kommentiert hat: Hauschild, Büchner, S. 309–314) noch nicht umfassend kommentiert worden sind. Für
diese Ausgabe waren Einsicht in andere Quellen und editorische Vorarbeiten nicht möglich.

Straßburg 1831–1833

273 *Ramorino:* Der aus Genua stammende und in polnischen Diensten
stehende General und Freiheitskämpfer Gerolamo R. (1792–1844)
war nach dem Fall von Warschau 1831 auf österreichisches Gebiet
übergetreten. Auf der Flucht nach Frankreich zog er am 4. Dezember 1831 zusammen mit den ebenfalls geflüchteten polnischen
Aufstandsgeneralen G. F. Langermann (1791–1840) und F. Sznayde (geb. 1792) in Straßburg ein und wurde begeistert empfangen.
Wichtig ist in diesem Zusammenhang der durch B.s knappen
Schlußkommentar verstärkte Hinweis auf die komödienhaften
Züge dieses politischen Ereignisses, in denen er am Beispiel der
Polenbegeisterung den politischen Unernst vieler deutscher Op-
positioneller, u.a. der liberalen Richtung, kritisiert (Brief Nr. 3,
S. 274 und Nr. 9, S. 278 f. s.a. zu S. 320) – *Subskription:* Unter-
schriftensammlung mit Teilnahmeverpflichtung für den Ramori-
no-Empfang. – *Schneider:* eigtl. Sznayde. – *Marseillaise:* Hymne
der Französischen Revolution, heute frz. Nationalhymne. – *Carmagnole:* frz. Revolutionslied (1792). – *Vive la liberté …:* frz. »Es

lebe die Freiheit! Ramorino lebe hoch! Nieder mit den Minister
Nieder mit dem Juste Milieu!« ›juste milieu‹ (frz. richtige Mitte)
besonders seit der Julirevolution 1830 ein politisches Schlagw
für das herrschende Bürgertum, da der seit 1830 regierende ›B
gerkönig‹ Louis Philippe und seine Regierung wiederholt erkl
hatten, das Staatswohl Frankreichs könne nur gewahrt werde
wenn die Regierung dem Parteitreiben gegenüber ›le juste mili
einhalte.

274 *Es sieht verzweifelt kriegerisch aus:* Die durch die frz. Julirevol
tion 1830 bewirkten Veränderungen der Machtverhältnisse in E
ropa führten in der unmittelbaren Folgezeit zu Unruhen in viel
Krisenherden Europas, damals v. a. in Holland (s. zu S. 277).
Périer die Cholera: Casimir P. (1777–1832), frz. Ministerprä
dent, war am 5./6. April 1832 erkrankt und starb am 16. Mai 18
doch noch an der Cholera; vielleicht kannte B. Heinrich Hein
Korrespondenzartikel aus Paris für die ›Allgemeine Zeitung‹ vo
29. April 1832 (datiert vom 16. April), wo es heißt, daß Péri
zwar »von der Cholera ergriffen« worden, »ihr jedoch nicht er
gen« sei, da er eine »schlimmere Krankheit« darstelle. –
Edouard Reuss: Erstveröffentlichung (vollständig kommentiert)
Hauschild, Büchner, S. 309; Edouard R. (1804–91), Theologe u
Professor der Orientalistik am evangelischen Predigerseminar
Straßburg; B.s Onkel mütterlicherseits. – *beiliegenden Brief:* v
mutlich an Eugen Boeckel (s. zu S. 276). – *warten ließ:* B. war a
31. Juli zu einem Ferienaufenthalt in Darmstadt aus Straßburg a
gereist. – *Zweifüßler, longimanus und omnivore:* Menschen-De
nition im Stil der antiken Philosophie; in Verbindung mit Fürst
gewinnen die Begriffe ›longimanus‹ (Langhänder) und ›omnivo
(Allesfresser) Hauschild zufolge einen sozialkritischen Dopp
sinn (vgl. Hauschild, Büchner, S. 310).

275 *Hessischen Haus- und Zivil-Verdienstorden:* der von Ludwig
1807 gestiftete ›Ludewigs-Orden‹ (vgl. die genaue Beschreibu
bei Hauschild, Büchner, S. 310). – *Françoise:* heute ›Français
»frz. Gesellschaftstanz nach Art der Quadrille von ›heiterm, ne
kenden und zugleich galant-chevaleresken Charakter‹« (Broc
haus, ¹⁰1852, Bd. 4, S. 392). Aus Luise Büchners Romanfragme
geht hervor, daß ihr Bruder »auf Wunsch der Eltern« die Tan
stunde hatte besuchen müssen, was er so manches Mal »ve
wünschte« (›Ein Dichter‹. In: ›Luise Büchners Nachgelassene b
letristische und vermischte Schriften in zwei Bänden‹, Frankfu
Main 1878, S. 230 (Hauschild, Büchner, S. 310). – *da ich fortgin*
am 31. Oktober oder 1. November 1831. – *Zimmerman
Sohn* ... *Kirchen-Zeitung:* »die ›Allgemeine Kirchenzeitu
(Darmstadt, C. W. Leske) war 1822 von Ernst Zimmerma
(1786–1832, zuletzt Hofprediger) begründet worden und das d
malige Hauptorgan der rationalistischen Theologie. Nach Z.s T
wurde die Zeitung von K. G. Bretschneider und seinem So

Georg herausgegeben, der auch die Beilage, das ›Theologische Literaturblatt‹, redigierte« (Hauschild, Büchner, S. 311). – *Bretschneider:* Karl Gottlieb B. (1776–1848), prot. Theologe. – *ein Geistlicher aus Mainz:* »nicht ermittelt, Ernst Zimmermanns Nachfolger als Hofprediger wurde sein Bruder Karl« (Hauschild, Büchner, S. 311). – *die Tante, Pauline und Mad. Bauer:* »Reuss' Mutter, Schwester und Tante: Margaretha Salome R., geb. Bauer (1771–1848), Pauline Reuss (1811–36) und die ledige Schwester der Mutter, Friederike Bauer (1768–1848)« (Hauschild, Büchner, S. 311).

276 *An August Stoeber:* Erstveröffentlichung in: Strohl. Daniel August Ehrenfried St. (1808–84) und sein Bruder Adolph St. (1811–92), beide Studenten der Theologie in Straßburg, gehörten zu B.s engstem Freundeskreis um die Studentenverbindung ›Eugenia‹ (s. u.: *Eugeniden*). Adolph lebte von 1832–1835 in Metz, ab 1840 als Pfarrer in Mülhausen, August ab 1834 als Hauslehrer, ab 1838 als Lehrer für deutsche Sprache und Literatur in Oberbronn, später als Bibliothekar und Museumsdirektor ebenfalls in Mülhausen. Beider Interesse galt der Erhaltung und Pflege der deutschen Kulturtradition im Elsaß durch Sammlung von Volksdichtung, durch historische Studien und durch eigene, teils in elsässischer Mundart verfaßte Werke, z. B. die erste gemeinsame Veröffentlichung ›Alsa-Bilder, vaterländische Sagen und Geschichten‹, Straßburg 1836. Ihr literarisches Vorbild sahen sie in den Autoren der ›Schwäbischen Schule‹ um Ludwig Uhland und Gustav Schwab (s. zu S. 311). – *das andre Papier:* Einladung zur Mitherausgabe eines Musenalmanachs für 1833, die B. von Darmstädter Bekannten erhalten hat (s. Lehmann/Mayer; s. auch zu S. 311). – *Accoucheurs:* frz. Geburtshelfer. – *Künzel:* »Johann Heinrich Kün⟨t⟩zel (1810–73), Tischlerssohn aus Darmstadt; Theologe, Schriftsteller und Übersetzer. Nach Gymnasium in Darmstadt Philosophie- und Theologiestudium in Gießen und Heidelberg, von 1833–34 an der Hofbibliothek seiner Heimatstadt« (Hauschild, Georg Büchner, S. 356). – *Metz:* Friedrich M. (1804–35); Leiter der Heyerischen Hofbuchhandlung in Darmstadt (s. zu S. 296). – *die Zimmermänner:* die Zwillingsbrüder Georg Z. (1814–81) und Friedrich Z., Schulfreunde B.s in Darmstadt und Mitglieder des seit dem Frühjahr 1828 bestehenden Primanerzirkels (vgl. Mayer III, S. 362); »poetische Anlagen« hatte Georg Z. – *epistolas ex ponto:* lat. Anspielung auf Ovids ›Briefe vom Schwarzen Meer‹, daher sinngemäß ›Briefe aus der Verbannung‹. – *Drescher:* Straßburger Wohnhaus Daniel Ehrenfried Stoebers (1779–1835), des Vaters von B.s Freunden Adolph und August St. (s. o.), Am Alten Weinmarkt 9. – *Eugeniden:* Angehörige der Straßburger Studentenverbindung ›Eugenia‹ (seit 1828), u. a. Adolph und August St. (s. o.) sowie Eugen Boeckel (s. u.), durch den B. am 17. Nov. 1831 in die Verbindung eingeführt wurde; B. nahm 1831–33 als Gast an acht

Sitzungen teil (s. Lehmann/Mayer). – *Boekel:* Eugène (Eug
Boeckel (1811–96), Medizinstudent. – *Baum:* Johann Wilhelm
(1809–78), ab 1834 ›Unterpädagoge‹ im Straßburger Studiens
St. Wilhelm (daher dessen Spitzname »Pädagog«), später beka
als Kirchenhistoriker. – *An Adolph Stoeber:* Erstveröffentlich
durch W. R. Lehmann und Th. M. Mayer in: ›Euphorion
1976, S. 175–186; zu Adolph Stoeber s. o.

277 ⟨*... holländischen Wirren*⟩: Nach dem Sieg der Juli-Revolutio
Frankreich war es am 25. August 1830 in Brüssel unter frz. Einf
zu einem Aufstand gegen die Vereinigung Belgiens mit Holland
Königreich der Vereinigten Niederlande gekommen. Die krieg
schen Auseinandersetzungen flammten 1831 und 1832 immer w
der auf und wurden erst 1839 mit der Anerkennung der belgisc
Unabhängigkeit durch Holland endgültig beigelegt.

278 ⟨*um den 6.*⟩ *April 1833:* bei B. »5. April«: offenbar irrtümli
Datierung durch B., der Th. M. Mayer zufolge frühestens
6. April vom Frankfurter Wachensturm (s. u.) erfahren haben ka
(Mayer III, S. 368). – *Erzählungen aus Frankfurt:* Der Sturm
die Frankfurter Hauptwache vom 3. April 1833, der von den B
schenschaften ausging und an dessen Planung Ludwig Wei
(S. 441 ff.) sowie mehrere künftige Mitglieder der Gießener ›G
sellschaft der Menschenrechte‹ beteiligt waren, sollte in der Na
folge des Hambacher Festes vom Mai 1832 die Absetzung
deutschen Bundestags einleiten und die Ausrufung Deutschla
zur Republik zur Folge haben. Der Sturm war verraten word
und wurde innerhalb einer Stunde vom Militär niedergeschlagen
so ist es Gewalt: B. tritt hier (ähnlich wie Ludwig Börne in sei
›Briefen aus Paris‹ 1832 f.) für die gewaltsame Wiederherstellu
der Menschenrechte ein. Den Einsatz von Gewalt rechtfertig
der aufklärerischen Tradition entsprechend mit der Verletzung
Naturrechts und mit der »gesunden Vernunft«. Er distanziert s
damit nicht, wie häufig behauptet wurde, von der revolutionä
Aktion des Wachensturms, sondern von der »deutsche⟨n⟩ Indif
renz«, an der eine solche Unternehmung in diesem historisc
Moment scheitern mußte (Mayer III, S. 368). – *Landstände:*
Mittelalter entstandene, vorabsolutistische Form einer ständi
gegliederten Volksvertretung, die nach den Befreiungskriegen
Rahmen der Verfassungsversprechen in verschiedenen deutsch
Staaten wiedereingeführt wurde.

279 *keiner von meinen Freunden:* Von B.s Darmstädter Freunden u
Mitschülern waren u. a. Georg Gladbach (s. zu S. 310), Joha
Christian Kriegk (geb. 1810), Ludwig Rosenstiel (s. zu S. 30
K. Th. F. Stamm (s. zu S. 283) und Hermann Wiener (s. zu S. 3
an den Vorbereitungen zum Wachensturm beteiligt (vgl. Ha
schild, Büchner, S. 313). – *ich werde nicht nach Freiburg geh*
Die Universität Freiburg war im September 1832 wegen Aufst
den gegen den Widerruf der Pressefreiheit in Baden vorüber

hend geschlossen worden und galt als Zentrum politischer Unruhen. – *Neustadt:* Im rheinpfälzischen Neustadt a.d. Haardt, in
dessen Nähe das Hambacher Schloß liegt, wurden liberale Bürger
anläßlich einer Feier zum Jahrestag des Hambacher Festes vom
Militär angegriffen und verwundet. Auf dem Hambacher Fest,
einer politischen Massendemonstration von mehreren zehntau-
send Teilnehmern im Mai 1832, waren v.a. von den württembergischen Liberalen Ideen für eine revolutionäre nationaldeutsche Republik proklamiert worden. – *langhaarigen, bärtigen jungen
Mann* ... *St. Simonist:* B. berichtet hier von einer Zusammenkunft
mit dem saint-simonistischen Prediger A. René Rousseau (geb.
1804). Die frühsozialistische Doktrin des Saint-Simonismus, deren
Auswüchse B. hier karikiert, war in der Nachfolge des Grafen
Henri de Saint-Simon (1760–1825) von S. A. Bazard (1791–1832)
und B. P. Enfantin (1796–1864) entwickelt worden und hatte nach
der Juli-Revolution von 1830 ihre größte Wirksamkeit. Zentrale
Ideen des Saint-Simonismus sind die Ablehnung des Privateigen-
tums an Produktionsmitteln, die Unterscheidung zweier sozialer
Klassen (der ›Fleißigen‹ und der ›Müßiggänger‹) sowie der Glaube
an die Möglichkeit einer harmonischen Gesellschaft, in der jeder
seiner Befähigung (›Kapazität‹) gemäß tätig ist und seine individuellen Bedürfnisse befriedigen kann. Über das Postulat der politischen und sexuellen Gleichberechtigung der Frau, auf das B. im
folgenden anspielt, kam es zu einem Streit, der Ende 1831 zur
Abspaltung der Gruppe um Enfantin führte. Ihr gehörte A. René
Rousseau an, der die »allerletzte, skurrile Niedergangsphase des
Saint-Simonismus« repräsentiert (Mayer III, S. 368). Das von B.
erwähnte »rote Barett« war Teil ihrer Tracht. Zwar entsprach die
saint-simonistische Grundidee der Sozialisierung des Privateigen-
tums durchaus B.s politischer Auffassung, nicht jedoch die Ziel-
vorstellung einer friedlich herbeizuführenden Harmonie zwischen
den Klassen. – *femme:* frz. Frau. – *père:* frz. Vater. – *mère:* frz.
Mutter. – *wie Saul nach seines Vaters Eseln:* Saul, Sohn des Benja-
miniten Kis‹ch›, kam auf der Suche nach den entlaufenen Eselin-
nen seines Vaters zum Propheten Samuel, der in ihm durch göttliche Erleuchtung den vom israelitischen Volk geforderten künftigen König erkannte (1. Sam. 9).

280 *ennuyiert:* frz. gelangweilt. – *Kapazität:* s.o. – *marche vers les
femmes:* frz. ist hinter den Frauen her. – *nur das notwendige Bedürfnis:* Erkenntnis, die B. wahrscheinlich durch den mißglückten
Putschversuch der Frankfurter Wachenstürmer (s. zu S. 278) gewonnen hat. Dieser Revolutionstheorie entsprechen B.s spätere
politischen Aktivitäten in Gießen: die Vermehrung der revolutionären Aktionsgruppen nach dem Vorbild der Straßburger ›Société
des droits de l'homme‹ und die Agitation der Landbevölkerung,
versucht mit der Flugschrift *Der Hessische Landbote* im Juli 1834.
– *Gießener Winkelpolitik:* Diese Kritik B.s an den Gießener Libe-

ralen erklärt sich durch B.s Brief Nr. 16 an die Eltern (Gießen, d
19. November 1833; S. 283); vgl. hierzu auch Mayer, Argumen
tionslist, S. 251. – *Reise in die Vogesen:* vom 25. Juni 1833
unternahm B. mit seinem Verwandten Edouard Reuss und Freu
den eine mehrtägige Wanderung in die Vogesen (vgl. Hauschi
Büchner, S. 322–330). – *Bald im Tal ...:* Die Art dieser Naturl
schreibung, signifikant durch die Dynamik der Präfixe und
zentrale Bedeutung des Wortfeldes ›still‹, hat ihre Entsprechung
den Naturbeschreibungen des *Lenz* (S. 141f.). – *Bölgen:* Groß
Belchen, 1423 m hoch.

281 *Farren:* Jungstiere. – *etwas unruhig ... Saglio:* zum ›Charivari
député Saglio‹ s. Félix Ponteil, ›L'opposition politique à Stra
bourg sous la monarchie de Juillet (1830–48)‹, o.O., S. 339–34
Florent Saglio war konstitutionalistischer Deputierter Straßbur
in Paris. – *Präfekt:* oberster Verwaltungsbeamter eines frz. Dépa
tements; seit 1831 Augustin Choppin d'Arnouville (geb. 1776).
Maire: frz. Bürgermeister; damals Frédéric de Turckheim (ge
1780).

Gießen und Darmstadt 1833–1835

282 *An Edouard Reuss:* Erstveröffentlichung (vollständig komme
tiert, in Hauschild, Büchner, S. 311f.); zu Edouard Reuss s.
S. 274. – *meine träge Hand:* B. hatte Straßburg wahrscheinlich a
7. August 1833 verlassen. – *vom Darmstädter Geschmack:* »Reu
war Anfang Oktober 1825 für eine Woche in Darmstadt gewese
(Hauschild, Büchner, S. 312). – *übrigen Verwandten:* »z.B. c
Familien von Reuss' und Caroline Büchners Vettern Bechthol
Büchners Onkel Georg Reuss und v. Carlsen, der eine Cousi
von Reuss geheiratet hatte« (Hauschild, Büchner, S. 313). – G
nüssel: in dieser Form in Grimms ›Deutschen Wörterbuch‹ n
für Goethe belegt; vermutlich eine Ableitung von ›nuscheln‹, hi
im Sinne von ›verdrießlich, krittlich sprechen‹. – *Ende Oktober*
B. immatrikulierte sich am 31. Oktober 1833 in Gießen. – *mei
Freunde sind flüchtig oder im Gefängnis:* »aus Büchners Darm
städter Bekanntenkreis waren im Zusammenhang des Wache
sturms u.a. Georg Gladbach, Christian Kriegk, Ludwig Rose
stiel, Karl Theodor Friedrich Stamm und Hermann Wiener ve
haftet worden; Hermann Dittmar gelang die Flucht nach Franl
reich« (Hauschild, Büchner, S. 313; s. auch zu S. 279 und S. 302).
konstitutionellen Ära: »sie hatte im Großherzogtum Hessen m
der Verfassungsurkunde von 1820 begonnen« (Hauschild, Büch
ner, S. 313). – *seine Lebensfrage:* »als ›Lebensfrage‹ galt die Di
kussion über die Verfassungsmäßigkeit der Bundesbeschlüsse vo
28. Juni 1832, die (als Reaktion auf die Erfolge der badisch
Kammeropposition) die Rechte der Landtage einschränkten (u.
Verbot der Budgetberatung) und die Einsetzung einer Kommi

sion zur Überwachung der landständischen Verhandlungen vorsahen. Obgleich bereits vor Eröffnung des Landtags am 5. Dezember und dann nochmals in der Sitzung vom 12. Dezember 1832 mehrere Anträge zu diesem Thema eingereicht worden waren, scheiterten sie am Einspruch du Thils, der alle ›Anträge auf Protestation‹ als ›unstatthaft‹ verwarf. Der Großherzog ließ erklären, daß er ›keine Wirksamkeit der Stände dulden könne und werde‹, welche auf die (seiner Meinung nach ihrerseits mit der Bundes- und Landesverfassung in Widerspruch stehenden) Anträge eingehe. ›Hiermit war klar ausgesprochen‹, schrieb der Offenbacher ›Deutsche Volksbote‹ am 22. Februar 1833 (Nr. 16, S. ⟨2⟩), ›daß die Ständeversammlung aufgelöst werden würde, wenn sie mit der bewußten Lebensfrage sich beschäftigen, sie erörtern und einen den Anträgen entsprechenden Beschluß fassen würde‹. Bis zu seiner Auflösung am 2. November 1833 beschäftigte sich der Landtag daher nahezu ausschließlich mit einer Flut von Einzelanträgen hauptsächlich kommunaler Belange, doch kam man z. B. über die Diskussion der ›Freiheit der Presse‹ oder der Rechtmäßigkeit der Inhaftierung Weidigs immer wieder auf Prinzipienfragen zurück« (Hauschild, Büchner, S. 313). – *an Boeckel geschrieben, aber keine Antwort:* Boeckel antwortet erst am 3. September 1833 (Brief Nr. 4, S. 331). – *die These von Goupil:* Jean Martin Auguste G. (1800–37), frz. Militärarzt; zu seiner These s. zu S. 332. – *die andere:* die These von Goupils Mitkonkurrenten E. A. Lauth bei der Bewerbung um den Straßburger Lehrstuhl für Physiologie (s. zu S. 304); Lauths These trug den Titel: ›Du mécanisme par lequel les matières alimentaires parcourent leur trajet de la bouche à l'anus‹ (Über den Mechanismus, aufgrund dessen die Nahrungsstoffe ihren Weg vom Mund zum Anus durchlaufen), Strasbourg 1833. – *Stöber:* Adolphe Stoeber (s. zu S. 276).

283 *Wulfes:* Heinrich Arnold Anton W. (1803–nach 1837), Theologe und Hauslehrer; damals gerade besuchsweise bei Reuss (vgl. Hauschild, Büchner, S. 314). – *Deiner Mutter, Schwester und Tante:* s. zu S. 275. – *der kleine Stamm:* Karl Theodor Friedrich St. (gest. 1902) aus Darmstadt, Medizinstudent in Gießen und ehemaliger Mitschüler B.s; am 31. 10. 1833 wegen seiner Beteiligung am Sturm auf die Frankfurter Hauptwache (s. zu S. 278) verhaftet, wegen Mangels an Beweisen aber freigelassen, nach der Beschlagnahmung des *Hessischen Landboten* 1834 erneut verdächtigt; er entging der Verhaftung durch die Flucht nach Frankreich und in die Schweiz. – *Groß:* August G. (1810–93); Jurastudent in Gießen, als Teilnehmer am Frankfurter Wachensturm 1833 verhaftet, nach 19 Monaten wegen fehlender Beweise freigesprochen; er lebte später als Gutspächter. – *Bankett:* Am 18. 11. 1833 fand in Gießen ein Festmahl zu Ehren der oppositionellen Landstände statt, die am 2. November aufgelöst worden waren. – *Balser:* Georg Friedrich Wilhelm B. (1780–1846), Medizinalrat und Universitätsprofessor

in Gießen. – *Vogt:* Philipp Friedrich Wilhelm V. (1787–1861
Professor der Medizin an der Universität Gießen; verlor 1835 se
nen Lehrstuhl und folgte einem Ruf nach Bern. – *Polenlied:* d
polnische Hymne ›Noch ist Polen nicht verloren‹ (1797) vc
J. Wybicki (1747–1822), von dem liberalen württembergische
Lyriker Rudolf Lohbauer auf deutsche Verhältnisse passend un
geschrieben als Ausdruck der Hoffnung, durch die Solidarität m
der polnischen Freiheitsbewegung auch das deutsche Volk zu
Aufstand führen zu können. Aufgrund seines Konzepts der no
wendigen Revolutionierung der Massen (s. zu S. 278 ff.) hält B. d
Polenbegeisterung der deutschen Liberalen allerdings für ein Ze
chen politischen Unernsts. – *den in Friedberg Verhafteten:* Polit
sche Gefangene wurden in Hessen seit Oktober 1833 in der Frie
berger Klosterkaserne, ab 1835 im Darmstädter neuen Provinzia
gefängnis untergebracht. 7 oder 8 der in Friedberg wegen ihr
Teilnahme am Frankfurter Wachensturm (s. zu S. 278) arretierte
Studenten und Handwerker wurden am 6./8. März 1834 nach il
rer Freilassung mangels Beweisen (B.s Brief Nr. 22, S. 289) i
Butzbach und Gießen festlich empfangen. – *An August Stoebe*
Erstveröffentlichung in: Strohl. – *Lambossy:* Jean-Moÿse I
(1810–72), schweiz. Medizinstudent (vgl. Fischer, Musto
S. 174 f.). – *Künzel:* s. zu S. 276.

284 *3 treffliche Freunde:* vermutlich die ehemaligen Mitschüler Lu
wig Wilhelm Luck (1813–81), Karl Minnigerode (s. zu S. 293) un
Georg Karl Neuner (1815–82) oder August Becker (s. zu S. 300).
H. Dr. H. K. . . . : Herr Dr. Heinrich Künzel. – *Accouchierstühl*
Gebärstühle. – *Abendzeitung:* »das Organ der auch von Tiec
verspotteten Dresdner Spätromantik« (Th. M. Mayer, Geor
Büchner Jahrbuch 1/1981, S. 191).

285 *Boeckel:* s. zu S. 276. – *Die politischen Verhältnisse . . . Affenkomc
die spielen:* Dieses persönlich gehaltene politische Bekenntn
schiebt B. nach Abschluß des Briefes in die Zwischenräume zw
schen Briefanfang, Anrede und Datum ein (Mayer III, S. 370).
Viktor: vermutlich Viktor Jaeglé, ein mit August Stoeber bekann
ter Theologe; ab 1833 Pfarrer in Ageux. – *Scherb:* der Theologic
student Johann Daniel Sch. (geb. 1809), ein Straßburger Freun
B.s aus dem Umkreis der Studentenverbindung ›Eugenia‹ (s. z
S. 270). – *Adolph:* Adolph Stoeber (s. zu S. 276). – *Ich veracht
Niemanden . . . :* Der Vorwurf der Arroganz, der um diese Zeit vo
seiten der Eltern und Kommilitonen offenbar wiederholt gegen I
erhoben wurde, zielt auf eine Seite von B.s Wesen, die Th. N
Mayer als Teil seiner Impulsivität beschreibt: »Büchner war vo
skeptische(r) Verachtung alles Nichtigen und Niederträchtiger
mit *zuckenden Lippen* (. . .) *mit der Welt im Widerspruch un*
Streit (Luck), *unwillig* gegen das *Gemeine* (Fr. Zimmermann
aufgebracht, heftig, ja unerschöpflich in der *Satyre* (A. Becke
eben über dem *Aristokratismus* und die liberalen wie restaurative

Ammenmärchen: dies alles konnte auch *für Hochmut ausgelegt werden* (C. Vogt)« (Mayer I, S. 11). Daß B. selbst dieser Vorwurf bewußt war, belegt dieser Brief. Begriff und Stilmittel des Spotts sind hier aber durchaus ambivalent gebraucht: zum einen als Ausdruck einer melancholischen Grundstimmung, die fester Bestandteil von B.s Weltbild ist und unter der alles menschliche Tun einen gleichgültigen und unernsten Charakter annimmt; zum anderen zur scharfen Kritik an den sozialen Verhältnissen (vgl. Jancke, Georg Büchner, S. 48 f.).

286 *An die Braut:* Louise Wilhelmine Jaeglé (1810–80), Verlobte B.s seit dem Frühjahr 1832. – *Diligence:* frz. Eilpostwagen.

287 *Ein einziger, forthallender Ton ... über mir:* Die für diese Passage signifikante Koppelung von Naturbeschreibung und Innenwelt ist typisch auch für die Darstellungsweise im *Lenz,* S. 150 f. – *Das Gefühl des Gestorbenseins ...:* Die hier und im folgenden Brief an Wilhelmine Jaeglé (Nr. 24) geschilderten Empfindungen der Leblosigkeit, des Seelenlos-Mechanischen haben ihre Parallele in der Darstellung der Gefühlswelt des *Lenz* (S. 137 ff.). – *hippokratische Gesicht:* facies hippocratica, der von Hippokrates (5./4. Jh. v. Chr.) zuerst beschriebene Gesichtsausdruck Sterbender. – *das ewige Orgellied:* Auf thematische und stilistische Entsprechungen in Heines ›Harzreise‹ (›Reisebilder‹ T. I, 1824) und ›Aus den Memoiren des Herrn von Schnabelewopski‹ (›Salon‹ T. I, 1834) hat zuerst H. Fischer hingewiesen (Fischer, S. 11 f.). – *Peryllusstiers:* Der Sage nach soll Perilaos (Perillos), ein griechischer Bildhauer, für den Tyrannen Phalaris von Agrigent (6. Jh. v. Chr.) einen ehernen Stier gegossen haben, in dessen Bauch Phalaris seine Feinde verbrennen ließ. Die Schreie der Sterbenden sollen durch gewundene Öffnungen so nach außen gedrungen sein, daß sie wie das Brüllen eines Stieres klangen. – *ich fürchte mich ... vor meinem Spiegel:* Motiv aus E. T. A. Hoffmanns Erzählung ›Die Abenteuer der Silvester-Nacht‹. – *Herrn Callot-Hoffmann:* Anspielung auf E. T. A. Hoffmanns ›Fantasiestücke in Callots Manier‹, 4 Bde., 1814–16, die eine Folge von Kupferstichen Jacques Callots (1592–1635) zum Vorbild haben. Eine geistige Verwandtschaft B.s zu Hoffmann kann man sehen im gemeinsamen Interesse an Grenzsituationen menschlicher Existenz wie Wahnsinn, Melancholie, Somnambulismus oder den in B.s Briefen beschriebenen Zuständen der Depression und des »mechanischen Lebens«. – *so gehe ich heimlich:* s. zu S. 289.

288 ⟨*Gießen, um den 9.–12. März 1834.*⟩: bei B.: nach dem 10. März 1834. Th. M. Mayer (Mayer III, S. 374) datiert den Brief um den 9.–12. März. – *unsterblich wie der Lama:* Dalai Lama und Pantschen Lama stehen an der Spitze der obersten Priesterschaft des Lamaismus, der tibetanischen Form des Buddhismus. Ihr göttliches Wesen geht nach ihrem Tode in ein neugeborenes Kind über. – *Je baise ...:* frz. Ich küsse deine kleinen Hände und genieße die

süßen Erinnerungen an Straßburg. – ›*Prouve-moi ...*‹: frz. Beweise mir, daß du mich noch sehr liebst, indem du bald wieder etwas
von dir hören läßt. – *Ich studierte die Geschichte der Revolution:*
zu den Geschichtswerken über die Französische Revolution, die
B. für *Dantons Tod* studiert hat, S. 485 ff. – *gräßlichen Fatalismus
der Geschichte:* zur gegenwärtigen Einschätzung dieses in der Forschung von Anfang an stark umstrittenen Briefes vgl. Mayer III
S. 86–104. – *es muß ja Ärgernis kommen ...:* vgl. Luk. 17,1 und
Matth. 18,7. – *B.:* vermutlich B.s Straßburger Freund Euger
Boeckel (s. zu S. 276).

289 *ein Automat:* hier für: ›menschenähnliche Maschine‹. – *Verwandte
bei Landau:* Die angebliche Reise nach Landau diente B. als Vor
wand für die Fahrt nach Straßburg zu seiner Verlobten. – *Chari
vari:* ›buntes Durcheinander‹. – *Untersuchung wegen der Verbin
dungen:* Die oberhessische Opposition konnte in der Universitäts
stadt Gießen auf Traditionen aufbauen, die mit der radikalen Ver
bindung der ›Schwarzen‹ um Karl Follen (s. zu S. 330) sowie allge
mein burschenschaftlichem Erbe zusammenhingen. Die seit der
Ermordung des als zaristischen Agent verdächtigten Lustspiel
Dichters August Kotzebue durch den Burschenschaftler Kar
Ludwig Sand 1819 verbotenen Burschenschaften bestanden fort i
Form des (nach Mayer III, S. 371) politisch heruntergekommene
Korps ›Palatia‹, der Burschenschaft ›Germania‹ und geheimer pol
tischer Verbindungen von Studenten, Handwerkern und Bürgerli
chen. – *Relegation:* Verweisung von der Universität. – *Die i
Friedberg Verhafteten:* s. zu S. 283. – *hektische:* hier: ›schwind
süchtig‹.

290 *Sonnenjünglings:* antikisierende Personifikation der Sonne, z.
bei Hölderlin. – *Bedlam:* Der Name des Londoner Irrenhaus
Bedlam wird seit dem späten 18. Jahrhundert häufig als Inbegri
eines ›Tollhauses‹ verwendet, u.a. von Heinrich Heine im 3. un
4. Teil der ›Reisebilder‹ (1830/31). – *Larifari:* Beiname des Han
wurst/Kasperl in der Altwiener Volkskomödie und bei Franz Gr
von Pocci. – *unser stilles Geheimnis:* B.s Verlobung mit Wilhelm
ne Jaeglé. – *alten Wiegengesang:* Verse aus J. M. R. Lenz' Gedic
›Die Liebe auf dem Lande‹ in der von Schiller im ›Musen-Alm
nach auf das Jahr 1798‹ veröffentlichten Fassung (vgl. Maye
Almanach, S. 68 f. u. S. 173). Die nicht zitierten Anfangszeilen d
Gedichts waren in der Folgezeit einer der meistgenützten Gehein
schrift-Codes des B./Weidig-Kreises (Mayer III, S. 375).

291 *März 1834:* Der Brief stammt vermutlich aus der Zeit vo
22.–26. 3. (die Karwoche des Jahres 1834 begann am 24. 3.). U
mittelbar danach reiste B. nach Straßburg. – *Nous ferons un peu
romantique ...:* frz. Wir werden ein bißchen Romantik treibe
um uns auf der Höhe der Zeit zu halten; sollte ich dann wirkli
ein Hufeisen nötig haben, um auf ein Frauenherz Eindruck :
machen? Heutzutage haben die Leute ein recht robustes Nerve

kostüm. Leb wohl. – *Schwermut:* Krise des Winters 1833/34 (vgl. Mayer III, S. 372f.). Wie in den Briefen Nr. 20 und 24 angekündigt, war B. in den Semesterferien ohne Wissen der Eltern mit dem vom Onkel Georg Reuß (s. zu S. 333) geliehenen Geld direkt zu Wilhelmine Jaeglé nach Straßburg gereist.

292 *Bursch heraus!:* Anfang des Burschenschaftsliedes ›Burschen heraus‹; die Parodierung burschenschaftlichen Treibens und die scheinbare Parteinahme für die Bürger ermöglichen B. seinen Eltern gegenüber auf unverfängliche Weise eine Kritik an der liberalistischen Ausrichtung der Gießener Burschenschaften. – *Universitätsrichter:* Der Gießener Universitätsrichter und Hofgerichtsrat Konrad Georgi (1799–1857), der später auch die Untersuchung gegen die Verschwörer um Büchner/Weidigs *Hessischen Landboten* führte, war Alkoholiker und befand sich nach gerichtsärztlichem Zeugnis damals im Zustand des Delirium tremens. – *Verurteilung von Schulz:* Wilhelm Sch. (1797–1860), aus Darmstadt stammender demokratischer Publizist, Sozialtheoretiker und Politiker (vgl. Walter Grab, ›Ein Mann der Marx Ideen gab. Wilhelm Schulz, Weggefährte Georg Büchners, Demokrat der Paulskirche. Eine politische Biographie‹, Düsseldorf 1979; Walter Grab: ›Georg Büchner und die Revolution von 1848‹). Sch. war 1820 als Autor der Flugschrift ›Frag- und Antwortbüchlein‹ (1819) aus dem Militärdienst entlassen worden; am 12. 9. 1833 wurde er erneut als Verfasser von Flugschriften verhaftet und am 18. 6. 1834 von einem Kriegsgericht zu fünf Jahren Haft in Babenhausen verurteilt, aus der er in der Nacht vom 30. zum 31. 12. 1834 durch die Hilfe seiner Frau Caroline nach Straßburg entkam. Nach der Ausweisung aus Frankreich ging er im September 1836 nach Zürich. Während seiner Züricher Zeit wohnte B. im selben Haus wie Sch., sogar im selben Flur (Spiegelgasse 12, damals Steingasse). – *Geschichte vom Herrn Kommissär:* Der hier karikierend berichteten Geschichte liegt eine reale Begebenheit zugrunde. Ende Juni war (auf eine absichtlich irreführende Anzeige aus dem Weidig-Kreis hin) bei Schreiner Johannes Kraus (1807–68) in Butzbach eine vergebliche Haussuchung nach einer illegalen Druckerpresse durchgeführt worden. Anlaß zur Anzeige war die von der Regierung ausgesetzte Belohnung für die Überführung der Urheber der oppositionellen Flugschrift ›Leuchter und Beleuchter für Hessen oder der Hessen Notwehr‹ (Autor war F. L. Weidig) gewesen (Mayer III, S. 380). – *wie Münchhausen:* vgl. Gottfried August Bürger: ›Wunderbare Reisen zu Wasser und zu Lande, Feldzüge und lustige Abenteuer des Freiherrn von Münchhausen...‹ (1786). – *Großherzog:* Ludwig II. (1777–1848). – *Nasenfutteral:* vielleicht Anspielung auf Wilhelm Hauffs Märchen ›Zwerg Nase‹ (1826); Nasenfutterale (sog. Nasenepithesen), meist aus Papiermaché, erfunden von dem franz. Chirurgen Paré (1510–90), wurden bei durch Kriegseinwirkung oder Krankheit (Lues) verunstalteten

Nasen getragen. – *An die Familie:* B. war noch in der Nacht von
Minnigerodes (s. u.) Verhaftung am 1. August nach Butzbach und
Offenbach aufgebrochen, um die an Druck und Verbreitung des
Hessischen Landboten Beteiligten zu warnen. Er informierte in
Butzbach Weidig, bei dem er auch übernachtete, August Becker (s.
zu S. 300) und Carl Zeuner (geb. 1812), am nächsten Tag in Offenbach den Drucker des *Landboten* Carl Preller (1802–77) und
Hausmann, übernachtete bei Familienfreunden, dem Pfarrersehe-
paar Becker in Frankfurt, und traf am 3. August vormittags Eugen
Boeckel (s. zu S. 276), mit dem er brieflich verabredet war. Noch
von Frankfurt aus schrieb er an die Eltern. Am 4. August ging B.
von Vilbel aus zurück nach Butzbach, wo er von den Gießener
Haussuchungen erfuhr. Am 5. August kehrte er nach Gießen zurück (Angaben nach Mayer III, S. 383f.).
293 *Minnigerode:* Karl M. (1814–94); Sohn des hess. Hofgerichtspräsidenten, Schul- und Studienfreund B.s in Darmstadt bzw. Gießen,
Mitglied von B.s Gießener ›Gesellschaft der Menschenrechte‹; M.
wurde am 1. August 1834 gegen 18.45 Uhr am Gießener Selzertor
mit einer Teilauflage des *Hessischen Landboten* verhaftet, im Mai
1837 wegen Haftunfähigkeit entlassen und 1839, nach Einstellung
des Verfahrens, nach Nordamerika abgeschoben, wo er sich als
Prediger der Episkopalischen Kirche anschloß. – *nach Friedberg:*
s. zu S. 283. – *Ich begreife den Grund seiner Verhaftung nicht:*
selbstverständlich eine Schutzbehauptung B.s gegenüber den Eltern und den Behörden. – *Universitätsrichter:* Konrad Georgi (s.
zu S. 291). – *Schrank versiegelt:* Der Universitätsrichter Georgi
hatte am 3. August ein Schreiben des Darmstädter Innenministe-
riums erhalten, in dem B. als mutmaßlicher Verfasser des *Hessischen Landboten* bezeichnet und seine Verhaftung angeordnet
wurde. Am 4. August erfolgte um 5 Uhr morgens die Durchsu-
chung von B.s Stube; es wurden Briefe beschlagnahmt und der
Vermieter Bott verhört. Ein Steckbrief zur Fahndung nach B. ging
nach Frankfurt. Als B. wegen dieser Angelegenheit am 5. August
bei Georgi vorstellig wurde, war dieser vom dreisten Auftreten B.s
derart verunsichert, daß er ihn nicht verhaften ließ. Da Georgi
über den Verrat der Verschwörung durch Johann Conrad Kuhl jr.
nicht genauer informiert war, blieb B. in Freiheit (S. 441 ff.). –
W⟨ilhelmine⟩: B.s Verlobte W. Jaeglé. – *Muston:* Jean-Baptiste
Alexis M. (1810–88), aus Piemont stammender Freund B.s aus der
ersten Straßburger Zeit, Spezialist für die Geschichte der Walden-
ser-Bewegung. M. hat 1834 an Ramorinos (s. zu S. 273) ›Savoyer-
Zug‹ teilgenommen (s. zu S. 320), lebte dann als Pfarrer in Rodere-
ti/Piemont und nach seiner Flucht ins politische Exil 1835 in Nî-
mes und Bourdeux/Drôme. Zu Muston und seiner Beziehung zu
B. vgl. Fischer, Muston. – *L⟨ambossy⟩:* s. zu S. 283. – *B⟨oeckel⟩:* s.
zu S. 276. – *von B.:* Vermutlich Eugen Boeckel, da B. das Treffen
mit ihm als Alibi für seine plötzliche Reise nach Offenbach und

Frankfurt benützt hatte (s. zu S. 292). – *mit einigen Rechtskundigen sprechen:* Hofgerichtsrat Wilhelm Briel, der zur oberhessischen Opposition gehörte und an der Badenburger Versammlung vom 3. Juli 1834 teilgenommen hatte, konzipierte eine Eingabe an den Rektor der Universität Gießen, die B. dann aber nicht überreichte.

294 *Universitätsrichter:* Konrad Georgi (s. zu S. 291). – *Disziplinargericht:* S. 296. – *Demagogen:* wörtlich: Volksführer; im deutschen Vormärz entstandenes politisches Schlagwort für alle von den Regierungen als Oppositionelle eingeschätzten Personen.

295 *Minnigerode:* s. zu S. 293. – *Gerücht mit Offenbach:* B.s Mitverschworene Minnigerode, Schütz und Zeuner hatten die ausgedruckten Exemplare des *Hessischen Landboten* am 31. Juli 1834 beim Drucker Preller in Offenbach abgeholt; B. versucht hier offensichtlich zu dementieren, daß er selbst an der Aktion beteiligt war. – *Haussuchung:* s. zu S. 292. – *Universitätsrichter:* Konrad Georgi (s. zu S. 291).

296 *An Sauerländer:* Erstveröffentlichung durch Hans Hubert Houben in: ›Frankfurter Zeitung‹ (7. Juni 1918). Johann David S. (1789–1866), seit 1816 Verleger in Frankfurt/M., war einer der wenigen liberalen Verleger in Deutschland, die es während der Metternichschen Restauration wagten, die zensurgefährdeten Schriften der literarischen Opposition zu veröffentlichen; S. verlegte u. a. Werke von Gutzkow (s. zu S. 297) und die Tageszeitung ›Phönix‹ (s. zu S. 300). – *Manuskript: Dantons Tod,* ab Ende Januar 1835 in ungefähr 5 Wochen entstanden. Am 21. Februar 1835 übersandte B. die Handschrift an Sauerländer und Gutzkow, auch um auf diese Weise Geld für die bevorstehende Flucht nach Frankreich zu beschaffen. Zur Entstehungsgeschichte des *Danton,* S. 482. – *Stoff der neueren Geschichte: Dantons Tod* behandelt das Revolutionsgeschehen in Frankreich zwischen dem 24. 3. (Hinrichtung der Hébertisten) und dem 5. 4. 1794 (Hinrichtung der Dantonisten). – *Heyerische Buchhandlung:* Buchhandlung und Verlag in Gießen und Darmstadt. – *Carl Gutzkow:* s. u. – *Frau Regierungsrat Reuß:* Luise Philippine R., geb. Hermanni (1764–1846); B.s Großmutter mütterlicherseits, die nach dem Tod ihres Mannes, des Hof- und Regierungsrats Georg Reuß (1757–1815), in der Familie ihrer Tochter Caroline Luise, B.s Mutter, lebte.

297 *An Gutzkow:* wie die anderen Briefe B.s an Gutzkow erstmals veröffentlicht von Karl Gutzkow: ›Ein Kind der neuen Zeit‹. (Nachruf auf Georg Büchner). In: Frankfurter Telegraph, Hamburg 1837, Nr. 42–44. Karl Gutzkow (1811–78), als Exponent der jungen, oppositionellen Literatur in Deutschland trotz seiner Jugend bereits prominenter Dichter und Kritiker; G. hatte sich kurz zuvor aus der Abhängigkeit von seinem literarischen Mentor Menzel (s. zu S. 319) gelöst und in Vertretung von Heinrich Laube das

Literaturblatt zu Sauerländers Tageszeitung ›Phönix‹ (s. zu S. 296
und 300) übernommen, die daraufhin innerhalb kurzer Zeit programmatische Bedeutung für die oppositonelle literarische Bewegung erlangte. Die Wahl Gutzkows zum Empfänger und potentiellen Multiplikator von B.s poetischem Erstling kann als »die
objektiv denkbar günstigste« unter den literarischen Verhältnissen
in Deutschland gelten (Mayer III, S. 393). Gutzkow erhielt das
Manuskript von *Dantons Tod* um den 22./23. Februar 1835 und
veranstaltete umgehend eine Lesung ausgewählter Szenen vor Literaten, unter denen sich u. a. auch die Metternich-Spitzel Joel
Jacoby (1810–63), Beurmann und Wihl befanden. Zu Walter Ben-
jamins Kommentar zu diesem Brief B.s an Gutzkow s. die Vorbemerkung, S. 707 und Benjamin. – *S⟨auerländer⟩:* s. zu S. 296. – *der
Geschichte gegenüber rot zu werden:* zu B.s Verwendung historischer Quellen und insbesondere zu seinen Abweichungen vgl. u. a.
Th. M. Mayers Studienausgabe von *Dantons Tod* in Peter v. Bekker, S. 7–74. – *Supplik:* Bittschrift. – *la bourse ou la vie!:* frz. Geld
oder Leben!; vielleicht angeregt durch eine Passage in E. T. A.
Hoffmanns ›Seltsame Leiden eines Theater-Direktors‹ (1818): »...
muß ich denn nicht Rede stehen jedem Dichter, der überall mir
auflauernd mich doch einmal festpackt, und mir den Dolch auf die
Brust setzt? ›La bourse, ou la vie!‹ heißt es dann«.

Straßburg 1835–1836

298 *lange ich wohlbehalten hier an:* B. war, nachdem er im Januar und
Februar 1835 in der Sache der oberhessischen Verschwörung
wahrscheinlich mehrmals als Zeuge gerichtlich vorgeladen und
vernommen worden war, spätestens am 5. März aus Furcht vor
der drohenden Verhaftung aus Darmstadt geflüchtet und hatte am
9. März die französische Grenze passiert. – *Kerker zu Friedberg:* s.
zu S. 283. – *medizinisch-philosophischen Wissenschaften:* B. widmete sich insbesondere der vergleichenden Anatomie, die damals –
vor Darwins Evolutionstheorie – im Gefolge der romantischen
Naturwissenschaft und v. a. Goethes in Deutschland aufgrund ihrer Verbindung von empirischer Analyse und philosophischer
Spekulation von großer Bedeutung war. – *Steckbrief:* Der Steckbrief, von dem B. hier vorausschauend spricht, wurde erst am
18. Juni (wiederholt am 23. und 27. Juni) im ›Frankfurter Journal‹
und in der ›Großherzoglichen Hessischen Zeitung‹ veröffentlicht
(Katalog Marburg, S. 202 f.; Katalog Darmstadt, S. 254). – *Manuskript: Dantons Tod.*

299 *subtilen Selbstmord:* traditioneller juristischer Fachbegriff zur Unterscheidung vom ›groben‹ Selbstmord, bei dem sich jemand vor-
sätzlich und gewaltsam tötet. Um einen ›subtilen Selbstmord‹ handelt es sich, wenn »man zwar nicht selbst Hand an sich leget; noch

die Absicht hat, sich um das Leben zu bringen; gleichwohl aber Anlaß giebet, daß die Gesundheit verderbet, und das Leben verkürzet wird« (Zedlers Universal-Lexikon Bd. 36, Halle und Leipzig 1743, Sp. 1595–1614). – *St. Simonisten:* s. zu S. 279. – *femme libre:* frz. freie Frau. – *Jakobiner-Mütze:* die rote Zipfelmütze mit überhängendem ausgestopften Beutel der frz. Revolutionäre von 1789 ff. – *seidnes Schnürchen:* Ein seidenes Schnürchen bedeutete in Asien die Aufforderung zum Selbstmord u. damit indirekt eine Hinrichtung. – *Samson:* »Zeitübliches Synonym für Scharfrichter. Henri Nicolas Sanson (1767–1840) war zur Zeit der Jakobinerdiktatur Scharfrichter von Paris. Seit dem 17. Jahrhundert übte die Familie Sanson dieses Amt aus.« (Grab, S. 99). – *Minnigerode:* s. zu S. 293. – *in flagranti crimine:* lat. auf frischer Tat. – *Hinrichtung des Lieutenant Kosseritz:* Der württembergische Leutnant Ernst Ludwig Koseritz (1805–38), der im Aufstand von 1833 eine führende Rolle gespielt hatte, wurde in letzter Minute begnadigt und außer Landes verwiesen. – *Hohenasperg:* Festung, Haftanstalt in der Nähe Stuttgarts. – *Frankfurter Komplott:* s. zu S. 278. – *Frankh:* Gottlob Franckh (1801–45) war eine der zentralen Gestalten der oberhessischen Oppositionsbewegung, wichtig u. a. durch seine Kontakte zu frz. Republikanern. F. gründete später verschiedene buchhändlerische Firmen, u. a. den ›Verlag der Classiker‹ (ab 1837) und die ›Franckh'sche Verlagshandlung‹ (ab 1842), beide in Stuttgart.

300 *mehrere Personen verhaftet:* Mit der Verhaftung von August Bekker (s. u.), Eichelberg, Sartorius (s. zu S. 301), Weidig (s. u.) u. a. im April 1835 gelang den Behörden aufgrund von Clemms (s. zu S. 303) Denunziation der entscheidende Schlag gegen die oberhessischen Verschwörer. Weidig, auf den sich die Gegnerschaft des Untersuchungsrichters Georgi (s. zu S. 291) konzentrierte, starb nach schweren Mißhandlungen am 23. Februar 1837, d. h. kurz nach B.s Tod, im Gefängnis; als offizielle Todesursache wurde Selbstmord angegeben. Der Prozeß gegen die 30 Angeklagten endete im Dezember 1838 mit hohen Zuchthausstrafen. Im Zuge der Amnestie vom 7. Januar 1839 kamen die Verurteilten zwar frei, viele wurden aber durch die Zerstörung ihrer Existenzgrundlage zur Auswanderung getrieben und somit auch politisch kaltgestellt. – *A. Becker:* August B. (1814–71), genannt ›der rote August‹; Theologiestudent und Mitglied der Gießener ›Gesellschaft der Menschenrechte‹, engster Freund B.s während dessen Gießener Zeit (s. auch S. 441 ff.). – *Klemm:* s. zu S. 303. – *Rektor Weidig:* Friedrich Ludwig W. (1791–1837), Rektor und Pfarrer, schon seit den Befreiungskriegen politisch aktiv; zentrale Gestalt der südwestdeutschen Oppositionsbewegung und der nationalen Initiative vom Sommer 1834. Ideologisch vertrat W. (entgegen hartnäckig tradierter Forschungsmeinung) keine liberal-bürgerliche, sondern über 26 Jahre politischer Praxis hinweg eine konsequent radikalde-

mokratisch-revolutionäre Position. Die Differenzen zu B.s politischen Vorstellungen aktualisierten sich beim Treffen auf der Badenburg, einem Ausflugslokal bei Gießen (3. Juli 1834), wo das Konzept des *Hessischen Landboten* diskutiert und dessen Modifizierung beschlossen wurde. Die Unterschiede zwischen B. und W. betrafen die theoretische Fundierung des Sozialgefüges der anzustrebenden Republik und die Strategie der vorrevolutionären Volksagitation. Hier vermochte W. seine mittlere, auf Vermittlung der verschiedenen Flügel bedachte Position durchzusetzen: »kleinbürgerlich philanthropische Vorstellungen von einer quasijakobinischen brüderlichen Harmonie der verschiedenen bürgerlichen und subbürgerlichen ›Stände‹ im Ankampf gegen den ›Aristokratismus‹ ebenso wie in einem neuen Sozialgefüge der friedlichen und solidarischen Besitz- und Bildungsnivellierung« (Mayer III, S. 380f.; vgl. auch S. 441 ff.). – *die Freilassung von P‹...›:* Th. M. Mayer zufolge (Argumentationslist, S. 267) eventuell Carl Preller, der Drucker des *Hessischen Landboten*. – *Literaturblatt:* Gutzkow (s. zu S. 297) hatte B. am 7. April 1835 angeboten, seine künftigen literarischen Arbeiten zu veröffentlichen, und ihn auf seine Literaturbeilage zum ›Phönix‹ aufmerksam gemacht. Die Tageszeitung ›Phönix‹ erschien 1835–38 bei J. D. Sauerländer (s. zu S. 296) in Frankfurt und wurde von Eduard Duller (1809–68) herausgegeben. Das Literaturblatt unterstand Gutzkow bis zu Nr. 202 vom 27. August 1835, danach ebenfalls Duller, da G. wegen Differenzen mit Duller ausschied (s. zu S. 340). Die Zeitung verlor damit ihre programmatische Bedeutung für die Literatur des Jungen Deutschland. – *Schulz und seine Frau:* s. zu S. 291. – *Verhältnisse der politischen Flüchtlinge:* für die Eltern beruhigender Hinweis auf die großzügige Handhabung der Bestimmung, die politischen Flüchtlingen verbot, sich im 20-Meilen-Raum zur Staatsgrenze aufzuhalten, durch den republikanisch gesinnten Straßburger Polizeikommissar Jonathan Pfister. In Wahrheit war der Status der Exilanten jedoch äußerst unsicher, wie v. a. auch B.s Brief Nr. 39 zeigt. – *Böckel und Baum:* s. zu S. 276. – *Abhandlung:* B. hatte Gutzkow gebeten, einen Verleger für Baums Abhandlung ›Der Methodismus‹ zu vermitteln, was aber nicht gelang (s. Gutzkows Briefe Nr. 11, 12 und 13. Die Schrift erschien dann 1838). – *Methodisten:* eine 1729 von den Brüdern John und Charles Wesley in Oxford als geistlicher Verein gegründete, ab 1739 organisierte Kirchengemeinschaft; sie wollte keine neue Lehre einführen, sondern ähnlich wie die Pietisten das Christentum verinnerlichen und praktisch fruchtbar machen. – *sein Literaturblatt:* s. o. – *Mehreres aus meinem Drama im Phönix:* Gutzkow hatte den gekürzten und bearbeiteten Text von *Dantons Tod* (insbesondere wurden die obszönen Stellen verharmlost) im ›Phönix‹ (s. o.) vom 26. März bis 7. April 1835 veröffentlichen lassen und mit zwei vermutlich von ihm selbst verfaßten Zwischentexten versehen (s. auch S. 482 f.).

301 *Das Ganze muß bald erscheinen:* Die ebenfalls durch Gutzkow
stark verstümmelte Buchausgabe von *Dantons Tod* mit dem von
Duller (s. o.) stammenden Untertitel ›Dramatische Bilder aus
Frankreichs Schreckensherrschaft‹ erschien Mitte Juli 1835 im
Verlag J. D. Sauerländers (s. zu S. 296). – *der Geschichte treu bleiben:* s. auch B.s Brief Nr. 45. – *Gutzkow ... Kritiken:* s. zu S. 300.
– *Geburtstag des Königs:* vermutlich Irrtum B.s; es dürfte sich um
den bei kath. Fürsten wichtigen Namenstag Louis Philippes gehandelt haben; der chronologische Widerspruch ist deshalb kein
zwingender Hinweis auf eine unsachgemäße Montage unterschiedlicher Briefteile durch den Herausgeber Ludwig Büchner
(vgl. Kaukoreit). – *Emeuten:* émeute, frz. Aufruhr. – *Sartorius:*
Theodor S., Medizinstudent; wurde am 12. April 1835 verhaftet
und 1836 wegen seiner Beteiligung an revolutionären Aktionen in
Oberhessen zu eineinhalb Jahren Gefängnis verurteilt. – *Becker:* s.
zu S. 300. – *Weidig:* s. zu S. 300. – *Flick:* Heinrich Christian F.
(geb. 1790), Pfarrer in Pettersweil, führendes Mitglied der oberhessischen Opposition, 1838 im hessisch-darmstädtischen Prozeß
gegen den Büchner/Weidig-Kreis zu acht Jahren Zuchthaus verurteilt (s. zu S. 300). – *Mittwoch nach Pfingsten:* 10. Juni. – *deutsche
Flüchtlinge hier ... zu denken:* Hier und in den folgenden Briefen
aus Straßburg und Zürich an die Familie versucht B. immer wieder, alle Gerüchte über politische Aktivitäten unter den deutschen
Exilanten in Frankreich zu zerstreuen und seine Familie von seiner
politischen Enthaltsamkeit zu überzeugen. – *des Präfekten:* s. zu
S. 281.

302 *Dr. Schulz:* s. zu S. 291. – *Heumann:* Adolf H. (1811–52), Darmstädter Arzt, seit 1833 politischer Flüchtling in Straßburg. – *Rosenstiel:* Ludwig R. (1806–63), Jurastudent in Gießen; Freund
Clemms (s. zu S. 303); distanzierte sich im Oktober 1834 von der
weiteren politischen Arbeit des Weidig-Kreises und explizit vom
Hessischen Landboten (vgl. Mayer III, S. 387f.); lebte später in
Darmstadt. – *Wiener:* Hermann W. (1813–97), Mitschüler B.s in
Darmstadt, Student der Theologie und Philologie in Gießen; Mitglied der Gießener ›Gesellschaft der Menschenrechte‹; wegen Beteiligung an revolutionären Aktionen in Oberhessen 1833 verhaftet; nach seiner Freilassung 1834 entging er einer neuen Verhaftung im Mai 1835 durch die Flucht nach Frankreich und später in
die Schweiz; im August 1836 Ausweisung, Aufenthalt in England
und 1842 Rückkehr in die Schweiz; Professur für Altphilologie in
Lausanne; 1848 Abgeordneter in der Frankfurter Paulskirche. –
Stamm: s. zu S. 283. – *An Wilhelm Büchner:* B.s damals 19jähriger
Bruder Wilhelm Ludwig (1816–92) hatte am 10. 11. 1834 die Ge-
hilfenprüfung als Apotheker abgelegt, arbeitete später als Pharmazeut bei Justus Liebig und gründete schließlich die erste deutsche
Ultramarin-Fabrik; ab 1850 demokratischer Abgeordneter im hessisch-darmstädtischen Landtag, 1877–84 im Deutschen Reichstag.

Innerhalb der Familie war Wilhelm B.s Vertrauter in politischen Dingen, der auch bei der Vorbereitung von B.s Flucht nach Straßburg half. – *An unbekannten Empfänger:* wohl ebenfalls B.s Bruder Wilhelm (s. o.).

303 *An Gutzkow:* Die in diesem Brief enthaltene Skizze von B.s Revolutionstheorie enthält die eindeutige Absage an alle liberalen und frühsozialistischen Hoffnungen auf eine friedlich herbeigeführte Klassenharmonie. – *sieben ägyptischen Plagen:* Nach biblischer Überlieferung ließ Gott durch die Vermittlung Moses zehn (nicht sieben!) Plagen über Unterägypten kommen, nachdem sich der Pharao (Amenophis II. oder dessen Vorgänger Thutmosis III.) geweigert hatte, das Volk Israel aus der Gefangenschaft zu entlassen. – *Apoplexie:* Schlaganfall. – *Ein Huhn im Topf:* Anspielung auf den frz. König Heinrich IV., der zum Herzog von Savoyen gesagt haben soll: »Wenn Gott mir noch Leben schenkt, so will ich es so weit bringen, daß es keinen Bauern in meinem Königreiche gibt, der nicht imstande sei, ein Huhn in seinem Topfe zu haben.« – *gallischen Hahn:* Symboltier der Französischen Revolution. – *Koch:* wahrscheinlich Jakob K., 18jähriger Bäcker und ehemaliger Gießener Medizinstudent; Gründungsmitglied der ›Gesellschaft der Menschenrechte‹ in Darmstadt und auch nach dem Scheitern der Aktion vom Sommer 1834 aktives Mitglied. – *Walloth:* Johann Friedrich W., Darmstädter Mitschüler B.s, Jurastudent in Gießen; als Mitglied der verbotenen Burschenschaft verfolgt; flüchtete 1835 ins Elsaß und 1849, nach Beteiligung am badischen Aufstand, in die Schweiz; später Bankbeamter in Genf. – *Geilfuß:* Georg G., Ingenieur im Ministerium der öffentlichen Arbeiten in Darmstadt; flüchtig wegen seiner Mitgliedschaft in der verbotenen Burschenschaft ›Palatia‹; später Schulleiter. – *Becker:* Ludwig (Louis) Christian B. (geb. 1808), cand. theol., Mitglied der im Mai 1833 aufgelösten Gießener Burschenschaft ›Germania‹, später Mitglied der ›Gesellschaft der Menschenrechte‹. – *Minnigerode:* s. zu S. 293. – *A. Becker:* s. zu S. 300. – *Kl⟨emm⟩* ist ein Verräter: Gustav Clemm (1814–66), Student der Theologie und Pharmazie in Gießen, war Mitglied der ›Gesellschaft der Menschenrechte‹ und Teilnehmer am Badenburger Treffen (s. zu S. 300). Nach seiner Verhaftung Anfang April 1835 legte Clemm bald aus persönlichen Gründen ein umfassendes Geständnis ab, durch das er v. a. A. Becker, B. und Weidig (s. zu S. 300) schwer belastete und den Behörden die Möglichkeit zum entscheidenden Schlag gegen die oberhessische Opposition gab, erhielt aber dennoch die höchste Strafe; nach der Entlassung Chemiker und Unternehmer.

304 *v. Biegeleben:* Ludwig Maximilian Freiherr v. B. (1812–71), trat 1832 in den darmstädtischen Justizdienst ein und wurde 1840 großherzoglich hessischer Geschäftsträger in Wien. – *Weidenbusch:* vermutlich Karl Nikolaus W. (1811–93), Jurist in Darmstadt. – *Floret:* vermutlich Theodor Engelbert Joseph Bernhard F.

(1811–46), Sohn des hessischen Oberappellationsgerichtsrats Joseph F., später Hofgerichtsrat. – *Flick:* s. zu S. 301. – *Weidig:* s. zu S. 300. – *Thudichum:* Georg Th. (1794–1873), Pfarrer und Sophokles-Übersetzer, kämpfte in den Befreiungskriegen und trat für die konstitutionelle Verfassung ein; in das Verfahren um den *Hessischen Landboten* am Rande verwickelt. – *Lauth:* Ernst Alexander L. (1803–37), Professor der Physiologie in Straßburg (vgl. zu S. 282). – *Duvernoy:* Georges-Louis D. (1777–1855), Anatom und Zoologe, ab 1827 Inhaber des Lehrstuhls für Naturgeschichte in Straßburg. – *Doktor Boeckels:* vermutlich B.s Studienfreund Eugen Boeckel (s. zu S. 276). – *Präfekten:* s. zu S. 281. – *Übersetzung:* B. übersetzte auf Vermittlung Gutzkows hin im Sommer 1835 Victor Hugos Dramen ›Lucretia Borgia‹ und ›Maria Tudor‹ für die 1835–42 bei Sauerländer (s. zu S. 296) erscheinenden ›Sämtlichen Werke‹ Hugos, 6. Band (s. auch Gutzkows Brief Nr. 12, S. 338). – *meinem Drama: Dantons Tod* (s. zu S. 296 und S. 300 f.). – *Gutzkow:* s. zu S. 297. – *durch eine Vorrede:* Aus Protest gegen die geplante Nichtveröffentlichung von Schleiermachers Briefen über Friedrich Schlegels damals häufig als lasziv eingeschätzten Roman ›Lucinde‹ in einer aus Anlaß von Schleiermachers Tod edierten Gesamtausgabe gab Gutzkow jene Anfang 1835 selbst heraus: ›Schleiermachers Vertraute Briefe über die Lucinde. Mit einer Vorrede von Carl Gutzkow‹, Hamburg 1835. Diese Ausgabe wurde im April 1835 in Preußen und auch in Bayern sowohl verboten als auch beschlagnahmt und bot einen von vielen Anlässen für das im Dezember 1835 erfolgte Verbot des ›Jungen Deutschland‹ (s. zu S. 312 und Gutzkows Brief Nr. 12, S. 338). – *Reskript von Gießen:* s. zu S. 298. – *Kl⟨emm⟩:* s. zu S. 303. – *Minnigerode:* s. zu S. 293.

305 *An die Familie:* vgl. hierzu die Analyse dieses Briefes bei Meier, Ästhetik, S. 92–96. – *mein Drama:* B. weiß seit Gutzkows Brief vom 23. Juli (Nr. 13), daß sein *Danton* erschienen ist, und hat bereits Autorenexemplare erhalten (s. auch zu S. 296). Der Brief enthält neben dem – nicht unbedingt wörtlich zu nehmenden – ästhetischen Bekenntnis auch »ein sehr deutlich ›elternberuhigendes‹ Programm« (Mayer III, S. 398). – *Erlaubnis, einige Änderungen machen zu dürfen:* Gutzkow (s. zu S. 297) hatte im Brief vom 3. März 1835 (Nr. 8) darum gebeten, am *Danton*-Text Änderungen vornehmen zu dürfen (»die Veneria herauszutreiben«). Gutzkows Vorschlag, diese Entschärfungen in Zusammenarbeit mit dem Autor vorzunehmen, konnte aufgrund von B.s Flucht nach Straßburg nicht realisiert werden. So griff Gutzkow selbst in den Text ein und beschnitt die »wuchernde Demokratie der Dichtung mit der Schere der Vorzensur« (nach Bergemann, S. 592) an über 100 Stellen so, daß nur »die Ruine einer Verwüstung« übrigblieb. – *Der Titel ist abgeschmackt:* s. zu S. 300. – *Gemeinheiten:* schönstes Beispiel für B.s ›Argumentationslist‹ in den Briefen an die

Eltern (vgl. Mayer, Argumentationslist, S. 255–258): die Eltern
müssen unter den ›Gemeinheiten‹, die vom Korrektor und nich
von B. stammen, gerade die Obszönitäten verstehen; im Wid
mungsexemplar für August Stoeber (s. zu S. 276) hat B. jedoch be
einer sehr weitgehenden Verharmlosung handschriftlich am Ran
»!!!gemein« angemerkt. – *Gutzkows glänzende Kritiken:* Gutz
kow hatte im ›Phönix‹ (s. zu S. 301) Auszüge aus *Dantons Tod* mi
erläuternden Zwischentexten und am 11. Juli (Literatur-Blatt
Nr. 27) eine begeisterte Kritik veröffentlicht. – *Was übrigens di
sogenannte Unsittlichkeit meines Buchs angeht...:* B. verteidig
sich hier mit einem Argumentationstopos, den u. a. schon Danie
Casper v. Lohenstein in den ›Anmerkungen‹ zu seinem Trauer
spiel ›Agrippina‹ (1665) zur Legitimation der Obszönitäten be
nutzt hat. – *dramatische Dichter... Geschichtsschreiber:* Modifi
kation der Argumentation in der ›Poetik‹ des Aristoteles (9. Kapi
tel).

306 *der liebe Gott:* vgl. hierzu die analoge Argumentation in B.s *Lenz*
S. 144. – *ich halte viel auf Goethe...:* Die Parteinahme fü
Goethe/Shakespeare gegen Schiller ist Teil von B.s Bekenntni
zum Realismus und wurde – als Stilantagonismus – geteilt von den
Theoretikern des Realismus Otto Ludwig und Fr. Th. Vischer
ebenso von Marx und Engels. – *Nievergelder:* Ludwig Nievergel
ter (geb. 1813), Student der Forstwirtschaft, Mitglied von B.
Darmstädter Sektion der ›Gesellschaft der Menschenrechte‹. De
schon in den Frankfurter Wachensturm verwickelte N. war kur
nach B. nach Straßburg geflohen und ging dann nach Amerika.

307 *Sohn des Professor Vogt:* Carl V. (1817–95), Medizinstudent un
Kommilitone B.s in Gießen; flüchtete über Straßburg nach Ber
und war 1848 parlamentarischer Vertreter der Linken in de
Frankfurter Paulskirche; wird heute als »unpolitischer Karrierist
aus dem Umkreis der Gießener Burschenschaft ›Palatia‹ einge
schätzt (Mayer III, S. 371). – *Schwester des unglücklichen Neuhof
die Brüder Georg und Wilhelm N. waren seit April 1834 auf de
Flucht vor politischer Verfolgung; ihre Schwester, Gastwirtstoch
ter in Bonames, soll die oberhessische Opposition durch die Ver
mittlung von Nachrichten und Hilfe für politische Flüchtling
unterstützt haben. – *Minnigerode:* s. zu S. 293. – *Friedberg:* s. z
S. 283. – *Höllenmaschine in Paris:* Bei dem von Giuseppe Fiesch
am 28. 7. 1835 verübten Bombenattentat auf den ›Bürgerkönig
Louis-Philippe wurden 18 Personen aus dem Umkreis des König
getötet, Louis-Philippe hingegen blieb unverletzt. – *Täter:* s. o.

308 *Carlisten:* die Anhänger des Bourbonen Charles X., der aufgrun
der Juli-Revolution 1830 zugunsten von Louis-Philippe hatte ab
danken müssen. – *Revue in Kalisch:* Bei der polnischen Stadt Ka
lisch schlossen Rußland und Preußen am 28. Februar 1813 ei
Bündnis, das für den Krieg gegen Napoleon entscheidend wurde
Im Sommer 1835 veranstalteten preußische und zaristische Trup

pen in Anwesenheit ihrer Monarchen in Kalisch ein demonstratives ›Lustlager zur Feier des Siegs über Polen‹ (Bergemann, S. 817). – *Höllenmaschine unter Bonaparte:* das royalistische Bombenattentat auf Napoléon Bonaparte (damals Erster Konsul) am 24. Dezember 1800. – *Rastatter Gesandtenmord:* Im Anschluß an den ergebnislosen Friedenskongreß zu Rastatt (1797–99), der die Entschädigung der durch den Verlust linksrheinischer Besitzungen benachteiligten Fürsten zur Aufgabe hatte, wurden dort am 28. April 1799 zwei frz. Gesandte durch ungarische Husaren ermordet. – *Legitimisten:* frz. Partei, die den ältesten Zweig der Bourbonen (Karl X.) als zur Regierung berechtigt anerkannte. – *Von Umtrieben weiß ich nichts:* Daß diese Behauptung zur Beruhigung der Eltern dient und den Tatsachen nicht entspricht, geht aus B.s Briefen Nr. 40 und 41 hervor; B. hielt in Straßburg Kontakt zu den geflohenen politischen Freunden aus dem Umkreis der ›Gesellschaft der Menschenrechte‹ (Mayer III, S. 399 f.). – *ein Mensch:* nicht identifizierbar.

309 *Prinzen Emil:* Emil, Prinz von Hessen (1790–1876), ein reaktionär gesinnter Bruder des Großherzogs Ludwig II. – *Präfekten:* s. zu S. 281. – *Zusendung aus der Schweiz:* Hermann Trapp (1813–1837), B.s Schulfreund und Gießener Kommilitone, Mitglied der ›Gesellschaft der Menschenrechte‹, hatte in einem anonymen Brief an Gutzkow versucht, B.s literarische Leistung im *Danton* herabzusetzen. Trapp, der aus politischen Gründen schon 1834 in die Schweiz geflohen war und seit dem 24. 10. in der Spiegelgasse in Zürich wohnte, zog bei Büchners Ankunft am 3. 11. 1836 aus dem Haus aus (vgl. Katalog Marburg, S. 254). – *deutsche Revue:* Nach der Trennung von Sauerländer/Dullers ›Phönix‹ im August 1835 (s. zu S. 301) plante Gutzkow (s. zu S. 297) zusammen mit Ludolf Wienbarg (1802–72) die Gründung einer neuen literarischen Zeitschrift ›Deutsche Revue‹, wobei man sich am Vorbild der frz. ›Revue des deux mondes‹ orientieren wollte. Sie sollte zum Forum der oppositionellen Literatur in Deutschland werden. Als Verleger war der Mannheimer Zacharias Löwenthal (s. zu S. 342) gewonnen worden. Das Projekt zerschlug sich aufgrund des Verbots des ›Jungen Deutschland‹ (s. zu S. 319). – *Kl⟨emm⟩:* s. zu S. 303.

310 *Minnigerode:* s. zu S. 293. – *Gladbach:* Georg G. (1811–83), Mitschüler B.s in Darmstadt, ab 1832 Jurastudent in Gießen, Burschenschaftler und Angehöriger der oberhessischen Opposition; 1833 verhaftet, jedoch erst im November 1838 zu achteinhalb Jahren Zuchthaus verurteilt; emigrierte nach der Amnestie von 1839 in die Schweiz. – *Notizen über… Lenz:* erste explizite Erwähnung des Plans einer Arbeit über den Sturm-und-Drang-Dichter Jakob Michael Reinhold Lenz, der dann zu der Erzählung *Lenz* führte (S. 137–158 und den zugehörigen Kommentar S. 516–562). Daß B. hier vom Plan zu einem »Aufsatz« spricht, besagt nicht notwendigerweise, daß er ursprünglich eine theoretische Ausein

andersetzung mit J. M. R. Lenz beabsichtigte: der Begriff ›Aufsatz‹ wurde u.a. von E. T. A. Hoffmann für seine fiktiven Künstlererzählungen in den ›Phantasie- und Nachtstücken‹ gebraucht. Zu den von B. benutzten ›Notizen‹ über *Lenz,* S. 520ff. – *deutschen Revue:* s.o. – *Stoff zu einer Abhandlung:* vermutlich die Suche nach einem Thema für die Dissertation; B. entschied sich für den ›naturhistorischen‹ Stoff des ›Système nerveux du barbeau‹ (Nervensystem der Barbe). Die erst 1833 gegründete Universität Zürich wurde durch ihren ersten Rektor Lorenz Oken (1779–1851), der ebenfalls politischer Emigrant war, zu einem Sammelpunkt der deutschen Exilierten entwickelt. – *dort zu dozieren:* B. wurde erst im September 1836 durch die Universität Zürich aufgrund des in frz. Sprache verfaßten *Mémoire sur le système nerveux du barbeau* (s. zu S. 319) zum Dr. phil. promoviert. Anfang November 1836 hielt B. in Zürich seine Probevorlesung *Über Schädelnerven* (S. 259–269) und veranstaltete dann im Wintersemester 1836/37 ein Kolleg über ›Zootomische Demonstrationen‹. – *in der Allgemeinen Zeitung paradiert:* in einer von Gutzkow und Wienbarg (s. zu S. 309) in der Außerordentlichen Beilage Nr. 430 der ›Allgemeinen Zeitung‹ (s. zu S. 362) vom 26. Oktober 1835 veröffentlichten Erklärung, die sich gegen Menzels (s. zu S. 319) Angriffe auf das Projekt der Literaturzeitschrift ›Deutsche Revue‹ (s. zu S. 309) verwahrt.

311 *Schulz:* s. zu S. 291. – *Minnigerode:* s. zu S. 293. – *im ›Temps‹:* ›Le Temps. Journal des Progrès‹, 24. Oktober 1835: »Découverture d'une conspiration dans la Hesse ducale« (Aufdeckung einer Verschwörung im Großherzogtum Hessen; vgl. Fischer, S. 86–88). – *ein Bändchen Gedichte von meinen Freunden Stöber:* die ›Alsa-Bilder‹ (s. zu S. 276). – *Manier à la Schwab und Uhland:* Gustav Schwab (1792–1850) und Ludwig Uhland (1787–1862) gehörten zur sog. ›Schwäbischen Schule‹, einem Ausläufer der Romantik. Schwab hatten die Brüder Stoeber ihre ›Alsa-Bilder‹ gewidmet. B.s Distanzierung von dieser literarischen Richtung bedeutet auch eine Distanzierung von den Brüdern Stoeber, die sich in der Kampagne gegen das ›Junge Deutschland‹ auf die Seite Menzels geschlagen hatten (s. zu S. 319). Etwa gleichzeitig wandte sich auch Heinrich Heine in der Auseinandersetzung mit den literarischen und politischen Kräften, die sich seinem Schreiben in Deutschland entgegenstellten, polemisch gegen die ›Schwäbische Schule‹. – *Musenalmanach:* ›Musenalmanach. Eine Neujahrsgabe für 1833‹. Hg. von Heinrich Küntzel und Friedrich Metz. Darmstadt: Heyersche Hofbuchhandlung (1833), s. zu S. 276. – *Studium der Philosophie:* B. arbeitete um diese Zeit offenbar an Studien zu den geplanten Zürcher Vorlesungen über Descartes und Spinoza, eventuell auch über die Geschichte der griechischen Philosophie.

312 *An Ludwig Büchner:* Erstveröffentlichung durch Frieder Lorenz 1964. – *Hammelmaus:* Kosename B.s für den damals noch nicht

zwölfjährigen Bruder Friedrich Karl Christian *Ludwig* (1824–99), später Arzt in Darmstadt und als Verfasser von ›Kraft und Stoff‹ (1855) einer der populärsten Vertreter des deutschen bürgerlichen Materialismus; Herausgeber der *Nachgelassenen Schriften von Georg Büchner* (1850). – *Louis Jaeglé:* Louis-Théodore J. (geb. 1812), Bruder von B.s Verlobter Wilhelmine J. – *Lottchen Cellarius:* Charlotte C. (ca. 1817–53), Klavierlehrerin von B.s Bruder Ludwig (vgl. Georg Büchner Jahrbuch 1/1981, S. 191–194). – *Verbot der deutschen Revue:* s. zu S. 309. – *Einige Artikel:* u. a. wohl die Erzählung *Lenz.* – *Phönix:* s. zu S. 300. – *König von Bayern:* Ludwig I. (1786–1868); in Bayern waren 1835 Gutzkows Werke ›Schleiermachers Vertraute Briefe über Lucinde‹ (s. zu S. 304), ›Wally, die Zweiflerin‹ und ›Verteidigung gegen Menzel‹ (s. u.) verboten worden. – *Großherzog von Baden … Gutzkow arretieren:* Leopold, Großherzog von Baden (1790–1852); in Mannheim, dem Verlagsort von Gutzkows verbotenen Schriften ›Wally, die Zweiflerin‹ und ›Verteidigung gegen Menzel‹ (s. zu S. 319 und 339), war am 15. November 1835 der Prozeß gegen den Autor und seinen Verleger Zacharias Löwenthal (s. zu S. 342) eröffnet worden. Gutzkow hatte sich gestellt und war zu Beginn des Prozesses am 30. November verhaftet worden. Am 6. Januar 1836 wurde er wegen »verächtlicher Darstellung des Glaubens der christlichen Religionsgemeinschaften« in ›Wally‹ zu einer Gefängnisstrafe von einem Monat verurteilt, die er bis zum 10. Februar verbüßte.

313 *gehöre ich für meine Person keineswegs zu dem sogenannten Jungen Deutschland:* Unter dem Begriff ›Junges Deutschland‹ wird hier die Gruppe von oppositionellen Literaten (Heine, Gutzkow, Wienbarg, Mundt und Laube) verstanden, deren gesamte (auch künftige) literarische Produktion mit Bundestagsbeschluß vom 10. Dezember 1835 verboten worden war. Als literarische Vereinigung existierte diese Gruppe nie; was sie verband und den Grund für B.s Distanzierung bildete, ist die Vorstellung, politische Veränderungen durch »Ideenschmuggel« (Gutzkow), d. h. durch Bewußtseinsveränderung mittels der Literatur, bewirken zu können (vgl. Heines Wort von der Literatur als »Trägerin der höchsten Zeitinteressen«). B.s ästhetische Anschauungen dagegen entwickelten sich konsequent aus seinem politischen Materialismus: es sei, so soll B. gesagt haben, »bei weitem nicht so betrübend, daß dieser oder jener Liberale seine Gedanken nicht drucken lassen darf, als daß viele tausend Familien nicht imstande sind, ihre Kartoffeln zu schmälzen« (Bergemann, S. 463). Zu B.s Distanzierung vom Liberalismus s. auch zu S. 278.

314 *An Gutzkow:* Erstveröffentlichung durch Erich Ebstein 1932. – *Boulet:* Herausgeber der Pariser Zeitschrift ›Revue du Nord‹. – *bei Herrn Schroot:* H. Schroth, wiederholt Straßburger Anlaufstelle für politische Flüchtlinge aus Deutschland. – *K⟨üchler⟩:* Heinrich K. (1811–73), Darmstädter Arzt, wegen Beteiligung an den

oberhessischen revolutionären Aktionen in Oberhessen 1838 zu
acht Jahren Zuchthaus verurteilt und 1839 begnadigt. – *Groß:* s. zu
S. 283. – *Max v. Biegeleben:* s. zu S. 304. – *Gladbach:* s. zu S. 310.

315 *Herr J.:* vielleicht Johann Jakob Jaeglé, der Vater von B.s Verlobter Wilhelmine J. – *Methfessel:* Albert Gottlieb M. (1784–1869). –
Herzog: Wilhelm August Ludwig Max Friedrich (1806–84). – *letzten Vorfälle in Zürich:* Verhaftung und Ausweisung deutscher politischer Emigranten und Handwerksgesellen (v. a. aus dem Umkreis der politischen Exilvereinigung ›Junges Deutschland‹; s. zu
S. 350) durch die Züricher Polizei am 25. und 26. Mai 1836, ausgelöst wohl durch den Druck des Deutschen Bundestags. B.s Entschluß, die Übersiedelung nach Zürich zu verschieben, ist natürlich in diesem Zusammenhang zu sehen.

316 *Herr v. Eib:* Baron von Eyb, eigentlich Zacharias Aldinger, wurde
später tatsächlich als Agent des Metternichschen Geheimdienstes
entlarvt. – *Refugiés:* frz. Flüchtlinge. – *An Eugen Boeckel:* Erstveröffentlichung in: Strohl; zu Boeckel s. zu S. 276.

317 *meine Abhandlung:* s. zu S. 319. – *société d'histoire naturelle:* wissenschaftliche Gesellschaft für Naturgeschichte in Straßburg (s. zu
S. 319). – *großen weißen Papierbogen:* bezieht sich wahrscheinlich
auf *Leonce und Lena* und würde in diesem Fall einen Terminus
post quem für die Entstehung des Lustspiels setzen. – *meinen
Kurs:* s. B.s Briefe Nr. 51 und Nr. 59. – *auf Deiner Reise:* vgl.
Boeckels Briefe an B. Nr. 17 und 19.

318 *Baum:* s. zu S. 276. – *auf subtile Weise:* s. zu S. 299. – *deines
Bruders:* der Mediziner Théodore Boeckel (1802–69). – *Die beiden
Stöber:* s. zu S. 276. – *Frau Pfarrerin ... arme Mädel:* Wilhelmine
Jäger und ihre Cousine Mina Jäger (s. zu S. 363). – *Vetter aus
Holland:* vermutlich entweder Ernst Christian B. (1812–82) oder
Hermannus Philipp Polijn B. (1815–87), Söhne von B.s Onkel
Wilhelm (1780–1855), der als Arzt in Gouda (Holland) lebte. –
Wilhelmine: W. Jaeglé (s. zu S. 286). – *Friesel:* ungefährlicher
Hautausschlag. – *ästhetische Studien:* Anspielung auf Boeckels
Schilderung seiner Wiener Theatererlebnisse in Brief Nr. 19. –
Dem. Peche: Therese P. (1806–82); 1828/29 am Großherzoglich-
Hessischen Theater in Darmstadt, 1830–67 erfolgreiche Schauspie-
lerin am Wiener Burgtheater.

319 *eine Abhandlung geschrieben:* B. trug seine Dissertation über das
Nervensystem der Barbe *(Mémoire sur le système nerveux du barbeau)* am 13., 20. April und 4. Mai 1836 in drei Teilen der Straßburger ›Société d'histoire naturelle‹ vor und wurde daraufhin zu
deren korrespondierendem Mitglied ernannt (S. 317). B.s Arbeit
wurde 1837 auf Kosten der Gesellschaft veröffentlicht und erregte
die Aufmerksamkeit des Anatomen und Physiologen Johannes
Müller sowie des Naturforschers Lorenz Oken (s. zu S. 310), der
seit 1833 in Zürich lehrte. Die Dissertation brachte B. die Promotion durch die Universität Zürich und einen Lehrauftrag dort ein,

wodurch sich die Chance zu einer wissenschaftlichen Laufbahn eröffnete. – *im nächsten Semester... einen Kurs:* s. auch B.s Brief Nr. 61; B. hielt im Wintersemester 1836/37 keinen philosophiegeschichtlichen Kurs, sondern ein Kolleg über ›Zootomische Demonstrationen‹ (s. zu S. 324). – *Rebstöckel:* Straßburger Gasthof (s. B.s Brief Nr. 55), geführt von H. Schroth (s. zu S. 314). – *Menzels Hohn:* Wolfgang M. (1798–1873), einflußreicher Herausgeber des Literaturblatts zu Cottas ›Morgenblatt für gebildete Stände‹ (1825–49) in Stuttgart, war von 1831–34 der literarische Mentor Gutzkows gewesen. Zum Bruch kam es durch die zunehmende literarische und politische Selbständigkeit Gutzkows und durch seine Kritik an Menzels politischem Konservativismus in Verbindung mit dessen Polemik gegen Goethe, der Deutschtümelei und pietistischen Enge (Heine hatte diese Haltung Menzels bereits 1828 angegriffen). Diese ideologische Kontroverse wurde verschärft durch die literarische Konkurrenz, die zwischen den marktabhängigen freien Schriftstellern herrschte. Dies wird deutlich in der auslösenden Funktion, die Gutzkows literarische Profilierung für Menzels denunziatorisches Vorgehen hatte. Mit einer scharfen Verurteilung von Gutzkows ›Wally‹-Roman im Literaturblatt des ›Morgenblatts‹ vom 11. und 14. September 1835 wandte sich Menzel endgültig gegen die progressiven literarischen Positionen, kehrte ins Lager der preußischen Reaktion zurück und forderte die behördliche Verfolgung des ›Jungen Deutschland‹, was am 10. Dezember 1835 zu dessen Verbot durch den Bundestag und zur existentiellen Krise der oppositionellen Literatur führte. – *Sie und Ihre Freunde...:* eine der wichtigsten politischen und literarischen Stellungnahmen B.s, da er sich hier dezidiert vom bürgerlich-liberalistischen Programm der Jungdeutschen distanziert (s. zu S. 313). – *religiöser Fanatismus:* Walter Grab hat auf eine Parallele dieser Briefstelle zu Ludwig Tiecks Roman ›Aufruhr in den Cevennen‹ hingewiesen (Grab, S. 157).

320 *absoluten Rechtsgrundsatz:* dieses Prinzip wäre verwirklicht in einer Staatsform, in der es keinen Klassenantagonismus von Arm und Reich mehr gibt, was in B.s Augen nur durch eine gewaltsame Revolution herbeigeführt werden kann. Entsprechende Staatsentwürfe werden in der Naturphilosophie des späten 18. Jhs. diskutiert. Über deren Verbindung zu B.s Naturbegriff vgl. Wolfgang Proß, Kategorie ›Natur‹. – *Tagsatzung:* Versammlung der Gesandten der schweizerischen Kantone zur Behandlung gemeinsamer Angelegenheiten; aufgehoben erst durch die Bundesversammlung vom 12. November 1848. – *Savoyer Zuge:* »Eine militärische Aktion, die vom 1.–4. Februar 1834 an der Grenze zwischen der Schweiz und Piemont stattfand und zum Sturz des Königs Karl Albert und zur Befreiung Italiens von der Vorherrschaft der Großmächte führen sollte. Die vom emigrierten Revolutionär Giuseppe Mazzini geplante Aktion wurde von General Girolamo

Ramorino ⟨...⟩ befehligt. Der dilettantische Putsch, an dem etwa 250 Flüchtlinge aus Italien, Deutschland und Polen teilnahmen, scheiterte an der ersten piemontesischen Grenzstation; die Freischärler zogen sich nach der Schweiz und Frankreich zurück.« (Grab, S. 89) – *den letzten Vorfällen:* B.s Brief Nr. 57. – *Präfekt:* s. zu S. 281 und S. 301. – *Polizeikommissär:* Jonathan Pfister (s. zu S. 300). – *mein Diplom:* s. zu S. 319 und B.s Brief Nr. 59.

321 *Vorlesungen ... über die philosophischen Systeme:* s. zu S. 311 und S. 319. – *sich einige Menschen auf dem Papier totschlagen oder verheiraten zu lassen:* B. arbeitete zu dieser Zeit vermutlich an *Woyzeck* und an dem Lustspiel *Leonce und Lena* (s. S. 563 f.). – *meine zwei Dramen:* Vermutlich *Leonce und Lena* und *Woyzeck.* – *daß es mir geht, wie das erste Mal:* B. denkt hier wohl an die entstellenden Eingriffe Gutzkows in das Originalmanuskript von *Dantons Tod* beim Erstdruck im ›Phönix‹ und in der ersten Buchausgabe (s. zu S. 300 f.). – *An Bürgermeister Hess:* Johann Jakob H. (1791–1857); fragmentarische Erstveröffentlichung des Briefes durch Bergemann ³1940, vollständig veröffentlicht erst seit der ersten Auflage vorliegender Ausgabe. –

322 *zum Doktor kreiert:* s. zu S. 319. – *Autorisation zum Aufenthalt:* In der sich seit Mai 1836 zuspitzenden Auseinandersetzung um die politischen Emigranten hatten sich die Straßburger Behörden geweigert, B. einen Paß auszustellen, der ihm die Ausreise in die Schweiz ermöglicht hätte. Man verlangte eine ›Autorisation von Schweizer Seite‹, um die B. den Züricher Bürgermeister hier ersucht. Auf diese Bitte hin erhielt B. vom Bürgermeisteramt in Zürich eine Aufenthaltsgenehmigung und folglich auch einen Paß der Straßburger Behörden, so daß er am 18. Oktober 1836 nach Zürich übersiedeln konnte. – *Douane:* Zollstelle. – *Nous, Jonathan Pfister ...:* »Wir, Jonathan Pfister, Polizeikommissar des Bezirks Süd der Stadt Straßburg, bescheinigen hiermit, daß / Herr Georg Büchner, Doktor der Philosophie, 23 Jahre alt, aus Darmstadt gebürtig, in unserem Einwohnerregister als wohnhaft in der rue de la Douane No. 18 eingeschrieben ist; daß er sich in hiesiger Stadt seit 18 Monaten bis zum heutigen Tag ohne Unterbrechung aufhält und daß seine Aufführung während dieser Zeit weder in politischer noch in moralischer Hinsicht Anlaß zu irgendwelcher Klage gegeben hat. / Beglaubigt durch den Unterzeichneten / Straßburg, den 21. Sept. 1836 / Pfister«.

323 *An das Präsidium des Erziehungsrats von Zürich:* Erstveröffentlichung in der ersten Auflage vorliegender Ausgabe; als Abbildung bereits von Martin Bircher in einer Besprechung der Züricher Büchner-Ausstellung in: Sonntagspost 84 (1964), Nr. 42, 16. Oktober (= Wöchentliche Beilage zum ›Landboten und Tagblatt der Stadt Winterthur‹), S. 1. – *Abhandlung:* s. zu S. 319. – *Probevorlesung: Über Schädelnerven* (S. 259–269); B.s Zulassung zur Probevorlesung wurde am 1. Oktober bewilligt (Mayer III, S. 418).

Zürich 1836–1837

323 *Streite der Schweiz mit Frankreich:* Frankreich hatte in der Frage
der politischen Flüchtlinge zu ultimativen Drohungen gegriffen;
daraufhin waren die diplomatischen Beziehungen zwischen beiden
Ländern am 27. September 1836 abgebrochen worden. – ›*die
Schweiz wird einen kleinen Knicks machen ...‹:* dazu 1851 der
Kommentar von W. Schulz: »Er hatte damals Recht.« (Grab,
S. 52)

324 *Die Schweiz ist eine Republik ...:* Vorwürfe politischen »Aposta-
ten- oder Renegatentums«, wie sie B. von seiten Hermann Trapps
(s. zu S. 309) schon im September 1835 gemacht worden waren,
finden in der positiven Beschreibung des Schweizer Geldaristokratismus nur scheinbar ihre Bestätigung. Sie erweisen sich gerade im
Argumentationszusammenhang dieses Briefes als haltlos (vgl.
Mayer III, S. 420 f.). – *Akzessisten:* lat. Anwärter auf eine Anstellung. – *Minnigerode ist tot:* Fehlinformation B.s (s. zu S. 293). –
Ich sitze ... den Büchern: B. nahm sein Kolleg ›Zootomische Demonstrationen‹ zur vergleichenden Anatomie der Fische und Amphibien im November 1836 auf, also unmittelbar nach der erfolgreichen Probevorlesung am 5. November. Nach dem Zeugnis seines Schülers August Lüning beeindruckten v. a. B.s »ungemein
sachliche, anschauliche Demonstrationen an frischen Präparaten«,
die er größtenteils selbst vorbereitet hatte, dann seine von der
Naturphilosophie bestimmten Fragestellungen, die sich jedoch
spekulativer Überlegungen stets enthielten, und schließlich die
Zusammenhänge, die er zwischen niederen und höheren Tierklassen herstellte. B.s Vortrag soll sich v. a. durch die nüchterne Sprache und die Selbständigkeit seiner wissenschaftlichen Thesen ausgezeichnet haben (nach Bergemann, S. 571 f.).

325 *mechanische Beschäftigung des Präparierens:* s. zu S. 324. – *die
Geschichte von Abälard:* Die leidenschaftliche, aber unglückliche
Liebe zwischen dem scholastischen Philosophen Petrus Abaelardus (1079–1142) und seiner Schülerin Héloïse ist beschrieben in
der ›Historia Calamitatum Abaelardi‹ (1135) und in den ›Epistulae‹, dem Briefwechsel zwischen Abaelardus und Héloïse. – *meiner poetischen Produkte:* vermutlich *Woyzeck* und das als verschollen geltende Werk *Pietro Aretino*. – *die Schuhriemen zu lösen:* Jh. 1,27 und Apg. 13,25. – *die Volkslieder singen:* B.s enges
Verhältnis zum Volkslied hat seinen Ursprung wohl im Einfluß,
der von den romantisch-patriotischen Neigungen der Mutter auf
seine Erziehung ausging. Belebt und literaturfähig gemacht wurde
dieses Interesse B.s für Volksdichtung durch die elsässische Kulturtradition. Auf deren Nährboden entfaltete es sich konsequent
auch aus B.s politischem Postulat nach Bildung eines neuen geistigen Lebens im Volk« (Brief Nr. 59); diese Basis macht, trotz der

gleichzeitigen Distanzierung von den schwäbischen Spätromantikern (s. zu S. 311), B.s Annäherung an Volk und Mittelalter begreifbar.

326 *rue St. Guillaume Nro. 66:* Adresse der Verlobten Wilhelmine Jaeglé in Straßburg. B. hatte dort im Hause des Vaters der Braut des seit 1828 verwitweten Pfarrers Johann Jakob Jaeglé (1771–1837), während seines ersten Straßburger Aufenthaltes gewohnt. – *überzwergen:* schräg, stumpfwinkelig. – *Adio piccola mia!:* ital. Lebwohl, meine Kleine! – *zwei anderen Dramen:* s. zu S. 325.

Briefe an Büchner

327 *Wilhelm Büchner:* s. zu S. 302. – *Moldenhauer:* Karl August Friedrich M. (1797–1866), Mineraloge und Chemiker. – *Schnittspan:* Georg Friedrich S. (1810–65); Botaniker. – *Kaup:* Johann Jakob K. (1803–73), Zoologe. – *Onkel Louis:* Ludwig Friedrich Büchner (1789–1838), Arzt in Crumstadt. – *Lorniet:* Augenglas mit Griff (frz.: lorgnette).

328 *Boutellie:* wohl Verballhornung für frz. ›bouteille‹ (Flasche). – *Trapp:* Hermann T. (s. zu S. 309). – *abaten:* Verballhornung von ›aparten‹ (hier: eigenständig). – *Minigerode:* s. zu S. 293. – *Dörr:* Adolf D. (1816–68), Schulfreund B.s. – *Eugen Boeckel:* s. zu S. 276.

329 *Deinen … Brief:* nicht erhalten. – *mein. Bruder:* s. zu S. 318. – *Rubeolas:* an Röteln Erkrankte. – *hydrocephalus:* lat. Wasserkopf. – *tartarus stibiatus:* lat. Brechweinstein. – *Pleura:* lat. Brustfell. – *Thorax:* lat. Brust. – *requiescat in pace:* lat. er ruhe in Frieden! – *hydrothorax und überh. hydropisie:* Brustwassersucht und überhaupt Wassersucht. – *digitalis u. nitrum:* Fingerhut und Soda (Natrium). – *Chommel:* Auguste-François Chomel, ›Eléments de pathologie générale‹, Paris 1817. – *Barbier:* Jean-Baptiste-Grégoire B., ›Traité élémentaire de matière médicale‹, 3 Bde., Paris 1819. *Lambossy:* s. zu S. 283. – *Scherb:* s. zu S. 253. – *Ad. Stöb⟨er⟩:* s. zu S. 276. – *Baum:* s. zu S. 276. – *Concurs:* frz.: Concours; hier Prüfung im Rahmen einer Stellenausschreibung. – *Hirtz:* Mathieu Marc H. (1809–78), Mediziner in Straßburg, später Professor in Paris. – *surnuméraires:* frz. Überzählige, d.h. Personen auf der Warteliste. – *kauterisieren:* ätzen. – *triceps:* lat. Oberarmstreckmuskel.

330 *Duvernoy:* s. zu S. 304. – *constat:* sinngemäß wohl: soviel steht fest. – *dissezieren:* zerlegen. – *re infecta:* lat. unverrichteter Dinge – *in schwarzibus:* scherzhaft für ›in schwarzer Kleidung‹. – *M^{el} jolis pieds et jolies mains:* frz. Fräulein Schönfuß und Schönhand gemeint ist natürlich Wilhelmine Jaeglé, B.s spätere Verlobte. – *Aug. Stöber:* s. zu S. 276. – *Amsler:* Ludwig A. (geb. 1809), Theologe und Gründungsmitglied der ›Eugenia‹. – *Held:* Charles

Théophile H. (1813–79), Medizinstudent in Straßburg. – *Diligence:* s. zu S. 286. – *mein. Bruder:* s. zu S. 318. – *Follen:* Johann Peter Bernhard Follenius (1807–71); Mitglied der ›Eugenia‹.

331 *Hecker:* vielleicht August Friedrich H., ›Therapia generalis; oder, Handbuch der allgemeinen Heilkunde‹, Berlin 1789. – *Vale:* lat. leb wohl. – *Von Adolph Stoeber:* Erstdruck durch E. Zimmermann im ›Archiv für hessische Geschichte und Altertumskunde‹ N.F. 38 (1980), S. 381; in korrigierter Form veröffentlicht durch Th. M. Mayer im Georg Büchner Jahrbuch 1 (1981), S. 190. – *Musenalmanach:* s. zu S. 311. – *wir beide:* die Brüder Stoeber (s. zu S. 276). – *Böckel:* E. Boeckel (s. zu S. 276). – *Lambossy:* s. zu S. 283. – *Eugen Boeckel:* s. zu S. 276. – *il vaut mieux tard que jamais:* frz. besser spät als nie. – *Deine beiden Briefe:* nicht erhalten. – *Balbieren:* frz. rasieren. – *descriptions de Decandolle:* Augustin-Pyramus de Candolle (1778–1841): ›Flore française, ou, Description succincte de toutes les plantes qui croissent naturellement en France …‹ Paris ³1815 (eine tiefgreifende Bearbeitung des ursprünglich von Lamarck stammenden botanischen Werkes).

332 *Conradi:* vermutlich der deutsche Mediziner Johann Wilhelm Heinrich C. (1780–1861). – *Astley Cooper, Übersetzung von Froriep:* Ludwig Friedrich v. Froriep (Übersetzer): ›Samuel Cooper, Neuestes Handbuch der Chirurgie, in alphabetischer Ordnung‹, 4 Bde., Weimar 1819–24. – *den Thiers:* s. zu S. 350. – *Stöber Auguste … Ad. Stöber:* s. zu S. 276. – *Baum … Methodisten:* s. zu S. 276 und S. 300. – *Reuß:* Edouard R. (s. zu S. 274). – *Lambossy:* s. zu S. 283. – *Louis u. Melle:* Louis Jaeglé, der Bruder von B.s Verlobter Wilhelmine Jaeglé (»Melle«). – *Eugeniten:* Angehörige der Straßburger Studentenverbindung ›Eugenia‹ (s. zu S. 276). – *Adolphe:* A. Stoeber. – *These v. Lauth:* s. zu S. 304. – *Goupil … sujet:* frz. Thema. – *La contraction musculaire …:* Jean Martin Auguste Goupil, ›La contraction musculaire, étant donné, à considérer les muscles en action, particulièrement dans la station …‹, Strasbourg 1833. – *kolliert:* frz. coller: durch Fragen in die Enge getrieben. – *chaire:* frz. Lehrstuhl. – *Ehrenmann:* Henri-Charles Ehrmann (1792–1878), Gynäkologe und Anatomieprofessor in Straßburg. – *Accouchement chaire:* frz. Lehrstuhl für Geburtshilfe. – *Doyen:* frz. Dekan. – *Cailliot:* René C. (1769–1835), Mediziner an der Universität Straßburg, seit 1821 Dekan der medizinischen Fakultät. – *Concurs:* s. zu S. 329. – *sur la vue:* frz. über den Gesichtssinn. – *séance tenante:* sinngemäß ohne Unterbrechung. – *fonctions du foie et d. l. rate:* frz. Funktionen der Leber und der Milz. – *Apostel Petrus:* Bergemann zufolge »Neckname« für Eduard Lange (s. zu S. 363).

333 *ägyptischen Dienst:* Anspielung auf die ›ägyptische‹ Gefangenschaft, aus der das jüdische Volk durch Moses befreit wurde. – *Johann Georg Wilhelm Reuß:* jüngerer Bruder von B.s Mutter (1795–1849). – *Heyrische Buchhandlung:* s. zu S. 296. – *17 fl. 30*

kr.: 17 Gulden, 30 Kreuzer; in südlichen und westlichen Staaten des Deutschen Bundes gebräuchliche Währung. – *Deiner Reise:* kurze Reise nach Straßburg zur Verlobten Wilhelmine Jaeglé.

334 *Von Gutzkow:* Antwort auf die Übersendung des Manuskripts von *Dantons Tod* (B.s Brief Nr. 33). – *Sauerl⟨änder⟩:* s. zu S. 296. – *theatralische Sachen ... keine lockende Artikel:* Hinweis auf die sich in der Vormärz-Zeit vollziehende nachdrückliche Umwertung der literarischen Gattungen zugunsten des Romans als der den Zeitumständen gemäßesten literarischen Ausdrucksform (dies schlägt sich auch in den verminderten Absatzchancen dramatischer Werke nieder, deren Anteil an der gesamten Buchproduktion um 1830 nur noch 2,6% ausmachte, die Romane hingegen 6,8%). – *Honorarforderungen:* B. erhielt schließlich 10 Friedrichsd'or (s. Gutzkows Brief Nr. 8). – *Mskr:* Manuskript. – *Phönix:* s. zu S. 300. – *10 Friedrichsd'or:* 50 Taler; nach einer allerdings problematischen Umrechnung von 1975 ca. 1500 DM. – *daß Sie sich bereitwillig finden lassen:* B. hat offenbar in einem verlorenen Brief an Gutzkow zugestimmt, allzu gewagte Stellen in *Dantons Tod* zu modifizieren, war später jedoch mit den Eingriffen nicht einverstanden (vgl. Brief Nr. 45, S. 305, und zu S. 305). – *Quecksilberblumen:* Metapher für die Obszönitäten in *Dantons Tod* (mit Quecksilberchlorid wurden damals Geschlechtskrankheiten behandelt).

335 *Frankfurter Brunnengasse ... Berlinische Königsmauer:* Treffpunkte der Frankfurter bzw. Berliner Prostituierten. – *Veneria:* lat. Geschlechtskrankheiten. – *Metall:* Quecksilber (s.o.). – *Tisane:* schleimiger Arzneitrank aus Eibisch, Malz, Hafergrütze, Graupen, Brotkrume, Hirschhorn und Arzneimitteln. – *Mskrpt:* Manuskript. – *Heyer:* s. zu S. 263. – *kauscher:* koscher, d.h. den jüdischen Vorschriften bzw. Reinheitsgeboten entsprechend.

336 *Phönix:* s. zu S. 300. – *meine Tragödie Nero:* Stuttgart: Cotta 1835. – *10 Fr.:* s. zu S. 334. – *Enghien:* Louis Antoine Henri von Bourbon-Condé, Herzog von E. (1772–1804), der 1789 aus Frankreich emigriert war und seit 1803 in Baden lebte, wurde am 21. März 1804 auf Befehl Napoleons erschossen. Der Justizmord war als Abschreckungsmaßnahme gegen die Bourbonen gedacht. – *meine Ermunterung:* vgl. Gutzkows Briefe Nr. 8 und Nr. 9. – *zu säubern angefangen:* s. zu S. 334. – *Schmuggelhandel der Freiheit:* zu B.s Kritik an diesem literarischen Programm Gutzkows und überhaupt der ›Jungdeutschen‹ s. zu S. 313.

337 *arrondieren:* hier: eingewöhnen. – *Danton ... Phönix:* s. zu S. 300. – *Ihres Buches:* die Buchausgabe von *Dantons Tod* (s. zu S. 301). – *Sauerländers:* s. zu S. 296. – *ein Buch geschrieben:* vielleicht Gutzkows zweibändiger Roman ›Mata Guru‹ (1833). – *Die Übersetzung:* die von Gutzkow bei B. in Auftrag gegebene Übersetzung zweier Dramen von Victor Hugo für die bei Sauerländer veranstaltete Ausgabe (s. zu S. 304). – *Mich feuerte ... Schriftstellerei an:*

Gutzkow war am 25. Januar 1831 erstmals in Briefkontakt zu Menzel (s. zu S. 309) getreten und hatte sich dessen Protektion erworben. – *Armidaschild:* Die sagenhafte Gestalt der verführerischen Zauberin Armida gehört seit Tassos Versepos ›La Gierusalemme liberata‹ (Das befreite Jerusalem) zum Bestand der europäischen Ikonographie. Mit Hilfe der zauberkräftigen Attribute Gürtel und Schild verwirrt und verführt sie die christlichen Helden und entzieht sie dadurch dem Glaubenskampf.

338 *mein Lit. Blatt:* s. zu S. 300. – *Levrault:* Verleger und Sortimentsbuchhändler in Straßburg. – *Revue Germanique:* ›Nouvelle Revue Germanique; Recueil littéraire et scientifique ...«, Paris 1832–36. – *au fait:* frz. auf dem laufenden. – *theologischen Antrag:* B.s Frage nach Veröffentlichungsmöglichkeiten für Baums Abhandlung über den Methodismus (s. zu S. 300). – *Sauerl.:* s. zu S. 296. – *Parasangen:* altpersisches Wegemaß = 5550 m. – *Vorrede zu Schleiermachers Briefen ...:* s. zu S. 304. – *Autodafé:* portug. Ketzerverbrennung. – *Ihre Äußerungen ...:* bezieht sich offenbar auf einen nicht erhaltenen Brief. – *Übersetzung V. Hugos:* Die Sauerländische Gesamtausgabe der Werke Victor Hugos, Frankfurt 1835–42 (s. zu S. 304) enthält keine von Gutzkow besorgte Übersetzung.

339 *Buchhändler:* Sauerländer (s. zu S. 296). – *auch Sie ins Interesse gezogen:* B. übersetzte für Sauerländer die Dramen ›Lukretia Borgia‹ und ›Maria Tudor‹. – *Danton wird nun gedruckt:* zur Druckgeschichte des *Danton* s. zu S. 482 ff. – *Novelle Lenz:* vgl. B.s Brief Nr. 50. – *theologischen Freunde ... Schrift:* Baums Abhandlung über den Methodismus (s. zu S. 300). – *Matter:* Jakob (Jacques) M. (1791–1864); Theologieprofessor in Straßburg. – *Wer war der Freund ...:* vermutlich Eugen Boeckel (s. zu S. 276). – *Abbreviatur:* Kürzel. – *Wally, die Zweiflerin:* Gutzkows Roman (Löwenthal, Mannheim 1835) ist im Juni 1835 entstanden; er wurde nach Menzels diffamierenden Kritiken (s. zu S. 309) wegen angeblichen Verstößen gegen Religion und Moral am 24. 9. 1835 in Preußen verboten, dann auch in Bayern, und löste das Verbot des ›Jungen Deutschland‹ aus (s. zu S. 304). – *Sauerländer:* s. zu S. 296. – *Schreckenstitel:* s. zu S. 300. – *meine von der Zensur verstümmelte Anzeige:* Gutzkows Anzeige zu *Dantons Tod* im ›Phönix‹ (s. zu S. 300), 1835, S. 645a–646b; vgl. zur Zensur das Nachwort in G. Büchner, Gesammelte Werke, Bd. 4, S. ⟨6f.⟩.

340 *theol. Schrift Ihres Freundes:* s. o. – *Literaturblatt ... preisgegeben:* s. zu S. 300. – *L. Wienbarg:* Ludolf Christian W. (1802–72) plante mit Gutzkow die literarische Zeitschrift ›Deutsche Revue‹, die jedoch schon vor Erscheinen verboten wurde (s. zu S. 300). – *quidquid fert animus:* lat. was immer der Geist hervorbringt. – *ennuyierte:* frz.; hier: wurde mir lästig. – *Dullerschen Sozietät:* Eduard Duller war Herausgeber der von ihm konzipierten Tageszeitung ›Phönix‹ (s. zu S. 300), deren Literaturblatt er Gutzkow

auf dessen Wunsch hin überlassen hatte. Ab Anfang August 1835 war es zu Differenzen zwischen den beiden Redakteuren gekommen, die ihren Grund sowohl in unterschiedlichen literaturkritischen Intentionen als auch in der Konkurrenz um die Vormachtstellung bei der Redaktion des Blattes hatten und nach dem 27. August zum Ausscheiden Gutzkows führten. – *Sauerländersche Plumpheit:* offenbar eine juristische Lücke im Verlagsvertrag, die es Gutzkow möglich machte, seine Mitarbeit am ›Phönix‹ kurzfristig einzustellen. – *Sauerl.:* s. zu S. 296. – *Borjär:* Verballhornung von ›Bürger‹. – *Ihren Danton:* zur Rezeptionsgeschichte von *Dantons Tod*, S. 482 ff. – *Von Grabbe sind 2 Dramen erschienen:* Christian Dietrich G. (1801–36) hatte 1835 die Tragödie ›Hannibal‹ und das dramatische Märchen ›Aschenbrödel‹ veröffentlicht. Gutzkow verglich Grabbe und B. auch an anderer Stelle: »... was ist Grabbes wahnwitzige Mischung des Trivialen mit dem Regellosen gegen diesen jugendlichen Genius!« (Hinderer, S. 11); auch Friedrich Hebbel beschäftigte der Vergleich zwischen beiden Autoren: »Grabbe und Büchner: der eine hat den Riß zur Schöpfung, der andere die Kraft.« (Tagebücher 1839). – *Freunde, die Sie dafür halten:* neben Hermann Trapp (s. zu S. 309) vermutlich auch »der Geometer Christian Möser (oder Mäker?) ⟨...⟩, der wie Trapp als Kostgänger Zehnders in der Spiegelgasse 12 wohnte und bereits am 25. Oktober 1836, d.h. am Tag nach B.s Einzug, das Weite suchte« (Mayer, Argumentationslist, S. 259).

341 *Ihren jüngsten ... Brief:* vermutlich B.s nur unvollständig überlieferter Brief Nr. 48. – *ein Buch: Dantons Tod.* – *Ein Enthusiast:* Gutzkow. – *Dramen von V. Hugo:* s. zu S. 338. – *avancieren:* frz. vorankommen. – *Deutsche Revue:* s. zu S. 309. – *8° bogen:* Druckbogen im Oktavformat, der 16 Seiten umfaßt. – *Fried.d'ors:* Friedrichsd'or (s. zu S. 334). – *glänzende Aushängeschilde von Namen:* vgl. B.s Brief Nr. 51. – *Brockhaussche Repertorium:* Das ›Repertorium der gesamten deutschen Literatur‹, hg. von E. G. Gersdorf, Leipzig 1835, Bd. 5, S. 602 enthält eine kurze Besprechung von *Dantons Tod,* die nur die Charakterzeichnung der undramatischen Titelfigur lobend erwähnt. – *Abend-Zeitung:* s. zu S. 284. – *Th. Hell:* Theodor H. (alias Karl Gottfried Theodor Winkler, 1775–1856), Schriftsteller, Übersetzer und Herausgeber verschiedener Almanache, Taschenbücher und Periodica, insbesondere der ›Abend-Zeitung‹ (s. o.). In der ›Abend-Zeitung‹ erschien am 28. Oktober 1835 in der Beilage ›Literarisches Notizenblatt‹ unter dem Pseudonym Felix Frei ein Verriß von *Dantons Tod,* der zweifellos der gleichzeitig anlaufenden Kampagne Menzels gegen das ›Junge Deutschland‹, insbesondere gegen B.s Mentor Gutzkow, zuzuordnen ist (vgl. hierzu Hauschild, Büchner, S. 185–189; s. auch zu S. 309). – *W. Schulz:* s. zu S. 291. – *Menzels elendem Angriffe:* s. zu S. 309.

342 *Sela:* eigentlich Musikzeichen in Psalmen; hier sinngemäß ›abge-

macht‹. – *Sauerl.:* Sauerländer (s. zu S. 296). – *Ich sitz im Gefängnis:* s. zu S. 312. – *Mr. Boulet:* s. zu S. 314. – *Dr. Löwenthal:* Zacharias L. (später Carl Löning; 1810–84), Verleger in Mannheim. Sein Verlag, den er im Juli 1835 ausdrücklich zur Pflege der oppositionellen Literatur gegründet hatte, wurde bereits ein halbes Jahr später nach der Veröffentlichung von Gutzkows ›Wally, die Zweiflerin‹ und anderen verbotenen Schriften im Zusammenhang mit der Kampagne gegen das ›Junge Deutschland‹ im Januar 1836 ebenfalls verboten und geschlossen. 1843 gründete L. mit Rütten einen neuen Verlag, die ›Literarische Anstalt‹, in dem als bekanntestes Werk 1845 Heinrich Hoffmanns ›Struwwelpeter‹ erschien. – *Menzel:* s. zu S. 309. – *Eugen Boeckel:* s. zu S. 276. – *Wilhelmine Jäglé:* B.s Verlobte.

343 *unserm George:* Georg Büchner. – *meiner Reise:* s. Boeckels Briefe Nr. 19, 21, 22, 25. – *meinen Bruder:* s. zu S. 318. – *Nägele:* Franz Karl N. (1777–1851), ab 1810 Direktor der Heidelberger Gebäranstalt. – *aventuren:* frz. Abenteuer.

344 *si diis placet:* lat. falls es den Göttern so gefällt. – *Siebold, Frauenzimmerkrankheiten:* vermutlich Adam Elias von S., ›Handbuch zur Erkenntnis und Heilung der Frauenzimmerkrankheiten‹, 2. sehr vermehrte Auflage, 2 Bde., Frankfurt 1821–26. – *Cooper:* Sir Samuel Astley C. (1768–1841), englischer Chirurg; s. zu S. 332. – *podagra's:* Fußgicht. – *Chelius:* vermutlich der Chirurg und Gynäkologe Christoph Ch. – *touchieren:* frz., hier: abtasten. – *Langenbeck:* Konrad Johann Martin L. (1776–1851), ordentl. Professor der Anatomie und Chirurgie in Göttingen. – *Siebold:* Eduard Kaspar v. S. (1801–61), ab 1833 Professor für Geburtshilfe in Göttingen. – *Conradi:* s. zu S. 332. – *renseignemens:* renseignements; frz. Auskünfte. – *Dissertation:* s. zu S. 319. – *Baum:* s. zu S. 276. – *der Doktor:* vielleicht Lambossy (s. zu S. 283). – *Dr. Schützenberger:* Karl Sch. (1809–81), Studienfreund des Mediziners Boeckel. – *Marie Boeckel:* vermutlich Eugen Boeckels Mutter.

345 *poste restante:* frz. postlagernd. – *Dr. Schwebel:* Adolf Sch., später Arzt in Barr. – *Hoffmann:* »vielleicht d. Vater d. politischen Flüchtlings Jakob H., der Mai 1835 bei d. theolog. Verbindg. ›Harmonia‹ in Straßburg zu Gast ist. Oder sollte d. liberale Politiker Ernst Emil Hoffmann in Darmstadt gemeint sein?« (Bergemann, S. 368). – *Deinen Schwager:* Louis Jaeglé, der Bruder von B.s Verlobter Wilhelmine Jaeglé. – *depensiert:* frz. ausgegeben. – *circiter:* lat. ungefähr. – *economisiert:* gespart. – *table d'hôte:* frz. Gasttafel in Hotels. – *einen, der den Alsabildern beilag:* B.s Brief Nr. 52; hinsichtlich der ›Alsa-Bilder‹ s. zu S. 276. – *Ihre Ratschläge:* in B.s nur fragmentarisch überliefertem Brief Nr. 51 nicht enthalten. – *Menzel:* s. zu S. 309. – *Laube:* der jungdeutsche Schriftsteller Heinrich L. (1806–84). – *Mundt:* der jungdeutsche Schriftsteller Theodor M. (1808–61). – *im ›Rebstöckel‹ nachfragen:* vgl. B.s Briefe Nr. 55 und 59.

346 *Ich saß dann 2½ Monate:* s. zu S. 312. – *outriert:* frz. übertrieben,
zu weit getrieben. – *Novelle Lenz war einmal beabsichtigt:* s. B.s
Brief Nr. 50 und Gutzkows Brief Nr. 11. – *Was Göthe von ihm in
Straßburg erzählt:* in Goethes Autobiographie ›Dichtung und
Wahrheit‹, III. Teil, 14. Buch. – *junge Dame:* Wilhelmine Jaeglé.

347 *Eugen Boeckel:* s. zu S. 276. – *die erste Kunde von ihm:* nicht
überliefert. – *meinem Bruder:* s. zu S. 318. – *Deinen Vetter:* s. zu
S. 318. – *Baum:* s. zu S. 276. – *Töplitz:* Teplitz-Schönau. –
Charles X. et sa chère famille: Nach seinem Sturz im Juli 1830 ging
der frz. König Karl X. ins Exil und lebte ab Oktober 1832 auf der
Prager Burg.

348 *Maternité:* frz. Kinderklinik. – *accouchemens:* accouchements: frz.
Entbindungen. – *touchieren:* s. zu S. 344. – *Rosas:* Anton von R.
(1791–1855), Augenmediziner. – *Jäger:* Friedrich J., Edler von Jax-
thal (1783–1871), Wiener Augenmediziner. – *Privatissim.:* Privatissimum (Vorlesung für einen ausgewählten, kleinen Kreis von
Hörern). – *Koletschka:* Jacob Kolletschka (1803–47), Anatom in
Wien. – *Anat. patholgq.:* ›Anatomie pathologique‹ (Lehre von den
krankhaften Veränderungen des Körperbaus). – *meinen Bruder:* s.
zu S. 318. – *metro peritonite:* an Entzündung der Gebärmutter und
des Bauchfells Erkrankte (Neulesung durch Th. M. Mayer und
Albert Meier). – *glacis:* frz. Abdachung vor dem äußeren Fe-
stungsgraben. – *Löwe:* Ludwig L. (1794–1871); seit 1826 als Hel-
dendarsteller am Burgtheater. – *D. l. Roche:* Karl La Roche (1796/
98–1884), seit 1833 am Wiener Burgtheater. – *Costenoble:* Karl
Ludwig C. (1769–1837); seit 1818 als Komiker und Charakterdar-
steller am Burgtheater, geschult am Vorbild Ifflands und Schrö-
ders. – *Anschütz:* Heinrich A. (1785–1865); seit 1821 am Burgtheater, berühmt wegen seiner ebenfalls an Iffland geschulten
Sprachtechnik.

349 *Mᵉ Rettich:* Julie R. (1809–66); seit 1835 ständiges Mitglied des
Burgtheaters, gerühmt wurde die Vielseitigkeit ihrer Begabung. –
Mᵉˡˡᵉ Peche: s. zu S. 318. – *Mᵉˡˡᵉ Müller:* eventuell Caroline M.
(1806–75); Darstellerin komischer Rollen am Burgtheater. –
Devrient: entweder Karl D. (1797–1872) oder – in Anbetracht der
Rolle wahrscheinlicher – Emil D. (1803–72). – *Ferdinand in Kaba-
le u. Liebe:* jugendlicher Liebhaber in Schillers bürgerlichem Trau-
erspiel. – *d. Ring:* vermutlich Konradin Kreutzers Zauberspiel
›Der Ring des Glücks‹, Wien 1833. – *pièces:* frz. Stücke. – *Ball-
nacht:* ›Die Ballnacht‹ (auch: ›Der Faschingsdienstag‹), Posse in
zwei Akten von Adolf Müller (1801–86). – *Zampa:* La fiancée de
marbre (Die Marmorbraut), komische Oper in drei Akten von
L. Joseph Ferdinand Hérold, Paris 1831; die Parodie ›Zampa‹ von
Adolf Müller wurde 1835 in Wien uraufgeführt. – *Dᵉˡˡᵉ Lutzer:*
Jenny L. (1816–77), gefeierte Sängerin. – *Dein Cousin:* s. zu S. 318.
– *These:* Dissertation, s. zu S. 319. – *Sie auf diese Art drucken zu
lassen:* s. B.s Brief Nr. 58, S. 317. – *D'Outrepont:* Joseph d'O.

(1775–1845). – *accouchem.:* accouchieren: frz. entbinden. – *gouvernement:* frz. Regierung. – *Lambossy:* s. zu S. 283. – *Held:* s. zu S. 330. – *Schwager Louis:* s. zu S. 345.

350 *Von Gutzkow nach Straßburg:* letzter erhaltener Brief G.s an B.; G., der später von einem Stocken des Briefwechsels mit B. ab diesem Datum spricht, hat dies als Resultat sich trennender Wege in Lebensform und Weltsicht interpretiert. – *unter die Menschen zurück:* Anspielung auf Gutzkows Gefängnisaufenthalt; s. zu S. 312. – *force:* frz. Stärke. – *mit dem Jungen Deutschl. Komödie:* Das ›Junge Deutschland‹, von dem G. hier spricht, ist eine politische Vereinigung deutscher Emigranten und Handwerksgesellen in der Schweiz, die am 15. 4. 1834 in Bern gegründet worden war. Sie entstand im Zusammenhang mit Mazzinis ›Jungem Europa‹, »um die Ideen der Freiheit, der Gleichheit und der Humanität in den zukünftigen republikanischen Staaten Europas zu verwirklichen« (Ruckhäberle, S. 106). Die ›Flüchtlingshatz‹ im Mai/Juni 1836 (s. zu S. 315) brachte den organisatorischen Zusammenbruch dieser Vereinigung. Erst 1838/39 entwickelten sich, nach zwischenzeitlichen Phasen vorwiegender Bildungsarbeit, neue organisatorische Impulse und neue differenzierte ideologische Richtungen. Die politische Vereinigung ›Junges Deutschland‹ ist nicht identisch mit der 1835 vom Deutschen Bundestag verbotenen gleichnamigen Literatengruppe, der G. zugehörte. – *Ferkeldramen:* B. hatte G. in einem nicht erhaltenen Brief, vermutlich Anfang Juni, von literarischen Plänen berichtet, die sich wohl auf *Leonce und Lena* und das verschollene *Aretino*-Drama beziehen dürften (s. auch B.s Brief Nr. 58). – *Ihr Danton zog nicht:* zur Rezeptionsgeschichte von *Dantons Tod,* S. 335 f. – *heroice Dicta:* lat. Reden der Heroen. – *des Thiers:* Louis Adolphe Th.: ›Histoire de la Révolution française …‹ 10 Bde., Paris 1823/24; eine der wichtigsten Quellen zu *Dantons Tod;* s. auch B.s briefliche Aussagen über sein Studium der Revolutionsgeschichte in Nr. 21, S. 288. – *Über Göthe …:* ›Über Göthe im Wendepunkte zweier Jahrhunderte‹, Plahn'sche Buchhandlung, Berlin 1836.

351 *Eugen Boeckel:* s. zu S. 276. – *Dein … Schreiben:* B.s Brief Nr. 58. – *pädagogen:* Baum (S. 318 und zu S. 276). – *couverte … adresse:* S. 318. – *peccavi:* lat. ich habe gesündigt. – *Duvernoy:* s. zu S. 304. – *Lauth:* s. zu S. 304. – *v. Stöber schreibst:* S. 318 und Boeckels Brief Nr. 25. – *Apostel Petrus:* s. zu S. 332. – *Dein Cousin:* s. zu S. 318. – *phakectomie:* Operation an der Augenlinse. – *Koletschka:* s. zu S. 348.

352 *med. forens.:* lat. Gerichtsmedizin. – *sed absint politica:* lat. doch Politik beiseite!

353 *définitivement:* frz. endgültig. – *Lambossy:* s. zu S. 283. – *souteniert:* frz. die Dissertation verteidigt. – *si diis placet:* s. zu S. 344. – *meinen Bruder Charles:* Charles Boeckel, Theologe. – *josephinum:* An der medizinisch-chirurgischen Akademie Josefinum in der

Währingerstraße (IX. Bezirk) mit berühmtem anatomischen Museum, erbaut 1786, wurden damals ca. 550 Studierende von 12 Professoren unterrichtet. – *D^elle Wilhelm(ine)*: Wilhelmine Jaeglé.

354 *sous enveloppe*: frz. in einem verschlossenen Briefumschlag. – *mein Bruder*: s. zu S. 318. – *Pädagog*: Baum (s. zu S. 276).

355 *Nikolaus*: Nikolaus I. Pawlowitsch (1796–1855), seit 1825 Zar, schlug 1830/31 den polnischen Aufstand nieder; zusammen mit Metternich Hauptakteur der Restauration. – *Was Polen betrifft*. Anspielung auf den polnischen Aufstand von 1830/31, der die nationale Unabhängigkeit von Rußland zum Ziel hatte und den demokratischen Kräften in ganz Europa als Fanal für internationale Solidarität galt. – *librairie Treuttel et Würz à Strasbg.*: alteingesessene Buchhandelsfirma in Straßburg; eines der Zentren für die Vermittlung deutschsprachiger Literatur ins westliche Ausland.

356 *den Namen des neuen Athens*: Anspielung auf das städtebauliche und kulturpolitische Programm und die Ambition König Ludwigs I. von Bayern, München zu einem neuen geistigen, d.h. griechisch-klassizistischen Mittelpunkt der modernen Welt zu machen; dieser Anspruch wurde u.a. von Heinrich Heine im 3. Teil seiner ›Reisebilder‹ (1828) stark ironisiert. – *D'Outrepont*: s. zu S. 349. – *Me Lachapelle*: Marie Louise Dugès, Mme de L., frz. Hebamme; Boeckel liest von ihr wohl: ›Pratique des accouchemens ...‹, Paris 1821. – *Wigand*: Justus Heinrich W. (1769–1817), Gynäkologe. – *dissertatio*: B.s Doktorarbeit *Mémoire sur le système nerveux du barbeau.* – *Held*: s. zu S. 330. – *Lambossy*: s. zu S. 283. – *Schwebel*: s. zu S. 345. – *Beckers aus Frankfurt*: mit B.s Familie befreundete Pfarrersfamilie, bei der sich B. am 2. August 1834 auf seiner Reise nach Offenbach zur Warnung der Mitverschwörer nach dem Verrat der Aktion um den *Hessischen Landboten* aufgehalten hatte (s. zu S. 292).

357 *Beiter*: Dr. Johann Georg Baiter, Dekan der philosophischen Fakultät der Universität Zürich (Neulesung von Th. M. Mayer). – *Wilhelm*: B.s Bruder (s. zu S. 302). – *Schenk*: Leopold Sch. (1815–65), Pharmazeut; wanderte später nach Texas aus. – *schro*: dünn. – *Mathilde*: B.s älteste Schwester (1815–88). – *Alexanders*: B.s jüngster Bruder (1827–1904); aktiv an der Revolution von 1848 beteiligt, literarisch ambitioniert, später französischer Staatsbürger und Professor für Literaturgeschichte in Caën. – *Onkel Georg*: G. Reuss (s. zu S. 332). – *Prinz Louis*: ältester Sohn des hess. Großherzogs Ludwig II. – *Prinzen Karl*: Sohn des hess. Großherzogs Ludwig II. – *fl.*: Gulden. – *Louis*: B.s Bruder Ludwig (s. zu S. 312).

358 *Regierungs(rat) von Bechthold*: Friedrich Georg v. B. (1800–72), hessischer Ministerialrat und späterer Innenminister, weitläufig mit B. verwandt. – *Mina*: Wilhelmine Jaeglé. – *Tante Reuß*: Gattin von Edouard Reuss (s. zu S. 332). – *Himmlies*: die angesehene Straßburger Familie Himly, mit der B. über seinen Onkel Edouard

Reuss verwandt war. – *Fräulein Jäkele:* Wilhelmine Jaeglé. – *Großmutter:* Luise Philippine Reuss (s. zu S. 296). – *Ema:* Emma Karoline Wilhelmine Gerlach (1815–85), Tochter von B.s Tante Johanette Marie B. (1778–1820).

359 *v. Froriep's Notizen:* Ludwig Friedrich von F. (Hg.), ›Notizen aus dem Gebiete der Natur- und Heilkunde‹, Weimar 1822 ff. – *franco:* gebührenfrei. – *anatomischen Tafelen von Weber:* Moritz Iganz Weber, ›Anatomischer Atlas des Menschlichen Körpers in natürlicher Grösse, Lage und Verbindung der Theile. In 84 Tafeln und erklärendem Texte‹, Düsseldorf 1833–35. – *meiner Nadelgeschichte:* B.s Vater hatte in der ›Zeitschrift für die Staatsarzneikunde‹, hg. von Adolph Henke, Erlangen Bd. 6 (1823), S. 305–348, die Abhandlung ›Versuchter Selbstmord durch Verschlucken von Stecknadeln‹ veröffentlicht. – *Konkurrenzeröffnung:* öffentliche Ausschreibung einer Stelle.

360 *Deine Abhandlung:* B.s Dissertation *Mémoire sur le système nerveux du barbeau.* – *Kreierung:* Ernennung. – *tibi:* lat. dir. – *Kaups systematische Beschreibung des Tierreichs:* Johann Jakob Kaup, ›Das Thierreich in seinen Hauptformen systematisch beschrieben‹, 3 Bde., Darmstadt 1835–37. – *Oheim's:* Johann Jakob Karl B. (1753–1835), Bruder von B.s Vater Ernst und Großherzoglich Hessischer Amts- und Stadtchirurg. – *Tante Helene:* vermutlich Magdalene Reuß, geb. Meyer (geb. 1796), verheiratet mit B.s Onkel Georg Reuß (1795–1849). – *Großmutter:* s. zu S. 358. – *Mathilde u Louise:* B.s Schwestern; Luise B. (1821–77) war später als Schriftstellerin in der Frauenbewegung aktiv. – ›*Die Stumme*‹: ›La Muette de Portici‹ (Paris 1828); die Oper von Daniel François Auber (1782–1871) behandelt den neapolitanischen Fischer-Aufstand unter Masaniello (1647). Die Brüsseler Erstaufführung von 1830 gab das Signal zum Aufstand Belgiens gegen Holland (s. zu S. 277). – *Louis:* B.s Bruder Ludwig (s. zu S. 312). – *Alexander:* B.s Bruder (s. zu S. 357). – *Eugen Boeckel:* s. zu S. 276. – *il vaut mieux...:* s. zu S. 331. – *Melle Jäglé:* B.s Verlobte Wilhelmine Jaeglé.

361 *Auskultation:* lat. Abhorchen des Körpers. – *Kkht.:* Abkürzung für Krankheiten. – *Ricord:* Philippe R. (geb. 1800). – *médicine opératoire:* frz. Chirurgie. – *privatissima:* s. zu S. 348. – *hyperbolischen:* übertreibend. – *la capitale du monde:* frz. die Hauptstadt der Welt. – *Anatomie simple et comparée:* frz. einfache und vergleichende Anatomie. – *Gemälde Galerie:* vermutlich im Louvre. – *Laplache:* der Bassist Luigi L. (1794–1858). – *Tamburini:* Antonio T. (1800–76), italienischer Bariton aus Mailand, 1835 auf Gastspielreise in Paris. – *Puritani:* ›I Puritani‹, ital. Oper von Vincenzo Bellini (1801–35), Paris 1835. – *Il matrimonio secreto:* ›Il matrimonio segreto‹ (Die heimliche Hochzeit), ital. Opera buffa von Domenico Cimarosa (1749–1801), Wien 1792. – *Othello:* wohl die dreiaktige Opernfassung des Shakespeareschen Dramas von Gio-

acchino Rossini (1792–1868), Neapel 1816. – *theatre français:* in der rue de Richelieu, erbaut 1787–89. – *D^{elle} Mars:* Anne Françoise Hippolyte Brouet, genannt Mars (1779–1847); Schauspielerin der Comédie Française, die auch im Alter noch berühmt war für ihre Darstellung der Naiven und der Liebhaberinnen. – *que les poils auront repoussé:* daß die Haare nachgewachsen sein werden. – *flaner:* frz. herumschlendern.

362 *sols:* altertümlicher Ausdruck für die kleine Münze ›sou‹. – *omnibus:* 1819 in Paris eingeführte Pferdewagen zur Beförderung einer großen Zahl von Passagieren. – *hirondelles:* kleine Boote. – *Orléanaises:* Pferdekutschen. – *Allgemeine Zeitung:* ›Augsburger Allgemeine Zeitung‹, seit 1798 im Cotta-Verlag; eine der meistgelesenen überregionalen politischen Tageszeitungen des Vormärz. Mitarbeiter waren u. a. Heine, Gutzkow, Menzel und die Autoren der ›Schwäbischen Schule‹ (s. zu S. 311). – *estaminets:* Kneipen. – *Lambossy:* s. zu S. 283. – *Held:* s. zu S. 330. – *Schwebel:* s. zu S. 345. – *pädagog:* Baum (s. zu S. 276). – *Müntz:* Adolphe M. (1812–59), Straßburger Theologiestudent und Mitglied der ›Eugenia‹. – *Seleetat:* frz. Name des unterelsäss. Schlettstadt; in früherer Ausgaben irrtümlich »Delectat«.

363 *Lange:* Eduard L. (1809–1868), Theologiestudent in Straßburg und Eugenide. – *Stöber:* August Stoeber (s. zu S. 276). – *fiancée:* frz. Verlobte (s. Boeckels Brief Nr. 22); Hauschild zufolge (Georg Büchner Jahrbuch 1/1981, S. 241) handelt es sich um Mina Jäger (ca. 1815–40). – *Dieu merci:* frz. Gott sei Dank.

LITERATURVERZEICHNIS

Diese Bibliographie verzeichnet nur die wichtigste und weiterführende Literatur von und über Büchner – und zwar jeweils nur einmal (in einer bestimmten Fachgruppe), auch wenn Titel in mehreren Kommentarabschnitten zitiert werden. Verwiesen sei auf die einschlägigen Bibliographien, Forschungsberichte und Sammelwerke sowie auf die in den Literaturverzeichnissen der genannten Sekundärliteratur enthaltenen Titel. Angaben zu Quellen und Wirkungsgeschichte finden sich auch innerhalb der einzelnen Kommentarteile. Hingewiesen sei ferner auf die Auflistung von Titelkarten der Marburger Büchner-Forschungsstelle zu ›Quellen und Materialien zu Leben, Werk und Umkreis Georg Büchners« in: Marburger Denkschrift. Die unter den Rubriken ›Gesamtdarstellungen‹ und ›Thematisches‹ erwähnten Titel enthalten z. T. auch einzelne Werkinterpretationen, die nicht gesondert angeführt werden. Aus größeren Arbeiten oder Sammlungen werden lediglich verkürzt zitierte Teiluntersuchungen nochmals aufgenommen. Sie sind – wie alle in den Anmerkungen kurzzitierten Titel – kursiv gesetzt.

Gesamt- und Sammelausgaben

Ludwig Büchner G. B.: Nachgelassene Schriften. (Hg. von Ludwig Büchner), Frankfurt/Main 1850 (ohne ›Woyzeck‹)

K. E. Franzos G. B.: Sämtliche Werke und handschriftlicher Nachlaß. Erste kritische Gesamtausgabe. Eingel. und hg. von Karl Emil Franzos, Frankfurt/Main 1879

G. B.: Gesammelte Schriften. In 2 Bänden. Hg. von Paul Landau, Berlin 1909

Bergemann G. B.: Sämtliche Werke und Briefe. Auf Grund des handschriftlichen Nachlasses Georg Büchners hg. von Fritz Bergemann, Leipzig 1922 (ab der 2. Auflage 1926 lediglich ›Werke und Briefe. Gesamtausgabe‹, Frankfurt/Main ¹³1979)

G. B.: Werke. Eingeleitet und hg. von Adam Kuckhoff, Berlin 1927

Meinerts G. B.: Sämtliche Werke. Nebst Briefen und anderen Dokumenten. Einl. von Werner Bökenkamp. Hg. und erl. von Hans Jürgen Meinerts, Gütersloh 1963

G. B.: Werke. Ausgew. und eingel. von Henri Poschmann, Berlin-Weimar ⁴1977 (Bibliothek deutscher Klassiker)

Lehmann G. B.: Sämtliche Werke und Briefe. Historisch-kritische Ausgabe mit Kommentar. Hg. von Werner R. Lehmann (Hamburger Ausgabe). Band 1: Dichtungen und Übersetzungen. Mit Dokumentationen zur Stoffgeschichte. München ³1979. Band 2: Vermischte Schriften und Briefe. München 1972

G. B.: Gesammelte Werke. Erstdrucke und Erstausgaben in Faksimiles. Hg. von Thomas Michael Mayer, Frankfurt/Main 1987

Bibliographien

Schlick, Werner: Das Georg Büchner-Schrifttum bis 1965. Eine internationale Bibliographie, Hildesheim 1968
Petersen, Klaus-Dietrich: Georg Büchner-Bibliographie. In: Philobiblon 17 (1973), S. 89–115
Knapp, Gerhard P.: Kommentierte Bibliographie zu Georg Büchner. In: Georg Büchner I/II, S. 426–455
Mayer, Thomas Michael u.a.: Georg Büchner-Literatur 1977–1980. In: Georg Büchner Jahrbuch 1 (1981), S. 319–350
Bischoff, Bettina u.a.: Georg Büchner-Literatur 1981–1984 (mit Nachträgen). In: Georg Büchner Jahrbuch 4 (1984), S. 363–406

Forschungsberichte, Sammelwerke und Kommentare

Georg Büchner I/II. Sonderband der Reihe text + kritik. Hg. von Heinz Ludwig Arnold, München 1979 (²1982)
Georg Büchner III. Sonderband der Reihe text + kritik. Hg. von Heinz Ludwig Arnold, München 1981
Georg Büchner Jahrbuch. In Verbindung mit der Georg Büchner Gesellschaft und der Forschungsstelle Georg Büchner – Literatur und Geschichte des Vormärz – im Institut für Neuere deutsche Literatur der Philipps-Universität Marburg hg. von Thomas Michael Mayer, Band 1 ff., Frankfurt/Main 1981 ff.
Hinderer, Walter: Büchner-Kommentar zum dichterischen Werk, München 1977
Knapp, Forschungsbericht Knapp, Gerhard P.: Georg Büchner. Eine kritische Einführung in die Forschung, Frankfurt/Main 1975 (Fischer Athenäum Taschenbücher. Literaturwissenschaft 2069)
Marburger Denkschrift Forschungsstelle Georg Büchner – Literatur und Geschichte des Vormärz – im Institut für Neuere deutsche Literatur der Philipps-Universität Marburg und Georg Büchner Gesellschaft: Marburger Denkschrift über Voraussetzungen und Prinzipien einer Historisch-kritischen Ausgabe der Sämtlichen Werke und Schriften Georg Büchners, Marburg/Lahn 1984 (als Manuskript gedruckt)
Martens, Georg Büchner Martens, Wolfgang (Hg.): Georg Büchner, Darmstadt 1969 (Wege der Forschung 53)
Mayer, Thomas Michael: Zu einigen neueren Tendenzen der Büchner-Forschung. In: Georg Büchner I/II, S. 327ff.; III, S. 265ff. (in überarbeiteter Fassung in: Marburger Denkschrift, S. 229–260)
Mayer, Almanach: Insel-Almanach auf das Jahr 1987. Georg Büchner. Hg. von Thomas Michael Mayer; Frankfurt/Main 1987
Thieberger, Richard: Situation de la Buechner-Forschung. In: Etudes Germaniques 23 (1968), S. 255–260, S. 405–413
Ullman, Bo: Der unpolitische Büchner. Zum Büchner-Bild der Forschung, unter bes. Berücksichtigung der »Woyzeck«-Interpretationen. In: Stockholm Studies in Modern Philology N. S. 4 (1972), S. 86–130

Textkritik

ehmann, Prolegomena Lehmann, Werner R.: Prolegomena zu einer historisch-kritischen Büchner-Ausgabe. In: Gratulatio. Festschrift für Christian Wegner zum 70. Geburtstag am 9. September 1963, Hamburg 1963, S. 190–225

ehmann, Noten Lehmann, Werner R.: Textkritische Noten. Prolegomena zur Hamburger Büchner-Ausgabe, Hamburg 1967 (ab 1973 München)

Ullman, Textkritische Probleme Ullman, Bo: Georg Büchner. Textkritische Probleme. In: Moderna Språk 64 (1970), 257–265

u den Voraussetzungen und Umrissen einer neuen historisch-kritischen Ausgabe vgl. die Marburger Denkschrift, S. 9–13

Gesamtdarstellungen

üchner, Katalog Darmstadt Georg Büchner. Revolutionär, Dichter, Wissenschaftler. Katalog der Ausstellung Mathildenhöhe, Darmstadt 2. August – 27. September 1987, Frankfurt/Main 1987

üchner, Katalog Marburg Georg Büchner. Leben, Werk, Zeit. Katalog der Ausstellung zum 150. Jahrestag des »Hessischen Landboten«. Bearb. von Thomas Michael Mayer, Marburg 1985, [3]1987

ancke, Georg Büchner Jancke, Gerhard: Georg Büchner, Genese und Aktualität seines Werkes. Einführung in das Gesamtwerk, Kronberg/Ts. 1975 (Scriptor Taschenbücher S. 56. Literaturwissenschaft)

ohann, Georg Büchner Johann, Ernst: Georg Büchner in Selbstzeugnissen und Lebensdokumenten, Reinbek b. Hamburg [13]1977 (rowohlts monographien)

Knapp, Georg Büchner Knapp, Gerhard P.: Georg Büchner, Stuttgart 1977, [2]1984 (Sammlung Metzler 159)

Mayer, Georg Büchner Mayer, Hans: Georg Büchner und seine Zeit, Frankfurt/Main [3]1977 (suhrkamp taschenbücher 58)

enzoldt, Günter: Georg Büchner, Velber b. Hannover 1965; München [2]1977 (Friedrichs Dramatiker des Welttheaters 9)

Allgemeines zu Leben und Werk. Thematisches

Anton, Herbert: Büchners Dramen. Topographien der Freiheit, Paderborn 1975

Anz, Leiden Anz, Heinrich: »Leiden sey all mein Gewinnst«. Zur Aufnahme und Kritik christlicher Leidenstheologie bei Georg Büchner. In: Georg Büchner Jahrbuch 1 (1981), S. 160–168

aumann, Gerhart: Georg Büchner. Die dramatische Ausdruckswelt. Göttingen [2]1976

enn, Maurice B.: Anti-Pygmalion. An apologia for Georg Büchner's esthetics. In: Modern Language Review 64 (1969), S. 597–604

enn, Maurice B.: The Drama of Revolt. A Critical Study of Georg Büchner, Cambridge-New York-Melbourne 1976 (Anglica Germanica. Series 2)

räuning-Oktavio, Hermann: Georg Büchner. Gedanken über Leben, Werk und Tod, Bonn 1976 (Abhandlungen zur Kunst-, Musik- und Literaturwissenschaft 207)

üchner, Anton: Die Familie Büchner. Georg Büchners Vorfahren, Eltern und Geschwister, Darmstadt 1963 (Hessische Beiträge zur deutschen Literatur)

ink, Volkslied und Verseinlage Fink, Gonthier-Louis: Volkslied und Verseinlage in den Dramen Büchners. In: Deutsche Vierteljahrsschrift für Literaturwissenschaft und Geistesgeschichte 35 (1961), S. 558–593 (auch in: Martens, Georg Büchner, S. 433–487)

Fischer, Heinz: Georg Büchner. Untersuchungen und Marginalien, Bonn 197 (Studien zur Germanistik, Anglistik und Komparatistik 14)

Fischer, Muston Fischer, Heinz: Georg Büchner und Alexis Muston. Untersu chungen zu einem Büchner-Fund, München 1987

Grab, Walter: Georg Büchner und die Revolution von 1848. Der Büchner-Essay von Wilhelm Schulz aus dem Jahr 1851. Text und Kommentar, Königstein/Ts 1985 (Büchner-Studien, Bd. 1)

Grimm, Cœur Grimm, Reinhold: Cœur und carreau. Über die Liebe bei Georg Büchner. In: Georg Büchner I/II, S. 299ff.

Hamburger, Michael: Georg Büchner. In: M. H.: Vernunft und Rebellion. Auf sätze zur Gesellschaftskritik in der deutschen Literatur, München 1969, S 58–85 (Literatur als Kunst)

Hauschild, Büchner Hauschild, Jan-Christoph: Georg Büchner. Studien un neue Quellen zu Leben, Werk und Wirkung. Mit zwei unbekannten Büchner Briefen, Königstein/Ts. 1985 (Büchner-Studien Bd. 2)

Hildesheimer, Wolfgang: Über Georg Büchner. Eine Rede – Wolfgang Hildes heimer: Interpretationen. James Joyce – Georg Büchner. Zwei Frankfurte Vorlesungen, Frankfurt/Main 1969, S. 31–51 (edition suhrkamp 297)

Hinck, Walter: Georg Büchner. In: Deutsche Dichter des 19. Jahrhunderts. Ih Leben und ihr Werk. Hg. von Benno von Wiese, Berlin 1969, S. 200–222

Höllerer, Walter: Georg Büchner. In: W. H.: Zwischen Klassik und Moderne Lachen und Weinen in der Dichtung einer Übergangszeit, Stuttgart 1958 S. 100–142

Horn, Peter: Jan Thorn-Prikker. Revolutionär ohne Revolution. Interpretatio nen der Werke Georg Büchners (Rez.). In: Georg Büchner Jahrbuch 1 (1981) S. 296–298

Jacobs G. B.: »Dantons Tod« and »Woyzeck«. Ed. with introduction and note by Margaret J., Manchester ²1963

Jens, Rede Jens, Walter: Schwermut und Revolte. Georg Büchner. In: W. J.: Vo deutscher Rede, München 1969, S. 80–103

Kayser, Wolfgang: Das Groteske in Malerei und Dichtung, Reinbek b. Hambur 1960, S. 70–78 (rowohlts deutsche enzyklopädie 107)

Klotz, Volker: Geschlossene und offene Form im Drama, München ⁵1970 (Lite ratur als Kunst)

Knight, Arthur Harold John: Georg Büchner, Oxford 1951 (Modern Languag Studies), Reprint 1974

Kobel, Erwin: Georg Büchner. Das dichterische Werk, Berlin-New York 1974

Krapp, Helmut: Der Dialog bei Georg Büchner, München 1958 (Literatur al Kunst)

Lehmann, Revolutionsideologie Lehmann, Werner R.: »Geht einmal euren Phra sen nach ...« Revolutionsideologie und Ideologiekritik bei Georg Büchner Darmstadt 1969

Lukács, Georg: Der faschistisch verfälschte und der wirkliche Georg Büchner In: G. L.: Deutsche Realisten des 19. Jahrhunderts, Berlin 1952, S. 66–88 (auch in: Martens, Georg Büchner, S. 197–224)

Mayer, Chronik Mayer, Thomas Michael: Georg Büchner. Eine kurze Chronik zu Leben und Werk. In: Georg Büchner I/II, S. 357–425

Meier, Ästhetik Meier, Albert: Georg Büchners Ästhetik, München 1983 (Litera tur in der Gesellschaft N. F. 5)

Poschmann, Büchner Poschmann, Henri: Georg Büchner. Dichtung der Revolu tion und Revolution der Dichtung, Berlin-Weimar 1983, ²1985

Ruckhäberle, Hans-Joachim: Henri Poschmann. Georg Büchner. Dichtung der Revolution und Revolution der Dichtung ⟨Rez.⟩. In: Georg Büchner Jahrbuch 5 (1985), S. 350–354

Schaub, Poeta rhetor Schaub, Gerhard: Georg Büchner: Poeta rhetor. Eine Forschungsperspektive. In: Georg Büchner Jahrbuch 2 (1982), S. 170–195

Schings, Hans-Jürgen: Zum Realismus Georg Büchners. In: H.-J. Sch.: Der mitleidigste Mensch ist der beste Mensch. Poetik des Mitleids von Lessing bis Büchner, München 1980, S. 64–68

Sengle, Friedrich: Georg Büchner (1813–1837). In: F. S.: Biedermeierzeit. Deutsche Literatur im Spannungsfeld zwischen Restauration und Revolution 1815–1848, Bd. 3: Die Dichter, Stuttgart 1980, S. 265–331, S. 1093–1097

Thorn-Prikker, Jan: Revolutionär ohne Revolution. Interpretationen der Werke Georg Büchners, Stuttgart 1978 (Literaturwissenschaft-Gesellschaftswissenschaft 33)

Viëtor, Büchner Viëtor, Karl: Georg Büchner. Politik, Dichtung, Wissenschaft, Bern 1949

Vietta, Sprachkritik Vietta, Silvio: Sprachkritik bei Georg Büchner. In: Georg Büchner Jahrbuch 2 (1982), S. 144–156

Werner, Hans-Georg: Albert Meier. Georg Büchners Ästhetik ⟨Rez.⟩. In: Georg Büchner Jahrbuch 5 (1985), S. 354–357

Wetzel, Heinz: Ein Büchnerbild der siebziger Jahre. Zu Thomas Michael Mayer: »Georg Büchner und Weidig – Frühkommunismus und revolutionäre Demokratie«. In: Georg Büchner III, S. 247–264

Wiese, Religion Wiese, Benno von: Die Religion Büchners und Hebbels. In: Hebbel-Jahrbuch 15 (1959), S. 7–29 (auch in: B. v. W.: Zwischen Utopie und Wirklichkeit..., Düsseldorf 1963, S. 122–141)

Wittkowski, Wolfgang: Georg Büchner. Persönlichkeit, Weltbild, Werk, Heidelberg 1978 (Reihe Siegen. Beitr. zur Literatur- und Sprachwiss. 10)

Zobel von Zabeltitz, Max von: Georg Büchner. Sein Leben und sein Schaffen, Berlin 1915 (Bonner Forschungen Neue Folge 8)

Literatur zu den einzelnen Werken (mit wichtigen neueren Einzelausgaben)

Poetische Miszellaneen und Schriften aus der Gymnasialzeit

Broch, Schülerschriften Broch, Ilona: Drei Marginalien zu Georg Büchners Schülerschriften. In: Georg Büchner Jahrbuch 5 (1985), S. 286–291

Fleck, Robert: Eine Schülerrede – Neun Wochen nach der Juli-Revolution. In: Büchner, Katalog Darmstadt, S. 74–81

Hauschild, Jan-Christoph: (Un)bekannte Stammbuchverse Georg Büchners. Weitere biographische Miszellen aus dem Nachlaß der Gebrüder Stoeber. In: Georg Büchner Jahrbuch 1 (1981), S. 233–241

Mayer, Boire Mayer, Thomas Michael: »Boire sans soif...« in Zürich oder: Büchner-Miszellen. In: Georg Büchner Jahrbuch 1 (1981), S. 214–220

Michelsen, Peter: Büchner-Miszelle. In: Deutsche Vierteljahrsschrift für Literaturwissenschaft und Geistesgeschichte 52 (1978), S. 691

Schaub, Schulrhetorik Schaub, Gerhard: Georg Büchner und die Schulrhetorik. Untersuchungen und Quellen zu seinen Schülerarbeiten, Bern-Frankfurt/Main 1975 (Regensburger Beiträge zur deutschen Sprach- und Literaturwissenschaft, Reihe B, 3)

Schaub, Gerhard: Georg Büchner und das Darmstädter Gymnasium. In: Trierer Beiträge aus Forschung und Lehre an der Universität Trier 2 (1976), S. 7–14

Schaub, Gerhard: Die schriftstellerischen Anfänge Georg Büchners unter dem Einfluß der Schulrhetorik, Trier 1980 (Habil. schriftl. masch.)

Schaub, Büchners Rezension Schaub, Gerhard: Büchners Rezension eines Schulaufsatzes ›Über den Selbstmord‹. In: Georg Büchner Jahrbuch 1 (1981); S 224–232

Schaub, Rhetorikschüler Schaub, Gerhard: Der Rhetorikschüler Georg Büchner Eine Analyse der Cato-Rede. In: Diskussion Deutsch 17 (1986), H. 92, S 663–684

Thieberger, Richard: Büchner-Miszelle. Was den Menschen vom Tier unterscheidet. In: Deutsche Vierteljahrsschrift für Literaturwissenschaft und Geistesgeschichte 52 (1978), S. 521

Der Hessische Landbote

Berthold, Siegwart: Der ›Hessische Landbote‹ von Georg Büchner und Ludwig Weidig. In: Doitsu bungaku kenkyu (Universität Kyoto), Nr. 18, März 1971 S. 1–23

David, Eduard: Der hessische Landbote. Von Georg Büchner. Sowie des Verfassers Leben und politisches Wirken, München 1896 (Sammlung gesellschaftswissenschaftlicher Aufsätze, 10. Heft)

Diehl, Wilhelm: Minnigerode's Verhaftung und Georg Büchners Flucht. In Hessische Chronik 9, 1920, S. 5–18

Enzensberger Georg Büchner/Ludwig Weidig: Der Hessische Landbote. Texte Briefe, Prozeßakten. Kommentiert von Hans Magnus Enzensberger, Frankfurt/Main 1974 (insel taschenbuch 51)

Franz Georg Büchner – Friedrich Ludwig Weidig: Der Hessische Landbot 1834. Neudruck beider Ausgaben mit einem Nachwort von Eckhart G. Franz Marburg 1973

Holmes, Terence M.: Druckfehler und Leidensmetaphern als Fingerzeige zu Autorschaft einer ›Landboten‹-Stelle. In: Georg Büchner Jahrbuch 5 (1985) S. 11–17

Immelt, Kurt: Der ›Hessische Landbote‹ und seine Bedeutung für die revolutionäre Bewegung des Vormärz im Großherzogtum Hessen-Darmstadt. In: Mitteilungen des Oberhessischen Geschichtsvereins N. F. 52, 1967, S. 13–77

Klotz, Volker: Agitationsvorgang und Wirkprozedur in Büchners ›Hessischen Landboten‹. In: Literaturwissenschaft und Geschichtsphilosophie. Festschrift für Wilhelm Emrich. Hg. von Helmut Arntzen u. a., Berlin/New York 1975 S. 388–405 ⟨auch in: V. K., Dramaturgie des Publikums. Wie Bühne und Publikum aufeinander eingehen, insbesondere bei Raimund, Büchner, Wedekind, Horváth, Gatti und im politischen Agitationstheater, München 1976 (Literatur als Kunst), S. 93–111⟩

Mathis ⟨Mathis, Ludwig Emil⟩: Darlegung der Haupt-Resultate aus den wegen der revolutionären Complotte der neueren Zeit in Deutschland geführten Untersuchungen. Auf den Zeitabschnitt mit Ende Juli 1838, Frankfurt/Main ⟨1839⟩

Mayer I Mayer, Thomas Michael: Umschlagporträt. Statt eines Vorworts. In Georg Büchner I/II, S. 5–15

Mayer II Mayer, Thomas Michael: Büchner und Weidig – Frühkommunismu und revolutionäre Demokratie. Zur Textverteilung des ›Hessischen Landboten‹. In: Georg Büchner I/II, S. 16–298

Mayer III Mayer, Thomas Michael: Georg Büchner. Eine kurze Chronik z Leben und Werk. In: Georg Büchner I/II, S. 357–425

Mayer, Thomas Michael: Georg Büchner und der ›Hessische Landbote‹. Volks-bewegung und revolutionärer Demokratismus in Hessen 1830–1835. Ein Ar-beitsbericht. In: Die demokratische Bewegung in Mitteleuropa im ausgehen-den 18. und frühen 19. Jahrhundert. Ein Tagungsbericht. Bearbeitet und hg. von Otto Büsch und Walter Grab, Berlin 1980, S. 360–390

Mayer, Thomas Michael: Die Verbreitung und Wirkung des ›Hessischen Land-boten‹. In: Georg Büchner Jahrbuch 1 (1981), S. 68–111

Noellner, Friedrich: Actenmäßige Darlegung des wegen Hochverraths eingelei-teten gerichtlichen Verfahrens gegen Pfarrer D. Friedrich Ludwig Weidig ⟨...⟩, Darmstadt 1844

Ruckhäberle, Hans-Joachim: Flugschriftenliteratur im historischen Umkreis Georg Büchners, Kronberg/Ts. 1975 (Skripten Literaturwissenschaft 16)

Saviane, Renato: Libertà e necessità. ›Der Hessische Landbote‹ di Georg Büch-ner. In: AION. Annali. Sezione Germanica. Studi Tedeschi 19, 1976, Heft 2, S. 7–119

Schäffer ⟨Schäffer, Martin⟩: Aktenmäßige Darstellung der im Großherzogthume Hessen in den Jahren 1832 bis 1855 stattgehabten hochverrätherischen und sonstigen damit in Verbindung stehenden verbrecherischen Unternehmungen, Darmstadt 1839

Schaub, Gerhard: Georg Büchner/Friedrich Ludwig Weidig. Der Hessische Landbote. Texte, Materialien, Kommentar, München 1976 (Reihe Hanser 202 ⟨Literatur-Kommentare 1⟩)

Schaub, Gerhard: Statistik und Agitation. Eine neue Quelle zu Büchners ›Hessi-schem Landboten‹. In: Geist und Zeichen. Festschrift für Arthur Henkel zu seinem sechzigsten Geburtstag ⟨...⟩ Hg. von Herbert Anton u.a., Heidelberg 1977, S. 351–375

Schirmbeck, Peter: Der ›Hessische Landbote‹. Ein Beitrag zur Beurteilung seines politischen Hintergrundes. Magisterarbeit an der Johann Wolfgang Goethe Universität Frankfurt/Main 1971 (masch.)

Schulz, Wilhelm: Rezension der ›Nachgelassenen Schriften von G. Büchner. Frankfurt a. M. J. D. Sauerländer 1850‹. In: Deutsche Monatsschrift für Poli-tik, Wissenschaft, Kunst und Leben 2, 1851, S. 210–233

Viëtor, Karl: Georg Büchner als Politiker, Bern ²1950

Wagner, Georg Wilhelm Justin: Allgemeine Statistik des Großherzogthums Hessen, Darmstadt 1831 ⟨G. W. J. Wagner, Statistisch-topographisch-histori-sche Beschreibung des Großherzogthums Hessen. Vierter Band: Statistik des Ganzen, Darmstadt 1831⟩

Dantons Tod

Adler, Hans: Georg Büchner: Dantons Tod. In: Harro Müller-Michaels (Hg.): Deutsche Dramen. Interpretationen zu Werken von der Aufklärung bis zur Gegenwart, Band 1, Königstein/Ts. 1981, S. 145–169

Beck, Quellen Beck, Adolf: Unbekannte französische Quellen für ›Dantons Tod‹ von Georg Büchner. In: Jahrbuch des Freien Deutschen Hochstifts 23 (1963), S. 489–538 (auch in: A. B.: Forschung und Deutung ..., Bonn 1966, S. 346–393)

Becker, Peter von (Hg.): Georg Büchner: Dantons Tod. Kritische Studienausga-be des Originals mit Quellen, Aufsätzen und Materialien, Frankfurt ²1985

Behrmann, Alfred und Wohlleben, Joachim: Büchner: Dantons Tod. Eine Dramen-analyse, Stuttgart 1980 (Literaturwissenschaft – Gesellschaftswissenschaft 47)

Berlincourt, Alain: Les sources de Georg Büchner et l'étrange portrait de Mercier dans la ›Mort de Danton‹. In: Hermann Hofer (Hg.): Louis-Sébastien Mercier précurseur et sa fortune. Avec des documents inédits. Recueil d'études sur l'influence de Mercier, München 1977, S. 247–250

Besson, Jean-Louis: Ein kleiner Beitrag zu den ›Danton‹-Quellen. In: Georg Büchner Jahrbuch 4 (1984), S. 315–316

Braunbehrens, Volkmar: »Aber gehn Sie in's Theater, ich rath' es Ihnen!« Zu ›Dantons Tod‹. In: Georg Büchner Jahrbuch 2 (1982), S. 286–299

Buck, Theo: Grammatik einer neuen Liebe. Anmerkungen zu Georg Büchners Marion-Figur, Aachen 1986

Dedner, Burghard: Legitimationen des Schreckens in Georg Büchners Revolutionsdrama. In: Jahrbuch der Deutschen Schillergesellschaft 29 (1985), S. 343–380

Dorsch, Nikolaus: »Wer einmal nichts hat als Verstand . . .«. Eine Anmerkung zu Büchners Voltaire-Lektüre. In: Georg Büchner Jahrbuch 5 (1985), S. 297–299

Eibl, Karl: »Ergo todtgeschlagen«. Erkenntnisgrenzen und Gewalt in Büchners ›Dantons Tod‹ und ›Woyzeck‹. In: Euphorion 75 (1981), S. 411–429

Elm, Theo: Georg Büchner: Individuum und Geschichte in ›Dantons Tod‹. In: Theo Elm und Gerd Hemmerich (Hg.): Zur Geschichtlichkeit der Moderne. Der Begriff der literarischen Moderne in Theorie und Deutung. Ulrich Fülleborn von 60. Geburtstag, München 1982, S. 167–184

Galle, Roland: Natur der Freiheit und Freiheit der Natur als tragischer Widerspruch in ›Dantons Tod‹. In: Der Deutschunterricht 31 (1979), H. 2, S. 107–121

Gnüg, Hiltrud: Georg Büchner. In: Walter Hinck (Hg.): Handbuch des deutschen Dramas, Düsseldorf 1980, S. 286–300 u. S. 560 f.

Grimm, Cœur (s. zum Hessischen Landboten)

Grimm, Reinhold: ›Dantons Tod‹ – ein Gegenentwurf zu Goethes ›Egmont‹? In: Germanisch-romanische Monatsschrift, N. F. 33 (1983), S. 424–457

Helbig, Louis Ferdinand: Das Geschichtsdrama Georg Büchners. Zitatprobleme und historische Wahrheit in ›Dantons Tod‹, Bern und Frankfurt a. M. 1973 (Kanadische Studien zur deutschen Sprache und Literatur 9)

Heselhaus, Clemens: Dantons Fluchtversuch (›Dantons Tod‹ II, 3–5). In: Georg Büchner Jahrbuch 2 (1982) S. 300–315

Hinderer, Walter: »Dieses Schwanzstück der Schöpfung«: Büchners ›Dantons Tod‹ und die ›Nachtwachen des Bonaventura‹. In: Georg Büchner Jahrbuch 2 (1982), S. 316–342

Hinderer, Walter: »Wir stehen immer auf dem Theater, wenn wir auch zuletzt im Ernst erstochen werden«: Die Komödie der Revolution in Büchners ›Dantons Tod‹. In: Walter Hinderer: Über deutsche Literatur und Rede. Historische Interpretationen, München 1981, S. 191–199

Höllerer, Walter: Büchners ›Dantons Tod‹. In: Das deutsche Drama vom Barock bis zur Gegenwart. Hg. von Benno von Wiese, Düsseldorf ²1964, S. 65–88

James, Dorothy: Georg Büchner's ›Dantons Tod‹. A Reappraisal, London 1982 (Modern Humanities Research Association, Texts and Dissertations, Vol. 16)

Jansen, G. B.: Dantons Tod. Erläuterungen und Dokumente. Hg. von Josef Jansen, Stuttgart 1969 (Reclams Universalbibliothek 8104)

Kafitz, Dieter: Das realistische Drama (Georg Büchner). In: Grundzüge einer Geschichte des deutschen Dramas von Lessing bis zum Naturalismus, Königstein/Ts. 1982 (Athenäum Taschenbücher Literaturwissenschaft 2175/76), Band 1, S. 132–153

Knapp, Gerhard P.: Georg Büchner: Dantons Tod, Frankfurt am Main/Berlin/

München 1983 (Grundlagen und Gedanken zum Verständnis des Dramas 6392)

Koopmann, Helmut: ›Dantons Tod‹ und die antike Welt. Zur Geschichtsphilosophie Georg Büchners. In: Zeitschrift für deutsche Philologie 84 (1965), Sonderheft: Moderne deutsche Dichtung, S. 22–41

Lehmann, Werner R.: Robespierre – »ein impotenter Mahomet«? Geistes- und wirkungsgeschichtliche Beglaubigung einer neuen textkritischen Lesung. In: Euphorion 57 (1963), S. 210–217

Martens, Wolfgang: Ideologie und Verzweiflung. Religiöse Motive in Büchners Revolutionsdrama. In: Euphorion 54 (1960), S. 83–108

Mayer, Quellen Mayer, Thomas Michael: Zur Revision der Quellen für ›Dantons Tod‹ von Georg Büchner. In: Studi germanici 7 (1969), S. 287–336

–, Zur Revision der Quellen für ›Dantons Tod‹. In: Studi germanici 9 (1971), S. 223–233

Mayer III (s. zum Hessischen Landboten)

Michelsen, Peter: Die Präsenz des Endes. Georg Büchners ›Dantons Tod‹. In: Deutsche Vierteljahrsschrift für Literaturwissenschaft und Geistesgeschichte 52 (1978), S. 476–495

Moser, Samuel: Robespierre, die Ausgeburt eines Kantianers. Immanuel Kants Philosophie als Schlüssel zum Verständnis der Robespierre-Figur in Georg Büchners Drama ›Dantons Tod‹. In: Georg Büchner III, S. 131–149

Nagel, Ivan: Verheißungen des Terrors. Vom Ursprung der Rede des Saint-Just in ›Dantons Tod‹. In: I. N.: Gedankengänge als Lebensläufe. Versuche über das 18. Jahrhundert, München 1987 (Edition Akzente), S. 107–133

Oehler-Klein, Sigrid: »Der Sinn des Tiegers«. Zur Rezeption der Hirn- und Schädellehre Franz Joseph Galls im Werk Georg Büchners. In: Georg Büchner Jahrbuch 5 (1985), S. 18–51

Paul, Ulrike: Vom Geschichtsdrama zur politischen Diskussion. Über die Desintegration von Individuum und Geschichte bei Georg Büchner und Peter Weiss, München 1974

Pohjola, Riitta: Eine Ergänzung zu den ›Danton‹-Quellen. In: Georg Büchner Jahrbuch 1 (1981), S. 242

Proß, Kategorie Natur Proß, Wolfgang: Die Kategorie der ›Natur‹ im Werk Georg Büchners. In: Aurora. Jahrbuch der Eichendorff-Gesellschaft 40 (1980), S. 172–188

Reddick, John: Mosaic and Flux: Georg Büchner and the Marion Episode in ›Dantons Tod‹. In: Oxford German Studies 11 (1980), S. 40–67

Rey, William H.: Georg Büchners ›Dantons Tod‹. Revolutionstragödie und Mysterienspiel, Bern/Frankfurt am Main/Las Vegas 1982 (Europäische Hochschulschriften. Reihe 1. Band 452)

Ruckhäberle, Hans-Joachim: Georg Büchners ›Dantons Tod‹ – Drama ohne Alternative. In: Georg Büchner Jahrbuch 1 (1981), S. 169–176

Szondi, Peter: Büchner. ›Dantons Tod‹. In: Interpretationen. Hg. von Jost Schillemeit. Band 2: Deutsche Dramen von Gryphius bis Brecht, Frankfurt/Main 1965 (Fischer Bücherei 699)

Thieberger, Richard: Georges Büchner. La mort de Danton. Publiée avec le texte des sources et des corrections manuscrites de l'auteur, Paris 1953

Ueding, Cornelie: ›Dantons Tod‹ – Drama der unmenschlichen Geschichte. In: Walter Hinck (Hg.): Geschichte als Schauspiel, Frankfurt/Main 1981 (Suhrkamp Taschenbuch 2006), S. 210–226

Viëtor, Quellen Viëtor, Karl: Die Quellen von Büchners Drama ›Dantons Tod‹. In: Euphorion 34 (1933), S. 357–379

Viëtor, Karl: Die Tragödie des heldischen Pessimismus. Über Büchners Drama

›Dantons Tod‹. In: Deutsche Vierteljahrsschrift für Literaturwissenschaft und Geistesgeschichte 12 (1934), S. 173–209 (auch in: Martens, Georg Büchner, S. 98–137)

Wender, Herbert: Georg Büchners Bild der Großen Revolution. Zu den Quellen von ›Dantons Tod‹, Frankfurt a. M. 1988 (Büchner-Studien, Bd. 4) ⟨angekündigt⟩

Zimmermann, Erich (Hg.): Georg Büchner: Dantons Tod. Faksimile der Erstausgabe von 1835 mit Büchners Korrekturen (Darmstädter Exemplar). Mit einem Nachwort von E. Z., Darmstadt 1981 (Hessische Beiträge zur deutschen Literatur. Hg. von der Gesellschaft Hessischer Literaturfreunde e. V.)

Lenz
(Lenz-Rezeption, Literatur zum Lenz/Oberlin-Umkreis)

Anz, Heinrich: »Leiden sey all mein Gewinnst«. Zur Aufnahme und Kritik christlicher Leidenstheologie bei Georg Büchner. In: Georg Büchner Jahrbuch 1 (1981), S. 160–168. ⟨Zuerst erschienen in: Text & Kontext 4 (1976) H. 3, S. 57–72.⟩

Aue, Maximilian A. E.: Systematische Innerlichkeit. Überlegungen zu Georg Büchners und Peter Schneiders ›Lenz‹. In: Sprachkunst 15 (1984), S. 68–80

Baechtold, Jakob: Der Apostel der Geniezeit. Nachträge zu H. Düntzers ›Christoph Kaufmann‹. In: Archiv für Literaturgeschichte 15 (1887), S. 161–193

Baumann, Gerhart: Georg Büchner: Lenz. Seine Struktur und der Reflex des Dramatischen. In: Euphorion 52 (1958), S. 153–173

Böcker, Herwig: Die Zerstörung der Persönlichkeit des Dichters J. M. R. Lenz durch beginnende Schizophrenie, Diss. ⟨med.⟩ Bonn 1969

Damm, Lenz Damm, Sigrid: Vögel, die künden Land. Das Leben des Jakob Michael Reinhold Lenz, Berlin und Weimar 1985

Dedert, Gersch Dedert, Hartmut ⟨u.a.⟩: J.-F. Oberlin: Herr L … Edition des bisher unveröffentlichten Manuskripts. Ein Beitrag zur Lenz- und Büchner-Forschung. In: Revue des Langues Vivantes 42 (1976), S. 357–385

Düntzer, Heinrich: Christof Kaufmann. Der Apostel der Geniezeit und der Herrnhutische Arzt. Ein Lebensbild, Leipzig 1882

Ecker, Egon: Georg Büchner, Lenz. In: E. E.: Wie interpretiere ich Novellen und Romane? Methoden und Beispiele, Hollfeld 1983, S. 18–28, 171f., 175

Eskelund, Jacob: Wahnsinn in Georg Büchners Werken: Fatalismus oder gesellschaftliche Determination? In: Augias 6 (1982), S. 27–51

Fellmann, Herbert: Georg Büchners ›Lenz‹. In: Jahrbuch der Wittheit zu Bremen 7 (1963), S. 7–124

Fischer, Heinz: Georg Büchners ›Lenz‹. Zur Struktur der Novelle. In: Fischer, S. 18–40

– Lenz. Woyzeck. Thiel. Spiegelungen der Werke Georg Büchners in Gerhart Hauptmanns ›Bahnwärter Thiel.‹ Ebd., S. 41–61

Fischer, Ludwig (Hg.): Zeitgenosse Büchner, Stuttgart 1979

Freye/Stammler Freye, Karl/Stammler, Wolfgang (Hg.): Briefe von und an J. M. R. Lenz, 2 Bde. Leipzig 1918; Nachdr. Bern 1969

Fuchshuber, Elisabeth: Georg Büchner: Lenz. In: Jakob Lehmann (Hg.): Deutsche Novellen von Goethe bis Walser. Interpretationen für den Deutschunterricht. Bd. 1: Von Goethe bis C. F. Meyer, Königstein/Ts. 1980, S. 141–160

Furness, N. A.: A Note on Büchner's ›Lenz‹: » … nur war es ihm manchmal unangenehm, daß er nicht auf dem Kopf gehn konnte.« In: Forum for Modern Language Studies 18 (1982), S. 313–316

Gersch, Hubert: Georg Büchner: ›Lenz‹. Textkritik. Editionskritik. Kritische

Edition. Diskussionsvorlage für das »Internationale Georg Büchner Symposium« Darmstadt 25.–28. Juni 1981 ⟨Münster 1981⟩ ⟨Als Manuskript vervielfältigt.⟩ ⟨Zit. als *Gersch 1981 a*.⟩

– Aus Forschung und Lehre: Eine Haberpfeife ist eine Verlesung ist eine Habergeise ist eine Schnepfe. In: Georg Büchner Jahrbuch 1 (1981), S. 243–249. ⟨Zit. als: *Gersch 1981 b*⟩

Gersch, Lenz-Entwurf – Georg Büchners ›Lenz‹-Entwurf: Textkritik, Edition und Erkenntnisperspektiven. Ein Zwischenbericht. In: Georg Büchner Jahrbuch 3 (1983), S. 14–25

Gersch, Nachwort – Nachwort. In: Georg Büchner: Lenz. Studienausgabe, Stuttgart 1984 (Reclams Universal-Bibliothek. 8210) S. 58–77

Gödtel, Rainer: Das Psychotische in Büchners ›Lenz‹. In: Horizonte 4 (1980), H. 16/17, S. 34–43

Goltschnigg, Dietmar (Hg.): Materialien zur Rezeptions- und Wirkungsgeschichte Georg Büchners, Kronberg/Ts. 1974

– Rezeptions- und Wirkungsgeschichte Georg Büchners, Kronberg/Ts. 1975

Großklaus, Götz: Haus und Natur. Georg Büchners ›Lenz‹: Zum Verlust des sozialen Ortes. In: Recherches germaniques 12 (1982), S. 68–77

Harris, Edward P.: J. M. R. Lenz in German Literature. From Büchner to Bobrowski. In: Colloquia Germanica 1973, S. 214–233

Hasselbach, Karlheinz: Georg Büchner. Lenz. Interpretation, München 1986

Hasubek, Peter: »Ruhe« und »Bewegung«. Versuch einer Stilanalyse von Georg Büchners ›Lenz‹. In: Germanisch-Romanische Monatsschrift N. F. 19 (1969), S. 33–59

Heinsius, Wilhelm: Johann Friedrich Oberlin und das Steintal. In: Alemannisches Jahrbuch 1955, S. 278–393

Herrmann, Hans Peter: »Den 20. Jänner ging Lenz durchs Gebirg«. Zur Textgestalt von Georg Büchners nachgelassener Erzählung. In: Zeitschrift für deutsche Philologie 85 (1966), S. 251–267

Hinderer, Walter: Pathos oder Passion: Die Leiddarstellung in Büchners ›Lenz‹. In: Wissen aus Erfahrungen. Werkbegriff und Interpretation heute. Festschrift für Herman Meyer. Hg. von Alexander von Bormann, Tübingen 1976, S. 474–494

– Georg Büchner: Lenz (1839). In: Romane und Erzählungen zwischen Romantik und Realismus. Neue Interpretationen. Hg. von Paul Michael Lützeler, Stuttgart 1983, S. 268–294

Hörisch, Jochen: »Den 20. Januar ging Lenz durch's Gebirge«. Zur Funktion von Dichtung im Anti-Ödipus. In: Rudolf Heinz, Georg Christoph Tholen (Hg.): Schizo-Schleichwege. Beiträge zum Anti-Ödipus, Bremen o. J. ⟨1981⟩, S. 13–24

Hörisch, Jochen: Pathos und Pathologie. Der Körper und die Zeichen in Büchners ›Lenz‹. In: Büchner, Katalog Darmstadt, S. 267–275

Hohoff, Curt: Jakob Michael Reinhold Lenz mit Selbstzeugnissen und Bilddokumenten, Reinbek bei Hamburg 1977 (rowohlts monographien. 259)

Holub, Robert C.: The Paradoxes of Realism: An Examination of the »Kunstgespräch« in Büchner's ›Lenz‹. In: Deutsche Vierteljahrsschrift für Literaturwissenschaft und Geistesgeschichte 59 (1985), S. 102–124

Irle, Gerhard: Büchners ›Lenz‹. Eine frühe Schizophreniestudie. In: G. I.: Der psychiatrische Roman, Stuttgart 1965, S. 73–83

Jansen, Peter K.: The Structural Function of the »Kunstgespräch« in Büchner's ›Lenz‹. In: Monatshefte 67 (1975), S. 145–156

Kanzog, Klaus: Erzählstrategie. Eine Einführung in die Normeinübung des Erzählens, Heidelberg 1976 (UTB 495), S. 186–193

– Norminstanz und Normtrauma. Die zentrale Figuren-Konstellation in Georg Büchners Erzählung und George Moorse's Film ›Lenz‹. Filmanalyse als komplementäres Verfahren zur Textanalyse. In: Georg Büchner Jahrbuch 3 (1983), S. 76–97

Kim, Young-Zu: Die Funktion der Naturbeschreibung in der Lenz-Novelle von Georg Büchner. In: Koreanische Zeitschrift für Germanistik 1980, H. 25, S. 183–192

King, Janet K.: Lenz viewed sane. In: The Germanic Review 49 (1974), S. 146–153

Koerner, Charlotte W.: Volker Brauns »Unvollendete Geschichte«. Erinnerung an Büchners ›Lenz‹. In: Basis, Jahrbuch für deutsche Gegenwartsliteratur 9 (1979), S. 149–168, 266 f.

Kritsch Neuse, Erna: Büchners ›Lenz‹. Zur Struktur der Novelle. In: The German Quarterly 43 (1970), S. 199–209

Kunz, Josef: Georg Büchner (›Lenz‹). In: J. K.: Die deutsche Novelle im 19. Jahrhundert, Berlin 1970, S. 35–43

Kurtz, John W.: Johann Friedrich Oberlin. Sein Leben und Wirken. 1740–1826, Metzingen 1982

Landau, Paul: Lenz. In: Georg Büchner: Gesammelte Schriften. Hg. von Paul Landau. Bd. 1, Berlin 1909. S. 104–123. – Wiederabgedr. in: Martens, Georg Büchner, S. 32–49

Lüscher, Rolf: Einige Versuche in Grundlosem um Georg Büchners ›Lenz‹, Bern/Frankfurt a. M. 1982

Mahlendorf, Ursula: Schizophrenie und Kreativität: Büchners Lenz. In: Handbuch der Dynamischen Psychiatrie 2. Hg. von Günter Ammon, München/Basel 1982, S. 793–808

Mahoney, Dennis F.: The Sufferings of Young Lenz: The Function of Parody in Büchner's ›Lenz‹. In: Monatshefte 76 (1984), S. 396–408

Maier, Lonni: Tagebuchnotiz contra poetische Verarbeitung? In: Praxis Deutsch 1980, H. 43, S. 56–60

Mann, Grant Thomas: Jakob Michael Reinhold Lenz and Georg Büchner. A Comparative Study, Diss. Michigan 1979

Marquardt, Axel: Konterbande ›Lenz‹. Zur Redaktion des Erstdrucks durch Karl Gutzkow. In: Georg Büchner Jahrbuch 3 (1983), S. 37–42

Mayer, Hans: Lenz, Büchner und Celan. Anmerkungen zu Paul Celans Georg-Büchner-Preis-Rede ›Der Meridian‹ vom 22. Oktober 1960. In: H. M.: Vereinzelt Niederschläge. Kritik-Polemik, Pfullingen 1973, S. 160–171

Mayer, Thomas Michael: Bemerkungen zur Textkritik von Büchners ›Lenz‹. In: Georg Büchner Jahrbuch 5 (1985), S. 184–197

Mayer, Wilhelm: Zum Problem des Dichters Lenz. In: Archiv für Psychiatrie und Nervenkrankheiten 62 (1921), S. 889 f.

Meier, Albert: ›Lenz‹. In: Deutsche Erzählungen des 19. Jahrhunderts. Von Kleist bis Hauptmann. Hg. und kommentiert von Joachim Horn (u. a.), München 1982 (dtv 2099), S. 552–562

Menke, Timm Reiner: Lenz-Erzählungen in der deutschen Literatur, Hildesheim/Zürich/New York 1984

Michels, Gerd: Landschaft in Georg Büchners ›Lenz‹. In: G. M.: Textanalyse und Textverstehen, Heidelberg 1981 (UTB 1044), S. 12–33

Milch, Werner: Christoph Kaufmann, Frauenfeld/Leipzig 1932 (Die Schweiz im deutschen Geistesleben. 77/78)

Moos, Walter: Büchners ›Lenz‹. In: Schweizer Archiv für Neurologie und Psychiatrie 42 (1938), S. 97–114

Parker, John J.: Some Reflections on Georg Büchner's ›Lenz‹ and its Principal

Source, the Oberlin Record. In: German Life and Letters 21 (1967/68), S. 103–111

Pascal, Roy: Büchner's ›Lenz‹ – Style and Message. In: Oxford German Studies 9 (1978), S. 68–83

Pongs, Hermann: Ein Beitrag zum Dämonischen im Biedermeier. In: Euphorion 36 (1935), S. 241–253. – Wiederabgedr. u. d. T. »Büchner's ›Lenz‹« in: Martens, Georg Büchner, S. 138–150

Pott, Wilhelm Heinrich: Über den fortbestehenden Widerspruch von Politik und Leben. Zur Büchner-Rezeption in Peter Schneiders Erzählung ›Lenz‹. In: Ludwig Fischer (Hg.): Zeitgenosse Büchner, Stuttgart 1979, S. 96–130

Pszolla, Erich: Johann Friedrich Oberlin 1740–1826, Gütersloh 1979

Pütz, Heinz Peter: Büchners ›Lenz‹ und seine Quelle. Bericht und Erzählung. In: Zeitschrift für deutsche Philologie 84 (1965), Sonderheft, S. 1–22

Rath, Gernot: Georg Büchners ›Lenz‹. In: Ärztliche Praxis 2 (1950), Nr. 51, S. 12

Raymond, Petra: Gewährsmann Oberlin. Zu Gutzkows literaturpolitischer Strategie in seinem Kommentar zu Büchners ›Lenz‹. In: Georg Büchner Jahrbuch 5 (1985), S. 300–312

Rudolf, Ottomar: Jacob Michael Reinhold Lenz. Moralist und Aufklärer, Bad Homburg/Berlin/Zürich 1970

Ryu, Jong-Yung: Über die Einbeziehung der Natur in die Charakterbeschreibung in Büchners Novelle ›Lenz‹. In: Zeitschrift für deutsche Sprache und Literatur 1981, Nr. 15, S. 17–39

Sahlberg, Oskar: Peter Schneiders Lenz-Figur. In: Ludwig Fischer (Hg.): Zeitgenosse Büchner, Stuttgart 1979, S. 131–152

Schaub, Gerhard (Hg.): Georg Büchner. Lenz. Erläuterungen und Dokumente, Stuttgart 1987 (Reclams Universal-Bibliothek 8180)

Schier, Rudolf Dirk: Büchner und Trakl: Zum Problem der Anspielungen im Werk Trakls. In: Publications of the Modern Language Association 87 (1972), S. 1052–64

Schings (s. zu Allgemeines zu Leben und Werk), S. 68–84, 107–113

Schmidt-Henkel, Gerhard: Der kathartische Mythos: Georg Büchner (›Lenz‹). In: G. S.-H.: Mythos und Dichtung. Zur Begriffs- und Stilgeschichte der deutschen Literatur im 19. und 20. Jahrhundert, Bad Homburg/Berlin/Zürich 1967, S. 13–30

Schneider, Irmela: Zerrissenheit als Geschichtserfahrung. Überlegungen zu Georg Büchners ›Lenz‹, einer Erzählung von Peter Schneider und einem Roman von Nicolas Born. In: Text & Kontext 12 (1984), S. 43–63

Schöne, Albrecht: Interpretationen zur dichterischen Gestaltung des Wahnsinns in der deutschen Literatur, Diss. Münster 1952, S. 28–58, 202–206 ⟨Masch.⟩

Schröder, Jürgen: Büchners ›Lenz‹. In: Georg Büchner: Lenz. Erzählung mit Oberlins Aufzeichnungen ›Der Dichter Lenz, im Steinthale‹, ausgewählten Briefen von J. M. R. Lenz und einem Nachw. von J. S., Frankfurt/Main 1985 (insel taschenbuch 429), S. 96–113

Sengle, Friedrich: Georg Büchner (1813–1837). In: *Sengle* (s. zu Allgemeines zu Leben und Werk), Bd. 3: Die Dichter. Stuttgart 1980, S. 265–331, bes. S. 317–322

Sevin, Dieter: Die existentielle Krise in Büchners ›Lenz‹. In: Seminar 15 (1979), S. 15–26

Sharp, Francis Michael: Büchner's ›Lenz‹: A Futile Madness. In: Psychoanalytische und psychopathologische Literaturinterpretation. Hg. von Bernd Urban und Winfried Kudszus, Darmstadt 1981, S. 256–279

Shitahodo, Ibuki: Büchners und Peter Schneiders ›Lenz‹. Ein vergleichender

Versuch in Sicht der heutigen Büchner-Rezeption. In: Doitsu Bungaku 22 (1980), S. 59–75

Spieß, Reinhard F.: Büchners ›Lenz‹. Überlegungen zur Textkritik. In: Georg Büchner Jahrbuch 3 (1983), S. 26–36

Stephan/Winter Stephan, Inge/Winter, Hans-Gerd: »Ein vorübergehendes Meteor«? J. M. R. Lenz und seine Rezeption in Deutschland, Stuttgart 1984

Stoeber, August: Der Dichter Lenz. Mitteilungen. In: Morgenblatt für gebildete Stände, Nr. 250–252, 260f., 275, 280, 285–287, 290, 295, 19. Oktober bis 10. Dezember 1831

– (Hg.): Der Dichter Lenz und Friedericke von Sesenheim, Basel 1842

– (Hg.): Johann Gottfried Röderer, von Straßburg, und seine Freunde, 2. Aufl. Colmar 1874

Stoeber, Daniel Ehrenfried: Vie de J. F. Oberlin, Paris/Straßburg/London 1831

Sudau, Ralf: Annäherungen an Büchners ›Lenz‹. Ein Unterrichtsversuch in einem Grundkurs der Jahrgangsstufe 12. In: Diskussion Deutsch 17 (1986), H. 92, S. 641–662

Thieberger, Richard: ›Lenz‹ lesend. In: Georg Büchner Jahrbuch 3 (1983), S. 43–75

– Georg Büchner: Lenz, Frankfurt a. M. 1985

– Über Hubert Gerschs neue »Studienausgabe« von Büchners ›Lenz‹. In: Georg Büchner Jahrbuch 4 (1984), S. 266–279

Thiele, Herbert: Georg Büchners ›Lenz‹ als sprachliches Kunstwerk. Gedanken zu einer Behandlung in der Prima. In: Der Deutschunterricht 8 (1956), H. 3, S. 59–63

Thorn-Prikker, Jan: »Ach die Wissenschaft, die Wissenschaft!« Bericht über die Forschungsliteratur zu Büchners ›Lenz‹. In: Georg Büchner III, S. 180–193

Ullman, Bo: Zur Form in Georg Büchners ›Lenz‹. In: Impulse. Festschrift für Gustav Korlén. Hg. von Helmut Müssener und Hans Rossipal, Stockholm 1975, S. 161–182

Viëtor, Karl: ›Lenz‹. Erzählung von Georg Büchner. In: Germanisch-Romanische Monatsschrift 25 (1937), S. 2–15. Wiederabgedr. in (und zit. nach): Martens, Georg Büchner, S. 178–196

Voss, Kurt: Georg Büchners ›Lenz‹. Eine Untersuchung nach Gehalt und Formgebung, Diss. Bonn 1922 (Masch.)

Waldmann, F.: Lenz in Briefen, Zürich 1894

Weichbrodt, Rudolf: Der Dichter Lenz, eine Pathographie. In: Archiv für Psychiatrie und Nervenkrankheiten 62 (1921), S. 153–187

Wetzel, Heinz: Bildungsprivileg und Vereinsamung in Büchners ›Lenz‹ und Dostojewskis ›Dämonen‹. In: Arcadia 13 (1978), S. 268–285

Wiese, Benno von: Georg Büchner. Lenz. In: B. v. W.: Die deutsche Novelle von Goethe bis Kafka. Interpretationen II, Düsseldorf 1962, S. 104–126

Zeydel, Edwin E.: A Note on Georg Büchner and Gerhart Hauptmann. In: Journal of English and Germanic Philology 44 (1945), S. 87f.

Zons, Raimar Stefan: Ein Riß durch die Ewigkeit. Landschaften in ›Werther‹ und ›Lenz‹. In: literatur für leser 4 (1981), H. 2, S. 65–78

Leonce und Lena

Anton, Herbert: Die »mimische Manier« in Büchners ›Leonce und Lena‹. In: Das deutsche Lustspiel. Hg. von Hans Steffen. Teil I, Göttingen 1968, S. 225–242 (Kleine Vandenhoeck-Reihe 271)

Beckers, Gustav: Georg Büchners ›Leonce und Lena‹. Ein Lustspiel der Langeweile, Heidelberg 1961 (Probleme der Dichtung. Studien zur deutschen Literaturgeschichte 5)

Berns, Jörg Jochen: Zeremoniellkritik und Prinzensatire. Traditionen der politischen Ästhetik des Lustspiels ›Leonce und Lena‹. In: Dedner, Leonce, S. 219–274

Bolten, Jürgen: Geschichtsphilosophische Einsicht, Langeweile und Spiel. Zu Büchners ›Leonce und Lena‹. In: Archiv für das Studium der neueren Sprachen und Literaturen, Band 222 (1985), S. 293–305

Dedner, Burghard: Bildsysteme und Gattungsunterschiede in ›Leonce und Lena‹, ›Dantons Tod‹ und ›Lenz‹. In: Dedner, Leonce, S. 157–218

Dedner, Leonce Dedner, Burghard (Hg.): Georg Büchner: Leonce und Lena. Kritische Studienausgabe. Beiträge zu Text und Quellen von Jörg Jochen Berns et al., Frankfurt am Main 1987 (Büchner-Studien. Band 3)

Gnüg, Hiltrud: (s. zu Dantons Tod)

Gnüg, Hiltrud: Melancholie-Problematik in Alfred de Mussets ›Fantasio‹ und Georg Büchners ›Leonce und Lena‹. In: Zeitschrift für deutsche Philologie 103 (1984), S. 194–211

Grimm, Cœur (s. zu Allgemeines zu Leben und Werk)

Hauschild, Jan-Christoph: Kleine Anmerkung zur Textkritik von ›Leonce und Lena‹. In: Georg Büchner Jahrbuch 5 (1985), S. 313–315

Hermand, Jost: Der Streit um ›Leonce und Lena‹. In: Georg Büchner Jahrbuch 3 (1983), S. 98–117

Hinze, Klaus-Peter: Zusammenhänge zwischen diskrepanter Information und dramatischem Effekt. Grundlegung des Problems und Nachweis an Georg Büchners ›Leonce und Lena‹. In: Germanisch-Romanische Monatsschrift 20 (1970), S. 205–213

Horn, Peter: Der mechanistische Materialismus und die Sinnlosigkeit der Welt in Büchners ›Leonce und Lena‹. In: Acta Germanica. Jahrbuch des Südafrikanischen Germanistenverbandes 14 (1981), S. 83–109

Knapp, Gerhard P.: »Difficile est satiram scribere«. Büchners ›Leonce und Lena‹ – ein mißlungenes Lustspiel? In: Gerhard P. Knapp und Wolff A. Schmidt (Hgg.): Sprache und Literatur. Festschrift für Arval L. Streadbeck zum 65. Geburtstag, Bern/Frankfurt am Main/Las Vegas 1981 (Utah Studies in Literature and Linguistics. Vol. 20), S. 99–111

Kurzenberger, Hajo: Komödie als Pathographie einer abgelebten Gesellschaft. Zur gegenwärtigen Beschäftigung mit ›Leonce und Lena‹ in der Literaturwissenschaft und auf dem Theater. In: Georg Büchner III, S. 150–168

Martens, Wolfgang: Leonce und Lena. In: Walter Hinck (Hg.): Die deutsche Komödie, Düsseldorf 1977, S. 145–159

Mayer, Hans: Prinz Leonce und Doktor Faust. In: H. M.: Zur deutschen Klassik und Romantik, Pfullingen 1963, S. 306–314

Mayer, Thomas Michael (Hg.): Georg Büchner: Leonce und Lena. Ein Lustspiel. Kritische Studienausgabe. In: Dedner, Leonce, S. 7–153

Mayer, Thomas Michael: Zu August Lewalds ›Lustspiel-Preisaufgabe‹ und zu Datierung und »Vorrede« von ›Leonce und Lena‹. In: Georg Büchner Jahrbuch 1 (1981), S. 201–210

McKenzie, John R. P.: Cotta's Comedy Competition (1836). In: Maske und Kothurn 26 (1980), H. 1/2, S. 59–73

Mosler, Peter: Georg Büchners ›Leonce und Lena‹. Langeweile als gesellschaftliche Bewußtseinsform, Bonn 1974 (Abhandlungen zur Kunst-, Literatur- und Musikwissenschaft 145)

Plard, Henri: A propos de ›Leonce und Lena‹. Musset et Büchner. In: Étude Germanique 9 (1954), S. 26–36 (dt. in: Martens, Georg Büchner, S. 289–304)

Poschmann, Henri: Büchners ›Leonce und Lena‹. Komödie des status quo. In: Georg Büchner Jahrbuch 1 (1981), S. 112–159

Proß, Wolfgang: »Was wird er damit machen?« oder »Spero poder sfogar la doppia brama, De saziar la mia fame, e la mia fama«. In: Georg Büchner Jahrbuch 1 (1981), S. 252–256

Renker, Armin: Georg Büchner und das Lustspiel der Romantik. Eine Studie über Leonce und Lena, Berlin 1924 (Germanische Studien, Heft 34)

Ruckhäberle, Hans-Joachim: ›Leonce und Lena‹. Zu Automat und Utopie. In: Georg Büchner Jahrbuch 3 (1983), S. 138–146

Schröder, Leonce Schröder, Jürgen: Georg Büchners ›Leonce und Lena‹. Eine verkehrte Komödie, München 1966 (Zur Erkenntnis der Dichtung 2)

Völker, Ludwig: Die Sprache der Melancholie in Büchners ›Leonce und Lena‹. In: Georg Büchner Jahrbuch 3 (1983), S. 118–137

Voss, E. Theodor: Arkadien in Büchners ›Leonce und Lena‹. In: Dedner, Leonce, S. 275–436

Wawrzyn, Lienhard: Büchners ›Leonce und Lena‹ als subversive Kunst. In: Gert Mattenklott/Klaus Scherpe (Hg.), Demokratisch-revolutionäre Literatur in Deutschland: Vormärz, Kronberg/Ts. 1974, S. 85–115

Wetzel, Heinz: Das Ruinieren von Systemen in Büchners ›Leonce und Lena‹. In: Georg Büchner Jahrbuch 4 (1984), S. 154–166

Woyzeck

Anton, Herbert: Albert Meier. Georg Büchner. ›Woyzeck‹ ⟨Rez.⟩. In: Germanistik 23 (1982), S. 130 f.

Auhuber, Friedhelm: Georg Reuchlein. Das Problem der Zurechnungsfähigkeit bei E. T. A. Hoffmann und Georg Büchner. Zum Verhältnis von Literatur, Psychiatrie und Justiz im frühen 19. Jahrhundert ⟨Rez.⟩. In: Georg Büchner Jahrbuch 5 (1985), S. 358–369

Bornscheuer, Erläuterungen Woyzeck. Erläuterungen und Dokumente. Hg. von Lothar Bornscheuer, Stuttgart 1977 (Reclams Universalbibliothek 8117) – vgl. auch die kritische Lese- und Arbeitsausgabe durch L. Bornscheuer, Stuttgart 1972 (Reclams Universalbibliothek 9347)

Buch, Wilfried: Woyzeck. Fassungen und Wandlungen, Dortmund 1970

van Dam, Hermann: Zu Georg Büchners ›Woyzeck‹. In: Akzente 1 (1954), S. 82–99 (auch in: Martens, Georg Büchner, S. 305–322)

Diersen, Inge: ›Woyzeck‹ und kein Ende. Aus Anlaß des Erscheinens von Büchners ›Woyzeck‹ im Insel-Verlag. In: Zeitschrift für Germanistik 7 (1986), H. 1, S. 71–76

Dorsch/Hauschild Dorsch, Nikolaus und Hauschild, Jan-Christoph: Clarus und Woyzeck. Bilder des Hofrats und des Delinquenten. In: Georg Büchner Jahrbuch 4 (1984), S. 317–323

Eibl, Erkenntnisgrenzen Eibl, Karl: ›Ergo todtgeschlagen‹. Erkenntnisgrenzen und Gewalt in Büchners ›Dantons Tod‹ und ›Woyzeck‹. In: Euphorion 75 (1981), S. 411–429

Elema, Hans: Der verstümmelte ›Woyzeck‹. In: Neophilologus 49 (1965), H. 2, S. 131–156 (auch in: H. E. Imaginäres Zentrum, Studien zur deutschen Literatur, Assen 1968, S. 146–174)

Füllner, Karin: Wahnsinn als Anklage. Sozialkritik in Georg Büchners ›Woyzeck‹ nach Richard Huelsenbecks ›Azteken oder die Knallbuche. Eine militärische Novelle‹. In: Georg Büchner Jahrbuch 5 (1985), S. 320–327

Glück, Armut Glück, Alfons: Der »ökonomische Tod«: Armut und Arbeit in Georg Büchners ›Woyzeck‹. In: Georg Büchner Jahrbuch 4 (1984), S. 167–226

Glück, Ideologie Glück, Alfons: »Herrschende Ideen«: Die Rolle der Ideologie, Indoktrination und Desorientierung in Georg Büchners ›Woyzeck‹. In: Georg Büchner Jahrbuch 5 (1985), S. 52–138

Glück, Militär Glück, Alfons: Militär und Justiz in Georg Büchners ›Woyzeck‹. In: Georg Büchner Jahrbuch 4 (1984), S. 227–247

Glück, Pauper Glück, Alfons: Der ›Woyzeck‹. Tragödie eines Paupers. In: Büchner, Katalog Darmstadt S. 325–332

Glück, Wissenschaft Glück, Alfons: Der Menschenversuch: Die Rolle der Wissenschaft in Georg Büchners ›Woyzeck‹. In: Georg Büchner Jahrbuch 5 (1985), S. 139–182

Glück, Woyzeck Glück, Alfons: Der historische Woyzeck. In: Büchner, Katalog Darmstadt, S. 314–324

Gnüg, Büchner (s. zu Dantons Tod)

Grimm, Cœur (s. zu Allgemeines zu Leben und Werk)

Grimm, Woyzecks Hundele Grimm, Reinhold: Woyzecks Hundele und Wetzels alter Hut: Eine (fast überflüssige) Erwiderung. In: Georg Büchner Jahrbuch 4 (1984), S. 295–300

Grimm, Reinhold: ⟨Besprechung von Schmids Woyzeck-Edition⟩. In: Monatshefte 74 (1982), S. 360–364

Höllerer, Walter: Georg Büchner in seinem ›Woyzeck‹. In: Das neue Forum 2 (1954/55), S. 23–27

Kanzog, Faksimilieren Kanzog, Klaus: Faksimilieren, transkribieren, edieren. Grundsätzliches zu Gerhard Schmids Ausgabe des ›Woyzeck‹. In: Georg Büchner Jahrbuch 4 (1984), S. 280–294

Kanzog, Wozzeck Kanzog, Klaus: Wozzeck, Woyzeck und kein Ende. Zur Standortbestimmung der Editionsphilologie. In: Deutsche Vierteljahrsschrift für Literaturwissenschaft und Geistesgeschichte 47 (1973), S. 420–442

Kittsteiner/Lethen Kittsteiner, Heinz-Dieter, und Lethen, Helmut: Ich-losigkeit, Entbürgerlichung und Zeiterfahrung. Über die Gleichgültigkeit zur »Geschichte« in Büchners ›Woyzeck‹. In: Georg Büchner Jahrbuch 3 (1983), S. 240–269

Krause G. B.: Woyzeck. Texte und Dokumente kritisch hg. von Egon Krause, Frankfurt/Main 1969

Krolop, Kurt: »Im Himmel donnern helfen«. In: Wissenschaftliche Zeitschrift der Martin-Luther-Universität Halle-Wittenberg. Gesellschafts- und sprachwissenschaftliche Reihe 12 (1963), S. 1049f.

Landau, Paul: Wozzek. In: Martens, Georg Büchner, S. 72–81

Langhoff, Matthias: Zu Büchners ›Woyzeck‹. Sehnsucht nach einem Theater des Asozialen. In: Theater heute 22 (1981), H. 1, S. 24–39

Lehmann, Repliken Lehmann, Werner R.: Repliken. Beiträge zu einem Streitgespräch über den ›Woyzeck‹. In: Euphorion 65 (1971), S. 58–83

Martens, Der Barbier Martens, Wolfgang: Der Barbier in Büchners ›Woyzeck‹. Zugleich ein Beitrag zur Motivgeschichte der Barbierfigur. In: Zeitschrift für deutsche Philologie 79 (1960), S. 361–383

Martens, Karikatur Martens, Wolfgang: Zur Karikatur in der Dichtung Büchners (Woyzecks Hauptmann). In: Germanisch-Romanische Monatsschrift (1958), S. 64–71

Martens, Menschenbild Martens, Wolfgang: Zum Menschenbild Georg Büchners. ›Woyzeck‹ und die Marionszene in ›Dantons Tod‹. In: Wirkendes Wort 8 (1957/58), S. 13–20 (auch in: Martens, Georg Büchner, S. 373–385)

Martens, Wolfgang: Über Georg Büchners ›Woyzeck‹. In: Jahrbuch des Wiener Goethe-Vereins 84/85 (1981), S. 145–156

Mautner, F. H.: Wortgewebe, Sinngefüge und »Idee« in Büchners ›Woyzeck‹. In: Deutsche Vierteljahrsschrift für Literaturwissenschaft und Geistesgeschichte 35 (1961), S. 521–557; wiederabgedruckt in: Martens, Georg Büchner, S. 507–554

Mayer, Woyzeck Mayer, Hans: Georg Büchners ›Woyzeck‹. Vollständiger Text und Paralipomena, Frankfurt/Main 1962 (Dichtung und Wirklichkeit 11)

Mayer, Dokument Mayer, Thomas Michael: Ein unbekanntes Dokument zur Hinrichtung Johann Christian Woyzecks. In: Georg Büchner Jahrbuch (1985), S. 347f.

Mayer, Zum Titel Mayer, Thomas Michael: Wozzeck – Woyzeck – Woyzeck und Marie. Zum Titel des Fragments. In: Georg Büchner Jahrbuch 1 (1981) S. 210–212

Mayer, Thomas Michael: Warum friert's die Köchin? In: Georg Büchner Jahrbuch 1 (1981), S. 213

Meier, Woyzeck Meier, Albert: Georg Büchner: ›Woyzeck‹, München 198 (Text und Geschichte. Modellanalysen zur deutschen Literatur 1)

Mori, Mitsuaki: Der Barbier und die Bogenanordnung der ›Woyzeck‹-Handschriften. In: Memoirs of the Faculty of General Education, Kumamoto University. Series of the Humanities No. 10 (1975), S. 157–171

Müller-Seidel, G. B.: Woyzeck. In: Klassische deutsche Dichtung. Bd. 15. Bürgerliches Trauerspiel und soziales Drama. Mit einem Nachwort von Walter Müller-Seidel, Freiburg-Basel-Wien 1964, S. 263–315

Oesterle, Meier: Oesterle, Günter: »Wer denkt abstrakt?« Mit einem Auszug aus Hegels gleichnamigem Aufsatz. ⟨Rez.⟩ zu Meier, Woyzeck. In: Georg Büchner Jahrbuch 1 (1981), S. 299–303

Oesterle, Woyzeck Oesterle, Günter: Das Komischwerden der Philosophie in der Poesie. Literatur-, philosophie- und gesellschaftsgeschichtliche Konsequenzen der »voie physiologique« in Georg Büchners ›Woyzeck‹. In: Georg Büchner Jahrbuch 3 (1983), S. 200–239

Oesterle, Momente Oesterle, Ingrid und Günter: »Zwei schöpferische Momente«. In: Georg Büchner Jahrbuch 3 (1983), S. 166f.

Oesterle, Schauer Oesterle, Ingrid: Verbale Präsenz und poetische Rücknahme des literarischen Schauers. Nachweise zur ästhetischen Vermitteltheit des Fatalismusproblems in Georg Büchners ›Woyzeck‹. In: Georg Büchner Jahrbuch 3 (1983), S. 168–199

Paulus, Ursula: Georg Büchners ›Woyzeck‹. Eine kritische Betrachtung zu der Edition Fritz Bergemanns. In: Jahrbuch der Deutschen Schillergesellschaft (1964), S. 226–246

Poschmann, Handschriften Poschmann, Henri: Die ›Woyzeck‹-Handschriften. Brüchige Träger einer wirkungsmächtigen Werküberlieferung. In: Büchner Katalog Darmstadt, S. 333–337

Poschmann, Woyzeck Georg Büchner: Woyzeck. Nach den Handschriften neu hergestellt und kommentiert von Henri Poschmann, Leipzig 1984 (Insel-Bücherei 1056); Frankfurt/Main 1985, ²1987 (insel taschenbuch 846)

Reuchlein, Georg: Die juristischen und medizinischen Gutachten zu Mordfälle und Georg Büchners ›Woyzeck‹. Magisterarbeit 1979/80 Ludwig-Maximilians-Universität München (Typoskript)

Reuchlein, Georg: Das Problem der Zurechnungsfähigkeit bei E. T. A. Hoffmann und Georg Büchner. Zum Verhältnis von Literatur, Psychiatrie und Justiz im frühen 19. Jahrhundert, Frankfurt/Main-Bern-New York 1985 (Literatur und Psychologie, Bd. 14)

Richards, David G.: Zur Textgestaltung von Büchners ›Woyzeck‹. In: Euphorion 65 (1971), S. 49–57

Richards, David G.: Georg Büchners ›Woyzeck‹. Interpretation und Textgestaltung, Bonn 1976 (Abhandlung zur Kunst-, Musik- und Literaturwissenschaft 188)

Schmid, Zur Faksimileausgabe Schmid, Gerhard: Zur Faksimileausgabe von Büchners ›Woyzeck‹. Eine nachträgliche Problemerörterung. In: Impulse, Aufsätze, Quellen, Berichte zur deutschen Klassik und Romantik, Folge 8, Berlin-Weimar 1985, S. 280–295

Schmid, Woyzeck G. B. Woyzeck. Faksimileausgabe der Handschriften. Bearb. von Gerhard Schmid. Faksimile, Transkription. Mit Kommentar und Lesarten-Verzeichnis, Wiesbaden und Leipzig 1981 (Manu scripta, Bd. 1)

Schmidt, Henry J.: New Source for Georg Büchner's ›Woyzeck‹? In: The German Quarterly 58 (1985), S. 423 f.

Schwedt, Marginalien Schwedt, Ernst-Henning: Marginalien zu Büchners ›Woyzeck‹. In: Georg Büchner III, S. 169–179

Segebrecht, Wulf: E. T. A. Hoffmanns Auffassung vom Richteramt und vom Dichterberuf. Mit unbekannten Zeugnissen aus Hoffmanns juristischer Tätigkeit. In: Jahrbuch der Deutschen Schillergesellschaft 11 (1967), S. 62–138 (zu den Woyzeck-Dokumenten)

Ullman, Sozialkritische Thematik Ullman, Bo: Die sozialkritische Thematik im Werk Georg Büchners und ihre Entfaltung im ›Woyzeck‹, Stockholm 1970 (Germanistische Dissertationen 1). Druckfassung: Dasselbe. Mit einigen Bemerkungen zu der Oper Alban Bergs, Stockholm 1972 (Stockholmer Germanistische Forschungen 10)

Viëtor, Woyzeck Viëtor, Karl: Woyzeck. In: Das innere Reich 3 (1936/37), S. 182–205 (auch in: Martens, Georg Büchner, S. 151–177)

Völker, Woyzeck Völker, Ludwig: Woyzeck und die »Natur«. In: Revue des Langues vivantes 32 (1966), S. 616

Werner, Hans-Georg: Büchners ›Woyzeck‹. Dichtungssprache als Analyseobjekt. In: Weimarer Beiträge 27 (1981), H. 11, S. 72–99

Wetzel, Textstelle Wetzel, Heinrich: Vom Filzfetischismus kleiner Hunde. Über eine Textstelle in Büchners ›Woyzeck‹. In: Euphorion 77 (1983), S. 226–229

Wetzel, Entwicklung Woyzecks Wetzel, Heinz: Die Entwicklung Woyzecks in Büchners Entwürfen. In: Euphorion 74 (1980), S. 375–396

Winkler, Hans: Georg Büchners ›Woyzeck‹, Greifswald 1925

Witkowski G. B.: Woyzeck. Nach den Handschriften des Dichters hg. von Georg W., Leipzig 1920

Wittkowski, Woyzeck Wittkowski, Wolfgang: Stufenstruktur und Transzendenz in Büchners ›Woyzeck‹ und Grillparzers Novelle ›Der arme Spielmann‹. In: Georg Büchner Jahrbuch 3 (1983), S. 147–165

Zagari, Luciano: Segni Apocalittici e critica delle ideologie nel *Woyzeck* di Büchner. In: Annali, Studi Tedeschi, Napoli, 19 (1976) H. 2, S. 121–237

Über Schädelnerven (und philosophische Schriften)

Bierbach, Jochen Walter: Der Anatom Georg Büchner und die Naturphilosophen, Düsseldorf 1961

Brunn, Walter L. von: Georg Büchner. In: Deutsche medizinische Wochenschrift Stuttgart 89 (28/1964), Sp. 1356–1360

Döhner, Erkenntnisse Döhner, Otto: Neue Erkenntnisse zu Georg Büchners Naturauffassung und Naturforschung. In: Georg Büchner Jahrbuch 2 (1982), S. 126–132

Döhner, Otto: Georg Büchners Naturauffassung, Marburg 1967

Doerr, Wilhelm: Georg Büchner als Naturforscher. In: Büchner, Katalog Darmstadt, S. 286–291

Ebner, Fritz: Georg Büchner. In: Medizinischer Monatsspiegel 12 (6/1963), S. 123–129

Gaede, Friedrich: Büchners Widerspruch – Zur Funktion des »type primitif«. In: Jahrbuch für Internationale Germanistik 11 (1979), H. 2, S. 42–52

Geus, Armin: Die Rezeption der vergleichend-anatomischen Arbeiten Georg Büchners über den Bau des Nervensystems der Flußbarbe. In: Büchner, Katalog Darmstadt, S. 292–295

Golz, Jochen: Die naturphilosophischen Anschauungen Georg Büchners. In: Wissenschaftliche Zeitschrift der Friedrich-Schiller-Universität Jena. Gesellschafts- und sprachwissenschaftliche Reihe 13 (1/1964), S. 65–72

Helmig, Hermann: Der Morphologe Georg Büchner. 1813–1837, Basel 1950

Jens, Gedenkrede Jens, Walter: Poesie und Medizin. Gedenkrede für Georg Büchner. In: Neue Rundschau 75 (1964), S. 266–277

Krimmel, Bernd: »Wer das lesen könnt«. Die Naturbeschreibung Büchners. In: Büchner, Katalog Darmstadt, S. 142–147

Kuhnigk, Markus: Das Ende der Liebe zur Weisheit. Zur Philosophiekritik und Philosophenschelte bei Georg Büchner im Zusammenhang mit der zeitgenössischen Hegelrezeption. In: Büchner, Katalog Darmstadt, S. 276–281

Maaß, Christian: Georg Büchner und Johann Bernhard Wilbrand. Medizin in Gießen um 1833/34. In: Büchner, Katalog Darmstadt, S. 148–155

Mette, Medizin Mette, Alexander: Medizin und Morphologie in Büchners Schaffen. In: Sinn und Form 15 (1963), S. 747–755

Müller-Seidel, Walter: Natur und Naturwissenschaft im Werk Georg Büchners. In: Festschrift für Klaus Ziegler. Hg. von Eckehard Catholy und Winfried Hellmann, Tübingen 1968, S. 205–232

Oehler-Klein, Sigrid: »Der Sinn des Tiegers«. Zur Rezeption der Hirn- und Schädellehre Franz Joseph Galls im Werk Georg Büchners. In: Georg Büchner Jahrbuch 5 (1985), S. 18–51

Porep, Rüdiger: War der Dichter Georg Büchner »Arzt«? In: Medizinische Monatsschrift 23 (1969), S. 72–76

Proß, Kategorie Natur (s. zu Dantons Tod) 40 (1980), S. 172–188

Proß, Naturgeschichtliches Gesetz Proß, Wolfgang: Naturgeschichtliches Gesetz und gesellschaftliche Anomie. Georg Büchner, Johann Lucas Schönlein und August Comte. In: Literatur in der sozialen Bewegung. Aufsätze und Forschungsberichte zum 19. Jahrhundert. In Verbindung mit Günther Häntzschel und Georg Jäger hg. von Albert Martino, Tübingen 1977, S. 228–259

Strohl, Jean: Lorenz Oken und Georg Büchner. Zwei Gestalten aus der Übergangszeit von Naturphilosophie zu Naturwissenschaft, Zürich (Schriften der Corona 14) und München 1936

Vietta, Silvio: Selbsterfahrung bei Büchner und Descartes. In: Deutsche Vierteljahrsschrift für Literaturwissenschaft und Geistesgeschichte 53 (1979), S. 417–428

Weinberg, M. H.: Georg Büchner. Arzt – Revolutionär – Dichter. In: Münchener Medizinische Wochenschrift 105 (1963), Sp. 2353–2355

Weiß, Pantheismus Weiß, Walter: Georg Büchner. In: W. W.: Enttäuschter Pantheismus. Zur Weltgestaltung der Dichtung in der Restaurationszeit, Dornbirn 1962, S. 247–301 (Gesetz und Wandel. Innsbrucker literaturhistorische Arbeiten 3)

Briefe

Andler, Charles: Briefe Gutzkows an Georg Büchner und dessen Braut. In: Euphorion, 3. Erg.Heft (1897), S. 181–193

Benjamin Benjamin, Walter: Georg Büchner an Karl Gutzkow. In: Deutsche Menschen. Eine Folge von Briefen. Auswahl und Einleitungen von Detlev Holz ⟨d.i. Walter Benjamin⟩. In: W. B.: Gesammelte Schriften IV.1. Hg. von Tillmann Rexroth, Frankfurt/Main 1972, S. 213f.

Braun, Volker: Büchners Briefe. In: Georg Büchner III, S. 5–14

Bürgel, Peter: Die Briefe des frühen Gutzkow 1830–1848. Pathographie einer Epoche, Berlin und Frankfurt/Main 1975

Ebstein, Erich: Georg Büchner. In: Inselschiff 4, Leipzig 1923 (Erstveröffentlichung des Briefes Nr. 55 an Gutzkow)

Gutzkow, Karl: Götter, Helden, Don Quixote. Abstimmungen zur Beurtheilung der literarischen Epoche, Hamburg 1838

Hauschild, Büchner (s. zu Allgemeines zu Leben und Werk; Erstveröffentlichung der Briefe Nr. 4 und Nr. 14 an Edouard Reuss)

Houben, Hans Hubert: Bibliographisches Repertorium. 4. Band. Zeitschriften des Jungen Deutschland. 2. Teil, Berlin 1909

Houben, Hans Hubert: Georg Büchner. In: Frankfurter Zeitung vom 7. Juni 1918 (Erstveröffentlichung des Briefes Nr. 32 an Sauerländer)

Kaukoreit Kaukoreit, Volker: Der »Geburtstag des Königs« und die Republikaner. Eine Anmerkung zu Büchners Brief vom 5. Mai 1835 mit Vorüberlegungen zum Briefkommentar. In: Georg Büchner Jahrbuch 5 (1985), S. 316–319

Lehmann/Mayer Lehmann, Werner R. und Thomas Michael Mayer: Ein unbekannter Brief Georg Büchners. Mit biographischen Miszellen aus dem Nachlaß der Gebrüder Stoeber. In: Euphorion 70 (1976), S. 175–186

Lorenz, Frieder: Gedanken bei einem unbekannten Brief Georg Büchners. In: Maske und Kothurn 10 (1964), S. 532–537

Marburger Denkschrift (s. zu *Forschungsberichte, Sammelwerke und Kommentare*)

Mayer, Argumentationslist Mayer, Thomas Michael: »Wegen mir könnt ihr ganz ruhig sein ...«. Die Argumentationslist in Georg Büchners Briefen an die Eltern. In: Georg Büchner Jahrbuch 2 (1982), S. 249–280

Mayer, Thomas Michael: Ein Brief Adolph Stöbers an Georg Büchner. In: Georg Büchner Jahrbuch 1 (1981), S. 190f.

Meier, Ästhetik Meier, Albert: Brief Büchners an die Eltern vom 28. Juli 1835 aus Straßburg. In: Meier, Ästhetik (s. zu Allgemeines zu Leben und Werk), S. 92–96

Wissing-Nielsen, V.: Zur Datierung eines Büchner-Briefes (»Fatalismus-Brief«). In: Orbis Litterarum 12 (1957), S. 104–106

Ziegler Trump, Elisabeth: The Elitist Revolutionary: Georg Büchner in his letters. Phil. Diss. Columbia University 1979

Zimmermann, Erich: Zwei neue Büchner-Dokumente. In: Archiv für hessische Geschichte und Altertumskunde. N. F. Band 38 (1980), S. 381–384 (Erstveröffentlichung des Briefes Nr. 3 von Adolph Stoeber an Büchner)

Dokumente

Bergemann Georg Büchner: Werke und Briefe: Hg. von Fritz Bergemann, München [9]1974 (nach der 9., berichtigten Auflage 1962)

Franzos Franzos, Karl Emil: Georg Büchner's Sämmtliche Werke und handschriftlicher Nachlaß. Erste kritische Gesammt-Ausgabe. Mit Portrait des Dichters und Ansicht des Züricher Grabsteins, Frankfurt/Main 1879

Grab (s. zu Allgemeines zu Leben und Werk)

G⟨utzkow⟩, K⟨arl:⟩ Ein Kind der neuen Zeit. ⟨Nachruf auf Georg Büchner⟩. In: Frankfurter Telegraph, Nr. 42, 1837, S. 329–332; Nr. 43, 1837, S. 337–340; Nr. 44, 1837, S. 345–348

Hauschild, Büchner (s. zu Allgemeines zu Leben und Werk)

Ludwig Büchner (s. zu *Gesamt- und Sammelausgaben*)

Noellner (s. zu Der Hessische Landbote)

⟨Wilhelm Schulz:⟩ Nekrolog, in: Schweizerischer Republikaner, Nr. 17, Zürich, 28. Februar 1837, S. 71–73

Rezeption und Wirkung
(Zur Theaterrezeption vgl. die einzelnen Kommentarabschnitte)

Büchner-Preis-Reden. 1951–1971. Mit einem Vorwort von Ernst Johann, Stuttgart 1972 (Reclam UB 9332–9334)

Büchner-Preis-Reden. 1972–1983. Mit einem Vorwort von Herbert Heckmann, Stuttgart 1984 (Reclam UB 8011)

Der Georg-Büchner-Preis: Die Reden der Preisträger 1950–1962. Eingel. und hg. von Carl Zuckmayer, Heidelberg-Darmstadt 1963 (Deutsche Akademie für Sprache und Dichtung. Darmstadt. Veröffentlichungen)

Der Georg-Büchner-Preis 1951–1978. Eine Ausstellung des Deutschen Literaturarchivs Marbach und der Deutschen Akademie für Sprache und Dichtung Darmstadt, Marbach a. N. 1978

Der Georg-Büchner-Preis 1951–1987. Eine Dokumentation, München 1987

Dichter über Büchner. Hg. von Werner Schlick, Frankfurt/Main 1973 (Insel-Bücherei 968)

Emrich, Wilhelm: Georg Büchner und die moderne Literatur. In: W. E.: Polemik, Frankfurt/Main-Bonn 1968, S. 131–172

Fischer, Ludwig (Hg.): Zeitgenosse Büchner, Stuttgart 1979 (Literaturwissenschaft – Gesellschaftswissenschaft 39)

Goltschnigg, Dietmar (Hg.): Materialien zur Rezeption und Wirkungsgeschichte Georg Büchners, Kronberg/Ts. 1974 (Skripten Literaturwissenschaft 12)

Goltschnigg, Dietmar: Rezeptions- und Wirkungsgeschichte Georg Büchners, Kronberg/Ts. 1975 (Monographien Literaturwissenschaft 22)

Gundolf, Friedrich: Georg Büchner. In: Zeitschrift für die Deutschkunde 43 (1929), S. 1–12

G⟨utzkow⟩, K⟨arl:⟩ Ein Kind der neuen Zeit. ⟨Nachruf auf Georg Büchner⟩ In: Frankfurter Telegraph, Nr. 42, 1837, S. 329–332; Nr. 43, 1837, S. 337–340; Nr. 44, 1837, S. 345–348

Hauschild, Büchner (s. zu Allgemeines zu Leben und Werk)

Mayer, Thomas Michael: Der Prozeß gegen die oberhessische Demokratie 1833–1838, in 36 Bänden als Fotokopien zusammengestellt, Marburg 1973

Rosenberg, Ralph P.: Georg Büchner's Early Reception in America. In: Journal of English and German Philology 44 (1945), S. 270–273

Salvatore, Gaston: Büchners Tod. Stück, Frankfurt/Main 1972 (edition suhr-kamp 621)

Schanze, Helmut: Büchners Spätrezeption. Zum Problem des »modernen« Dramas in der zweiten Hälfte des 19. Jahrhunderts. In: Gestaltungsgeschichte und Gesellschaftsgeschichte, Literatur-, Kunst- und musikwissenschaftliche Studien. In Zusammenarbeit mit Käte Hamburger hg. von Helmut Kreutzer, Stuttgart 1969, S. 338–351

Schneider, Peter: Lenz. Eine Erzählung, Berlin 1973 (Rotbuch 104)

Streitfeld, Erwin: Mehr Licht. Bemerkungen zu Georg Büchners Frührezeption. In: Jahrbuch des Wiener Goethe-Vereins 80 (1976), S. 89–104

ZU DIESER AUSGABE

Die Münchner Ausgabe enthält das dichterische Werk und die Schriften Georg Büchners, ferner alle bekannten Briefe von und an Büchner. Auf die Wiedergabe reiner Exzerpte, der Dissertation und der beiden Victor-Hugo-Übersetzungen wurde verzichtet. Von der Studienausgabe der Werke und Briefe (1980, ³1984) unterscheidet sich die Münchner Ausgabe in Text und Kommentierung wesentlich: das Textkorpus wurde erweitert (vor allem um neu entdeckte Briefe) und anhand der ältesten Zeugen völlig neu gestaltet; im Kommentar, der auf weite Strecken neu verfaßt ist, werden die jüngsten Forschungsergebnisse berücksichtigt und textkritische Hinweise gegeben.

Generell folgen die Texte den Handschriften, soweit diese erhalten sind, sonst den Erstdrucken. Texte und Quellen wurden mit größter Zurückhaltung modernisiert: Lautstand, Getrennt- und Zusammenschreibung, Groß- und Kleinschreibung, Interpunktion sowie alle Sprach- und Stileigentümlichkeiten wurden beibehalten, auch wenn dies Inkonsequenzen zur Folge hat. Eingriffe der Herausgeber und unsichere Lesarten wurden durch spitze Klammern markiert: ⟨...⟩.

Zu einzelnen Werken sind Entstehungsstufen im Textteil abgedruckt: die Verstreuten Bruchstücke zu *Leonce und Lena* und – neben der von Werner R. Lehmann erstellten Lesefassung – die vier überlieferten Entwurfsstufen des *Woyzeck*. Die beiden voneinander abweichenden Drucke des *Hessischen Landboten* sind in Paralleldruck wiedergegeben.

Der Anhang enthält einen auf den aktuellen Forschungsstand bezogenen Kommentar mit Angaben zur Entstehungs-, Überlieferungs- und Wirkungsgeschichte sowie Sacherläuterungen und Quellen: die Gegenüberstellung ausgewählter Passagen aus *Dantons Tod* mit den von Büchner teils wörtlich übernommenen Zitaten aus historischen Beschreibungen der Französischen Revolution, den Stoeberschen Erstdruck des Oberlin-Berichtes als Hauptquelle zum *Lenz*, schließlich Passagen aus dem Clarus-Gutachten zu *Woyzeck*.

Karl Pörnbacher hat den Kommentar zu *Dantons Tod* (einen Teil der Quellensynopse hat Werner R. Lehmann zur Verfügung gestellt), zu *Leonce und Lena* (Anmerkungen unter Mitarbeit von Gerhard Schaub) sowie die einleitenden Bemerkungen des *Lenz*-Kommentars (S. 516–520) verfaßt.

Gerhard Schaub hat den Kommentar zum *Hessischen Landboten* und die Einzelanmerkungen zu *Lenz* (letztere eine überarbeitete Fassung seiner *Lenz*-Erläuterungen im Reclam Verlag, Stuttgart) verfaßt.

Hans-Joachim Simm hat die *Poetischen Miszellaneen*, die *Schriften aus der Gymnasialzeit*, *Woyzeck* und die *Probevorlesung* kommentiert sowie Zeittafel und Literaturverzeichnis erstellt.

Edda Ziegler hat den Kommentar zu den *Briefen* besorgt.

Herausgeber und Verlag danken Thomas Michael Mayer für zahlreiche Hinweise und textkritische Korrekturen. Heide Hollmer sei für die sorgfältige redaktionelle Betreuung des Bandes besonders gedankt.

Ein klassischer Reiseführer durch die Mark Brandenburg von lebendiger Aktualität

Noch heute läßt sich mit dieser vielgerühmten Edition in der Hand die Mark erwandern wie zu Fontanes Zeiten – bevor der Tourismus einer der schönsten Kulturlandschaften seinen Stempel aufdrückt. Fontane schildert in den drei Bänden das märkische Land, seine Geschichte, seine großen Geschlechter und Gestalten – liebevoll und nicht ohne die für ihn so kennzeichnende Ironie.

HanserBibliothek. Drei Bände. 3252 Seiten. Leinen.

Klassiker der deutschen Literatur

Theodor Fontane
Effi Briest

dtv klassik

Ludwig Bechstein:
Sämtliche Märchen
Mit 187 Illustrationen
von Ludwig Richter
Hrsg. v. Walter Scherf
2 Bände in Kassette
dtv 2207

Georg Büchner:
Werke und Briefe
Neuausgabe
Hrsg. und kommentiert
von Karl Pörnbacher,
Gerhard Schaub,
Hans-Joachim Simm
und Edda Ziegler
dtv 2202

Theodor Fontane:
Effi Briest
Hrsg. v. Walter Keitel u.
Helmuth Nürnberger
dtv 2117

Der Stechlin
Kommentierte Ausgabe
Herausgegeben von
Walter Keitel und
Helmuth Nürnberger
dtv 2184

H. J. Chr. v. Grimmelshausen:
Der Abenteuerliche
Simplicissimus Teutsch
Hrsg. v. Alfred Kelletat
dtv 2004

Wilhelm Hauff:
Sämtliche Märchen
dtv 2050

Gottfried Keller:
Der grüne Heinrich
(Erste Fassung)
dtv 2034

Heinrich von Kleist:
Sämtliche Erzählungen
und Anekdoten
Herausgegeben von
Helmut Sembdner
dtv 2033

Heinrich von Kleist:
Sämtliche Werke und
Briefe in zwei Bänden
Herausgegeben von
Helmut Sembdner
dtv 5925

Des Knaben Wunderhorn
Alte deutsche Lieder
Gesammelt von
L. Achim von Arnim
und Clemens Brentano
Dreibändige Gesamt-
ausgabe in Kassette
dtv 5939

Lenz, Jakob Michael Reinhold:
Werke
Dramen, Prosa, Gedichte
Aufgrund der Erstdrucke
herausgegeben und
kommentiert von
Karen Lauer
Mit einem Nachwort
von Gerhard Sauder
dtv 2296

Moritz, Karl Philipp:
Anton Reiser
Ein psychologischer
Roman
Mit den Titelkupfern
der Erstausgabe
Herausgegeben und
erläutert von
Ernst-Peter Wieckenberg
dtv 2286

Johann Gottfried Seume:
Spaziergang nach Syrakus
Vollständige Ausgabe
Herausgegeben von
Albert Meier
dtv 2149

Georg Trakl:
Das dichterische Werk
Hrsg. v. Walther Killy
und Hans Szklenar
dtv 2163

Klassiker der englischen und amerikanischen Literatur

Jonathan Swift
Gullivers Reisen
Mit Illustrationen von Grandville

dtv klassik

William Shakespeare
Die Sonette
englisch und deutsch

dtv klassik

Burton, Robert:
Anatomie der
Melancholie
Über die Allgegenwart
der Schwermut, ihre
Ursachen und Symptome
sowie die Kunst, es mit
ihr auszuhalten
Übersetzung u. Nachwort
von Ulrich Horstmann
dtv 2281

Samuel Butler:
Der Weg allen Fleisches
Roman
Aus dem Englischen
übersetzt von Helmut
Findeisen
dtv 2240

John Cleland:
Fanny Hill
(Memoirs of a Woman
of Pleasure)
Herausgegeben und
mit einem Nachwort
versehen von Peter
Wagner
dtv 2212

Edgar Allan Poe:
Detektivgeschichten
Übersetzt von Hans
Wollschläger
Mit einem Nachwort
von Ulrich Broich
dtv 2059

Faszination des
Grauens
11 Meistererzählungen
Übersetzt von Arno
Schmidt und Hans
Wollschläger
Mit einem Nachwort
von Ulrich Broich
dtv 2095

William Shakespeare:
Die Sonette
englisch und deutsch
In der ›Umdichtung‹
von Stefan George
Mit einem Nachwort
von Hubert Arbogast
dtv 2209

Adam Smith:
Der Wohlstand der
Nationen
Aus dem Englischen
übertragen und
herausgegeben von
H. C. Recktenwald
dtv 2208

Jonathan Swift:
Gullivers Reisen
Aus dem Englischen
übertragen von
Kurt Heinrich Hansen
Mit den Illustrationen
von Grandville und
einem Nachwort von
Fritz Wölcken
dtv 2236

Oscar Wilde:
Das Bildnis des
Dorian Gray
Übersetzt und mit einem
Nachwort versehen
von Siegfried Schmitz
dtv 2083

Klassiker der russischen Literatur

Alexander N. Afanasjew:
Russische Volksmärchen
2 Bände
in Kassette
dtv 5931

Fjodor M. Dostojewskij:
Der Idiot
dtv 2011

Schuld und Sühne
dtv 2024

Die Dämonen
dtv 2027

Die Brüder Karamasow
dtv 2043

Der Spieler
Aus den Aufzeichnungen eines jungen Mannes
dtv 2081

Erniedrigte und Beleidigte
dtv 2119

Arme Leute
dtv 2217

Gogol, Nikolaj:
Petersburger Novellen
Der Newskijprospekt.
Aufzeichnungen eines Wahnsinnigen.
Die Nase. Der Mantel
Mit einem Nachwort und einer Zeittafel von Jurij Murašov
dtv 2126

Iwan A. Gontscharow:
Oblomow
dtv 2076

Eine alltägliche Geschichte
Roman
Revidierte Übertragung aus dem Russischen

von Ruth Fritze-Hanschmann
Mit einem Nachwort von Peter Thiergen
dtv 2310

Michail Lermontow:
Ein Held unserer Zeit
Roman
dtv 2216

Wadim
Romanfragment
dtv 2284

Alexander S. Puschkin:
Erzählungen
dtv 2009

Leo N. Tolstoi:
Anna Karenina
dtv 2045

Krieg und Frieden
2 Bände in Kassette
dtv 59009

Klassische Autoren in dtv-Gesamtausgaben

Georg Büchner:
Werke und Briefe
Neuausgabe
Hrsg. und kommentiert
von Karl Pörnbacher,
Gerhard Schaub,
Hans-Joachim Simm
und Edda Ziegler
dtv 2202

**Johann Wolfgang
von Goethe:**
Werke
Hamburger Ausgabe
in 14 Bänden
Herausgegeben von
Erich Trunz
dtv 5986

Goethes Briefe und
Briefe an Goethe
Hamburger Ausgabe
in 6 Bänden
Herausgegeben von
Karl Robert Mandelkow
unter Mitarbeit von
Bodo Morawe
dtv 5917

**Ferdinand
Gregorovius:**
Geschichte der Stadt
Rom im Mittelalter
Vom V. bis
XVI. Jahrhundert
Vollständige Ausgabe
in 7 Bänden
Herausgegeben von
Waldemar Kampf
Mit 234 Abbildungen
dtv 5960

Sören Kierkegaard

Entweder – Oder
Teil II

dtv klassik

Heinrich von Kleist
Sämtliche
Werke und Briefe
in zwei Bänden

Herausgegeben von Helmut Sembdner

Sören Kierkegaard:
Entweder – Oder
Deutsche Übersetzung
von Heinrich Fauteck
Unter Mitwirkung von
Nils Thulstrup und
der Kopenhagener
Kierkegaard-Gesell-
schaft herausgegeben
von Hermann Diem
und Walter Rest
Zwei Bände
dtv 2194

Heinrich von Kleist:
Sämtliche Werke und
Briefe in zwei Bänden
Herausgegeben von
Helmuth Sembdner
dtv 5925

Theodor Mommsen:
Römische Geschichte
Vollständige Ausgabe
8 Bände in Kassette
dtv 5955

Friedrich Nietzsche:
Sämtliche Werke
Kritische Studien-
ausgabe in 15 Bänden
Hrsg. v. Giorgio Colli
und Mazzino Montinari
dtv/de Gruyter 5977

Sämtliche Briefe
Kritische Studien-
ausgabe in 8 Bänden
Hrsg. v. Giorgio Colli
und Mazzino Montinari
dtv/de Gruyter 5922

Georg Trakl:
Das dichterische V
Hrsg. von Walthe
und Hans Szklenar
dtv 2163